Zedlitz-Neukirch, Leopo...

Neues preussisches Adels-Lexicon

Supplement-Band

Zedlitz-Neukirch, Leopold von

Neues preussisches Adels-Lexicon

Supplement-Band

Inktank publishing, 2018

www.inktank-publishing.com

ISBN/EAN: 9783747770597

Neues
PREUSSISCHES
Adels-Lexicon
oder
genealogische und diplomatische
Nachrichten
von

den in der preussischen Monarchie ansässigen oder zu derselben in Beziehung stehenden fürstlichen, gräflichen, freiherrlichen und adeligen Häusern, mit der Angabe ihrer Abstammung, ihres Besitztbums, ihres Wappens und der aus ihnen hervorgegangenen Civil- und Militärpersonen, Helden, Gelehrten und Künstler;

bearbeitet von

einem Vereine von Gelehrten und Freunden der vaterländischen Geschichte

unter dem Vorstande des

Freiherrn *L. v. Zedlitz-Neukirch.*

Supplement-Band
oder des ganzen Werkes fünfter Band.

Leipzig, 1839.
Gebrüder Reichenbach.

Vorrede.

Wir erfüllen durch diesen Supplementband das in der Vorrede zum ersten Theile gegebene Versprechen, die in den Reihen der in unser Werk gehörenden Geschlechter und in den bereits aufgeführten Artikeln durch die Natur einer so umfangreichen Arbeit und die Verzögerung vieler Originalbeiträge entstandenen Lücken und Mängel in spätern Supplementen, so weit es möglich, zu ergänzen und zu berichtigen. Je reicher im Fortgange unseres Unternehmens die Unterstützungen aus den edelsten und besten Quellen wurden, je lebendiger von vielen Seiten die Theilnahme an der Fortbildung unseres Werkes hervortrat, und je mehr sich die trüben Quellen unserer Vorgänger läuterten, desto lebhafter fühlten wir die Nothwendigkeit, die Ergänzungen übersichtlich zusammenzustellen, Geschlechtern, welche in den ersten vier Bänden nicht aufgeführt werden konnten, nachträgliche Artikel zu widmen, seit dem Schluss unseres Werkes eingetretene Veränderungen anzugeben, mangelhafte oder nicht völlig richtige Angaben zu verbessern, die Verzweigung einzelner Geschlechter nachzuweisen, neuere Erhebungen unter den Adel der Preussischen Monarchie aufzunehmen und dergleichen mehr. Wir haben mit redlichem Eifer darnach gestrebt, den Beifall, welchen unser Lexicon des Preussischen Adels sowohl in dem Kreise, dem es zunächst sich weihte, als auch bei allen Freunden der Genealogie und der vaterländischen Geschichte fand, durch die Supplemente dankbar zu ehren, und hoffen den Besitzern des Hauptwerks einen Nachtrag gegeben zu haben, der Ihnen in mannigfaltiger Hinsicht willkommen sein wird. — Die Freunde einzelner Familien und Provinzen des Reichs werden bei einem Ueberblick des Registers erkennen, welch' eine reiche Gruppe der edelsten und verdienstvollsten Geschlechter in diesen Ergänzungen versammelt ward, und wie vielseitige specielle und interessante Angaben die Namen von Familien verheissen, aus welchen die glänzendsten Heroen des Vaterlandes hervortraten.

Diesen Freunden unseres Unternehmens, Männern, welche den Umfang und die Schwierigkeit der Arbeit zu würdigen verstehn, und die Liebe zu dem Glanz und Ruhm des preussischen Volkes auf unser Werk übertrugen, widmen wir, im Vertrauen auf ihre Achtung gegen unser Streben, auch diese Ergänzungen. Möge jedes Geschlecht, das hier neu auftritt, jeder verborgene Zweig, der hier hervorgezogen, jedes Band verwandter Familien, das hier nachgewiesen, jeder Schmuck der Väter, der hier beschrieben und gedeutet wird, jede Hervorhebung neuerer Verdienste, ihre Theilnahme an dem immer sich erneuerndem Ruhme der Väter und den Verdiensten eines jüngern Geschlechts erhöhn, das kraftvoll und glücklich dem edlen Vorbild früherer Tage nachstrebt. —

Wir haben die Ergänzungen so weit fortgeführt als in unsern Kräften stand, und ein Blick auf das Register lehrt, wie gross die Anzahl der in den Supplementen aufgeführten Familien sei; doch ist es uns selbst am wenigsten entgangen, dass die Ergänzung sich nicht vollkommen erschöpft hat. Dies wird bei einem Werke dieser Art immer eine Unmöglichkeit sein, nicht allein weil jeder Tag im Innern der Familie genealogische Verhältnisse ändert, sondern weil, auch bei der glücklichsten Stellung und dem ausdauerndsten Fleisse, doch nicht immer das gegeben werden kann, was die Achtung gegen die Familie und die Oeffentlichkeit fordert. Oft ist es hier angemessner, das Gesammelte zu grösserer Reife kommen zu lassen, als es unvollkommen an das Licht des Tages zu stellen. — Dass unsere Ergänzungen doch so reich sind, verdanken wir der schätzbaren Mitwirkung vieler hochachtbaren Freunde und Förderer des Werkes; — wir bringen ihnen noch öffentlich hier unsern Dank dar.

Die Redaction.

Abramsberg, die Herren von.

Eine aus dem Oesterreichischen nach Preussen gekommene adelige Familie. *Franz Stanislaus* v. A. starb im Jahre 1789 als Beamter zu Alt-Schottland bei Danzig. Seine Wittwe war *Charlotte* v. Bornstedt.

Achill von Stierling, die Herren von.

Dieses jetzt erloschene Geschlecht kam aus Schottland nach Deutschland. Der erste, der hier erschien, war *Walther* A. v. S., der am Hofe des Herzogs v Mecklenburg-Güstrow lebte, später dänischer Oberstlieutenant wurde und 1626 in der Schlacht bei Königslutter fiel. Sein Sohn, *Hans Albrecht* A. v. S., war herzogl Merseburgscher Hofmarschall, Geheimer Rath, Oberstallmeister und Obersteuereinnehmer. Er empfing im Jahre 1660 als Gesandter seines Herzogs beim Kaiser das Reichslehn vom Herzogthume Merseburg. Mit ihm erlosch in Deutschland sein Geschlecht, als er ohne Kinder im Jahre 1663 zu Merseburg mit Tode abging.

Achtevelt, die Herren von.

Sybert v. A., kurpfälzischer Geheimer Rath in Cleve, wurde im Jahre 1628 vom Pfalzgrafen *Wolfgang Wilhelm* mit dem Hause zum Busch beliehen. Seine Schwester, *Margarethe* v. A., hatte sich mit Gualter v. d. Stegens vermählt.

Ackenschock, die Herren von, Bd. I. S. 80.

Dietrich Ferdinand v. A., war Bürgermeister zu Stassfurt und starb am 23. Aug. 1790. Seine Wittwe, geb. v. Trotha, lebte noch im Jahre 1805.

Adametz, die Herren von, Bd. I. S. 80.

Ein Hauptmann v. A., im Heere Friedrich's II., ging im siebenjährigen Kriege zu den Oesterreichern über, seine Gemahlin, eine geb. Walther und Croneck, lebte zu Ober-Glogau.

Adeling, die Herren von.

Ein altadeliges Geschlecht in Litthauen. — *Georg Christian* v. A. war Pfandherr von Karkehlen, seine Gemahlin war *Maria* v. Brinken. Aus dieser Ehe wurde nur eine Tochter geboren, die sich am 24. Juni 1748 mit *Joh. Georg* v. Oelsen auf Altena in Litthauen vermählte.

Adlersberg, die Herren von.

Anton Ulrich Götske v. A. war königl. preuss. Minister-Resident bei der freien Stadt Frankfurt.

Adlersfeld, die Herren von, Bd. I. S. 83.

Ein Ast dieses adeligen Hauses stammt von *Franz* v. A., der 1740 das Rittergut Silberkopf bei Ratibor (jetzt denen v. Eickstedt gehörig) besass und mit *Josepha* v. Klinkowska vermählt war.

Adram, die Herren von, Bd. I. S. 83.

Die Stammgüter dieser erloschenen Familie in Mecklenburg waren im Amte Güstrow gelegen, namentlich Ziersdorf und Rochau.

Aerd (Erdt), die Freiherren von.

Ein vornehmes westphälisches Geschlecht, das im blauen Schilde einen goldenen Löwen führt, der sich verkürzt auf dem Helme wiederholt.

Aescheln (Aeschel), die Herren von.

Aus dieser adeligen Familie finden wir den *Johann Georg* v. A., der als preuss. Commissionsrath und Dechant des Stiftes St. Nicolai im Jahre 1700 starb. Er hinterliess eine Wittwe, geb. v. Friedeborn. Schon im Jahre 1692 wurde *Christian Ferdinand* v. A. Propst des Jungfrauen-Klosters zu Wolmirstädt.

Agricola, die Herren von, Bd. I. S. 85.

Dieser Familie gehörte auch *Christoph* v. A. an, der kaiserlicher wirklicher und kurbrandenburgscher Geheimer Rath und Gesandter am kaiserlichen Hofe zu Wien war. Er besass das Reichslehn Hummelstein und Neusee, war am 11. April 1589 zu Amberg geboren und starb den 1. Dec. 1654 zu Baireuth. Seine Tochter, *Anna Maria*, vermählte sich mit dem Reichsritter *Moritz Georg* Waltmann von Guttenstädten (m. s. d. Art. die Freiherren v. Grunfeld, II. Bd. S. 296). Die v. A. führten ein gespaltenes Schild, die rechte silberne Seite zeigt oben eine Krone, unten eine schwarze längliche Muschel, die linke Hälfte ist quer getheilt, im obern silbernen Felde zeigt sich ein nach der rechten Seite aufspringender gekrönter Löwe, das untere Feld wird durch ein schief gelegtes schwarz und silbernes Schach ausgefüllt. Das Schild ist mit zwei gekrönten Helmen besetzt, der rechte trägt einen verkürzten goldgekrönten Mann, der in der linken Hand die Muschel hält, der linke aber den gekrönten Löwen. Silberne und schwarze Decken. Es ist demnach ganz verschieden von dem der adeligen Familie in Schlesien. M. s. Seifert Stammtafeln gelehrter Leute, Regensburg 1717. 1. Th. 1. Tafel.

Agris, die Herren von.

Eine adelige Familie in der preuss. Rhein-Provinz. *Joseph Anton Damian* v. A. lebt zu Cynatten in dem Regierungsbezirke Aachen.

Ahnen, die Herren von, Bd. I. S. 90.

Diese Familie erlosch im Mannsstamme im Jahre 1680 mit *Martin Friedrich* v. A., auf Dazow, Götenitz u. s. w., in weiblicher Linie mit *Elisabeth* v. A., vermählte v. Güntersberg.

Ahr, die Herren von, Bd. I. S. 90.

Hans Diedrich v. A. war im Jahre 1640 Landes-Commissarius der Stände von Jülich, er hinterliess von seiner Gemahlin, *Margaretha* v. Laer, 6 Kinder. In seinem Wappenschilde führte er oben zwei Rosen und unten einen Stern.

Ahrenfeld, die Herren von.

Andreas v. A., ehem. Oberst in königl. schwedischen Diensten, lebte in Elbing, und war mit *Katharina* v. Wolde vermählt. *Maria* v. A., eine Tochter aus dieser Ehe, starb im Jahre 1659 zu Marienburg.

Alach, die Herren von.

Ehemals Alich, ein erloschenes adeliges Geschlecht, dessen Stammort das gleichnamige Dorf bei Erfurt war; vielleicht erlangte es das Patriziat von Erfurt, zur Zeit, als der Ort Alach an diese, ehemals freie, Stadt gelangte. *Heinrich* kommt „in der Chronik der Stadt Erfurth" im Jahre 1313 schon als Bürger und Rathsglied vor, *Herrmann* war daselbst 1325 Rathsmeister; *Conrad* war 1347 Rathsmeister. Wenn es erloschen, ist unbekannt.

Albada, die Herren von.

Ein erloschenes adeliges Geschlecht in den Rheinlanden.

Albe, die Herren von der, Bd. I. S. 91.

(Mit dem Zusatze Rheinströmer, vermuthlich weil sie aus der Gegend des Rheinstromes hergekommen.) Von dieser Familie ist eine genealogische Stammtafel vorhanden. Der erste, der hier vorkommt, ist *Wilhelm* v. d. A., Ritter im 22. Turniere im Jahre 1396. Einer von seinen Nachkommen, *Ludwig* v. d. A., hat im Jahre 1595 das Gut Condehnen in Besitz gehabt, und dasselbe ist auch lange Zeit bei dieser Familie geblieben. Die beiden letzten, die hier vorkommen, sind *George Friedrich* v. d. A., königl. preuss. General-Major und Amtshauptmann zu Lözen, gestorben im Jahre 1717, und dessen Sohn, *Friedrich Wilhelm* v. d. A., königl. preuss. Major und Canonicus zu Halberstadt. Das Wappen dieser Familie ist bei den Raab'schen Sammlungen, wie auch in Paul Fürsten's Wappenbuch Th. II. S. 128.

Alexwangen, die Herren von.

Ein uraltes, vornehmes, aber längst ausgegangenes Geschlecht in Preussen. Aus demselben war *Michael* v. A., im Jahre 1485 Bürgermeister in Königsberg; sein Sohn *Jacob* gelangte 1524 zu derselben Würde in Elbingen, ward aber bei einem Aufruhre der Bürger derselben verlustig. Er oder sein Sohn *Jacob* erhielt vom Markgrafen Albrecht im Jahre 1565 das Dorf Hausdorf bei Elbingen zum Lehne. — Im Jahre 1608 war *Michael* v. A., Herr auf Karschau (nachmals Domaine), Vogt zu Elbing. Sein einziger Sohn widmete sich dem Gelehrtenstande und ist wahrscheinlich der letzte Zweig seines alten Stammes gewesen. M. s. Preuss. Archiv, M. Sept. Jahrg. 1791. S. 573.

Allard, die Herren von, Bd. I. S. 91.

Diese adelige Familie stammt von einem v. Allard, Gutsbesitzer und einer von Schaumburg. Ein Sohn aus dieser Ehe, *Joachim Fried-*

1*

rich v. A., stand im Jahre 1759 als Prem.-Lieutenant in dem Reg. v. Schönfeld.

Allicki, die Herren von.

Ein adeliges polnisches Geschlecht, von welchem ein Zweig das Rittergut Ostrowite, im Kreise Mogilno (Regierungsbezirk Bromberg), besitzt.

Allnpeck (Alnbeck), die Herren von.

Dieses altadelige Geschlecht, das in Sachsen schon seit dem 13. Jahrhunderte bekannt ist und bei Freiberg grosse Güter, namentlich: Lockwitz, Nicorn (Nickern), Steinbach u. s. w. besass, war auch in der Gegend des nun preuss. Städtchens Belzig begütert, wo *Christ.* v. A. im Jahre 1719 das Gut Sandberge besass. M. s. Eiler's Belziger Chronik S. 504 – 516 und Dr. And. Möller's Nachrichten von dem Geschlechte Derer v. A. in Klotz und Grundig's Sammlung zur sächs. Geschichte II. Th. S. 185. Gauhe. I. Bd. S. 8. Eine gleichnamige adelige Familie kommt unter der pommerschen Ritterschaft vor. M. s. Micrälius Lib. VI. u. Gauhe I. Bd. S. 8.

Almesloe, die Grafen von, Bd. I. S. 96.

W a p p e n.

Ein gespaltenes Schild, in der silbernen Hälfte ein halber schwarzer Adler, im linken rothen Felde ein roth und silbergeschachteter Querbalken. Auf dem Schilde stehen drei Helme, der mittlere trägt acht kleine Fahnen, der erste oder rechte den halben Adler, der linke einen schwarzen Adlerflügel.

Altenblumen, die Herren von.

Dieses adelige Patrizier-Geschlecht stand in hohem Ansehen zu Erfurt. Dr. *Johann* v. A. Vitzthum zu Erfurt nebst seinem Sohne, *Wilhelm*, wurden im Jahre 1453 von den Herzögen von Sachsen mit Andern nach Aachen zur Schlichtung der luxemburgischen Frage geschickt.

Altenflieth, die Herren von.

Die v. A. wurden auch auf Plattdeutsch Oldenflieth oder Oldenfleth genannt. Ihr Stamm-Haus, nach hochdeutscher Mundart Altenfliess genannt, liegt in der Neumark im Friedenbergschen Kreise. In der Uckermark hat dieses Geschlecht die Güter Wilsikow, halb Züsedom, und verschiedene Antheile in Nechlin, Taschenberg und anderwärts besessen. Im Mecklenburgschen hat derselben Kreckow und Daberkow, im Amte Ribnitz, ingleichen Wolfshagen, im Amte Stargard, gehört. *Johannes* de Oldenvliet Miles wird im Jahre 1278 in einem Prenzlauschen Privilegium und 1295 in einem Boitzenburgschen Kloster-Briefe über den Ankauf des Gutes Warth als Zeuge angeführt. *Albrecht* und *Busso* v. Oldenvliet haben nach Karl's IV. Land-Buche im Jahre 1375 zu Nechlin und Taschenberg gewohnt. *Henning* v. Oldenfliet hat im Jahre 1466 sein Gut Wilsikow an Friedrich und Christoph Gebrüder Arenstorff verkauft. Der letzte dieses Geschlechts

Zacharias von Oldenflieth, Bürgermeister zu Pasewalk, ist gegen das Ende des 16. Jahrhunderts gestorben, und dessen Antheil am Gute Züsedom, als ein eröffnetes Lehn, an das Arnim'sche Geschlecht, von diesem aber an Die von Winterfeldt gekommen. M. s. Grundmann's Adelshistorie von ausgestorbenen Geschlechtern, S. 29.

Althoven, die Herren von.

Ein adeliges Geschlecht im Jülichschen. *Johann Peter* v. A. war mit *Katharina* v. Cronnenberg vermählt.

Alvensleben, die Grafen von, Bd. I. S. 103 u. f.

Diese gräfliche Familie besteht im Jahre 1838 aus folgenden Mitgliedern: *Albrecht*, Graf v. A., geb. den 23. März 1794, Erbherr auf Erxleben und Uhrsleben in der Altmark und Eichenbarleben im Herzogthume Magdeburg, königl. preuss. geheimer Staats- und Finanzminister, Mitglied des Staatsraths und Kammerherr (Sohn des am 27. Sept. 1827 verstorbenen herzogl. braunschw. Staatsministers und königl. preuss. Landtagsmarschalls der Mark Brandenburg, Grafen *August* v. A., geb. den 6. Aug. 1758).

Schwestern.

1) *Sophie*, Gräfin v. A., geb. den 1. Januar 1790, vermählt den 20. Juli 1808 mit *Friedrich Wilhelm* v. Kröcher, Herrn auf Vinzelberg, Plutowo, Glüchowo, Valenczin, Hirschfelde u. s. w., königl. preuss. Landrath.

2) *Auguste*, Gräfin v. A., geb. den 2. Januar 1791, verm. den 2. Mai 18:1 mit *Ernst Friedrich* v. Krosigk auf Nienburg, königl. preuss. General a. D.

3) *Adelheid*, Gräfin v. A., geb. den 21. Octbr. 1792, verm. den 14. Sept. 1821 mit *August Septimus* von Münchhausen, herzogl. braunschweig. Kammerherrn.

4) *Ulrike*, Gräfin v. A., geb. den 9. Juni 1806.

5) *Clara*, Gräfin v. A., geb. den 8. März 1812, verm. an Herrn von Kotzen.

Amelungen, die Herren von.

Eine ehemalige adelige Patrizier-Familie zu Erfurt, die längst erloschen ist, wenn gleich dieser Name unter andern Verhältnissen noch unter Erfurts Bewohnern fortbesteht. Sie scheint von der freiherrlichen und adeligen Familie von Amelunxen (s. I. Bd. des Preuss. Adels-Lexic. S. 109) gänzlich verschieden zu sein: das Stammhaus der Familie von Amelunxen ist die gleichnamige Ortschaft im Fürstenthume Corvey in Westphalen.

Amict, die Herren von.

Ein Edelmann dieses Namens stand im Jahre 1806 im Regimente von Mannstein in Bromberg, diente zuletzt im 3. Garnisonbataillon und starb im Jahre 1825 im Ruhestande.

Anclam, die Herren von, Bd. I. S. 114.

Die v. A. besassen ausser Stoven oder Stöven auch Berkholz und Petznick im Dramburgschen. Aus dem Hause Petznick sind zwei

Brüder, die Söhne *Hennig Ewalds* v. A. und der Charl. Margaretha v. Holzendorf aus dem Hause Mittelfelde, besonders zu erwähnen: 1) *Hans Ernst* v. A., königl. Oberst und ehemaliger Commandant des Regiments Bernburg, Ritter des Verdienstordens, hatte 6 Schlachten und 2 Belagerungen ruhmvoll beigewohnt. Er starb zu Petznick den 28. Mai 1777. Seine Gemahlin war Sophia Fried. v. Sydow, die im Jahre 1799 starb. Die Ehe war kinderlos. 2) *Hans Ewald Friedr.* v. A., königl. Oberstlieutenant im Regimente v. Stechow, starb am 6 Nov. 1773 zu Breslau ebenfalls kinderlos. M. s. Seifert's Geschichte des Reg. Bernburg. S. 239.

Andigni, die Herren von.

Dieses altadelige Geschlecht aus Frankreich wanderte zur Zeit der Religionskriege im Brandenburgischen ein, wo mehrere Mitglieder im Militair Anstellung fanden. Diese Familie führt im silbernen Schilde drei rothe Adler, und zwei braune Adler halten das Schild.

Ankum, die Herren von.

Sie stammen aus Danzig, wo ein v. A. im Jahre 1806 Commerzienrath war. Ein Lieutenant v. A. steht gegenwärtig im königl. Artillerie-Corps.

Anrippe (Anrepp), die Herren von, Bd. I. S. 126.

Die v. A. auf Normal führen im goldenen Schilde einen blauen Kamm und auf dem Helme einen goldenen und blauen Flügel. M. s. Hassen's Wappenbuch S. 88.

Appel, die Herren von.

Johann Georg v. A. auf Rotzies (Rohzies), Amtsrath, starb 1690, er war mit Henriette v. Bähr vermählt. Aus dieser Ehe lebten 4 Söhne: 1) *Carl Sigismund* v. A., der am 26. September 1728 als königl. preuss. Kriegs- und Domainenrath starb. 2) *Ludwig Christian* v. A., königl. preuss. Kammerherr und Amtshauptmann zu Dörnberg. 3) *Ludwig* v. A. und 4) *Joh. Gustav* v. A., die jung starben. Von *Karl Sigismund* war ein Sohn, *Wilhelm Karl* v. A., im Jahre 1730 königl. preuss. Kammergerichtsrath. — Mit *Karl Ferdinand* v. A., der im Jahre 1750 Unteroffícier im Regimente v. Dönhof war und später in dürftigen Umständen in Berlin starb, verschwinden die Mitglieder dieser Familie. Das Familiengut Rohzies hatte *Karl Sigismund* v. A. schon im Jahre 1724 an die v. Einsiedel verkauft. Diese Familie wird zum sächsischen Adel gerechnet. Siebmann giebt das Wappen derselben S. 142, v. Meding beschreibt das einer braunschweigschen Familie v. A. im 1. Bde. No. 18.

Arco, die Grafen von, Bd. I. S. 129.

Die gräflich von Arco'sche Familie besteht im Jahre 1838 aus folgenden Mitgliedern:

1) *Karl Leopold Wilhelm Anton*, Reichsgraf auf Kopcziowitz, geb. den 5. Juni 1776, verm. am 13. Febr. 1789 mit Anna, Baronesse von Beess.

Kinder.

1) Des am 21. October 1835 verstorbenen Grafen *Friedrich Georg Karl Joseph Martin* auf Schomberg (geb. den 11. Nov. 1798) Wittwe: Henriette, Baronesse von Durant, verm. den 10. Oct. 1827.

2) *Heinrich Georg Karl Joseph Leonhard* in Gotschdorf, troppaner Kreises in österreich. Schlesien, geb. am 6. Nov. 1800, verm. den 3. Nov. 1825 mit Antonie, Gräfin Strachwitz, geb. den 13. Febr. 1808.

Kinder.

1) *Karl Anton August Leonhard Johann*, geb. den 29. Aug. 1826.
2) *Corinne Antonie Karoline Henriette Ludovica*, geb. den 25. Aug. 1828.
3) *Antonie Karoline Marie Henriette Atteriberta*, geb. d. 16. März 1833.

3) *Agnes Anna Josepha Karolina Raphaela*, geb. den 24. October 1802, verm. den 7. Juni 1824 mit dem königl. preuss. Ober-Regierungsrathe und General-Steuer-Inspector Joseph von Brandt zu Erfurt.

4) *Wilhelm Carl Georg Joseph Gertraut* auf Gross-Gorzitz, ratiborer Kreises in preuss. Oberschlesien, geb. den 17. März 1808, verm. am 14. März 1832 mit Charlotte von Wallhofen.

Söhne.

1) *Wilhelm Karl Felix*, geb. den 28. Juli 1833.
2) *Alexander Karl Felix Candidus*, geb. den 2. Dec. 1834.

5) *Eugen Georg Karl Joseph Cornel*, geb. den 3. Juli 1810.
6) *Ferdinand Karl Wigand*, geb. den 30. Mai 1817.

Arnim, die Grafen von, Bd. I. S. 137 u. f.

Die gräflich von Arnim'sche Familie besteht im Jahre 1838 aus folgenden Mitgliedern:

1) *Friedrich Ludwig*, Graf v. A., geb. den 24. Juli 1796, Erbherr auf Blumberg u. s. w. bei Berlin, königl. preuss. Schlosshauptmann und Rittmeister a. D., verm. den 22. Sept. 1829 mit Sophie Amalie, Fräulein v. Heister, geb. den 28. Oct. 1800.

Kinder.

1) *Antoinette Florentine Amalie Clara*, geb. den 14. Mai 1831.
2) *Georg Friedrich*, geb. den 15. Juli 1832.

2) *Adolph Heinrich*, Graf v. A., geb. den 10. April 1803, königl. preuss. Kammerherr, Domherr zu Brandenburg, Präsident der Regierung zu Aachen, Herr der Boitzenburg. und Zichow'schen Güter, verm. den 4. Aug. 1830 mit Anna Karoline, geb. den 17. Nov. 1804, Tochter des Grafen Hans Günther Werner v. d. Schulenburg.

Kinder.

1) *Freda Sophia Karoline Maria*, geb. den 24. Nov. 1831.
2) *Dietlof Friedrich Adolph*, geb. den 12. Dec. 1832.
3) *Friedrich Werner Abraham*, geb. den 5. Juli 1834.

Mutter.

Georgine Charlotte Auguste, Gräfin von Wallmoden-Gimborn, geb. den 1. Januar 1770, verm. im August 1795, Wittwe seit dem 31. Jan. 1812. (Sie war in erster Ehe mit August Jul. Otto, Freiherrn von Lichtenstein, vermählt und geschieden.)

Arnold, die Freiherren von, Bd. I. S. 141.

Johann Theodor, Freiherr v. A., Erbherr auf Meesendorf, polnisch Baudisz, Borne und Grünthal, königl. preuss. Geheimer Justizrath und Oberamts-Director, starb am 13. Februar 1758. Er ist der gelehrten Welt durch die im Jahre 1736 veranstaltete Ausgabe der k. k. Statuten Sanctionum pragmaticarum und durch seine ökonomischen Sammlungen bekannt. Er hinterliess drei Söhne. Sein Sohn *Benjamin*, Freiherr v. A., starb am 5. März im Jahre 1806 als königl. preuss. Geheimer Kriegsrath, Herr auf Meesendorf, polnisch Baudisz und Piscorsine. Er war zuerst mit Anna Helena Eleonore v. Seidlitz, und nach deren Tode mit einer Schwester derselben, Maria Dorothea Eleonore, vermählt. — *Ernst Ludwig*, Freiherr v. A., starb am 22. Sept. 1794, 84 Jahr alt, zu Freistadt. Er war mit Helene v. Lüttwitz vermählt. Am 25. Nov. 1783 ward *Johann Christian* A., natürlicher Sohn des *Heinrich Siegismund*, Freiherr v. A., auf Lessen, Laesgen und Logau, zur Erbfolge legitimirt, und in den Freiherrnstand erhoben. Das Wappen dieses Freiherrn v. A., den wir auch in unserm Artikel aufgeführt haben, ist dasselbe, welches der oben erwähnte *Benjamin* v. A. bei seiner Erhebung in den Freiherrnstand erhielt. Das Schild ist quadrirt, im 1. und 4. rothen Felde steht ein goldenes Andreaskreuz, im 2. und 3. blauen Felde der Rumpf eines Mohren im goldenen Kleide und mit einer silbernen Binde um den Kopf. Im goldenen Herzschilde steht der schwarze Adler mit einem goldenen Halbmonde auf der Brust. Dieser wiederholt sich auch auf der Krone des 1. Helmes, während auf der des 2. der Mohrenrumpf steht. Decken rechts roth und Gold, links blau und Gold.

Arnold (Spiringen), die Herren von.

Der Stammort dieses adeligen Geschlechts Spiringen liegt im Unterscharnachthal im Canton Ury. *Walther* A. v. S. war im Jahre 1257 Landammann von Ury und 1294 Stifter der Kirche in Spiringen; viele haben später die Landammanns-Würde von Ury bekleidet und mit Ehren in Rom und Neapel gedient. Im 18. Jahrhundert erhielten *Jacob Joseph* und *Franz Dominik* A. v. S., Gardehauptleute in päpstlichen Diensten, die Freiherrn-Würde. Ob diese Familie mit dem preussischen, baierischen oder dem tyroler Geschlechte verwandt gewesen, ist uns nicht bekannt. — Leu, Schweiz. Lex. I. S. 344 —345.

Arnstadt, die Herren von.

Ein adeliges Patrizier-Geschlecht zu Erfurt, dessen Vorfahren ehemals Abt-Hersfeldische Ministerialien zu Arnstadt gewesen, und daher von dieser Stadt, wo sie auch adelige Herrschaftsrechte besessen haben sollen, den Namen angenommen haben. *Werner* v. A. war schon im Jahre 1313 Bürger und Rathsglied zu Erfurt; und *Heinrich* v. A. Rathsmeister zu Erfurt. Ein anderer, *Heinrich* v. A., war im Jahre 1329 mit mehreren andern thüringischen Edelleuten Zeuge in einer Urkunde des Grafen Herrmann von Gleichen zu Gunsten des Klosters Reinhardsbrunnen, den Kauf von einigen Gütern zu Hoerselgau betreffend. Dieser *Heinrich* v. A. war im Jahre 1332 Kastellan zu Gleichen und findet sich als solcher, als Zeuge, in dem Kaufe des Schultheissen-Amtes von Ordruff auf 12 Jahre von Beringer von Maldingen. Auch kommt derselbe *H.* v. A. als Zeuge, als Kastellan von Gleichen noch in Lehnsconsensen von den Grafen Herrmann und Ernst v. Gleichen in den Jahren 1333, 1344 vor; *Ludolph* v. A. verkaufte im Jahre 1373 sein gleichisches Burglehn zu Frimar und Hattenstaedt dem Kloster Georgenthal. — Wenn das Geschlecht erloschen, ist unbekannt; es ist von dem noch lebenden adeligen Geschlechte v. Arnstaedt (s. Bd. I. S. 142—143 des Preuss. Adels-Lex.) gänzlich verschieden; des letztern Stammhaus ist der Rittersitz und das Dorf Arnstädt in der königl. preuss. Grafschaft Mansfeld.

Arnstedt, die Herren von, Bd. I. S. 142.

Hier ist besonders noch anzuführen: *Karl Anton* v. A., königl. geheimer Ober-Finanz-, Kriegs- und Domainen-Rath, Stiftshauptmann und Domherr zu Camin, der noch am Anfange dieses Jahrhunderts lebte, und früher im Besitze des Familiengutes Grossen-Werther in der Grafschaft Hohenstein war. Er war mit seiner Cousine, *Sophie Charlotte* v. A., vermählt, aus welcher Ehe zwei Söhne und vier Töchter waren. Einer dieser Söhne, *Friedrich Wilhelm* v. A., stand in dem Regimente Herzog von Braunschweig, und war im Jahre 1826 Major und Commandant des 1. Bataillons des 3. Garde-Landwehr-Regiments, nicht, wie in unserm Artikel steht, Commandant des 1. Bataillons des 3. Garde-Regiments.

Aschenbach, die Herren von, Bd. I. S. 145.

Das uralte Geschlecht dieses Namens, aus welchem *Heinrich* Aschbach im Jahre 1459 vom Kaiser Friedrich III. zum Ritter geschlagen worden war, gehörte Franken an. Sein Stammhaus Aschbach (Aspach) lag in dem ehemaligen Rittercanton Steigerwald, und ist später an die v. Pirnitz gekommen.

Aschersleben, die Herren von, Bd. I. S. 146.

Der Letzte dieses Geschlechtes war *Friedrich Wilhelm*, nach Andern *Friedrich Heinrich* v. A, der als Oberst-Lieutenant und Chef des dritten Musquetier-Bataillons des Infanterie-Regiments v. Steinwehr in Nimptsch in Schlesien am 10. Januar 1796 starb. Er war mit *Johanna Charlotte* v. Dresky vermählt und hinterliess aus dieser Ehe nur zwei Töchter. Diese Fräulein wurden nach dem Tode ihres Vaters in einen Prozess verwickelt. Es hatte nämlich einer der fünf Brüder des in unsern Artikeln erwähnten Kammerpräsidenten *Georg Wilhelm* v A., *Hans* v. A., Ritterschaftsdirector, mit einer v. Görne, die ihm ein ansehnliches Vermögen zugebracht hatte, vermählt, aus seinem Gute Klockow in der Uckermark ein Fideicommiss gemacht. Er starb im Jahre 1766, und die gedachten Fräulein traten, ihrer Meinung nach, in die Rechte ihres verstorbenen Vaters; allein eine Schwestertochter des Erblassers, *Tessina Hedwig* v. Bismark, geborene v. Plötz, machte als nächste Verwandte des Erblassers einen Prozess gegen jene Fräulein anhängig. Bei dem Tode des Fideicommissstifters, lebten noch 1) ein alter Oberst-Lieutenant und Forstmeister v. A., ferner 2) *Christian Ludwig* v. A., der als pensionirter Oberst-Lieutenant und ehemaliger Commandeur des Schöningschen Infanterie-Regimentes zu Königsberg lebte. Er hatte alle Feldzüge Friedrichs des Grossen mitgemacht, war bei Zorndorf verwundet, bei Maxen aber gefangen genommen worden, und starb, ohne Kinder zu hinterlassen, am 6. Nov. 1776 zu Königsberg in Preussen. 3) Der Kammerpräsident, m. s. o. 4) Dessen Sohn, *Friedrich Sigismund* v. A., Major und nachmals Hofmarschall; 5) *Karl Leopold* v. A. und 6) der oben erwähnte Oberst-

Lieutenant *Friedrich Wilhelm* oder *Heinrich Friedrich* v. A., die sämmtlich in der letzten Hälfte des vorigen Jahrhunderts ohne männliche Erben zu hinterlassen gestorben sind. — Die v. A. führten im rothen Schilde drei weisse Lilien auf grünen Hügeln stehend, und auf dem Helme fünf blühende weisse Lilien an grünen Stengeln.

Assig und Siegersdorf, die Freiherren, Bd. I. S. 148.

König Friedrich II. hat die Nachkommen des in unserm Artikel erwähnten *Andreas* v. A. in den Freiherrenstand erhoben.

Audorf, die Herren von, Bd. I. S. 149—50.

Von Audorf oder Autorf ist der Name einer Familie, die aus dem Lüneburgischen stammt; ihr gehörten die in unserm Artikel aufgeführten Mitglieder an. *Hans* v. A. war Senator zu Lüneburg.

Auerbach, die Herren von.

Aus diesem längst erloschenen adeligen Geschlechte sind zwei Fräulein, *Anna Dorothea* und *Agnes Maria* v. A., bekannt geworden; sie waren Conventualinnen des Stiftes Wolmirstädt. Die Letztere starb am 9. Oct. 1738 als Oberin. Diese Familie führte ein gespaltenes silbernes Schild, dessen linke Hälfte mit fünf rothen Schrägbalken belegt war. Auf dem Helme führten sie den Hals und Kopf einer Dogge.

Auerochs, die Herren von.

Von dem aus Thüringen und aus der Grafschaft Henneberg stammenden adeligen Geschlechte dieses Namens, von dem sich auch Zweige Auerochsen von Opfershausen schrieben, war ein Ast, der mit dem deutschen Orden in die nördlichen Provinzen gezogen war, in Ostpreussen begütert. Die Rittergüter Scharlack und Schatulak im Tapiauer Kreise gehörten dieser Familie. Sie kamen später an die von der Trenck. Müller, Annal. Sax. S. 185. Gauhe, I. B. S. 35 u. s. f. Biedermann, R. W. Tab. 374.

Auersberg (perg), die Fürsten und Grafen von.

Dieses fürstliche Haus gehört seinen gegenwärtigen Besitzungen nach dem österreichischen Kaiserstaate an, mittelbar aber in dieses Adelslexicon, weil es früher in Besitz der schlesischen Herzogthümer Münsterberg und Frankenstein war, und weil von der gräflichen Linie noch in der Gegenwart ein Zweig bei Neustadt im schlesischen Regierungsbezirke Oppeln begütert ist, wo namentlich Schnellendorf ein Eigenthum des gräflichen Hauses ist. Es gehört dieses Geschlecht zu den ältesten Deutschlands. Der gleichnamige Stammsitz liegt in Schwaben, ein zweiter in Krain. Die Geschlechtsreihe beginnt mit *Adolph* v. A., der um das Jahr 1060 lebte; seine Enkel kamen nach Krain und machten sich als tapfere Krieger in den Kämpfen mit den Ungläubigen bekannt. Vom Kaiser Friedrich III. erhielt das Haus im Jahre 1463 die Erbmarschallswürde von Krain und der Windischen Mark. Im Jahre 1466 starb *Engelhard* v. A., dessen Söhne, *Pankratz* und *Vollrad*, die beiden noch heute blühenden Linien des Hauses stifteten, die sämmtlich der katholischen Religion angehören. Im Jahre

1573 kam die freiherrliche Würde auf das Haus. *Dietrich*, Freiherr v. A., ein Enkel *Herbert's*, des ersten Freiherrn v. A., der 1575 auf dem Schlachtfelde gefallen war, gelangte zur gräflichen Würde, und zwar nach einigen Autoren im Jahre 1578, nach andern erhielt er am 16. September 1630 die reichsgräfliche Würde. *Johann Weickhard*, Graf v. A., oberster Hofmeister des Kaisers Ferdinand III., wurde zum Reichsfürsten erhoben, und mit den Fürstenthümern Münsterberg und Frankenstein in Schlesien belehnt, wodurch er Sitz und Stimme im schlesischen Fürstenrathe erhielt. Er war ein ausgezeichneter Staatsmann, und starb am 13. Nov. 1677 auf seinem Schlosse Seissenberg. Sein Sohn, *Franz Karl*, erbaute das neue, in der Gegenwart aber auch wieder zur Ruine gewordene Schloss vor Frankenstein, auf der Seite nach Glatz zu; er führte im Jahre 1709 den Vorsitz auf dem schlesischen Fürstentage. Sein Enkel, *Karl Joseph Anton*, verkaufte im Jahre 1791 seine schlesischen Fürstenthümer an den König v. Preussen. Seit diesem Verkauf verlor das Haus auch den herzoglichen Titel, den es von Münsterberg und Frankenstein geführt hatte; dagegen war die reichsfürstliche Würde schon am 21. December 1791 auf die ganze männliche und weibliche Nachkommenschaft des Fürsten *Karl Joseph*, der am 2. Octbr. 1800 starb, erstreckt. Nach dem Verkaufe der schlesischen Fürstenthümer besass das Haus noch die zu einem Herzogthume erhobene Grafschaft Gottschee mit den Herrschaften Seissenberg, Pöllau u. s. w. in Krain, die Grafschaft Wels in Oesterreich und die gefürstete Grafschaft Thengen; die letztere wurde am 12. Juni 1806 der badenschen Oberhoheit untergeordnet, und 1811 an den Grossherzog von Baden verkauft. Des oben erwähnten im Jahre 1800 gestorbenen Fürsten *Karl Joseph Anton* ältester Sohn war Fürst *Wilhelm*, geb. am 9 April 1749; der jüngere Fürst *Karl* wurde 1740 am 21. Oct. geboren; er war Ritter des goldenen Vliesses, k. k. Geh. Rath, Obertjägermeister und Feldmarschall-Lieutenant u. s. w., starb den 26. Dec. 1822. Nur dem gegen ihn 1805 (d. 13. Nov.) während des Einrückens der Franzosen in Wien gespielten feinen Trug Murats, welcher den zur Abbrennung der über die Donau nach Mähren führenden Taborbrücke vor Wien beauftragten *Karl*, Fürsten v. A., mit den täuschendsten Farben der Wahrheit den abgeschlossenen Waffenstillstand, das Aufhören aller Feindseligkeiten und den ohne Weiteres gleich zu unterhandelnden Frieden vorstellig machte, konnte es gelingen, einen so bewährten treuen Diener des Staates und dessen Beherrschers auf einen Augenblick in Unentschlossenheit zu versetzen, während dem nun Murat die Kriegslist gebrauchte, mit seiner Cavallerie über die Brücke zu setzen, sogleich ein ansehnliches Corps unter Lannes im Sturmschritt nachziehen zu lassen, sich zum Meister derselben zu machen, und dadurch ihre Abbrennung, sofort die Störung der Communication nach dem jenseitigen Ufer zu verhindern. — Nach Ableben des Fürsten *Wilhelm*, Herzogs von Gottschee, k. k. General-Majors am 16. Febr. 1822, folgte sein Sohn, Fürst *Wilhelm*, geb. den 5. Oct. 1782. in den fürstlichen Besitzungen, und als dieser am 24. Jan. 1827 mit Tode abging, dessen Sohn, *Karl Wilhelm Philipp*, Fürst v. A., unter mütterlicher Vormundschaft. Er übernahm am 1. März 1835 die väterlichen Herrschaften. Das fürstliche und gräfliche Haus Auersberg zerfällt gegenwärtig 1) in die ältere oder pankratische Hauptlinie, und diese wieder in die Linien zu Auersberg, in die zu Kirchberg am Wald, in die Mokritz, in die zu Schönberg, in die zu Thurn am Hart und in die gegenwärtig fürstliche Linie. 2) In die jüngere oder volkradische Linie, die wieder in die Linien zu Altschloss-Purgstall, zu Alt- und Neuschloss-Purgstall, zu Wolfpässing, in die zu Weinern, in die Augusti'sche und in die zu Waasen zerfällt. Das fürstliche

Haus besitzt ausser den schon oben genannten Stammherrschaften in Böhmen die Herrschaft Wlaschin, in Mähren die Herrschaft Czernahora, in Oesterreich die Herrschaften Losenstein und Gschwend; man schlägt die Einkünfte auf mehr als 300,000 Gulden an. Das Wappen ist mit einem Fürstenhute bedeckt und enthält einen Mittelschild und sechs Felder: der Mittelschild einen rothen gekrönten Löwen in Silber, 1 ist in die Länge getheilt, rechts ein halbschwarzer und halbrother Adler in Gold und Silber schwimmend, mit einem halben Monde auf der Brust, links ein silberner gekrönter Löwe in Roth, 2 durch einen blauen Balken quer getheilt, oben ein silberner doppelt geschwänzter Löwe in Roth, unten ein schwarzer Adler mit silbernem Monde auf der Brust in Silber, 3, und 6 ein silberner Auerochs auf grünem Hügel in Roth, 4 und 5 ein schwarzer Adler auf einer länglichen schwarzen Bank in Gold.

Gegenwärtig besteht das Haus aus folgenden Mitgliedern.

a) Die fürstliche Linie

(ein jüngerer Ast der pankratischen Hauptlinie).

Fürst: *Karl* (Wilh. Philipp), geb. den 1. März 1814, Obrist-Erblandkämmerer und Oberst-Erblandmarschall in Krain und der windischen Mark, folgt seinem Vater, *Wilhelm*, den 24. Jan. 1827 unter mütterlicher Vormundschaft; übernimmt seine Herrschaften selbst den 1. März 1835.

Geschwister.

a) *Aglaja* (Leopoldine Sophie Marie), geb. den 26. Januar 1812. b) *Wilhelmine* (Franz. Charl.), geb den 2. April 1813. c) *Alexander* (Wilh. Theod.), geb. den 15. April 1818. d) *Adolph* (Wilh. Daniel), geb. den 21. Juli 1821.

Mutter.

Friederike (Louise Wilh. Henr.), Freiin von Lenthe, geb. den 13. Febr. 1791, Wittwe von Fürst *Wilhelm* den 24. Jan. 1827.

Vaters Geschwister.

1) *Sophie* (Regine), geb. den 7. Sept. 1780, verw. Gräfin Choteck. 2) *Karl*, geb. den 17. Aug 1784, österr. Kämmerer, General-Major und Brigadier zu Prag, verm. den 15. Febr. 1810 mit *Auguste* (Eleon. Elisabeth Antonie) Freiin v. Lenthe, geb. den 12. Jan. 1790.

Kinder.

a) *Sophie* (Karoline Marie), geb. den 8. Jan. 1811. b) *Aloysie* (Helena Camilla), geb. den 17. April 1812. c) *Karl* (Romanus), geb. 10. Oct. 1813. d) *Henriette* (Wilhelmine), geb. den 23. Juni 1815, verm. den 11. Jan. 1835 mit dem Prinzen *Ludwig* v. Hohenlohe-Bartenstein-Jaxtberg. e) *Friederike* (Maria), geb. den 19. Decbr. 1820. f) *Ernestine*, geb. den 28. April 1822. g) *Marie* (Juliane), geb. den 12. April 1827.

3) *Vincenz*, geb. den 9. Juni 1790, gest. den 16. Febr. 1812, verm. den 23. Septbr. 1811 mit *Gabriele* (Marie), Prinzessin v. Lobkowitz, geb. den 22. Juli 1793.

Sohn.

Vincenz (Karl Joseph), geb. den 15. Juli 1812, Oberst-Erblandmarschall in Tyrol.

Grossmutter.

Leopoldine (Franziska), Gräfin Waldstein, geb. den 8. August 1761, Wittwe den 16. März 1822.

Des Grossvaters Bruder.

Vincenz, geb. den 31. Aug. 1763, gest. 1833, verm. den 22. Mai 1805 mit *Luise*, Gräfin von Clam-Gallas, geb. den 8. Octbr. 1774, gest. 1831.

Kinder.

a) *Karoline* (Johanne Marie), geb. den 6. Mai 1809. b) *Mathilde* (Aloysie Joh. Marie), geb. den 30. März 1811. c) *Vincenz* (Christ. Fried. Joh.), geb. den 11. Aug. 1813, österr. Lieut. bei König v. Würtemberg Husaren Nro. 6.

Des Urgrossvaters Halbbruder.

Graf *Franz* (Xaver), geb. den 19. Juni 1749, gest. den 8. Jan. 1808, verm. den 12. April 1803 mit *Isabelle*, verwittw. Gräfin Lazansky und geborenen Gräfin Kaunitz, geb. den 17. Jan. 1777.

Kinder.

1) *Franz* (Xaver Adolph), geb. den 9. Febr. 1804, k. k. Kämmerer, verm. den 9. Febr. 1828 mit *Marie* (Therese), Freiin von Scheibler, geb. den 12. Aug. 1811. Davon:

a) *Franziska*, geb. den 13. April 1831. b) *Franz* (Xaver), geb. den 25 Jan. 1834.

2) *Marie* (Eleonore Isabelle), geb. den 27. März 1806, verm. Freifrau von Delin.

b) Die gräfliche Linie.

1) Linie zu Auersberg

(gestiftet von Wolfgang Engelbert, starb 1696).

Des am 11. Aug. 1833 verstorbenen Grafen *Johann* Weikard Auersberg, Freiherrn v. Schönberg, geb. den 21. März 1773, k. k. Kämm., Herrn der Herrschaften Auersberg, Nadlischeck und Sonneg, Erblandmarschall und Erblandkämmerer in Krain und der windischen Mark, Wittwe:

Maria (Therese), Gräfin Auersberg zu Thurn am Hart, geb. den 22. Oct. 1781, StkrD., verm. den 26. Juli 1804.

Kinder.

1) *Marie* (Beatrix), geb. den 18. Mai 1806. 2) *Pauline*, geb. den 3. Sept. 1808. 3) *Cäcilie*, geb. den 2. April 1810. 4) *Joseph*, geb. den 15. März 1812. 5) *Franzisca*, geb. den 4. Febr. 1814. 6) *Reichard*, geb. den 10. Febr. 1817. 7) *Wilhelmine*, geb. 1819.

Geschwister.

1) *Johann* (Benedict), geb. den 2. Septbr. 1775, k. k. Kämmerer. 2) *Vincenzia*, geb. den 20. April 1782, verm. den 26. Octbr. 1803 mit *Sigmund* Ritter Gandin v. Lilienstein, k. k. Appellationsrath in Kärnthen. 3) *Cajetana*, geb. den 29. Juni 1784, verm. den 2. Juli 1807 mit *Karl* v. Rheder. 4) *Maria* (Aloysie), geb. den 15. Oct. 1786.

2) Linie zu Kirchberg am Wald.

Graf *Carl* (Heinrich), geb. den 3. März 1790, Herr zu Kirchberg am Wald in Steiermark, Postmeister in Karlsdorf.

Bruder.

Albert, geb. den 25. Mai 1798, k. k. Oberlieutenant bei Hessen-Homburg Infanterie Nro. 19.

3) Linie zu Mokritz.

Graf *Nicolaus* (Franz), geb. den 10. Jan. 1791, Herr der Herrschaften Mokritz und Tschadesch in Krain, k. k. Kämmerer, verm. mit *Aloise*, Freiin Haller v. Hallerstein, St.Kr.D.

Kinder.

1) *Gustav* (Franz Victor Nicolaus, geb 1815, k. k. Lieutenant bei Nugent Infanterie Nro. 30. 2) *Emilie*, geb. 1818. 3) *Hermine*, geb. 1820. 4) *Hugo* (Nicolaus Albertus), geb. 1822.

4) Linie zu Schönberg.

Graf *Karl* (Joseph), geb. den 17. März 1773, Sohn des 1811 verstorbenen Grafen *Johann* (Nepomuk Joseph), Herr der Herrschaften Schönberg, Kreuz, Oberstein-Landpreiss, Reisenstein, Lichtenwald, Rossinau und Sczambor, k. k. Kämmerer, verm. den 23. Jan. 1836 mit *Franziska*, Freiin v. Henneberg-Spiegel.

Schwester.

Marie (Josephe), geb. den 3. Febr. 1780, verm. mit *Pius* Grafen Stubenberg, k. k. Kämmerer; Wittwe seit dem 13. Sept. 1824.

5) Linie zu Thurn am Hart.

Graf *Anton* (Alexander), geb. den 11. April 1806, Sohn des am 8. Febr. 1818 verstorbenen Grafen *Maria* (Alexander Karl), Herr der Herrschaften Thurn am Hart und Gurkfeld in Krain. Als glücklicher Dichter unter dem Namen Anastasius Grün auf das Rühmlichste bekannt.

Geschwister.

1) *Theresia*, geb. den 5. April 1809. 2) *Anne* (Marie), geb. den 9. Juli 1812. 3) *Sophie*, geb. den 6. Oct. 1814.

Mutter.

Cäcilie, geb. Freiin Billichgrätz, geb. den 7. März 1786, Wittwe seit dem 8. Febr. 1818, verm. 2) den 21. Febr. 1819 mit *Leopold*, Freiherrn v. Lichtenberg-Janeschütz, k. k. Kämmerer.

Vaters-Geschwister.

1) *Reichard*, geb. den 23. August 1773, Herr von Grossdorf und Teutschdorf in Krain, verm. mit *Katharina* Eisel.

Kinder.

a) *Maria* (Beatrix), geb. den 9. April 1808, verm. 1827 mit *Johann* (Pavich) von Pfauenthal. b) *Franz* (Xaver), geb. den 24. Oct. 1809. 3) *Katharina*, geb. 1814.

2) *Maria* (Therese), geb. den 22. Oct. 1781, verm. den 26. Juli 1804 mit *Johann* (Weikard) Grafen Auersberg, Wittwe seit dem 11. Aug. 1833.

b) Die fürstliche Linie.
(M. s. o.)

Die Augustinische Linie.

1) Linie vormals zu Altschloss-Purgstall.

Graf *Leopold*, geb. 1791, k. k. Hauptmann i. d. A., Administrator des Judenburger Postamtes.

Bruder.

Wolfgang (Engelbert), geb. 1793, k. k. Hauptmann beim Ingenieur-Corps.

Mutter.

Therese, geb. v. Köber, Wittwe seit dem 24. April 1794 vom Grafen *Wolfgang* (Aug. Friedrich Xaver).

Vaters-Schwester.

Christine, geb. den 19. Febr. 1757.

2) Linie zu Alt- und Neuschloss-Purgstall.

Graf *Joachim* (Joseph), geb. den 15. April 1795, Sohn des verstorbenen Grafen *Joseph* (Karl) und der den 1. März 1836 verstorbenen Gräfin *Walburge* v. Breda, Herr der Herrschaften Ehrenegg und Frankenhammer in Böhmen.

Brüder.

1) *Alois*, geb. 1797, k. k. Kämmerer. 2) *Albert*, geb. 1799.

3) Linie zu Wolfpässing.

Graf *Johann* (Baptist Heinrich Maximil. Joseph), geb. den 26. Dec. 1769, k. k. Kämmerer, verm. 1818 mit *Sophie* Gräfin Stockhammer.

Geschwister.

1) *Maria* (Anna Walpurge), geb. den 28. Juli 1768, Stiftsregentin des savoy'schen Damenstifts zu Wien. 2) *Maximilian* (Anton Carl), geb. den 21. Jan. 1771, k. k. Kämmerer, Geheimerrath, Feldmarschall-Lieutenant und commandirender General im Banate, Inhaber des 5. Cuirassier-Regiments, Besitzer der Herrschaften Wolfpässing, Perwarth, Reinsperg, Steinenkirchen am Forst und Amt Mazendorf. 3) *Franz* (Seraphin), geb. den 9. Octbr. 1774, k. k. Kämmerer und Oberst. 4) *Johanne* (Marie Antonie), geb. den 24. Aug. 1778, verm. mit dem Freiherrn Jacquinot, k. franz. General-Lieutenant. 5) *Marie* (Octavie Jos. Walpurge), geb. den 20. Febr. 1783.

4) Linie.

Graf *August*, geb. den 26. Juni 1812, Erbkämmerer und Erbmarschall in Krain und der windischen Mark, Herr der Herrschaften Neu- und Altschloss-Purgstall, Sohn des am 17. Novbr. 1835 verstorbenen Grafen *August* (geb. den 9. Januar 1769).

Geschwister

a) erster Ehe des Vaters mit Gräfin *Antonie* Auersberg (gestorben den 29. Sept. 1805).

1) *Maria* (Anne), geb. den 14. Aug. 1795, verm. den 20. Mai 1819 mit dem Freiherrn Izdenczy-Monostor.

b) zweiter Ehe mit *Sophie* Freiin Strauch (gestorben den 19. Septbr. 1831).

2) *Isabelle*, geb. den 24. Juli 1813. 3) *Sophie*, geb. den 10 Nov. 1815, verm. den 7. Juli 1834 mit dem Freiherrn *Otto* von Schönau-Wehr.

Geschwister.

1) *Maria* (Franzisca), geb. den 2. April 1772, verm. I) mit dem Grafen *Heinrich* Khevenhüller; II) mit dem Freiherrn Sommerau; Wittwe seit dem 25. März 1817. 2) *Karoline*, geb. den 10. Oct. 1777, Wittwe des Freiherrn *Anton* v. Eiselsberg seit dem 21. Jan. 1823. 3) *Wilhelmine* (Josephe), geb. den 13. Decbr. 1778, Assistentin des Damenstiftes zu Prag. 4) *Karl* (Joseph), geb. den 20. Aug. 1783, k. k. Kämmerer, Generalmajor und Brigadier, verm. den 26. Juni 1810 mit *Henriette* Freiin v. Berreczko, geb. 1795.

Töchter.

1) *Marie* (Josephe), geb. den 9. Nov. 1811. 2) *Mariane* (Franzisca), geb. den 9. August 1815. 3) *Eugenie*, geb. den 2. März 1819. 4) *Henriette Sophie*, geb. den 27. Nov. 1820.

5) Linie zu Weinern.

Ernst (Johann Nepomuk), geb. 1776, Herr der Herrschaft Weinern, Sohn des am 3. October 1795 verstorbenen Grafen *Wolfgang* (Christian).

Geschwister.

1) *Karl* (Joseph Julius), geb. 1777. 2) *Antonie* (Auguste), geb. 1779.

6) Linie zu Waasen.

Franz (Xaver), geb. den 20. Febr. 1784.

Schwester.

Josephe, geb. den 4. April 1788.

Unter den verstorbenen Mitgliedern dieses Hauses verdient noch der besonderen Aufführung *Joseph*, Graf v. Auersberg, geb. zu Prag den 26. Febr. 1767, gest. zu Brünn den 29. Mai 1829 als Geheimerrath, Oberst-Landeskämmerer in Mähren und Präsident des mährisch-schlesischen Appellationsgerichtes und Mitglied vieler gelehrten Gesellschaften. Er leuchtete als ein Stern erster Grösse auf seinem hohen Justizposten und nicht minder als ein unermüdlicher Beförderer der Wissenschaften. Die Literatur der Gesetzgebung hat er durch mehrere vortreffliche selbstständige Schriften und Werke, so wie durch mehrere gehaltreiche Aufsätze in Meissners Zeitschrift „Apollo" bereichert.

Augest, die Herren von.

Diese Familie schrieb sich auch Ottoleck v. A. In Schlesien kommt ein *Erasmus* O. v. A. vor, der mit *Helena Susanna* v. Hörnig aus Mark-Lissa vermählt war; sie starb 1692, und liegt zu St. Elisabeth in Breslau begraben. In Preussen war eine gleichnamige Familie begütert; hier kommt *Johann Wilhelm* O. v. A. vor, der kurbrandenburgischer Major war, und das Gut Brossoven bei Sehesten in Preussen besass; er hinterliess zwei Söhne, *Georg Wilhelm* und *Johann Fabian*.

Aulack, die Herren von, Bd. I. S. 153.

Diese Familie besass in Preussen in der Mitte des vorigen Jahrhunderts die Güter Warglitten und Plateinen im Amte Hohenstein.

Aulick, die Herren von, Bd. I. S. 153.

Wappen: im blauen Schilde eine Krone, aus welcher ein Edelhirsch hervorspringt.

Ausin, die Herren von.

Im königl. preuss. Staatsdienste stand bis 1805 der Geheime Rath, Kreisdirector und Präsident der Stadt Erlangen, v. A.

Aussem, die Herren von, Bd. I. S. 154.

Wirich v. A. kommt 1391, *Herrmann* v. A. 1406 und *Heinrich* v. A. 1414 als Bürgermeister der Stadt Köln vor. *Andreas* v. A. war Herr auf Oberaussen. *Anton* v. A. starb 1713 als kaiserl. Hofkriegszahlmeister. *Heinrich* v. A. war Commerzienrath und Aeltester der lutherischen Gemeinde in Köln; er starb 1725. *Johann Conrad* v. A. war 1760 kaiserl. Oberst und nachmals Commandant von Neuheisel in Ungarn. Aus der Ehe des oben erwähnten *Heinrich* v. A., Commerzienraths, und der Tochter des *Arnold* Dankers, holländischen Residenten in Köln, lebten fünf Söhne, von welchen *Arnold* königl. preuss. Geh. Rath und Director in Breslau wurde; er war mit *Eleonore* v. Beck vermählt und hatte vier Kinder.

d'Auxy, Graf von.

Gegenwärtig lebt *Waton* Graf d'Auxy, Herr v. Lonzen im Kreise Eupen.

Avans, die Herren von.

Anna Franziska Freifrau v. A. und Lonchin, wurde am 13. Dec. 1775 zur Aebtissin des unmittelbaren Reichsstiftes Burtscheid bei Aachen erwählt

Averdik, die Herren von.

Friedrich Detlew Gustav v. A., königl. preuss. Oberamts-Regierungs- und Consistorial-Director, starb im Jahre 1753 zu Oppeln. Er hatte mit Johanna Juliane, Freiin v. Arnold, in kinderloser Ehe gelebt.

Aweide, die Herren von, Bd. I. S. 155.

Ein Ast dieses Geschlechts führte den Namen Schürlein v. Aweide. *Friedrich* v. Schürlein, Herr auf Mollenen in Preussen, stammte aus einem vom Kaiser Rudolph II. geadelten Geschlechte; sein Adel wurde im Jahre 1660 vom Könige von Polen und den 7. Decbr. 1663 vom Kurfürsten von Brandenburg durch Diplome anerkannt. Diese Familie führt ein getheiltes, oben blaues, unten goldenes Schild. Im blauen Felde steht ein goldener nach der rechten Seite gekehrter Löwe, in dem goldenen Felde aber sind drei blaue Strassen angebracht, auf dem Helme steht der Löwe verkürzt.

Aweiden und Speichersdorf.

Dieser Linie des Hauses gehört der in unserm Artikel erwähnte Oberst, der beim Jäger-Regimente stand, an, er hiess *Wilhelm Ludwig* v. A. und besass das Gut Pollwitten bei Medenau.

Axleben, die Herren von.

Das adelige Geschlecht von A. hat von einem unweit Hadersleben in Holstein und Schleswigschen gelegenen, und von dem Könige Waldemar I., zerstörten Schlosse, den Namen bekommen. Bereits im Jahre 1309 hat einer von A. mit dem Beinamen Magnus, dem Kaiser Heinrich III. wider die Ungarn gedient, und wegen seiner Verdienste den Grafenstand erlangt. Dessen Sohn, *Magnus*, soll nachmals mit des genannten Kaisers Tochter, Sophia, an des Königs oder Grossherzogs in Polen Wladislaus I. Hof gekommen sein, und die Stelle eines Statthalters, in Schlesien Landeshauptmann, welche Würde sein Sohn, *Hans* v. A., im Jahre 1474, sodann dessen Sohn, *Christoph*, 1504 und *Nicolas* 1509 erhielt, bekleidet haben. *Christoph* v. A. auf Kaltwasser, war des schlesischen Herzogs Friedrich II. zu Liegnitz und Brieg Rath, und des liegnitzischen Fürstenthums Landeshauptmann 1522. *Heinrich* v. A. ebenfalls 1559 Landeshauptmann. *Sebastian* v. A. 1568 fürstlicher Hofrichter zu Wintzig im wohlauschen Fürstenthume. *Sebastian* v. A. auf Grentschin ist 1584 Hofrichter des wohlauschen Weichbildes gewesen. *Bernhard* v. A. auf Langenwaldau (welcher von dem schlesischen Ritterrechte geschrieben) ist 1590 Hofrichter vom liegnitzischen Fürstenthume gewesen. *Balthasar* v. A. auf Kreisicht, war 1592 des Herzogs Joachim Friedrich's von Liegnitz und Brieg Regierungsrath des briegschen Fürstenthums. *Melchior* v. A. war 1595 bei dem Herzoge zu Liegnitz Hofjunker, und *Hans George* v. A. Landesältester im goldbergischen Weichbilde.

Zu Anfange des 18. Jahrhunderts besass die von A. Familie im liegnitzischen Fürstenthume die Güter Ober- und Mittellobendau, Giersdorf und Millsch; am Anfange des 19. Jahrhunderts waren einige Brüder v. A. Besitzer der Güter Liebchen, Thomaswaldau, Adelsdorf u. s. w. Diese Besitzungen sind aber jetzt grösstentheils in fremden Händen. Das Wappen dieser Familie beschreibt Friedrich Lucä in seinen schlesischen Denkwürdigkeiten, es besteht in einem weissen Schilde, worinnen drei schwarz gezeichnete Säge-Eisen, auf dem Helme eine gelbe Krone, die Blätter grün, die Blumen gelb, der Helm schwarz und weiss. M. s. Bunzlauer Monatsschrift vom Jahre 1776 S. 90.

Ayx, die Freiherren von, Bd. I. S. 156.

Die Mitglieder dieser freiherrlichen Familie in der Rheinprovinz sind *Karl Heinrich*, *Leopold Joseph*, *Anton Maria* v. A., Steuer-Controlleur zu Rheinbach im Regierungsbezirke Köln und dessen Söhne *Max Friedrich* und *Carl Otto August*. Zu Potsdam lebt der Geheime Rechnungsrevisor v. A. M. s. auch den Artikel die Grafen v. Seyssel d'Ayx.

Backhof, die Herren von, Bd. I. S. 159.

Die v. B. stammen aus Schweden und haben sich im Anhaltischen, wo *Rudolph* v. B. im 17. Jahrhundert erschien, ansässig gemacht. Der in unserm Artikel erwähnte General-Lieutenant *Carl August* v. B.

starb am 4. Aug. 1807. Er hatte alle Kriege Friedrich's II. mitgemacht, ohne jemals verwundet worden zu sein. Er hatte eine Schwester *Fried. Leopoldine* v. B., die Hofdame bei der Fürstin von Anhalt-Zerbst war und am 20. Nov. 1794 zu Coswig starb — und hinterliess eine Tochter, *Charlotte* v. B., die noch gegenwärtig unvermählt in Berlin lebt.

Badendick, die Herren von.

Ein adeliges Geschlecht dieses Namens kam im 16. und 17. Jahrhundert in der Altmark vor. *Baldewin* v. B. starb im Jahre 1600. Seine Schwester war die Gemahlin des Ritter Wolf Asche v. Closter auf Wolterschlage in der Altmark.

Bärenfels, die Herren von.

Ein uralt adeliges Geschlecht der Schweiz, dessen Stammhaus gleiches Namens an der Birs, unweit Grellingen im Canton Basel, schon lange ausgegangen ist. Aus diesem fiel *Werner* v. B. mit mehreren seines Geschlechts bei Sempach im Jahre 1386 gegen Oesterreich. — Ritter *Johann* v. B. war Feldhauptmann der Baseler vor Clicourt um das Jahr 1474 und *Ernst Friedrich* v. B. ward im Jahre 1646 bischöflich Baselscher Meyer oder Major über Biel. Das Geschlecht besitzt das Schenkenamt des ehemaligen Bisthums Basel (daher auch Schenk v. B. genannt), und hat der Stadt Basel sechs Bürgermeister gegeben. Vielleicht stammt von diesem Geschlechte das v. B. in den preussischen Staaten. — M. s. Wurstein, Baselsche Chron. in B., Leu, Schweiz. Lex. I. S. 44—45. Universallexicon Basler Ausgabe u. a. m.

Bärenkreutz, die Herren von.

Ein Hauptmann v. B. stand beim Regimente Prinz Ferdinand von Preussen, und lebte später als pensionirter Major, er war mit einer Baronesse v. Schultz vermählt. Aus dieser Ehe war *Friedrich August* v. B., der im Jahre 1792 aus preussischen Diensten in schwedische Dienste ging.

Bärenstein, die Herren von.

Ein altadeliges Geschlecht, welches mit dem von Bärenfels gleichen Stammes gewesen (alias de Bärenfels) und in Meissen die Schlösser Bärenfels, Bärenstein, Bärenburg und Bärenclause erbaut, und von da nach Schlesien, Böhmen und Mähren sich verbreitet haben soll. M. s. Gauhe Adelslex. I. S. 62—65 u. s. w.

Bärwinkel, die Herren von.

Herrmann v. B., kurbrandenburgischer Oberst, wurde am 4. Aug. 1662 von dem Obersten Joseph Catzler zu Rheda im Tecklenburgischen im Zweikampfe getödtet. Er hinterliess eine Tochter, die sich mit dem Obersten v. Ohr vermählte.

2*

Bagge af Boo*), die Freiherren von.

Dieses edle normännische Geschlecht betrachtet Scandinavien als sein Vaterland, und hat im grauen Alterthume auf den dänischen Inseln seinen Ursprung gehabt. Kühn und unternehmend wie das Volk, aus welchem es entsprang, war es selbst nicht weniger vertraut mit den Stürmen des Meeres und mit dem Ruhme des Kampfes. Unter den freien Herren, die mit Wilhelm, dem Normann, England eroberten, werden auch die Bagot genannt; sie führten ein ähnliches Wappen wie die Bagge af Berga in Schweden, und wurden der Stamm der jetzigen englischen Pairs, der Barone Bagot von Blithfild in Staffordshire.

Die Bagge oder wie sie sich ehemals schrieben „Baggr" blühten früher in neun verschiedenen Linien mächtig und glänzend, in den nordischen Königreichen und zeichneten sich namentlich in Norwegen schon in ältern Zeiten durch den Besitz der höchsten Reichsämter aus. *Eric* Baggr, der im Jahre 1227 erschlagen wurde, war Jarl gewesen. Sein Urenkel, *Harald Sieverson* B., wurde im Jahre 1388 norwegischer Reichsrath und auch dessen Enkel, *Olof Knutson* B., bekleidete diese Würde gegen Ende des 15. Jahrhunderts. Letzterer war ein Grossvater des später so berühmt gewordenen Admirals gleichen Namens.

Oloff Bagge af Weelen, war einer der angesehensten Herrn des norwegischen Reichs, der sich im Jahre 1567 zu den Häuptern der Missvergnügten zählte, die, unzufrieden mit der dänischen Regierung, die Krone Norwegens Erich XIV. von Schweden anboten. *Thord Olofson* B. erschien als einer der Hauptleute Christian's II., der im Jahre 1522 die Sache des Tyrannen verliess, zur Fahne Gustav Wasa's schwor, und als Schlosshauptmann zu Wiborg starb. Mit seiner Gemahlin, Ingeborg, aus dem alten Geschlechte der Swinhufwud, hatte er jenen *Jacob* B. gezeugt, „der den grossen Zeitaltern Gustav Wasa's und Erich's XIV. angehörend, als einer der grössten Männer und auf jeden Fall als der grösste Seeheld nach dem Zuge der Wickinger in der Geschichte Schwedens erglänzt." Er war im Jahre 1499 zu Halland, einer schwedischen Provinz, geboren, und ergriff nach dem Stockholmer Blutbade zugleich mit seinem Vater die Waffen für Schwedens Freiheit. Als die nordischen Monarchen im Jahre 1541 den 14. September bei Bromsebro, der Grenze zwischen Smaland und Blekingen, persönlich zusammen trafen, erschien *Jacob* B. schon als Unteradmiral der Flotte, auf welcher Gustav Wasa dahin kam, und ward mit dem besondern Vertrauen des Königs beehrt, das Schiff zu führen, auf welchem sich die beiden königlichen Prinzen, Erich und Johann, befanden. Zum Befehlshaber in dem Kriege gegen die Smaland'schen Aufrührer gewählt, war B. nicht weniger glücklich als im Siege über die damals schon mächtigen Russen, die Finnland erobern wollten; „wobei nicht zu vergessen, dass jenes berühmt gewordene Meerlager, in dem die schwedische Kriegsflotte überwinterte, und das bei Helsingfors auf derselben Stelle errichtet ward, wo später Sweaborg als eine Schutzmauer für Finnland und als ein Zufluchtsort für die schwedische Seemacht sich erhob, einzig und allein den kraftvollen und umsichtigen Anstalten, die *Jacob* Bagge traf, zuzuschreiben bleibt." Gustav Wasa ernannte ihn in diesem Feldzuge (1555) zu

*) Alle mit einem Anführungszeichen " bemerkte Stellen sind aus der Rede in der Academie der Wissenschaften zu Stockholm, gehalten zum Ehrengedächtniss des Admiral Bagge af Boo, entlehnt.

Einem der vier Feldobersten, die an der Spitze der schwedischen Armee standen, und „legte im Verein mit B. den Grund zu der Seemacht, durch die dem schwedischen Reiche ein so unsterblicher Ruhm erwuchs." In den Gewässern von Reval begann er die glänzende Laufbahn seines kräftigen Seelebens. Erich XIV. schickte ihn im Jahre 1562 als Unteradmiral mit einer Flotte dahin, um die vorüberfahrenden Handelsfahrzeuge der Hansestädte wegzunehmen. Hierauf ward ihm im Jahre 1563 der ehrenvolle Auftrag, die Prinzessin von Hessen, die künftige Königin Schwedens, von Rostock abzuholen. Am 12. Mai begegnete er auf dem Wege dahin der dänischen Flotte bei Bornholm und ward von ihr angegriffen, die Schlacht begann, und endete mit der gänzlichen Niederlage der Dänen. *Jakob* B. nahm den Reichsmarschall Otto Krumpe und den Admiral Joachim Brockenhusen gefangen, erbeutete drei Kriegsschiffe, unter welchen auch das Admiralschiff war „und machte sich zum Herrn der Ostsee." Sein dankbarer König hielt ihm im Jahre 1563 einen Triumphzug in Stockholm, der von dem Hafen bis zum Schlosse dauerte. B. erschien dabei mit einer grossen goldenen Kette geschmückt, von seinen tapfern Seehelden umgeben, gefolgt von seinen vornehmen Gefangenen, die mit entblössten Häuptern daher schreiten mussten. Zur dauernden Erinnerung an den denkwürdigen Tag von Bornholm vermehrte der König aber noch sein Wappen, und gab ihm als Anspielung auf die drei erbeuteten Kriegsschiffe drei rothe Kartätschenkugeln im weissen Felde unterhalb des Bären (das Stammwappen der B.) und drei dänische Kronsflaggen auf demselben, welches vermehrte Wappen die Abkömmlinge jenes berühmten Seehelden noch heutigen Tages führen. Am 11. November 1563 war *Jakob* B. nicht minder glücklich gegen die dänische Flotte unter dem berühmten Peter Skram bei Oeland. Er hatte nur 18 Schiffe, Skram dagegen 33.

Nichts desto weniger blieb, nachdem der dänische Admiral Franz Bilde gefallen und sein Admiralschiff in den Grund gebohrt worden — der Kampf unentschieden. Am 31. Mai 1564 ging aber *Jakob* B., als schwedischer Reichsadmiral, vielleicht in den blutigsten Kampf, der je die Wellen der Ostsee geröthet hat. Eine Menge neuer Schiffe verstärkte seine Flotte; unter diesen befand sich der berühmt gewordene Mars, der in Calmar unter Bagge's eigner Leitung erbaut war, und der 200 aus Kupfer gegossene Kanonen führte. Das Riesenhafte seines Baues gab ihm den Beinamen „Makolös" (ohne Gleichen) und liess ihn selbst nach seinem Untergange durch folgendes alte Distichon in Ehren halten:

Sic Magelosa perit flammis et mergitur undis,
Suecica mirandae molis et artis opus.

Die dänische Flotte unter Herloef Trolles und die Lübecksche unter Friedrich Knebeck, standen ihm in doppelter Uebermacht abermals bei Oeland und Gothland gegenüber. Er hielt mehrere Tage im Gedränge der feindlichen Flotten aus, mit grenzenloser Tapferkeit und Umsicht schlug er die letzte der Schlachten — dennoch blieben die Dänen Sieger, nachdem *Jacob* B. sich zuletzt noch nur mit seinem Admiralschiffe gegen die feindliche Flotte gehalten, ward auch dieses in Brand gesteckt, und Schwedens erster Held im Triumphe nach Kopenhagen geführt. Die unerbittliche Rache, die der Natur der Nationalkriege eigen ist, fand auch zwischen Dänemark und Schweden statt. Alle nur denkbare Versuche Erich's XIV., seinen Admiral auszulösen, waren vergebens. *Jacob* B. ward als ein Unterthan von Dänemark behandelt, und verscholl zuletzt in den Tiefen des Kerkers; selbst das Jahr seines Todes blieb unbekannt. „Dänemark behielt sein

Gebein, aber es konnte den schwedischen Annalen nicht den Ruhm des Bagge'schen Namens rauben, nicht den schwedischen Kriegern und Seeleuten das glänzende Muster seines Vorbildes. So lange die stolzen Felsen von Bornholm und die fruchtbaren Küsten von Oeland und Gothland sich im Meere wieder spiegeln werden, so lange wird auch die unvergängliche Erinnerung an die glänzendste Periode der schwedischen Seemacht unter B. vor der bewundernden Nachwelt stehen."

König Karl XIV. von Schweden hatte zum Gegenstande der Denkmünze, welche die königliche Akademie der Wissenschaften zu Stockholm den 20. December 1819 prägen liess, aus der Reihe der schwedischen Helden den Admiral *Jacob* B. ausersehen. In Ermangelung eines Brustbildes zeigt die Rückseite dieser Denkmünze *Jacob* Bagge's Wappen mit umher geschriebenem Namen und Titel, die Vorderseite aber eine Victoria, stehend auf einem mit Trophäen geschmückten Schiffsschnabel, darüber die Worte: testis erit magnis virtutibus unda (seiner grossen Thaten Zeuge bleibt das Meer), unter dem Schiffe liest man: ad Bornholmiam 1563. An dem Tage, wo *Jacob* B. zu Ehren die Akademie der Wissenschaften ihre Sitzung hielt, hatte der grösste lyrische Dichter Schwedens, der Doctor Franz Michael Franzen, eine Rede verfasst, die zum Gedächtnisse des gefeierten Helden vorgelesen ward. So ehrte das dankbare Vaterland noch in den spätesten Zeiten ein unsterbliches Verdienst. Die Kenntniss des Seewesens schien eben so sehr von dem Namen der B. unzertrennlich, als in ihrer Familie erblich. Die schwedische Geschichte nennt noch *Bengt* B. und *Pehr* B., die sich als Befehlshaber der Flotten im Jahre 1567 berühmt gemacht haben. Nicht weniger erwähnt sie eines *Benedict* B., der sich als königlich schwedischer General-Gouverneur in dem polnisch-schwedischen Kriege ums Jahr 1621 ausgezeichnet hat. Auch der Stamm des alten Helden *Jacob* B. trug Zweige, die seiner nicht unwürdig waren. Mit Anna Swinhufwud hatte er zwei Söhne, *Johann* und *Jacob* B. den Jüngern. Der Erste brachte es ums Jahr 1613 bis zum Reichsadmiral, der Zweite ward 1577 Admiral, dann 1598 königlicher Statthalter in Stockholm. Der einzige Sohn von *Johann* B. und der Martha Soop, *Erich* B., wanderte nach Deutschland aus, und wurde Stammvater der verschiedenen Linien in Sachsen, Lief- und Kurland. *Jacob* B. der Jüngere hatte nur Töchter, und so erlosch mit ihm das Geschlecht der Seehelden in Schweden. Schon zu der Zeit des ältern *Jacob* B. gab es in Schweden verschiedene Zweige dieser normannischen Familie, wie z. B. die Bagge af Berga und die Bagge af Söderby. *Thord Olofson* B., der Vater des Admirals, war der Erste, der sich af Boo nach diesem im Finninge Kirchspiel belegenem Gute schrieb.

Der aus Schweden ausgewanderte *Erich* B. af Boo, vermählt mit Britta Lind, hatte nur einen Sohn, der mit Dorothea von Vietinghoff drei Söhne zeugte: *Reinhold*, *Erich* und *Karl*. *Reinhold* trat in sächsische Dienste, sein Nachkomme war der kursächsische Generalmajor *August* Freiherr v. B., der nur mit Hinterlassung seiner Wittwe, einer gebornen Reichsgräfin v. Solms-Laubach-Sonnenwalde, Stern-Kreuz-Ordens-Dame, auf seinem Gute Markersdorf in Sachsen den 17. Sept. 1800 verstarb. *Erich* liess sich in Liefland nieder, ohne aber sein Geschlecht fortzupflanzen, und *Karl* ward der Stifter der Linie in Kurland, die noch bis auf den heutigen Tag dort blüht. Er erhielt das Indigenat in diesem Lande im Jahre 1731 den 5. October und stiftete daselbst das Majorat Diensdorff. Vermählt war er mit Jacobée de Jennes de la maison de Felin aus Lothringen, Hoffräulein der Herzogin Sophia Amalie von Kurland, die ihm zwei Söhne gebar, von denen der Aeltere *Gustav Ludwig* B. af Boo ein Aeltervater des jetzigen Majoratsherrn auf Diensdorff des Maltheserritters *Wilhelm Ewald* B. af Boo ward, der Jüngere aber *Karl Ernst Baron* B. af Boo als königlicher preussischer Kammerherr, bekannt wegen seines bizarren und wunderlichen Geschmacks für die Musik, im Jahre 1791 ohne Erben zu Paris sein Leben beschloss.

Das alte Stammwappen, das die B. schon in Norwegen führten, war ein aufrecht stehender schwarzer Bär im goldenen Felde, auf dem Helme erhoben sich zwei schwarze Bärenklauen. Der König Gustav Wasa bestätigte es bei der, im Jahre 1554 gehaltenen Ritterbank, an *Jacob* B. als schwedischen Edelmann. Erich XIV. vermehrte es 1565 auf folgende sinnreiche Weise als Erinnerung an die berühmte Seeschlacht bei Bornholm: ein gold- und silbern quer getheilter Schild, in welchem oben ein heraufsteigender schwarzer Bär mit offenem Rachen erscheint, unten aber 3 rothe Kartätschen-Kugeln, 2 und 1 geordnet, liegen. Auf dem Helme ruht ein mit roth und Silber gewundener Bund, besteckt mit 3 rothen Fahnen, die oben einen goldenen Knopf tragen, deren jede mit einem über der Flagge reichenden gleichen silbernen Kreuze (als die dänische Orlogflagge) belegt ist, die 2. und 3. links wehend, dazwischen sich zwei auswärts gekehrte schwarze Bärentatzen erheben. Die Helmdecke ist roth und silbern.

Quellen. Histoire de la conquête de l'Angleterre par les Normands, par Thierry, seconde édition, Paris 1826. T. II. p. 35. — Hvitfild in fol. p. 71. in Frit. I. p. 88. — Refractor 22. Aug. 1836. — Pondoppidan's Versuch einer Historie von Norwegen, deutsch von J. A. Scheib, Kopenhagen 1754. Bd. 2. S. 531. — Debretts new Peeragge of the united Kingdom. London 1830. p. 357. — Rueh's Geschichte von Schweden, Halle 1805. Bd. 3. S. 208. 311. — Olof Celsius Geschichte Erich's XIV. S. 162—164—172—180—196—201—267 und 269. — Karamsin's Geschichte des russischen Reiches, nach der zweiten Originalausgabe übersetzt. Riga 1825. Bd. 7. p. 390—392. — Original-Attestat vom Königlichen Schwedischen Ritterhause zu Stockholm d. d. 30 Januar 1700. — Rede in der Königlichen Akademie der Wissenschaften zu Stockholm, gehalten zum Ehrengedächtniss des Admiral Jacob Bagge am 20. December 1819. — Vidimirte Stammtafel aus dem Ritterhause zu Stockholm vom 5. April 1831. — Schubert's Reise durch das südliche und östliche Schweden. 1823. Bd. I. S. 336 und 337. — Messenii theatrum nobilitatis Sueciae, das Schwedische Wappenbuch. Stockholm 1746. — Europäisch-genealogisches Handbuch auf 1800. Leipzig Bd. II. S. 24. — Histoire secrete de la cour de Berlin par le comte de Mirabeau. 1789. T. II. p. 26—43.

Balinski, die Herren von.

Diese adelige Familie war in Westpreussen und Polen begütert. *Hans* v. B. war Schatzmeister zu Marienburg und mit Barbara v. Modliboll vermählt. Die Nachkommen aus dieser Ehe besassen die Güter Jegel und Tolkwitz bei Marienwerder. M. s. Pr. Adelsarchiv Febr. 1790. S. 40. Dieser Familie Wappen steht in des Ordensrathes Hasse oft erwähntem Wappenbuche. Im blauen Schilde ein goldener, nach der rechten Seite laufender Löwe, hinter demselben werden drei rothe Säulen sichtbar. Decken rechts roth und Silber, links Silber und blau.

Ballestrem, die Grafen von, Bd. I. S. 170.

Dieses gräfliche Haus stammt aus Piemont, sein Stammschloss heisst Castel Lengo. Es liegt in der Grafschaft Casale-Montferrat.

Der erste Graf v. B., der nach Preussen kam, trat 1745 aus königl. sardinischen Diensten in die König Friedrich's II. und wurde als Rittmeister bei dem Husaren-Regimente v. Wartenberg angestellt. Er vermählte sich mit Elisabeth, Freiin v. Stechow, und machte aus den erworbenen Gütern Plawniowitz, Piscupitz, Ruda und Hammer, sämmtlich bei Gleiwitz in Oberschlesien gelegen, ein Fideicommis. In seiner Ehe wurden zwei Söhne geboren. 1) *Karl Franz*, Gr. v. B., geb. den 12. April 1750, er diente bis zum Escadron-Chef im Kuirassier-Reg. No. 12, zuletzt von Bünting und nahm 1798 seinen Abschied als Major v. d. A. Mit *Katharina*, Freiin v. Carlowitz, lebte er in kinderloser Ehe. 2) *Ludwig Karl*, Gr. v. B., geb. im Jahre 1755. Er war bis 1803 Rittmeister in dem gedachten Kuirassier-Regimente, folgte seinem Bruder im Besitze der Güter, und starb am 27. Aug. 1829. Seine Gemahlin war Jeanette v. Zülow, Tochter des Obersten v. Zülow und der Charlotte v. Schipp. Ein Sohn aus der Ehe des Grafen *Ludwig Karl* ist der gegenwärtige Fideicommis-Besitzer Graf *Konstantin* (m. s. d. Artikel). Die Grafen v. B. führen ein quadrirtes Schild mit einem Herzschildlein, im 1. und 4. Felde ist ein gekrönter schwarzer Adler, im 2. und 3. das Mauerportal vom Castel Lengo, im Herzschilde aber das Bild eines Mannes in spanischer Tracht vorgestellt. Auf der Krone des Helmes steht ein Vogel, welcher einen Pfeil im Schnabel hält. So steht dieses Wappen ohne Angabe der Tinkturen in König's genealog. Manuscript, 4. Bd.

Balvin (Baluvin), die Herren von.

Sinapius erwähnt diese Familie im II. Bde. S 511 blos mit den Worten: Die v. Baluvien auf einem Antheil v. Harbultowitz im Oppelschen. Im Jahre 1728 stand *Adam Heinrich* v. B. als Hauptmann beim Cadettencorps, 1753 war *Karl Heinrich* v. B. Herr auf Ludwigsdorf bei Oppeln, 1797 starb *Wilhelm Jaroslaw* v. B. als Major in Brieg, er war mit Louise von Schokolowitz vermählt. Noch im Jahre 1820 diente ein Officier dieses Namens in der Armee.

Balz, die Herren von.

Ein Ostpreussen angehörig gewesenes adeliges Geschlecht. Das Stammhaus desselben Balze liegt bei Osterode. *Peter* v. B. lebte im Jahre 1441, er war mit einer v. d. Oelsnitz vermählt, aus welcher Ehe ihn 4 Söhne überlebten. Doch pflanzte von ihnen nur *Samson* v. B. sein Geschlecht fort, mit dessen Urenkel *Hans* v. B. das Geschlecht erloschen sein soll. P. Archiv M. Febr. S. 110. Jahr 1790.

Bancels, die Herren von.

Im Jahre 1720 trat *Jean* v. B., einer adeligen der Religionsbedrückung wegen aus Frankreich nach Preussen geflüchteten französischen Familie angehörig, in den preussischen Kriegsdienst. Er war mit Barbara Kate v. Cisielski, Frau auf Wittichwalde bei Angerburg, vermählt. Sein Sohn, *Joachim Albrecht*, Herr auf Pomehlen und Fredenau, hat als Rittmeister bei dem Dragonerregimente v. Schorlemmer gestanden, er starb im Jahre 1792, und seiner Gemahlin Maria Adelheid v. Szegedi hinterliess er drei Töchter. Eine derselben wurde am 8. Mai 1812 Wittwe von Georg Ludwig v. Hacke auf Drautitten. Diese Familie führt oder führte im rothen Schilde drei Halbmonde. Zwei Greifen halten das Schild.

Bandelow, die Herren von.

Ein *Zabel* v. B. kommt im 14. Jahrhundert als Besitzer von Zechin, im heutigen Kreise Lebus gelegen, vor. Er verkaufte aber sein Eigenthum an das Bisthum Lebus und lebte am Hofe des Markgrafen Waldemar. Einige Ritter aus diesem Hause kommen in Karl IV. Landbuche vor, namentlich S. 166 u. 198.

Bandemer, die Herren von, Bd. I. S. 172.

v. B. auf Weitenhagen im Regierungsbezirke Cöslin erhielt im Januar 1838 den Johanniter-Orden.

Baranowski, die Herren von, Bd. I. S. 172.

Diese adelige Familie besitzt auch im Regierungsbezirke Bromberg Güter, Rzegnowo und Sobieszernie gehören namentlich diesem Hause an, der letztere Rittersitz ist das Eigenthum des Kammergerichts-Referendarius *Stanislaus Mathias Nepomuk* v. B.

Bartensleben, die Herren von, Bd. I. S. 180.

Von diesem Geschlechte, das zu den ältesten und ansehnlichsten Häusern in der Mark Brandenburg und in Niedersachsen gehörte, wo es an der Aller auf dem Schlosse Wolfsburg seinen Sitz hatte, sind uns von einem Freunde der Genealogie nachfolgende nähere Nachrichten zugekommen, die zum Theil auch der Freiherr von Krohne in seinem nicht in den Buchhandel gekommenen, auch nicht vollendeten, und daher seltenen genealogischen Werke giebt. Die Genealogen leiten dieses Geschlecht fast insgemein von Bardone her, der zu den Zeiten Karl's des Grossen den Ritterstand erworben. Von *Günzel* v. B. wird einhellig gemeldet, dass er in Heinrich's des Löwen Kriegsdiensten wider die aufrührerischen Wenden sich tapfer gehalten und daher zum Grafen von Schwerin erhoben worden sei. Er trug zur Schlacht vor Demmin, wo über dritthalb tausend Wenden blieben, nicht wenig bei. Er zog im Jahre 1170 mit Heinrich dem Löwen in das gelobte Land, und starb 1206. Er hatte vier Söhne, von welchen *Friedrich* im Jahre 1237 Bischof zu Schwerin wurde, und *Heinrich*, Graf zu Schwerin, das Geschlecht fortpflanzte. Dieser that ein Gelübde, ins gelobte Land zu ziehen. Um nun während dieses Zuges sein Land und seine Gemahlin in Sicherheit zu wissen, nahm er den Schutz des Königs Waldemar II. von Dänemark in Anspruch; allein Waldemar missbrauchte die Gastfreundschaft. Als nun der Graf von Schwerin aus dem gelobten Lande wieder zurück gekommen war, nahm er den Schein der Zufriedenheit mit König Waldemar an, begab sich zu ihm auf eine Insel (von Einigen Lytha genannt, unweit der Insel Fühnen), ritt mit ihm auf die Jagd, und täuschte also den König vollkommen durch sein Benehmen. Allein, als Waldemar eines Abends ermüdet aus einer Schlacht zurück kam, und sich in ein nicht weit von dem Hafen gelegenes Haus begab, liess Graf *Heinrich*, da alle nach reichlich genossenem Mahle und trunken vom Weine in tiefem Schlafe lagen, den König sammt seinem Sohn binden, auf sein Schiff bringen, und nach Schwerin überführen, von wo aus er ihn gefänglich nach Danneberg setzte und nicht eher losliess, bis der König ihm 45000 Mark löthiges Silber erlegte, und ausserdem harte Bedingungen einging. Von seinen Enkeln ist *Johann*, als Erzbischof zu Riga, im Jahre 1300 gestorben; Graf *Helmold* aber hat seinen Stamm bis ins dritte Glied fortgesetzt; *Otto*, genannt Rosa, der letzte Graf von Schwerin, starb im Jahre 1352. Es hatte aber obengedachter *Günzel* noch einen Bruder, *Herrmann* v. B., welcher sich im Jahre 1217 mit des letzten Grafen zu Osterburg und Altenhausen Tochter vermählt und daher diese Güter an sein Geschlecht gebracht hat. Es stammen alle v. B. von ihm ab, wie Berens Steinbergische Geneal. S. 56 lehrt.

Jacob v. B. zeugte mit Anna von Bortfeld, aus dem Hause Allerhausen, *Günthern*, welcher sich mit Dorothea von Bothmar, aus dem Hause Bothmar, vermählte; und Günzel, chur-brandenburgischer Geheimer Rath und Hauptmann der Mark zu Salzwedel und Arendsee, hinterliess. Dessen Gemahlin war Armgard von Jagau, aus dem Hause Anlosen, aus welcher Ehe *Günther*, auf Wolfsburg und Brohme, stammte, welcher im Jahre 1597 gestorben, und von seiner Gemahlin, Sophia von Veltheim, aus dem Hause Harpke, einen Sohn, *Günzel*, hatte welcher Agnes Maria von Berlepch, aus dem Hause Bodungen, heirathete und mit ihr *Günzel Joachim Friedrich*, und nach ihm *Christian Wilhelm* zeugte. Er besuchte im Jahre 1632, nebst seinem Bruder, *Johann Friedrich* v. B., Michael Herrmann von Hagen, seinem Vetter, und Christian Wilhelm von Hahn, seinem Oheim, die Universität zu Halle. Von da ging er mit diesem im Jahre 1638 nach Leipzig, und 1644 mit seinem Bruder, *Joachim Friedrich*, und seinem Vetter, *Günther* v. B., unter einem Hofmeister, Daniel Nicolai, der nachgehends J U. D. und königl. schwedischer Kanzler zu Stade wurde, auf Reisen, nach Frankreich, Flandern, Holland und der Schweiz, von welchen sie im Jahre 1646 wieder zurück kehrten. Im Jahre 1651 wurde er Hofrath beim erzbischöflichen Stifte Magdeburg und bekleidete diese Stelle zwei Jahre. Im Jahre 1664 verehelichte er sich mit *Anna* v. B. zu Wolfsburg, *Achatz* v. B. Tochter, welche am 1. Juli 1665 an den Folgen ihrer Entbindung starb. Im Jahre 1668 schloss er die zweite Ehe mit Anna Elisabeth von dem Knesebeck, Christian Franz Ernst von dem Knesebeck, Erbherrn auf Nordsteinke, Bochin und Bankam, Tochter. Mit derselben zeugte er einen Sohn, *Günzel Ernst Gottlieb*, der 1678 den 7. Februar wieder starb, und drei Töchter, *Anna Christiane*, *Maria Eleonora* und *Ehrengard Wilhelmine*. Er starb den 17. März 1647 zu Mistorff in der Altmark und wurde den 13. September zu Wolfsburg mit grossen Feierlichkeiten begraben. *Armgard* v. B., Gemahlin Werner's v. Hahn, Erbgesessenen auf Basedow und Lippe, Inhabers des Amts Seeburg, erzstiftl. Magdeburgischen Stallmeisters und herzogl. braunschweig-lüneburgischen Kammerjunkers, starb den 17. August 1666 im 72. Jahre ihres Alters. *Christoph* ward im Jahre 1642 Abt zu St. Michaelis in Lüneburg, und *Gebhard Werner*, Herr in Wolfsburg, Bisdorf, Brohme etc. lebte noch im Jahre 1729 als herzogl. braunschweigischer Geheimer Rath. Als solcher ist er im Jahre 1742 ohne männliche Erben, als der letzte seines alten Geschlechts, verstorben. Es hatte sich seine Tochter, *Anna Katharina Adelheid*, mit dem königl. preuss. General, Adolph Friedrich, Grafen von der Schulenburg, vermählt; wodurch dann das geschlossene Gericht Brohme, nebst Bisdorf, wie auch der rothe Hof bei Wolfsburg, an diese gräfliche Familie kamen.

Das adelige Gericht Wolfsburg, oder der sogenannte Wolfsburgische Werder, wozu ein Theil des Drömlinger Waldes gehört, ist als ein offen gewordenes herzogl. braunschweigisches Lehn eingezogen worden, und wird jetzt das Amt Vorsfelde genannt.

Uebrigens werden folgende Landes-Hauptleute in der Altmark Brandenburg aus diesem Geschlechte angeführt: *Günzel*, von dem wir eben geredet, im Jahre 1407; *Russo*, im Jahre 1531; und *Franz*, im Jahre 1553.

Ausser den oben schon genannten war dieses Geschlecht durch Vermählungen mit denen von Winterfeldt, Zensen, Platen, Saldern, Schwichelt, Asseburg, Oppershausen, Steinberg, Westphalen, von der Thanne, Reit-Eseln, von Eisenach, Ebeleben, Oldershausen, Wambold, Hopfgarten, Löser, Greiffenclau, Wöberlingen, Schenken von Schweinsberg, Mannsbach, Stann, Weissen und Feuerbach verwandt. M. s. auch Lucae Grafensaal. S. 630. v. Krohne I. S. 56—57. Schannat. Fuld. Lehns. S. 42. Siebmacher. 1. Th. S. 169. No. 1. v. Meding I. No. 39. II. S. 728. u. III. S. 828. Gauhe. I. S. 54. u. s. Angeli. Annal. p. 29. Pfeffinger. Hist. Brunss. T. I. p. 666. Spangenb. Adelssp. XII. Bd. Kap. 55. Hederich in Chron. Suerinens.

Barth-Barthenheim, die Grafen von, Bd. I. S. 181.

1) *Adolph Ludwig Joseph Ignaz*, Graf v. B., geb. den 23. Aug. 1782, k. k. österr. Kämmerer, ob-der-ensischer wirklicher Regierungsrath und ob-der-ensischer ständ. Ausschussrath des Herrenstandes (zu Linz), verm. den 25. Jan. 1810 mit Franziska, Gräfin v. Seldern, geb. den 9. April 1789. Stkrd.

Söhne.

1) *Adolph Karl Franz* de *Paula Johann Baptist Vincenz*, geb. den 27. Januar 1811, k. k. Kämmerer und Oberst-Lieutenant beim Prinz Miguel Infanterie-Regimente No. 39.

2) *Karl Adolph Franz* de *Paula Johann Baptist Anton Herrmann*, geb. den 18. Mai 1812, Oberst-Lieutenant bei dem k. k. österr. Kuirass'er-Regimente König von Sachsen No. 3.

3) *Otto Johann Baptist Adolph Franz* de *Paula*, geb. den 14. Juni 1818.

Bruder.

Johann Baptist Ludwig Ehrenreich, Graf v. B., geb. den 5. März 1784, k. k. Kämmerer, niederösterr. wirklicher Regierungsrath und wirkliches Mitglied der k. k. Landwirthschaftsgesellschaft in Wien, Herr der Herrschaft Deinzendorf in Niederösterreich, vermählt den 1. Juli 1824 mit Wilhelmine v. Löwenthal, geb. den 1. Juli 1802.

Bassenheim (-Waldbott), die Grafen von.

Die gräfliche Familie von W. B. besteht im Jahre 1838 aus folgenden Mitgliedern:

Hugo Philipp, Graf v. W. B., geb. den 30. Juni 1820, regierender Graf von Waldbott-Bassenheim und zu Buxheim und Heggbach, Burggraf zu Wintevrieden, Herr der Herrschaften Reiffenberg und Cransberg, Reichsrath im Königreiche Baiern, Mitglied der Kammer der Standesherren im Königreiche Würtemberg, Standesherr im Herzogthume Nassau, Erbritter des deutschen Ordens, folgte seinem Vater, *Friedrich Karl*, am 6. Mai 1830 unter Vormundschaft.

Schwester.

Isabella Felicitas Philippine, Gräfin v. W. B., geb den 30. Octbr. 1817, verm. d. 14. Mai 1835 mit dem Grafen Maximilian v. Lerchenfeld-Kösering, königl. baier. Kämmerer und ausserordentlichen Gesandten am kais. russischen Hofe.

Mutter.

Charlotte, Baronin v. Wamboldt zu Umstadt, geb. den 17. Aug. 1793, Stkrd., verm. den 9. Febr. 1809 mit dem Grafen *Friedrich Karl Rudolph* (geb. den 10. Aug. 1779); Wittwe seit dem 6. Mai 1830, wieder vermählt den 22. Febr. 1832 mit dem königl. baier. Major von Brandenstein. In der preussischen Rheinprovinz lebt von der adeligen Familie Waldbott v. Bassenheim v. Bornheim *Clemens* W. v. B. B. zu Pfaffendorf bei Köln; *Victor* und *August Wilhelm* in Bonn.

Baumbach, die Herren von.

Dieses altadelige Geschlecht gehört eigentlich den hessischen Landen an, es haben jedoch mehrere Zweige desselben auch in den preussischen Staaten domicilirt, einige auch im Heere gestanden. Im Jahre 1806 diente ein Lieutenant v. B. in dem Regimente v. Wedel zu Bielefeld, er kehrte aber nachmals in den Dienst des Kurfürsten von Hessen zurück, wo er im Jahre 1820 Kapitän zu Cassel war.

Bautz, die Herren von.

Im Jahre 1806 war ein Kapitän v. B. Chef der Invaliden-Compagnie des Regiments von Winning in Rathenow, er stand bis zum Jahre 1809 in der 3. Neumärkischen Invaliden-Compagnie und ist hochbejahrt um das Jahr 1830 gestorben.

Bechstedt, die Herren von.

Ein erloschenes adeliges Erfurter Patrizier-Geschlecht. *Konrad* war im Jahre 1313 Rathsglied daselbst; 1330 „liessen *Nicolaus* und *Wilhelm*, Gebrüder v. B., von dem edlen Herren Herrmann v. Kranichfeld, ihrem Lehnsherrn, auf eine Hufe Landes zu Lohme, so sie dem Jungfrauenkloster zu Capellendorf verkauft.“ — Ihr Stammort, das ehemalige Rittergut und noch vorhandene Dorf Bechstedt, zwischen Erfurt und Weimar im Grossherzogth. Sachsen-Weimar gelegen, gehörte früher (vor 1664) der freien Stadt und von 1664—1814 zum Fürstenthume Erfurt; die Herren v. B. wurden Bürger zu Erfurt, als ihr Stammort unter die Botmässigkeit von Erfurt kam.

Behr, die Herren von.

Es ist viel über den Ursprung dieses alten Geschlechts gefabelt worden, zu dem auch gewiss die Erzählung gehört: „dass es aus dem Stamme der Ursiner entsprungen sei.“ Eine andere Sage dagegen behauptet: „dass es mit den Fürsten von Anhalt und den Grafen von Bar Eine Wiege habe.“ Das einzig Wahre dieser Erdichtungen scheint nur der gemeinschaftliche Ursprung der Bar und Behr zu sein, indem man nicht allein an der Weser und Aller die ältesten Niederlassungsorte derselben, als Burgmänner, — Castellani — zu Bentheim findet, sondern auch weil in den frühesten Zeiten der Name „Ursus“ sowohl für die eine als für die andere gebraucht wird. Das grösste, durch Urkunden nachgewiesene Grundeigenthum der Behr, lag in der Markgrafschaft Salzwedel, und da der Kaiser Lothar den Markgraf Albrecht den Bär im Jahre 1133 mit der Nordmark belehnte, so mögen sie vielleicht ursprünglich Landsassen oder Vasallen des gedachten Markgrafen gewesen sein, und nach damaligem Gebrauche das Bild im Wappen ihres Landesherrn in ihr eignes Schild aufgenommen haben.

Der Erste dieses Namens, durch Urkunden vom Jahre 1197 erwiesen, ist *Eberhardt* B., der sich als Zeuge vom Pfalzgrafen Heinrich beim Verkaufe eines Stück Landes an das Kloster Walkenried unterzeichnete. Mushardt in seinem nobilitates Bremenses p. 86 behauptet dagegen, jedoch ohne Anführung der Quellen, dass schon im Jahre 1184 ein B. Heinrich dem Löwen gefolgt sei, als dieser, wie bekannt, Zuflucht in England suchte. Der ununterbrochene, durch Urkunden erwiesene Stammbaum, fängt aber erst mit einem *Werner* B. an, der 1259 als Ritter zugegen war, als der Bischof Gerhardt v. Verden ein geborner Graf zu Hoya, der Stadt Verden ihr eignes Recht verlieh, woraus sich entnehmen lässt, dass er entweder in der Grafschaft Hoya oder im Bisthume Verden muss besitzlich gewesen sein. Während des braunschweig-lüneburgschen Erbfolgekrieges, wo der Kaiser Karl IV. im Jahre 1371 über den Herzog Magnus mit der Kette die Reichsacht aussprach, traf auch ein gleiches Loos die Gebrüder *Ulrich* und *Werner* B., indem sie als getreue Anhänger des Landesherrn sich mit ihm zugleich dem Unwillen des Kaisers aussetzten. Sie steckten damals ihre eigne Burg Twischensee — die vielleicht an der Aller mag gestanden haben, da wo jetzt Rethem — in Brand, und überliessen sie dann dem mächtigen Feinde. *Ulrich* B., der gegen das Jahr 1443 verstorben sein soll, hatte 2 Söhne, von denen *Heinrich* mit einer von Wettberg vermählt, der Stammvater der sogenannten ältern Linie in Deutschland und Kurland, und *Johann* mit einer von Horn vermählt, der Stammvater der sogenannten jüngern in Deutschland, ward. Ein Enkel jenes *Heinrich*, *Dietrich* B., dessen Frau Anna von Münchhausen gewesen, legte den ersten Grund zu der bedeutenden Ausbreitung seines Geschlechts in Kurland, indem er durch Streitigkeiten mit dem Erzbischofe Christopher von Bremen sein Vaterland verliess, und im Jahre 1551 zu seinem Schwager Johann v. Münchhausen, Bischof von Kurland, kam, der ihm nicht allein zu Arensburg das Amt eines Stiftvoigts (advocati ecclesiae Oselensis) verlieh, sondern auch seinen ältesten Sohn *Ulrich* zum Coadjutor des Stifts Kurland ernannte. Als Johann von Münchhausen seine säcularisirten Bisthümer an Friedrich II. von Dänemark für dessen Bruder im Jahre 1559 verkaufte, ward *Dietrich* B. als königlicher Statthalter in dieselben eingesetzt. Um diese Zeit erwarb er auch, da er seine Verhältnisse im Auslande nicht aufgegeben, das Erbmarschall-Amt von Verden, für sich und seine Nachkommen. *Ulrich* B. aber, der sich als Coadjutor des Bischofs Johann der Abtretung des Stifts Kurland an den Herzog Magnus von Holstein widersetzte, verglich sich mit diesem neuen Herrn von Kurland und Oesel dahin, dass ihm für die Entsagung der Coadjutorei „das Schloss Edwahlen nebst dem Hofe Schleck in Kurland erb- und eigenthümlich eingeräumt wurden," welches Schloss noch heutigen Tages der ältesten Linie der Familie B. in Kurland gehört. Da *Ulrich* B. ohne Erben war, so trat er seinem jüngern Bruder *Johann*, mit Margarethe v. Grothuus vermählt, schon im Jahre 1562 seine Güter in Kurland ab, und dieser *Johann* ist als der nächste gemeinschaftliche Stammvater der ältern Linien in Deutschland und Kurland zu betrachten, indem erst durch seine beiden Söhne diese beiden Linien ihren Anfang genommen haben. In Folge eines Familienvertrages de dato Edwahlen den 25. Novbr. 1608 erhob er seine sämmtlichen in Deutschland wie in Kurland gelegenen Güter zu Sammt- und Stammgüter für den Mannsstamm, welchen Vertrag nach seinem Tode seine Söhne nochmals anerkannten, und sich dann in das väterliche Erbe der Art theilten, dass *Werner* und *Friedrich* die Güter in Kurland, dagegen *Dietrich* und *Johann* die Güter im Auslande erhielten. Nachdem *Friedrich* in Kurland ohne Nachkommen gestorben war, erbte *Werner* daselbst alle Familiengüter und setzte sein Geschlecht zahlreich in diesem Lande fort. Auf die Linie von *Johann* fielen dagegen alle Besitzungen seines Bruders *Dietrich*, so dass dieser zuletzt alleiniger Erbe der Güter Stellicht, Häuslingen, und der Burglehne zu Rethem und Hoya ward. Zur Vermeidung aller weitern Streitigkeiten in der Erbfolge wurde zu Ahlden am 26. Juli 1647 ein Recess zwischen den Vettern in Lüneburg und Kurland abgeschlossen, mittelst welchem „für jetzt und alle künftige Zeiten festgesetzt wurde, dass, so lange ein männlicher Nachkomme der ältern Behr'schen Linie in Deutschland vorhanden sei, demselben vorzugsweise die allhier eröffnet werdenden Güter zufallen sollten, so wie denn auch die Behr'schen Güter in Kurland der dort befindlichen Familie so lange allein zu Theil werden sollten, als dort ein männlicher Lehnserbe vorhanden sein würde. Uebrigens wollten sie vor wie nach in der Gesammtbelehnung an beiden Orten bleiben, und die in Kurland ihr Anrecht an den Expectanzen behalten, die dem weiland Grossvoigt *Dietrich* B. ertheilt worden." — — Im Jahre 1624 erhielt die Linie in Deutschland das Erbküchenmeister- und Erbschenken-Amt des Fürstenthums Lüneburg.

In der im Jahre 1634 in Kurland gehaltenen Ritterbank haben sich die „von Behr" nicht vor derselben gemeldet, geniessen aber doch durch die zur Zeit des Ordens im Lande empfangenen Güter-Belehnungen und Bekleidungen von Aemtern und Würden alle die dem Indigenats-Adel zukommenden Rechte und Vorzüge.

Sie theilen sich gegenwärtig in folgende Linien:

1) Edwahlen, das älteste Familiengut, gehörend *Adolph Werner* v. B., geb. den 29. Decbr. 1810. Er ist unvermählt und hat nur einen Bruder *Alexander*, Friedensrichter zu Goldingen. Zu dieser Hauptlinie ist die Nebenlinie von Stricken zu rechnen, welches freie Gut von Georg Werner besessen wird, der mit Julie Marie von Nolde mehrere Söhne gezeugt hat.

2) Popen und Schleek; diese Stammgüter bildeten früher verschiedene Linien, sind aber jetzt in einem Besitzer, *Karl Werner*, vereinigt. Er ist seit dem Jahre 1835 mit einer Gräfin von der Wenge, genannt Lambsdorff, vermählt.

3) Virginahlen und Ugahlen; diese Majorate erbte vom Vater und Vaterbruder, *Ernst Friedrich*, geb. 1795, dem von Justine von Grandidier mehrere Sprösslinge erblühen.

Das Wappen der Herren v. B. ist ein von der linken zur rechten Hand gehender schwarzer Bär, der die rechte vordere Tatze in die Höhe hebt, im silbernen Schilde. Auf dem Helme eine goldene Säule mit fünf Pfauenfedern; vor der Säule ein schwarzer Bär, gerade so wie im Schilde. Die Helmdecke schwarz und silbern. In alten Urkunden, z. B. vom Jahre 1323 kommt aber auch der Bär gehend, auf zwei gegitterten horizontalen über einander liegenden Balken, oder über zwei horizontal liegende Schachbrete, vor.

Bellicum, die Herren von.

Gerhard v. B. war kurbrandenburgscher Oberst und Commandant v. Friedeberg.

Beneckendorf, die Herren von.

In Preussen besass der Landschaftsrath *Johann Otto* v. B. zuerst das Gut Kaimkallen bei Heiligenbeil in Ost-Preussen, später das Stammgut des erloschenen alten Geschlechts derer v. Hindenburg-

Limbse, bei Freistadt in Westpreussen. Dieser *Johann Otto* v. B. war es auch, der im Jahre 1789 den Namen und das Wappen Derer v. Hindenburg dem seinigen mit königl. Bewilligung beifügte. Er hinterliess zwei Söhne, von denen *Heinrich* königl. preuss. General-Lieutenant d. A. ist und lange Jahre hindurch nach ausgezeichneten Diensten im Heere als Commandant in Thorn befehligte und sich in dieser Stellung die allgemeine Hochachtung erworben hatte, er ist mit einer v. Polenz aus dem Hause Langenau vermählt, aus welcher Ehe ein Sohn, *Moritz* v. B., als Lieut. im Grenad.-Reg. Kais. Alexander steht und *Ludwig* v. B. ist der von uns erwähnte Landschaftsdirector, von dem der älteste Sohn, *Otto*, Landrath im Kreise Neumark und der jüngere, *Bernhard*, Landrath im Kreise Flatow ist; ausser dem sind noch drei Söhne aus diesem Hause, einer Lieutenant im 18. Infanterie-Regimente, *Otto*, einer bei der Landwehr, *Louis*, und einer noch im väterlichen Hause. Eine Schwester des Landschaftsrathes *Johann Otto* starb im Jahre 1809 als Wittwe des General-Majors v. Besser zu Königsberg, eine andere war an den Landschafts-Director v. d. Gröben auf Gross-Klingbeck bei Brandenburg in Preussen vermählt.

Bennicke, die Herren von.

Eine ältere adelige Familie dieses Namens kommt schon in frühern Zeiten vor, mehrere Mitglieder derselben haben im preussischen Staatsdienste gestanden, sie war polnischen Ursprungs und stammte aus der Familie Bienkowsky, die zu dem alten Hause Lada in Beziehung ihres Wappens gehört. In der Schlacht bei Torgau fiel der Oberst v. B., seinem zurückgelassenen Sohne *Friedrich Wilhelm* v. B. gab Friedrich II. eine Pension zur Erziehung, er wurde im Jahre 1780 Kammergerichtsrath und starb 1793 als Regierungspräsident zu Aurich. Seine Gemahlin war Friederike v. Colomb. In Schlesien kommt im Jahre 1752 vor, *Gottfried Reinhold* v. B., er hatte drei Söhne, *Karl*, *Christian* und *Ludwig*.

Bennigsen, die Freiherren von, Bd. I. S. 203.

Der kaiserl. russische General en Chef, Freiherr *Levin August Gottlieb* v. B. stammt aus der alten freiherrlichen Familie v. B., aus dem Hause Banteln im Kurhannöverschen. Sein Ur-Ur-Grossvater war *Johann* v. B. auf Banteln, in Gronau, Domherr zu Halberstadt, sein Ur-Grossvater, *Johann Levin* v. B., auf Banteln, Gronau und Dötzen, Senior und Domcapitular am Dome zu Halberstadt, sein Aeltervater, *Levin Caspar* v. B., auf Banteln, Gronau und Dötzen, Domdechant zu Halberstadt, sein Grossvater, *Gerhard Ludolph* v. B., auf Hachenhausen, Emmeringen, Neu-Bransleben, Banteln und Völxen, Domherr zu Halberstadt. — Sein Vater war *Levin Friedrich* v. B., auf Banteln und Völxen, Oberster bei der Garde du Corps in herzogl. braunschweig. Diensten. Von diesem und seiner würdigen Mutter, geb. Freiin Henriette v. Rauchhaupt, aus dem Hause Töstnitz im Brandenburgischen, erhielt er im Jahre 1745 das Dasein. Im Jahre 1755 ward er in einem Alter von 10 Jahren als Page beim kurhannöverschen Hofe angesetzt, und 1759 im siebenjährigen Kriege als Fähndrich bei der hannöverschen Fussgarde angestellt, bei welcher er bis zum Lieutenant avancirte. Bis dahin verwaltete seine Mutter die Güter, die sie ihm im Jahre 1768 übergab. Er verliess um diese Zeit die Militairdienste und verheirathete sich mit der ältesten Tochter des weiland hannöverschen Gesandten am Wiener Hofe, Freiherrn von

Steinberg. — Nachdem aber seine erste Gemahlin im Jahre 1773 gestorben war, ging er in dem nämlichen Jahre mit dem Charakter eines Oberst-Lieutenants in kaiserl. russ. Dienste, in welchem ihm die verewigte Kaiserin Katharina ein Corps Kosaken anvertraute, die er gegen den Rebellen Pugatscheff anführte. Nach Beendigung dieser Expedition ward er bei dem Narva'schen Regimente, in der Folge bei noch verschiedenen andern Regimentern, und zuletzt als Oberster bei dem Kiow'schen Regimente angestellt, welches er mit Ruhm in Polen anführte. Wegen seines tapfern Verhaltens bei dem Orte Mir, wo er den linken Flügel der Truppen commandirt hatte, erhielt er mit einem schmeichelhaften Schreiben der Monarchin den heiligen Wladimir-Orden. (In London Chronicle vom 20. Febr. 1807 wird noch angeführt: dass General v. B. seine militairischen Talente auch besonders in Persien gezeigt, dass er bei der polnischen Revolution im Jahre 1794 Wilna mit Sturm eingenommen und sich zuletzt mit dem Fräulein v. Andzeykienig, einer jungen Polin von ausgezeichneter Schönheit, vermählt habe.) Bei verschiedenen andern ihm zur Ehre gereichenden Auszeichnungen beschenkte ihn die Monarchin mit zwei Gütern. Er avancirte in der Folge bis zum General der Cavallerie. Im Jahre 1799 war ihm die Civil- und Militair-Gouverneurstelle von Litthauen anvertraut worden. Nach der Schlacht von Eylau erhielt er den St. Andreas-Orden. Schon früher waren ihm der St. Alexander-Newsky-Orden, der St. Annen-Orden, der St. Georgen-Orden 2. Classe und der königl. preuss. schwarze und rothe Adler-Orden verliehen worden. — Der einzige Sohn jenes russischen Feldherrn stand ebenfalls in russischen Diensten.

Bentheim, die Herren von, Bd. I. S. 209.

Das Wappen dieser Familie von einem Sohne des genannten v. B., der jetzt Remonte-Inspector in Preussen ist, zeigt im 1. — 4. Felde den goldnen Anker in blau, welcher auf eine Abstammung von den Gr. B. schliessen lässt; im 2. u. 3. silbernen Felde einen Löwen mit einem Schwerte in der Pranke. Auf dem Helme ein Mannesrumpf, eine Binde um den Kopf, in der Rechten ein Schwert haltend.

Beöczy, die Herren von.

Der aus einer altadeligen Familie in Ungarn stammende kaiserl. österreich. Major im Husaren-Regimente Erzherzog *Ferdinand* v. B. vermählte sich mit einer Tochter des verstorbenen General-Lieutenants und Gouverneurs von Glatz, v. Favrat. Aus dieser Ehe ist *Emmerich* v. B., k. k. Lieutenant im 1. Husarenregimente, vermählt mit einer v. Rieben aus dem Hause Kutscheboritz.

Berenwolde, die Herren von.

Dieses altadelige Geschlecht, aus welchem schon im Jahre 1294 *Theodor* v. B. miles auf Geseritz in einer Rathenours-Urkunde vorkommt, besass Krafthagen bei Bartenstein in Ostpreussen. Zuerst kommt *Sigismund* v. B. vor, seine Söhne, *Andreas* und *Jobst* v. B., waren beide mit Töchtern aus der Familie v. Kalkstein vermählt. Zuletzt kommt noch ein *Fabian* v. B., mit einer v. Fröbner und *Sigismund* v. B. mit einer v. Hohendorf vermählt, vor.

Berga, die Herren von.

Ein adeliges Patrizier-Geschlecht zu Erfurt, welches adelige Güter zu Wechmar bei Gotha besass, sein muthmassliches Stammhaus war Berga, im ehemal. fürstl. schwarzburg. und gräflich stollbergischem Amte Kälbra in der jetzigen königl. preuss. Provinz Sachsen. — Die Gerichtsbarkeit, welche die Marschälle von Holtzhausen (s. d. Artikel) zu Erfurt besassen und 1344 an den Probst des St. Peters-Klosters verkauften, war damals gleichisches Lehn, und vorher *Heinrich's* v. B.

Berge, die Herren von, Bd. I. S. 214.

In der Wappenbeschreibung muss es statt grüner Pferdeschweif heissen Pfauenschwanz.

Bergen, die Herren von.

Im Jahre 1722 lebte *Christian Ludwig* v. B., russischer Oberst-Lieutenant, Herr auf Schedelitzken bei Lyck. Er hatte mit einer v. Stobinsky 5 Kinder. — *Karl Ludwig* v. B., königl. preuss. Oberst a. D., war im Jahre 1806 Major und Commandeur in der 1. ostpreussischen Füsilier-Brigade, 1809 aber Oberst-Lieutenant im 1. Infanterie-Regimente, und starb im Jahre 1809 zu Memel. Er gehörte seiner Geburt nach dem Fürstenthume Anhalt-Köthen an, und war mit Sophie v. Beyer vermählt. — *Friedrich Wilhelm* v. B., ein jüngerer Bruder des Vorigen, war 1806 Major im General-Quartiermeisterstabe und ist im Jahre 1826 gestorben.

Bergfeld, die Herren von.

Eine holsteinische Familie, die früher v. Berg geheissen haben soll, und auch in der Provinz Preussen vorkommt. — *August Ernst* v. B., Major in dem Dragoner-Regimente, welches in Königsberg stand, starb im Jahre 1776. Sein Sohn, *Johann August* v. B., besass das Gut Lagarben. Ein Freiherr v. B. stand lange Jahre als Major in dem Invalidencorps zu Berlin und starb hochbejahrt im Jahre 1814. Ein Kapitain v. B., Ritter des eisernen Kreuzes, erworben bei Wartenburg, stand im 26. Infanterie-Regimente in Magdeburg, und ist gegenwärtig Major im 9. Infanterie-Regimente zu Stettin.

Bergh, die Freiherren von.

Christian Karl Maximilian Maria August, Baron v. B., war aus dem Zweibrückschen gebürtig und lebte zu Berlin als Major a. D. und Hof-Cavalier der verwittweten Prinzessin Heinrich. Er vermählte sich zuerst mit Friederike Wilhelmine, Freiin von der Goltz, Tochter des damaligen General-Lieutenants und Geheimen Staatsministers Freiherrn Karl Franz v. der Goltz und zum zweiten Male mit Sophie Josephine Ernestine Wilhelmine, Gräfin v. Neale, Tochter des Kammerherrn und Obermundschenken Grafen v. Neale. Aus beiden Ehen sind mehrere Kinder zurückgeblieben. Einer der Söhne steht als Lieutenant im 1. Garde-Regimente.

Berghe, Graf von.

Franz Adolph, Graf B. v. Trips, aus einem alten vornehmen Geschlechte in den Niederlanden, wohnt zu Düsseldorf und ist der letzte seines Stammes.

Berghes, die Herren de.

Diese jetzt in den Rheinlanden, namentlich zu Cöln und Boppard befindliche Familie, leitet ihre Abkunft von einem natürlichen Sohne eines Herzogs von Brabant ab. Derselbe führte zuerst den Namen Johann Gor. Tygen oder Cordeken, nachher de Glymes, und wurde am 27. August 1344 vom Kaiser Ludwig dem Baier legitimirt. Johann IV. erwarb durch seine Gemahlin Johanna de Bouxersen die Herrschaft Bergen op Zoommen, und nahm davon den Namen de B. an. Die andern Linien behielten den Namen de Glymes bis zum Jahre 1567, wo sie nach dem Tode des letzten Marquis von Bergen op Zoommen sämmtlich den Namen de B. annahmen. *Peter* de B. flüchtete zur Zeit des Herzogs Alba nach Cöln und vermählte sich hier im Jahre 1595 mit Helena von der Sand. Die Nachkommen der Kinder aus dieser Ehe sind die heutigen Herren de B. in den preussischen Rheinprovinzen, namentlich *Johann* de B., Steuereinnehmer zu Cöln und der Doctor Med. de B. in Boppard. Man findet Nachricht über diese Familie in Bütken's trophées de Brabant. A. Miraci op. diplom. et hist. Maurice le Bluson des armoires. Jean de Carpentier histoire genealogique des Pays-bas. etc. etc.

Berghorn, die Herren von.

Im Jahre 1700 war *Anton Friedrich* v. B. magdeburgischer Regierungs- und markgräfl. Bayreuther Geh. Rath. — *Georg Ludwig* v. B. war 1736 als fürstl. sächs. Geh. Legationsrath zu Meiningen. — *Johanna Elisabeth* v. B. kommt 1739 als Stiftsdame vom heil. Grabe vor. In Halle lebte im Jahre 1698 einer v. B. als Stallmeister der Universität Halle.

Berglassen, die Herren von, Bd. I. S. 216.

Aus diesem Geschlechte, das in die Häuser Teschwitz, Losewitz und Schlagwitz zerfiel, sind uns noch bekannt geworden *Wilke* v. B., der Stammherr desselben. — *Andreas* v. B., fürstl. pommerscher Landrentmeister zu Wolgast, der im Jahre 1615 starb. — *Erich* v. B. auf Teschwitz, herzogl. Stallmeister. — *Hennig* v. B. auf Teschwitz. — *Arnold* v. B., kais. Commissarius, er gehörte dem Hause Losewitz an und *Andreas* v. B., kais. Rittmeister (dem Hause Schlagwitz angehörig).

Bergmann, die Herren von, Bd. I. S. 216.

Die vom Kaiser Ferdinand III. in den Adelstand erhobene Familie v. B. führt ein in roth und Gold gespaltenes Schild, im rothen Felde liegen fünf Mandelblätter, oben zwei, eins in der Mitte und unten zwei, in dem goldenen Felde sind drei schräg gelegte silberne Strassen, in der obern und untern ist ein Pfeil, in der mittelsten aber sind drei Pfeile. Auf dem Helme wächst zwischen zwei in roth und Gold gevierteten Adlerflügeln ein schwarzer Wolf. Decken Gold und roth.

Berkhahn, die Herren von, Bd. I. S. 217.

Z. 3 dieses Artikels muss es heissen *v. Moltke* statt v. Molke.

Beringe, die Herren von.

Ein Edelmann d. N. stand im Jahre 1806 im Regimente v. Möllendorf und schied 1814 als Kapitain aus dem 21. Infanterie-Regimente. Ein Sohn desselben ist gegenwärtig Lieutenant in der Garde-Artillerie.

Beringer, die Herren von.

Diese sächsische Familie erhielt am 2. Mai 1707 die Erneuerung ihres alten Adels in der Person des markgräfl. Brandenburg-Bayreuthischen wirklichen Geh. Raths und Vice-Kanzlers *Joh. Gottf.* v. B. — *Johann Caspar* v. B. war Bürgermeister der Stadt Dresden.

Beringi (Berengi), die Herren von.

Eine ungarische Familie, aus welcher *Franz* v. B. im Jahre 1806 Major und Commandeur des 3. *Bataillons* im *Infanterie-Regimente* v. Müffling in Neisse war. Er erwarb sich bei Kostheim im Jahre 1793 den Verdienstorden und starb als Oberstlieutenant a. D. im Jahre 1816.

Berka, die Herren von.

Ein erloschenes adeliges Patrizier-Geschlecht zu Erfurt, welches ehemals Lehnsmann des Grafen von Gleichen war. *Conrad* war 1313 einer der sogenannten Vierherrn zu Erfurt, es scheint ein herabgekommener Zweig der alten Grafen (?) v. B. gewesen zu sein, die im 14. Jahrhundert abgestorben sind. S. Hellbach I. S. 127 etc.: sein Stammhaus, Schloss und Städtchen gleiches Namens im Grossherzogthume Sachsen-Weimar, gehörte im 16. Jahrhundert den Edlen von Witzleben, von welchen es 1608 an Weimar kam; wenn die Familie erloschen, ist unbekannt.

Berlin, die Herren von, Bd. I. S. 219.

In den handschriftlichen genealogischen Notizen des Ordensraths König ist ein mit Tinte gezeichnetes Wappen dieses alten Geschlechts befindlich, es zeigt im silbernen Schilde einen nach der rechten Seite vorschreitenden goldenen Greif.

Berlstedt, die Herren von.

Ein erloschenes adeliges Geschlecht in Thüringen, sein Stammort ist das gleichnamige Dorf zwischen Erfurt und Buttelstedt, im Grossherzogthume Sachsen-Weimar. — *Conrad* war Mitglied des Raths zu Erfurt im Jahre 1306, schon früher hatte es daselbst das Patriziat erlangt; wenn es erloschen, ist unbekannt.

Bermuth, die Herren von.

In Breslau starb im Jahre 1766 *Gottlieb Benjamin* v. B., vermählt mit Johanna Eleonora v. Walther.

Bernâtre, Vicomte de.

Diese altadelige französische Familie hat in zwei verschiedenen Zeitabschnitten einen Zufluchtsort in Preussen gesucht und gefunden. Unter Friedrich I. kam die Wittwe des Vicomte *Daniel* de Bernâtre-Boubers née Susanne de Roussel nach Berlin. Sie brachte drei Kinder mit. a) *Julie*, Hofdame, später vermählte v. Foller. b) *Fran-*

3*

coise, die als Aebtissin des adeligen Jenaischen Damenstiftes im Jahre 1755 zu Halle starb. c) *Henri Louis* Vicomte de B., Seigneur de Miaunay, er vermählte sich nachmals mit einer Tochter des General Dorthe. — Der Enkel des letzteren kam im Jahre 1791 als Emigrant nach Berlin und liess sich in Preussen nationalisiren, es war Armand Charles de Boubers, Vicomte de B. .

Berndt, die Herren von.

Der Rath bei der neumärkischen Ritterschaft v. B. besitzt das Rittergut Comptendorf bei Cottbus im Regierungsbezirke Frankfurt.

Bernhardy, die Herren von.

Ein Major v. B. stand im Jahre 1806 im 3. Bataillon des Regiments von Rüts in Warschau, er feierte 1810 sein 50jähriges Dienstjubiläum und starb im Jahre 1818 als pensionirter Oberstlieutenant. Sein Sohn, *Friedrich Wilhelm* v. B., Lieutenant im 2. westpreuss. Dragoner-Regimente, heirathete im Jahre 1810 zu Berlin Louise Wilhelmine Eytelwein. Ein preuss. Lieutenant v. B., Ritter des eisernen Kreuzes, steht gegenwärtig im 5. Kuirassier-Regimente.

Bernhauer, die Herren von, Bd. I. S. 219.

Diese altadelige Familie besass die Güter Commusin, Diedersdorf, Napieroda u. s. w. bei Neidenburg in Preussen. Die Gemahlin des in unserm Artikel erwähnten Obersten war eine v. Briesen, sie starb am 26. Jan. 1801 zu Memel.

Bernini, die Grafen von.

Hieronymus, *Bernhard*, *Joseph*, *Stephan*, Grafen v. B., erbten im Jahre 1789 die Cornitzer Güter bei Ratibor.

Bernsau, die Herren von.

Heinrich Wilhelm Münster v. B. war Erbherr auf Raynen und Bellinghoven. Er hinterliess nur eine Tochter, welche die Gemahlin des Grafen Franz Caspar v. Schellard wurde. *Wirich* v. B. war kurbrandenburgischer Geheimer Rath.

Bert, die Herren von.

Böttger v. B. war Bürgermeister zu Hamm, *Heinrich* v. B. Bürgermeister zu Wesel, er hinterliess nur eine Tochter, die mit dem fürstl. Halberstädtschen Rathe Peter de Weyher (he) vermählt war und von demselben im Jahre 1590 Wittwe ward.

Bertelsdorf, die Herren von.

Dieses Geschlecht stammt aus Meissen und kommt auch unter dem Namen v. Bartelsdorf vor. Aus demselben kamen *Andreas* und *Adrian* v. B. nach Preussen. Eine Urenkelin des Letzteren vermählte sich im Jahre 1577 mit dem Bischofe v. Pomeranien, Dr. Johannes Wigandt.

Bertikow, die Herren von.

In der Altmark sind die Dörfer Bertikow im Stendalischen Distrikte, Alt- und Neu-Bertikow aber im Arneburgischen Distrikte vorhanden und die Familie dieses Namens blüht auch noch wirklich in neuerer Zeit in dieser Provinz, und hat eines der Stammgüter in Besitz. In der Uckermark gehört das Gut Bertikow jetzt dem Joachimsthalischen Gymnasium.

Besen, die Herren von.

Diese adelige Familie ist erloschen, sie gehörte dem Erzstifte Magdeburg an. Sie besass die Güter Gutenberg, Dammersdorf und Riedeburg im Saalkreise. *Hans* v. B. zu Gutenberg lebte um das Jahr 1460. — Als die letzten des Geschlechts kommen vor *Hans Karl* v. B. und sein Oheim, *Gottfried* v. B., der im Juni 1682 starb.

Bessel, die Herren von, Bd. I. S. 222.

Man lese statt Randicow und Cramondorf *Planticow* und *Cramonsdorf*. Der erwähnte Kammerpräsident besass auch Ludwigshof, er starb am 12. Decbr. 1810 zu Prenzlau. Mit einer v. Winkelmann vermählt hatte er 8 Kinder gezeugt. — *Karl Moritz* v. B. starb als Kammerpräsident zu Cleve und *Friedrich Wilhelm* als Geh. Kriegs- und Domainenrath am 25. Febr. 1798. Er war mit Maria Wilhelmine v. Borwitz vermählt, die am 29. April 1802 zu Berlin starb, ohne Kinder zu hinterlassen.

Beughem, die Herren van.

Eine westphälische und niederländische Familie, aus welcher zwei Mitglieder im preussischen Staatsdienste und zwar in der Justiz-Verwaltung stehen. Einer v. B. ist Land- und Stadtgerichtsrath zu Unna, ein anderer v. B. ist Oberlandgerichts-Assessor und Mitglied des Justizamtes zu Laasphe.

Beust, die Grafen und Herren von, Bd. I. S. 227.

Die gräfliche Familie besteht im Jahre 1838 aus folgenden Mitgliedern:

Heinrich Gottlob, geb. den 29. Mai 1777, königl. preuss. Oberlandgerichts- und Pupillenrath, auch Landesältester im Falkenbergischen Kreise in Oberschlesien, verm. mit Philippine, Gräfin v. Sandreczky-Sandraschütz, geb. d. 4. April 1786, Tochter des weiland königl. preuss. Erblandmarschalls, Grafen von S. S. auf Biela u. s. w. in Schlesien, Wittwer seit dem 16. April 1834. (Nicoline bei Schnurgast in Oberschlesien.)

Brüder.

1) *Karl Leopold*, Graf v. B., geb. den 26. Septbr. 1780, grossherzogl. sächs. weimar. und herzogl. sächs. wirkl. Geh. Rath und Gesandter am deutschen Bundestage, verm. den 17. April 1806 mit Friederike, Tochter des verst. herzogl. sächs. Geh. Raths-Präsidenten und Kanzlers, auch Obersteuer-Directors von Trützschler (geb. d. 13. Jan. 1790); Wittwer seit dem 13. Nov. 1813.

Kinder.

1) *Sidonie Leopoldine Auguste*, Gräfin v. B., geb. den 19. Dec. 1807, verm. den 20. Aug. 1829 mit August Robert, Grafen

v. Zedlitz, genannt Trützschler v. Falkenstein. (In Schwentnig bei Jordansmühl in Schlesien.)

2) *Julie*, Gräfin v. B., geb. den 10. Febr. 1810, verm. den 31. Mai 1831 mit Georg Heinrich Wolf v. Arnim auf Planitz, Voigtsgrün und Jessersgrün, königl. sächs. Kammerherrn (geb. d. 18. Juli 1800) zu Schloss Planitz bei Zwickau.

3) *Friedrich Herrmann*, Graf v. B., geb. den 20. Octbr. 1813, Lieutenant im königl. sächs. leichten Reiterregimente Prinz Ernst. (Freiberg.)

2) *Traugott Friedrich*, Graf v. B., geb. den 18. Juni 1782, herzogl. altenburg. Kammerherr und Landjägermeister; vermählt 1) den 20. Juni 1808 mit Charlotte, Tochter Hans Christoph's v. Fuchs (geb. den 18. März 1787, gestorb. den 30 Jan. 1815); 2) am 18. Octbr. 1821 mit Louise, Tochter des herzogl. sächs. goth. Hauptmanns v. Wangenheim, geb. den 26. Decbr. 1794.

Söhne: a) aus erster Ehe.

1) *Louis*, Graf v. B., geb. den 12. Febr. 1811, königl. preuss. Regierungs-Referendar zu Magdeburg.

b) Aus zweiter Ehe.

2) *Ernst Friedrich*, Graf v. B., geb. den 26. Octbr. 1824.

3) *Ernst August*, Graf v. B., geb. den 21. Novbr. 1783, königl. preuss. Geh. Oberbergrath und Berghauptmann in Bonn, verm. den 1. Januar 1823 mit Josepha v. Carlowitz, Tochter des königl. sächs. General-Majors v. Carlowitz, geb. den 6. Januar 1803.

Des Grafen *Friedrich August Leopold* v. B. (geb. den 7. August 1776, gest. d. 27. Juni 1802), Sohnes des am 4. Novbr. 1827 verstorb. Grafen *Leopold*, Wittwe Karoline Friederike, Tochter des kurköln. Kammerherrn v. Reitzenstein, geb. d. 16. Febr. 1785, verm. d. 26. Oct. 1801. (Wohnsitz: Weimar.)

Dessen Tochter.

Karoline Christiane Louise Flavie, geb. den 19. Aug. 1802, verm. 1824 mit dem königl. preuss. Oberstlieutenant Herrmann v. Staff, genannt Reitzenstein, Chef des Generalstabes des 6. Armee-Corps.

Beyendorf, die Herren von.

In der Stadt Salza war eine adelige Familie d. N. begütert. Sie kommt zuerst mit *Valentin* v. B. im Jahre 1514 vor und erlosch mit *Hans Albrecht* v. B., Bürgermeister zu Salza und dessen Vettern, *Georg* und *Albrecht* v. B., im vorigen Jahrhundert.

Beyer, die Herren von, Bd. I. S. 230.

In der Wappenbeschreibung ist zu verbessern: Im zweiten *blauen* (nicht rothen) Felde ein schräglinker *rother* Balken (nicht grüner), besetzt mit 3 Sternen.

Beyme, die Herren von, Bd. I. S. 231.

Bei der Wappenbeschreibung der ersten Familie muss es heissen statt im 2. und 3. Felde zwei grüne Bäume: *im zweiten, so wie im dritten Felde ein grüner Baum.* — Auf dem Helme zeigt sich zwischen einem Adlerfluge ebenfalls ein grüner Baum.

Bibow, die Herren von.

Zwei Edelleute dieses Namens dienten bis zum Jahre 1806 im Garde-Grenadier-Bataillon zu Potsdam als Stabs-Capitäns. Der ältere blieb in der Schlacht bei Auerstädt. Der jüngere schied 1822 als Major und Abth.-Comm. aus der Gensdarmerie aus. Seitdem finden wir keinen Officier d. N. mehr in der Armee. Die Familie theilte sich in mehrere Häuser, als in das Haus Weselberg, Berenshagen in Mecklenburg-Schwerin u. s. w. Das Wappen derer v. B. zeigt im silbernen Schilde und auf dem Helme einen auf einem grünen Kissen sitzenden rothen Hahn. Decken Silber und roth.

Bieberstein-Pilchowsky, die Herren von. M. s. Bd. I. S. 233 und Bd. III. S. 359.

Sie unterscheiden sich von den Marschällen v. Bieberstein, haben aber beide in Preussen sich niedergelassen. Von einem Autor wird in der genealogischen Tabelle *Johann* v. B., fürstlich Radzivillscher Rath, als der erste aufgeführt. Sein Sohn, *Christoph* v. B., war Erbherr auf Klöppen und Bürgermeister zu Marienwerder und hatte Elisabeth v. Brüllmann zur Gemahlin. Aus dieser Ehe ist *Anna* v. B., die 1662 gestorben und 1) an Herrn Johann Wendel, Bürgermeister in Preussisch-Holland; 2) an Herrn M. Menken, Erbpriester zu Marienwerder; 3) an Herrn Adam Riccius J. U. D. und Professor vermählt gewesen. Ihr Bruder, *Christoph* v. B. P., war auch Erbherr von den Gütern Prenzlau und Kl.-Tremnau und hatte Sophia Marg. v. Hoym, verwittwete v. Jannowitz, zur Ehe, aus welcher ein Sohn gleiches Namens, der sich mit Esther v. Kröston verehelichte und im Jahre 1729 gestorben ist. *Abrah. Otto* v. B., der als der letzte dieser Familie bemerkt wird und im Jahre 1745 in der Schlacht bei Sorr in Böhmen geblieben ist. Ihr Wappen finden wir nirgends angezeigt; unter den Documenten dieser Familie aber findet sich das Testamentum reciprocum des *Christoph* v. B. und der Esther v. Kröston vom 8. Febr. 1729. In der Vasall-Tabelle 1788 werden *Kath. Gertrud*, geb. v. B., verwittwete Starostin v. Bialanzor auf Jackstein und *Ernst Daniel* v. B., Herr auf Geilin und Klein-Nappern aufgeführt, die aber nicht zu der angezeigten Familie zu gehören scheinen. Ausserdem finden wir auch noch in verschiedenen Schriften der Familie v. B. und Rogalla erwähnt, und die fehlenden Nachrichten beider angeführten Linien würden der Bibliothek ein angenehmes Geschenk sein. — Was die Marschälle v. B. anbetrifft, die ihren Beinamen daher erhalten haben, weil ihre Vorfahren Erb-Marschälle vom Markgrafenthume Meissen gewesen, so hat ihnen in Preussen ehemals das Gut Eichen im Tapiauschen und das Gut Ginnen im Gerlauischen gehört. Der erste Besitzer derselben war *Joh. Aug. M.* v. B., königl. poln. u. kurfürstl. sächs. Kammerherr, nachher königl. preuss. W. G. Et. Rath, des S. A. O. und Joh. O. Ritter, Amtshauptmann zu Giebiferst. Gemahlin Maria Katharina, Tochter des General-Major Joh. Friedr. v. Schlieben auf Gerdauen, welche nachher an den Geheimen Rath Phil. du Rosey vermählt worden. Aus der ersten Ehe wird *Albr. Friedr.* v. B., königl. preuss. Legat.-Rath, angeführt, der 1753 in Berlin gestorben ist. Ihr Wappen findet sich in Valent. Königs genealog. Ad. Hist. beschrieben. Preuss. Archiv. M. März 1790. S. 195.

Biedersee, die Herren von, Bd. I. S. 237.

Statt Meding I. S. 81, lies Med. I. S. 53 ad No. 86.

Biegánski, die Herren von.

Eine polnische, in der Provinz Posen begüterte Familie. Aus derselben besitzt der Landschaftsrath *Joseph* v. B. das Gut Cykowo und der Landschaftsrath *Franz* v. B. das Gut Potulice.

Biesenbroh, die Herren von.

Von dieser adligen Familie findet man in den vorhandenen Urkunden wenig Nachricht, sie hat spät über ihre Güter Lehnbriefe erhalten.

Mit dem ansehnlichen Gute Biesenbroh sind im Jahre 1644, *Jakob Dietloff*, *Valentinus*, *Joachim*, *Ernst*, *August*, und *Hans Jochim*, Jochims Söhne, Gebrüder und Vettern von B. noch beliehen worden.

Nachdem *Hans Jochim* v. B. noch in Meissen sich ansässig gemacht und anfänglich Chursächsischer Kammerjunker, dann Oberjägermeister geworden, im Jahre 1658 aber gestorben, hat er zwar einen Sohn *Hans Christoph*, hinterlassen, der aber das Geschlecht nicht fortgepflanzt, oder die Ukermärkische Lehne nicht gehörig verfolgt hat. *Valentin Erdmann* v. B., *Jakob Dietloff's* Sohn, der letzte dieses alten Geschlechts in der Ukermark, ist im Jahre 1696 mit Tode abgegangen, und darauf das Stammhaus als ein eröffnetes Lehn eingezogen und zur Herrschaft Schwedt geschlagen worden.

Bila, die Herren von.

Ein altadeliges Geschlecht in Thüringen und im Schwarzburgischen, namentlich in der Grafschaft Hohenstein, das noch gegenwärtig in der preussischen Provinz Sachsen, namentlich in den Regierungsbezirken Erfurt und Merseburg begütert ist. Viele Mitglieder dieses Geschlechtes haben im preussischen Militair- und Civildienst gestanden. In frühern Zeiten wird es von manchen Autoren auch von Bielen geschrieben. Müller erwähnt in seinen sächsischen Annalen zuerst einen *Heinrich* v. B., der mit dem sächsischen Herzog Albrecht ins gelobte Land gezogen war. Ein anderer *Heinrich* v. B., Herr auf Heggenrode und Stappelburg, war um die Mitte des 16. Jahrhunderts kursächsischer Rath und Stiftshauptmann zu Merseburg. In der preussischen Armee dienten im Jahre 1806 zwei Generäle, Gebrüder v. B., aus der Grafschaft Hohenstein gebürtig, der ältere von ihnen war Brigadier der Magdeburgischen Füsilierbrigade und Ritter des im Jahre 1794 bei Edinghofen erworbenen Ordens pour le merité. Er starb im Jahre 1820. Der jüngere war Chef der seinen Namen führenden Husaren-Escadron zu Neustadt an der Aisch im Anspach'schen und Ritter des Ordens pour le merité, erworben 1788 in Holland, er starb im Jahre 1808. Gegenwärtig kommandirt der Oberst v. B. das 39 Infanterie-Regiment zu Luxemburg. Ein anderer v. B., ist Landrath des Kreises Nordhausen. Diese Familie führt im Schilde einen viermal geästeten Baumstamm zwischen zwei Aexten mit den Schneiden nach auswärts gekehrt, auf dem gekrönten Helme steht der Ast zwischen zwei schwarzen Adlerflügeln; m. s. Lessars Leben Dr. *Heinrichs* v. B. Nordh. 1748. 4. 3. B. Siebmacher 1 Bd. S. 147. N. 14. v. Meding 111. N. 61.

Bille, die Herren von.

Eine schwedische adelige Familie, welcher der Commodore v. B. Director der Navigations-Schule zu Danzig, Ritter des rothen Adlerordens u. s. w. angehört. Es führt diese Familie ein gespaltenes acht mal in roth und Silber gestreiftes Schild und auf dem gekrönten Helme zwei in roth und weiss getheilte Büffelhörner, von denen ein jedes mit drei grünen Pfauenfedern besteckt ist. Ein wilder Mann hält das Schild. Decken, silber und roth.

Billerbeck, die Herren von, B. I. S. 240.

Zeile 4. v. o. lies Rauten, statt Reiter.

Billstein, die Herren von, Bd. I. S. 240.

Statt Med. II. No. 76. lies II, 77.

Bindemann, die Herren von.

Eine adelige Familie, die in Schlesien mehrere Güter besass, namentlich Eckersdorf im Schweidnitz'schen und Gahlau im Oelsischen, auch einen Antheil von Kniegnitz bei Lüben. Sie war mit den Hohbergs, Zedlitz, Pannwitz u. s. w. verwandt. Sie führte ein getheiltes Schild, der obere Theil roth ohne Bild, der untere durch ein schwarz und silbernes Schach ausgefüllt. Der Helm ist mit einer weissen Lilie besetzt. Decken schwarz und Silber. Sinapius 1 B. S. 264. II. Bd. S. 527.

Bindersleben, die Herren von.

Ein erloschenes altadeliges Geschlecht in Thüringen, dessen gleichnamiges Stammhaus wahrscheinlich zu der Zeit an die Stadt Erfurt gelangte, als es daselbst das Bürgerrecht erhielt. Der Rittersitz ist verschwunden und bloss noch das Dorf vorhanden. *Heinrich* v. B. Lehnsmann des Grafen v. Gleichen und Bürger zu Erfurt war 1291 mit Andern Zeuge in dem Verkaufe der Voigtei zu Gispersleben, den Gerichten über Hals und Hand und 30½ Hufe Landes daselbst von Seiten des Grafen von Gleichen an mehrere Bürger zu Erfurt; gedachter *Heinrich* v. B. kommt in der Willkühr der Stadt Erfurt, ein Vertrag mit *Nicolaus* v. B., vor. *Nicolaus* war 1322 Rathsmeister zu Erfurt, und erscheint als solcher noch 1324; *Heinrich* v. B. war auch ein Lehnsmann der Grafen von Gleichen und kommt mit *Ludwig* v. B. nebst Andern als Zeuge in einem Lehnsconsens des Grafen Heinrich von Gleichen vor, der den Verkauf des Teiches zu Moebisburg bei Erfurt und 2½ Hufe Landes zu Boda vom Ritter Ulrich von Kobenstedt an Heinrich den jüngeren Vitzthum, Bürger zu Erfurt, im Jahre 1301 bestätiget. — Wenn das Geschlecht erloschen, ist unbekannt.

Binkowski (Bienkowski), die Herren von.

Adelige Familie in der Provinz Posen. — *Waldemar* v. B., ist Herr auf Mierzewo bei Gnesen.

Birkhahn, die Herren von.

Diese Familie stammt aus dem Mecklenburgischen, und der erste der nach Preussen kam hiess *Hans* v. B. und seine Gemahlin Anna von der Balz. Drei seiner Söhne pflanzten das Geschlecht fort. Der erste hiess *Matthias* und hatte eine von Reitnin zur Gemahlin. Von seinen Nachkommen sind *Siegmund* v. B., Landrath und Hauptmann zu Soldau geboren 1554, der das bekannte Birkhahnsche Stipendium gestiftet und eine Justina von Rauschken zur Gemahlin gehabt. *Jacob* v. B., Hauptmann auf Riesenburg und Erbherr auf Geierswalde, welcher 1585 starb und sieben Gemahlinnen gehabt, von welchen eine zahlreiche Nachkommenschaft entstanden, und auch die Linie herkommt, die auf Kirstendorf ihren Sitz gehabt. Der zweite hiess *Michael* und seine Gemahlin Dorothea Wildenauer. Von ihm stammt die Linie ab, die das Gut Gayken und Roslau bei Ganuschau im Besitz gehabt. Verschiedene ihrer Nachkommen sind in die Niederlande gegangen und nach Ungarn. Der dritte Sohn hies *Otto* und hatte eine von Kamzlack zur Gemahlin. Seine Nachkommen haben das Gut Grottken und Diehlen im Besitz gehabt. Einer von ihnen *Hans* v. B. war Hauptmann zu Neidenburg und starb 1590. Seine Gemahlin war *Anna* v. Schwerin, Bastian von Fink's Wittwe. Das Wappen dieser Familie findet sich in den Sammlungen der Bibliothek. Auch sind unter den Nachrichten und Dokumenten dieser Familie 1) der Pfandcontract vom Jahre 1727 von Christoph Ullrich von Arnstädt, welcher das Gut Borcken, im Amte Johannisburg gelegen, an den Lieutenant *Christoph* v. B. verpfändet, nebst dem köngl. Consens darüber. 2) Prozessacten des *Christoph* v. B., wider die Dorfschaften Schimpken, Liesken Poseppen, Begumillen und Kellenzin wegen einiger streitigen Hufen. Uebrigens blüht diese Familie noch gegenwärtig in Preussen und ist in der Vasallen Tabelle vom Jahre 1788 *Andreas* v. B., als Besitzer des Gutes Raschenz im Amte Seeburg aufgeführt. Preuss. Archiv. M. März 1790. S. 197.

Birkholz, die Herren von, Bd. I. S. 240.

Nach einigen Wappenabdrücken scheint es, dass die jetzt blühende Fam. v. B. nur das von Siebm. abgebildete Wappen führe. Drei mit 3 Federn besteckte Mützen im rothen Felde, auf dem Helme einen rechtsgekehrten Mannsrumpf mit solcher Mütze.

Bismark, die Grafen und Herren von, Bd. I. S. 244.

Bei der Beschreibung des Wappens ist zu ergänzen: Das goldene Kleeblatt ist in jeder der drei Ecken mit einem grösseren mehr spitzen Blatte besetzt. Die Krone zwischen den Büffelhörnern ist wesentlich, und darf nicht fehlen.

Blandowski, die Herren von.

Eine aus Polen nach Ober-Schlesien gekommene Familie. In dem Füselierbataillon von Boguslawski stand 1806 der Major und Ritter des Ordens pour le mérite von Blandowski, und starb als pensionirter Oberstlieutenant und ehem. Commandeur des 2. schlesischen Landwehr-Infanterieregiments zu Gleiwitz im Oberschlesien. Er war mit einer v. Woyrsch vermählt.

Blankensee, die Grafen und Herren von, Bd. I. S. 248 u. f.

Schlagentin in der Neumark war das erste Blankensee'sche Besitzthum, und *Gyso* v. B. hat dasselbe schon im Jahre 1333 besessen. — *Gyso*, kurfürstlich brandenburg. Geheimer Rath kaufte 1449 das halbe Dorf Schönewerder von denen v. Rohwedell. Sein Sohn *Hans*, vermählt mit Fräulein v. Wedel aus Tuetz in Polen, war der Stifter der beiden Hauptäste der Familie (1460), indem

1) *Hans* der Jüngere, Schlagentin und Neuenkliken (wann dieses Gut erworben, ist nicht nachzuweisen),

2) *Tyde* und 3) *Hans* der Aeltere, Schönewerder und einen Antheil von Schlagentin erhielten. —

Was den Schönewerderschen Hauptzweig anbetrifft, so ist *Hans* der Aeltere wahrscheinlich derselbe, welcher die Rohwedell's zur Zeit des Faustrechts aus dem ihnen noch gehörenden Antheil von Schönewerder vertrieb; er starb kinderlos. *Tyde*, vermählt mit Fräulein v. Küssow aus dem Hause Megow, pflanzte den Schönewerder Hauptzweig fort. — Sein Enkel *Joachim* und dessen Gemahlin Ursula v. Schöning gründete dadurch zwei Linien, indem sein Sohn *Antonius* den Antheil von Schlagentin, den kleinern Theil von Schönewerder und Reichenbach und der jüngere Sohn *Peter* den grössern Theil von Schönewerder erhielt.

Antonius, vermählt mit Scholastica v. Wedell aus Cremzow, theilte unter seine beiden Söhne folgendermassen:

1) der Aeltere, *Busso*, erhielt den Antheil von Schlagentin und Reichenbach,

2) der Jüngere, *Egydius*, den kleinern Theil von Schönewerder.

Der Sohn des *Busso* war *Hans Leipold*, Rittmeister der spanischen Reiterei unter Herzog Alba (seine Gemahlin war Margarethe v. Maltzahn aus Paseno in Vorpommern). Er war der Vater des bei Belgrad 1688 gebliebenen *Christian Henning* und noch zweier Söhne, von denen der jüngste Landrath des Arenswald'schen Kreises war. — Ebengenannte drei Brüder hatten drei Schwestern zu Frauen, nämlich die Töchter des Herrn Joachim v. Volkmar, königl. schwedischen Generals der Infanterie und Gouverneurs von Bremen und Verden. Der zweite dieser Brüder hatte das Gut Nantikon erworben; dessen Sohn *Busso Christian* starb 1766 als General-Major und Chef eines Garnison-Regimentes unvermählt zu Patschkau. — Der Sohn des *Christian Henning* war *Alexander Ernst*, seit 1743 Inhaber des Infanterie-Regimentes No. 23. (später vom General v. Forcade mit grosser Auszeichnung geführt); er blieb 1745 bei Sorr.

Von den neun Söhnen des Letzteren blieb der älteste, *Ernst Ekard*, bei Sorr, der zweite, *Christian Friedrich*, kommandirte als General-Major das Dragoner-Regiment No. 2. und blieb an der Spitze desselben bei Prag 1757, der dritte blieb 1757 bei Breslau und der vierte 1760 bei Torgau, beide als Capitains. —

Der erwähnte bei Prag gebliebene *Christian Friedrich* war zweimal verheirathet, zuerst mit Fräulein v. Flemming. Aus dieser Ehe ging hervor *Richard Sigismund*, der Stifter des Filehner Hauses (schon im Adels-Lexicon ausführlich erwähnt), seit 1779 Kammerherr und seit 1806 Prälat von Cammin, seit 1798 Graf.

Aus der zweiten Ehe des *Christian Friedrich* mit der Tochter des Ministers v. Boden zwei Söhne, welche jung starben. —

Von den zwei Söhnen des Grafen *Richard Sigismund* ist der zweite, *Georg*, geschieden seit 1835 von Fräulein v. Wessemberg, wieder vermählt mit Amalie Prinzessin von Carolath-Beuthen. M. s. unten. Ein Urenkel des oben erwähnten *Egydius* (welcher einen Antheil von Schönewerder erhielt), nämlich *Philipp Bernhard Constantin*, preuss. Major, erwarb 1765 das *ganze* Gut Schönewerder, welches jedoch 1774 an den Geheime-Rath v. Blankensee nebst dem dazu gehörigen Gute Hohenwalde überging. Der Major *Philipp Bernhard Constantin* war dann Besitzer der grossen Trossiner Güter in der Neumark und später der Güter Sydow und Grindel bei Bernau. Diese sind jedoch schon während seines Lebens in fremde Hände übergegangen. — Seine einzige Tochter war an den Major im braunen Husaren-Regimente Freiherrn v. Dalwigk verheirathet, einen Sohn des preuss. Generals der Cavallerie a. D.

Von den fünf Brüdern des eben erwähnten Majors v. Blankensee blieben einer 1757 als Capitain bei Breslau, einer 1762 bei Landshut. Der Sohn des zweiten Bruders, *Hans August*, stand lange im Dragoner-Regimente der Königin, und war später Major und Adjutant im Gouvernement zu Berlin bei den Feldmarschällen Grafen Kalkreuth und Gneisenau (*Georg Philipp Wilhelm*).

Der Linie von Schönewerder gehören noch an, die Brüder *Wulf Christoph* und *Peter*, Nachkommen des oben erwähnten *Peter*.

Wulf Christoph starb 1717 als Commandant der preuss. Truppen zu Wismar; er war mit der Tochter des bekannten schwedischen Feldmarschalls v. Arnim vermählt; sein Bruder *Peter* war der General der Cavallerie (schon im Adels-Lexicon erwähnt) Ritter des schwarzen Adlerordens und Gouverneur von Colberg, Inhaber des Cürassier-Regimentes No. 4. (später Gessler). Er starb kinderlos.

Der Sohn des *Wulf Christoph*, *Georg Christoph* erwarb 1774 das ganze Gut Schönewerder (schon oben erwähnt), nachdem sein älterer Bruder *Friedrich Wilhelm*, Pathe des Königs Friedrich Wilhelm I., 1745 geblieben war.

Was den Hauptzweig anbetrifft, dessen Stiftung 1460, wie schon erwähnt, geschah, so gehört demselben *Bernhard Sigismund* an, welcher 1756 ein aus der sächsischen Garde errichtetes Regiment erhielt. Seine Gemahlin war Anna Maria v. Schmerheim aus dem Hause Ekersdorf. Er ist der bekannteste aus diesem Hauptzweige. —

Mehrere Mitglieder desselben haben in sächsischen Diensten als Offiziere gestanden.

In die neueste Geschichte dieser Familie gehören noch folgende Nachrichten:

Georg, Graf v. B., königl. Kammerherr auf Wugarten u. s. w., ist von seiner ersten Gemahlin (m. s. Bd. I. S. 250) geschieden und hat sich am 21. Jan. 1837 wieder vermählt mit Amalie, Prinzessin v. Carolath-Beuthen, geb. den 17. Mai 1798.

Friedrich v. B, Herr auf Zipkow, starb am 15. Jan. 1838. Seine Wittwe ist Cäcilie v. Stojentin.

Blessenberg, die Herren von.

Ein adeliges Patrizier-Geschlecht zu Erfurt, von dem uns aber nichts weiter bekannt ist.

Blomberg, die Freiherren von, Bd. I. S. 253.

Von der preussischen sowohl, als der kurländischen Familie v. B. wird das Wappen jetzt noch anders geführt, als im Adels-Lexicon angegeben. Im 1. und 4. goldnen Felde ein an die Perpendicularlinie geschlossener halber Adler; im 2. und 3. schwarzen Felde ein rother Balken, beseitet von drei Spornschnallen, oben zwei, unten einem; im Mittelschilde ein Querbalken, dessen Tinctur wir nicht bestimmen können. Die beiden Helme sind richtig angegeben. — Die kurländische Familie führt im Mittelschilde (dem Anscheine nach) 6 Kornähren, je 3 neben einander, und auf der rechten Seite einen einfachen Adler als dritte Helmzierde.

Blücher, die Grafen von.

A. *Mitglieder des Hauses im Jahre* 1837. Bd. I. S. 256.

Gebhard, Graf B. v. Wahlstadt, geb. 1799, Sohn des Grafen *Franz* (geb. 1777, gestorb. d. 10. Octbr. 1829), Herr auf Kriblowitz, königl. preuss. Lieutenant im Leibhusaren-Regimente, verm. d. 29. Octbr. 1832 mit Maria, geborene Gräfin v. Larisch-Männich.

Bruder.

Gustav, Graf v. B., geb. 1801, Herr auf Gross-Ziethen, königl. preuss. Lieutenant bei den Garde-Uhlanen, verm. d. 23. Septbr. 1828 zu Florenz mit der zweiten Tochter des Lordoberrichters Dallas.

Tochter.

Justine, Gräfin v. B., geb. .....

Stiefgrossmutter.

Die Fürstin *Amalie*, geb. v. Colomb, Wittwe des königl. preuss. Feldmarschalls Fürsten Blücher v. Wahlstadt (geb. in Rostock d. 16. Decbr. 1742, verm. 1798, gestorb. d. 12. Septbr. 1819), lebt in Berlin.

Vaters-Geschwister.

1) Des Grafen *Friedrich Gebhard* v. B. (geb. 1780, königl. preuss. Oberstlieutenant a. D., verm. 1809, gestorb. d. 14. Jan. 1834) Wittwe, Elisabeth v. Conring.

2) *Friederike*, geb. d. 4. März 1786, verm. 1) 1806 mit dem Oberstlieutenant Adolph Ernst, Grafen v. d. Schulenburg auf Hornhausen; Wittwe seit d. 9. Septbr. 1813; verm. 2) den 14. Jan. 1814 mit Maximilian, Grafen v. d. Asseburg auf Eggenstädt, Neindorf u. s. w., königl. preuss. Kammerherr.

B. *Urgrossvaters-Bruderenkel.*

a) *Conrad Daniel*, Graf v. B., geb. d. 29. Febr. 1764, königl. dänisch. Geheimer Conferenzrath und Oberpräsident der Stadt Altona, d. 27. Octbr. 1818 unter dem Namen Blücher-Altona in den dänischen Grafenstand erhoben, verm. d. 1. Mai 1794 mit Manon d'Abbestee, Tochter des vormaligen General-Gouverneurs der dänischen Besitzungen in Ostindien, geb. zu Tranquebar d. 24. Octbr. 1770 (Altona).

Kinder.

1) *Fanny Sophie*, Gräfin v. B., geb. d. 26. Septbr. 1797, verm. d. 29. Mai 1819 mit Karl, Graf v. Schimmelmann auf Ahrensburg, königl. dänisch. Hofjägermeister, geb. d. 12. Novbr. 1787. Wittwe seit d. 26. Jan. 1833.

2) *Gustav*, Graf v. B., geb. d. 15. Decbr. 1798, königl. dänisch.

Premierlieutenant beim Husaren-Regiment und Adjutant des Prinzen Christian Friedrich von Dänemark, verm. d. 19. Aug. 1826 mit Emilie Sophie Marie, Tochter des königl. dänisch. Kammerherrn Roger Ferral, geb. d. 19. Mai 1802 (Kopenhagen).

Kinder.

1) *Sophie Maria Assuntha Katharina*, geb. d. 1. Juni 1827.
2) *Fanny Marie Louise Anne*, geb. d. 29. Juli 1829.
3) *Conrad Lebrecht Fergus Karl*, geb. d. 5. Septbr. 1832.

b) Die verwittwete Oberstin v. Heinen zu Ripen.

C. *Die gräflich v. Blücher'sche Familie in Mecklenburg-Schwerin.*

Ludwig, Graf v. B., geb. d. 1. Mai 1814, Sohn des Grafen *Ludwig Gerhard Hartwig Friedrich* v. B. (am 13. Octbr. 1815 vom König von Preussen in den Grafenstand erhoben).

Bruder.

Adolph Ludwig, Graf v. B., geb. d. 27. Aug. 1821.

Mutter.

Friederike Marie Bernhardine v. Lücken aus dem Hause Massow, geb. d. 26. Mai 1783 (?), verm. d. 13. Mai 1796 (?) mit dem Grafen *Ludwig Gerhard Hartwig Friedrich* (geb. d. 21. Decbr. 1769, gestorb. d. 21. Juli 1836).

Blumenberg, die Herren von.

In Westphalen kommt eine adelige Familie dieses Namens vor. Ein Zweig derselben hat sich nach Preussen gewendet. Hier starb am 26. April 1805 Anna Dorothea, verwittwete v. Blumenberg, geb. Hoffmann zu Kettowa in Westpreussen. *Hans* v. B. war 1810 Erb- und Gerichtsherr mehrerer Güter und Amtmann zu Ciechozen bei Thorn. Sein ältester Sohn, *Karl August* v. B., war Lieutenant in dem Regimente v. Larisch und starb im Jahre 1811.

Blumenfeld, die Herren von.

In der Leibgarde des grossen Kurfürsten dienten die Brüder *Daniel Friedrich* und *Karl Wilhelm* v. B. In Stargard lebte *Peter* v. B., ein Gelehrter, der den Cornelius kommentirte. Der Vater der obengenannten Gebrüder v. B. soll von der Königin Christine von Schweden geadelt worden sein und diese Familie soll früher den Namen Larson geführt haben; ihr gehörte auch *Erasmus Friedrich* v. B. an, der gegen die Türken focht, von ihnen gefangen wurde und zu Jerusalem den Turban nahm. Ein Enkel des obengenannten *Daniel Friedrich* starb 1793 und ist der Letzte, der uns aus diesem Geschlechte vorgekommen ist.

Blumenkron, die Herren von, Bd. I. S. 259.

Max Adolph v. B. wurde am 21. Juni 1690 in den schlesischen Ritterstand erhoben. *Heinrich Wilhelm Ludwig* v. B. war kaiserl. Kammerrath in Schlesien. *Friedrich Sieyismund* v. B. war Herr auf Daberdorf bei Leobschütz. Sein Sohn *Johann* war in österreichische Kriegsdienste getreten und 1778 von den Preussen gefangen genommen und in der Festung Glogau verwahrt worden. Am Anfange dieses Jahrhunderts besassen die v. Blumenkron'schen Erben das Gut Pilgersdorf bei Leobschütz. Im Jahre 1807 war *Joseph* v. B. auf Pilgersdorf kaiserl. Hauptmann in dem seltenen Alter von fast 92 Jahren verstorben. Diese Familie gehört der katholischen Confession an.

Bobenhausen, die Herren von.

Ein ursprünglich den Rheinlanden und Franken angehöriges altadeliges Geschlecht, dessen Stammhaus bei Münner oder Münnerstadt in der Gegend von Würzburg im Königreich Baiern liegt. Der frühere Name dieses Geschlechts war Marborne auch Mernotz. *Johann Friedrich* v. B., war königl. preuss. Oberforstmeister und starb am 7. Aug. 1811 zu Wöhrd 72 Jahr alt. Seine Gemahlin war Friederike Freiin Schenck zu Schweinsberg. Aus dieser Ehe waren zwei Söhne und eine Tochter. Von den Söhnen war *Alexander* im Jahre 1806 Lieutenant in dem Regimente v. Zweiffel, und stand zu Hof, er ist im Jahre 1827, als Major pensionirt worden. Der jüngere Bruder *Friedrich*, stand im Jahre 1806 in der magdeburgischen Füselier-Brigade und schied 1822 als Capitain aus dem 16. Infanterie-Regimente. Gegenwärtig ist der obenerwähnte Major v. B., Postmeister zu Oranienburg. Siebmacher giebt das Wappen dieser Familie im 1. Theile S. 114. m. s. auch Biedermann, Taf. 9 u. 16. Humbracht, Tafel 7. Salver S. 451. v. Hatstein, 1 Thl. S, 17. Estor Ahnenprobe, Tafel 10. Gryphius die Ritterorden, S. 85. Gaue 1. S. 123. Siebenkäs, 1. B. 1. Absch. S. 267. v. Lang. Supplement 39. u. s. w. u. s. w.

Bobers, die Herren von.

Aus dieser Familie haben mehrere Mitglieder im Preuss. Heere gedient. Sie gehört dem neuern Adel des Fürstenthums Calenberg an, *August Wilhelm* B. erwarb 1764 den Adel, er starb als kurbraunschweigischer Lehns- und Hofrath. Aus seiner Ehe mit *Agnes Margaretha* Eyffler aus Hamburg hinterliess er drei Söhne und zwei Töchter. Von den ersteren stand einer 1806 als Hauptmann im Preuss. Infanterie Regiment v. Wedel in Bielefeld, er starb 1815 als pens. Major. Sein Sohn diente damals als Fähndrich in demselben Regiment, er trat 1812 in westphälische Dienste und starb als Premier-Lieutenant im Generalstabe auf der Retirade von Moskau. Diese Familie führt im rothen Schilde drei silberne Balken und über diesen einen blauen Sparren unter den Balken aber, im Fuss des Schildes, einen goldenen Stern. Auf dem Helm liegt ein Kranz, besteckt mit zwei weissen und einer schwarzen Straussenfeder, die letztere ist mit einem goldenen Stern belegt. Helmdecken roth, silber und blau. Diese Nachrichten giebt eine Familien-Handschrift, welcher das Diplom beigefügt war. M. s. a. v. Krohne Bd. I. S. 92. u. s. f.

Bocholtz, die Grafen von, Bd. IV. 2. Nachtrag S. 441.

Die Familie besteht im Jahre 1838 aus folgenden Mitgliedern:

Aeltere Linie.

Graf *Dietrich* v. B., geb. 1795.

Geschwister.

1) *Clotilde*, Gräfin v. B., geb. 1803. 2) *Herrmann*, Graf v. B., geb. 1804., grossherz. oldenburg. Kammerherr, verm. 1830. mit Auguste, Freiin von Rixleben.

Kinder.

1) *Günther*, 2) *Caroline*, 3) *Chlodwig*.

Mutter.

Caroline, geb. Freiin von Weichs.

Jüngere Linie.

Bocholtz-Asseburg.

Herrmann Werner, Graf v. B. A., geb. den 14. Septbr. 1770. k. k. Kämmerer, verm. 1) 1793 mit Felicie, Gräfin von Wolff-Metternich. 2) 27. Octo. 1810, mit Francisca Freiin von Haxthausen, geb. den 6. Nov. 1793.

Kinder zweiter Ehe.

1) *Dietrich Busso*, Graf v. B. A., geb. den 25. Mai 1812. 2) *Anna Isabella*, Gräfin v. B. A., geb. den 29. August. 1813, verm. 1. Mai 1835 mit Ferdinand, Grafen v. Galen. 3) *Maria Therese*, Gräfin v. B. A., geb. den 25. Septbr. 1815, verm. 2. Mai 1835, mit Felix, Grafen Droste v. Nesselrode Reichenstein. 4) *Adolph*, Graf. v. B. A., geb. den 8. August 1817. 5) *Hermenegilde*, Gräfin v. B. A., geb. den 11. April 1819. 6) *Wilhelm*, Graf v. B. A., geb. den 14. April 1820. 7) *Marie Helene*, Gräfin v. B. A., geb. den 17. August 1822. 8) *Herrmann*, Graf v. B. A., geb. den 4. April 1825. 9) *Johann Bernhard*, Graf v. B. A., geb. den 30. August. 1833.

Schwester.

Therese, Gräfin v. B. A., geb. den 13. Juli 1772, Wittwe des am 26. Decbr. 1818, verst. Grafen von Westphalen, Burggrafen von Friedberg und ehemaligen k. k. Gesandten am kurfürstl. mainzischen Hofe.

Bockelmann, die Herren von.

Eine aus Ostfriesland stammende, adelige Familie. Aus derselben dienen zwei Brüder in der Armee, der Oberst und Brigade-Commandeur, Ritter des eisernen Kreuzes erster Klasse, v. B., und der Hauptmann im 23. Infanterie-Regimente v. B., Ritter des eisernen Kreuzes, er ist mit einer v. d. Netz aus dem Hause Kosemitz vermählt.

Bode, die Herren und Freiherrn von.

Justus Volradt, v. B., kaiserl. Reichshofrath brachte den Adel auf sein Geschlecht und starb 1727. — *Johann Volradt* v. B., Sohn des vorigen, wurde um das Jahr 1740, als Präsident der Ober-Amtsregierung von Oberschlesien Freiherr, er war mit Elisabeth, Freiin von Sterneck vermählt, aus dieser Ehe waren mehrere Söhne, namentlich *Peter Adolph*, Freiherr v. B., der sich lange in Russland aufhielt und *Lothar Franz August*, der Major in preuss. Diensten war. Gegenwärtig steht ein Freiherr v. B., Ritter des eisernen Kreuzes, als aggreg.

Rittmeister im 2. Dragoner-Regimente, stand 1806 im Husaren-Regimente v. Pletz. Ein Major Bar. v. B., war 1832 Commandeur des 3. Bataillons ersten Garde Landwehr-Regiments und Ritter des eisernen Kreuzes.

Boddien, die Herren von.

Eine adelige Familie in Mecklenburg, aus welcher einige Mitglieder in preuss. Diensten standen und noch stehen. In Berlin befindet sich gegenwärtig *C.* v. B., Referendarius beim Kammergericht.

Bodeck, die Herren von, Bd. I. S. 264.

Aus diesem altadeligen Geschlecht, war *Bonaventura* v. B., aus Preussen nach den Niederlanden und von da nach Frankfurt a. M. gekommen. *Bonaventuras* Sohn, gleichen Namens, erwarb 1590 die adelige Herrschaft Elgg im Canton Zürich, er führte den Titel eines kaiserlichen Raths, und starb zu Elgg im Jahre 1629. Seine Söhne verkauften die Herrschaft wieder, im Jahre 1637, und zogen aus der Schweiz weg. m. s. Leu, Schweiz. Lex. IV. S. 156.

Bodelschwing(en), die Freiherren von, Bd. I. S. 264.

Das Stammhaus liegt bei Mengede. Die Besitzer dieses Hauses waren Erbvögte des kaiserl. freien Hofes Frolinde, Richter erster Instanz der in der Grafschaft Dortmund wohnenden Frolinder Hofleute, Schultheissen des von der Abtei Werden lehnrührigen Hofes und Hofgerichts zu Marten, auch Holzrichter zu Hockerde im Walde Meinelo. Zum Schlosse gehörte ein Freistuhl. Die Herren v. B. hiessen vor Zeiten Specke. 1384 theilten die Gebrüder *Ernst* und *Gerlach* Specke die Güter, und nannten sich Bodelschwing und Westhusen. Gieselbert, gen. Specke, Ritter, Richter zu Buche 1306. — *Wessel Wyrich* v. B. starb 1717 als königl. preuss. General-Kriegs-Commissarius und Erbhüter des Erzstifts Cöln. *Friedrich Wilhelm* blieb 1704 als preuss. Oberstlieutenant vor Landau. *Giesbert* war königl. preuss. Geh.-Rath, Comthur des Johanniter-Ordens und starb 1735. *Giesbert Wilhelm*, Ritter des Johanniter-Ordens, starb 1753. Aus dem Hause zu Bodelschwing-Mengede, waren *Adolph* und *Joachim*, Domherren zu Münster. Aus dem Hause Bodelschwingen zu Ickern war *Franz*, kurbrandenburgischer Oberst (1666). Vom Hause Bodelschwingh zu Velmede war *Reiner* v. B., Herr zu Velmede, um das Jahr 1633 mit Anna Felicitas von Oenhausen vermählt. Sein Enkel, *Christoph Giesbert Dietrich*, Herr zu Velmede, hatte *Anna Elisabeth Henriette* von Bodelschwingh zu Bodelschwingh zur Gemahlin. Ein Enkel aus dieser Ehe ist der gegenwärtige Ober-Präsident der Rheinprovinz, Freiherr v. B. Velmede. Schliesslich bemerken wir noch, dass die Familie v. B. in Preussen und Curland von gleicher Abstammung mit der v. Bodelschwingh ist; die Wappen differiren sehr wenig.

Bodenhausen, die Herren von, Bd. I. S. 266.

Die Säule auf dem Helme ist beseitet von zwei auswärts gekehrten Wänden.

Bodungen, die Herren von.

Eine adelige Familie in Thüringen, deren Stammhaus das früher Schwarzburg'sche jetzt preussische Dorf Bodungen (Reg.Bez. Erfurt) sein soll. Sie ist im Eichsfelde begütert. Im Jahre 1806 war einer v. B. Land- und Steuer-Rath für den Ober-Eichsfelder Kreis. Ein Rittmeister v. B. und ein Premier-Lieutenant v. B. stehen im 31sten Landwehr-Regiment.

Boeck (Böck), die Herren von.

Ein altadeliges Geschlecht in Pommern, dessen Stammhäuser Barnims-Kunow, Lemgau, im Kreise Pyritz liegen, aber längst schon in andern Händen sind Auch besass ein Zweig dieser Familie das Gut Schönewitz in der Neumark. In der Grafschaft Mansfeld kommen die v. Boeck auf Zabitz vor. *Adam Heinrich* v. B. auf Zabitz, war kurfürstl. sächs. Oberst, sein zweiter Sohn war der im Januar 1768 zu Wien verstorbene kaiserl. österreichische Feldzeugmeister *Philipp Lewin* Freiherr v. B. (Beck), die Kaiserin Maria Theresia hatte ihn 1766 in den Freiherrnstand erhoben. — *Ludwig Günther Leopold* v. B. besass 1768 Gehofen in der Grafschaft Mansfeld. *Friedrich* v. B. starb als Anhalt-Bernburg. Oberhofmeister, drei seiner Söhne standen als Offiziere in der preuss. Armee. Im Jahre 1806 stand ein Hauptmann v. B. in dem Regiment von Malschitzky in Brieg. Ein Lieutenant v. B. stand damals im Regiment von Courbiere, er schied im Jahre 1827 als Oberstlieutenant und Ritter des eisernen Kreuzes aus dem 16. Infanterie-Regiment.

Boek (Boecke, der,), die Herren von.

Ein adeliges Patrizier-Geschlecht zu Erfurt, welches einen Adelsitz zu Erfurt besass, und der Grafen von Gleichen Hof-Junker und Lehnsleute waren; sie besassen auch zu Gispersleben Kiliani adelige Herrschafts-Rechte, namentlich *Jutta* B., *Jüntken* und *Johann* B. 1438, wie man aus einem Lehnsbriefe der Grafen von Gleichen von diesem Jahre sieht. Ein anderer *Johann* B., Rottmeister zu Erfurt, ward mit andern Edlen und Patriziern von Erfurt 1488 Vermittler in einem Streit, zwischen dem Grafen Sigismund von Gleichen und dem Abt Nicolaus von St. Georgenthal, Güter-Rechte und Gerichtsbarkeit zu Hudersborn betreffend.

Böcker, die Herren von.

Der Dr. der Medicin *Christoph* B. in Glogau, wurde am 18. Jan. 1700 in den Adelstand vom Kaiser Leopold I. erhoben. Sein Sohn, *Johann Karl* v. B., starb am 8. Febr. 1797 als pens. Oberstlieutenant des Regiments von Marwitz, seine Gemahlin war Caroline Charlotte v. Wedelstedt.

Böhm, die Herren von.

Ein Herr v. Böhm, Lieutenant im 11. Infanterie-Regiment, besitzt gegenwärtig das Gut Droschkau im Habelschwerdter Kreise der Grafschaft Glatz.

Böhn, die Herren von, Bd. I. S. 268.

Die Hunde im Wappen sind nicht links, sondern *rechts* gestellt.

Böltzig, die Freiherren und Herren von, Bd. I. S. 268.

Der hier erwähnte, im Jahre 1834 verstorbene königl. preuss. General und General-Adjutant v. B., hatte die Vornamen *Wilhelm Ferdinand*. Seine Gemahlin war Caroline Auguste v. Beeren aus d. H. Stolzenhagen, aus dieser Ehe waren ein Sohn und drei Töchter. Der Sohn ist der Pr.-Lieutenant im Regiment Garde-du-Corps v. B., verm. mit einer Gräfin Corsi aus Prag. In dem Garde-Dragoner-Regiment steht ebenfalls ein Pr.-Lieutenant und im 34. Inf.-Regiment ein Sec.-Lieutenant v. B. — Ein Zweig der Familie v. B. ist auch bei Cotbus begütert.

Boemel, die Herren von.

Georg v. B. war Bürgermeister und Präsident der Stadt Danzig. Sein Vater *Hermann* v. B. hatte den Rittersitz Tauerlack besessen.

Bömicke, Herr von.

Melchior Lebrecht v. B., königl. preuss. Oberst und Commandeur des Colberg'schen Inf.-Regiments, ein sehr ausgezeichneter Stabsoffizier, starb am 27. Mai 1810 zu Treptow a. d. R., er war mit Henriette v. Rudolphi vermählt.

Boenigk, die Freiherren von, Bd. I. S. 269.

Georg Gottfried Freiherr v. B., geb. 5. Jun. 1700, war verschiedener Reichsfürsten Geheimerrath und gewesener Envoyé am kaiserl. Hofe. Sein Sohn *Sylvius* v. B. starb 1821, hochbejahrt als pens. Oberstlieutenant (früher im Reg. v. Pelchrzim) zu Neisse. Seine Gemahlin war Charlotte v. Dobschütz. Eine adelige Familie dieses Namens gehört Mecklenburg an.

Böselager, die Freiherren von, B. I. S. 309.

In unserm Artikel findet sich statt Böselager: Breselager. Es muss heissen: Freiherren von Böselager. Ein vornehmes reich begütertes Geschlecht in der preussischen Rheinprovinz, in Westphalen und im Osnabrück'schen. *Caspar Friedrich* v. B. war Land-Drost zu Fürstenau, starb am 20. Nov. 1801 auf Haus Eggermühlen bei Osnabrück. Seine Gemahlin war Maria Anna Freiin v. Kettler. — *Friedrich Joseph* Freiherr v. B. war kur-kölln'scher Geh.-Rath. Gegenwärtig besitzt *Friedrich* Freiherr v. B. die Peppenhoven'schen Güter im Reg.-Bez. Köln. Ein Major v. B. ist Ritter des eisernen Kreuzes, erworben bei Ligny.

Bösinger, Herr von.

Michael B., der Sohn des Gutsbesitzers von Falkenwalde in Polen, war Bürgermeister zu Landsberg. Er wurde vom Kaiser Maximilian I. in den Adelstand erhoben. Er hinterliess bei seinem Tode aber nur

4*

eine Tochter und es ist demnach sein Geschlecht wieder mit ihm erloschen.

Bötticher, Herr von.

In Weissenfels lebte noch am Anfange des vorigen Jahrhunderts *Ernst Zacharias* v. B., Hof- und Justizrath. Seine Tochter *Dorothea Wilhelmine*, geb. im Februar 1725, vermählte sich am 28. Oct. 1753 mit Christian Grafen v. Solms-Wildenfels zu Laubach, kaiserl. wirkl. Geh.-Rath. Sie wurde nach der Vermählung vom Kaiser zur Reichsgräfin von Löwensee erhoben, starb aber schon am 27. Aug. 1754 im Kindbett.

Bogdahn, die Herren von.

Eine ostpreussische adelige Familie: Bogdahn von Bogdanski, lebte um das Jahr 1451 in Preussen. *Ludwig* v. B. kommt im Jahre 1752 als Herr des Gutes Wapplitt bei Ortelsburg, *Christian* v. B. als Herr v. Sonnenburg, bei Braunsberg, vor. Im Ermelande besassen sie noch mehrere Güter. Diese Familie gehört der katholischen Religion an.

Bogdanski, die Herren von.

Edelleute dieses Namens kommen in Schlesien vor. — *Philipp Ludwig* v. B. war 1804 zweiter Stadtinspektor zu Gr. Glogau.

Boguslawsky, die Herren von.

Diese adelige Familie ist aus Polen nach Schlesien gekommen und war bei Festenberg ansässig. *Carl Andreas* v. B. starb am 21sten September 1817, als königl. preuss. General-Major und Direktor der Kriegsschule. Er war mit einer v. Radicke vermählt, die gegenwärtig in Berlin lebt, und Dame des Louisen-Ordens auch ältestes Mitglied dieses Capitels ist. Aus dieser Ehe leben zwei Söhne und eine Tochter. Der älteste Sohn ist der rühmlichst bekannte Astronom, Professor v. B. zu Breslau. Der jüngere ist Assessor bei dem Land- und Stadtgericht zu Wrietzen a/O. Die Tochter war Hofdame bei der Frau Prinzessin Wilhelm von Preussen, königl. Hoheit. — In der Provinz Posen besitzt der Landschaftsrath v. B. das Rittergut Czaschory. — Der erwähnte General *Carl Andreas* v. B. erblickte am 19. November 1759 zu Muschlitz, bei Festenberg in Schlesien, das Licht der Welt. Seine militairische Laufbahn begann, nachdem er vier Jahre im Cadettenhause erzogen worden war, im Jahre 1776 in dem damaligen Infanterie-Regiment von Wunsch. Er machte in demselben den bayerschen Erbfolgekrieg mit, namentlich ward er im Treffen bei Brix gegenwärtig. Nach der Campagne war er zuerst Inspections-Adjutant des Generals von Wunsch, und später des Fürsten von Hohenlohe. Als die Schlesische Füsilier-Brigade errichtet wurde, erhielt er eine Compagnie in derselben. An ihrer Spitze erwarb er sich beim Sturm auf die französische Bergfestung Bitsch (am 16. Novbr. 1793) den Verdienst-Orden. Am 5. Aug. 1794 erfolgte seine Ernennung zum Major; im Jahre 1800, die zum Chef eines zu Neumarkt in Schlesien garnisonirenden Füsilier-Bataillons, das wegen seiner hohen Fertigkeit im Exerzieren nach Signalen, als ein Muster-Bataillon der damaligen leichten Infanterie betrachtet wurde. Es musste als solches im Jahre 1805, wo es in der Nähe von Dresden eine Zeit lang cantonnirte, vor dem damaligen Kurfürsten, spätern Könige von Sachsen, manoeuvriren. Er führte dasselbe im Jahre 1806 ins Feld, und es wurde ihm ein Commando bei der Avant-Garde des Hohenloheschen Corps gegeben. Nach den abgelegten Beweisen der ausgezeichnetsten Tapferkeit, fiel er, den Degen in der Hand, in die Gefangenschaft des Feindes. Die Franzosen führten ihn nach Frankreich, wo der ehrenwerthe Verstorbene zwei Jahre zurückgehalten wurde. Zu seiner Erheiterung in dieser trüben Zeit, suchte er die Wissenschaften wieder auf, mit denen er schon längst befreundet gewesen war. Er schrieb damals die als vortrefflich anerkannten Briefe über den Feldzug in Lothringen. Nach seiner Rückkehr aus der Gefangenschaft ernannte ihn Se. Majestät zum Commandanten von Neisse, und bald darauf zum Director der im Jahre 1810 neu organisirten Kriegsschule. Die Zeit der Gefahr rief ihn im Jahre 1813 an die Spitze einer Brigade selbst gebildeter Landwehr auf das Schlachtfeld, und ein rühmlicher Antheil an dem blutigen Gefechte bei Hagelsberg erneute seinen alten Kriegsruhm; er wurde dafür mit dem eisernen Kreuze geschmückt. Nach dem Frieden auf seinen Posten zurückgekehrt, ward er 1815 auf einige Zeit dem General der Infanterie Grafen von Tauenzien beigegeben. Ein Lungenschlag endete plötzlich am 21. Sept. 1817 das Leben dieses, mit den Wissenschaften wie mit dem Degen gleich vertrauten Generals, dessen Andenken allen seinen Freunden theuer bleiben wird. Sein Ruhm bleibt auch in der literarischen Welt durch werthvolle Schriften gesichert. Von seinen Werken nennen wir, ausser den schon erwähnten Briefen über den Feldzug in Lothringen, die Uebersetzung von Virgils Landbau und die Gesänge Xanthippus und Diocles. Diese Arbeiten erschienen theils in der Berliner Monatsschrift, theils in dem Verlage von Unger und Amelang. Bei seinem Tode fand man ein Manuscript, betitelt: Tassilo, in seinem Nachlass, und eine vollständige Uebersetzung der Aeneide war ihm im Laufe des Krieges verloren gegangen. Ramler, sein geliebter Lehrer im Cadettenhause, hatte in ihm den Funken der Dichtkunst entzündet, die den wissbegierigen Jüngling auf dem Wege seines ernsten Berufes begleitete, und ihm im reifern Alter oft in den Stürmen des Geschickes zum süssen Tröster wurde.

Bohlen, die Grafen und Herren von.

Das uralte rügeanische edle Geschlecht derer v. B. kommt schon um das Jahr 1316 vor. Es zerfiel in späterer Zeit in zwei Haupt-Linien, in die von Presenzke (1745 in den Grafenstand erhoben) und in die von Bohlendorf. Aus der letzteren war: *Balthasar* v. B, königl. preuss. Oberst, der in Schlesien die Lerchenbornschen Güter, bei Lüben, erwarb, und sie zu einem Fideicommiss machte, das er noch bei Lebenszeit seinem Vetter, dem königl. General-Lieutenant bei der Cavallerie v. B., abtrat. Der gemeinschaftliche Stammherr beider Linien war: *Hennig* v. B. Auf Rügen sind: Bresenzke, Bohlendorf, Crimvitz, Buse, Schlackvitz, Wosvitz, Glasitz u. s. w., alte Besitzungen des Hauses. — *Arend* v. B. auf Glasitz (nachmals zu Crimvitz gehörig,) war von 1630—32, *Arend Christoph* v. B. auf Bohlendorf, von 1706—11, Landvogt auf Rügen. *Arnold* v. B. auf Cremvitz und Glasitz war (1656) Hofgerichts-Direktor zu Wolgast.

Die Uebereinstimmung des Wappens, auch die allegorische Beziehung des darin vorkommenden Vogels Greif, als Sinnbild der Macht und Ehre, lassen vermuthen, dass diese Familie mit der fürstlich Rügianischen in naher Verbindung gestanden hat, und zu den wenigen noch vorhandenen alten einheimischen Geschlechtern gehört, welche schon vor dem Hinzug der Niedersachsen in diesen Gegenden ansässig waren.

So zahlreich diese Familie auch wurde, so sind doch jetzt nur noch zwei Hauptlinien, nämlich die ehemalige Presenzker, jetzt die gräfliche und in Pommern ansässige, und die Bohlendorfer, vorhanden. Als bestimmter Stammvater dieser beiden noch jetzt blühenden Linien ist *Henning* v. B., dessen in den Lehnbriefen von 1628 gedacht wird, anzugeben.

Carl Heinrich Bernd v. B., Ritter des königl. schwedischen Nordstern-Ordens, verkaufte die ererbten rügianischen Güter, kaufte sich dagegen in Schwedisch-Pommern an, und erhielt für sich und seine Descendenz die reichsgräfliche Würde 1745, während des kursächsischen Reichsvicariats, laut Grafen-Briefes, d. d. Dresden den 11ten September 1745, besagend:

> Dass dessen erstgeborner Sohn sofort hiemit in den Reichsgrafenstand erhoben seyn, denen übrigen aber nach erlangter Majorennität, ob sie solcher Reichsgräflicher Dignität sich anmassen wollen, oder nicht, freystehen, gleichwohl aber kein anderer, als der erstgeborne, sowohl von des erstern, als von derer letztern Söhnen, denen Vätern in der Reichsgräflichen Dignität succediren solle.

Lutherischer Religion.

Graf *Carl Julius Bernhard*, geb. 17. Jan. 1738, Erbherr zu Carlsburg, Jasedow, Steinfurt und Zarkow, Herr zu Murchin, Libbenow, Crenzow und Zarrentin, königl. schwedischer Reichsherr, General-Lieutenant der Cavallerie, des Schwerdt-Ordens Grosskreuz und Comthur, gest. 1811.

Erste Gemahlin: Hedwig Brigitte, Freiin v. Krassow, geb. den 2. März 1739, gest. 1778.

Zweite Gemahlin: Agnes Christiane v. Stranz, geb. den 10. August 1747.

Kinder erster Ehe.

1) *Hedwig Anna*, geb. 11. Octbr. 1758.
   Gemahl: *Carl Ludwig Thuro* Graf v. B., ihr Vetter.

2) *Carl Philipp*, geb. 9. Sept. 1759, gest. 4. Februar 1779.

3) *Friedrich Ludwig*, geb. den 9. October 1760. Hofmarschall und Kammerherr in kurhessischen Diensten, Ritter des königl. preuss. Johanniter-Ordens und des königl. schwedischen Nordstern-Ordens, gest. 1828.

Gemahlin: Caroline Friederike Gottliebe v. Walsleben, geb. den 8. Januar 1781.

Kinder.

a) *Caroline Elisabeth Agnes Sophie*, geb. 24. Jul. 1798, vermählt mit Graf Bismark-Bohlen.

b) *Julie Susanne Philippine Friedrike Louise*, geb. 10. Jun. 1800, vermählt mit Graf Henckel-Donnersmark.

4) *Caroline Louise Ulrike*, geb. 12. Dec. 1772, verm. d. 17. März 1789 an Philipp Ludwig Freiherrn Schoultz v. Ascheraden, Erbherr der Nehringer Güter in Neu-Vorpommern und königl. schwedischer Kammerherr.

Eltern.

Carl Heinrich Bernd, geb. 1705, war königl. schwedischer Kammerherr, Regierungsrath, Schlosshauptmann und Ritter des schwedischen Nordstern-Ordens, gest. 1757.

Gemahlin: Anna Eleonora v. Normann, geb. 1712, gest. den 20. August 1752.

Vatersgeschwister.

a) Charlotte Sophie Margarethe, geb. den 17. Novbr. 1734, gest. den 21. Mai 1773.

Gemahl: Jacob Philipp, Graf von Schwerin, Majoratsherr auf Fylingerum (in Schweden), vermählt den 18 August 1750, gest. d. 3. Januar 1779.

b) Louise, geb. 1736, war Hoffräulein bei der verstorbenen Königin von Schweden.

c) Carl Ludwig Thuro, geb. 1740, ehemals Major in königl. preuss. Diensten und königl. schwedischer Kammerherr, gest. 1816.

Gemahlin: *Hedwig Anne*, Gräfin v. B., gest. 1833.

Kinder.

1) *Hedwig Caroline*, geb. den 4. Dec. 1781, verm. 1816 an den königl. preuss. Obristlieutenant ausser Dienst, v. Barner.
2) *Carl Friedrich Wilhelm Ludwig*, königl. preuss. Rittmeister ausser Dienst und Erbherr auf Preetz, geb. d. 11. April 1789.
3) *Louise Philippine*, geb. den 1. Mai 1791.

d) Wilhelm, geb. 1750, hat als königl. schwedischer Major quittirt und war schwedischer Kammerherr, gest. 18. Febr. 1831.

Beschreibung des gräflichen Wappens, laut des d. d. Dresden den 11. Sept. 1745 ausgefertigten Grafen-Briefes.

Post alia.

Ferner und zu mehrerer Gedächtniss solcher Unserer Erhöhung in des heiligen Roemischen Reichs-Grafen-Stand haben wir schon genannten *Carl Heinrich Bernd* v. B. sein bisher geführtes alt-adeliges Wappen und Kleinod nicht alleine zu einem Reichs-Gräflichen erhoben und gewürdiget, sondern auch vermehret, mithin nachfolgendermassen in Gnaden concediret und verliehen, als mit Nahmen Einen mit einem goldenen Rande eingefassten Schild, in dessen silberner Feldung sieben rothe in Form eines Sparrens übereinander gelegte länglichte Quadrate, auf deren obersten ein rechts gewandter rother Greif mit offenem Schnabel, herausgeschlagener Zunge, vor sich geworffenen Klauen und geschlossenem Fluge wachsend zu sehen ist. Den Schild bedecket eine Grafen-Crone, auf welcher drey silberne zier vergoldete roth gefütterte mit goldenen Cronen und anhangenden Kleinodien geschmückte frey offene adeliche Tournier-Helme ruhen, deren der mittlere vor- die beyden andern aber einwärts gestellt sind. Auf dem mittlern, dessen Decken zu beiden Seiten roth und Silber gemischt abhangen, stehet ein Stamm in seiner Farbe, welchen auf jeder Seite ein zurückschauender, geflügelter rother Greif hält. Auf dem zur rechten, welcher mit schwarz und goldenen Decken gezieret ist, erscheinet ein schwarzer, wachsender mit dem Kopfe einwärts gekehrter goldgekrönter Adler mit offenem goldenen Schnabel, ausgeschlagener goldener Zunge und ausgebreiteten Flügeln. Auf dem zur linken aber, dessen Decken roth und silbern sind, entspringen drey Straussen-Federn, deren mittlere roth und in der Mitten mit einer silbernen, die zur rechten und linken hingegen silbern und jede mit einer rothen Raute beleget ist. Auf jeglicher Seite stehet als Schildhalter ein zurückschauender goldgekrönter rother Greif mit offenem Schnabel, ausgeschlagener Zunge, geschlossenem Fluge und abwärts geschlagenem Schweife. — In welcher allhier in der Mitte dieses Unsers Libellweise geschriebenen Reichs-Grafen-Briefes mit Farben nach eigentlichen entworffenen Masse Wir ihm, dessen Leibes-Erben und deren Erbens-Erben das Reichsgräfliche Wappen und Kleinod zu führen gnädigst zugelassen, erlaubet und verwilliget.

Bohm, die Grafen von, Bd. I. S. 270.

Der erwähnte Geh. Legations-Rath Graf B. hatte sich in Paris mit einer Gräfin Vassy, Tochter des Marquis Girardin, vermählt und starb im Jahre 1824.

Bojan, die Herren von.

Diese Familie gehört zum pommerschen Adel, sie besitzt das Gut Lowitz im Lauenburgischen. Zwei Edelleute dieses Namens dienten im Jahre 1806 in der Armee, einer war Lieutenant in dem Regiment Winning in Berlin, und stand im Jahre 1828 als Capitain bei der Landwehr. Der andere stand als Lieutenant in dem Regiment v. Alvensleben zu Silberberg, und ist gegenwärtig Major im 7. Infanterie-Regiment. Er erwarb sich das eiserne Kreuz 1ster Klasse bei Ligny.

Boltenstern, die Herren von, Bd. I. S. 275.

Michael Bolte war Bürgermeister zu Loitz bei Stralsund. Sein Enkel *Joachim* B. wurde am 26. Jun. 1675 vom König von Schweden in den Adelstand erhoben. Noch gegenwärtig besitzt diese Familie das Gut Altenhagen im Kreise Franzburg. *Franz Michael* v. B., Erbherr auf Altenhagen, Seehagen, Zühlendorf und Bartelshagen, königl. schwedischer Gerichts-Direktor auf Rügen, starb 1730. Sein Sohn pflanzte mit Catharina v. Ehrenfels sein Geschlecht fort. Das Wappen dieser Familie zeigt im obern Felde des Schildes drei eiserne Bolten, deren Spitzen unterwärts an einander stossen und sich oben etwas von einander theilen, im untern blauen Felde sind drei silberne Ströme angebracht. Auf dem Helm liegt ein silberner Kranz, darauf stehen zwei schwarze Adlerflügel, dazwischen werden drei silberne Ströme sichtbar.

Bombeck, die Herren von.

Sie gehören zu dem alten Adel in Ostpreussen, wo sie die Gross-Gräbener Güter bei Osterode besassen. *Bastian* v. B. auf Gross-Gräben, war mit Anna v. Demke vermählt. Zweige dieses Geschlechts waren auch in Mähren und Liefland ansässig.

Bomsdorf, die Herren von, Bd. I. S. 276.

Ein altes adeliges Geschlecht. In der Niederlausitz und zwar in der Herrschaft Pförten befindet sich ein Rittergut mit Namen Bomsdorf, welches vermuthlich das Stammhaus dieser adeligen Familie ist. Unter den Vorfahren derer v. B., findet man zuerst einen *Benedict* v. B., welcher 1330 Klostervoigt zu St. Georgen vor Naumburg, gewesen ist. Im Jahre 1431 gelangte *Nicolaus* v. B. zu der Würde eines Abts im Kloster Neuzell bei Guben, in der Nieder-Lausitz. *Balthasar* v. B. lebte ums Jahr 1570 als Besitzer des Guts Grane bei Guben, dessen Sohn, *Petrus* v. B., markgräfl. Culmbachischer Geh. Rath wurde. Um das Jahr 1640 war *Johann* v. B. auf Lohsa, Moelke u. s. w., Amtshauptmann zu Schenkendorf, Johannis-Ordens-Ritter und Rath; sein Bruder aber, *Loth* v. B., auf Presslingen, hinterliess zwei Söhne, der ältere war *Loth*, der Jüngere v. B., kursächsischer Oberhof-Jägermeister, der mit seiner Gemahlin, einer v. Ponickau, 29 Kinder erzeuget, 1684 verstorben und vier Söhne hinterlassen, von denen *Carl August* und *Johann Friedrich* v. B., königl. poln. und kursächs. Kammerherrn, *Loth* v. B., auf Meding, aber kursächs. Oberforst- und Wildmeister der Aemter Wittenberg, Gommern u. s. w., wurde, und seinen Stamm fortgepflanzt hat. Der jüngere Sohn des *Loths* v. B. hiess gleichfalls *Loth* v. B., war Herr auf Alt-Dobra und ums Jahr 1680 kursächs. Land-Jägermeister. Dessen Sohn, *Hiob Ernst* v. B., königl. poln. und kursächs. Hofmarschall, hatte 1704 das Unglück zu Petrovien an der Weichsel in Polen, dass er bei einer des Nachts entstandenen Feuersbrunst verbrannte. Um das Jahr 1715 that sich *Philipp Wilhelm* v. B., als königl. polnischer Obrist, hervor. Es mag sich diese Familie früher auch in Böhmen ausgebreitet haben, denn man findet einen *Wenzel* Graf v. B., Vice-Landrichter in Böhmen, der bei der damaligen böhmischen Unruhe seinem Herrn, dem Kaiser Ferdinand II., treu verblieben. In Schlesien hat auch, wie mehrere andere, diese Familie das Gut Schönfeld, im Schweidnitzischen Fürstenthume besessen. Das Wappen der Familie v. B. besteht in einem schräggetheilten Schild, dessen Obertheil weiss, der untere aber blau ist. Auf dem Helm befinden sich zwei Büffelhörner, wovon das vordere weiss, das hintere aber blau ist, auf der äussern Seite von beiden, gehen aschfärbige Federn hervor. (Auf einigen sind die Hörner beide weiss und ohne Federn.) Die Helmdecken sind blau und weiss.

Bonge, die Herren von.

Ein Herr v. B. war 1806 Premier-Lieutenant und Adjutant im Regiment v. Strachwitz. Er war mit der Tochter des Generals der Infanterie Reichsgrafen von Anhalt vermählt, und ist im Jahre 1820 gestorben. Er besass einige Jahre das Gut Nimmersatt bei Bolkenhain in Schlesien. M. v. B. I. S. 125 unsers Adels-Lexicon.

Bonhorst, die Herren von.

Ein ehemalig Danziger Patrizier-Geschlecht v. B., demselben gehörte an: *Constantin Dionysius* v. B., königl. preuss. Oberst, Commandant von Weichselmünde, gestorben im Jahre 1807.

Bonin, die Herren von, Bd. I. S. 277.

Die Familie v. Bonin (Bohnin) ist ein uralt Geschlecht in Pommern und in der Neumark, besonders im Fürstenthum Camin ansässig. Der Ursprung der Familie verliert sich im Alterthume, sie ist aber aus Polen, wo die Bonina oder Sponinsky hiess, 1274 unter Swantus nach Pommern gekommen. Von dessen 5 Söhnen wurden *Tesmar* und *Tezlaf* die Stammväter der beiden Hauptlinien, von welchen die erstere sich unter *Tesmars* Urenkeln, *Tonnies* und *Georg*, in die *Dubberlech'sche* und *Wojenthin'sche* Linie abzweigte.

1601 den 24. März huldigten dem Herzoge Barnim von Alt-Stettin folgende Bonine: *Berend*, *Peter*, *Anshelm*, *Jacob* zu Naseband, *Wulfslatzig*, *Gebbin*, *Jürgen*, *Joachim*, *Michel*, *Paul*, *Daniel* zu Gummenze.

1660 im September, bat Barbara v. Wolden den Kurfürsten, bei dem Leichenbegängniss ihres verstorbenen Gemahls, des kurfürstl. Raths, Kammerherrn, Oberkriegskommissair und Oberster, *Wedige* v. B., zugegen zu sein. Diese Stelle vertrat der Oberst und Commandant von Colberg, v. Schwerin, der 1660 den 20. September dazu die Ordre empfing.

Ernst Bogislav v. B., geb. zu Cöslin auf dem fürstlichen Schlosse 1623 den 10. Jan., kam frühzeitig zum Herzog von Croy, begab sich mit demselben nach Polen, trat dann 1638 als Reiter in schwedische Dienste bei des Grafen und Obersten v. Güldenstein Compagnie in Wismar, wurde Corporal, bis der Oberst v. Sparre das Wismaer-Gouvernement antrat, der ihm das Fähnlein bei seinem Regiment zu Fuss gab. Er focht 1642 den 2. Nov. im Treffen bei Leipzig, wohnte 1643 der Belagerung und Eroberung der Festung Dömitz bei, wurde in der Schlacht bei Jankowitz gefährlich verwundet, diente 1644 als Capitain in Holstein und Jütland, war bei der Belagerung und Entsetzung von Bernburg, in den Treffen und Belagerungen bei Stein und Dietrichstein, Cronenburg u. a. Orten. Bei der Bestürmung der Festung Brünn war er einer der ersten auf der Mauer, ward aber zum Weichen gezwungen und mit einem Morgensterne am Kopf gefährlich verwundet. Der Feldmarschall Wrangel sandte ihn zweimal zur Königin Christine 1645 und 1646, weil man an ihm ebensowohl Tapferkeit als Klugheit schätzte, um ihr von der Armee Nachrichten zu bringen. Mit Erlaubniss seines Obersten begab er sich in Dienste zu der Cavallerie bei der Armee des General-Lieutenants v. Königsmark zu des Obersten v. Hüninghausen-Regiment zu Pferde, mit welchem er vielen Treffen und 1647 dem beim Schlosse Friebel beiwohnte. 1649 ward die Armee abgedankt, er begab sich in seine Heimath und kaufte nach seiner Mutter Tode Repzow, veräusserte es jedoch bald wieder. 1651 den 21. Octbr. verheirathete er sich mit Margaretha Clara, Joachim Henning v. Schmelings, pommerschen Landraths und Rittmeisters, zu Chüdenhagen, Parsow, Schwemmin, Warnin, Erb und Pfandgesassen Tochter, mit welcher er in 18jähriger Ehe 5 Söhne und 9 Töchter zeugte. 1657 bestallte ihn Churfürst Friedrich Wilhelm zum Oberstwachtmeister bei den Lehnpferden, da er zuvor Dienstanträge der Könige von Schweden und Polen ausgeschlagen hatte. Er folgte dem Churfürsten auf seinem Zuge nach Dänemark, ward von ihm zum Oberstlieutenant ernannt und erhielt den Befehl eine Eskadron Reiter zu werben. Mit diesen befand er sich bei der Belagerung von Stettin, bei welcher ihm in einem scharfen Rencontre durch eine Stückkugel der Zaum in der Hand zerschossen, das Pferd erschlagen, hinter ihm aber einige Reiter theils getödtet, theils verwundet wurden. Nach dem Frieden von Oliva erfolgte seine Abdankung, er begab sich auf seine Güter und erhielt 1671 als Landrath in Berlin, wohin er eine Reise zur Aufwartung bei dem Kurfürsten angetreten hatte, die Amthauptmannschaft auf Cöslin. 1672 den 9. Nov. verehelichte er sich zum zweitenmale mit Anna Sophie, Joachim v. Volckmann's, kön. schwedischen Generals von der Infanterie, Kriegsraths und Gouverneurs von Bremen und Verden, hinterlassenen Tochter, mit welcher er 4 Söhne und 2 Töchter zeugte. Er starb 1648 den 11. März zu Repzin 61 Jahre 2 M. 7 T. alt

An den *Georg Ernst* v. B. zu Bublitz bei Cöslin. Vester lieber Getr. Ich habe aus Eurem Schreiben vom 16. d. ersehen, dass Ihr nunmehr auch Euren siebenten Sohn zu Meinen Kriegsdiensten anhero gesandt habt, auch den achten und letzten gleichfalls bald nachschicken wollet. Es gereichet Mir solches zu gnädigstem Gefallen und könnet Ihr versichert sein, dass Ich vor Ihre Fortune schon sorgen werde, wenn sie zumalen insgesammt sich dergestalt zum Dienst appliciren, wie die beiden Ohms, welche bei dem Meyerinkschen Regiment stehn, als mit derer Conduite Ich vollkommen zufrieden bin. Ich verbleibe etc. Berlin den 20. Jan. 1752. Friedrich.

Anselm Christoph v. B., General-Lieutenant, Commandant von Magdeburg, Ritter des schwarzen Adler-Ordens, Amtshauptmann zu Memel und Drost zu Blankenstein in der Grafschaft Mark. Bis 1715 diente derselbe im Regiment Alt-Anhalt, focht in Italien, Deutschland, den Niederlanden und Pommern, wurde bei Hochstedt verwundet, dann Capitain beim Regiment von Löben, als Oberstlieutenant zum Regiment v. Finkenstein versetzt, erhielt 1727 den 23. Jun. die Amtshauptmannschaft zu Memel. Zum Obersten befördert, wohnte er 1734 dem Feldzuge am Rheine bei, bekam 1740 den 25. Mai die Drostei Blankenstein und 1742 das Regiment v. Wedell. 1743 im Mai ward er General-Major, 1745 im Juli General-Lieutenant und im December desselben Jahres Ritter des schwarzen Adlerordens. 1747 im Juni zum Commandanten ernannt, erhielt er 1749 im December eine Präbende beim Stift St. Sebastiani zu Magdeburg und starb d. 2. Mai 1755 in Magdeburg 71 Jahre alt. Von 1740—45 machte er den Feldzug in Böhmen, Schlesien und Sachsen mit und focht bei Hohenfriedberg und Sorr. Auch bei dem Einfalle des Königs in die Lausitz und bei der Eroberung von Dresden, nahm er thätigen Antheil. Seine Gemahlin war Charlotte Louise, Tochter des General-Lieutenants Kurt Hildebrand v. d. Marwitz, mit welcher er 2 Söhne und 1 Tochter zeugte.

Casimir Wedig v. B., General-Lieutenant und Chef eines Dragoner-Regiments, Ritter des schwarzen Adler-Ordens, und Bruder *Anselm Christophs* v. B., geb. d. 1. Mai 1691 in Pommern, war zuerst Reitpage des Markgrafen Albrecht von Brandenburg, der ihn 1712 zu seinem Regiment zu Pferde setzte, wobei er 1718 zum Rittmeister aufstieg. 1738 den 4. Jun. ward er Oberst und Commandeur des Alt-Waldau'schen Cuirassier-Regiments, erhielt 1743 im Januar das Spiegelsche Dragoner-Regiment, 1743 seine Beförderung zum General-Major, 1747 den 24. Mai zum General-Lieutenant der Cavallerie, 1748 im December verlieh ihm der König den schwarzen Adler-Orden. Von 1740 an machte er die Feldzüge in Schlesien, Böhmen und Sachsen mit und focht bei Hohenfriedberg und Kesselsdorf. Sein Tod erfolgte 1752 am 12. Sept. zu Landsberg a. d. Warthe. Er war unverheirathet.

Bogislav Ernst v. B., General-Major und Chef eines Füsilier-Regiments, auf Repzin in der Neumark Erbherr, ein Sohn des 1761 gestorbenen Rittmeisters *Georg Ernst*. Er diente zuerst im Alt-Woldeckschen Regiment, nahm als Lieutenant seinen Abschied und begab sich auf sein ererbtes Gut Repzin in der Neumark. Beim Ausbruche des 7jährigen Krieges bat er den König wieder um Dienste, wurde Flügeladjutant im Gefolge Friedrichs II, Hauptmann, 1758 Major bei

Prinz Friedrich von Braunschweig, 1775 den 28. Jun. Oberstlieutenant, 1779 den 24. Jun. Oberst, 1786 den 1. März General-Major und erhielt das erledigte von Klitzingsche Füsilier-Regiment. Er hatte sich stets im Kriege als ein tapferer Soldat gezeigt und war zweimal verheirathet. 1) An eine v. Borne, von der er geschieden wurde; 2) seit 1772 an Dorothea v. Grumbkow, mit welcher er mehrere Kinder erzeugte. Der General war ausserordentlich viel schuldig, wozu die Spielsucht seiner Frau viel beigetragen haben soll.

Bernhard Eccard v. B., Oberst und Chef eines Garnison-Regiments, Sohn *Bernhard Eccards* v. B. auf Naseband, Gellen, Crangen Erbherr, und Marie Louisens v. Rohwedel. 1759 im Januar erhielt er als Oberst das Salenmonsche Garnisonsbataillon zu Geldern, welches er bis 1763 besass, wo er auf sein Ansuchen entlassen wurde. Er starb 1771 den 22. März unverehelicht.

Ernst Friedrich v. B., General-Lieutenant, Ritter des Ordens pour le mérite, des eisernen Kreuzes am weissen Bande u. s. w. 1751 in Pommern geboren, diente seit seinem 14ten Jahre im Husaren-Regiment v. Blücher. 1793 erhielt er bei Schwalm den Verdienstorden. Er war damals Pr.-Lieutenant und Adjutant des Regiments-Chefs, Grafen Johann Wilhelm v. d. Goltz. Am 6. Sept. 1800 wurde er zum Major befördert, machte als solcher den Feldzug von 1806 mit, wurde 1808 im März dim., ging auf sein Gut Lupow, nahm 1813 aufs Neue bei der Formation der Landwehr seine Anstellung, avancirte 30. März 1816 zum General-Major, erhielt nach dem Frieden das Commando der vierten Landwehr-Brigade zu Münster, und 1822 als General-Lieutenant den Abschied. Er starb plötzlich am 27. Oct. desselben Jahres. — Aus Familienpapieren mitgetheilt.

Bons, die Herren von.

Eine aus Savoyen stammende und der Religions-Unruhen wegen im Jahre 1574 nach Frankreich und später nach Preussen gekommene adelige Familie. *Anselm* v. B. hatte sich aus seinem Vaterlande nach Frankreich begeben, und kaufte dort ansehnliche Güter. Sein Enkel *Amadeus* v. B. kam mit seinen Brüdern unter der Regierung des grossen Kurfürsten nach Berlin, er vermählte sich mit Dorothea v. Borsada. Aus dieser Ehe war *Ludwig August* v. B., königl. preuss. Capitain, Herr auf Pellen bei Zinten, er blieb im Jahre 1741 bei Mollwitz auf dem Felde der Ehre. Das Gut Pellen hatte er mit Helena Charlotte v. Redes, verwittw. v. Auer, erheirathet. Er erscheint als der letzte seines Geschlechtes.

Boreck (Boreg), die Freiherren und Herren von.

Ein uraltes, vornehmes, im vorigen Jahrhundert aber in Schlesien erloschenes Geschlecht, dessen Stammhaus der Rittersitz Rostropitz bei Teschen liegt und sich auch Boreck v. Tworkau schrieb. *Wilhelm* B., Freiherr v. Tworkau, war Herr auf Rostropitz, Kaiser Ferdinand II. Oberster, Rath und Landeshauptmann zu Breslau, er starb daselbst am 12. Nov. 1641 und liegt in St. Vincent begraben. Er hinterliess nur eine Tochter, *Anna Judith*, die sich mit dem Freiherrn Joachim Andreas Maltzan zu Militsch vermählte. Mit *Wilhelm* Freiherrn v. B. scheint dieses Geschlecht im Mannsstamme bei uns erloschen zu sein. Es führte im getheilten oben schwarzen, aber unten schwarz und gelben Schilde, einen geharnischten Mann in alt römischer Kleidung, mit Sturmhaube auf dem Haupte und einen goldenen Stab in der rechten Hand. Im untern Theile stehen drei Sterne. Auf dem Helme zeigt sich der Mann so wie oben beschrieben. Die Decken sind schwarz und golden. M. s. Lucae p. 177; Sinapius Thl. I. S. 282 und Thl. II. S. 320.

Borell, die Herren von.

Ein Oberst Borell du Vernay, früher Commandeur eines Bataillons in der 1. Warschauer Füsilier-Brigade, war ein geborner Berner, er starb 1807 als Oberst. Gegenwärtig steht ein Offizier dieses Namens im 33. Infanterie-Regimente.

Boremski, die Herren von.

Ein Hauptmann v. B. stand 1806 zu Münster bei dem Regiment von Hagken er ist 1825 a. D. gestorben. Gegenwärtig steht ein Hauptmann v. B. im 38. Infanterie-Regiment in Glatz.

Borenski, die Herren von.

Sie sollen früher Wieze geheissen haben, und aus Polen abstammen. Nach Paprocius hat ein Ritter aus diesem Hause, wegen tapferer Vertheidigung des Schlosses Cosel, ein Schloss mit zwei Thüren zum Wappenbilde erhalten, was seine Nachkommen im Schilde und als Helmschmuck führten. In Schlesien besass am Anfange des 18ten Jahrhunderts *Leopold* v. B. Gr. Grauder bei Cosel, und *Ferdinand* v. B. einen Antheil des Gutes Borin in der Standesherrschaft Pless. Gegenwärtig ist die Familie nicht mehr in Schlesien begütert.

Borewitz, die Herren von.

Sie unterscheiden sich von der schlesischen Familie v. Borwitz nicht allein durch das unten angegebene Wappen, sondern auch durch den Beinamen Cureva. Es soll dieses Geschlecht früher seinen Wohnsitz in Polnisch-Litthauen gehabt haben, wo es auf dem Schlosse Cureva seinen Sitz führte. Der Vater und Oheim der jetzt lebenden Herren v. B. C., die als Offiziere im preussischen Dienste stehen, war in Curland geboren, und im Hause eines Grafen v. Kaiserling erzogen. Später stand er als Offizier in dem preussischen Dragoner-Regiment v. Posadrowsky, dann nahm er den Abschied und erkaufte das Gut Polennen bei Fischhausen. Diese Besitzung ist jedoch später wieder in andere Hände gekommen, und der gedachte v. B. starb 1818 in Curland. Seine Gemahlin, eine geb. v. Auer auf Nopkeim, starb im Jahre 1823. Aus dieser Ehe lebt ein Sohn, der Lieutenant v. B. im 27. Infanterie-Regiment zu Wittenberg. Ein Bruder des letztgedachten ist mit Hinterlassung von vier Söhnen gestorben, er war mit einem Fräulein v. Dargitz vermählt. Früher besass ein Ast dieses Hauses auch den Rittersitz Gedaw, allein er ist in der Schwertlinie erloschen, nur ein Fräulein lebt noch, später vermählte v. Fresin. In Russland blüht dieses Haus noch in mehreren Zweigen fort. Im Wappen dieser Familie befindet sich im Felde ein Hufeisen, worauf eine Taube steht, die einen Viertel-Mond im Schnabel hält.

Borgstede, Herr von, Bd. I. S. 285.

Der in unserm Artikel angeführte *August* v. B. auf Rörschen u. s. w. ist 1837 in Stettin gestorben.

Borkmann (Borckmann), die Herren von.

Die v. B. sind ursprünglich ein angesehenes Geschlecht der Stadt Danzig. *Andreas* B. starb am 17. Dec. 1722 als ältester Bürgermeister der Stadt Danzig. — *Valentin Gabriel* v. B. war 1764 königl. preuss. Hauptmann im Regiment Wolfersdorf, und wurde später als Inspector der Kohlenniederlage an der Lippe im Clevischen versorgt.

Borkowski (Borckowski), die Herren von.

Dieses ursprünglich Polen und Westpreussen angehörige Geschlecht, gehört seinem Wappen nach zum Hause Nowina, wie die Bissinski genannt Jackelli. Mehrere Mitglieder der Familie v. B. dienen und dienten in dem preussischen Heere. Ein v. B. besass 1773 das Gut Kantzeyno in Westpreussen, er hatte 3 Söhne, *Joseph*, *Albrecht* und *Thadeus*. Ein anderer v. B. auf Gorczeniizka im Michelauer Kreise, hatte ebenfalls 3 Söhne, *Peter*, *Johann*, *Niklas*. Im Jahre 1806 stand im Regiment Kurfürst von Hessen ein Hauptmann v. B., er schied 1828 als Major aus der Gensdarmerie. Gegenwärtig steht im 20. Infanterie-Regiment zu Torgau ein Hauptmann v. B. Das Wappen des Hauses ist das Doppelkreuz auf dem einwärts gekehrten Viertel-Mond im roth und blau gespaltenen Schilde. Im rothen Felde ist das Kreuz silbern, im blauen roth. Auf dem Helme steht ein geharnischter Fuss mit goldenem Sporn, der mit dem Knie die Krone berührt. Helmdecken Gold und blau mit Silber und roth. M. s. Henel p. 635, Okolsi P. I. p. 586, Sinapius P. II. S. 539.

Born, Herr von.

Franz Ernst Andreas Wilhelm v. B. besitzt das Rittergut Sienno im Kreise Bromberg der Provinz Posen.

Borstell, die Herren von, Bd. I. S. 289.

B. I. S. 289 Zeile 6. v. o. lies: Schinne statt Schinke; diess Gut ist jetzt an einen Superintendenten Vogt verkauft. Es ist übrigens ein Irrthum wenn die Familien v. Boerstel und v. Borstel, als ein und dieselbe angegeben werden. Die Familie v. Boerstel stammt aus dem Anhalt'schen, und von ihr ward eine Linie 1676 in den Freiherrnstand erhoben. Von dieser Familie waren im 17ten und 18ten Jahrhundert mehrere in brandenburg'schen Diensten und erlangten hohe Aemter. Ihr gehörte auch das Gut Hohen-Finow; die angeführten: *Ludwig* v. Borstel und *Ernst Gottlieb* v. Borstel, hiessen ebenfalls nicht Borstel, sondern Boerstel. Jetzt ist die Familie Boerstel ausgestorben; der letzte derselben war ein Domdechant von Brandenburg. — Zeile 14 und 16 v. o. steht 1785 und 1787, soll heissen: 1685 und 1687. — Die Familie v. Borstell stammt aus der Altmark, und ihr gehören noch jetzt die Güter Gr. und Kl. Schwarzlosen, früher auch die Güter Nahrstedt, Brumkow und Windberge in der Altmark. Alle von

Zeile 22 v. o. an aufgeführten Personen gehören zu dieser Familie. Was nun die Wappen beider Familien betrifft, so ist das der Familie v. Boerstel, zwar angegeben, aber unrichtig.

Die v. Boerstel führten einen, durch einen rothen Schrägbalken schrägrechts (nicht aber in die Quere, wie im Adels-Lexicon steht,) getheilten, oben silbernen Schild.

Bortfeld, die Herren von.

Ein einst sehr reiches Geschlecht im Gantersheimschen und Halberstädtschen. *Reinhardt* v. B. der reiche, lebte um das Jahr 1196. Ein Nachkomme von ihm, N. N. v. B., war Landrath in Halberstadt, starb um das Jahr 1756.

Boskamp, die Herren von.

Diese Familie v. B., genannt Lasopolski, kam aus Frankreich nach Holland, sie hiess daselbst Boisecamp (-Waldfeld). Im Jahre 1772 erhielt der polnische Kammerherr v. B. das Indigenat des Königreichs Polen und wollte sich auch im Jahre 1781 in Ostpreussen ankaufen. Ein Sohn desselben starb vor einigen Jahren zu Gleiwitz als Bergrath und Ober-Hütten-Inspector.

Bossart, die Herren von.

Die Brüder B. zu Cöln, der ältere, kaiserl. Resident, der jüngere, *Johann Alexander*, Geh. Hof- und Regierungs-Rath, wurden im Jahre 1746 in den Reichsadelstand erhoben. Im Hassischen Wappenbuch sind die v. Bossart als ein adeliges Geschlecht der Grafschaft Mark bezeichnet. Das Wappen ist quadrirt im ersten und vierten silbernen Felde sind drei Rosen, oben zwei unten eine, im zweiten und dritten blauen Felde steht ein goldener Edelhirsch auf einem schwarzen Balken, auf dem Helm wiederholt sich der Hirsch, aber verkürzt. Decken Gold und blau.

Both, die Herren von.

Eine dem Grossherzogthume Mecklenburg-Schwerin angehörige altadelige Familie, aus welcher einige Mitglieder im preussischen Heere gedient haben und noch dienen. In dem Infanterie-Regiment v. Reinhart in Rastenburg standen der Major v. B. und sein Sohn, der Prem.-Lieutenant v. B. Der Vater starb 1811 als Brigadier der Garnisons-Compagnien, der Sohn aber 1835 als General-Lieutenant a. D. zu Liegnitz in Schlesien. Im Cuirassier-Reg. v. Quitzow blieb 1806 ein Lieutenant v. B. auf dem Felde der Ehre und ein vierter v. B., der 1806 im Dragoner-Regiment Königin diente, lebte 1828 auf seinem Gut Kalkhorst bei Lübeck. Zwei Söhne des erwähnten General-Lieutenants dienen gegenwärtig in der Armee. Das Wappen derer v. B. ist ganz gleich dem der Familie Botmer oder Bothmar. Im blauen Felde auf dem Meere, ein segelndes rothes Schiff (Boot) mit weissen Segeln und goldener Fahne, auf dem Helme drei Straussenfedern. v. Hasse 194.

Botzheim, die Freiherren und Herren von.

Ein General-Major v. B. starb im Jahre 1737 zu Stettin. *Friedrich Wilhelm* v. B. war 1766 kurpfälzischer Geh. Rath, er wohnte zu Wachenheim bei Worms. Diese Familie war auch in den schwäbischen Kantons Neckar, Schwarzwald und Ortenau, auch am Ober-Rhein sehr begütert. *Friedrich Ludwig* Freiherr v. B., k. k. wirkl. Geh. Rath und Ritter des kurpfälzischen Löwen-Ordens, starb am 20. Mai 1802.

Boulignez, die Herren von.

Eine adelige aus Burgund stammende Familie. Ihr gehörte der Major v. B. im Ingenieur-Corps an, er starb 1808 zu Potsdam. Vor Mainz hatte er sich im Jahre 1793 den Verdienstorden erworben.

Bouverot, die Grafen von.

Aus dieser aus Frankreich stammenden gräflichen Familie trat ein Graf v. B. am Anfange dieses Jahrhunderts in den preuss. Dienst, wurde Offizier im Regiment v. Renouard in Halle, machte mit Auszeichnung die Feldzüge in Frankreich mit und erwarb sich, zum Major befördert, bei Issy das eiserne Kreuz. Nach dem zweiten pariser Frieden ist der Major Graf v. B. im Forstfach angestellt worden und gegenwärtig bekleidet derselbe die Posten eines königl. Regierungs- und Forstraths in Frankfurt a. d. O. Zugleich ist derselbe Führer des 1sten und 2ten Aufgebots vom 1sten Bataillon des 8. Landwehr-Reg.

Boye, die Freiherren von.

Diese adelige Familie soll aus Böhmen nach Finnland und Schweden gekommen sein. In der schwedischen Armee dienten Mitglieder derselben. Zwei General-Majors standen 1814 in derselben, einer von ihnen lebt noch gegenwärtig in Stralsund, ein anderer, der in preussische Dienste trat, lebte mehrere Jahre als General-Major v. d. A. in Berlin und machte sich als Vorsteher und als Mitglied mehrerer gemeinnütziger Vereine um die Armuth und leidende Menschheit verdient. Er starb vor einigen Jahren auf einer Reise in Pommern. Seine Wittwe lebt noch in Berlin.

Boytal, die Herren von.

Dieses adelige Geschlecht hat lange in Prenzlau gewohnt und da ihre Ackerhöfe gehabt. *Thomas* v. B. ist im Jahre 1551 Bürgermeister von Prenzlau gewesen. Unter den Herren vom Adel, welche das Bürgerrecht zu Prenzlau gewannen, finden sich im dortigen Rathhäuslichen Register im Jahre 1589 *Heinrich*, und im Jahre 1597 *Bertram* v. B. Einige von dieser Familie haben in Halberstadt gewohnt, wo *Eustachius* v. B. als Domherr und Probst zu U. L. F. von 1586—88, und *Ernst* v. B. im Jahre 1597 genannt werden. M. s. Grundmann Seite 35.

Boyzenburg, die Herren von.

Das Schloss-Städtlein und Dorf Boitzenburg und das Kloster in der Ukermark, gehört seit ein paar Jahrhunderten den Herren und gegenwärtigen Grafen von Arnim. Ehedem hat ein Geschlecht gleichen Namens das Städtchen besessen, und wie man vermuthen darf, auch angebaut. Gerhardus von Boitzenburg hat im Jahre 1271 gelebt und daselbst gewohnet, aber das ganze Gut nicht mehr zusammen, sondern nebst andern Familien, als den von Stegelitz, von Kurkow, von Sparrenwalde u. a. m. zertheilt besessen.

Brackel, die Freiherren von, Bd. I. S. 296.

Diese vornehme Familie zerfiel nach ihren Besitzungen in die Häuser: Hebscheid, Breidtmar, Angelsdorf und Ober-Emt. Breidtmar kam durch *Maria Catharina* v. Portzen, Erbtochter des *Conrad Wilhelm* v. P. an das Haus Brackel-Hebscheid.

Nach einem von dem Freiherrn v. Schell und dem Grafen v. Spee am 19. Juli 1832 zu Düsseldorf ausgestellten Atteste, wurden aufgeschworen: *Theodor* v. B., aus dem Hause Oberembt 1701. *Franz*, Freiherr v. B ist Herr auf Tetz im Kreise Jülich. — *Philipp* v. B. und *Agnes* Isabella Crömmel von Eynatten hatten zwei Söhne, *Theodor* gründete die Linie zu Tetz, und *Johann* die zu Wilda. Der Letztere hatte das Unglück, dass sein zweiter Sohn, der k. österr. Hauptmann war, auf einer Jagd, die er mit dem Churfürsten v. Trier machte, durch Unvorsichtigkeit erschossen wurde. — *Karl Hugo* v. B. zu Breidtmar, war churfürstl. Trierscher General, Gh.-Rath, Gouverneur von Ehrenbreitenstein, starb um das Jahr 1768. *Franz Georg Jgnaz* v.B., Herr zu Breidtmar und Wilda, churfürstl. baier. Kammerherr und Hofrath, starb 1792.

Wappen. Ein geviertetes Schild, das erste und vierte ist in Silber und roth quer getheilt, im silbernen Felde steht ein Löwe, der eine Kugel in den Pranken hält. Das zweite und dritte Feld ist wieder geviertet, in dem ersten und vierten rothen Felde liegt ein Rad, das zweite und dritte blaue ist mit drei silbernen Wecken oder Raupen belegt. Auf dem Helme steht der Löwe wie im Schilde, doch verkürzt.

Braida, die Grafen von.

Von dieses gräfl. Hauses Ursprunge melden einige Schriftsteller, dass der berühmte tapfere Held Johann Rudolph v. Bredow, kaiserl. Feldmarschall im 30jährigen Kriege, deren Ahnherr sei, welcher wegen seiner Verdienste den Freiherrlichen und endlich den Gräflichen Stand nebst mehreren Gütern in Böhmen erhielt, und nach der böhm. Mundart von Braida genannt wurde. Andere aber bemerken, es stamme von dem uralten adeligen Geschlechte von Breida oder Braida im Herzogthum Schleswig ab, von welchem Angeli Holsteinische Adels-Chronik nachzulesen, und soll dasselbe schon vor etlichen Jahrhunderten in Böhmen sich niedergelassen haben, wie sie denn auch in Dr. Redels „sehenswürdigem Prag" unter den gräfl. böhmischen Geschlechtern zu finden, woher sie nach Schlesien gekommen.

Die Stammhäuser Ronsecco und Cornigliano scheinen mehr italienisch als deutsch zu sein.

„In Böhmen ward Anno 1722 m. Nov. der Graf v. B., geheimer Rath und Statthalter im Königreiche Böhmen, zu Jhro Kaiserl. Majestät wirklichem Geheimen Rathe ernannt.

„In Schlesien An. 1681 der Hochw. Herr Franciscus Julianus, Graf v. B., von Ronsecco und Cornigliano, Herr des Schlosses Gr. Heintzendorff, ingleichen auf Herbersdorff, Neugut, Neudorff, Parchau im Polckwitzischen Kreise, Glogauischen Fürstenthums, befand sich noch 1722 zu Olmütz am Leben und in grossem Ansehen, als des hohen Dom-Stifts zu St. Johan. in Breslau, wie auch zu Olmütz Kanonicus und vom J. 1703 bischöfl. Olmützischer Weih-Bischof oder Suffraganeus „vid. Silesiogr. Renov. C. VIII. pag. 344.

„Dessen Vetter Graf v. B., von Ronsecco und Cornigliano, war Ihro Kaiserl. Majest. General und Oberst über zwei Regimenter, welcher in Wien sein Leben geendigt, nachdem er im Ehestande gelebt mit Comtesse Anna Catharina, geborene Baronesse von Fürst und Kupferberg, von der geboren ein junger Graf, der geistlich geworden, und im Magisterio Soc. Jes. gestorben. Hochgedachte Frau Baronesse vermählte sich nachmals an den Grafen Franciscum Ludovicum von Zinzendorff."

Im Wappenbuche kommen P. II. p. 77 unter den fränkischen Geschlechtern vor, die von Brait, die im rothen Schilde zwei gegen einander gestellte weisse Flügel, dergleichen auch auf dem Helme mit weiss und rothen Helmdecken führen.

Brandenstein, auch Brandstein, die Freiherren und Herren von.

Von diesem alten vornehmen Geschlechte, das in dem Königr. Sachsen und Baiern, so wie auch in dem Herzogthume Sachsen-Coburg und in andern Landschaften begütert ist, haben verschiedene Zweige im preuss. Heere gestanden, und noch in der Gegenwart leben zwei General-Majors v. B., von denen der eine noch gegenwärtig in activem Dienste steht, der andere aber im Pensions-Stande in Berlin lebt. Einer v. B. war noch zu Anfange dieses Jahrhunderts Domherr zu Merseburg, noch gegenwärtig ist ein Major v. B. Commandeur eines Bataill. des 7ten L. W. Regts. in Hirschberg, seine Schwester *Charlotte* v. B. ist die Gemahlin des königl. Obersten und zweiten Commandanten zu Danzig, Grafen August v. Hülsen.

Das Stammhaus dieser Familie ist das Schloss Brandenstein in Thüringen unweit Ranis. Nach andern Autoren soll es in der Grafschaft Hanau gelegen haben. Die Turnierbücher erwähnen *Heinrichs* v. B., der 1165 zu Zürich, und Caspars, der 1235 zu Würzburg dem Turnier beigewohnt. Im Jahre 1295 werden in deren Geschlechts-Documenten, drei Ritter von dieser Familie angeführt, als: 1) *Albrecht* v. B., 2) *Heinrich* v. Hain, 3) *Friedrich* v. Obernitz, welche von ihren Rittersitzen sich also nannten. Die beiden letzteren haben eigene Familien errichtet. Mit dem erstern fängt König in seiner Adelshistorie die ordentliche Stammreihe mit dem J. 1307 an, dessen Sohn, *Heinrich*, Landvoigt in Thüringen und Advocat der Abtei Saalfeld gewesen, welcher 1400 Wittig v. B als Abt vorgestanden. In folgender Zeit hat sich diese Familie auch im Fürstenthume Coburg ausgebreitet, wo sie unter andern das Gut Lützelburg an sich gebracht. *Conrad* war 1363 Voigt zu Coburg. Im Jahre 1406 wird Albrecht als Zeuge angeführt, da die Landgrafen Friedrich und Wilhelm in Thüringen der Stadt Jena ein Privilegium gegeben. *Schweipold* ist 1437 als Pfleger zu Coburg genannt. *Catharina* ist 1464 Aebtissin des Klosters Sonnenfels bei Coburg gewesen, wie davon in Dr. Hoenns Coburg. Chronik zu lesen. *Heinrich* war 1471 Pfleger zu Coburg. *Eberhard*, Herr auf Oppurg und Rossla, war Eques Auratus und Statthalter der von Oesterreich an Herzog Wilhelm III. zu Sachsen verpfändeten Lande Lützelburg, welcher Charge er sehr wohl vorgestanden. Dessen Tochter, *Catharina*, Wittwe eines Herrn von Hessberg in Franken, ward 1463 die andere Gemahlin Herzogs Wilhelm III. zu Sachsen und Weimar, durch den Erzbischoff Friedrich von

Magdeburg demselben angetraut. Sie bekam von ihrem Gemahl 40,000 Gulden zum Heirathsgut, und 4000 Gulden Morgengabe geschenkt, wie davon weitläuftig in Müllers Annal. Sax. zu lesen. Sie hat als Wittwe alle ihre fahrende Habe nach ihres Gemahls Tode 1487 in einem Testamente an Kurfürst Friedrich und dessen Bruder Johann vermacht. Sie starb 1492 zu Saalfeld, wo sie wohnte, und ward zu Weimar bei ihrem Gemahl begraben. Ihr ältester Bruder Heinrich, Ritter, kursächs. Rath und Hauptmann zu Freiburg und Weissenfels, ward von dem Herzog Wilhelm, der ihn seinen lieben Schwager nennt, 1463 mit allen seinen Leibs- und Lehnserben, nachdem es Kurfürst Ernst und Herzog Albrecht zu Sachsen bewilliget, in Gegenwart eines Grafen von Schwarzburg, zweier Grafen von Gleichen, eines Herrn Reussen von Gera, eines Herrn von Querfurt und eines Herrn Schenken von der Tautenburg, mit der Burg und Stadt Ranis auf ewig beschenkt.

Vom Kaiser Friedrich III. wurde er und die mit seiner Gemahlin, Elisabeth von Schleunitz, erzeugten Söhne, *Eberhard*, *Haubold*, *Felix*, *Ewald* auf Ranis und Wolsdorf, in den Reichs-, Frei- und Pannerherrnstand gesetzt. Felix vermählte sich mit Elisabeth von Cramm, und wurde Vater des *Ascanius*, oder Asche auf Ranis und Wolsdorf, der aus seiner Ehe mit Veronica von Hessberg aus dem Gute Esshausen in Franken, und Anna's von Guttenberg Tochter 1548 *Hans Heinrich*, Erbherr zu Ranis und Wolsdorf zeugte. Dieser wurde, weil seine Mutter frühzeitig starb, nebst seiner jüngsten Schwester bei seiner Mutter Schwester Mann, Joachim von Rosenau, in Franken erzogen. Er vermählte sich 1569 zu Rötelsen mit Agathe, Friedrich Zöllners von Waldburg, daselbst und zu Seubich Erbgesessenen, Tochter, welche 1588 starb; er selbst 1623 zu Ranis. Von neun Kindern überlebten ihn folgende: 1) *Christoph Ulrich*, zu Wolsdorf und Ranis, der sich noch zu Lebzeiten seines Vaters mit Elisabeth von Göttfort, aus dem Hause Dassdorf vermählte, und ihm einen Enkel, Georg Adam, welcher nachher Sara Barbara von Vippbach, aus dem Hause Langen-Orla, heirathete, gab; 2) *Maria*, vermählte von Reitzenstein, 3) *Maria Magdalena*, vermählte von Watzdorf, zu Erdmannsdorf; 4) *Susanna*, vermählte von Beulwitz zu Löhnen; 5) *Apollonia*. — *Ernst* v. B., kaiserl. Trabanten-Hauptmann, hat 1529 in der Belagerung der Stadt Wien 4000 Mann Fussvolk commandirt, und wider die Türken tapfer gefochten, wie Spangenberg im Adelsspiegel anführt. *Hieronymus*, Oberst und Commandant der Festung Grimmenstein, hatte 1567 das Unglück, dass er, in die Grumbach'schen Händel verwickelt, auf dem Schaffot starb. *Otto* v. B., auf Oppurg und Bossnitz, hat sich mit Elisabeth, Wolffs von Breitenbach, auf Zessen und Löschwitz in Meissen, und Margaretha v. Einsiedel aus dem Hause Gnandstein, (welche zuerst mit dem sogen. alten Alexander v. B., der ihr einen Sohn, Namens Isaac, auf Colba, kursächs. Landrath und Hofrichter zu Jena, welcher ein Vater Gottfrieds, kursächs. Stiftraths und Canonicus zu Merseburg ward, und fünf Töchter, Anna Marie, Christine, Hans Veit von Stein auf Neidenberg Gemahlin, Margarethe, Rudolphs von Bünau auf Loschwitz Gemahlin, Cecilie und Sabine zeugte, zubrachte, verheirathet gewesen) im Jahre 1545 geborenen Tochter, und Asmus von Küneritz, auf Loschwitz, kursächs Oberhofrichters zu Leipzig, Wittwe, 1566 verehlichet. Er starb 1572 und seine Wittwe 1615 zu Oppurg. Sie hinterliessen: 1) *Esaias*, auf Oppurg, Grünau und Kröbitz, kursächs. Geheimenrath, Oberhofrichter zu Leipzig und Amtshauptmann zu Zwickau; er stand bei dem Kurfürsten in grossen Gnaden, der ihn nicht nur als Gesandten an den kaiserl. Hof einigemal sandte, sondern ihm auch die Angelegenheit wegen der Jülichschen Erbschaft anvertraute; er lebte noch 1619. Seine erste Gemah-

5*

lin war Catharina Susanne, Andreas Otto Schlegels, auf Leimbach und Branroda, fürstl. Magdeburgischen Hauptmanns zu Jüterbock und Dama, und Anna Lotterin, aus dem Hause Steinberg und Bucha, Tochter. Er hatte mit ihr folgende Kinder, von welchen er die Söhne vortrefflich studiren liess: a) *Johann Georg*, auf Weltewitz, der 1621 fürstl. Bambergischer Rath, und daselbst wo schon im Jahre 1613 Albert, auf Oppurg und Positz, der mit Maria, Oswald von Würtzbergs, auf Klein-Genschwende Tochter vermählt gewesen, als fürstl. Bamb. Rath und Amtmann zu Lichtenfels gestorben) katholisch geworden, auch seine drei mit seiner Gemahlin, einer von Hoym, erzeugten Kinder dazu nöthigen und entführen wollen; wie die Familie v. B. „juxta pacta mit ihm procediret" ist merkwürdig in Horns sächsischer Handbibliothek P. V. p. 555 u. s. w. zu lesen. b) *Christoph Karl*, römisch-kaiserl. und kursächs. Ober-Kammer- und Bergrath. Er ward von dem Kaiser in den Grafenstand und zum Freiherrn von Oppurg erhoben, gleichwie er auch Herr von Grüna und Gnau war. Er wollte gern die Reichs-Immedietät über diese Güter erlangen, welches ihm aber nicht gelang. Als König Gustav Adolph von Schweden auf deutschem Boden erschien, trat er als Kronschatzmeister in seine Dienste, und liess sich von ihm Querfurt, worauf Sachsen Ansprüche hatte, verschreiben; als er aber 1637 ein Friedensgeschäft der Schweden mit dem Kaiser auf sich nahm, und zu dem Ende bei Erhaltung sicheren Geleits nach Wien berufen wurde, ward er unterweges zu Dresden nebst seiner hochschwangern Gemahlin, Helena von Bodenhausen, angehalten und gefangen gesetzt, weil er „die kurfürstl. Advocatoria nicht respectiret," auch „sonsten wider Sachsen sollte Consilia gemacht haben," und starb nach vier Jahren in dem Gefängnisse zu Dresden. Sein einziger Sohn, *Christian*, starb 1640, und es ging also die gräfliche Linie dieser Familie aus. Im vierten Artikel des „Pacis Osnaburgensis" stehet, dass die Wittwe und Erben dieses Grafen in alle ihre durch Veranlassung des Kriegs entzogene Güter und Rechte wieder sollten eingesetzt werden. c) *Wolfgang Ehrich*, auf Oppurg, kursächs. Hofrath 1630. d) *Georg Friedrich*, der im Jahre 1635 als schwedischer Oberst verstorben ist. 2) *Wolf Otto*, auf Poritz, welcher sich mit Susanna v. B. vermählt und mit ihr drei Töchter, nämlich Margaretha, verheirathet an Caspar Heinrich von Etzdorf, Elisabeth und Susanna zeugte; 3) Martha, vermählt an Christoph Friedrich von Kochberg auf Ulstädt; und 4) *Christine Margaretha*, geboren 1599, vermählt 1613 zu Knau, an Albrecht von Meussbach, gestorben 1619 zu Braunsdorf. Seine zweite 1601 geheirathete Gemahlin war: Christina, Herrmanns von Weissbach, auf Schweinsburg, und Christina von Schönberg, aus dem Hause Limpach Tochter, und Heinrichs von Schöna, kursächs. Appellations-Raths zu Dresden Wittwe; sie starb 1608 zu Knau. Im Anfange des vorigen Jahrhunderts, war Schweipold, der jüngere, kursächs. Geheimerrath, und wurde in wichtigen Angelegenheiten gebraucht. Er war Erb- und Gerichtsherr auf Werneburg und Moderitz, geboren 1577. Er war nebst Wolf Dieterich ein Sohn Schweipolds des ältern, auf Werneburg und Moderitz, fürstl. weimar. Kammerraths und Hauptmanns zu Saalfeld und der Margaretha von Breitenbach, aus dem Hause Zössen, eine Meile von Merseburg, welche dieses Gut, das sie von ihrem Vater, Wolf von Breitenbach, geerbt, an die B. Familie gebracht hat; und ein Enkel Dietrichs, kur- und fürstl. sächsischen Landraths und Hofrichters zu Jena. Er selbst vermählte sich dreimal: 1) Mit Margaretha Agnes, Friedrich von Steincalnfels, zu Bundebach, Tochter. Die Hochzeit war am Pfalzgräflichen Hofe zu Neuburg. Als diese 1602 gestorben war, verheirathete er sich 1604 zum zweiten Mal mit Catharina, Meinards von Etzdorf, auf

Gross- und Kleinen-Aga Tochter, und als diese 1618 gestorben, zum dritten Mal mit Elisabeth, Abraham von Thumshiern, auf Ponitz und Frankenhausen, kursächsischen Geheimenraths und Hofmeisters Tochter. Er hatte in allen drei Ehen eilf Kinder gezeugt, welche ihr Geschlecht nachher weiter fortgepflanzet haben.

Im Königreiche Sachsen ist Hermsdorf unweit Leisnig der Sitz, woselbst am Anfange des vorigen Jahrhunderts der königl. polnische und kurfürstl. sächsische General-Lieutenant *Adam Friedrich* v. B. lebte. Auch bei Grimma hatten sie einige Güter, welche dem fürstl. Merseburgischen Hofmeister, *Hans Karl*, gehörten. Um eben diese Zeit war ein Herr v. B. als herzogl. weimarischer Rath, Oberhofmeister und Amtshauptmann zu Capelndorf, und bald darauf Johannes als fürstl. öttingischer Oberjägermeister, gleichwie auch 1734 *Friedrich August*, als königl polnischer Kammerherr bekannt. Weckens Dresden. Chron. Puffendorfs Kriegsgeschichte. Gotha Diplom. Ausserdem verdienen genannt zu werden: *Wilhelm August*, kursächs. Kammerherr und Oberstallmeister. *Christoph Ehrenfried*, bei der Kammer-Gemachs-Expedition und kurfürstl. Amtshauptmann. *Karl August*, auf Cröls, Hauptmann und Steuereinnehmer. *Wilhelm Karl August*, fürstl. sächs. Kammerjunker und Regierungs-Assessor zu Altenburg. *Christoph Ehrenfried*, Hauptmann des Neustädtischen Kreises. *Johann Wilhelm August*, Premier-Lieutenant bei der Garde du Corps. Ein Herr v. B. als Oberstlieutenant bei dem kursächs. Prinz Clemenschen Infanterie-Regiment. *Johann August* v. B., herzogl. würtemberg. Kammerherr Oberjägermeister und Ritter des grossen Jagd-Ordens. *August Wilhelm*, würtemb. Kammerherr und vormal. Oberstwachtmeister bei dem herzogl. Generallieutenant von Rothkirchschen Regim. *Christian Ludwig*, würtemb. Vice-Jägermeister, Kammerherr und Oberförster zu Reichenberg.

Das in dem Ortenauischen Reichs-Ritter-Bezirk befindliche und sich Brandenstein von Oschweier nennende Geschlecht fängt seine Stammtafel mit *Johann* an, der sich um das Jahr 1596 zu Freiburg im Breisgau aufhielt und sich mit Ursula Mager von Fuchstatt verehlichte, deren Schwester, Maria, erzeugte mit Arbogast von Hocher, Johann Paul von Hocher, zu Hohenburg und Hohencräe, Herrn zu Bladenz, Sonnenberg, Strasberg und Sterzingen, Kaiser Leopold's I. Oberst-Hofkanzler, welcher mit Anna Kirschbaumer von Neumarkt fünf Töcher hinterliess, namentlich: 1) *Maria Kunigunde*, welche sich mit Franz Ferdinand von Winkelhofen, zu Englos, Krachapfel und Niedenstein, auf Carlspurg, Vilsegg, Strasberg und Sterzingen vermählte; 2) *Maria Helena*, mit Johann Heinrich, Grafen zu Bergen, auf Bladenz, und Sonnenberg, ober-österreichischer Geheimerrath; 3) *Francisca*, mit dem Grafen zu Kuffstein; 4) *Maria Theresia*, mit einem von Stachelburg, zu Hansenstein und Falthen, Freiherrn zu Schönmarkt und Marienstein; endlich 5) *Maria*, mit dem Grafen von Brandegg, vermählt. *Bernhard*, ein Bruder dieses Johann, war ober-österreich. Hof-Kammerrath, hinterliess mit Johanna von Götz zwei Töchter: *Maria Clara*, die sich mit Franz Adam Elsasser von Grünenwald, zu Kizenstein, und *Johanna*, die sich mit Isaac Andreas von Dach, zu Sonsenheim, edlen Herrn von Hoheneppau, verheirathete. *Johann*, geboren 1610, war Oberstmeister zu Freiburg, verehlichte sich mit Rosina von Sonner, einer Tochter des erwähnten österreich. Regierungs-Vice-Kanzlers von Sonner, und Schwester des vormaligen Reichs-Hofraths, Johann Michael v. Sonner, zu Gottmadingen und Hailsperg, welcher mit Barbara von Pflaumen eine Tochter Juliana erzeugte, die sich mit Adrian von Douring, ober-österreich. Regierungs-Kanzler, verehlichte. *Georg Ignaz*, auf Herbolzheim, Oschweier und Niederschopfheim, vorder-österr. Kammerrath, geboren 1649, verehlichte sich mit der hinterlassenen Wittwe des kaiserl.

Rittmeisters von Gerbermann, Elisabeth, geborene von Greifenegg. Dieses Georg Ignaz Schwester, *Eusebia*, heirathete Nicolaus von Heldenfeld, gewesener Oberstlieutenant unter den Enzbergischen kaiserl. königl. Infant.-Regimente. Wilhelm Georg, auf Herbolzheim, Oschweier und Niederschopfheim, geboren 1679; Gemahlin: Anna Crescentia von Egermaieren, eine Tochter von Ignaz von Egermaieren und Crescentia von Hirzenfeld, deren Grossältern einer, mit Herzog Leopold in der Schlacht bei Sempach geblieben. *Marquard*, Herr zu Oschweier und Niederschopfheim, österreich. Kammerrath, geboren 1711, erlangte 1744 den Zutritt zu dem unmittelbaren freien Reichs-Ritter-Canton am Neckar und Schwarzwald, des Ortenauischen Bezirks; Gemahlin: Eleonora von Lambeckoven, eine Tochter von Ferdinand von Lambeckoven und Elisabeth von Selenbau. *Judas Thaddaeus* auf Oschweier und Niederschopfheim, österr. Regierungs- und Kammerrath, geboren 1740; Gemahlin: Maria Anna von Summerau, auf allen Summerau, des unter-österreich. Hof- und Kriegsraths Johann Matthias von Summerau mit Catharina von Lambeckoven erzeugte eheliche, und des unter-österr. Regierungs- und Kammer-Präsidenten Judas Thaddaeus von Summerau adoptirten Tochter. Bruder *Wilhelm*, auf Oschweier und Niederschopfheim, kaiserl. königl. Hauptmann unter dem Riedischen Regiment, geboren 1742. Anton Thaddaeus, geboren 1771. Im Jahre 1774 am 29. Juli dehnte Kaiser Joseph II. den der evangelischen Linie schon lange vorher ertheilten Freiherrnstand auch auf die katholische aus.

Das Wappen ist ein quadrirtes Schild, in dem obern halben Theile im weissen Felde zur Rechten und Linken jeder Seite ein halber rother Adler mit ausgespannten Flügeln, ausschlagender rother Zunge und aufhabender goldener Krone, in der Mitte zwischen diesen beiden Adlern drei goldfarbige, mit etwas roth vermischte Flammen. Im untern Felde ein goldener gekrönter halber Löwe, und in dessen vordern Tatzen einen Streithammer haltend; oben auf besagtem Schilde ein offener, adeliger, mit einer königl. Krone gekrönter Turnierhelm, und daran hangendem Halskleinod. Auf der rechten Seite mit schwarz und goldfarbenen, auf der linken Seite mit roth und silberfarbenen Helmdecken gezieret, oben auf besagter Krone erscheint ein mit halbem Leibe schwarz bekleideter Mohr, mit einem schwarz und goldenem Bunde um den Kopf. M. s. ausser den von uns angegebenen Quellen: Siebmacher I. Thl. S. 159, N 7. und V. Thl. S. 138. N. 1. Pragae 1676. 4. N. Gen. Hdbch. 1773. Nachtr. 1. S. 19—21.

Brassier, Herr von.

Der im Jahre 1833 zum königl. Kammerherrn ernannte Legations-Rath und dem Vernehmen nach zum Minister-Residenten am Hofe des Königs von Griechenland designirte von *Brassier*, auch Brassier-de St. Simon, früher bei der Legation in Paris angestellt, ist der Sohn eines Beamten der Herzogin von Curland in Sagan.

Braumann, die Herren von, Bd. I. S. 300.

Peter Joseph v. B. vermachte im J. 1828 sein in der Weiden gelegenes Gut zur Hälfte an das Armenhaus zu Aachen, zur Hälfte an das Waisenhaus. Seine Intestaterben waren *Franz Joseph* v. Bianco und Fräulein v. Busquer, welche die Nullität des Testamentes behaupteten und im J. 1830 und 1831 ein günstiges Urtheil vom A.G.H. zu Cöln erhielten. Aus dieser Familie leben noch mehrere weibliche Mitglieder in der Rheinprovinz, namentlich: *Maria Anne Magdalene*

v. B., vermählte v. Schlemacher in Cöln. *Maria Catharina Josepha Helena* zu Bonn, und *Anna Dorothea Antoine* verehelichte v. Lassaulx zu Alensberg in Belgien. *Anna Maria Dorothea* vermählte v. Bügeleben in Darmstadt. Ferner die verwittwete *Maria Dorothea Walburga* v B., geb. Freiin v. Mylius in Bonn. In unserm Artikel auf der oben angegebenen Seite ist Mylius statt Mellius zu lesen.

Brauneck, die Grafen und Herren von.

1) Die uralte vornehme gräfliche Familie Brauneck, in alten Urkunden Bruneck, hatte ihren Sitz auf dem gleichnamigen Stammschlosse in Franken. Schon im J. 1000 vertrieben sie die Hunnen aus Schloss und Herrschaft und sie flüchtete mit andern Adligen nach dem damaligen Flecken Nürnberg und wohnte in der Burg daselbst. Später belehnten sie die Kaiser mit Häusern in der Nähe der Burg. *Conrad* und *Gottfried* verkauften dieses letzte Eigenthum der Stadt Nürnberg und bald darauf verschwanden auch diese letzten Grafen v. B. und die Herrschaft gleiches Namens kam in verschiedene Hände, zuletzt an die Markgrafen v. Brandenburg.

2) Die Herren v. Brauneck, allem Vermuthen nach Abkommen der Grafen, die mit ihrer Herrschaft auch den Titel aufgaben, kommen in Sachsen, in der Schweiz, in Braunschweig und in Preussen vor. *Georg Heinrich* v. B. war im J. 1775 kursächs. Kammerjunker, Oberförster und Wildmeister im Erzgebirgischen Kreis, und *Hans Christian* v. B., Bruder des vorigen, war Oberforstmeister des Landgrafen von Hessen-Rothenburg. In Preussen ist diese Familie im Regierungsbezirk Danzig ansässig, wo gegenwärtig der Landschaftsrath v. B. das Gut Salitz im Kreise Dirschau besitzt.

Siebmacher und Trier geben, ersterer I. Th. S. 36 letzterer S. 71, das Wappen der v. B Das Schild ist in Silber und roth vierfach schneckenweise getheilt, auf dem Helme zwei silberne Löffel, dazwischen eine rothe spitzige Mütze mit silbernem Umschlag. M. s. a. Salver S. 225, 230, 233, 236, 237 u. 238. Ganhe, II. Th. Pastorius in Franconia rediviva p. 386. Spener Hist. insig. L. C. 42. Nurnberg Chronik p. 2.

Brause, die Herren von.

Diese adelige Familie führte früher den Namen Brudzewski, ihr Stammhaus Brudzewsko oder Brausendorf liegt im Kreise Meseritz. Mehrere Söhne aus diesem Hause gingen in sächsische, andere in preussische Dienste. In kurfürstlich sächsischen Diensten befehligte ein General v. B. in Zeiz, sein Sohn *Friedrich* August Wilhelm, geb. am 10. Sept. 1769 zu Zeiz, diente bis zum Obersten in der sächsischen Armee, zeichnete sich noch vorzüglich in den Schlachten von Gr. Beeren und Dennewitz in den Reihen der Franzosen aus, verliess dieselben aber in der Schlacht bei Leipzig, trat in preussische Dienste und stieg in denselben bis zum General-Lieutenant und Divisions-Commandeur. Er starb ausser Dienst zu Frankfurt a. d. O. am 23. Decbr. 1836. Wenige Monate vorher starb zu Berlin der General-Major v. B., Director der Kriegsschule, früher Commandeur der Cadettenanstalten. Er war mit einer v. Schlegel vermählt; eine Tochter aus dieser Ehe ist die vermählte Gräfin York von Wartenburg in Schlesien. Der zuerst erwähnte General v. B. hat Söhne hinterlassen, die in der Armee stehen.

Brederlow, die Herren von, Bd. I. S. 303.

In der Mark waren die Güter Granow und Hohenjesar lange im Besitz dieser Familie, welche im J. 1330 Neuenhagen an die v. Uechtenhagen und 1498 das Schloss Derzow an den Kurfürsten verkauften. Auch das Dorf Brederlow gehörte ihr, doch scheint es schon in sehr früher Zeit in andere Hände gekommen zu sein. Von den Besitzungen in Pommern verkauften die v. Brederlow (in alten Urkunden auch Brederlo, Brederlau, Brudelau, Bryderlo u. s. w. geschrieben) schon im J. 1360 das Dorf Dobberpuhe an das Kloster Colbatz. Ausser diesen und den Bd. I. S. 303 angeführten Gütern gehörten ihnen die Güter Rosenfelde, Plöntzig, Ehrenberg u. s. w. Die Warsiner Linie starb im Anfange dieses Jahrhunderts mit dem königl. preuss. Major *Friedrich Christian* v. B. aus. Der Oberst-Lieutenant *Joachim Ludolph* v. B. verkaufte im J. 1749 die Güter Gartz, Rosenfelde und Plöntzig in Pommern, und kaufte in Preussen die Güter Maldeiten u. s. w. Von seinen sechs Söhnen hatte nur der jüngste *Adam Carl Wilhelm*, Landschaftsrath u. s. w., Erbherr auf Gr. Saalau etc. Söhne, die obengenannten noch lebenden Glieder dieser Familie hinterlassen. Der Jüngste von ihnen, der Hauptmann *Ernst* v. B., ist mit einem Fräulein v. Holzendorf vermählt. Die sämmtlich oben angeführten Brederlow's haben Söhne, von denen der älteste des Hauptmanns *Hans* v. B. auf Gr. Saalau gegenwärtig Seconde-Lieutenant im königl. preuss. II. Garde-Reg. zu Fuss ist. Aus früherer Zeit führen wir noch an: im J. 1313 *Gandolf* v. B., Comthur des deutschen Ordens zu Christmemel; 1345 *Lüdicke* v. B., als Zeuge in Urkunden des St. Johanniterordens; 1347 waren die Ritter *Fidicke* und *Hennig* v. B., Vater und Sohn, Landvoigte Ludwigs des Aeltern; 1402 kommt der alte *Hans* v. B. auf Dertzow als Deputirter der neumärkischen Ritterschaft vor. Zu gleicher Zeit wird ein anderer *Hans* v. B. auf Granow genannt. Im J. 1414 war ein Bruder des genannten *Goswin Ludwig* v. B. (beide in der Neumark geboren) Ritter, und später Comthur des deutschen Ordens; 1469 kamen *Henrick* v. B. auf Warsin und *Hans* v. B. auf Ehrenberg als Zeugen vor; 1502 ebenso *Christoph* und *Thomas* v. B. auf Gartz; 1521 *Richard* v. B., 1529 *Joachim* v. B. treten als Deputirte der Ritterschaft auf; 1530 *Heinrich* v. B. auf Hohenjesar hatte Streitigkeiten mit dem Bischofe Georg v. Lebus; 1687 war ein Capitain und ein Lieutenant v. B. in bairischen Diensten. In der Schlacht bei Sorr wurde der Capitain *Hans Friedrich* v. B. erschossen.

Die Familie v. B. wird unter denen, welche schon im 12ten Jahrhundert Besitzungen in Pommern hatten, erwähnt. Das Wappen, welches im I. Bande angegeben, ist dahin zu ändern, dass die Helmdecken nur silbern und roth sind. Die Jungfrau auf dem Helme hält mit den Händen einen Rosenkranz auf dem Kopfe, aus welchem drei Straussfedern, roth, weiss und gelb.

Goswin v. B. ist Landrath des Kylauer und nicht des Friedländer Kreises.

Brehmer (Bremer), die Herren von.

Eine adelige Familie dieses Namens gehört dem Königreiche Schweden an; m. s. Suea-Rikes S. 38, eine andere dem Königreiche Hannover, wo ein Mitglied der Familie zum gräflichen Stande und zur Würde eines Staatsministers gelangte. — *Johann Georg* v. B., der einzige Sohn eines schwedischen Generals, verliess eines Zweikampfes wegen den schwedischen Dienst und trat in die Armee des Königs Wilhelm I. von Preussen. Sein Sohn *Johann Friedrich* v. B. gelangte im J. 1796 zur Würde eines preussischen General-Majors und Chef des zu Hamm stehenden 9ten Inf.-Regiments. Er starb am 27. Febr. 1802 zu Hamm. Aus seiner Ehe mit einer v. Kaphengst hinterliess er vier Kinder. Nicht bekannt ist es uns, ob der zu Berlin lebende Hauptmann a. D., W. A. v. B., der früher im Reg. Kaiser Alexander stand, ein Sohn des gedachten Generals ist. Ein Capitain v. B. stand noch im J. 1828 bei den Invaliden.

Breidenbach (zu Sinzenich), die Herren von.

Von Mosbach genannt Breidenbach. Breidenbach, Rittersitz im bergischen Amte Steinbach. *Roland* v. B. 1551, *Roland*, *Engelbert* und *Wilhelm* 1562, *Roland* und *Wilhelm* 1583 auf den Landtagen. *Dietrich* v. Mosbach, genannt Breidenbach zu Vorstbach, kaufte im J. 1602 das Haus Seelscheid von der Wittwe v. Lüzerath. Gemahlin Judith v. Kalterbach zur Gaul. *Gottfried* v. B, Gemahlin Clara Amalia v. Bronsfeld zu Berenhausen. *Johann Friedrich* v. B., Gemahlin Judith v. Bellinghausen zu Leidenhausen. *Gerhard Wemar* v. B., Gemahlin Anna Eleonore v. Geverzhagen zu Altenbach. *Franz Bertram* v. B., Gemahlin Louise v. Holtrop, Erbin zu Sinzenich, welches *Franz Bertram* im J. 1784 erbte. Auch im Luxemburgischen soll eine Linie vorhanden sein. — Wappen: im silbernen Felde eine blutig, abgeschnittene, abwärts gerade gestellte Bärentatze von natürlicher Farbe mit goldenen Krallen, Helm, hervorwachsenden ungebarteten Fisch. Helmdecken silber und blau.

Breitenbauch, die Herren von.

Die altadelige Familie v. B., die auch häufig unter dem Namen v. Breitenbuch vorkommt, gehört Sachsen und Baiern an. Namentlich ist sie im Thüringschen begütert; die Güter Ranis, St. Ulrich, Brandenstein und Stepnitz sind alte Besitzungen dieses Hauses, das sich bis in's 16te Jahrhundert Breitenbuch geschrieben haben soll. Dieser Familie gehörte an der am 5. Mai 1796 zu Minden verstorbene Kammerpräsident v. B. In der Gegenwart stehen zwei Subaltern-Offiziere dieses Namens in preussischen Diensten. Es führen die v. B. im blauen Schilde zwei übereinander gelegte rothe Sparren und auf dem Helme zwei über Eck roth und blau abgetheilte Büffelhörner. Decken roth und blau.

Breitenwalde, Herr von.

Johann Kunschio v. B. war im J. 1670 des grossen Kurfürsten Hofprediger in Berlin. Königsche Sammlung, III. Bd. S. 251.

Brempt, Freifrau von.

Eine Freifrau v. Brempt besitzt gegenwärtig Gr. Büllesheim bei Rheinbach in der preuss. Rheinprovinz.

Bressler, die Grafen von, Bd. I. S. 309.

Gottlieb Wilhelm v. B., Herr auf Lauske, Nostitz und Maltitz, wurde im Jahre 1781 sächsischer Geh. Rath und 1792 in den Reichsgrafenstand erhoben. Seine Gemahlin war Johanna Victoria v. Burgsdorf Viele seine Güter kamen durch Erbschaft aus der erloschenen Familie der Edlen von Lossa an das Haus.

Bretonniere, die Herren von.

König Friedrich Wilhelm II. schenkte unter dem 18. Jan. 1795 dem Prem.-Lieutenant v. B. des Bosenschen Regiments das Gut Morgeln auf der tauroggischen Grenze Erb und eigenthümlich. Der Vater desselben hatte in russischen Diensten gestanden.

Brettin, die Herren von.

Diese adelige Familie wird ursprünglich zu den Patriziern der Stadt Erfurt gezählt, mehrere Zweige derselben kommen aber schon frühzeitig im Magdeburgschen vor. — *Johann Balthasar* v. B., geb. 1515, war magdeburgischer Landes-Hauptmann zu Halberstadt, Gatterleben und Wandersleben. Sein Sohn *Christoph Balthasar* v. B. war Canzler zu Bautzen. Ein Nachkomme desselben, *Wolfgang Friedrich* v. B., war preuss. Oberst-Lieut., ein tapferer Degen, der in vielen Schlachten tapfer und ruhmvoll gefochten hatte, er starb zu Ellrich am 4. Octbr. 1784. Ein Rittmeister v. B., früher im Cürassier-Reg. v. Winting, schied im Jahre 1828 als Major aus dem 3. Dragoner-Regimente, und ein anderer v. B. war noch in neuester Zeit Landrath des Kreises Tost-Gleiwitz in Schlesien. M. s. auch Hirschelmanns Sammlung Nr. 15. Siebmacher 5. Th. S. 300.

Breymann, die Herren von.

Mehrere Edelleute dieses Namens haben in der preuss. Armee gedient. Zwei Brüder v. B. standen im Jahre 1806 als Lieutenants bei den Leib-Karabiniers oder Cürass.-Reg. Nr. 11. Der ältere schied 1817 als Major aus dem 8. Cürass.-Reg., der jüngere 1815 als Rittmeister aus dem 10. Husaren-Reg. Ein dritter v. B. stand 1806 im Regimente v. Möllendorf als Lieutenant und wurde 1808 dimittirt.

Breza, die Herren von.

Ein adeliges polnisches Geschlecht, ihm gehört auch an *Julia* v. B., vermählt an den Oberst-Lieutenant Grafen Eustachius v. Mollowicz auf Kollotzkowa, Malachowoztychmieysc u. s. w. Im Kreise Magrowiec gehören dieser Familie die Swiatkowoer Güter.

Briest, die Herren von, Bd. I. S. 310.

Der letzte dieses Geschlechtes war *Friedrich Wilhelm August* v. B., Rittmeister a. D., Herr der Güter Nennhausen und Bamme im Havellande, der im Jahre 1821 starb. Er hatte zwei Schwestern, *Caroline Friederike Philippine*, zuerst vermählt an den Domherrn Friedrich Ehrenreich Adolph Ludwig v. Rochow (Bd. IV. S. 427) und zum zweiten Male an Friedrich Baron v. La Motte Fouqué (Bd. II. S. 185), sie starb am 21. Juli 1831, — und *Clara Friederike*, die schon früher gestorben ist. Der dritte Sohn der *Caroline Friederike* v. B. aus ihrer ersten Ehe mit dem Domherrn v. Rochow, *Theodor Heinrich* v. Rochow, königl. preuss. Oberst-Lieut. und Gesandter bei der Eidgenossenschaft, führt den Namen Rochow genannt v. Briest und besitzt jetzt die Güter Nennhausen und Bamme im Havellande.

Brion, die Herren von, Bd. I. S. 312.

Jacque de Brion de Lux hatte einen Sohn, *Friedrich Wilhelm* de Brion, er besass das väterliche Gut Götzhöfen in Preussen. Seine Gemahlin war eine v. Grothus. Sie starb 1756. Aus dieser Ehe lebten zwei Söhne und zwei Töchter.

Brockhausen, die Herren von.

Dieses alte vornehme pommersche Geschlecht kommt auch häufig in frühern Zeiten unter dem Namen Brockhusen vor, es zerfiel in die Linien von Zoldikow, von Riebitz und Gustin. Die ältere Zoldikowsche Linie ist aber schon längst erloschen und ihre Besitzungen gingen auf die v. Riebitz über und später auf die v. Gustin. Diese sämmtlichen Besitzungen liegen in dem Kreise Greiffenberg, jetzt Camenz, und sind noch in diesem Augenblicke in den Händen der Familie. In den Marken hatte sich ebenfalls ein Zweig ansässig gemacht, und auch in Sachsen waren Zweige begütert. Zuerst erscheint *David* v. Brockhusen auf einem vor uns liegenden Stammbaume, der um das Jahr 1400 lebte. — *Franz* v. Brockhausen starb im Jahre 1568 als dänischer Oberst im Lager vor Wartburg. — *Nicolas* v. B. auf Colbatz starb im Jahre 1628 als fürstlich stettinscher Hofmeister. — *Claus* v. B. war um das Jahr 1608 herzogl. pommerscher Oberst und Hofmarschall. — *Joachim* v. B., auf Riebitz und Zoldikow, war der erste königl. preuss. Commissarius in Hinterpommern. — Ein anderer *Joachim* v. B. war königl preuss. Kammerherr, Herr auf Carmzow in der Ukermark und Zoldikow in Pommern, seine Gemahlin war Beate Louise v. d. Osten aus dem Hause Witzenitz. — *Sigismund Friedrich Wilhelm* v. B., Herr auf Rützenhagen bei Soldin, hatte zur Gemahlin die Gräfin Gottliebe Amalie v. Küssow. Aus dieser Ehe waren zehn Kinder, unter ihnen *Karl Christian Friedrich Georg* v. B., der am 12. Octbr. 1829 als königl. preuss. Geh. Staatsminister zu Berlin starb. Er hinterliess aus seiner Ehe mit der am 29. August 1809 verstorbenen Johanna Constantia v. Unruh aus dem Hause Clausdorf einen Sohn, den gegenwärtigen königl. Kammerherrn und ausserordentlichen Gesandten und bevollmächtigten Minister am königl. schwedischen Hofe v. B., er besitzt die Familiengüter Gustin u. s. w. in Pommern. Eine Tochter, *Emilie*, war Hofdame bei der Kronprinzessin, sie vermählte sich am 26. Mai 1832 mit Eugen Grafen von Dönhoff, und starb am 14. August 1833. Die Familie v. B. führt im blauen Felde drei goldene in einer Reihe stehende Sterne, unter denselben einen nach der rechten Seite laufenden Fuchs, auf dem Helme einen grünen Pfauenschweif, eine Linie führt noch einen goldenen Querbalken. Decken weiss und Silber. M. s. Mikrelius 4. Buch. Gaue 1. Th. S. 193. Brüggemann 1. Th. 2. Hauptstück.

Brodnicki, die Herren von.

Eine adelige Familie in der Provinz Posen, wo der Landschaftsrath v. B. Herr auf Milkowo ist.

Brodowski, die Herren von.

Eine adelige polnische Familie, aus welcher *Alexander* v. B., Landschaftsrath und Ritter des rothen Adlerordens, das Rittergut Debowaleka, und der Landschaftsrath *Ludwig* v. B. das Rittergut Psary besitzt. Ein aus polnischen Diensten in die diesseitigen Dienste getretener Oberst v. B. war 1806 General - Major und Platzmajor von Warschau. Ein Oberst-Lieutenant im Gen. - Quartiermeisterstabe v. B., Ritter des Ordens pour le mérite, starb 1806. Beim 19. Inf.-Reg. steht gegenwärtig ein Prem.-Lieutenant und Ritter des rothen Adlerordens v. B.

Broeck, die Grafen v. d.

Johann Goswin Philipp Gr. v. d B., aus einem vornehmen niederländischen Geschlechte wohnt zu Kilchinchen (Saline im Regierungsbezirk Trier).

Bröllhofer, die Herren von.

Ein adeliges Geschlecht, das unter Albrecht, dem ersten Herzog von Preussen, aus Böhmen nach Preussen kam. Nach Rabens Tabelle lebte *Sebastian* v. B. im Jahre 1564, er war mit einer v. Mehlsack, nach andern mit einer v. Lichtenhain vermählt. Sein Sohn *Johann* v. B. verehelichte sich mit einer v. Kalkstein, aus welcher Ehe *Sebastian* v. B., Amtshauptmann zu Pr. Holland und Herr auf Reichau, war. Er hinterliess von Catharina v. d. Laneken fünf Töchter und einen Sohn, *Hans* v. B. Dieser ging nach Liefland und machte sich daselbst ansässig.

Bronikowsky, die Grafen und Herren von.

Eine polnische und westpreussische, in verschiedenen preuss. Provinzen angesessene und verbreitete Familie, von der mehrere Zweige den gräflichen Titel führen. Der Senator-Castellan des Königreichs Polen v. B auf Krangola wurde im Jahre 1798 königl. preuss. Kammerherr und hatte schon 1793 den R. A. Orden 1ster Klasse erhalten. — *Johann* v. B., ein Sohn des schwedischen Lieutenants *Siegismund* v. B., Erbherr auf Kynone, war königl. preuss. General-Major und Chef eines Husaren-Regiments. Er starb im Jahre 1765, 87 Jahr alt. — *Karl Ludwig* v. B. lebt als General-Lieutenant a. D. in Berlin, er war 1806 Flügeladjutant des Königs und 1815 Commandant vor Erfurt und ist ein Sohn des verstorbenen preuss. Major *Christian Stanislaus* v. B. zu Herford. Noch sind uns folgende Mitglieder dieses Hauses bekannt. Im Jahre 1753 besass *Alexander Anton* Graf v. B. Bronicowa Oblat bei Züllichau. Er war ein Enkel des *Anton Günther* v. B. — *Johann Siegismund* v. B. war Erbherr der Sorgnittischen Güter und Landschaftsdirector, er starb am 7. März 1796 und war mit einer Schmiedseck vermählt. Seine Söhne, *Louis* und *Ferdinand*, waren Offiziere bei den Uhlanen. Ein Graf v. B. besass oder besitzt die Koshtner Güter. Gegenwärtig ist der Oberst v. B. Brigadier der Landgensdarmerie zu Münster. Ausserdem dienen noch mehrere Söhne dieser Familie im preussischen Heere, und namentlich im 1. Garde-Uhlanen-Regimente in Potsdam steht der Prem.-Lieut. v. B. — Ein Zweig der Familie führt den Beinamen v. Oppeln, namentlich der Rittmeister B. v. Oppeln im 8. Uhlanen-Reg. zu Luxemburg. Auch finden wir im 3. combinirten Landwehr - Reserve - Reg. einen Lieutenant Schade genannt v. B. Oppeln.

Bronsart (Bronsardt), die Herren von.

Diese Familie stammt aus den Rheinlanden und hat sich von da nach Thüringen begeben. Im Jahre 1019 sind schon Ritter aus derselben auf dem Turniere zu Cöln erschienen. Von der Thüringschen Linie hat sich ein Ast in Franken und bei Coburg ansässig gemacht. Nach Preussen kamen mehrere Glieder der Familie. Die ersten erschienen unter dem Herzog Albrecht. *Hans* und *Georg* v. B., zwei Brüder, waren Amtshauptleute zu Brandenburg Der Enkel des erstern, *Bartel* v. B., war mit einer v. Kalkstein vermählt und hinterliess drei Söhne. Auch *Georg* v. B. hatte eine zahlreiche Nachkommenschaft, von denen namentlich *Lorenz* v. B. mit Margaretha v. d. Groeben sie fortpflanzte. Auch *Georg Alexander* v. B. hinterliess fünf Söhne, von ihnen waren *Johann Heinrich* und *Friedrich* Major, *Carl* war Justiz-Bürgermeister in Braunsberg, *Alexander Georg* Gutsbesitzer und *Christoph Ewald* Hauptmann. M. s. Preussisch Archiv. Mon. Octbr. 1790. S. 662.

Brosy, die Herren von.

Eine aus Böhmen nach Sachsen gekommene Familie. Der Richter der Stadt Prag, *Gottfried* Brosy, wurde im Jahre 1744 mit dem Prädikat von Steinberg geadelt. Ein Major v. B, Ritter des eisernen Kreuzes, ist Commandeur vom 1. Bataillon des 31. Inf.-Reg., er stand früher in fremden Diensten. Eine Schwester desselben ist Gesellschaftsdame der Frau Prinzessin v. Croi geb. Prinzessin v. Salm-Salm.

Brucken genannt Fock, die Herren von.

Sie sind aus Niedersachsen und Westphalen nach Curland und später nach Preussen gekommen. Ein Zweig war noch in der neuesten Zeit in Schweden ansässig. Die Familie gehört zu denen, welche im Jahre 914 den Herzog von Braunschweig gegen den Kaiser Conrad unterstützten. Eine vor uns liegende vollständige Ahnentafel dieses Geschlechts beginnt mit *Herrmann* v. B., der mit Lucia v. Schwarzhoff vermählt war. Der Sohn aus dieser Ehe, *Engelbrecht* v. B., vermählte sich mit Margaretha v. Blomberg. Er führte zu Schiff für den Orden Volk nach Riga, verlor aber bei der Insel Rügen durch einen Sturm das Steuer und die Masten bis auf den Fockmast, mit dem er sich und die Mannschaft zu retten wusste; zur Verewigung dieser Rettung und zur Belohnung für seine dem Orden geleisteten Dienste, wurde ihm der Name Fock beigelegt; auch erhielt er von dem Heermeister von Plettenberg das in Curland belegene Allodial-Gut Terpentin zum Geschenk als freies Eigenthum, zugleich wurde der Name Terpentin in Fockenhof umgeschaffen. Von den Nachkommen *Engelbrechts* wurde sein ebenfalls *Engelbrecht* heissender Enkel Landeshauptmann. Dessen Sohn *Georg*, geb. 1637, war königl. schwed. Major von der Leibgarde und Erbherr auf Grosssattieken und Sädsen. Das Familiengut Fockenhof war in seiner Abwesenheit gegen seinen Willen an den Herzog Friedrich von Curland verkauft worden. Die Nachkommen desselben erwarben und besassen zahlreiche Güter, als: Zabelhof, Raftermünde, Hohenberg, Entenhof, Remten, Cappeln, Neuhof, Sasserten, Klahn, Brambertshof, Wolgund, Badenhof u. s. w. — *Casimir* B.

gen. F., geb. 1751, gest. 1819, war königl. preuss. Capitain und Erbherr auf Statzen in Preussen, vermählt mit Julie, Gräfin v. Lehndorf. Von seinen Brüdern war *Gerhard Christoph*, geb. 1753, gest. 1817, ebenfalls königl. preuss. Capitain und Erbherr auf Jahteln, und *Heinrich Ernst*, geb. 1759, gest. 1829, königl. preuss. Major und Erbherr auf Stücken in der Mark Brandenburg. Die drei Söhne *Casimir's*, *Gustav*, *Julius* und *Reinhold* stehen sämmtlich im königl. preuss. Militairdienste. Aus der Ehe des *Heinrich Ernst* und der Friederike v. Gleden lebt eine Tochter *Adolphine Elisabeth* und ein Sohn *Heinrich Friedrich*, geb. den 12. Febr. 1802, Erbherr auf Stücken bei Beelitz, königl. preuss. Regierungsrath und Lieut. des 20. Landwehr-Regiments. — Diese Familie führt im goldenen Schilde einen oben abgebrannten, unten abgebrochenen Baumstamm mit verhauenen Aesten, er treibt drei grüne Blätter, von denen das mittlere vollkommen, die beiden andern hingegen nur halb, und zwar nur an der äussern Seite ausgeschossen sind. Auf dem Helme sind wieder zwei abgebrannte Baumstämme von brauner Farbe angebracht. M. s. Happels nordische Miscellen 43. Stück S. 163. Wappenbuch des Curländischen Adels von Johann Neimbtsch. S. 1793.

Brudznoski, die Herren von.

Eine adelige Familie in der Provinz Posen. *Leopold* v. B. besitzt den Rittersitz Charbewo im Kreise Gnesen.

Brücklingen, die Herren von.

Ein adeliges Patrizier Geschlecht zu Erfurt, von dem uns aber nichts weiter bekannt ist.

Brückner, die Herren von, Bd. I. S. 315.

Der unter 2) aufgeführte Hauptmann v. Brückner gehörte einer angesehenen Familie in Siebenbürgen an. Zuerst stand er im Husaren-Regimente v. Werner. Seine Gemahlin war eine v. Koschenbar. Aus dieser Ehe lebte ein Sohn, *Karl Christian* v. B., er starb 1814 als pens. Capitain des Regiments v. Kropf. Das Wappen dieser Familie zeigt im quergetheilten Schilde, in der obern blauen Hälfte einen geharnischten, das Schwert schwingenden Arm, in der untern goldenen Hälfte ein schwarzes Hifthorn, auf dem gekrönten Helme zwei schwarze Adlerflügel, zwischen denen ein goldener Stern schwebt. Zwei wilde, um Haupt und Hüften grün bekränzte Männer halten das Schild. Decken schwarz und silber. — Der in unserm Artikel erwähnte General v. B. scheint dem unter 1) genannten Geschlechte anzugehören. König Friedrich Wilhelm II. hatte im Jahre 1793 zwei natürliche Söhne desselben legitimirt. Von ihnen starb *Karl Ferdinand* v. B., Lieutenant im Regimente seines Vaters, am 15. August 1803 nach einem Sturze mit dem Pferde zu Riesenburg. Ein Bruder des Generals war Kammerdirector zu Hamm.

Brüges, die Grafen und Herren von.

Aus dem alten vornehmen, ursprünglich aus England stammenden, später in Frankreich in der Grafschaft Avignon domicilirenden gräfl. Hause Broges, dessen Vorfahr *Heinrich* Graf B. unter dem

König Heinrich VIII. England verlassen, leben gegenwärtig in den preussischen Staaten, *Joseph* Graf v. B., geboren den 18. Januar 1811 zu Berlin, königl. preuss. Lieutenant im 20ten Landwehr-Regiment, (Sohn des am 4. Novbr. 1820 gestorbenen Grafen *Moritz Heinrich Alphons* v. B., geb. zu Valreas bei Vaucluse, früher Offizier in der königl. franz. Marine, später engl. Oberst, Ludwig-Ritter u. s. w. nachmals königl. franz. General-Lieutenant).

Schwester.

Apollonia Charlotte Marie Gräfin v. B., geboren den 26. April 1803 zu Berlin, verm. an den Grafen Heinrich v. Laroche-Lambert.

Mutter.

Henriette Alexandrine Cornelia Catharine Gräfin v. B., Wittwe des Grafen *Heinrich Alphons* v. B., geborene Gräfin von Gollofskin, Tochter des Grafen Galnil Alexander v. Gollofskin, holländ. General-Lieutenant, Commandant von Amsterdam u. s. w.

Wappen: Im ovalen silbernen Schilde ein schwarzes Andreas-Kreuz, in der Mitte mit einem Löwenkopf belegt. Das Schild ist mit einer Edelkrone bedeckt, über welcher die halbe Figur eines nach der rechten Seite gewendeten bärtigen Mannes, der eine Zipfelmütze trägt, vorgestellt. Zu Schildhaltern sind zwei Biber gewählt und am Fusse des Schildes ist ein Band mit der Inschrift:

Main Tient Le Droit.

Brügghen, die Freiherren und Herren von der.

Karl Joseph Freiherr v. d. Brügghen aus einem alten niederländischen Geschlechte, lebt zu Aachen, seine Schwester *Maria Eugenia*, Freyin v. d. Brügghen ist an den königl. Landrath v. Coels vermählt. — *Franz*, Freiherr v. d. Brügghen, lebt zu Haaren im Reg.-Bez. Aachen.

Brühl, die Grafen und Herren von. Bd. I. S. 316.

I. Aelterer Ast.

(Ehemals Martinskirchen und Bedra.)

Graf *George*, geb. den 23. Decbr. 1768. (Lebt unvermählt in England.)

Schwester: *Henriette*, geb. den 25. Octbr. 1772 verm. mit Sir Hugh Scott.

Des am 20. Octbr. 1833 in Plauen verstorb. Vatersbruders Sohnes, Grfn. *Heinrich Ludwig*, früher Erbherr auf Bedra und Stifts-Kammerrath in Merseburg Wittwe, Amalie Wilhelmine Elisabeth, Freyin von Goetze, geb. den 20. Juni 1772, verm. den 14. July 1793.

Dessen Kinder: 1) Wilhelmine, geb. 25. Febr. 1797. 2) Henriette, geb. 9. Novbr. 1799, verm. 1826 mit N. Mulert Diaconus in Wurzen. 3) Heinrich, geb. 14. Septbr. 1802, königl. preuss. Lieutenant im Grenad.-Regim. Kaiser Alexander, verm. 21. Octbr. 1829 mit Maria Anna Kora von Lüdicke, geb. 5. Juni 1811. Kinder sind: 1) Moritz Karl Heinrich, geb. 6. Septbr. 1831. 2) Marie Elisabeth Jenny Wilhelmine, geb. 9. Juni 1834.

Schwester: Henriette Marie Anna Alicie, geb. 7. Novbr. 1770, verm. I. 28. Novbr. 1787 mit Hannibal Ernst Adolph von Schmertzing, herzogl. mecklenb. Hofjägermeister (gest. 13. Mai 1789); II. im Aug. 1789 mit Hans Adolph von der Lühe, herzogl. mecklenb. Oberlandjägermeister (gest.).

II. Jüngerer Ast.

(Pfoerten und Forsta kathol. — Seifersdorf evangel. Conf.)

Graf *Friedrich August Adalbert*, Besitzer des Majorats Pfoerten und Forsta in der Niederlausitz und des Stammguts Ganglofsoemmern im preuss. Thüringen, geb. 19. Novbr. 1791, verm. I. 19. Juni 1816 mit Auguste, Gräfin von Sternberg-Manderscheid, (geb. 18. Juni 1793, gest. 21. Juni 1820); II. 12. Mai 1822 mit Elisabeth Freiin von Kerpen, geb. 4. Octbr. 1786.

Kinder erster Ehe.

1) Christine, geb. 28. März 1817. 2) Franzisca, geb. 13 Juli 1818. 3) Friedrich, geb. 26. Decbr. 1819.

Schwester.

Therese Marie, geb. 8. Novbr. 1784. DdP. verm. 5. Septbr. 1808 mit Franz, Grafen von Thun-Hohenstein.

Mutter.

Josephine, geb. Grfin. v. Schaffgotsch, geb. 3. Jan. 1764, verm. 31. Decbr. 1783 Wittwe seit 31. Jan. 1793 vom Grfn. *Friedrich Alois*, Besitzer des Majorats Pfoerten.

Des 4. Juli 1802 zu Berlin verstorbenen ältesten Vatersbruders Grfn. Karl Adolph, königl. preuss. Generals der Cavallerie Wittwe: Sophie geb. Gomm, des gewes. königl. grossbritt. Legationssecr. im Haag, Sir William Gomm, Tochter. geb. 6. Juli 1761, verm. 17. Aug. 1778. (evang.)

Dessen Sohn.

Friedrich Wilhelm, geb. 16. Juni 1791, k. pr. Major im 1. Cuirass.-Reg. (kathol.), verm. 19. Juni 1828 mit Hedwig Maria, geb. 3. Dec. 1805, des gest. k. preuss. General-Feldmarsch. Grfn. von Gneisenau Tochter (evang.).

Töchter.

1) Karoline Sophie Marie Therese Hedwig, geb. zu Breslau 17. Jan. 1835. 2) Marie Karoline Wilhelmine, geb. zu Breslau 25. Juli 1836.

Des 30. März 1792 zu Pfoerten verst. 2ten Vatersbruders, Gfn. Albert Christian Heinrich, königl. pr. Gen.-Majors Sohn:

Friedrich Wilhelm Karl, geb. zu München 15. Mai 1788, königl. pr. Major im 7. Infant.-Reg. Prinz Wilhelm, Wittwer von ... von Tschirschky.

Des 31. Jan. 1811 zu Seifersdorf verstorb. 3ten Vaters-Bruders Grafen Hans Moritz, Erbherr auf Seifersdorf, königl. preuss. Oberst und Gen.-Intendanten der Chausseen (evangel., wie sämmtl. nachfolg. Familienglieder).

Enkel.

Die Kinder des Grafen *Karl Friedrich Moritz Paul*, Erbherr auf Seifersdorf und königl. pr. wirkl. Geh.-Rath und Gen.-Intendant der Museen, geb. zu Pfoerten 18. Mai 1772, war zu Neufchatel in der Schweiz 19. Octbr. 1814 verm. mit Jenny von Pourtales, geb. zu Neufchatel 22. Novbr. 1795 und starb im Septbr. 1837.

1) *Johann George Wilhelm Karl Gebhard*, geb. zu Berlin 27. Apr. 1818. 2) *Alexander Nicolaus Georg Albrecht*, geb. zu Berlin 28. Sept. 1821. 3) *Auguste Caroline Louise Elisabeth*, geb. zu Berlin 19. Octbr. 1827. 4) *Emilie Henriette Mathilde Anna*, geb. zu Berlin 15. Juli 1835.

Brünette, die Herren von.

Im Jahre 1816 stand ein Rittmeister v. B. in dem Husarenregim. Schimmelpfennig v. d. Oye. Er schied im Jahre 1813 als Oberstlieutenant und Commandeur des zweiten ostpreuss Brig.-Garnis.-Bataillons aus dem activen Dienste, und ist 1815 im Pensionsstande gestorben.

Brünnow, die Herren von.

Sie gehören zu dem alten Adel in Pommern. Gegenwärtig besitzt ein Zweig dieses Hauses das Gut Trebenow bei Wollin im Kreise Greiffenberg, ein früheres Lehn derer v. Plötz. Der vorige Besitzer hatte 1808 als Major im Reg. v. Pirch zu Stargard gestanden. Damals dienten 10 Mitglieder dieses Hauses in der Armee, drei als Stabsofficiere. Jetzt steht nur ein Officier d. N. (als Lieut. im 4. Inf.-Reg.) im Heere. Die v. B. führen im unten zugespitzten rothen Schilde drei rechte silberne Schrägbalken, auf dem gekrönten Helme drei Straussfedern. Decken roth und Silber. Brüggemann, I. Thl. 11tes Hauptstück.

Brüsewitz, die Herren von. I. Bd. S. 317.

Der von uns angeführte, am 24. März 1811 zu Berlin verstorbene Generallieut. v. B. führte die Vornamen *Karl Friedrich*, und war ein Sohn des im Jahre 1746 verstorb. *Balthasar Heinrich* v. B. auf Staartz. Er war mit einer Gräfin von Wartensleben, früher vermählt gewesenen Gräfin von Carnewitz, vermählt. Ein älterer Bruder des Generals hatte vier Söhne, von denen jedoch nur einer, *Wilhelm Gustav* v. B. ein höheres Alter erreichte *Ernst Friedrich* v. B. aus dem Hause Moratz bei Greiffenberg war königl. preuss. Oberst bei der Garde.

Brzeski, die Herren von.

Altadelige polnische Familie, von der mehrere Zweige in der Provinz Posen begütert sind. — *Joseph* v. B. besitzt die Dziadkowoer Güter im Kreise Gnesen und ist Landschaftsrath. Dieser Familie gehören auch Güter im Kreise Wagrowiec, namentlich Jabkowo u. s. w.

Buchenau, die Herren von.

Eine altadelige Familie in Preussen, ihr gehörte an *Georg* v. B., Herr auf Kl. Ottern (Otten) bei Rössel, der 1789 noch lebte. Sie war aus Franken, wo im Canton Rhön-Werra ihr Stammhaus Buchenau lag. Nach Hellbach (I. Bd. S. 199) ist diese Familie 1813 erloschen. M. s. Biedermann R. W. Tab. 98 u. 101. Rommel H. G. I. Bd. S. 166. u. sof. Siebmacher giebt das Wappen Zus. 16. Nr. 4.

Buchner, die Herren von.

Dieses Geschlecht erhielt im Jahre 1470 einen Wappenbrief vom Kaiser Friedrich III. und im Jahre 1554 vom Kaiser Karl V. einen Adelsbrief. Ursprünglich gehört diese Familie Kursachsen an, sie hat sich aber auch in mehreren andern deutschen Ländern verbreitet. Ein Major v. B., Ritter des St. Heinrichsordens, ist bei dem jetzt preuss. Städtchen Herzberg ansässig und Führer des 1ten Aufgebots vom 3ten Bat. des 32sten Landwehrregiments. Besonders ist noch *August* v. B. anzuführen, der als kurs. Oberstlieutenant, Zeug- und Baumeister, auch Amtshauptmann und Commandant von Senftenberg eine Erneuerungsurkunde seines Adels erhielt, sein Sohn *Benjamin* v. B. starb 1756 als General-Major und Commandant der Feste Sonnenstein.

Buchow, die Herren von.

Kaiser Maximilian I. erhob den Heinrich v. B. zu Stralsund in den Ritterstand. — *Claus* v. B., auf Waschkau, war Herzog Philipps von Pommern Kämmerer. — *Hennig* v. B. starb 1694 auf der Universität zu Halle und *Balthasar* v. B. pflanzte mit *Katharina* v. Kalden sein Geschlecht fort. Dennoch scheint das Geschlecht erloschen zu sein.

Buchs, die Herren von, I. Bd. S. 324.

Der erste von Buchs war Daniel, geb. 1676, gest. 1735. Sein Sohn, der von uns erwähnte Daniel, erwarb die Güter Schildau, Boberstein u. s. w. Er war mit einer von Beuchel aus dem Hause Seifersdorf vermählt, aus welcher Ehe ein Sohn und drei Töchter entsprossen, welche an die v. Richthofen, v. Schweinichen und v. Uechtritz vermählt wurden. Das Handlungshaus ist nun ganz erloschen.

Buchta, die Herren von.

Die edlen Ritter v. B. (auch oft Büchten genannt) zählt Lucae zum Adel der Fürstenthümer Oppeln und Ratibor. Von ihren Nachkommen waren aber auch mehrere in Niederschlesien begütert. — *Heinrich* v. B. und Buchtitz besass Hohen-Giersdorf, Zützendorf u. s. w. er war 1599 fürstbischöfl. Hofrichter in Neisse. — *Joachim* v. B. und Buchtitz auf Preschina u. s. w. war kaiserl. Geh.-Rath; jung an den Hof des Kaisers Rudolph II. gekommen, hatte er gegen die Türken tapfer gefochten; nachmals wurde er zu Gesandtschaften in Russland und in der Türkei verwendet. Er war mit einer v. Reibnitz aus dem Hause Wederau vermählt und starb als der letzte seines Stammes in Schlesien im Jahre 1613, dagegen blüht in Sachsen noch ein Zweig des Hauses fort, wo namentlich Christoph Erich v. B. als fürstl. Sachsen-Zeitzischer und nachmals landgräfl. Hess. Hofrath im Jahre 1723 vorkommt. Die v. B. führen oder führten im rothen Schilde eine silberne Pfeilspitze mit zwei Haken. Auf dem gekrönten Helme steht zwischen einem rothen und einem silbernen Büffelhorn ein Pfauenschweif. Decken roth und silbern. Sinap. I. Bd. S. 302 u. II. Bd. 534.

Buchwald, die Herren von.

Diese Familie führte früher den Namen von Bockwald, sie stammt aus Holstein, von wo sie sich nach Mecklenburg und Schlesien gewendet hat. In Schlesien kommt schon 1331 *Heinrich* v. B. unter Bolko I. vor. Einer v. B. stand 1806 im Reg. Treuenfels in Breslau. Noch gegenwärtig dient ein Officier d. Namens in der preuss. Cavallerie. Die schles. v. B. führen im Schilde und als Helmschmuck einen geflügelten Fisch. Sinap. I. Bd. S. 303. Eine Familie v. B. aus dem Hause Schierensee führt einen gekrönten Wolfs-Hals im Schilde und auf dem Helm. Hasse, S. 287.

Buchwitz, die Herren von.

Diese adelige Familie war noch in neuester Zeit im Oelsischen in Schlesien begütert, und ein Major v. B. stand 1804 im 3. Bataill. des Reg. v. Schimonski in Cosel. Sein Sohn stand ebenfalls im Reg. v. Schimonski, und war 1828 Capitain im 22. L. W. Reg. Ihr Stammhaus Buchau liegt im Voigtlande, aber die ältesten Schriftsteller zählen sie schon zur schlesischen Ritterschaft. Pontwitz bei Oels ist ein uraltes Besitzthum dieses Hauses gewesen, auch Langendorf und Nied. Stradam im Wartenbergschen gehörte lange Zeit denen v. B. — *Hans Wolf* v. B. u. Buchau war 1715 Oberst der Generalstaaten. — Es führt diese Familie ein gespaltenes goldenes und schwarzes Schild ohne Bild und auf dem gekrönten Helme einen gekrönten schwarzen Greif. M. s. Sinapius I. S. 303—4. II. Th. S. 5. Siebmacher giebt das Wappen I. Thl. S. 58.

Budberg, die Herren von.

Ein altadeliges, aus Westphalen vom Hause Bönninghausen stammendes, und von da nach Schweden, Curland und Liefland gekommenes Geschlecht. In der preuss. Armee haben viele Mitglieder der Familie v. B. gedient, noch gegenwärtig dient im 40sten Infant.-Reg. ein Lieutenant v. B. Sein Vater, früher Capitain im Regim. v. Dierike, starb 1811 als pensionirter Major. Dessen Wittwe lebt in Berlin. Diese Familie führt im rothen Schilde eine quer dasselbe theilende, aus sieben Ringen oder Gliedern bestehende silberne Kette, und auf dem Helme einen mit drei silbernen Straussfedern besteckten Bund. M. s. Collect. Livon. Gauhe II. S. 109. Hupels Material. 1788 S. 110 u. 1789 S. 74. Neimbts genealog. Tabellen d. A. und Suca Rikes. Fol. 5.

Budden, die Herren von, I. Bd. S. 324.

Diese Familie besass die Güter Nitzo, Gramso und Rinow. *Ernst* v. B. kommt schon 1304 als Rath der rügianischen Fürsten vor. *Hennig* v. B. war 1454 Rathsherr zu Greifswalde. *Mathias* v. B. war 1659 dänischer Oberst und *Joachim* v. B. ebenfalls am Anfange des 17ten Jahrhunderts Hofmarschall des Herzogs von Pommern-Wolgast. Nach und nach hatte sich die Familie in Vor- und Hinterpommern, auch auf der Insel Oesel begütert gemacht. Sie führte in ihrem Wappen ein rothes, aus einem weissen und schwarzen Schacht aufspringendes Einhorn.

Budritzky, die Herren von.

Eine pommersche adelige Familie, welche sich auch im Mecklenburgischen ansässig gemacht hatte, namentlich die Güter Gohlo, Grabow u. s. w. besass. *Bogislav* v. B. war Herr auf Gohlo, *Constantin*

6*

Johann v. B. war Oberst und besass Grabow, *Johann Constantin* v. B. war Oberst-Lieut. und Chef eines Grenadier-Bataill. Im Jahre 1806 war *Wilhelm* v. B. Lieutenant in dem Regim. v. Schenk und im Jahre 1828 stand derselbe als Capitain im 16. Landwehrregiment. Ein anderer v. B. stand damals als Premier-Lieut. in dem Regiment v. Borke zu Stettin, er starb als Oberstlieut. Seine Wittwe geb. Wissmann lebt zu Berlin. Ein Sohn aus dieser Ehe ist der Lieutenant v. B. in dem Grenadierregiment Kaiser Alexander.

Bülzingslöwen, die Herren von.

Ein altadeliges Geschlecht in Thüringen, im Herzogthum Braunschweig und im Fürstenthum Schwarzburg, aus welchem seit langen Zeiten viele Mitglieder in der preuss. Armee gedient haben und noch dienen. In früheren Zeiten schrieb sich diese Familie auch von Bilzingsleben, nach einem gleichnamigen Dorfe, das zwischen Frankenhausen und Weissensee liegt, und später an die von Helmold kam. Schon im 13ten Jahrhundert blühten die Bilzingslöwen von Gangloffsömmern. Aus dem Schwarzburgischen war der Oberst und Commandeur eines Dragonerreg. v. B., der 1824 starb. Im demselben Jahre starb auch der Major v. B., der bis 1806 im Reg. v. Strachwitz und später im 9ten Garn.-Bat. gestanden hatte. Ein Rittm. und Ritter des Verdienstordens v. B. stand bei der Gensd'armerie. Der im 6ten Kürassierregiment als Major gestandene *Leopold* v. B. erwarb sich 18$\frac{13}{14}$ bei Arnheim das eiserne Kreuz erster Klasse und starb bald nach seiner Entlassung. Gegenwärtig ist *Eduard* v. B. auf Heynrode, königl. preuss. Landrath des Kreises Worbis. Siebmacher giebt I. B. S. 183 das Wappen dieser Familie unter dem Namen Bülzingslebe. Es ist im grünen Schilde ein silberner Löwe vorgestellt, dessen Kopf von einem Helm mit geschlossenem Visier bedeckt ist, auf demselben liegt eine mit fünf silbernen und rothen Fähnlein besteckte goldene Krone. Auf dem eigentlichen Wappenhelme liegt ein silberner, mit fünf Fähnlein besteckter Bund. Die Decken sind weiss und roth. Man findet auch Nachrichten über die von B. in Wolfs Eichsfeldischen Urkundenbuch.

Bünau, die Grafen und Herren von.

Die von Bünau, von der Thüringischen Linie, waren der Grafen von Gleichen ehemalige Lehnsleute, und hatten zu Erfurt einen adeligen Hof und Zinsen, so wie das Bürgerrecht. Ritter *Heinrich* v. B.-Ruttersberg kaufte im Jahre 1484 vom Gfn. Karl v. Gleichen Schloss, Stadt und Herrschaft Tannroda an der Ilm, zwischen Kranichfeld und Blankenhain. *Günther* v. B. kommt in der Schlichtungs-Urkunde der Fehde zwischen dem Grafen Ernst von Gleichen und Apeln von Stutterheim, die von dem Landgrafen von Thüringen und Markgrafen von Meissen 1413 geschlichtet wurde, mit andern als Zeuge vor, so wie noch in gleicher Eigenschaft in einer landgräflich thüringischen Belehnung für die Grafen von Gleichen 1415.

Büssleben, die Herren von.

Ein altes adeliges, schon lange erloschenes Geschlecht, dessen Stammort gleiches Namens, eine Stunde von Erfurt im jetzigen Grossherzogth. Sachsen-Weimar liegt; von dem ehemaligen Rittersitze sind keine Spuren mehr vorhanden, es besass auch das Patriz iat zu Erfurt.

Ditmar von Büssleben kommt als Zeuge mit Andern in der Bundes-Urkunde zwischen dem Grafen Albert von Gleichen und der Stadt Erfurt, und der Bestellung eines Schiedsgerichts für streitige Fälle zwischen beiden Theilen 1277 vor, und weiter noch in Documenten von 1283, 1288, 1290; Dietrich v. B war Zeuge in dem Verkaufe der Voigtei, Gerichtsbarkeit und 30½ Hufe Landes zu Gispern von dem Grafen von Gleichen an mehrere Patrizier zu Erfurt 1291; Heinrich v. B., genannt der Schade, kommt in einem Lehnsconsense, den Verkauf eines Teiches zu Möebisburg und 2½ Hufe Landes zu Rode betreffend, als Zeuge vor, er besass zu Bussleben 10½ Hufe Landes mit dazu gehörigen Höfen als gräflich Gleichisches Lehn und es kamen diese Güter von ihm an Ritter Herrmann von Coelleda, der 1333 dieselben dem Rathe von Erfurt verkaufte, an welchen der ganze Ort nach und nach gekommen ist. (1815 kam dieser Ort vom Fürstenthume Erfurt an das Haus Sachsen-Weimar.) Conrad v. B war 1313 Mitglied des Raths zu Erfurt; wenn dieses Geschlecht erloschen, ist unbekannt, nicht unwahrscheinlich stammt von obengedachtem Heinrich genannt der Schade, das ehemalige thüringische Geschlecht Schaden ab, er mag sich wahrscheinlich in den Fehden mit der Stadt Erfurt diesen Namen erworben haben.

Büttner, die Herren von.

Eine adelige Familie dieses Namens hat im 16ten Jahrhundert in Schlesien geblüht. Mehrere Mitglieder aus derselben waren Rathsherren in Breslau, namentlich *Caspar* und *Wolf* v. B. Des ersteren Monument findet man in der Elisabethkirche zu Breslau, es heisst darauf: Cujus Munificentia rebus larga piis clarum nomen in orbe gerit etc. Güntherwitz im Trebnitzschen, jetzt Eigenthum derer von Keltach, wird als das Stammhaus derer v. B. genannt. Sie scheinen längst erloschen zu sein. Ihr Wappen zeigte im gespaltenen goldenen Schilde einen rothen Greif, der in den Krallen ein Eisen hält und einen schwarzen Balken. Auf dem Helme wiederholte sich zwischen zwei rothen Flügeln der Greif. Die Flügel waren mit dem Eisen belegt, die Decken gelb und roth und gelb und schwarz. Sinapius 1. Thl. S. 311. Olsnographia P. 907.

Buirette von Oehlefeld.

Von den Nachkommen des *Jacob* Buirette von Achen, Chevalier Carls I. v. England, Director der african. Compagnie, standen *Isaac* v. B. und dessen Sohn *Johann Wilhelm* v. B., mit dem Prädicat v. Oehlefeld, im preuss. Staatsdienst. Beide waren königl. Räthe und Minister-Residenten bei der freien Stadt Nürnberg. Der Letztere war mit einer Tochter aus dem angesehenen Hause Compoing vermählt.

Burgwedel, die Herren von.

Diese adelige Familie gehört Mecklenburg an. In Berlin starb 1822 der Oberst a. D., früher im Reg. Gr. v. Kunheim v. B. Er hatte zwei Söhne, die in demselben Regiment dienten. Der ältere blieb als Cap. des 4ten Inf.-Reg. 1813, der jüngere starb 1825 als Cap. im 9ten Inf.-Reg. Seitdem finden wir keinen Edelmann d. N. mehr in der Armee.

Burkersrode, die Grafen, Freiherren und Herren von, I. Bd. S. 336.

In dem dieser Familie gewidmeten Artikel des ersten Bandes haben wir nur wenige Notizen aus der früheren Geschichte dieses Geschlechts geben können, später sind uns aber von einem Freunde folgende ausführlichere Nachrichten darüber zugekommen, die gewissermassen unserm Artikel vorzusetzen oder anzureihen sind; es heisst in jenem uns übersandten ältern Artikel, welcher schon einmal als ein Originalbeitrag für ein genealogisches Werk bestimmt war:

„Das adelige Geschlecht der v. B., oder wie es in älteren Zeiten geschrieben worden, von Burckhardsroda, auch von Borgersrode und von Borcersrode, ist ohne allen Zweifel sächsischer und besonders thüringischer Herkunft; weswegen es auch vom Kaiser Leopold I., in dem dieser Familie sub dato Wien den 21. April 1666 allergnädigst ertheilten freiherrl. Gnadenbrief als ein im „heil. R. R. bekanntes uraltes Geschlecht genannt wird, so in Obersachsen und der Landgrafschaft Thüringen eines von den urältesten adeligen Geschlechtern sei, welche auf unterschiedenen Turnieren mit erschienen, bei vormaligen römischen Kaisern und ihren Landesfürsten im politischen Wesen, wie es die Zeit und Gelegenheit gegeben, viele und mancherlei nützliche, auch getreue und unverdrossene Dienste geleistet, und zu Kriegs- und Friedenszeiten mit Rath und That sich gebrauchen lassen, sonderlich aber gegen den Erbfeind, gestalten sie denn auch in ihrem Wappen 7 türkische Bunde oder Turbans, und darauf 7 Fählnleins von einem zum andern Säculo führten.“ Wie denn zum Beweis dieser Abstammung nicht allein ohnweit der Stadt Eckartsberga ein Dorf und Berg, auch nach Büschings Erdbeschreibung Tom. III. p. 2155 im Amte Creuzburg, des Fürstenthums Eisenach, ohnweit Marksuhl, das Gericht Burckhardsroda, nebst dem Dorfe dieses Namens befindlich, so von undenklichen Säculis her, mit diesem Geschlechte einerlei Namen und Benennung führet, insonderheit aber aus den der alten Grafen v. Orlamünde, als ehemaligen Lehnsherrn, annoch in Weimar vorhandenen Homagial- und Lehnbüchern zu erweisen steht, dass von An. 1000 an, und vielleicht noch viel weiter hinaus, das Geschlecht der von Burkersrode, und nachgehends von ihnen abstammenden v. Hessler mit den besessenen Gütern Burkersrode, Hessler, Haarde und andern an der Hassel gelegenen Oertern und Dorfschaften von einem Säculo zum andern in unverrückter Zeitfolge als Besitzer derselben beliehen worden.“

„Zu einem Urahnherrn ihres Geschlechts und vornehmen Wappens wird derjenige aufgeführt und angegeben, dessen Regino in Chron. Bd. an. 350. L. II. fol. 440. und Ditmarus Martisb. L. III, p. 40. edit. Maderian. gedenkt, dass selbiger im Jahre 950 Conradum, einen Sohn Graf Eberhard's, weil er sich fälschlich gerühmt, eine Nichte des damal. deutschen Königs in Unehren erkannt zu haben, zu einem Zweikampf herausgefordert, ihn erlegt und ihm seine Wehr und Waffe abgenommen; dahero zum unvergesslichen Andenken einer so rühmlichen Ritterthat und geretteten jungfräulichen Unschuld, das Geschlecht der von Burkersrode noch heutigen Tages eine roth und weiss gekleidete Jungfrau mit fliegenden goldgelben Haaren, einen grünen Rautenkranz mit beiden Händen fest an der Brust haltend, und mit 7 fliegenden Fahnen, so zum steten Andenken, der in den nachmaligen Kreuzzügen gegen den Erbfeind erwiesenen Tapferkeit, auf so vielen türkischen Bunden oder Turbans gepflanzt, auf dem Haupte geziert, in ihrem Stammwappen führen. Die Worte ermeldeten Regino's, am angezogenen Orte, lauten also: „Chuonradus, filius Eberhardi comitis (comitis in Franconia et Palatini ad Rhenum, fratris Conradi Imperatoris) qui cum nepte regis (Richilde Ottonis I. M. et vidua Cononis, comitis in Oeningen, ad lacum Bodnicum) se concubuisse sibi imposuerat, a quodam Burchardo Saxonico, monomachia victus, fefellisse se patefecit etc. cfr. Gerhardi diss. de judicio duellico c. III. §. 6. a. a. Chemnitii dissert. de duellis Germ. §. IV. Ludwell. diss. de duello §. VIII. „Das hohe Alterthum der v. B. ist auch besonders daraus mit Zuverlässigkeit abzunehmen und erweislich zu machen, dass das nicht weniger uralte Geschlecht der v. Hessler ursprünglich von selbigem abstammen, und vor vielen Säculis mit ihnen einen Namen und einerlei Geschlechtswappen geführet, sich aber bereits vor weit mehr als 600 Jahren von solchem abgesondert, und von ihren seit undenklichen Zeiten besessenen Stammgütern Burg und Markhessler, auch dazu ehemals gehörigen andern Dörfern mehr, so allerseits an einander, und zwar an dem Bache die Hassel genannt, welche sich zwischen Bellgstedt und der Stadt Freiburg in die Unstrut ergiesst, und den beiden Dorfschaften Hessler ihre Benennung gegeben hat, gelegen, den Geschlechtsnamen v. Hessler, oder Herrn sämmtlicher Güter und Orte an der Hassel, nach und nach angenommen, sich endlich also genannt und geschrieben; jedoch ihr altes angeborenes Stammwappen bis auf einige wenige Abänderung zum Unterschiede beibehalten haben; daher nicht leicht aus den alten Homagial- und Lehnbüchern der ehemaligen Grafen von Orlamünda und Herren zu Weimar ausfindig gemacht, noch dargethan werden kann, dass die Güter und Orte, Burg und Markhessler, Burckersrode, Haarde, Dietrichsrode, Pleissmar, jemals von einem andern Geschlecht als dem der v. B., und nachgehends der von Hessler, in alten und neuen Säculis wären besessen und eigenthümlich bewohnt worden. Inmassen denn aus den alten an noch vorhandenen Lehnbüchern zu erweisen, dass besonders i. J. 1120 *Hans* und *Christoph*, Gebrüder v. B., bereits mit Markhessler, Dietrichsrode und Pleissmar; i. J. 1122 *Wolf* und *Heinrich* v. B., mit Burghessler, Burckersrode, Friedrichsrode, sammt der Haarde; i. J. 1242 *Christoph* v. B., mit Pleissmar; 1291 *Herrmann* v. B., mit Pleissmar und Dietrichsrode; 1298 *Hans* v. B., mit Burghessler und Burckersrode; 1313 *Heinrich* v. B. mit Markhessler; 1324 *Julius* v. B. mit Burckersrode und der Haarde; 1339 *Heinrich* und *Christoph* v. B. wegen Markhessler; 1370 *Heinrich* v. B., nachdem sein Bruder erblos verstorben, wegen Dietrichsrode und Pleissmar, von ihren Lehnsherren, den Grafen von Orlamünda und Herren zu Weimar, diese ihre Güter und Dorfschaften in Lehn erhalten und besessen. Auch ist letztbenannter Heinrich v. B., als der eigentliche Ahnherr und Stammvater des von ihm abstammenden ganzen Geschlechts der v. Hessler anzusehen und zu verehren, welche nach ihm in neuern Zeiten unter diesem Namen die Güter Burg- und Markhessler, Burckersrode, Dietrichsrode, sammt der Haarde besessen und damit beliehen worden."

„Ob aber das Geschlecht der v. B. ihren Stammnamen von dem Besitze eines der Oerter Burckersrode im Amtsbezirke Eckartsberge, und in dem Fürstenthume Eisenach gelegen, ebenfalls erhalten, oder selbigen vielmehr von dem ersten Anbau und Besitz derselben diesen Oertern ihren Namen gegeben, wird wegen der Länge so vieler verflossenen Säculorum, und aus gänzlichem Mangel hierzu erforderlicher und abhanden gekommener Nachrichten nunmehro wohl nicht mit Grund ausfindig gemacht werden können."

„Aus sichern bei diesem Geschlechte noch vorhandenen Nachrichten kann solches in unverrückter Zeitfolge ihre richtige Abstammung aufweisen. Von Heinrich v. B., so noch 1350 gelebt und mit Annen v. Mühlen, aus Benndorf, *Heinrich* erzeuget, welcher mit Martha Pflugin, aus Eytra, einen Sohn gleiches Namens hinterlassen, welcher Annen von Bünau, aus Paahren, zur Gemahlin gehabt, und mit solcher *Friedrich* erzeuget, so im Jahre 1498 von den Schenken zur Veste Löltzen und Minkenhain erkauft, Even von und aus Goerschen geehlicht, und *Friedrich*, auf Löltzen, nachgelassen, welcher 1527 dem Bischof Adolf in Merseburg das ehemalige Bossische Rittergut Lötzschau, und von Wolf von Niesmitz 1540 Marckröhlitz erkauft, 1550 gestorben und von seiner Gemahlin Annen v. Traschwitz, aus Zettlitz und Otterwitz, zwei Töchter: *Margarethe*, welche an Gerhard v. Behr auf Gadewitz, und *Anne*, so an Friedrich von Werder, auf Loschwitz, verheirathet, und drei Söhne, *Bernhard*, *Christoph* und *Friedrich* nachgelassen, welche bei Vertheilung dieser ihrer väterlichen Güter dieses Geschlecht in drei Linien, nämlich der Lötzschauer, Löltzner und Marckröhlitzer verbreitet und zwar so viel

I. die Lötzschauer Linie betrifft, erzeugte *Bernhard* v. B. auf Lötzschau mit Magdalenen von Erdmannsdorff, aus Gross-Redtlen, *Julius* und *Wolf*; wovon letzterer ohne Erben verstorben, ersterer aber als Kaisers Maximilian II. wirklicher Kammerherr 1592 Todes verblichen und von Gertrud von Hasken, auf Oberthau, sechs Söhne, *Bernhard*, *Julius*, *Wolff*, *Caspar*, *Friedrich* und *Dietrich* nachgelassen, unter welchen aber die vier ersten ohne Erben verstorben. *Dietrich*, auf Lötzschau, hat zwar mit Marien von Maltitz, aus Elsterwerde, *Dietrich* und *Julius*, kursächs. Kammerjunker erzeugt, beide aber sind ohne Erben verstorben; *Friedrich* hingegen auf Güldengossa 1616 verstorben, hat mit einer von Ponikau, aus dem Hause Pombsen, einen Sohn gleiches Namens nachgelassen, welcher mit Catharina von Zehmen, aus Oelschau, drei Söhne gehabt: *Johann Julium*, auf Ratibor in der Oberlausitz, so mit Catharina von Nostitz, aus Neukirch, *Johann Julium* erzeugt, der als kursächsischer Rittmeister unverehlicht verstorben; 2) *Friedrich*, auf Ober- und Nieder-Neukirch, welcher eine Tochter nachgelassen, so an den Freiherrn Stein von und auf Altenstein vermählt; 3) *Tobias Dietrich*, auf Lötzschau, Merseburgischer Hofrath und Assessor beim Oberhofgericht in Leipzig."

„II. Die zweite und Löltzner Linie hat *Christoph* v. B. auf Löltzen, Kurfürst Johann Friedrich's zu Sachsen Kriegsoberster, mit Brigitten von und aus Griesheim angefangen. Er zeugte eine Tochter, *Catharina*, welche George Hauke auf Oberthau geehlicht, und zwei Söhne: *Wolf*, so erblos verstorben, und *Christoph Wolf*, welcher *Hans Julium* erzeuget, durch dessen erbloses Absterben aber diese Linie hinwiederum erlosch."

„III. Bei der dritten Markröhlitzer Linie erzeugte *Friedrich* v. B. auf Markröhlitz, so 1576 verstorben, mit Margarethe von Bottfeld, aus Gnuse und Biendorf, *Samson* den Aeltern, so 1595 verstorben, welchem dessen Gemahlin Barbara von Brandenstein, aus Zschoesthen 4 Söhne: *Wolf Christoph*, *Bernhard*, *Johann Friedrich* und *Samson* den Jüngern geboren, von welchen die zwei erstern ohne Erben verstorben, *Johann Friedrich* aber auf Pausche und Pittschendorf, welcher als Dompropst zu Naumburg 1640 verstorben, hat mit Agnesen von Haagen aus Altengottern folgende Kinder erzeugt: *Christiana*, welche an den Obersten Hans Heinrich v. Hessler auf Burg-Hessler vermählt, und *Johann Friedrich*, Freiherrn auf Sornzig, welcher als Reichs-Pfennigmeister, kursächs. Geheimerrath, Kammer-Präsident und Kammerherr in Erfurt 1686 verstorben."

„Dahingegen *Samson*, der Jüngere, vierter Sohn *Samson* des Aeltern auf Marckröhlitz, welcher 1658 verstorben, mit Martha von Hessler, auf Burg-Hessler zwei Töchter: *Martha Catharina*, so an Melchior v. Bottfeld auf Gnuse und Bienfeld, und *Maria Barbara*, so sich an Wolf Balthasar, Edlen Sack auf Reichlitz, verheirathet, und zwei

Söhne erzeugt: *Hans Christoph*, so einige Zeit in französischen Kriegsdiensten gestanden, eine von Osterhausen zur Ehe gehabt, aber ohne Leibeserben verstorben. *Georg Friedrich*, welcher 1699 verstorben, hat mit Hippolyta Magdalena von Trotta, aus Wartenberg in Teutschenthal, 4 Kinder erzielet, als zwei Töchter: *Catharina Elisabeth*, des Kammerraths v. Minkwitz auf Treutschen, und *Hippolyta Christiana*, des kurfürstl. sächs. Hauptmanns Johann Rudolphs v. d. Pforta, auf Puschwitz, Gemahlinnen; und zwei Söhne: *Georg Rudolph*, so durch sein frühzeitiges Absterben die von ihm gemachte Hoffnung unterbrochen, und *Friedrich Heinrich*, auf Marckröhlitz. herzogl. Sachsen-Weissenfelsischer Kammerrath, welcher 1749 verstorben, mit Christiana Sophie Marschallin, aus Brendt und Altengottern, drei Töchter: *Christiana Henrietta*, so an den kursächs. Obers'en Karl Haubold von Weissenbach auf Reichstedt, vermählt; *Sophia Elisabeth* und *Charlotte Auguste*; nebst folgende vier Söhnen nachlassend: *Georg Adolph*, Ober-Hofgerichtsassessor in Leipzig, so mit Johanna Charlotte von Arnimb, aus Döben einen Sohn, *Samson Adolph* erzeugt, *Odomar Heinrich*, so 1762 als Premierlieut. gestorben; *Friedrich Adolph*, kursächs. Capitain, *Carl Christoph*, so als kursächs. Hauptmann 1771 unvermählt verstorben."

„Das alte Geschlechtswappen der v. B. ist folgendes: Drei Sturmpfähle mit vier rothen und drei weissen Spitzen, in Gestalt eines doppelten, in einander geschobenen roth und weissen Pferd- und Rosskammes, der vier rothe und drei weisse Spitzen oder Zähne in einander geschoben hat. Auf dem adeligen Turnier- oder Ritterhelme ruhet ein roth und silbern gewundener Bund, aus welchem eine mit dem Gesichte auswärts gestellte Jungfrau bis auf die Füsse in langen goldgelben fliegenden Haaren aufwächset, welche einen langen engen Leibrock, der von Farben in der Mitte der Länge herab also unterschieden, dass der hintere weiss oder silbern, der vordere aber roth oder rubinfarbig ist; mit ihren beiden Händen hält sie auf der Brust einen grünen Rautenkranz, um den Hals hat sie eine Krause und auf dem Kopfe einen breiten rothen Hut, darauf sind sieben weisse oder silberne türkische Bunde oder Turbans, und auf solchen sieben Fahnen, als vier nach der rechten Seite und drei nach der linken, halb roth und halb weiss. wechselsweise so, dass, wenn die Stange roth, die Fahne weiss, und wenn die Stange weiss, die Fahne roth erscheinet. Die Helmdecken sind roth und weiss."

„In dem freiherrlichen Diplomate aber ist es folgendergestalt beschrieben: „Ein quadrirtes Schild, in dessen hintern, untern und vordern Obertheil ein doppelter, in einander geschobener, roth und weisser Pferd- oder Rosskamm, der vier rothe und drei weisse Spitzen oder Zähne in einander geschoben hat. Die vordere, untere und hinter-obere Feldung weiss oder silberfarb, in deren Mitte ein eiserner langer Anker, mit über sich gehenden Gegenhaken, auch über sich schwebendem Schwammholz, in Mitte der Quartirung ein weiss oder silberfarbenes Herzschild, darinnen ein grüner Rautenkranz; auf dem Schilde zwei gegen einander gestellte, offen gekrönte Turnierhelme, der hintere mit blau, der vordere Helm roth, denen beiderseits weisser Helmdecken geziert; auf der hintern Krone ein auswärts gebogenes vordere Löwending, mit den Waffen oder Pratzen den im Schilde beschriebenen eisernen Anker mit unter sich kehrenden Gegenspitzen an dem gelben Schwammholz in der Mitte haltend. Auf der Vorderkrone des Helms aber aufwärts, mit dem Gesichte einwärts gestellt, eine Jungfrau bis auf die Füsse in langen gelben fliegenden krausen Haaren, und einem engen Leibrock, der von Farbe in Mitte der Länge herab also unterschieden, dass der hintere weiss oder silbern, der untere aber roth oder rubinfarbig ist, in ihren beiden Händen auf der Brust den im Herzschild gemeldeten grünen Rautenkranz haltend, um den Hals eine Krause und auf dem Kopfe einen breiten rothen Hut hat, darauf sieben weisse oder silberfarbige türkische Bunde oder Turbans, (so denen v. B. anererbtes altadeliges rittermässiges, vorher angeführtes Wappen) darauf sieben Fahnen, viere nach der rechten Hand, und drei nach der linken Seite, halb roth und halb weiss, wechselsweise, dass, wenn die Stange roth, so die Fahne weiss, hingegen wenn die Stange weiss, die Fahne roth erscheint, M. s. Schönberg II. Bd. fol. 318—339 mit einer Ahnentafel, Melissantes XII. Bd., von Krohne I. Bd. S. 126 u. s. w."

Burski, die Herren von.

Eine adelige Familie in Polen und Preussen. Im 31. Inf.-Reg. steht gegenwärtig der Major v. B., Ritter hoher Orden, namentlich des eisernen Kreuzes 1. Classe, erworben beim Sturm auf Wittenberg. Ein Cap. v. B. schied 1818 aus dem 3. Inf-Reg., er hatte bis 1806 in der oberschlesischen Füselierbrigade gestanden.

Buschmann, die Herren von.

Eine adelige Familie in Cöln, wo *Anton* v. B. lebt. — *Theresia* v. B. starb am 1. Jan. 1831 im Kloster der Carmeliterinnen zu Düsseldorf und bestimmte in ihrem letzten Willen ein bedeutendes Capital zu einer Armenstiftung.

Buxdorf, die Herren von.

Die von B. oder Boxdorf schienen im vorigen Jahrhundert bei uns fast ausgegangen zu sein, während noch in neuerer Zeit einzelne Mitglieder dieser Familie vorkommen; wie der Oberstlieut. v. B. bei den Invaliden, frühere Commandeur der Invaliden-Compagnie vom Reg. Pirch, der aus der Lausitz gebürtig war und 1821 gestorben ist. Schon 1119 kommen die v. B. unter den Rittern vor, die dem Turnier zu Göttingen beiwohnten. *Dietrich* v. B. war vom Jahre 1463—66 Bischof von Naumburg und Zeitz, (nach andern Aut. war dieser Prälat aus dem Geschlechte der Burgsdorfer). In der Nieder-Lausitz besass diese Familie den Rittersitz Schlaberndorf bei Luckau, sie war im 17. Jahrhundert auch in Schlesien und im Magdeburgischen begütert. Ihr Wappen zeigt im silbernen Schilde den Kopf eines rothen Widders oder Schafbocks, derselbe wiederholt sich auf dem Helme. Siebm. 1. Th. S. 559. M. s. Spangenbergs Adelspiegel II. Th. S. 186. 196. Gauhe, I. Th. S. 229. Sinapius II. Th. S. 559. v. Hellbach I. Th. S. 213.

C.

Cämmerer von Preis.

Eine adelige Familie dieses Namens kam aus Thüringen nach Preussen. Im Jahre 1600 lebte daselbst *Georg* Cämmerer v. P. auf Powegen im Amte Fischhausen. Er war mit einer von Nesselrode vermählt. Aus dieser Ehe lebt ein Sohn *Heinrich* C. v. P. und zwei Töchter. Von ihnen vermählte sich die jüngere mit einem v. Kamke. Diese adelige Familie ist im 17. Jahrhundert erloschen.

Caila, die Freiherren von.

Sie stammen ursprünglich aus Burgund, wo sie den Namen l'Herniet v. St. Hippolyte führten. Dieser Familie gehört an der kursächs. General *Peter* v. C., der während des sächsischen Reichs-Vicariats in den Reichsfreiherrnstand erhoben wurde, und im Jahre 1744 zu Chemnitz starb. Sein Sohn *Peter Ernst* v. C. war Hauptmann und Adjutant bei seinem Vater und starb schon 1742 zu Berlin. Seine Mutter war Johanna Sophia v. Klix. — *Ernst Gottlieb* Freiherr v. C. stand 1806 als Hauptmann bei dem 3. Bataill. des preuss. Inf.-Regim. von Kaufberg in Danzig, er wurde im Jahre 1808 Commandeur der Danziger Stadtmiliz, und starb im Jahre 1824, so viel uns bekannt ist als der letzte seines Geschlechts.

Caillat, Herr von.

Ein Edelmann dieses Namens steht in der Gegenwart als Lieut. im 22. Inf.-Reg. zu Neisse.

Caldenbach, die Herren von.

Diese alte Familie im Bergschen, Clevischen und Jülichschen, kommt auch häufig unter den Namen Pens oder Penser v. C. vor. *Moritz* P. v. C. blieb als schwedischer Oberst bei Leipzig den 7. Sept. 1631.

Callenberg, Herr von.

Der polnische Artillerie-Major *J. P.* v. C. erhielt am 28. Novbr. 1770 vom König Friedrich II. ein Anerkennungsdiplom seines alten Adels. König giebt in seinen handschriftlichen Sammlungen eine Abschrift dieses Diploms.

Campier, die Herren von.

Eine aus Frankreich nach Preussen gekommene Familie, welche bei Neidenburg, Osterrode und Riesenburg ansässig war, wo nämlich die Güter Thiersparter, Dietersdorf und Neuguth ihr angehörten. *Leopold Wilhelm* v. C. besass 1727 Neuguth. Er hatte zwei Söhne. Aus dem Hause Dietersdorf lebten in der Mitte des vorigen Jahrhunderts drei Söhne, *Wilhelm*, *Leopold* und *Johann*. Noch in der neuesten Zeit haben Offiziere dieses Namens in der Armee gestanden, die sich jedoch zum Theil v. Campieur schrieben.

Campieur, die Herren von.

Ein adeliges, aus Frankreich nach Preussen gekommenes Geschlecht, das im silbernen Schilde einen schwarzen aufspringenden Löwen und auf dem Helme einen wachsenden wilden Mann führt.

Cannengiesser, die Herren von.

Conrad v. C. aus dem Hessischen gelangte zur Würde eines königl. preuss. Geh.-Finanzrath und starb am 29. Aug. 1729 zu Berlin. Er hinterliess einen Sohn, *Leonhard Heinrich* v. C., der am 29. Mai 1732 in Berlin starb. Diese Familie führte ein quadrirtes Wappenschild, das erste Quartier zeigte einen schwarzen Adlerflügel, das zweite eine Giesskanne, das dritte den Kopf eines Edelhirsches, das vierte wieder einen schwarzen Adlerflügel. Auf dem Helme wiederholten sich diese Adlerflügel.

Caprivi, die Herren von, I. Bd. S. 349.

Julius Leopold v. C., der Vater des in unserm Artikel erwähnten Oberst v. C., war gräfl. Stolberg. Canzler und mit Dorothea Maria v. Grambo vermählt, die im Jahre 1740 den gedachten Sohn gebar.

Carawi, die Herren de.

Ein aus Italien nach Preussen gekommenes Geschlecht, das im blauen Schilde drei Sterne, oben zwei und unten einen, führte, dazwischen aber ist ein nach der rechten Seite laufender Windhund mit goldenem Halsband vorgestellt. Auf dem Helme liegt eine Edelkrone. M. s. Königs Wappenbuch. S. 48.

Carcani, die Herren von, I. Bd. S. 350.

Diese Familie verehrte als Stammherrn einen berühmten, unter Kaiser Leopold I. in hohem Ansehen stehenden Ingenieur.

Cardinal, die Herren von.

Sie sind aus Liefland und Curland zu der Zeit nach Schlesien gekommen, als sich 1596 Herzog Adam Wenzel von Teschen mit Elisabeth, Prinzessin von Curland vermählte. Obgleich der grösste Theil ihrer Besitzungen, namentlich Perstez, Zaborzi und Cizowitz, im östreich. Schlesien lagen, so sind doch auch Zweige in den preuss. Fürstenthümern ansässig und mit den von Beess, von Blacha und andern diesseitigen Geschlechtern versippt gewesen. M. s. Sinap. II. B. S. 561.

Carlsburg, die Herren von, I. Bd. S. 355.

Die unten angegebene Quelle berichtet aus der frühern Geschichte dieser Familie nach dem Ausspruche eines mit derselben genau bekannten Mannes folgende ganz richtige Umstände. „Im Jahre 1652 brachte *Dietrich* v. C. die Güter Sundhausen und Hayn durch eine Forderung, so sein Vater *Johann Dietrich*, welcher zu Ende des 16. Jahrhunderts als schwedischer Oberstlieutenant verstorben war, an den Domherrn von Büren gehabt, an sich. Dieser *Dietrich* war anfänglich Hofmeister bei dem Grafen von Sayn, nachher herzogl braunschw. lüneburg. Drost- und Amtmann der Abtei Walkenried. Er hinterliess mit Emilia Augusta von Elding, aus dem Hildesheimischen, zwei Söhne und eine Tochter. Der jüngste Sohn *Conrad Dietrich* blieb als herzogl. braunschw.-lüneburg. Lieutenant im damaligen Kriege. Die Tochter verheirathete sich an den schwedischen Major, Baron v. Küchenmeister. Der älteste Sohn, *Bodo Dietrich*, war ebenfalls in braunschw. Diensten als Grenad.-Kapitain, dankte aber nach dem Ryswikschen Frieden ab und lebte auf seinen Gütern. Er hatte sich mit einem Fräulein v. Lenzen, aus Pommern, verheirathet und mit selbiger zwei Söhne und eine Tochter erzeugt. Der älteste Sohn *Johann Friedrich*, widmete sich anfänglich dem Studium, als aber sein Vater mit Tode abging, so übernahm er das ihm zugefallene Gut Sundhausen und verheirathete sich 1709 mit einem Fräulein von Helder; deren Vater, *Ludwig Friedrich*, als der letzte von seiner Familie 1702 aus dieser Welt gegangen. Er starb 1744 und hinterliess zwei Söhne, davon der älteste, *Ernst Friedrich*, in seinem 18. Jahre in königl. poln. und kursächs. Kriegsdienste trat und darin vom Cadet an alle Chargen nach einander bekleidet, auch allen den Feldzügen von dem poln. Kriege 1733 bis zum Hubertsburger Frieden, wo sich kursächs. Truppen befunden, beigewohnt hat. Im Jahre 1756 wurde er von Sr. königl. Maj. in Polen zum Obersten ernannt, und 1768 machten Sr damals regierende kurfürstl. Durchlaucht zu Sachsen ihn zum Gen.-Major und Commandeur bei der Leibgrenadier-Garde und ertheilten ihm auch noch in selbigem Jahre den St. Heinrichs-Orden. Als Oberstlieutenant hat er sich mit einem Fräulein von Wilke, des königl. poln.-kursächs. gewesenen Obersten von Wilke ältesten Tochter, verheirathet, und in dieser Ehe 1751 einen Sohn, Walrad Friedrich Gustav, so auch bereits in kursächs. Militairdiensten engagirt ist, und bei dem Prinz Xaver'schen Regiment als Grenadierlieut. steht, und 1753 eine Tochter, *Louise Friederike*, erzeugt. Der jüngere Bruder, *Gustav Friedrich*, war 1736 gleichfalls in kursächs. Kriegsdienste getreten und hatte sich 1752 als Capitain mit Fräulein Juliane Friederike von Seydewitz verehlicht, auch mit selbiger vier Söhne erzeugt, so aber sämmtlich in der ersten Kindheit gestorben. Er selbst ging in seinem 37. Jahre, als er sich mit einem Theil der sächs. Truppen in Ungarn befunden, im Jahre 1758 zu St. Georgen mit Tode ab. Der Onkel von diesen beiden letztern, des *Johann Friedrich* jüngster Bruder, *Bodo Wilhelm* behielt die beiden Güter Dorgelow und St. Magnus in Westphalen. Er ging 1716 unter dem General von Penzig nach Polen und wohnte 1716 u. 17 den Campagnen als Volontair bei. Nachher wurde er Kammerjunker und Capitain in fürstl. schwarzburg. Diensten. Im Jahre 1727 verheirathete er sich mit einem Fräulein v. Zenge, und lebte mit derselben bis 1761, da sie beide, ohne Kinder zu hinterlassen, mit Tode abgegangen. Die Schwester *Martha Johannetta* erhielt das Gut Schallenburg und verheirathete sich an einen v. Tettenborn, aus welcher Ehe der in königl. preuss. Diensten gestandene Gen.-Maj. v. Tettenborn entspross, ein Regiment Infanterie in Preussen commandirte u. s. w."

„Das Wappen ist ein vierfeldiger Schild, worauf im ersten und vierten goldenen Felde ein schwarzer Adler mit ausgespreitzten Beinen und Flügeln und ausgeschlagener Zunge, im zweiten und dritten rothen Felde aber ein mauerfarbiger, oben gezinnter Thurm ist. Auf dem Wappen sind zwei gekrönte Helme, deren rechter mit dem schildesförmigen Adler, der linke mit dem Thurm geziert ist. Die Helmdecken sind schwarz und gold.," Man sehe v. Krohne I. Bd. S. 140—46.

Carnap, die Freiherren und Herren von.

Johann Gerhard v. C. wurde in den Freiherrnstand erhoben. Das Haupt des adeligen Hauses *Eduard* v. C. ist gegenwärtig Oberbürgermeister der Stadt Elberfeld, (seit 1837). In der preuss. Armee steht der Oberstlieut. und Ritter des eisernen Kreuzes v. C. in Prenzlau und in demselben Regiment der Lieutenant v. C. Das Wappen der adeligen Familie v. C. unterscheidet sich von dem freiherrlichen dadurch, dass die silberne Schaftzange mit einem Querstück verbunden ist, und dass das obere Feld blau, im freiherrlichen Wappen aber schwarz ist.

Carnavally, die Herren von.

Eine adelige, ursprünglich ungarische, nach Westpreussen gekommene und daselbst schon lange bekannte Familie. Ein Major v. C. commandirte 1806 die zweite westpreuss. Invaliden-Compagnie und starb 1814. Ein Hauptmann v. C. im 2. Infant.-Reg. starb 1814 an ehrenvollen Wunden.

Carpenter, die Herren von.

Diese adelige Familie kommt in einem Lehnbriefe über das Gut Gr. Bressen in der Neumark vor, namentlich geschieht in dieser Urkunde Erwähnung von einem Major *Franz Wilhelm* v. C., der mit Anna Dorothea v. Kalkreuth vermählt war.

Castehl, die Herren von.

Ein adeliges Geschlecht im Magdeburgischen, das mit *Joachim* v. C., Herr auf Bardeleben, im Jahre 163½ erlosch. Dieser letzte der Schwerdtlinie hatte nur eine Tochter *Anna Dorothea* hinterlassen.

Cattaneo, die Herren von.

Ein altes adeliges Geschlecht in Venedig, aus welchem ein Mitglied im Jahre 1799 königl. preuss. Kammerherr wurde.

Cave, die Herren von.

Ein Major v. C. stand 1806 in dem 3. Bat. des Regiments Graf v. Wartensleben zu Erfurt, er starb 1826 im Pensions-Stande, seine Wittwe, eine geborene v. Loos, lebt zu Berlin. Es liegen zwei Wappen dieser Familie vor uns, das eine zeigt im rothen Felde einen silbernen, mit drei schwarzen Andreaskreuzen belegten Schrägbalken und auf dem gekrönten Helm ein solches Kreuz, das andere zeigt im silbernen Schilde vier schräg gelegte Eichenkreuze und ein fünftes auf dem gekrönten Helm. Decken roth und Silber. Hassens Wappenbuch S. 12 u. 160.

Cebrowsky, Herr von.

Johann Philipp v. C. erhielt am 18. Jan. 1720 die Bestätigung seines Adels und zugleich den Beinamen von Eckertsberg.

Cederstolpe, die Herren von.

Ein altes vornehmes Geschlecht in Schweden, aus dem mehrere Zweige in preuss. Kriegsdiensten standen. Ein Lieutenant v. C. hatte 1806 in dem 3. Bataill. des Regiments von Winning gedient, er starb als Pens.-Capitain des 21. Inf.-Regiments, seine Wittwe, eine geborene Löscher wohnt in Berlin. Ein damals in dem Regiment Rouquette Dragoner gestandener Fähndrich v. C. ist gegenwärtig Major und Commandeur des 5. Kürassierregiments, Ritter des eisernen Kreuzes. Zwei Brüder v. C. stehen gegenwärtig im 39. Infant.-Regimente zu Luxemburg.

Chasot, die Herren und Grafen von, I. Bd. S. 365.

Während wir an der bezeichneten Stelle Nachrichten aus der neuern Geschichte dieser Familie gegeben haben, sind uns nachträglich noch reichhaltige Notizen über die frühern Verhältnisse derselben eingesendet worden, sie lauten:

„Dieses uralte ritterliche Geschlecht aus der Normandie, welches aber ursprünglich von deutschem Blute abstammt, auch jetzt wieder mit einem Zweige in Deutschland blühte, betrachtet als Stammherrn den *Johann Vorle* C. Er commandirte 1362 in dem Burgundischen Schlosse Salinesen für den Herzog Philipp v. Burgund, der ihn für seine bewiesene Tapferkeit adelte, und an eine Hofdame seiner Gemahlin, Namens Rebecca, vermählte. Er zeugte mit ihr *Johann*, welcher den Titel Ecuyer (Schild- und Waffenträger des Herzogs) annahm und auf seine Nachfolger vererbte. Er succedirte seinem Vater in der Schlosshauptmannschaft und vermählte sich mit einem Fräulein Eglantine, welche ihm zwölf Söhne, Namens: 1) *Benignum*, 2) *Nicolaum Heinrich*, 3) *Heinrich*, 4) *Vorle*, 5) *Peter*, 6) *Jacob*, 7) *Bernhard*, 8) *Tomin*, 9) *Collin*, 10) *Clodten*, 11) *Isaac*, 12) *Johann Vorle*; nebst zwei Töchter, Namens *Anne* und *Johanne*, zur Welt gebracht. Diese letzteren wurden Nonnen, von den 12 Söhnen aber blieben 11 an einem Tage in der Bataille bei Azincourt am 25. Octbr. 1415, wo ihnen zur Ehre und Gedächtniss drei Kreuze auf dem Schlachtfelde gesetzt worden, welche noch heutigen Tages stehen und die Chasotischen Kreuze genannt werden. Die Franciscaner aus der Stadt müssen jährlich an dem Tage der Schlacht eilf Seelenmessen dabei lesen. *Benignus* vermählte sich mit einem Fräulein Christine, und zeugte mit ihr *Clodten* und *Vorle*, *Clodt* heirathete 1405 das wegen ihrer Schönheit berühmte Fräulein Susanne Pilotte, auf ihrer Hochzeit sind der Herzog und die Herzogin von Burgund gegenwärtig gewesen; er ward Commandant zu Tallin. *Vorle* vermählte sich mit Fräulein Anne le Grand und liess sich zu Chatillon nieder. Ersterer zeugte: 1) *Otto*, 2) *Collin* und 3) *Peter*: von welchen *Collin* und *Peter* meuchelmörderischer Weise entleibt wurden. Letzterer aber hatte zwei Töchter, *Johanne* und *Thenon*, welche beide in ledigem Stande starben, und zwei Söhne, *Collin* und *Towin*, welcher letztere ohne Erben verstarb. *Otto* und *Collin* stifteten nun zwei Linien."

„*Otto*, der Stammvater der älteren Linie, heirathete ein Fräulein Claudine von Rerre, aus dem Hause Rere, und zeugte mit ihr *Collin*, den Beherzten, Hauptmann von Saline und Kammerherr des Grafen Charolois, letzten Herzogs von Burgund. Er wurde 1476 bei Nancy erschlagen, und hinterliess von seiner Gemahlin, einem Fräulein Rhomon von Soumarge, *Johann* v. C., Herrn von Champlette, welcher sich mit Fräul. Helena v. Fiot vermählte, welche ihm 1502 einen einzigen Sohn,

Namens *Bernhard*, gebar. Dieser wurde Herr zu Tallmey, Oberstallmeister zu Burgund, und endlich Rittmeister von Dijon. Er nahm 1520 das Fräulein Christine v. Rebellier zur Ehe, aus welcher zwei Söhne, *Benignus* und *Bernhard*, und eine Tochter, *Anna*, entsprossen. Das Fräulein *Anna* wurde vermählt an den Herrn Curard v. Dycon. *Bernhard* vermählte sich mit einem Fräulein von Chaumont und starb ohne Kinder. *Benignus*, Herr von Grandbois und Talmey, des Königs Waffenträger, und Hauptmann des Huissetischen Regiments, setzte hingegen seinen Stamm mit Margaretha von Firede, einer Wittwe *Nicolai* v. C. aus der andern Branche, fort. Sie stiftete im Jahre 1539 ein Franciscaner-Kloster zu Chatillon. Ihr nachgelassener Sohn *Bernhard*, Herr von Grandbois, General-Einnehmer der Generalität v. Caen, vermählte sich mit Fräulein Elisabeth von Morel, und da er Wittwer ohne Erben wurde, mit Elisabeth le Teneur, mit welcher er folgende Kinder zeugte: 1) *Johann*, 2) *Marcus Anton*, Herrn von Talville, welcher unvermählt starb, 3) *Valentine*, welche sich mit einem Baron v. Rupgins vermählte, 4) *Catharine*, verheirathete Baronesse von Rivigneral, 5) *Elisabeth* und 6) *Marie*, welche erstere zu Caen, die letztere zu Fallaise den geistlichen Stand annahm. *Johann*, Herr von Grandbois und Allemagne, Offizier unter der königl. Garde zu Paris, des Königs Rath von Caen und Schatzmeister von Frankreich, heirathete 1673 Catharina Edle von Hue. Sie gebar ihm: 1) *Thomas Ludwig*; 2) *Thomas*, der in seiner Jugend als Hauptmann unter dem Louvignieschen Regiment starb; 3) *Anne Johann Peter*; 4) *Peter*, der als ein Kind starb; 5) *Elisabeth*, welche in ihrer Jugend in der Abtei der heil. Dreifaltigkeit zu Caen starb; 6) *Marie*; 7) *Anna*, welche beide in derselben Abtei als Geistliche gestorben, und 8) *Catharina*, welche an den Ritter Simon v. Baillot vermählt ward. Von den Söhnen vermählte sich *Thomas Louis*, Herr von Grandbois, Ecorche und Vary, Grenad.-Capitain unter dem Regimente von Louvignie, mit dem Fräulein Claudine von Prepeti im Jahr 1709 den 24. Juni, und *Anne Johann Peter* mit dem Fräulein Anne Frenedy von St. George.

1) Dieser letztere zeugte *Johann Franz* und *Marie*, welche sich mit dem Herrn von Cherchiny von Herctot vermählte, und das Gut Talville zur Aussteuer bekam. *Johann Friedrich* aber heirathete 1734 das Fräulein Hue von Mutreci, aus welcher Ehe folgende Kinder entsprossen: *Franz Johann*, Lieutenant unter der Königin Regiment; 2) *Augustina Francisca*; 3) *Maria Catharina*, welche an den Ritter v. Borville, Hauptmann unter der Infant., vermählt war, und 4) *Johann Peter*, Capitain unter den Freiwilligen v. Flandern.

2) Jener, der erste aber 1) *Gervasen Johann*, Herr von Ecorche, Vary und Meheudin, welcher bei den königl. Haustruppen gedient und 1739 das Fräulein Catharina Renata von Coefferle geheirathet, mit welcher er a) *Clauden Gervasen*, königl. französ. Rittmeister; b) *Renatus Anton*, französ. Karabinier-Lieutenant; c) und das Fräulein *Marie Catharine* erzeugt hat. 2) *Anne*, so 1762 ledigen Standes starb; 3) *Isaac Franz Egmund*, durch den die Familie wieder nach Deutschland gekommen; 4) *Marcus Anton*, Herr v. Grandbois, welcher sich mit Francisca Anna Amata Bayeule vermählte; im Jahre 1758 als Aide-Maj. starb und eine Tochter hinterliess, welche an den Ritter Merci, unter des Königs leichter Garde zu Pferde, vermählt ist. 5) *Catharina*; 6) *Anna Wilhelm Bernhard*, Canonicus und Archidiaconus des Bischofs von Lees. 7) *Claudine*, verw. Prevot von Bellegarde. 8) *Gervasen Franz*, welcher erst in französ. Diensten unter dem Dragoner-Regiment von Harcourt Lieutenant gewesen, später in preuss. Dienste kam, und aus diesen Hofmeister bei der verwittw. Frau Herzogin Dorothea

Sophie von Mecklenburg ward, sich mit ihrer Hofdame, einem Fräul. von Behm verheirathete, und zu Neustrelitz unbeerbt starb. 9) *Johann Ludwig*, Herr von Vary, welcher unter des Königs von Frankreich leichter Garde zu Pferde gedient, sich mit einem Fräulein Gouhier de la Chapelle vermählt, und eine Tochter mit ihr gezeugt hat. 10) *Thomas*. 11) *Franz Egmund*, Herr von Talville, Lieut. von der franz. Infanterie, welcher aber in America jung starb.

Die Linie der Collins breitete sich folgendergestalt aus: Er liess sich in der Gegend von Chatillon nieder und heirathete das Fräulein Johanne von Jamin, aus dieser Ehe sind entsprossen: 1) *Peter* und 2) *Nicolaus*; 3) *Anna*, vermählte von Dolin; 4) *Thinotte*, vermählte von Ruel.

1) *Peter*, General-Einnehmer zu Dijon, heirathete das Fräulein Maria du Neau, und stiftete mit ihr das Carmeliterkloster zu Chatillon. Er hinterliess 1) *Johann*, Herrn von Beauregard, 2) *Claudia*, vermählte von Fontaine Remond; 3) *Heinrich*, Abt zu Vie. Der Sohn *Johann's*, der eben diesen Namen führte und Capitain unter dem Regiment Thionville war, zeugte *Isaac*, der als Präsident zu Metz starb. Er hinterliess *Benignus*, der ihm in seiner Charge folgte und 1688 starb, worauf dessen Sohn, der wieder *Benignus* hiess, erster Parlements-Präsident zu Metz ward, und 1717 den 17. Januar mit Hinterlassung eines Sohnes, *Louis Benigne* starb. Dieser heirathete Maria, die Tochter des ersten Parlements-Präsidenten zu Metz, Herrn Matthaeus von Montholon, und wurde 1732 selbst Präsident des Parlements.

2) *Nicolaus* heirathete erstlich Margarethe von Tiredey und nachher *Benigna* v. C., aus der ältern Linie. Er hatte drei Söhne; der erste hiess gleichfalls *Nicolaus*, der andere *Peter* und der dritte *Benignus*.

Nicolaus hatte zur ersten Ehe Johanna von Carnuel, und zur zweiten ein Fräulein Sire von Germain, mit welcher er 1) *Benignus*, der sich mit Anne von Germain, seiner Stiefmutter Schwester, verheirathete, die ihm a) *Claudius*, Herrn von Beauregard, Criminal-Lieut. von Falaise; b) *Valentine*; c) *Nicolaus*, der als Carmeliter im Noviziat zu Caen starb; d) *Bernhard*, u. e) *Anna* gebar. 2) *Vorle*, welcher sich zu Flarigny dem geistlichen Stande widmete; 3) *Nicolaus*, der Capuziner ward; 4) *Margarethe*; 5) *Johann*, welcher den Jesuiten-Orden annahm; 6) *Anne*; 7) *Eeglantine*; 8) *Johanna*, und 9) *Anna* zeugte.

Der andere Sohn, *Peter*, ward General zu Andely, Bermon und Gournay, heirathete ein Fräulein Francisca von Lambert, welche ihm einen Sohn, Namens *Jacob*, gebar, der ihm in seinen Chargen nachfolgte, und aus der Ehe Johann Michelle von Guerin: 1) *Peter Heinrich*; 2) *Louise*, die jung starb; 3) *Johann*, und 4) *Marcus Anton*, der als Mönch gestorben, hinterliess. *Peter Heinrich* heirathete 1714 den 11. Jan. Catharina von Pacarcey; diese gebar ihm 1715 den 15. August 1) *Thomas*, der sich mit Louise von Petit vermählte, und 1756 den 11. April *Louise Francisca*. 1757 den 4. Juni *Maria Louise* zeugte; 2) *Johanna*; 3) *Franz*; 4) *Franz Heinrich*, welcher früh starb; 5) *Nicolaus Heinrich*, Canonicus zu Orleans; 6) *Peter*, der ebenfalls früh starb; 7) *Armand Claudius*, welcher sieben Jahre unter den Gensd'armen gedient hat.

Der dritte Sohn des *Nicolaus Benignus* hat mit seiner Gemahlin, einer Filotte von Flerigny, einen Sohn, welcher General-Director der Domainen in Languedoc war, gezeugt.

Isaac Franz Egmund v. C. Ecuyer, von dem wir oben schon gesprochen haben, hat dem König von Preussen als Oberst eines

Dragoner-Regiments gedient, und ist als geschickter, tapferer und gebrauchter Offizier von diesem Monarchen grosser Gnaden gewürdigt und mit dem Orden pour le Merite geziert worden. Er wurde General der Armee des Königs von Dänemark und Commandant der Reichsstadt Lübeck. Der König von Polen begnadigte ihn 1768 mit dem Stanislaus-Orden. Er war vermählt mit Maria Camilla Torelli von Monterico, und hatte mit ihr zwei Söhne, *Friedrich Ulrich*, welcher den 8 Juni 1761, und *Friedrich Adolph*, welcher den 10. Octbr. 1763 geboren ward. Beide standen als Officiere in königl. poln. Diensten; der von dem General zu Lübeck vor dem Burgthore angelegte, und von ihm Marly genannte prächtige Garten und Plantage war merkwürdig.

Das Wappen dieser Familien, welches in der *Chasot*'schen Kapelle, in der Schlosskirche zu Salines, auf den Grabmälern zu St. Lorenz, auf dem Markte zu Soisson, an der Fanciscanerkirche zu Chatillon, und an verschiedenen Zierathen der St. Johannis, der Franciscaner- und Capuzinerkirche zu Caen angebracht ward, besteht aus einem blauen Felde, in welchem zwei auf einem Postement gegen einander stehende Löwen einen Baum aufrecht halten. Ueber dem Schilde ist eine Krone.

Diese hier vorkommenden Nachrichten sind aus einem sehr alten, noch in alt-gallischer Sprache abgefassten, fast unleserlich gewordenen Stammbaume gezogen worden.

Bei dem General *Isaac Franz Egmund* v. C. dürfen wir eine tapfere Handlung, welche unter andern besonders hervorleuchtet, nicht unberührt lassen. Als er 1745 erster Major des preuss. Dragoner-Regiments vor Bayreuth war, erbeutete er in der Schlacht bei Hohen-Friedberg 66 Fahnen von der feindlichen Armee und brachte diese seinem Monarchen, der ihm dafür in den rührendsten Ausdrücken dankte, und auch das Wappen, wie nachher folgen soll, zum Gedächtniss dieser heldenmüthigen That, vermehrte. Als der König bald darauf dessen in der Normandie wohnenden Mutter eine goldene, reich mit Brillanten besetzte Tabatiere überschickte, bediente er sich des Ausdrucks: Il y a long tems que Vous avez de droits sur mon attention par les services, que m'a rendus Monsieur Votre fils. La mère d'un Officier aussi brave, et aussi universellement estimable ne peut attendre de ma part, que les témoignages d'une veritable bienveillance etc. Und als derselbe nach Frankreich reiste, um sich daselbst seine empfangenen Blessuren heilen zu lassen, machte Voltaire folgendes Gedicht auf ihn:

Tu parois, et ma Muse stérile,
Malgré tes grands exploits ne me veut rien dicter:
Tant de vertus embarassent mon stile;
A chaque instant je me sens arrêter.
Ce sujet est trop grand, pour le pouvoir chanter,
Desque je veux parler du courage héroique,
Que tu fais voir dans les combats.
L'amitie d'un ton pathétique
Me force à lui ceder le pas.
La générosité, son aimable compagne,
Qui prit naissance dans ton coeur,
Vient m'annoncer avec douceur,
Que sa beauté merite, qu'on l'épargne,
Et qu'elle préside à ton choix.
Mais de la renommée écoute ici la voix:
Il me souvint encore de ce jour memorable,
Ou l'illustre Chasot, ce guerrier formidable,
Sauva par sa valeur le plus grand de nos rois.
O Prusse! Eleve un temple à ses fameux exploits.

Das Familienwappen ist so, wie es oben beschrieben ist, nur dass die Löwen von Golde, und der Baum eine silberne Eiche ist. Die Branche zu Chatillon führt einen gezierten Schild, dessen erstes und viertes Feld aus dem alten Wappen besteht, das zweite und dritte Feld ist blau, und darauf drei goldene fünfspitzige Sterne, davon zwei in dem Schildeshaupt und einer in dem Fusse stehen. Die jüngere Branche zu Chatillon pflegt auch eben dieses beschriebene Feld allein zu ihrem Wappen zu führen. Das nachstehende Wappen ist aus der ältern Branche von Chatillon, welches darum gewählt ist, weil es das der ältesten, und der jüngern Branche zu Chatillon enthält; es ist auch zugleich die oberwähnte von dem König von Preussen dem General v. C. gegebene Wappen-Vermehrung darauf angebracht, welche in einem gespaltenen Herzschilde besteht, dessen rechte Seite silber, und darauf ein halber gekrönter Adler, die linke schwarz und darauf mit goldenen Buchstaben das Wort Friedeberg und die Zahl 66 zu sehen ist. Auf dem Helme ist eine rechts wehende Fahne an einer schwarz und goldenen Lanze, welche so wie der Herzschild gespalten und demselben in Farben und Insignien gleich ist."

Chelkowski, die Herren von.

Ein altadeliges polnisches Geschlecht, ihm gehört an der hochwürdige Weihbischof des Erzbisthums Gnesen und Posen, Bischof v. Tricome in p. infid.

Chelmicki, die Herren von.

Adelige Familie in der Provinz Posen. — *Peter* v. C. ist königl. Oberlandesgerichtsrath, General-Landschaftsrath und Herr auf Cielimowo, Gurowo, Zydowo u. s. w. im Kreise Gnesen. Die v. C. führen im rothen Schilde eine weisse Schärpe und auf dem Helme zwei Hirschstangen. Decken roth und Silber. Hasse S. 254.

Chlebowsky, die Herren von, Bd. I. S. 367.

Diese Familie stammt aus Polen und ist erst am Anfange des 18. Jahrhunderts nach Preussen gekommen, wo sie die Güter Mitreiten bei Angerburg und Numeiten bei Seehesten erwarb. Der in unserm Artikel vorkommende General-Major v. C. starb am 16. Octbr. 1807 zu Memel und einer seiner Brüder starb als Oberst und ehemaliger Commandeur des 3. Bataill. des ehemaligen Regiment v. Puttkammer im Jahre 1814. Diese Familie führt im rothen Schilde und auf dem Helme eine silberne Rose.

Chmielinski, die Herren von.

Diese Familie war aus Polen nach Pommern gekommen, wo sie im Lauenburgischen die Güter Botzebohl, Lieblow u. s. w. erwarb. *Georg Ernst* v. Ch., ein Sohn des *Michael Ludwig* v. Ch. und der Elisabeth v. Korth, fiel im Treffen bei Hochkirch. Er war mit Judith Catharina von Köppern, aus dem Hause Rossin, vermählt, eine Tochter aus dieser Ehe war Stiftsdame zum heiligen Grabe. Ein jüngerer Bruder des Majors, *Karl Philipp* v. Ch. starb im Jahre 1745 an

7*

seinen bei Hohenfriedberg erhaltenen Wunden. Noch in der neusten Zeit und in der Gegenwart dienen Edelleute aus diesem Hause in der Armee.

Chorinsky, die Grafen von.

Dieses jetzt gräfliche Haus wird von Okolski in Beziehung auf sein Wappen zu den Familien gezählt, die aus dem alten berühmten Geschlecht der Habdanck abstammen, doch ist das, welches die jetzt gräfliche Familie führt, ganz verschieden von dem ursprünglichen, indem dieses im silbernen Schilde ein umgekehrtes doppeltes V blauer Farbe zeigt, (litera latina majuscula obversa M, geminata tamen, aut V majus, iteratum tamen et ligatum). Das gegenwärtige gräfliche Wappen aber ist, wie wir es unten näher beschreiben. Schon im Jahre 1293 befanden sich zwei Ritter *Babeslaus* und *Laticus* de Ch. am Hofe Heinrichs des Fetten, Herzogs in Schlesien. Ein Zweig dieses Hauses kam vor langen Jahrhunderten nach Mähren, erwarb hier das Gut Ledske und fügte diesen Namen dem seines Geschlechts bei. Im 15. Jahrhundert stand diese Familie in Mähren schon in hohem Ansehen. Vorzüglichen Glanz brachten hier *Franz Karl*, Freiherr v. Ch. und Ledske und dessen Söhne und Enkel. *Franz Karl*, Freiherr v. Ch. und Ledske, war königl. kaiserl. Rath und Hauptmann des Hradischen Kreises, Herr der Herrschaften Wesseli und Patschlawitz. Seine erste Gemahlin war Catharina Maria, Freiin v. Kottolinsky, nach deren Tode vermählte er sich zum zweiten Male mit Maria Anna, Gräfin v. Hallweil. Aus dieser Ehe waren fünf Söhne: 1) *Mathias Franz*, erster Graf v. Ch., Freiherr v. Ledske, kaiserl. königl. wirkl. Geh.-Rath und erster Bischof zu Brünn, starb am 30. Octbr. 1786. 2) *Franz Johann*, Graf v. Ch., Freiherr v. Ledske, kaiserl. königl. Geh.-Rath, Kreishauptmann, Herr auf Wesseli u. s. w., vermählt mit Maria Cajetane, Gräfin v. Waldorf. 3) *Johann Nepomuk*, gest. im Jahre 1760 an seinen in der Schlacht bei Torgau erhaltenen ehrenvollen Wunden. 4) *Ignaz Dominic*, Herr auf Paschlawitz in Mähren, Herr der Herrschaft Kieferstädtel und des Fideicommisses Gr.-Hoschötz in preuss. Schlesien, kaiserl. königl. Präsident, vermählt 1) mit der Erbtochter des Grafen Hoditz Wolfremitz, Barbara Maria, 2) mit Maria Josephe, Gräfin v. Arco. 5) *Michel Wenzel*, Graf v. Ch., Freiherr v. Ledske, Herr auf Urzig, vermählt mit Ludmilla Gräfin Czernin. Des Grafen *Franz Johann* Sohn, *Franz Cajetan*, starb als kaiserl. österr. Oberst, Ritter des Leopolds- und des Maltheserordens, er war mit Constanzia, Landgräfin von Fürstenberg vermählt, und besass die Herrschaften Wesseli, Sadeck, Salletitz u. s. w. in Mähren. Aus dieser Ehe ist der unten unter A angeführte Graf *Friedrich*. Der vierte der oben erwähnten Söhne des Freiherrn *Franz Karl*, *Ignaz Dominic*, war der Vater des Grafen *Ignaz Karl* v. Ch., Freiherrn v. Ledske, der zur Würde eines kaiserl. Staatsministers gelangte m. s. u. Seine Söhne und Enkel bilden den unten unter B aufgeführten Ast des Hauses; während die Nachkommen des fünften der erwähnten Söhne *Franz Karl's*, *Michel Wenzels*, den unter C angeführten Ast ausmachen.

In neuerer Zeit hat sich von diesem Geclechte besonders berühmt gemacht: *Ignaz Karl*, Graf v. Ch., Freih. v. Ledske, wirklicher Geh. Rath, Staatsminister und Inhaber des goldenen Civil-Ehrenkreuzes. Er war zu Brünn den 24. März 1770 geboren. In seinem 20. Jahre betrat er in dem Gebiete der innern Verwaltung die öffentliche Laufbahn. — Vielseitige Kenntnisse, die schon in dem untergeordneten Dienstverhältnisse eines Kreis-Commissairs und nieder-österreich.

Regierungs-Secretairs seine Vorgesetzten an ihm zu würdigen wussten, verbunden mit einer seltenen Liebe für seinen Beruf, und mit einem durch nichts zurückzuhaltenden Pflichtgefühle, erhoben ihn bereits 1796 zu der Stufe eines Gubernialrathes und Kreishauptmanns in West-Gallizien. 1798 auf sein Ansuchen zu der Landsstelle in Böhmen als Gubernialrath versetzt, verblieb Ch. daselbst bis 1804, in welchem Jahre er zur Belohnung für die ausgezeichneten Dienste (auch bei der Verwaltung der Prager Stadthauptmannschaft) zum wirklichen Hofrathe mit der Anstellung bei der nieder-österr. Landesregierung befördert wurde, wo er die Stelle eines Vicepräsidenten zu versehen hatte. — In der schwierigen Epoche während und nach der feindlichen Besetzung der Hauptstadt 1805 hatte Ch. durch das kluge und feste Benehmen, welches er bei der ihm mittlerweile übertragenen Leitung der nieder-öster. Landesregierung an den Tag legte, die Aufmerksamkeit des Kaisers in dem Grade auf sich gezogen, dass ihn derselbe 1807 zu den Posten eines wirkl. Staats- und Conferenzraths in den Staatsrath berief. Von 1811—15 wurde Ch. nach einem kurzen Ruhestande, zuerst zum Vicepräsid. bei der allgemeinen Hofkammer und zum wirkl. geheim. Rathe, dann zum Vicekanzler bei der vereinigten Hofkanzlei, zum bevollmächt Hof-Commissair in Mähren und Schlesien für die Zeit der nicht besetzten dortländigen Gouverneursstelle, und endlich zum Präsidenten der nied-. österr Landesregierung ernannt. — Seine rühmliche Mitwirkung bei den Vertheidigungsmassregeln, welche während seiner Versendung nach Brünn in den von ihm verwalteten Provinzen zum Schutze der Monarchie 1813 u. 14 ergriffen werden mussten, wurde durch die Verleihung des dafür gestifteten Civil-Ehrenkreuzes erster Classe belohnt und die wichtigen Dienste, welche Ch. auf allen diesen Stufen geleistet hatte, fanden 1816 durch die mit den huldvollsten Ausdrücken des Monarchen begleitete Ernennung zum Präsidenten der allgemeinen Hofkammer, eine höchst ehrenvolle Anerkennung, welches Amt er auch bis zum Schlusse d. J. 1822 bekleidete. — Die Periode, in welcher Ch. zu dieser Bestimmung berufen wurde, war mit zahlreichen Schwierigkeiten verbunden. Ein einsichtsvoller Minister hatte nach dem Befehl des Kaisers die Grundlinien einer neuen Ordnung in dem Staatshaushalte Oesterreichs entworfen. Graf Ch. fasste die ihm nach seiner Stellung bei der Ausführung zugewiesene Aufgabe mit Feuereifer und Muth auf, indem er aber dabei einem höhern Pflichtgefühle rücksichtslos folgen zu müssen glaubte, und nach der Weise edler Menschen das Maass der eigenen Kräfte unbeachtet liess, konnte es nicht fehlen, dass sein Körper der Last übermässiger Anstrengungen bald erliegen musste. Als er endlich durch die gänzliche Zerrüttung seiner Gesundheit dazu genöthigt, um die Enthebung von seinem Amte bat, erhob ihn der Kaiser mit einem Ruhegehalte zu der Ehrenwürde eines Staatsministers, um ihn durch diese Auszeichnung und eine sorgenfreie Existenz für die mannigfaltigen Entbehrungen zu belohnen, die er sich während eines mühevollen Geschäftslebens für das Staatswohl auferlegt hatte. Allein es war ihm nicht vorbehalten, die Früchte einer ehrenvollen wohlverdienten Ruhe lange zu geniessen. Er starb den 14. April 1823.

A. Graf *Friedrich* Ch. Freih. v. Ledske, geb. den 5. April 1802, kaiserl. königl. Kämmerer, Oberst-Erbland-Panier des Königreichs Böhmen, Herr der Herrschaften Wesseli, Sadeck, Salletitz, Hostialkow und Brunnow in Mähren, verm. den 14. Febr. 1833 mit

Marie Therese, geb. Prinzessin Esterhazy, geb. den 27. Mai 1813.

Kinder.

1) *Friedrich Joseph*, geb. den 8. Novbr. 1833.
2) *Marie Hermengilde*, geb. den 27. Jan. 1835.

3) *Therese Marie*, geb. den 28. Apr. 1836.

Schwester.

Emilie, geb. den 11. Febr. 1811. Stkr. D. vermählt den 26. Mai 1833 mit Georg Grafen Thurn-Hofer und Valsassina v. d. bleiburger Linie in Kärnthen, k. k. Kämmerer, Generalmajor und Brigadier in Insbruck.

Vaters-Schwester.

Josephe, geb. den 15. März 1764, Wittwe seit dem 26 Mai 1807 von dem Grafen Johann Franz Fünfkirchen.

B. Graf *Karl Franz*, geb. den 2. Febr. 1800, Geschwisterkind mit dem Grafen *Friedrich*, k. k. Hofsecretair bei der allgemeinen Hofkammer, vermählt 13. Juni 1827 mit Walburga Freiin von Doblhoff.

Kinder.

1) *Antonia*, geb. den 17. Febr. 1833.
2) *Otto*, geb. den 22. Febr. 1835.

Mutter.

Sophie, geb. den 26. Juli 1778, geb. v. Mertens, vermählt den 10. Mai 1796 mit Grafen *Ignaz Karl* Ch., k. k. Kämmerer, Geh.-Rath und Staatsminister, Wittwe seit dem 14. Apr. 1823.

Geschwister.

1) *Franzisca de Paula*, geboren den 22. Mai 1798, verm. den 18. Mai 1818 mit dem Grafen Friedrich von Wilczek, k. k. Geh.-Rath und Gouverneur in Tyrol und Vorarlberg; 2) *Gustav Ignaz*, geb. den 27. Jan. 1806, k. k. Regierungs-Secretair zu Linz, verm. den 18. Mai 1831 mit Anna Freiin Böck von Greissau.

Kinder.

1) *Gustav*, geb. 20. Apr. 1832.
2) *Josephe*, geb. 25. Decbr. 1833.
3) *Sophie*, geb. 15. Juli 1835.

3) *Marie Henriette Leopoldine*, geb. 15. Novbr. 1807, verm. 18. Mai 1824 mit dem Freih. Franz Xaver von Pillersdorf, k. k. Geh.-Rath und Hofkanzl. der vereinigten Hofkanzlei.

C. Grafen *Michael Wenzel* (Vatersbruders Sohn des Grafen *Friedrich*) geb. 24. Octbr. 1793, k. k. Lieut. Herr auf Skeliczoa in Mähren, vermählt 1. März 1818 mit Maria Aloisia Gräfin v. Heussenstamm, geb. 26. Jan. 1798, Wittwer seit 5. Juni 1834.

Tochter.

Marie, geb. den 12. Febr. 1832.

Töchter des Bruders, des am 20. April 1823 gest. Grafen *Franz Peter* (geb. 30. Juli 1780.), verm. 1) am 3. August 1803 mit Marie Gräfin v. Stomm (gest. 22. Sept. 1814), und 2) am 7. April 1817 mit deren Schwester Marie Josephe (gest. 23. März 1827).

Töchter erster Ehe.

1) *Emilie*, geb. 4. Sept. 1804, verm. 1826 mit Wilhelm, Freih. v. Badenfeld.

Zweiter Ehe.

2) *Ludmilla*, geb. 24. Juni 1819.
3) *Cajetana*, geb. 7. Aug. 1820.

Das Wappen.

Ein goldenes Schild, darin zwei Büffelhörner, das rechte schwarz und mit drei silbernen, das linke silbern und mit drei schwarzen Blättern besetzt. Diese Hörner wiederholen sich auch auf dem gekrönten Helme. Das Schild ist mit einer neunperlichen Krone besetzt und von einem Hermelin-Mantel umgeben. M. s. Sinapius II. Thl. S. 563. Leithold I. Thl. S. 179—84. Gauhe II. Thl. S. 131. Oester. National-Encyclopädie I. Bd. S. 537.

Chieze (Chieza), die Herren von, Bd. I. S. 367.

Der erste Edelmann dieses Namens, der in den diesseitigen Staaten vorkommt, hiess *Philipp* v. Ch. und war preuss. Oberster und Ober-Kriegs-Commissarius, Erbh. auf Rautenburg und Lapienen. Seine Gemahlin war Louise Catharine von Rauter, die sich nachher mit dem General-Major, Erb-Truchses und Graf zu Waldpurg verheirathete. Er hinterliess einen Sohn und zwei Töchter, die erste Tochter *Amalia Dorothea* ward an Ernst Johann v. Kaiserlingk, hochfürstl. curländ. Amtshauptmann zu Dieben vermählt. Die zweite Tochter *Henriette Marie* ward die Gemahlin des Herrn Tribunalraths Johann Albrecht von Schöneich, Erbh. auf Cavitten und starb 1681. Dessen Sohn *Friedrich Wilhelm* ward preuss. Tribunalrath, und Erbh. auf Kapustigall, Seepathen und Glautinen. Er hatte zur Gemahlin Catharina Louise, Herrn Land- und Tribunal-Raths Melchior v. Tettau, Erbh. auf Toliks, Tochter. Er hinterliess eine zahlreiche Nachkommenschaft. Zwei Töchter *Louise Dorothea* und *Amalie Wilhelmine* starben unvermählt. — *Agnes Beate*, geb. 1713, ward an den curländ. Hofmarschall von Kaiserlingk vermählt. *Charlotte*, geb. 1717, bekam 1738 zum Gemahl Friedrich Ludwig Erbtruchsess und Graf zu Waldpurg auf Rautenburg, der 1750 preuss. Gen.-Major wurde, und in demselben Jahre Kapustigall, Seepathen und Glautinen erbte, einige Jahre darauf auch Bestendorf an sich kaufte. *Sophie Charlotte*, geb. 1721, war an Friedrich Wilhelm Karl, Erbtruchsess und Graf zu Waldpurg, Ritter des Johann.-Ordens, Erbh. auf Bärwalde verm. Der Sohn, *Karl Ludwig* v. Ch., Erbh. auf Kapustigall, Seepathen und Glautinen, starb als Rittmeister den 10. Sept. 1750. Preuss. Archiv. 1791. M. Januar p. 50—51.

Chrischow, die Herren von.

Im J. 1327 den 17. Jan. kommen *Conradus* und *Petrus de Chrischovia* (von Creischau) unter Herzog Johann zu Steinau vor; in dieses Herzogs lateinischem Briefe von einer Hube Zinse zu Porschwitz dem Spital zum heil. Geiste bei Steinau als Zeugen mit angeführt.

Ob sich dieses Geschlecht vom Gute Creischau im Steinauisch-Wolauischen geschrieben lässt sich nicht gewiss bestimmen.

Christelwitz, die Herren von.

Im J. 1543 *Hans* Christelwitz zu Christelwitz im Breslauischen, so sagt ein Mscpt. Da aber kein Christelwitz im Breslauischen ist, soll es vermuthlich heissen, *Hans* Kreischelwitz zu Kreischelwitz im Breslauischen.

Churschwandt, die Grafen und Freiherren von, Bd. I. S. 368.

Die Gemahlin des letzten Grafen v. Ch. war Maria Theresia, Tochter des Reichsgrafen Johann Heinrich v. Nimptsch, Freiherrn zur Oelse, k. k. Geh.-Rath und Kämmerer, und der Freiin Charlotte Stillfried-Rattowitz aus dem Hause Neurode in der Grafschaft Glatz. Sie vermählte sich zum zweiten Male mit dem Grafen Wilhelm Ludwig v. Schlaberndorf, dadurch sind die Güter dieses Hauses, so wie die Würde eines Erb-Landbau-Directors von Schlesien auf dieses gräfliche Haus übergegangen.

Clausen, die Herren von.

Diese Familie stammt aus der Stadt Wehlau in Ostpreussen, sie gelangte nach und nach zum Besitz mehrerer Güter, namentlich von Kirschbaum bei Wartenburg, Sydden bei Tilsit, Pasniken bei Schesten, Gr.- und Kl.-Jajodenen bei Rhein u. s. w. *Johann Arend* v. C., k. Major, war 1755 Herr auf Gr.- und Kl.-Jajodenen. — *Johann Ferdinand* v. C. war Besitzer von Kirschbaum.

Clausnitz, die Freiherren von, Bd. I. S. 369.

Diese Familie ist nicht, wie wir irrthümlich angegeben, am Anfange des 18ten, sondern des 19ten Jahrhunderts erloschen. Sie besass ausser den von uns bereits angegebenen Gütern auch Treschen bei Breslau. Der letzte der Schwertlinie war *Franz* v. C., der am 6. März 1809 als pensionirter Major zu Berlin starb. Er hatte zuletzt (1806) das 3. Musket.-Bataill. des Regiments von Winning in Bernau commandirt. Von drei hinterlassenen Töchtern war die jüngere an Moritz von Ziemietzki vermählt.

Cler, die Freiherren (de) von.

Diese freiherrliche Familie domicilirt in der Rheinprovinz. Ein Freih. v. C., Hauptmann im Generalstabe und Ritter mehrerer Orden, ist gegenwärtig der Gesandtschaft in Paris beigegeben. — Eine Freifrau de C., geb. v. Sydow, lebt in Bonn, und *Wilhelm. Frieder. Maria Antonia* verwittw. v. Braunfeld geb. v. Cler zu Neuhof im Reg.-Bez. Cöln.

Cloeck, die Herren von.

Asverus v. C. kommt 1688 als Herr auf Bärenclau vor, er war mit Dorothea v. Nievenheim vermählt, sein Bruder *Heinrich* kommt als Herr v. Egeren vor, ein dritter der Brüder wird *Pelgram* v. C. genannt. M. s. Königs geneal. Handschriften.

Closter, die Herren von.

Diese altadelige Familie ist aus Westphalen in die Marken gekommen. *Wolf* v. C. war 1561 Kammerjunker des Kurfürsten Joachim II., er begleitete seinen Herrn auf den Reichstag nach Frankfurt. Im Jahre 1573 besass er die Herrschaft Bukow, und 1587 war er Rath und

Hauptmann zu Zossen; er starb 1600. Darauf kommt *Ludolph* v. C. als Herr auf Buckow 1623, *Wolf Asche* v. C., Herr auf Wolterschlage in der Altmark vor. Dieser Familie gehören an der Oberst a. D. v. C. zuletzt (bis 1824) Oberst und Command. des 8. Landwehr-Reg., Ritter des eisern. Kreuz. erster Klasse. u. s. w. Ein jüngerer Bruder desselben fiel 1813 als Capitain des 19. Inf.-Reg. auf dem Felde der Ehre. Dieses adelige Geschlecht führt im silbernen Schilde und auf dem Helme eine Rose. M. s. Augustae Beuchling. Origines Tab. 3. Siebm. giebt im 1. Thl. S. 190 das Wappen und v. Meding beschreibt es III. Bd. N. 132.

Cloudt, die Freiherren und Herren von.

Die Freiherren und Herren v. Cloudt, Clodt, Clot, Clod, Cloet gehören dem Adel der Rheinprovinz an. Aus der freiherrlichen Linie lebt *Franz Karl* Freih. v. C. zu Cöln und *Alexandrine* Freifrau v. C. geb. v. Dähl zu Gnaden-Dael bei Düsseldorf. — Eine Linie dieses Hauses schrieb sich Pelden genannt v. Cloudt, sie besass die Herrlichkeiten Lauerfort und Sollbrüggen bei Meurs, eine andere die Herrlichkeit Dercken. *Jost Fried. Reinhardt* Freih. v. Pelden genannt v. Cloudt, Herr zu Lauerfort, war königl. preuss. Kammerherr. Er war mit Johanna Caroline v. Brackel vermählt, sie gebar ihm den 26. Juni 1786 einen Sohn *Moritz Wilhelm Ferdinand Cornelius Friedrich*. — Gegenwärtig lebt *Friedrich August* Freih. v. Pelden gen. Cloudt auf Haus Giesenfeld bei Düsseldorf. — M. s. Steinen westph. Geschichte III. Thl. S. 888, v. Hattstein III. Thl. S. 41, v. Meding beschreibt das Wappen III. Thl. Nr. 133 u. 34. Siebmacher giebt es I. Thl. S. 171 Nr. 3. III. Thl. S. 57, Nr. 4.

Cobb, die Grafen von.

Von dieser uralten adeligen, zuletzt gräflichen Familie meldet Bucelinus, dass sie vor Alters unter dem Namen der Krähen in Böhmen florirt habe. Deren ordentliche Stammreihe fängt er mit einem Anonymus um das Jahr 1287 an, dessen älterer Sohn, *Johannes Krahe*, Königs Johann's in Böhmen, Herzogs zu Lützelburg (der vor dem Jahre 1311 bis 1346 in Böhmen regierte) Truchsess, ist von demselben mit dem Schlosse Neuding im Herzogthum Luxemburg (vormals Lützelburg) beschenkt, und insgemein *Cobb* genannt worden, da es ihm dann beliebt hat, sich von genanntem Schlosse als Stammhause mit zu benennen. Sein Sohn *Nicolaus Cobb* von Neuding lebte zu Zeiten Kaisers und Königs Karl IV., von dessen Descendenten war um das Jahr 1670 der weitberühmte Held *Wolf Friedrich* Graf v. C. u. N., Kaiserl. Maj. General-Feldzeugmeister und Kammerherr, welcher in Ungarn vom Jahre 1672 genugsam bekannt geworden, im Jahr 1675 den 6. Febr. das Ober-Kriegs-Commando in Schlesien erhalten, auch 1677 die von Kaiser Leopold I. wider Schweden nach Dänemark detachirten Regimenter commandirt hat. Er starb [illegible]. Seine Söhne:

1) *Karl Joseph* Graf v. C. starb 1656, dessen Gemahlin Maria Beatrix Francisca geb. Gräfin v. Daun, die sich nach seinem Tode erstlich an Georg Adam, Grafen v. Losenstein, hernach an Gundackar Thomas, Grafen von Stahrenberg vermählt. Sie starb den 6. Jan. 1701. Souverainen p. 804.

2) *Johann Leopold*.

1721 war Comtesse *Juliana Maximiliana*, geb. Gräfin v. C., des erwähnten Generals *Wolf Friedrichs* Tochter, Leo Ferdinand's,

Grafen v. Henkel, gewesenen freien Standesherrn zu Beuthen, Wittwe, Frau des Gutes Steubendorf, das ein Status Minor in Schlesien war.

Beiläufig bemerken wir, dass in Knauths Prodrom. Misn. und im Wappenbuch P. I. p. 151. als Meissnische Ritter vorgestellt werden die v. Krahe, führend im gelben Schilde und auf dem Helme eine Krähe.

Graf *Cobb*'sche Erben auf Kuttlau und Neu-Crantz im Glogauschen im Jahre 1681. Fortsetzung des histor. Lexicons. Gauhens Adels-Lexicon. Lucae p. 201.

Cockstede, die Herren von.

Dieses Geschlecht ist sowohl in der Ukermark, als im Anhältschen angesessen gewesen. *Busso* de Cockstede Miles, steht unter den Zeugen in Otto und Conrad's Befreiungsbriefe der Stadt Prenzlau vom Jahre 1282.

Burchard de Cockstede Miles wird in den Jahren 1286 und 1298 in den Boitzenburgischen Klosterbriefen gefunden. *Busso* Miles dictus de Cockstede hat im Jahre 1298 dem Kloster Boitzenburg eine Hufe in Wittstocke geschenkt. *Henricus* de C. schenkte im Jahre 1305 den Kloster-Jungfern zu Cosswig duo talenta denarior. Cotheniens. Beimann-Anhalt. Hist. Part. III. p. 335. Das Stammhaus Cockstede liegt in der Ukermark nahe bei dem Schlosse Gerswalde, wohin es auch gehört. M. s. Grundmann a. a. O.

Cölln, die Herren von, Bd. I. S. 371.

Zu unserm Artikel sind noch folgende Notizen hinzuzufügen, die ein Mitglied derselben im Jahre 1771 dem Freiherrn v. Krohne zur Benutzung in seinem nicht in den Buchhandel gekommenen, auch unvollendet gebliebenen Adelslexicon zusandte. „Die alte ansehnliche Familie v. C. hat ehemals in Schlesien und im Herzogthum Mecklenburg florirt. In einem uralten Bardenliede, welches in Schlesien auf der Drachen-Insel, zwischen der Oder und Bartsch, in der berühmten schönen Eiche gefunden worden, und bei dem Sinapius sowohl, als in einer altväterischen poetischen Uebersetzung des Freiherrn von Abschatz zu sehen ist, wird unter etlichen Hundert schlesischen Helden, welche eine grosse Schlacht gewonnen, einer v. C. als der Dritte angeführt. Nach Mecklenburg sollen sie mit Herzog Heinrich dem Löwen gekommen sein."

„Ihr Stammhaus Cölln war eine Meile von Güstrow gelegen, wo dessen Rudera noch zu sehen sind. Sie hatten von da ihren Sitz nach Grossen-Grabau nicht weit davon verlegt. Das Dorf Cölln aber ist noch in seinem Wesen zu sehen. Sie hat viele vortreffliche und bemittelte Cavaliers hervorgebracht. *Christoph* v. C., Erbherr auf Gr.-Grabau war mit einer von Bohren von Neuhaus vermählt, und lebte zu Ende des 16. Jahrh. Dessen Sohn *Joachim* v. C., Erbh. auf Gr., Grabau und Lüdershagen, war verheirathet mit Levecke von Bülow, aus dem Hause Wenendorf. Er zeugte 1) *Gerd*, u. 2) *Jost Agnet* v. C. Ersterer ward Erbherr auf Grabau und herzogl. Mecklenburg. Amtshauptmann zu Stavenhagen, und vermählte sich mit einem Fräulein Lucia v. Bülow, aus dem Hause Karkgitz, welche ihm eine Tochter, *Levecke Dorothea*, gebar, die sich an Heinrich v. Lewetzow, herzogl. mecklenb. Landrath, Erbherrn auf Mistorf und Lüttenmorkau vermählte, und eine Stammmutter der im Holsteinischen in ansehnlichen Chargen auf den Gütern Rosenhof, Mannhagen und Ehlersdorf blühenden von Lewetzow'schen Branche geworden. Nachdem dieser *Gerd* v. C. in dem dreissigjährigen Kriege vieles gelitten und dessen

Güter gänzlich ruinirt worden, gingen solche im Concurs auf; er starb, sein Bruder *Jost Agnet* aber wandte sich in die Gegenden des Rheins, und liess sich endlich in der Reichstadt Cöln nieder, wo er eine Zeitlang unerkannt und unter dem angenommenen Namen von Wagemann lebte. (Dieses mag Gauhe Anlass gegeben haben, dass er im zweiten Theile seines Adel-Lexicons *Gerd* v. C. als den letzten seines Geschlechts angiebt.) Er nahm aber, nachdem sich seine Umstände gebessert, seinen rechten Namen 1535 wieder an, und liess sich darauf zu Rheda nieder. Dessen aus der Ehe mit einem Fräulein von Demarets erzeugter Sohn, *Johannes* v. C., setzte seinen Stamm fort. Von seinen Nachkommen verheirathete sich einer seiner Enkel *Arnold Georg* v. C., königl. schwed. und landgräfl. hess. Ober-Berginspector zu Obernkirchen, mit Catharina Magdalena von dem Werder, aus dem Hause Bisperode, und hinterliess *Barthold* v. C., welcher noch zu Obernkirchen als landgräfl. hess. Beamter lebt, und seinen Stamm mit verschiedenen Kindern fortgesetzt hat. Es stand auch unter dem landgräfl. hess.-cassel. Regiment Gensdarmen ein Lieutenant, *J. H. Friedrich* v. C., der sich aber im Wappen von dieser Familie unterschied."

„Derselben wahres Wappen ist: Ein gespaltener Schild, oben roth, darauf zwei kreuzweis mit den Spitzen unterwärts liegende Schwerter; unten blau, darauf zwei Schellen. Auf dem gekrönten Helm ist ein Engel mit fliegendem Gewand, welcher in der linken Hand ein schildförmiges Schwert hält. Die rechten Helmdecken sind roth und gold, die linken blau und gold. M. s. v. Krohne I. Bd. S, 151 u. s. w., auch geben noch folgende Schriftsteller Nachrichten von diesem Geschlecht. Index Nobilit. Megapolit. Msct. K. Gauhens Adels-Lexicon P. II. p. 137. Msct. famil. Sinap. Schles. Curios. p. II. p. 564. Helmers Wappenbuch T. IV. p. 41.

Cöverden, die Freiherren und Herren von.

Ein vornehmes, wie es scheint, bei uns erloschenes Geschlecht im Münsterschen. — *August Goswin* v. C. zeugte mit Maria v. Rheme den *Goswin Hendrich* Freih. v. C., Herr auf Rhede, Rhaen, Rhae, Borgh u. s. w., er vermählte sich mit Florentine Eleonore, Gräfin von Rechtern und starb am 15. Mai 1725, seine Gemahlin am 10. Mai 1737. Aus dieser Ehe war nur eine Tochter *Charlotte Wilhelmine Maria Louise*, welche den holländ. Obersten Moritz Christian v. Kleist ehelichte und am 7. Jan. 1769 zu Venloo starb. Dieses vornehme Geschlecht führte im goldenen Schilde drei rothe Adler, oben zwei, unten einen, und auf dem gekrönten Helme zwei rothe Adlerflügel.

Coll, die Herren von.

Johann Matthias Edler v. C., kurtrierscher Vice-Kanzler und Lehnsprobst, wurde im Jahre 1735 von Karl VI. in den Reichsritter- und Edlerstand erhoben, er war mit einer v. Solemacher vermählt. Ein Sohn aus dieser Ehe *Joh. Hugo* v. C. war kurtrier. Geh.-Hofrath, ein zweiter *Joh. Jacob* v. C. Dechant zu St. Flör. Aus der Ehe des erstern mit Ferdinande v. Steffnec war *Joh. Jacob* v. C., der im Jahre 1827 als königl. preuss. Reg.-Rath und Ritter etc. starb. *Johann Nicolaus* v. C., ein jüngerer Bruder des Bürgermeisters zu Buchenbeuern und ein dritter Bruder *Clemens Wenzel* ist herzogl. Nassauischer Regierungsrath.

Collas, die Herren von, Bd. I. S. 373—374.

Der erste dieses Namens, der bei uns vorkommt, ist *Johann* v. C., geb. 1678, gest. 1752. Er war preuss. Ober-Ingenieur und Kammer-Rath, und besass die Güter Dommelkein und Weissenstein. Er war ein gelehrter Mann und lateinischer Dichter; seiner wird auch in dem neuen Bücher-Saal der gelehrten Welt mit vielem Ruhme gedacht; auch ist in der 25sten Ordnung daselbst sein Kupfer zu finden. Er erwarb die zu Magdeburgischen Rechten verschriebenen Lehngüter Naugenicken und Brandwehren im Amte Rangnitt, und unter dem 30. April 1719 ertheilte ihm Friedrich Wilhelm I. eine neue Verschreibung darüber. Seine Gemahlin war eine v. Pellet aus dem Hause Weissenstein und Glanbitten. — Als Nachkommen werden aufgeführt: 1) *Otto Ludwig Christian* v. C., geb. 1716, Justiz-Direktor beim ehemaligen Neuhausenschen Justiz-Collegio, welcher eine v. Massenbach zur Gemahlin nahm und auch Nachkommen hinterliess. 2) *Johann Jacob* v. C., geb. 1721, Herr auf Dommelkein, ging in preussische Kriegsdienste. 3) *Anton Jacob* v. C., geb. 1722, wird als preuss. Kapitain aufgeführt. 4) *Alexander Ludwig* v. C., geb. 1725, ward Staabs-Offizier unter den preussischen Husaren. 5) *Friedrich Johann* v. C., geb. 1728, stand unter dem Regiment v. Bonin zu Friedberg in der Neumark. Eine Tochter, *Charlotte Maria* v. C., wurde an den Major v. Natalis vermählt. — Nach brieflichen Mittheilungen.

Collignon, die Herren von.

Einer v. C. stand 1806 als Lieutenant und Adjutant im Inf.-Reg. v. Hagken in Münster. Derselbe ist gegenwärtig Major im 2ten Inf.-Regiment und Ritter des eisernen Kreuzes. — Diese Familie führt im Schilde drei grüne Bäume und auf dem gekrönten Helm einen Löwen, der ein Schwert in den Pranken hält.

Collrepp, die Herren von.

Sie gehören dem pommerschen preussischen Adel an. Im Jahre 1806 standen mehrere Offiziere d. N. in der Armee. Namentlich diente im Regiment v. Kalkreuth ein Staabskapitain v. C., der 1813 als Major u. Adjutant des Gen.-Lieut. v. Hünerbein gestorben ist. Gegenwärtig steht ein Lieutenant v. C. im 5ten Inf.-Regiment. Diese Familie führt im vordern Schilde einen eisengerüsteten Arm, der einen goldenen Ring hält, auf dem Helme halten zwei gerüstete Arme die Ringe. — M. s. Hasse S. 205—13.

Colmar, die Herren von.

Diese Familie gehört dem ehemal. schwed. Pommern, jetzt Reg.-Bezirk Stralsund an. Im Jahre 1806 standen zwei Hauptleute v. C. in der Armee, der ältere beim 1sten Bataillon Garde, er starb 1827 ausser Dienst; der jüngere, bei dem Regiment Königin Dragoner, ist 1817 als Major aus der Gensdarmerie getreten. Ein Sohn desselben steht gegenwärtig als Lieutenant und Adjutant im 2ten Dragoner-Regiment.

Connermann, Herr von.

Ein Edelmann dieses Namens stand 1806 im Regiment v. Tschepe und zuletzt als Prem.-Lieutenant in der 7ten Div. Garn.-Compagnie. Seine Wittwe, eine geb. v. Ehrenschild, lebt zu Berlin.

Conway von Watterfort, die Freiherren von.

Mehrere Mitglieder dieser freiherrlichen Familie haben im preuss. Militair- und Staatsdienste gestanden; sie stammt aus Irland, einige Zweige begaben sich nach Böhmen, wo sie sich v. Watterfort nannten und in diesem Königreiche viele Güter, als die Stadt und Herrschaft Königsberg, wie auch die Rittergüter Gran und Steinhoff, ingleichen Derschau, Grodensee, Scheben, Perglass, Globen, Amons, Mackersgrün u. s. w. an sich gebracht hatten, woraus man schliesst, dass sie schon in früherer Zeit in diese Landschaft gekommen sind. In der Mitte des vorigen Jahrhunderts waren *Adam Friedrich* C. v. W., auf ebengenannten Gütern Erbherr, königl. Commerzien- und des obersten Burggrafen Amts-Rath in diesem Königreiche, und *Johann Ernst* C. v. W., kaiserl. Hauptmann zu Fuss, berühmt. M. s. Fortsetzung des allgemeinen histor. Lexicon Fol. 361, den Prager Adalbert. Kalender, Gauhens Adels-Lexicon P. II. p. 143.

In Sachsen ist bekannt geworden *Anton Joseph Karl* C. v. W., Oberstlieutenant der kursächsischen Artillerie, Director der Artillerie-Schule, wie auch der kurfürstl. Giesserei, Ritter der königl. böhmischen Landtafel des höhern Adels, wie auch Ritter des kursächsischen Militair-Ordens St. Heinrich. Er war mit *Sophia Friederike Amalia* v. Krohne, des kursächsischen Rittmeisters vom Leib-Karabinier-Regiment, Ulrich Wilhelm Friedrich v. Krohne und Magdalena Juliana Amalia v. Bünau, Tochter vermählt.

Das Wappen ist ein gespaltener, oben halb getheilter Schild. Das rechte obere Feld ist silbern und darauf ein halber springender Löwe mit ausgeschlagener Zunge und aufgeschlagenem Schwanze im rechten Profil, das linke schwarz, und darauf ein geharnischter, ein Schwert im linken Profil haltender Arm; die untere Hälfte ist blau, und darauf ein den Schwanz in die Höhe richtender Delphin. Auf dem gekrönten Helm ist ein gekrönter weisser Adler mit ausgespreitzten Flügeln und Füssen. Die Schildhalter sind Löwen. Die Helmdecken sind silbern, schwarz und blau. M. s. v. Krohne B. I. S. 153. Gauhe II. S. 143. Uechtritz diplom. Nachrichten. S. 63—66.

Cordier, die Herren von.

Etienne v. C., ein französischer Flüchtling, gelangte unter König Friedrich I. zum Posten eines Director der königl. Hüttenwerke und starb 1706. Seine Gemahlin war *Marthe* de Natalis, die 1708 in Berlin mit Tode abging. Der Sohn aus dieser Ehe, *Stephan Benjamin* v. C., war preuss. Oberst und besass das Gut Esselt bei Wesel. Von seinen 6 Kindern war *Ludwig Benjamin* v. C. königl. preuss. Hauptmann im Regiment Kurfürst v. Hessen. Er starb am 10. Juni 1811. Eine Schwester desselben war die zweite Gemahlin des General-Lieut. v. Eichmann, eine andre war noch 1806 Aebtissin des adl. v. Jenaischen Damenstiftes in Halle. Zwei Enkel des Obersten stehen als Officiere in der 3ten Ingenieur-Inspection.

Cornberg, die Freiherren und Herren von.

Das uralte freiherrliche Geschlecht v. C. gehört seinem Ursprunge und Besitzthum nach dem Fürstenthum Minden, Thüringen und Nieder-Hessen an. — *Jacob Wilhelm* Freiherr v. C. auf Lübecke, im Fürstenthum Minden, war mit *Anna Louise* v. Dittfurt aus dem Hause Dankersen vermählt. Ein Sohn aus dieser Ehe, *Christian Ludwig* Freiherr v. C., starb am 14. April 1791 als königl. preuss. Regier.-Präsident in Halberstadt Er hinterliess zwei Söhne, von denen der ältere, *Georg Philipp*, die väterlichen Güter erhielt und Domprobst zu Minden war. Der jüngere, *Fried Ernst Ludwig*, war früher in preussischem Militairdienst, er stand 1806 als Major im Regiment v. Kleist zu Magdeburg, wurde 1809 Hofmarschall des Herzogs von Cöthen, trat aber bald wieder in den preuss. Dienst zurück und starb 1811 als Major des 6ten Inf.-Regiments zu Berlin. Ein Pr.-Lieutenant v. C. im 27sten Inf.-Regiment starb 1813 an ehrenvollen Wunden; er hatte 1806 in dem Regiment v Grawert in Glatz gestanden. Ein damals in dem preuss. Dragonerregiment stehender Sec.-Lieutenant v. C. ging 1808 in westphälische Dienste, war Oberstlieutenant bei der Chev. legers Garde und 1827 kurhess. Major im ersten Husarenregiment. — Gauhe sagt im Widerspruch mit andern Autoren: Diess Geschlecht stammt von dem Landgrafen Wilhelm IV. von Hessen-Cassel, dieser gab ihm das aufgehobene Kloster Cornberg und das Schloss Auburg in der Grafschaft Hoya.

Das Wappen der Freiherren v. C. beschreibt Siebmacher Th. III. S. 175; es ist ein gespaltener Schild, oben silbern und darauf ein laufender rother Löwe mit ausgeschlagener Zunge; unten roth und blau dreimal in die Höhe und fünfmal in die Breite getheilt. Ueber dem Helm sind zwei Büffelhörner, das rechte unten roth, oben silbern, das linke oben roth und unten silbern. Bausch und Helmdecken sind roth und silbern.

Corneruth, die Herren von.

Zwei Brüder v. C. standen 1806 als Staabsoffiziere im preussischen Dienst. Der ältere war Gen.-Major, Commandant von Brieg und starb 1808, der jüngere war Major im 3ten Bataillon des Regiments v. Pelchzim in Cosel und starb 1814. Gegenwärtig ist uns kein Mitglied dieser Familie bekannt geworden.

Cotzhausen, die Herren von.

Das ursprüngliche Wappen ist mit dem v. Ganzelt-Türkschen verbunden. *Dietrich* v. C., Sohn von *Balthasar* v. C., wohnte zu Bidencap im Hessischen, und lebte um 1611. Das Stammwappen sind zwei völlig geharnischte Ritter, und wurde bis 1701 allein gebraucht. Im Jahre 1811 wurde bei der Stiftung des Majorats Wedau das Wappen eines v. C., französ. Reichsbaron, mit einem Eichenzweige vermehrt. Freiherr v. C. besitzt auch Cambach.

Coulombel, die Herren von.

Gustav David v. C., kurbrandenburgscher Rath, Herr auf Tempelhof bei Berlin, Ehrendomherr zu Utrecht, starb im Jahre 1693 auf einer Geschäftsreise in Holland. Er war ein Sohn des Consuls *Franz* v. C. zu Vlissingen und der *Judith* de la Mare. Diese Familie soll von dem berühmten Columbus abgestammt haben; sie führte eine Taube im Wappen. M. s. Dobels Leichenpredigten 1693, Berlin bei Lippert.

Courles, Herr von.

Christoph de C., kurbrandenburgscher Oberstlieutenant, starb als Commandant von Landsberg an der Warthe im Jahre 1658 und 1670; seine hinterlassene Wittwe war *Anna Maria* Krumbholz. M. s. König's Handschriften 19. Band.

Courneau, die Herren von.

Stephan v. C., königl. preuss. Major, Herr auf Hasselberg, starb am 9. Juli 1797 zu Berlin. Er war ein Sohn des am 28. Mai 1741 zu Stargard verstorbenen Oberstlieutenant v. C. Die Wittwe des ersteren, *Margarethe* v. Pennavaire, folgte ihrem Gemahl am 4. Febr. 1806 in die Gruft.

Cours, die Herren von.

Johann Heinrich v. C., ehemal. Major im Leibregiment und Ritter des Verdienstordens, lebte nach seiner Pensionirung in Calbe an der Saale, später in Crossen. Er hinterliess von *Scholastika* v. Thun zwei Töchter, von denen die jüngere, *Elisabeth Eleonore*, sich mit Heinrich Franz v. Frohreich vermählte. M. s. König's Sammlungen 19. Band.

Cramm, die Herren von.

Ein hannövrisches und braunschweigsches altadeliges Geschlecht, das sich ursprünglich Asche v. C. schreibt und nennt, und seit dem 6. Juni 1656 das Erbkämmereramt im Herzogthum Braunschweig besitzt; später 1741 erhielt es auch die Erbschenkenwürde, es hat sich derselben aber wieder begeben. — *Franz* v. C., ein Sohn des Landdrosten *Theodor Friedrich Albrecht* v. C. und der *Amalia*, Gräfin v. d. Schulenburg, blieb als Fähndrich der preuss. Garde am 16. Oct. 1813 bei Leipzig. Die Schwester des letztern, *Wilhelmine* v. C., war mit dem königl. preuss. Reg.-Präsidenten, Graf v. d. Schulenburg-Angern vermählt, wurde am 16. Mai 1821 Wittwe von demselben und vermählte sich zum zweiten Mal mit dem königl. preuss. Oberstlieutenant und Commandeur des 7ten Uhlanen-Regiments v. Flotow. Die Geheime Räthin v. Krosigk und die Gemahlin des Geh. Staatsministers Grafen v. Arnim-Boizenburg waren Töchter aus dem Hause v. Cramm.

Crause (n), die Freiherren von.

Sie kamen mit der Herzogin von Bernstadt und Juliusburg, geb. Prinzessin von Sachsen-Meiningen, aus Sachsen nach Schlesien. — *Johann Rudolph* v. C., fürstl. Würtemberg-Oelsischer Reg.-Rath, später Landeshauptmann, Herr auf Allerheiligen, Schönwalde und Sechskiefer, war mit *Charlotte Christiane* Freiin Stein zum Altenstein vermählt. Aus dieser Ehe war *Karl Wilhelm* Freiherr v. C., herzogl. würtembergscher Oberstoffmeister, Geheimerath und Herr auf Allerheiligen u. s. w. Er war ein sehr gelehrter Mann, Schriftsteller und Freund Gellerts, dessen Mutter er eine Pension gab. Sein

Tod erfolgte am 21. Febr. 1772. Von *Henriette Christiane* v. Siegroth hinterliess er drei Töchter: *Johanna Friederike* wurde die Gemahlin des Geh. Staatsministers v. Massow auf Steinhöfel und starb am 24. Juli 1800. *Sophia* vermählte sich mit dem Freiherrn v. Dyhr und Schönau, und *Charlotte* mit dem Obersten v. Ponikau, auf Gr. Zschocher. Es ist nun dieses Geschlecht bei uns ganz erloschen.

Crebil (Krebel), die Herren von.

In ihrem Wappenschilde zeigt sich ein kleines Schildlein von rother Farbe ohne Bild. Auf dem Helme zwei Ohren (aures asiniae, quae Pietatis et Patientiae Symbolum. Spener. Operis Herald. P. I. p. 247). Das vordere Ohr roth, das hintere weiss; die Helmdecken auch roth und weiss. Dieses Wappen gehört der Familie Knebel v. Katzenellenbogen.

Im J. 1486 den 10. Februar starb *Peter* Crebil, des breslauischen Fürstenthums Landes-Hauptmann. Cunradi Sil. Tog. Sein Epitaphium in der Kirche zu S. Mar. Magdalenae lautet also:

Anno Dom. 1486 Circumspectus ac Insignis Vir Petrus Crebil Consul hujus inclytae Civitatis Wratisl. d. 10. m. Febr. ipso Die Scholasticae Virginis obiit. Pro Salute Ejus animae Deum orate.

Crety, Herr von.

Ein aus schwedisch Pommern gebürtiger Major v. C. war im Jahre 1806 Commandeur eines Grenadier-Bataillons (aus den Grenadieren der Regimenter v. Manstein und v. Kalkreuth geformt). Er ist im Pensionsstande 1814 gestorben. Sein Wappen zeigte im blauen Schilde fünf Sterne, oben zwei, in der Mitte einen und unten zwei.

Creutz, die Herren von, Bd. I. S. 382.

Die Gemahlin des unter 2) angeführten Geh. Staatsministers *Ehrenreich Bogislav* v. C. war eine Tochter des Valentin v. Häseler, königl. preuss. Geh. Raths, und einer v. Köppen oder Köpken. Wenn wir in unserm Artikel angeführt haben, dass die einzige Tochter aus dieser Ehe die Gemahlin des Generallieut. Grafen von Haack wurde, so ist noch hinzuzufügen, dass eine Tochter derselben sich mit dem berühmten General Seydlitz vermählte.

Creutzenstein, die Herren von.

Leopold Max Paden in Böhmen wurde am 25. März 1667 vom Kaiser geadelt. — *Johann Zacharias* Paden v. C. war Raths-Senior zu Grünberg und mit *Anna Maria* v. Zenthin vermählt. — *Anton* Paden v. C., Erbherr auf Häselich, war Domherr zu Breslau. Auch Schossdorf und Langenöls bei Löwenberg gehörten einst dieser Familie. Sie scheint im vorigen Jahrhundert bei uns erloschen zu sein. Ihr Wappen war quadrirt, es zeigte im 1sten Felde einen aufgerichteten Löwen, der ein Hufeisen in den vordern Tatzen hielt, im 2ten Felde einen unten abgekürzten, polnisch gekleideten Mann mit einem Säbel in der Hand, im 3ten Felde einen Adler, im 4ten einen aufgerichteten, einen Stab haltenden Löwen. Im Herzschildlein einen grünen Baum. Auf dem Helm 7 Straussenfedern in schwarz und Silber wechselnd. Die Decken sind vorn Gold und schwarz, hinten schwarz und roth. M. s. Siebmacher Th. II. S. 53. Sinapius Th. II. S 569.

Crewitz, die Herren von.

Zabel und *Erdwin* v. C. haben laut Karls IV. Landbuch noch im Jahre 1375 sowohl an ihrem Stammgute Crewitz, als auch an Petzenik und Jakobshagen, Antheile gehabt. Das Gut Crewitz ist nachher den Herren v. Arnim zu Theil geworden. M. s. Grundmann a. a. O. S. 36.

Criegern, die Herren von.

Sie gehören eigentlich dem Königreich Sachsen an, kommen aber auch in den Marken und in Pommern vor. In Sachsen gehört dieser Familie das Rittergut Thumitz in geringer Entfernung von der grossen aus Dresden über Bischofswerda nach Baudissin führenden Kunststrasse. Hier blüht das Haus in mehreren Söhnen des vor einigen Jahren verstorbenen Regierungsraths v. C. auf Thumitz fort. Eine Schwester des letztern ist die Gemahlin des Major a. D. v. Sydow zu Erfurt. — In Pommern war *Heinrich* v. C. 1740 Präpositus zu Demmin, sein Bruder *Johann Philipp* v. C. war Herr auf Mauker und Zermützel bei Ruppin und starb am 2. März 1746 kinderlos. — *Johann Karl* v. C. auf Buckwitz in der Altmark war königl. Kriegsrath.

Croll (Kroll), die Herren von.

Johann Friedrich v. C., königl. preuss. Oberst des Regiments v. Arnim, starb 1722. — *Karl Gustav* v. C. besass in der Mitte des vorigen Jahrhunderts ein kleines Gut bei Halle.

Cronenfels, die Herren Seibert von.

Kaiser Leopold I. erhob am 19. December 1661 den churbrandenburgschen Oberstlieutenant *Caspar* Seibert, der wacker im Türkenkriege gefochten hatte, mit dem Prädicat von Cronenfels in den Adelstand. Der Churfürst Friedrich Wilhelm bestätigte durch ein Anerkennungs-Diplom vom 2. November 1662 diese Erhebung. Mit dem Urenkel des Oberstlieutenants erlosch am 25. Mai 1788 der männliche Stamm dieser Familie. Sie führte im blauen Schilde einen sich aus dem Meere erhebenden Felsen, dessen Spitze eine Edelkrone trug. Auf dem gekrönten Helm wiederholte sich der Fels zwischen zwei geharnischten Armen, von denen der rechte ein Schwert, der linke drei übers Kreuz gelegte Pfeile hielt. M. s. Brüggemann II. Hauptst. des I. Bandes. Neue genealogische Nachrichten Jahrg. 1777. S. 197 und 1778. S. 257. v. Hellbach I. Bd. S. 251. Wappenbuch der preuss. Monarchie 3. Bd. T. I.

Cronhelm, die Herren von.

Mehrere Edelleute dieses Namens kommen im preuss. Civil- und Militair-Dienst vor. *Ludwig Heinrich* v. C., königl. Kriegsrath in Schlesien, starb 1769, er hinterliess eine Wittwe, Johanna Elisabeth Franzisca v. Diebitsch. — *Georg Friedrich* v. C. starb am 10. April

1792 als englischer Oberst auf Minorca. — Einer v. C. war 1806 Vice-Bürgermeister und Rathmann in Neustadt in Oberschlesien. — Im Feldjägerregiment stand 1806 ein Hauptmann v. C., er erhielt 1809 den Character als Major und wurde später als Ober-Zoll-Director in Neustadt-Eberswalde angestellt, wo er 1809 gestorben ist.

Crousaz-Chexbres, die Herren von, II. Bd. S. 477.

In dem von uns gegebenen Artikel muss statt Kammerherrnwürde Pannerherrnwürde stehen, so wie (II. Bd. S. 479) statt Kammerherr v. St. Saphorin Pannerherr v. St. Saphorin zu lesen ist.

Crull, die Herren von.

Eine vom König v. Preussen in den Adelstand erhobene Familie. Sie führt im blauen Schilde drei goldene Sterne, oben zwei, unten einen. Auf dem gekrönten Helm zwei schwarze Adlerflügel.

Cruse (Kruse), die Herren von.

1) Ein brandenburgisches Geschlecht; ihm gehörte an *Ludwig Wilhelm* v. C., gest. am 10. April 1800 zu Graudenz, der älteste preuss. Oberst und Commandeur vom 3. Bataillon des Regiments v. Natzmer. Mit ihm erlosch sein Stamm.

2) Im Mecklenburgschen besass eine gleichnamige Familie ansehnliche Güter, namentlich Warchow, Bredenfelde, Lübersdorf u. s. w. *Hans Abraham* v. C. auf Warchow u. s. w. war General-Major; mit dessen Enkeltochter *Anna Eleonore* v. C., vermählte v. Salza, erlosch am 30. Aug. 1766 diese Familie.

In Nassau, Lüneburg, Schweden, Dänemark, Liefland und Pommern kommen ebenfalls Edelleute d. N. vor. Noch erwähnen wir des *Karl Friedrich* v. C., gest. am 8. Juli 1799 zu St. Petersburg als kais. russ. Staatsrath und Leibarzt. Er hatte zwei Töchter, von denen die ältere sich mit dem General v. Bergmann, die jüngere mit dem General Albrecht vermählte.

Cubach, die Herren von.

Sassendorf in Westphalen ist das alte Stammgut derer v. Cubach, die von *Dietrich*, nach Andern von *Theodor* v. C. und der Sibylla v. Bockum, genannt v. Dolphs, abstammen. Es erlosch eine Linie dieses adligen Hauses in Westphalen mit *Franz Ottmar* v. C. am 28. Oct. 1686. Die Güter fielen durch seine Erbtochter *Ottilie Catharina* an deren Gemahl, Johann Gottfried Freiherr v. Dolphs, vermählt am 3. Decbr. 1691. Mit dem Tode dieser Dame, der am 24. April 1720 erfolgte, erlosch dieser Ast des Hauses auch in der weiblichen Linie, dagegen finden wir noch in neuester Zeit und in der Gegenwart Zweige anderer Aeste. Namentlich standen im Jahre 1806 zwei Brüder v. C. im preuss. Dienst, der ältere in dem Regiment v. Schenck zu Hamm und zuletzt als Capitain im 14. Inf.-Regiment, der jüngere in dem Regiment König v. Bayern-Dragoner, zuletzt aber als Rittmeister beim 8. Landwehr-Regiment, und ist im Jahre 1820 als Major in den Pensionsstand getreten. Noch gegenwärtig steht ein Lieutenant v. C. im 14. Landwehr-Regiment.

Culemann, die Herren von.

Der Adel des Kriegs- und Domainenraths *Emil August Gerhard* v. C. zu Benzingerode wurde am 10. Sept. 1789 vom König Friedrich Wilhelm II. bestätigt. Das Wappen dieser Familie ist quadrirt, im ersten und vierten silbernen Felde steht ein rothes burgundisches Kreuz, im zweiten und dritten blauen Felde ein wilder Mann. Das Schild wird von zwei gekrönten Helmen bedeckt, der rechte trägt zwischen zwei schwarzen Adlerflügeln den wilden Mann, der linke aber einen verkürzten rothen Löwen. Wappenbuch der preussischen Monarchie 2. Bd. 2. T.

Cyriaci, die Herren von.

Diese Familie stammt aus dem Eisenachschen, nach Andern aus Franken. *Levin* v. C., früher Capitain, starb im Jahr 1768 als Postmeister zu Cosswig. Er hatte drei Söhne, von ihnen starb einer als pensionirter Major und Chef einer Invaliden-Compagnie. Ein jüngerer Bruder starb 1820 als Major und Kreis-Brigadier bei der Gensdarmerie. Der Sohn des erwähnten Invaliden-Majors ist als Major und Mitglied der Militär-Direktion der allgemeinen Kriegsschule zu Berlin gestorben und war auch als militärischer Schriftsteller rühmlichst bekannt. Seine Wittwe, eine geb. Eisenberg, lebt noch gegenwärtig in Berlin.

Cyssowski, Herr von.

Ein Major v. C., früher im 2 Inf.-Regiment, Ritter des eisernen Kreuzes, lebt gegenwärtig im Pensionsstande zu Stettin.

Czapiewski, die Herren von.

Eine in Pommern ansässige adlige Familie polnischer Abkunft. — *Andreas* v. C. ist gegenwärtig Besitzer des Gutes Polizen, Antheil a, im Kreise Lauenburg-Bütow.

Czarnowski (Sarnowski, Carnowski), die Herren v.

Diese adlige Familie gehört Polen an, allein Aeste derselben sind schon seit langen Jahren in Pommern und West-Preussen ansässig. Im Lauenburg-Bütowschen besitzt dieselbe die Güter Polzin Czarna-Dombrowa; gegenwärtig ist *Andreas* v. C. Herr auf Polzin (Polczen). — *Johann Wilhelm* v. C., bis 1806 Major im Regiment Blücher Husaren und Ritter hoher Orden, starb am 8. Dec. 1812 auf dem Rückzuge aus Russland; er commandirte das den Franzosen zugetheilte 5. Husaren-Regiment und erlag den Beschwerden dieses Feldzuges. Seine Wittwe ist eine geb. v. Podewils. Er war ein Sohn des *Johann* v. C., Herr auf Ostau-Dammerow. — Zu Gleiwitz in Schlesien starb am 6 Juni 1813 ein Pr. Capitain v. C. des Colbergschen Regiments an ehrenvollen Wunden; ein anderer Capitain v. C., früher in der ostpreussischen Füselier-Brigade, fiel 1815 bei Belle-Alliance im 7. Inf.-Regimente auf dem Bette der Ehre. Noch gegenwärtig stehen mehrere Edelleute dieses Namens in der Armee, namentlich der Rittmeister und Ritter des eisernen Kreuzes v. C. im 1. Uhlanen-Regiment zu Ostrowe.

8*

Czapski, die Herren und Grafen von.

Aus dem uralt adligen polnischen Geschlechte v. C. war *Johann Georg Theodor* v. C., der 1779 als lauenburgscher Landtagsmarschall und Herr der Janowitzer Güter starb. — *Joseph* v. C. schied 1779 aus dem Regimente v. Schöning. — *Anton* Graf v. C., Rittmeister a. D., war Herr auf Lahna und Bollacken in Südpreussen. Er trat in polnische Dienste und stieg in denselben bis zum General-Lieutenant. Aus seiner Ehe mit Candida v. Lipski hatte er einen Sohn, *Niclas*, Graf v. C., der ebenfalls in polnische Dienste ging. M. s. Okolski Orb. Pol. T. 1. p. 170. Gauhe Anh. S. 1426–28. v. Hellbach 1. Th. S. 254.

Czartoriski, die Fürsten von.

Dieses fürstliche Haus ist gegenwärtig in der Provinz Schlesien begütert, wo der Prinz *Adam* Czartoriski aus der Linie Sangusko (u. s. w.) sich im Jahre 1837 angekauft hat. Die Familie Czartoriski selbst gehört ihrem Ursprung und ihren Besitzungen nach dem Königreiche Polen an, wo sie seit Jahrhunderten zu grossem Reichthum und hohen Ehrenstellen gelangt ist.

Ihr Ahnherr war *Korigel*, der Sohn eines litthauischen Grossfürsten und dessen zweiter Gemahlin Uliana. In der griechischen Taufe erhielt er den Namen *Constantin*, in der nachmaligen katholischen aber wurde er *Casimir* genannt; er fiel in der Schlacht bei Wilna 1390. Sein jüngerer Bruder *Kubard* wurde in der Taufe *Theodor* genannt; er besass die Herrschaft Lutzk in Volhynien und wurde der Ahnherr der Fürsten Sangusko. Die Nachkommen des Casimir nannten sich Czartoriski.

Schon im 17ten Jahrhundert erwarb sie die Reichsfürstenwürde, die im Jahre 1785 vom Kaiser Joseph bestätigt wurde. Sie zerfällt in die ältere und jüngere Linie. Die ältere Linie begreift die Nachkommen *Michael Georgs*, die jüngere, im Jahre 1810 im Mannsstamme erloschen, diejenige des Bruders desselben, *Johann Karls*. Das Familienhaupt der ältern Linie führt auch den herzoglichen Titel von Klevan und Zuckow. Unter den verschiedenen Mitgliedern dieses Hauses, die demselben grossen Glanz gegeben und in hohen Staatswürden sich vorzüglich ausgezeichnet haben, ist namentlich anzuführen: *Adam Casimir* Fürst Czartoriski-Sangusko, kaiserl. österreichischer Feldmarschall (seit 1805) und Inhaber des Infanterie-Regiments No. 9, wie auch Ritter des goldenen Vliesses und mehrerer russischer und polnischer Orden, geb. 1731. Als Abkömmling des hohen Geschlechts der Jagellonen, Starost und General von Podolien war er nach König August's III. Tode einer der Bewerber um den polnischen Thron. Viele Stimmen der Nation waren für ihn. Allein Stanislaus Poniatowsky wusste sich die Krone zu verschaffen. Fürst C. trat in österreichische Dienste, und da seine wiederholten Bemühungen, theils bei der Nation selbst, theils bei mehreren Mächten, die Wiederherstellung Polens zu erzielen, vergeblich waren, zog er sich auf seine Güter und dann nach Wien zurück. 1812 trat er wieder öffentlich auf, und unterzeichnete als Marschall des Reichstages zuerst die Conföderations-Acte. Beim Wiener Congresse, der über seines Vaterlandes Schicksal entschied, erschien der Fürst an der Spitze einer polnischen Gesandtschaft, und überreichte dem Kaiser Alexander die Grundlage der entworfenen Konstitution, der ihn darauf zum Senator Palatinus des neuen Königreichs Polen ernannte. Er lebte später wieder zurückgezogen auf seinen Gütern, und starb den 19. März 1823 zu Sienava in Gallizien. Seine Gemahlin *Isabella*, eine geb. Gräfin v. Flemming, war eben so berühmt durch ihren Patriotismus, als durch ihre Schönheit und ihren gebildeten Geist. Sie correspondirte mit Delille und war Ehrenmitglied der Akademie der Künste in Berlin; sie starb zu Teplitz in Böhmen im Juli 1811.

Erste Linie: Sangusko.

Fürst *Adam*, geb. den 14. Jan. 1770, Herzog von Klewan und Zuckav, succ. seinem Vater, Fürsten *Adam Casimir*, k. k. General-Feldmarschall, am 19. März 1823, vermählt den 25. Sept. 1817 mit *Anna* Prinzessin Sapieha.

Sohn:

Prinz *Witold*, geb. den 6. Juni 1826.

Geschwister:

1) *Mariane*, geb. den 15. März 1768, vermählt den 28. Octbr. 1784 mit Ludwig Prinz v. Würtemberg, geschieden 1792.

2) *Constantin Adam Alexander*, geb. den 28. Octbr. 1773, Wittwer im Septbr. 1808 von Angelica, des Fürsten Michael v. Radziwill Tochter.

Sohn:

Prinz *Adam*, geb. 1802, vermählt den 12. Decbr. 1832 mit Auguste Luise Wilhelmine Wanda, geb. den 29. Jan. 1813, Tochter des verstorb. Fürsten Anton Heinrich Radziwill.

3) *Sophie*, geb. den 15. Octbr. 1778, vermählt den 20. Mai 1798 an Stanislaus Grafen Zamoisky.

Zweite Linie: Koreck (Krakau).

Kinder des am 13. Febr. 1800 verstorb. Fürsten Joseph Clemens:

1) *Mariane Antoinette*, geb. den 31. Dec. 1777, vermählt mit Johann Grafen Potocki.

2) *Clementine Marie Therese*, geb. den 30. Sept. 1780, vermählt den 26 Juni 1798 mit Eustach Fürsten Sangusko.

3) *Theresia*.

4) *Josephine Marie*, geb. den 14. Juni 1788, vermählt mit dem Grafen Alfred Potocki.

5) *Cölestine*, geb. den 27. Aug. 1790, vermählt mit dem Grafen Stanislaus Rysczewsky.

Dessen Wittwe:

Barbara Dorothea, geb. den 7. Febr. 1760, Tochter des Fürsten Anton v. Jablonowsky.

Czechanski, die Herren von.

Es kommen in Preussen Edelleute dieses Namens vor. *Johann* v. C. war 1675 adliger Einsasse zu Ostranken, im Amte Johannisburg. Er hatte zwei Söhne, *Christoph* und *Johann*. Der letztere hinterliess eine zahlreiche Familie in dürftigen Umständen.

Czerson, die Herren von.

Diese adlige Familie ist in der Provinz Pommern ansässig, wo im Lauenburg-Bütowschen *Paul* v. C. Stüdnitz Antheil a, *Michael* v. C. Stüdnitz Antheil b und *Johann* v. C. Stüdnitz Antheil c besitzt.

Czeszewski, die Herren von.

Eine adlige Familie polnischer Abkunft. Ein Zweig derselben besitzt das Gut Beckow Antheil 1 im Kreise Lauenburg-Bütow der Provinz Pommern.

Czudnochowski, die Herren von.

Michael Cölestin Biegon v. C., Hofgerichts-Assistenz-Rath, erhielt am 7. Novbr. 1786 ein Erneuerungsdiplom seines Adels, eben so wurden seinen Nachkommen und andern Mitgliedern derselben Familie am 22. April und 29. Sept. 1800, so wie am 17. März 1821 Erneuerungsdiplome ausgestellt. Es ist dieselbe im Reg.-Bezirk Königsberg begütert und namentlich das Seebad Kranz ein Eigenthum derselben. Im Jahre 1806 standen in den Dragonerregimentern Gr. v. Herzberg und v. Esebeck Edelleute dieses Namens und noch gegenwärtig dienen mehrere Söhne aus diesem Hause in der Armee. Es führt diese Familie im silbernen ovalen Schilde zwei rothe Querbalken, auf dem Helme liegt ein roth und silberner Bund, auf dem zwei gewundene Büffelhörner stehen. Decken roth und Silber.

D.

Dachröden (Dacheröden), die Herren von, Bd. I. S. 390.

Hans Magnus v. D. hat eine Geschichte seiner Familie abgefasst, die nebst Nachrichten über diesen Gegenstand, welche aus dem Archiv zu Thal-Ebra entnommen worden, als Handschrift ein Eigenthum der königl. Bibliothek zu Berlin ist.

Dalchau (ow), die Herren von.

Ein erloschenes Geschlecht in der Altmark, dem namentlich Möllendorf gehörte. Es führte im silbernen Schilde drei blaue Kleeblätter, oben zwei, unten eins, zwischen ihnen lag ein Messer mit braunem Stiel. Den mit einem roth ausgeschlagenen Bunde belegten Helm schmückten drei Straussenfedern (blau, Silber, blau). Decken: Silber und blau.

Dameke (Dämicken), die Herren von.

Sie stammen aus Mecklenburg und wendeten sich von da nach Preussen. — *Hans* v. D. war Stammvater der in Preussen vorkommenden Familie dieses Namens. Sie erwarb mehrere Güter bei Neidenburg und Osterode. Diese Familie führt im blauen Schilde ein rothes Mauerportal, darauf stehen drei goldene Bienenkörbe mit den sie umschwärmenden Bienen. Auf dem gekrönten Helme wehen drei silberne Straussenfedern.

Dandelski, die Herren von.

Ein Offizier dieses Namens, der Capitain v. D., der dem Vermuthen nach einem preussischen oder polnischen Geschlechte angehört, wohnt in dem Grossherzogthum Posen, und ist dem 1. Bataillon des 19. Landwehrregiments attachirt.

Dankbahr, die Herren von.

Eine adlige Familie, aus welcher ein Mitglied gegenwärtig Major im Generalstaabe des zweiten Armee-Corps ist. Er erwarb sich das eiserne Kreuz II. Classe bei Dennewitz.

Dannenberg, die Freiherren und Herren von.

Sie stammen von den Grafen und Herren der Grafschaft Dannenberg, die in der gräflichen Linie in der zweiten Hälfte des 14. Jahrhunderts ausgestorben sind. Im Jahre 1808 stand ein Freiherr v. D. als Lieutenant in dem Regiment Garde du Corps, und im Jahre 1825 schied derselbe als Major aus dem 7. Cürassier-Regiment. Ein anderer v. D. stand damals in dem Cürassier-Regiment v. Behren; er ist im Jahre 1816 als Rittmeister aus dem 6. Cürassier-Regiment geschieden. Ein dritter v. D. stand im Jahr 1819 im 1. Garde-Regiment. Gegenwärtig dient ein Offizier dieses Namens in dem Regiment Kaiser Franz, ein anderer in der Cavallerie als Lieutenant. Siebmacher giebt das Wappen dieser Familie unter dem Namen v. Tannenberg, es ist ein weiss und blau geschachtetes Schild, das von zwei goldenen Querbalken durchzogen wird, auf dem gekrönten Helme zwei mit dem Schach und mit dem Balken wie im Schilde belegte Adlerflügel. Decken blau und Silber.

Dantzen, die Herren von.

Im Jahre 1805 lebte in Erfurt der Regierungsrath v. D. Gegenwärtig steht ein Rittmeister v. D. in der preussischen Armee, und zwar im 5. Husaren-Regiment. Er ist Ritter des eisernen Kreuzes II. Classe, erworben 1815 bei Ligny.

Daum, die Herren von, I. Bd. S. 400.

Das Wappen dieser Familie ist quadrirt; im ersten und vierten schwarzen Felde sind drei silberne Sterne von der obern Rechten zur untern Linken gelegt; das zweite und dritte silberne Feld zeigt einen blauen, mit den Schäften von fünf Pistolen besteckten Arm. Im Herzschildlein kommt ein geharnischter Arm aus den Wolken, der ein

Schwert schwingt. Zwei gekrönte Helme bedecken das Schild, der rechte trägt den geharnischten Arm, der mit dem Ellbogen auf der Krone ruht, der linke fünf Straussenfedern, von denen die äusseren und die mittelste schwarz, die zweite und vierte weiss sind.

Davier, die Herren von, Bd. I. S. 400.

Sie sind schon seit langer Zeit im Fürstenthum Anhalt und namentlich bei Zerbst ansässig; das gegenwärtige Amt Gartz besass im Jahre 1705 *Hans Friedrich* v. D., und *Wilhelm Lebrecht* v. D. kommt als Besitzer des Rittergutes Necken vor. — Im Gardejäger-Bataillon stand ein Capitain v. D., der 1813 auf dem Bette der Ehre fiel; er hatte bis 1808 im Feldjäger-Regiment gestanden. In dem Regiment v. Kleist in Magdeburg stand damals ein Edelmann dieses Namens, der 1808 als Staabs-Capitain dimittirt wurde; ein dritter v. D., der früher in der westphälischen Füselier-Brigade (Bat. Ivernois) diente, schied 1811 als Capitain aus dem 11. Inf.-Regiment. Gegenwärtig ist einer v. D. königl. Oberförster zu Grunhaus bei Wollin in Pommern.

Dechow, die Herren von, Bd. I. S. 403.

Ueber diese Familie sind uns noch folgende nähere Nachrichten zugegangen. Zu den ältesten Besitzungen derselben gehören die Güter Pantelitz, Beiershagen, Nedmin und Göhren. — *Sievert Jürgen* v. D., ein Sohn des *Sievert* v. D. auf Pantelitz und Beiershagen, starb am 14. Sept. 1715 als Amtshauptmann zu Stargard, und hinterliess von Anna Margaretha v. d. Oertzen aus dem Hause Helpte nur eine Tochter, *Louise Eleonore;* sie starb am 2. Jan. 1752 als Wittwe des Geh. Landraths Moritz Siegfried Leopold v. d. Oertzen. — Aus dem Hause Nedmin starb am 8. Aug. 1803 der Hauptmann *Friedrich Ludwig* v. D. Er ist der letzte dieses Namens, den wir in den Listen der Armee gefunden haben.

Decken, die Herren von der.

Aus dieser vornehmen uralten, gegenwärtig theils freiherrlichen und gräflichen, eigentlich dem Königreich Hannover angehörigen Familie haben mehrere Mitglieder im preussischen Heere gestanden. Gegenwärtig ist ein Rittmeister v. d. D. im Bielefeldschen ansässig und dem 15. Landwehrregiment attachirt. Die Herren v. d. D. führen im silbernen Felde einen Kesselhaken, mit den Zacken nach der rechten Seite stehend. Auf dem Helme ist ein schwarz und silberner Bund, darauf ein abgehauener Stamm mit zwei niederhängenden grünen Blättern. Decken: schwarz und Silber. M. s. E. Schmehrsals Abhandl. von d. Geschl. im Hamb. Magaz. Nachtr. zum gen. Handb. 1. Th. S. 34 - 37. Siebmacher 1. Th. S. 181. No. 14. II. Th. S. 71. No. 15. v. Krohne I. S. 211—220 u. S. 388 u. f. II. S. 405. v. Meding I. No. 167.

Dedenrodt, die Herren von.

Ein Major v. D. stand bis zum Jahre 1800 in dem Cadetten-Corps zu Stolpe; er war in Schlesien geboren. Im Jahre 1806 stand in dem Regiment Fürst zu Hohenlohe zu Breslau der Fähndrich v. D., derselbe ist gegenwärtig General-Major und Brigade-Commandeur,

Ritter des eisernen Kreuzes I. Classe, erworben bei Belle-Alliance u. s. w. — Zu Meissen lebte um das Jahr 1825 eine verwittwete v. D.

Deekenbroeck, die Freiherren und Herren von.

Der Stammsitz ist das Haus Deekenbroeck, Kirchspiel Everswinkel, Kreis Münster, und war im fortwährenden Besitz der Freiherren Droste zu Hülshoff. Der erste dieses Geschlechts, *Bernhard* v. D., kommt um 1208 vor. Sein Enkel *Engelbert* ward 1288 Droste zu Ueberwasser und erhielt 1295 dieses Amt erblich für seine Familie. Dessen Sohn *Johann* führte darauf den Namen Droste neben seinem Familiennamen und seine Nachkommen liessen denselben allmählig ganz weg. *Johann* III. acquirirte 1417 das im Kreise Münster belegene Rittergut Hülshoff, und seit dieser Zeit hat die Stammfamilie daselbst ihren Wohnsitz. Seit einer Generation haben sich zwei Nebenlinien, die von Alst und genannt von Kerkerinck, von der Hauptlinie getrennt. Denn

Clemens August I. zeugte mit seiner Gemahlin Bernhardine, Reichs-Freiin von der Reck-Steinfurth, folgende Söhne:

a) *Clemens August*, geb. 1760.
b) *Max Friedrich*, geb. 1764.
c) *Heinrich Johann*, geb. 1768.
d) *Ernst Constantin*, geb. 1770.

ad a. *Clemens August* erhielt als Erstgeborner die Güter und vermählte sich 1793 mit Theresia Freiin v Haxthausen zu Appenburg (gest. 1826). Kinder: 1) *Marie Henriette*, geb. 1795, Stiftsdame zu Hohenholte und Borstel, vermählt 1834 mit Joseph Reichs-Freiherrn v. Lassberg, k. k. österreich. Kammerherrn zu Eppishausen in der Schweiz. 2) *Anne Elisabeth*, geb. 1797. 3) *Werner Constantin*, geb. 1798. 4) *Ferdinand Wilhelm*, geb. 1800, herzogl. Jagdjunker zu Cöthen (gest. 1828).

Werner Constantin folgte seinem Vater auf den Gütern Hülshoff u. s. w., und vermählte sich 1826 mit Karoline Freiin v. Wendt zu Wredenbruck und Papenhausen. Kinder: 1) *Heinrich Johann*, geb. 1827. 2) *Marie Anne*, geb. 1828. 3) *Ferdinand Franz*, geb. 1829. 4) *Max Friedrich*, geb. 1832. 5) *Friedrich*, geb. 1833. 6) *Therese Karoline*, geb. 1835.

ad b. *Max Friedrich*, erst Domherr zu Münster, vermählt mit Bernhardina Engelen. Kinder: 1) *Clemens August*, geb. 1793, Doctor der Philosophie und Professor beider Rechte zu Bonn u. s. w. (s. biographische Mittheilungen über Clemens August v. Droste-Hülshoff, von Braun. Cöln 1833), vermählt 1823 mit Pauline von und zur Mühlen. Clemens war ein gelehrter Mann (starb 1832), und hinterliess eine Tochter *Betty*. 2) *Adolphine*. 3) *Joseph*, Doctor der Medicin, Besitzer des Ritterguts Alst im Kreise Steinfurth, vermählt mit Julie Koch aus Münster. Kinder: a) *Max*, geb. 1832. b) *Constanze*, geb. 1834.

ad c. *Heinrich Johann*, Domprobst zu Münster und Domherr zu Osnabrück.

ad d. *Ernst Constantin*, erst Domherr zu Münster, vermählt 1801 mit Theresia, Reichs-Gräfin v. Kerkerinck zu Stapel; er erwarb mit ihr die Kerkerinckschen Güter. Nach den Familien-Bestimmungen musste er das Kerkerincksche Wappen annehmen, und beim Kaiser um Aufnahme unter die Freiherren des Reichs nachsuchen.

Die ihm hierüber ertheilte Urkunde ist vom Jahre 1802, von welcher Zeit er sich Droste genannt v. Kerkerinck schreibt und diesen Namen führt. Kinder: 1) *Antonie*, geb. 1802. 2) *Johannes*, geb. 1808. 3) *Josephine*, geb. 1809. 4) *Therese*, geb. 1810. 5) *Franziska*, geb. 1812. 6) *Marie*, geb. 1813. 7) *August*, geb. 1814. 8) *Max*, geb. 1816. 9) *Karl*, geb. 1817. 10) *Constantine*, geb. 1818. 11) *Louise*, geb. 1820. 12) *Amalie*, geb. 1825. 13) *Dina*, geb. 1826. Ausserdem sind fünf Kinder bereits verstorben.

Das Wappen. Ein quadrirtes Schild mit einem Mittelschilde. — Mittelschild Wappen der Drosten. — Rechts oben und links unten ein grünes Feld, darum von der rechten obern Ecke nach links unten laufend ein silberner Balken, worin drei rothe Rosen (v. Kerkerinck-sches Wappen). — Links oben und rechts unten ein rothes Schild mit zwei horizontalen silbernen Balken, über dieselben hinaufsteigend ein schwarzer Steinbock (Wappen der v. Bock). Auf dem Helme rechts ein grüner Flügel mit einem silbernen Balken belegt, worin drei rothe Rosen. Auf dem Helme in der Mitte die Büffelhörner der Drosten. Auf dem Helme links der Kopf und Hals eines schwarzen Steinbocks. Alle drei Helme sind gekrönt und ruhen auf einer über das ganze Schild laufenden Krone.

Degelin von Wangen, die Herren von, Bd. I. S. 404.

Ein uraltes vornehmes schwäbisches Geschlecht, von dem im Jahre 1683 in Schlesien *Beatus Ignatius* D. v. W., hochfürstl. hoch- und deutschmeisterischer Ober-Stallmeister, des deutschen Ordens Ritter, lebte. Siebmacher giebt (P. I, p. 119) das Wappen, in dessen rothem Schilde ein silberner Drutten-Fuss ist. Auf dem Helme liegt ein rothes Polster, neben diesem der Drutten-Fuss, dessen vier Ecken mit Hahnen-Federn verziert sind. — Hunc Characterem referam quem *πένταλφα*, vel stellam pentagonalem, aut salutem Pythagorae (inscribi solebant literae *ὑγιεία*) appellare solent Drutten-Fuss seu Druyten-Fuss superstitionibus frequenter adhibitum. Gestat hunc characterem argenteum in parma coccinea Fam. Degelin de Wangen. In galea culcitrae rubeae impositum idem *πένταλφα*, ut tamen quatuor exstantes cuspides pennis gallinaceis, vel quicquid id ornamenti est, exornentur. Spener. Oper. Herald. P. I. p. 304.

Degingk, die Herren von.

Dieselben sind im 1. Bd. S. 404 unseres Werkes irrthümlich Dedingk genannt. Sie gehören ihrem Ursprunge nach Ostfriesland und der Herrschaft Jever an, wo sie im Amte Wittmund und bei Jever Güter besitzen oder besassen. — *Herrmann* D. war Bürger und Rittmeister zu Dortmund, und wurde vom Kaiser Ferdinand III. am 14. Juli 1654 in den Ritterstand erhoben mit Vermehrung des Familienwappens. — *Ludwig Dietrich Anton* v. D. genannt Winsheim, Herr auf Warnsath bei Jever, hat 1740 in preuss. Militairdienst gestanden. Von seinen beiden Söhnen war *Johann Ferdinand* v. D. 1776 Lieutenant im Regiment Prinz v. Preussen, er vermählte sich mit einer Baronin v. Stromberg, war zuletzt Major und Commandeur des Regiments v. Tschepe zu Fraustadt und starb im Jahre 1825 im Pensionsstande. Der zweite Sohn ist als Major a. D. zu Berlin verstorben;

er war mit einer geb. Zobel vermählt. — *Gottfried Joachim* v. D. starb am 6. Mai 1757 vor Prag den Tod der Ehre. M. s. auch v. Steinen westphälische Geschichte I. Th. S. 1372 u. f. Tab. XIII. No. 2. Siebmacher V. Th. S. 146. No. 2. v. Meding I. No. 2.

Dehlen, die Herren von.

Im Jahre 1646 kommt ein *Christoph* v. D. und 1731 die Brüder *Gottfried* und *Abraham* v. D, welche Lieutenants bei den preussischen Husaren waren, vor.

Dehmen, Herr von.

Daniel v. D. starb am 21. April 1689 als churfürstl. brandenburgscher Hausvoigt zu Memel.

Dehrfelden, die Herren von.

Ein aus Westphalen mit dem deutschen Orden nach Liefland gezogenes Geschlecht, das im schwarzen Schilde drei über einander gelegte silberne Fische führt. Auf dem Helme stehen zwei schwarze, mit den drei Fischen belegte Adlerflügel. Decken schwarz und Silber.

Delius, die Herren von, Bd. I. S. 407.

Diese Familie stammt aus Bremen, wo sie noch gegenwärtig in Ansehn und Wohlhabenheit unter den ersten Handlungshäusern blüht. — *Ludwig Ernst* v. D. starb als Obristlieutenant a. D. zu Bielefeld. Von seinen beiden Söhnen ist der ältere der in unserm Artikel erwähnte Oberst im Kriegsministerium, der jüngere war im Jahre 1818 Major und Adjutant bei dem General-Inspector der Festungen und Chef des Ingenieur-Corps, später aber trat er als Obristlieutenant aus dem Militairdienst und wurde Haupt-Rendant des brandenburgischen Ober-Bergamtes zu Berlin, wo er im Jahre 1825 gestorben ist.

Dennemark, die Herren von.

Eine adelige Familie dieses Namens erhielt am 5. April 1669 vom Churfürsten Friedrich Wilhelm ein Anerkennungs-Diplom seines Adels. Das Wappen derselben zeigt im gespaltenen goldenen und rothen Schilde hier zwei übers Kreuz gelegte, mit den Spitzen aufwärts gekehrte Pfeile, dort in dem goldenen Felde einen schwarzen, halb sichtbar werdenden Adler, und auf dem gekrönten Helme einen geharnischten, das Schwert mit goldenem Griff schwingenden Arm. Wappenbuch der preuss. Monarchie S. 4.

Deppen, die Herren von.

Als Stammvater dieses adeligen Geschlechts erscheint in der Provinz Preussen *Hans* v. D. Er war zweimal vermählt. Mit der zweiten Gemahlin, Anna v. Machwitz, hatte er einen Sohn und eine Tochter. Die letztere, *Anna* v. D., vermählte sich mit Balthasar v. Braxein. Der Sohn, *Franz* v. D., war 1539 Erbherr auf Warweiden und Bergfried, er pflanzte sein Geschlecht in zwei Ehen fort. Sein

Enkel *Quirin* v. D. war kurbrandenburgscher Kammerherr, um das Jahr 1618. Um dieselbe Zeit lebte auch *Johann Quirin* v. D. Unter dessen Sohne *Christian* theilte sich das Haus in die Linien zu Warweiden und Agnitten. *Johann Quirin* v. D. hatte mit Elisabeth v. Wilmersdorf zehn Kinder gezeugt. — *Wolf Ernst* v. D. auf Agnitten, königl. preuss. Major, vermählt mit Maria Eleonore v. Birckhahn, hinterliess ebenfalls eine zahlreiche Nachkommenschaft; er starb 1727. Gegenwärtig finden wir in den Listen der Armee keine Edelleute dieses Namens mehr. — Es führt diese Familie im blauen Schilde einen goldenen Ast mit vier breiten Blättern, auf dem Helme aber einen schwarzen Kopf mit Hirschgeweihen, zwischen denen der Ast liegt. M. s. das preuss. Archiv Jahrg. 1791. S. 318 u. 319.

Derp, die Herren van.

Lambert van D., aus Holland, war königl. preussischer Oberstlieutenant im Pionier-Regiment zu Neisse; er starb daselbst im Jahre 1756. Aus seiner Ehe mit Charlotte Minnigerode hatte er neun Kinder. Von seinen Söhnen starb *Leopold Cornelius* v. D. im Jahre 1810 zu Berlin als Offiziant bei der Stempelkammer, und *Karl Jacob* v. D, der als preussischer Offizier aus der Festung Wesel desertirt war, wurde in langjähriger Gefangenschaft auf der Citadelle von Magdeburg gehalten, wo er auch gestorben ist. Diese Familie führt oder führte im rothen Schilde einen silbernen Anker und auf dem Helme eine silberne Schärpe. Decken: roth und Silber.

Derschau, die Herren von, Bd. I. S. 410.

Der erste, der von diesem Geschlecht vorkommt, ist *Theophil* v. D. Er war 1619 kurländischer Rath und Abgeordneter am kaiserlichen Hofe zu Wien; in gleicher Eigenschaft wurde sein Sohn *Christoph* beim Kaiser beglaubigt. — *Christian Reinhard* v. D., der von uns angeführte General, wurde als Oberstlieutenant 1722 Oberhofmeister des Markgrafen Albrecht, Heermeisters zu Sonnenburg. Das Wappen ist in dieser uns nachträglich zugekommenen Mittheilung ganz wie in unserm Artikel beschrieben.

Desbarres, die Herren von.

Das Wappenbuch der preussischen Monarchie giebt das Wappen einer adeligen Familie dieses Namens folgendermassen: Sie führt ein quadrirtes Schild, im ersten und vierten silbernen Felde ist der Hals und Kopf eines schwarzen Adlers vorgestellt, das zweite und dritte rothe Feld ist von drei silbernen schrägen Balken durchzogen. Auf dem Helme wiederholt sich der Adlerhals. Die Decken sind rechts schwarz und Silber, links roth und Silber.

Deutecom, die Herren von.

Johann v. D. war 1676 churfürstl. brandenburgscher Rentmeister zu Bochum und starb 1692. Sein Sohn *Caspar* v. D. und sein Enkel *Johann Caspar* v. D. waren ihm im Amte gefolgt. Der Sohn des Letztern, *Johann Friedrich* v. D., war 1702 Hof-Gerichts- und Justizrath, und wurde 1748 Geh.-Justizrath und Hofgerichts-Direktor. Er war auch Herr auf Steinhoven. Aus seiner Ehe mit Elisabeth Lakemeier hatte er zwei Söhne, von ihnen war *Karl Friedrich Heinrich* v. D. im Jahre 1764 Offizier bei dem Regiment Bernburg in Halle, und *Karl Anton Friedrich* v. D. war 1767 Referendarius. Eine Tochter wurde die Gemahlin des Kriegsraths v. Sudthausen.

Dewall, die Herren von.

Der Ursprung des aus den Niederlanden abstammenden Geschlechts der von de Wall, später v. Dewall, lässt sich mit Gewissheit nur bis zum Jahre 1429 zurückführen, wo zuerst *Leonhard* v. de Wall als Burggraf von Nimwegen vorkommt; doch kann man für dasselbe unbedenklich ein höheres Alter in Anspruch nehmen, da mit der erwähnten Würde von jeher nur die angesehensten Familien der geldernschen Ritterschaft und insbesondere des Ryks van Nimwegen belehnt wurden. Bei Ausbruch der spanisch-niederländischen Religions- und Freiheits-Kämpfe erklärte sich die Familie für die neue Lehre und das Haus Oranien, und sah sich, in Folge der verschiedenen Wechselfälle des Krieges von ihren Besitzungen vertrieben, genöthigt, in Holland eine Zuflucht zu suchen. Von hier wandte sich später ein Zweig derselben nach Deutschland (in das damalige Herzogthum Cleve), wo dann, bei Gelegenheit der Adels-Erneuerung und Wiederaufnahme unter den deutschen Reichsadel, in dem desfallsigen kaiserlichen Diplome der alte Geschlechtsname von de Wall in von Dewall umgewandelt wurde. Unter diesem Namen ist die Familie noch jetzt mit dem ehemals freiadeligen Gute Schmidthausen bei Cleve angesessen.

Das Wappen zeigt im rothen goldgerandeten Schilde einen aufrecht stehenden, silbernen, goldgekrönten Löwen; auf dem Schilde ruht rechts gekehrt ein blauer goldgekrönter offner Tornierhelm mit Adlerflügeln, zwischen welchen der Löwe des Schildes wachsend erscheint. Die Helmdecken sind roth und silbern.

Dham, die Herren von der.

Ein aus Sachsen nach Schlesien gekommenes altadeliges Geschlecht, als dessen Stammhaus Friedersdorf angeführt wird. In Schlesien kommen zuerst *Caspar* und *Ernst Friedrich* v. d. D. vor. Der letztere, mit Rosina v. Sebottendorf vermählt, besass Mittel-Schreibendorf bei Strehlen. Ein Sohn aus dieser Ehe, *Ernst Friedrich* der Jüngere, war mit einer v. Berg und Merzdorf vermählt und besass ebenfalls Güter bei Strehlen. Eine andre Linie dieses Hauses schrieb sich nach ihrem Besitzthum v. d. Dham-Ingramsdorf. *Karl Christoph* v. d. D. auf Ober-Ingramsdorf bei Schweidnitz war des Fürstenthums Schweidnitz Land-Commissarius. Er hatte drei Töchter, aber nur einen Sohn, der vor dem Vater am 8. Mai 1689 starb. — Auch Niclasdorf bei Grottkau gehörte lange Jahre hindurch denen v. d. D., eben so ein Antheil von Tarchwitz bei Münsterberg. Diese, wie es scheint, bei uns erloschene Familie führte im silbernen Schilde einen halben blauen Fisch (Salm), dessen Kopf zur Rechten gekehrt war, und auf dem Helme zwei Büffelhörner, blau und silbern geviertet. Decken: blau und Silber. Sinapius I. Bd. S. 225 u. II. Bd. S. 574.

Didron, die Herren von.

Die Familie v. D. gehört seit dem 16. März 1649 zur schwedischen Ritterschaft und hat ihr Wappenschild unter No. 724 auf dem

Saale des Ritterhauses zu Stockholm aufgehängt. Im Jahre 1762 kaufte sich ein Mitglied derselben in schwedisch Pommern an, und vermählte sich mit einem Fräulein v. Schöpfer. Der in dieser Ehe erzeugte Sohn, *Victor Magnus Theodor* v. D., trat 1783 in das damalige Regiment Kronprinz (nachheriges Regiment König), vermählte sich 1794 mit einem Fräulein v. Gentzkow (gest. 1824) aus Mecklenburg-Strelitz, und starb 1835 als Major und Chef der zweiten Garde-Invaliden-Compagnie. Seine drei Söhne dienen gegenwärtig noch in der königl. preuss. Armee beim Leib-Infanterie-Regiment, und zwar: *Karl Wilhelm Theodor* v. D., geb. 1794, als Hauptmann und Compagnie-Chef, *Gustav Adolph*, geb. 1797, und *Friedrich Wilhelm Herrmann* v. D., geb. 1800, als Premierlieutenants. Ausser diesen dreien giebt es in der Armee und überhaupt in Deutschland keinen dieses Namens. In Schweden aber ist die Familie noch zahlreich, und besitzt dort die Herrschaft Hallqued bei Upsala.

Ein vor uns liegendes Wappen dieser adeligen Familie zeigt ein blaues Schild, in dem ein nach der rechten Seite aufspringender Löwe steht, über demselben liegt ein das Schild von der obern rechten zur untern linken Seite in zwei Dreiecke theilender silberner, mit drei kleinen Fischen (auf einem andern Abdruck stehen drei Kolben) belegter Balken. Auf dem Helme wiederholt sich der aufspringende goldene Löwe.

Diebau, die Herren von.

Eine preussische Familie, deren Stammvater N. N. v. D., mit einer v. Possin vermählt war. Sein Enkel *Georg* v. D. ehelichte ein Fräulein v. Wisniawska und hinterliess zwei Söhne, *Albrecht* und *Caspar* v. D., mit welchen das Geschlecht erloschen zu sein scheint; wenigstens verschwinden mit ihnen die Nachrichten von dieser Familie bei uns. M. s. preussisches Archiv Jahrg. 1791. Monat Juli S. 433.

Diebis, die Herren von.

Eine preussische Familie, die nicht mit denen v. Diebitsch zu verwechseln ist. Sie kam mit dem Orden nach Preussen, und zwar mit dem Ordensmeister Friedrich v. Meissen im Jahre 1494. Von dem Orden hatte sie das Fischmeister-Amt zu Ragnit erhalten. — *Balthasar* v. D. focht tapfer in der Schlacht bei Tannenberg. — *Georg* v. D. war Hauptmann zu Rhein, Erbherr der Güter Plasskeu, Biala und Drosdowen; seine Gemahlin war eine v. Pfersfelder und starb 1590. — *Jacob* v. D. war 1530 und *Albrecht* v. D. war 1573 Hauptmann zu Balga. Dieses Geschlecht stand in naher Verwandtschaft mit den jetzt gräflichen Häusern v. Schlieben und v. Finkenstein und ausser den genannten Gütern war es in vielen Aesten verbreitet und im Besitz vieler Ortschaften. Es führt im goldenen Schilde einen silbernen Ast und auf dem Helme einen Pfauenschweif. M. s. preussisches Archiv Jahrg. 1791. S. 433 und Hartung genealog. Fragmente, auch Königs Handschriften B. 22.

Diehle, die Herren von.

Eine alte preussische Familie, die mit dem Orden in jene Provinz gekommen ist und aus welcher schon Ritter in der Schlacht bei Tannenberg fochten. Zandersdorf, Popelken und Dreissighuben sind alte Besitzungen dieses Hauses, das mit den Familien v. Auerochs und Stach v. Golzheim verwandt war. — *Georg Albrecht* v. D. war im Jahre 1625 Herr der genannten Güter. M. s. preussisches Archiv Jahrg. 1791. Monat Juli S. 436.

Diepow, die Herren von.

Ein altadeliges Geschlecht, welches ansehnliche Besitzungen in der Nieder-Lausitz, und zwar in dem Theile dieser Provinz hatte, welcher gegenwärtig zu dem preussischen Regierungs-Bezirk Frankfurt gehört. Drebkau, Donsdorf, Weissagk und Göricke waren Besitzungen dieses Hauses. — *Hans Ehrenfried* v. D., chursächsischer Oberst, starb im Jahre 1771 als Herr der gedachten Güter. — *Magdalena* v. D. war am Ende des vorigen Jahrhunderts mit Polycarp v. Leyser (gest. 1820 zu Reichenbach) vermählt.

Dierix von Brugk und Rotenberg, die Herren.

Johann Georg D. v. B. u. R., geb. den 25. Febr. 1618 zu Prag in Böhmen, erzogen zu Pirna in Meissen, studirte zu Wittenberg und Jena, gelangte 1642 zu Oels in fürstl. münsterberg-ölsische Dienste und ward von dem ersten Herzog Sylvius zu Würtemberg und Oels kurz vor dessen Tode 1664 zum Vice-Kanzler des ölsischen Fürstenthums ernannt. Er starb den 13. Febr. 1667 und liegt in der fürstl. Schloss- und Pfarrkirche zu Oels begraben. Von seinen Kindern war nur eine Tochter am Leben geblieben, die mit dem Regierungsrath Hartmuth zu Oels in unfruchtbarer Ehe gelebt hat.

Es führte diese Familie ein quadrirtes Schild, dessen erstes und viertes Feld roth, darin ein silberner Löwe, das zweite und dritte Feld schwarz, in demselben ein goldner Baum. Auf dem gekrönten Helme befindet sich zwischen zwei Büffelhörnern, deren vorderes oben gelb, unten schwarz, das hintere oben schwarz, unten gelb abgetheilt ist, der silberne Löwe. Die vorderen Helmdecken sind gelb und weiss, die hinteren schwarz und gelb. Conf. Olsnogr. P. I. p. 645 u. P. II. p. 109.

Dies, die Herren von.

Eine erloschene adelige Familie in Preussen, aus welcher *Christoph* v. D. als Herr auf Saiten vorkommt. Von seinen Enkelsöhnen war *Hans* v. D. mit Katharina v. Birkhahn vermählt; er pflanzte sein Geschlecht durch drei Söhne fort. *Christoph* v. D. lebte mit einer v. Hirsch, *Friedrich* v. C. mit einer v. Dietrichs in der Ehe, *Jacob* v. D. starb unvermählt. Hartung erwähnt diese Familie in seinen genealogischen Sammlungen, Dudersberg giebt das Wappen, auch s. m. preuss. Archiv Jahrg. 1791. Monat Aug. S. 497.

Diesseldorf, Herr von.

Johann Gottfried v. D. war 1720 Bürgermeister der Stadt Danzig, er wurde am 2. Sept. 1723 Wittwer von Adelgunde Schmieden, Tochter seines Vorgängers in der Bürgermeisterwürde.

Diest, die Herren von.

Dieses altadelige Geschlecht stammt aus Brabant und den Niederlanden. Am 22. Septbr. 1687 bestätigte der Kaiser Leopold dieser Familie neuerdings den Reichs-Adelstand. — *Friedrich Wilhelm* v. D. war Baron v. Hemb, Herr auf Tieflinga und Domprobst zu Utrecht. Ein andrer *Friedrich Wilhelm* v. D. war im Jahre 1707 königl. preuss. Resident zu Cöln, nachher clevischer Regierungsrath und ausserordentlicher Gesandter bei den Generalstaaten, zuletzt Regierungs-Präsident. Kurfürst Friedrich III., nachmals als König von Preussen Friedrich I. stellte der Familie Diest unter dem $\frac{\text{4. Oct.}}{\text{22. Sept.}}$ ebenfalls ein Anerkennungs-Diplom aus. — *Reinhard* v. D. war königl. preuss. Hof- und Kreisdirectorialrath, auch Resident; seine Tochter *Salome Johanna* vermählte sich mit Friedrich Carl, Grafen zu Sayn-Wittgenstein, Herrn zu Homburg u. s. w., und wurde den 10. Febr. 1743 vom Kaiser Karl VII. zur Reichsgräfin v D. erhoben. Das Wappen dieser Familie besteht in einem getheilten Schilde, in welchem zur Rechten drei goldene und zwei schwarze Balken, wechselsweise zur Linken aber im weissen Felde ein Vergissmeinnicht nebst zwei grünen Blättern in ihrer natürlichen Farbe zu sehen sind. Den ganzen Schild, der zur Rechten mit schwarz und gelb, zur Linken aber mit blau und weiss vermischter herabhängender Helmdecke versehen ist, bedeckt oben die reichsgräfliche mit Kleinodien und Perlen gezierte Krone, auf welcher zwei offene, blau angelaufene, roth gefütterte und einwärts gekehrte gekrönte Turnierhelme mit anhängendem Kleinod ruhen, aus welchem erstern zwei ausgebreitete Adlerflügel, davon der obere gelb, der untere hingegen schwarz, aus dem andern aber zwei weisse Büffelhörner entspringen, und zwischen jenen ein Menschengesicht, zwischen diesen aber die vorhin beschriebene Blume abermals erscheint.

In preussischen Diensten standen 1806 zwei Brüder v. D., der ältere im Regiment v. Wedel, er ist gegenwärtig General-Major und Inspector der Artillerie zu Berlin, der jüngere, damals in der westphälischen Füselier-Brigade, starb 1828 als Major des 20sten Inf.-Regiments zu Brandenburg. Eine Schwester von ihnen ist die Wittwe des Gen.-Lieutenants v. Cardel.

Dischberg, die Herren von.

Balzer v. D. zu Drossen kommt als Schwager des Nikolas v. Selchow auf Buchholz vor, übrigens haben verschiedene adelige Familien dieses Namens in den Marken Güter besessen, die nach ihrem Erlöschen zum Theil an die Familie v. Schlieben gekommen sind.

Ditmer, Freiherr von.

Georg Friedrich v. D., baierischer Hofkammerrath und Hofbanquier, aus Pommern, wurde 1781 vom Kaiser Joseph II. mit Edler von geadelt, 1789 in den Ritterstand und von Franz II. den 25. Nov. 1800 in den Freiherren-Stand erhoben. M. s. v. Lang A. d. K. B. S. 112. u. f. v. M. O. S. 173. Tyroff III. Bd. 1. Th. Tab. 69, u. v. Hellbach I. Bd. S. 281.

Dittel, die Herren von.

Caspar Ignaz v. D., fürstl. auersbergscher Regierungsrath und Secretair zu Frankenstein in Schlesien, wurde am 8. Octbr. 1740 in den böhmischen Adelstand erhoben. Er starb ohne männliche Nachkommen, jedoch mit Zurücklassung von zwei Töchtern, von denen sich die ältere an Franz v. Rottenberg zu Endersdorf, die jüngere an einen v. Strachwitz vermählte.

Ditten, die Herren von.

Ein altadeliges Geschlecht in den Marken, aus welchem *Achim* v. D. in einer Urkunde aus dem Jahre 1740, die der Bischof Wedego zu Havelberg den Klitzings ausstellte, erwähnt wird. Rekentin, Garlin, Rogenzin und Warnow in der Priegnitz sind alte Güter dieser Familie. Im Jahre 1686 waren die Vettern *Johann Hartwig* v. D., Rittmeister, und *Philipp Christoph* v. D. Herren auf Rekentin und Warnow. — In Mecklenburg blühte das Geschlecht im Hause Werle fort. *Ernst Franz* v. D., Herr auf Werle, Balow und Wenzlitz im Amte Grabow, starb am 15. Octbr. 1809. Er hinterliess zwei Töchter, von denen sich *Friederike* mit Moritz Friedrich v. Restorff, königl. preuss. Hauptmann, und *Wilhelmine* mit Moritz Wilhelm v. Flotow, vermählte. M. s. a. v. Beehr S. 1612; v. Meding giebt Bd. III. No. 165. das Wappen dieser Familie.

Dittmar, Herr von.

Der Gutsbesitzer *Karl Herrmann Martialis* Dittmar zu Greifenberg wurde im Januar 1838 geadelt.

Dittmar von Dittmarsdorf, die Herren.

Der Kurfürst Friedrich III., nachmals als König von Preussen Friedrich I., ertheilte der adeligen Familie D. v. D. unter dem 23. Decbr. 1692 ein Anerkennungs-Diplom. Sie führt oder führte im gespaltenen roth und blauen Schilde im obern rechten Quartier und im untern linken ein Winkelmaass, im obern linken und untern rechten aber einen aufspringenden getigerten Löwen. Auf dem Helm das Winkelmaass mit drei Straussenfedern bedeckt. Decken rechts blau und Silber, links roth und Silber.

Dobeneck, die Herren von.

Wir haben einen Artikel dieser Familie Bd I. S. 400 unseres Werkes unter dem Namen Daubeneck gegeben. In Schlesien kommt schon 1548 *Heinrich* Dobeneck als Landeshauptmann des Fürstenthums Münsterberg vor, wie Koblitz in seinen handschriftlichen Annalen von Frankenstein bemerkt. *Hiob* v. D., mit dem Beinamen der Eiserne, war 1523 als preuss. Bischof in Pomeranien gestorben. Vielleicht hat das Geschlecht durch diesen Umstand sein Wappenbild erhalten. In der preuss. Armee steht gegenwärtig der Major Baron v. D. im 8ten Uhlanen-Reg., Ritter des eisernen Kreuzes II. Klasse.

Doberitz, die Herren von.

Ein märkisches Geschlecht, das im vorigen Jahrhundert noch das Rittergut Lentzke im Havellande besass. Vielleicht ist es dieselbe Familie, die unter dem schlesischen Adel unter dem Namen Dobritsch, später Dobrschütz vorkommt. M. s. Bd. I. S. 423.

Dobritz, die Herren von.

Diese adelige Familie ist zur Zeit des deutschen Ordens nach Preussen gekommen; sie trat demselben das Amt Waldau ab, und erwarb dafür die Güter Wohnsdorf, Anklitten und Schönwald. *Heinrich* v. D. hatte im Jahre 1525 diese ansehnlichen Güter von einem v. Weier erkauft. Mit *Heinrichs* Söhnen scheint die Familie ausgestorben zu sein; der ältere wendete sich nach Frankreich, der jüngere, *Jonas* v. D., erhielt die väterlichen Güter, starb aber 1552 ohne männliche Erben. Das Wappen findet man in der Dudersbergschen Sammlung. M. s. preuss. Archiv Jahrg. 1791. Mon. August S. 500.

Dobroslaw, die Herren von.

Im Monat März des Jahres 1726 erschien in Berlin ein zur evangelischen Kirche übergegangener Ordensmönch des h. Augustin *Karl Martin Arnold* des h. R. R. Ritter v. D. König Friedrich Wilhelm I. unterstützte ihn fürstlich, gab ihm auch den Titel eines Hofraths und verlieh ihm die Stelle eines Professors zu Frankfurt a. d. O. Auch schenkte ihm der Monarch die schöne Bibliothek des Professors Eberti. Seines Professor-Amtes wurde der Ritter v. D. bald wieder entbunden, dagegen erhielt er die Stelle eines lustigen Rathes, aber auch aus dieser wurde er schon 1730 wieder entlassen. Er lebte nun als Privatmann in Berlin und später in Dresden. Er hatte Gelegenheit gefunden, eine reiche Heirath zu machen; seine Gemahlin war Maria Elisabeth Bourgean. Aus dieser Ehe hatte er mehrere Kinder. Von ihnen kommt vor *Eleonore Friederike* v. D., zuerst an den Geheimen Stiftsrath Cunow und später an einen russischen Hauptmann, Namens Scheinvogel, vermählt. Aus der ersten Ehe hinterliess sie bei ihrem am 22. Novbr. 1799 zu Berlin erfolgten Tode mehrere Kinder, von denen ein Sohn königl. preuss. Major in dem Kürassier-Regiment v. Reitzenstein, im Jahre 1809 Commandeur des 6ten Kürassier-Regiments war. M. s. d. A.

Dochow, die Herren von.

Paul v. D. auf Parmen und Jacobshagen und *Heinrich* v. D. auf Ellingen haben Beide im Jahr 1375 gelebt. *Catharina* v. D. ist im Jahr 1382 Priorissa im Kloster Boitzenburg gewesen. Das Rittergut Dochow gehört jetzt den Herren Grafen v. Schlippenbach.

Dockum, die Herren von, Bd. I. S. 424.

Diese Familie führt im schwarzen Schilde drei weisse Rosen im Herzblatt und auf dem Helme fünf in Gold und Silber abwechselnde Straussfedern mit der Rose belegt.

Doebner (Doebener), die Herren von.

Es kommen zwei aus Thüringen stammende Familien dieses Namens vor, von denen eine aus dem Hause Taubenheim, die andere aus dem Hause Daebenhausen stammen soll. Mehrere Schriftsteller halten es jedoch für ein und dasselbe Geschlecht. — *Ernst Georg* v. *D.* kam am Anfange des 17ten Jahrhunderts nach Schlesien und vermählte sich mit Hedwig v. Pogrell. Ein Sohn aus dieser Ehe, *Caspar Ernst* v. D. Herr auf Coellen, war Oberforst- und Jägermeister des letzten Herzogs Georg Wilhelm zu Liegnitz und Brieg; er starb 1680. Seine Gemahlin, Anna Maria v. d. Marwitz, wurde als Wittwe Hofmeisterin der churbrandenburgschen Prinzessin Maria Emilia, die zuerst Gemahlin des Herzogs Karl zu Mecklenburg-Güstrow und nachmals des Herzogs Wilhelm zu Sachsen-Zeitz wurde. Sie starb 1707. Aus dieser Ehe war *Caspar Ernst* v. D., erst Hofmeister des Prinzen Karl Christian zu Holstein, dann anhaltischer Geheimerath, als welcher er auch am 1. Febr. 1708 zu Harzgerode gestorben ist. Seine Wittwe, Christine v. Ketschau, wurde Oberhofmeisterin der Prinzessin zu Sachsen-Barby. Ein Sohn aus dieser Ehe, *Karl Wilhelm August*, starb jung. Nicht zu verwechseln ist diese Familie mit der v. Doeben in Sachsen und mit der v. Dohna und Randenhof.

Döhren (oder Dornen), die Herren von.

Diesem Geschlechte haben in der Uckermark die Feldmarken Funkenhagen, Werbende und Bisterfeld angehört. — *Wobradus* oder *Wolnadus* v. Dorne ist der funfzehnte Bischof von Ratzeburg gewesen und hat von 1335—1355 dieses Amt verwaltet. Der letzte dieses Geschlechts, *Oswald* v. D., ist ungefähr im Jahre 1630 gestorben, und sind dessen ebengenannte Güter den Herren v. Arnim und v. Raben wieder verliehen worden.

Dörffler, die Herren von, Bd. I. S. 427.

Die von uns angeführte, unter dem 13. Novbr. 1713 von preussischer Seite mit einem Anerkennungs-Diplom versehene adelige Familie v. D. führt ein quadrirtes Schild. In dem ersten und vierten rothen Felde ist ein in Gold und Blau gekleideter bärtiger Mann mit unbedecktem Haupte und in der rechten Hand eine Streitaxt schwingend; im zweiten und dritten mittelst eines Spitzenschnittes in Gold und Blau getheiltem Felde sind in jedem zwei Sterne mit abwechselnden Farben vorgestellt. Dieses Schild ist mit zwei gekrönten Helmen besetzt, der erste trägt sieben silberne Straussenfedern, auf dem zweiten wiederholt sich der unten näher erwähnte Mann mit der Streitaxt zwischen zwei blauen Büffelhörnern. Decken rechts schwarz und Gold, links blau und Gold. Preuss. Wappenbuch 3. Bd. S. 6.

Dörnberg, die Freiherren von, Bd. I. S. 428.

Friedrich Karl Freiherr v. D. war königl. preuss. Kammerherr und besass den Rittersitz Marquard bei Potsdam.

Dötinchem, die Herren von.

Im Jahre 1806 dienten zwei Brüder v. D. als Offiziere in dem Dragoner-Regiment Königin. Sie führten später den Beinamen de

9*

Rande. Der ältere schied 1821 als Rittmeister aus dem 26sten Landwehr-Regiment, der jüngere stand bis zum Jahre 1818 als Pr. Lieutenant im 2ten Magdeburgschen Landwehr-Regiment und ist 1821 gestorben.

Dohalsky, die Grafen und Herren von.

Ein uraltes aus Böhmen stammendes adeliges, seit 1726 freiherrliches und seit 1729 gräfliches, früher in Schlesien begütertes Geschlecht. — *Ferdinand Wilhelm* v. D. besass das Gut Ober- und Nieder-Lauterbach im Bolckenhayn-Landeshutschen Weichbilde des Fürstenthums Schweidnitz. Seine Gemahlin war eine Freiin v. Zedlitz (deren Mutter eine v. Schindel und Lauterbach). Mit ihr hatte er zwei Söhne: 1) N. N. v. D. und Lauterbach vermählte sich mit einer v. Glaubitz aus dem Bunzlauisch-Jauerischen. 2) N. N. v. D. zu Stonsdorf im Hirschbergisch-Jauerischen lebte im Ehestande mit einer Gräfin v. Nostitz auf Wiesau im Glogauschen, jedoch ohne Erben.

Die v. D. heissen Spectatissimi Bohemiae Equites. M. s. Balbini Miscell. Bohem. Dec. 2. lib. 2., woselbst beikommende Genealogie zu lesen ist:

Borzeck Dohalsky v. Dohalitz, vermählt mit Catharina Popowsky v. Bozegovitz.

Sohn:

Nicolaus Borzeck Dohalsky v. Dohalitz, Herr auf Wesely, der Kaiser Ferdinand I. und Maximilian II. Rath und Assessor des königl. Landrechts in Böhmen, vermählt mit Anna, Freiin v. Waldstein.

Sohn:

Johannes Borzeck Dohalsky auf Wesely, Rath Kaiser Rudolph II., vermählt mit Barbara Mladota v. Solopisk.

Kinder:

1) *Wenceslaus* (von ihm w. u.);
2) *Jaroslaus*;
3) *Zdencko* (Jaroslai et Zdenckonis fuere filii plurimi).

Wenceslaus Borzeck Dohalsky v. Dohalitz, vermählt mit Dorothea Hamziana v. Zabiedovitz. Tochter: *Anna Catharina*, vermählt 1688 mit Karl Starzimsky v. Libstein, Assessor in dem königl böhmischen Kammer- und Hof-Lehn-Gericht, wie auch Kreis-Hauptmann im Königin-Grätzer Kreise.

1710. *Franz* Borzeck Dohalsky, königl. Rath des königl. Kammer-Rechts in Böhmen.

1720. *Wenzel* Dohalsky v. Dohalitz, der im Jahre 1726 Freiherr und im Jahre 1729 Graf wurde.

Johann Christoph Dohalsky v. Dohalitz wurde 1764 in den Grafenstand erhoben. Er war Gubernialrath in Prag.

Ausser Balbini geben Sinapius II. Th. S. 590, Gauhe II. Th. S. 192 und v. Hellbach I. Th. S. 287 Nachricht von diesem vornehmen Geschlechte.

Dollen, die Herren v. d., Bd. I. S. 433.

Der erste bekannte Ritter aus diesem Hause war *Nesso* v. d. D., der 1380 Bürgermeister in Stettin wurde und 1400 starb. — In die nenere Geschichte dieser Familie gehört die Notiz, dass der jetzt regierende König die natürliche Tochter des Ritterschaftsraths und Directors v. d. D. (gest. am 26. Octbr. 1809 zu Prenzlau), *Christiane Wilhelmine* Meyer, legitimirte, mit Beilegung des Namens und Wappens derer v. d. D. M. s. über diese Familie Friedeborn's Chronik v. Stettin p. 62 u. 67.

Dolphs (Dolfs), die Herren von, Bd. I. S. 433.

Der in unserm Artikel erwähnte Generallieutenant hiess *Dietrich Goswin* v. Dolfs; er war aus dem Hause Sassendorf und starb unvermählt am 10. Octbr. 1805, ihm gehörte auch das Rittergut Magnitz bei Trebnitz. Von seinen Brüdern besass der älteste, *Franz Gottfried* v. D., Sassendorf in der Grafschaft Mark, den sogenannten Rosengarten bei Soest und das Rittergut Völlingshausen im Cölnischen. Ein zweiter Bruder, *Johann Albrecht* v. D., war Propst des Stiftes zu Soest. Der erwähnte *Franz Gottfried* hatte vier Söhne, die alle in der Armee gedient haben. — Der bei Hainau gebliebene Oberstlieutenant v. D. gehörte einer andern Linie der Familie an.

Dombroick, die Herren von.

Johann Melchior v. D. kommt als Herr der Güter Bögge und Nordhof in der Grafschaft Mark vor. Zwei Brüder v. D., *Friedrich Wilhelm* und *Johann Theodor*, starben um das Jahr 1748.

Domhard, die Herren von, Bd. I. S. 434.

Das preussische Wappenbuch giebt das Wappen dieser Familie im 3. Thl. 7. Tafel folgendermassen: Das Schild ist quadrirt, in den schwarzen Feldern 1 und 4 steht eine goldene Garbe, in den blauen Feldern 2 und 3 ein weisses sich bäumendes Ross. Im Herzschilde der schwarze Adler in Silber. Der gekrönte Helm trägt das Ross verkürzt. Decken schwarz und blau.

Domski, die Grafen von.

Ein vornehmes polnisches, auch in der Provinz Posen begütertes Geschlecht. Der Kastellan v. D. ist mit Bernhardine Gräfin v. Wartensleben vermählt.

Donat, die Herren von, Bd. I. S. 435.

Die unter No. 1. von uns angeführte, vom König Friedrich II. am 15. März 1769 in den Adelstand erhobene Familie dieses Namens führt im silbernen Schilde einen aus den Wolken kommenden, nach der linken Seite ausgestreckten Arm, der ein rothes Herz hält. Auf dem gekrönten Helme steht ein wilder, um Kopf und Hüften bekränzter Mann, in der rechten Hand eine Keule haltend, zwischen zwei blauen Adlerflügeln. Decken rechts blau und Silber, links roth und Silber.

Dorstedt, die Grafen, Freiherren und Herren von.

Ein altes, zum Theil freiherrliches und gräfliches Geschlecht, das im Halberstädtschen ansässig war und namentlich Emmersleben und die Burg Nienburg besass. Es erlosch am 5. Febr. 1663 mit *Werner Cürsten* v. D. Diese Familie führte im rothen Schilde drei sitzende silberne Bracken, oben zwei, unten einer. Auf dem Helme einen schwarz und silbernen Bund, darauf eine schwarze Bracke, gekrönt und die Krone mit sechs in schwarz und Silber abwechselnden Straussenfedern bedeckt. M. s. von d. Hagen Beschreibung des alten vornehmen Geschlechtes v. D. Halle 1762.

Dorville, die Herren von, Bd. I. S. 438 u. Bd. II. S. 479—481.

Die Herren v. D. führen ausser dem angegebenen Wappen, wo in dem silbernen Schilde fünf rothe Rauten oder Wecken neben einander stehen, die in der uns eingesendeten Notiz als mit den Spitzen nach oben stehende Careaux bezeichnet waren, auf dem Helme zwei rothe Büffelhörner.

Doussa, die Herren von, Bd. I. S. 439.

Das Wappen zeigt im rothen, mit drei silbernen Querbalken belegten Schilde einen goldenen Löwen, der sich zwischen einem goldenen und einem rothen Adlerflügel auf dem gekrönten Helme verkürzt wiederholt. Decken rechts schwarz und Gold, links roth und Silber.

Drachsdorf, die Freiherren von.

Dieses Geschlecht soll von den Hermunduren abstammen, sich in Sachsen im Jahre 1290 niedergelassen haben und 1678 in den Freiherrenstand erhoben worden sein. In Baiern ist ein gleichnamiges Geschlecht mit dem Beinamen v. Adelsberg seit 1666 freiherrlich. — Kurfürst Joachim II. belehnte am Montage nach Oculi 1539 den *Hieronymus* v. D. mit dem Einkommen des Klosters Neuendorf auf ein Jahr. — Am 17. Febr. 1755 wurde *Reinhardt* Freiherr v. D., aus einem uralten Geschlechte abstammend, kurbairischer Gen.-Feldmarschall und Commandant von Königshofen. M. s. Siebenkees I. Bd. S. 106—110. Rudolphi Herald. curios. S. 95. v. Meding beschreibt das Wappen III. Bd. No. 171 und Siebmacher giebt es I. Bd. S. 152.

Drachstedt (stet), die Herren von.

Der grosse Kurfürst gab dieser vom Kaiser als reichsadelig bestätigten Familie am 3. Octbr. 1665 ein Anerkennungs-Diplom. Diese Familie war schon ein Mal bis auf einen einzigen Ritter, der Tempelherr war, erloschen. Er trat aus dem Orden, vermählte sich ebenbürtig und pflanzte sein Geschlecht wieder fort. In Braunschweig, Preussen, Schlesien, Hessen und Sachsen kommen Mitglieder dieser Familie vor. Gaube zählt sie fälschlich zu den erloschenen Geschlechtern. Sie führt im rothen Schilde einen goldenen, rechts gekehrten Drachen, auf dem Helme eine Krone, darauf steht der Drache mit einer goldenen Krone, die mit sechs Straussenfedern, von denen drei roth, drei golden sind, besteckt ist. Decken roth und Gold. M. s. a. Sinapius I. Bd. S. 341. II. Bd. S. 594. Schickfuss III. Buch S. 202. Neues genealog. Handbuch Jahrg. 1778. II. Th. S. 261 und Nachtrag II. Th. S. 144. Gauhe I. Th. S. 342.

Drauschwitz, die Herren von.

Diese Familie stammt aus Meissen und ist schon zu den Zeiten des deutschen Ordens nach Preussen gekommen. Das Jahr ihrer Ankunft lässt sich nicht genau bestimmen, nur so viel ist gewiss, dass bereits unter den letzten beiden Hochmeistern dieselbe sich hier im Lande ausgebreitet hat. Ein Herr v. D., der um das Jahr 1489 lebte, hatte eine v. Polenz zur Gemahlin, und hinterliess eine zahlreiche Nachkommenschaft. Sein ältester Sohn, *Georg* v. D., vermählte sich mit Catharina, Tochter von Christoph Fink v. Finkenstein, und hinterliess einen Sohn und viele Töchter. Der Sohn, *Hans* v. D., hatte eine v. Helfenstein zur Gemahlin und hinterliess ebenfalls einige Nachkommen. Einer von diesen, *Johann Georg* v. D., Erbherr auf Belden, vermählte sich mit Euphemie v. Reilnin, die in der Folge, 1681, den Major Samuel v. Wernsdorf, Erbherrn auf Sakkerau und Petsdorf, zur Ehe nahm. Von ihrem ersten Gemahl hinterliess sie laut sichern Nachrichten zwei Söhne und eine Tochter. Der älteste Sohn, *Adam Christoph* v. D., war Lieutenant in königl. preuss. Diensten und starb 1716. Er war Erbherr auf Gross-Roslau, und hatte Barbara Elisabeth v. Kiekole zur Gemahlin. Er hinterliess verschiedene Nachkommen, deren Namen aber nicht angezeigt sind. Der andere Sohn, *Georg Friedrich* v. D., war gleichfalls als Lieutenant in königl. preuss. Diensten, und Erbherr auf Grossgräben; er starb 1719. Seine Gemahlin war Catharina v. Demkin, welche 1724 gestorben ist. Ein Sohn aus dieser Ehe, *Friedrich Wilhelm* v. D., wird zwar angeführt, aber seine weitern Lebensumstände werden nicht angezeigt. Ob der in der Vasallen-Tabelle von 1788 als Erbherr auf Thormisch und Melka aufgeführte *Gottfried Christoph* v. D. von dem einen oder dem andern der angeführten Söhne abstamme, lässt sich aus Mangel der angeführten Nachrichten nicht bestimmen. — Es führt die Familie v. D. in einem rothen Schilde zwei kreuzweis über einander gelegte silberne Decken, und über dem Helme drei Straussenfedern, davon die zur rechten roth, die mittelsten schwarz, die zur linken weiss, die Helmdecken aber roth und schwarz sind. M. s. preuss. Archiv Jahrg. 1792. Monat Januar S. 74.

Drouart, die Herren von.

Eine adelige französische, nach Preussen ausgewanderte Familie. Ihr gehörte an *Johann Friedrich* v. D., königl. preuss. Oberst und Commandeur des v. Tümplingschen Garnison-Regiments; er wurde mit dem Charakter eines General-Majors in den Ruhestand versetzt. Er besass das Gut Bersenicken im Amte Fischhausen. Seine Gemahlin war Juliane Charlotte Friederike v. Stutterheim. Derselbe führte im silbernen Schilde drei Adlerklauen.

Druffel, die Herren von, Bd. I. S. 446.

Das Wappen dieser Familie zeigt im blauen Schilde eine grüne Weintraube am goldenen Stengel und mit goldenen Blättern, der Stiel ist aufwärts gelegt, so dass die Traube hängend vorgestellt ist. Auf dem Helme wiederholt sich dieses Bild zwischen zwei rothen Adlerflügeln.

Drygalski, die Herren von, Bd. I. S. 446.

Alexander und *Johannes* v. D. erhielten am 18. Febr. 1755 von König Friedrich II. ein Anerkennungs-Diplom ihres alten Adels. Diese Familie war damals bei Lyk in Preussen begütert. Sie führt im blauen Felde ein verkehrtes silbernes Hufeisen, darauf ist ein Kreuz gestellt, auf dem ein Rabe, der einen goldenen Ring im Schnabel hält, sitzt.

Ducker, die Herren, Freiherren und Grafen von.

Es stammen dieselben ursprünglich aus dem Erzstift Cöln, von da haben sich Zweige nach Westphalen, nach Baiern, Liefland und Schweden ausgebreitet. In Schweden wurde ein Ast im Jahre 1715 in den Freiherrenstand und am 17. April 1719 in den Grafenstand erhoben. Hupels Material. 1788. S. 139. Suea Rikes.

Dülfus (Dolfus), die Herren von.

Ein Edelmann dieses Namens kam aus Curland in die diesseitigen Staaten und erhielt am 10. Mai 1768 das schlesische Incolat. Sein Sohn stand im Jahre 1806 im Regiment v. Kropf zu Warschau als Capitain.

Dünewald, die Grafen von.

Johann Heinrich v. D., kaiserl. General der Cavallerie, wurde 1675 vom Kaiser Leopold I. in den Grafenstand erhoben, und starb einige Tage nach dem Siege bei Szalankemen, den er hatte erkämpfen helfen, auf der Reise nach Wien in einem Donauschiffe. Er besass in Schlesien die ansehnliche Herrschaft Sabor (jetzt Fürst Carolath) mit mehreren andern Gütern und hinterliess zwei Söhne: 1) *Franz* Graf v. D., kaiserl. Oberstlieutenant, vermählt mit Maria Barbara v. Stahremberg, einer Tochter des berühmten Feldmarschall Grafen St. 2) *Ludwig* Graf v. D., Herr der Herrschaft Sabor; er war mit Elisabeth Dorothea Gräfin v. Limpurg-Speckfeld und nach deren Tode mit Louise Amalia Gräfin Kallenberg vermählt. Diese beiden Ehen blieben kinderlos und Graf *Ludwig* starb im Jahre 1727 ohne Erben und als der letzte seines Hauses.

Düngeln, die Herren von.

Herrmann v. D., ein clevischer Edelmann, lebte im Jahre 1400, *Johann* v. D. 1522. — *Johann Gisbert* v. D. machte den ersten schlesischen Feldzug als Offizier des Regiments Markgraf v. Baireuth-Dragoner mit und lebte später als Privatmann zu Haffckenscheidt bei Bochum in Westphalen.

Dürfeld, die Herren von.

Diese Familie hat Dreyhaupt in der Beschreibung des Saalkreises Th. II. p. 28. No. 29. aufgeführt; aus derselben war *Joachim Heinrich*

v. D. königl. polnischer und churfürstl. sächsischer General-Lieutenant. Er starb zu böhmisch Punzlau an einer Wunde, die er bei dem Einmarsch in Schlesien am 4. Juni 1745 erhalten hatte. Vermählt war er mit Christiane Agnes v. Kötteritz, des königl. polnischen und churfürstl. sächs. Geh.-Raths Wolf Siegfried v. Kötteritz auf Beucha und Steinbach und Magdalena's v. Zehmen auf Steinbach Tochter. Sie starb zu Zeitz am 28. Febr. 1767 im 68sten Lebensjahre, und hinterliess sieben Kinder. Diese sind:

1) *Georg Heinrich*, geb. zu Freiberg laut des dasigen Kirchenbuchs am 19. Juni 1726, gest. daselbst am 8. Febr. 1729.
2) *Christiane Henriette*, geb. zu Freiberg am 12. Aug. 1727.
3) *Wilhelmine Charlotte*, geb zu Freiberg am 26. Decbr. 1728.
4) *Joachim Heinrich*, geb. zu Freiberg am 16. Decbr. 1729, churfürstl. sächsischer Oberst bei dem Regiment Prinz Eugen Cürassier und gest. zu Schmiedeberg am 22. April 1785 als General-Lieutenant. Vermählt war er mit Christiane Agnes v. Kötteritz und hinterliess drei Kinder. Diese sind:
   a) *Barbara Henriette*, geb. zu Warschau 1762, gest. zu Weissenfels 1764.
   b) *Maria Christiane Karoline*, geb zu Weissenfels am 11. April 1764.
   c) *Julius Joachim Heinrich*, geb. zu Droissig am 12. Oct. 1765.
5) *Eleonore Louise*, geb. 1755, vermählt zu Zeitz den 21. Febr. 1764 mit Eckart Adam v. Stammer, churfürstl. sächs. Oberst bei dem Regiment Boblick (Tab. XCII. der Geschlechtserzählung der in Sachsen flor. adeligen Familien).
6) *Augusta Henriette*, vermählt mit Moritz Julius v. Unzer, churfürstl. sächs. Oberst.
7) *Henriette Agnes*, vermählt zu Eckartsberge den 1. Septbr. 1767 mit Ernst Christian v. Schierbrand, churfürstl. sächs. Major. Er starb den 16. Juli 1786 zu Naumburg.

Das adelige Geschlecht der v. D. erhielt von preussischer Seite ein Anerkennungs-Diplom, nachdem der königl. Reg.-Rath zu Magdeburg, *Johann Christian* v. D., unter dem 3. Juni 1718 darum eingekommen war. Das Wappen desselben zeigt im blauen Schilde eine aus den Wolken kommende Bärentatze, welche sechs goldene Kornähren hält. Dieselbe erscheint auch wachsend auf dem gekrönten Helme. Decken blau und Gold. Wappenbuch der preuss. Monarchie III. Th. S. 9. — In Liefland ist das Rittergut Ottenhoff das Stammhaus eines Astes dieses Geschlechts.

Düringsfeld, die Herren von, Bd. I. S. 447.

Diese Familie führt im blauen Schilde zwei ins Andreaskreuz gelegte Degen, der Korb schwarz, die Klingen silbern. Auf dem Helme wiederholen sich diese Degen zwischen zwei schwarzen Adlerflügeln.

Duite, Herr von.

Christian Bernhard v. D. war im Jahre 1783 Probst zu Scheda in der Grafschaft Mark.

Dumbsdorf, die Herren von.

Im Jahre 1700 lebte *Franz Wilhelm* v. D. Dessen Sohn, *Franz Ferdinand Friedrich* v. D. wurde 1723 Kammerherr des Kurfürsten von Cöln und Herr auf Halstenberg im Ravensbergschen. — *Johann Wilhelm* v. D. war Herr von Steinhausen, ein Rittersitz, der später an die v. Ledebur überging.

Dunkel, Herr von.

Wir finden einen *Friedrich* v. D. als Landvoigt der Nieder-Lausitz aufgeführt.

Durham, die Herren von.

In Berlin lebte 1696 der kurfürstl. Geheime-Rath und General-Fiscal *Wilhelm* D. Dessen Sohn *Georg Wilhelm*, ebenfalls Geheimer Rath, soll von König Friedrich Wilhelm I. 1735 geadelt worden sein. Seine Wittwe, eine geb. v. Lundt, starb erst 1776 in Camin. — *Albrecht Wilhelm* v. D. war 1723 Reg.-Rath zu Cleve. M. s. Seifferts Leben König Friedrich II. Th. II. S. 296.

Dusedow, die Herren von.

Ein erloschenes Geschlecht. Die Brüder *Jürgen*, *Hennig* und *Stephan* v. D. erhielten eine neue Belehnung vom grossen Kurfürst im Jahre 1645. — *Gabriel* und *Albrecht* Gebrüder v. D. lebten 1684 zu Welle. — Mit *Christian Gabriel* v. D. ist das Geschlecht um das Jahr 1750 erloschen.

Dymmern, Herr von.

Simon v. D. empfing im Jahre 1558 im November ein Lehn von Markgraf Albrecht dem Aeltern.

Dzialinsky, die Grafen von, Bd. I. S. 452.

Nähere Beschreibung des Wappens.

Ein, mit einem goldenen und einwärts mit Perlen besetzten Rahmen eingefasster, oben zu beiden Seiten durch einen einfallenden Winkel eingezogener und unten spitzig zulaufender länglichter Schild, in dessen rothem Felde ein senkrecht gerichteter silberner Pfeil auf einem dergleichen, halb zirkelförmig gekrümmten Bogen ohne Sehnen steht. Den Schild bedeckt eine Krone von goldenen Reifen und hohen Zinken mit goldenen Perlen, worauf zwei roth gekleidete Arme mit beiden Händen ein Stück des im Schilde beschriebenen Bogens halten, und zwischen denselben ein silbernes Kreuz erscheint.

Von den beiden einfallenden Winkeln hängt ein Gebind von Palmblättern herab; und hinter dem Schilde erscheinen zu beiden Seiten allerlei hervorsehende Kriegsgeräthe an Sturmhauben, Helmen, Spiessen, Trompeten, Fahnen, Standarten, Streitäxten und Kolben, Schildern und Kanonen; neben den Seiten des Schildes aber hängt ein rothes Ordensband mit einem weissen roth eingefassten Ordenskreuz herab.

Dzingel, die Herren von, Bd. I. S. 453.

Diese Familie wurde nicht 1716 geadelt, sondern sie erhielt unter dem 10. Jan. 1716 ein Erneuerungs-Diplom ihres Adels. Der von uns erwähnte *Albrecht Balthasar* v. D. starb 1718 mit Hinterlassung von vier Söhnen. Von ihnen starb *Michael Balthasar* v. D. 1766 als Major in Magdeburg. — Ein Enkel, *Georg Balthasar* v. D., war 1806 Rittmeister bei Köhler Husaren und starb 1821 als Major a. D. Ein anderer v. D. blieb 1806 als Lieutenant des Regiments v. Grawert auf dem Felde der Ehre. — Das Wappen ist in unserm Artikel nicht richtig angegeben. Diese Familie führt im goldenen Schilde und auf dem gekrönten Helme einen Wolfskopf, blutend auf einen Degen gespiest. Decken Gold und schwarz.

Dziwanowski, die Herren von.

Julius v. D. war Unter-Woywod von Culm und hatte eine v. Pobolowska zur Gemahlin. Aus dieser Ehe lebten zwei Töchter, *Johanna* und *Theresia*, und zwei Söhne, *Ignaz* und *Dominik*. M. s. König's Sammlungen.

E.

Eben und Brunnen, die Freiherren und Herren von, Bd. II. S. 99.

Ein vor uns liegendes freiherrliches Wappen dieser Familie zeigt im quadrirten Schilde nebst Mittelschilde folgende Bilder: Im ersten goldenen Felde ein viereckiges Polsterkissen; im zweiten silbernen Felde den doppelten Reichsadler; im dritten blauen Felde einen geharnischten Arm, der ein Schwert hält, an dessen Spitze eine Kugel steckt; im vierten Felde das adelige v. Eben u. Brunnensche Wappen. Das Mittelschild zeigt einen aufrecht stehenden Löwen. — In v. Meding (III, 113) und Siebmacher haben wir nur das adelige Wappen gefunden.

Eberstein, die Freiherren von, Bd. II. S. 101.

Das Wappen ist noch genauer folgendermassen anzugeben: Ein eingebogener, auf der einen Spitze stehender Triangel, an jeder Ecke mit einer silbernen Lilie besetzt. — Die Lilien sind heraldische (französische), welche an Stengeln, wie im Adels-Lexikon gesagt ist, nicht vorkommen. — Eine Linie der Freiherren v. E. führt im Mittelschilde des quadrirten Schildes das adelige Wappen; im ersten und vierten Felde den Mohrenrumpf und im zweiten und dritten Felde eine Krone. — Die Freiherren v. E. genannt v. Büring führen ein zweimal in die Länge und einmal in die Quere getheiltes Schild (also sechs Felder) und ausserdem noch ein Mittelschild. Dieses letztere ist gekrönt und zeigt das v. E.'sche Wappen. Im ersten und vierten Felde ist ein einen Felsen emporklimmender Eber; im zweiten und dritten Felde drei fünfblättrige Rosen (2. 1.); im fünften Felde über dem Herzschilde ein einfacher Adler; im sechsten Felde (unter dem Herzschilde) ein aufrecht stehender Löwe. — Das Schild ist mit drei Helmen bedeckt.

Eberswein, Herr von.

Im Jahre 1676 lebte *Gottfried Eberhard* v. E., kurbrandenburgscher Oberst v. d. A., ein mit ehrenvollen Wunden bedeckter Krieger, dem der grosse Kurfürst die Güter Hohensee und Schlensee geschenkt hatte. Es führte dieser Edelmann im silbernen Schilde den Kopf eines schwarzen Ebers. M. s. König's Sammlungen.

Ebert, die Herren von.

Eine früher in Preussen begütert gewesene Familie, von der zuerst *Jost* v. E. vorkommt. Ihr gehörten einige Güter in Ostpreussen, namentlich Dugewangen. Das Wappen zeigt im silbernen Schilde eine goldene Armbrust und auf dem Helme einen schwarz gekleideten, die Arme in die Seiten gestützten Mann, der eine Mütze, die mit drei schwarzen Hahnenfedern bedeckt ist, trägt. Decken silbern und schwarz.

Eberti, die Herren von, Bd. II. S. 102.

Das Wappenbuch der preuss. Monarchie giebt das Wappen dieser Familie mit gespaltenem Schilde. Die rechte Hälfte enthält das von uns angegebene Wappen, die linke aber zwei übers Kreuz gelegte, die Spitzen nach oben gekehrte silberne Pfeile im blauen Felde und auf dem Helme einen geharnischten, ein Schwert schwingenden Arm zwischen zwei schwarzen, mit den Kleestengeln belegten Adlerflügeln. Auch halten zwei preussische Adler das Schild.

Ebertsfeld, die Herren von.

Von diesem Geschlecht haben wir folgende Zweige aufgefunden. *Johann Leonhard* v. E. wohnte zu Krotoschin in Polen. — *Johann Clemens* v. E., kurbrandenburgscher Hauptmann, war mit Eleonore Hedwig v. Görtzke vermählt; er starb 1690 mit Hinterlassung von drei Kindern.

Ebertz, die Herren von, Bd. II. S. 102.

Das Diplom dieser Familie, ausgestellt am 29. Mai 1811 für den Besitzer des Rittergutes Mitczow bei Neustadt (Reg.-Bezirk Danzig), giebt das Wappen folgendermassen an. Ein geviertetes Schild mit einem Herzschilde; im ersten und vierten goldenen Felde ist der Kopf eines Ebers, im zweiten und dritten schwarzen Felde ein aufspringender goldener und gekrönter Löwe vorgestellt. Das blaue Herzschild enthält ein goldenes Hift- oder Jagdhorn. Das Hauptschild ist mit zwei Helmen bedeckt; auf dem rechten zeigt sich zwischen zwei Adlerflügeln der Eberkopf, auf dem linken zwischen einem schwarzen und einem goldenen Büffelhorne der goldene gekrönte Löwe. Decken schwarz und gold.

Ebner, die Herren von.

Mehrere Edelleute dieses Namens kamen noch am Anfange des vorigen Jahrhunderts in Schlesien vor, wohin sie aus Nürnberg und Regensburg gekommen waren. — *Joseph Anton* v. E. starb am 16. Mai 1715 zu Breslau. Sein Wappenschild war spitzenweise getheilt, die vordern Spitzen blau, die hintern gold. Auf dem Helme zwei Büffelhörner, das vordere blau, das hintere gold. Sinapius II. Bd. No. 603. Siebmacher I. Th. S. 206 u. VI. Th. S. 21 u. 25.

Ebra, die Herren von, Bd. II. S. 102.

Das preussische Wappenbuch giebt ein Wappen der Familie v. E., sonst genannt Pfaf. Es zeigt im blauen Schilde eine schräg von der obern linken zur untern rechten Seite gelegte silberne Leiter von fünf Sprossen. Dieses Bild wiederholt sich auf dem gekrönten Helme zwischen zwei blauen, in der Mitte mit einem weissen Balken belegten Adlerflügeln. Decken blau und Silber.

Eck, die Herren von.

Sie sind aus Holland nach Pommern gekommen, wo sie das Rittergut Lentschau bei Stralsund erwarben, das aber längst in fremden Händen ist. In Burgund, Kärnthen, Steiermark und im Erzbisthum Cöln waren ebenfalls adelige Familien dieses Namens einheimisch.

Eckardt, Herr von, Bd. II. S. 102.

Dem in unserm Artikel erwähnten v. E. wurde folgendes Wappen beigelegt: Ein ovales, von der obern rechten zur untern linken Seite durch einen grünen Balken getheiltes Schild; in der rechten silbernen Hälfte sind drei Sterne, in der linken blauen Hälfte aber ist eine weisse, fliegende, einen Zweig im Schnabel haltende Taube vorgestellt. Aus dem gekrönten Helme wächst ein gerüsteter, ein Schwert führender Arm; die Rüstung schwarz, die Handschuh golden. Decken Gold und schwarz.

Eckart, die Herren von.

Ein adeliges Geschlecht, das in Gr. Salza begütert war und zu den Pfännern und Thalschöppen in Halle gehörte. — *Cyriacus* E. kommt 1479 und *Peter* E. 1510 als Pfänner vor. Der Stammbaum der Familie beginnt aber erst mit *Herrmann* v. E. Ihr gehörte an *Eberhard* v. E., Rittmeister bei den Gensdarmen, später königl. Oberküchenmeister und zuletzt Stallmeister in Berlin; er war mit des Residenten v. Schmettau Tochter vermählt, aus welcher Ehe zwei Töchter lebten. Sein Bruder, *Hieronymus* v. E., war Commandeur des v. Kalksteinschen, nachmals v. Möllendorfschen Regiments und Ritter des Verdienstordens; er fiel am 22. Novbr. 1757 bei Breslau. Mit Charlotte Albertine v. Bosse, Tochter des General-Lieut. v. B., hatte er keine Kinder. Ein dritter Bruder, *Johann Philipp* v. E., Major bei Kleist, starb 1758 zu Leitomischel in Böhmen an ehrenvollen Wunden. Er hinterliess sieben Töchter, von denen sich eine mit dem Oberst v. Grolman in Colberg vermählte. — Diese Familie führte im quergetheilten Schilde zwei über einander gelegte Wolfsangeln auf einem

Schach stehend. Auf dem Helme wiederholte sich dieses Bild zwischen zwei Büffelhörnern.

Eckenbrecher, die Herren von, Bd. II. S. 104.

Das preuss. Wappenbuch giebt folgendes Wappen dieser Familie. Ein silbernes Schild, darin drei neben einander auf grünem Rasen stehende rothe Rosen, an grünen Stengeln, an jedem derselben vier grüne Blätter. Auf dem Helme steht zwischen zwei schwarzen Adlerflügeln ein gekrönter Löwe verkürzt, der in der rechten Pranke ein Schwert, in der linken einen Bund Pfeile hält. Decken schwarz und Silber.

Ecker und Eckhoff oder Eckhoffen, die Herren von.

Ein in Schlesien vorkommendes, zur Zeit aber, wie es scheint, erloschenes Geschlecht, von dem Sinapius sagt: „Anno 1611 den 24. Februar starb zu Breslau *Wenzel Ecker* v. Eghofen, kaiserl. Maj. Ober-Zoll-Amtmann im Herzogthum Ober- und Nieder-Schlesien, Eques Bohemus natus Opoliae Praedio Paterno non procul Praga Michaele et Regina Parentibus 24. Mart. 1589 Cunradi Sil. Tog. Er hatte zur Ehe Dorothea v. Hajeczkin, von der unter andern geboren *Catharina*, die in zarten Jahren 1598 den 16. October zu Oppeln gestorben, wie aus dem lateinischen zu Neisse gedruckten Leichen-Gedichte erscheinet, darinnen ihr Vater geschrieben wird Wenceslaus Eckherr ab Eckhoff."

Das Wappenbuch zählet sie P. II. p. 49 zu den ansehnlichsten schlesischen Geschlechtern, deren Schild gespalten, dessen vordere Seite weiss, die hintere schwarz, doch durchstreicht beide ein Winkelmaass, dessen halber Theil im weissen Felde roth und im schwarzen gelb ist. Auf dem gekrönten Helme sieht man den gekrönten schwarzen Adler mit ausgebreiteten Flügeln und auf dessen jeder Seite zwei Fahnen; von der vordern Seite ist die obere Fahne roth, die andere weiss, von der hintern Seite die obere Fahne gelb, die andere schwarz. Die vordern Helmdecken weiss und roth, die hintern gelb und schwarz. In Silesiogr. C. VIII. p. 765 werden sie nicht Ecker von, sondern nur Eckhofen genannt. M. s. Sinapius II. 604.

Eckhard (t), die Herren von, Bd. II. S. 105.

Eine adelige Familie dieses Namens gehörte dem Magdeburgschen an. — *Johann Friedrich* v. E., königl. grossbritannischer und königl. polnischer Geh.-Rath, war Decan des Stiftes Goslar und Herr auf Döllnitz im Saalkreise. Er hatte vier Söhne: *Johann Friedrich, Christ. Wilhelm, August Friedrich* und *Ludwig Rudolph*. Der älteste war königl. dänischer Rittmeister; er verkaufte Döllnitz an einen v. Einsiedel. Diese Familie besass Wappenbriefe von Kaiser Karl V. vom 5. Juli 1545 und von Kaiser Rudolph II. vom 14. Aug. 1593, ferner ein Adels-Diplom von Kaiser Leopold I. vom 31. Juli 1703. v. Meding giebt das Wappen Th. II. No. 110.

Eckwardt, die Herren von, Bd. II. S. 106.

Z. 4. von oben hinter Eckweichte fehlt: **auf dem Helme.**

Egidy, die Herren von.

Diese adelige Familie gehört dem Königreich Sachsen an, wo dieselbe noch in der Gegenwart begütert ist und wo eine lange Reihe von Mitgliedern sich im Militairdienst ausgezeichnet hat. Noch in der Gegenwart ist *Heinrich August* v. E. Oberst und Ritter des Heinrichsordens, Commandant des 1sten Infanterie-Regiment Prinz Albert. Ein Neffe desselben steht als Lieutenant in dem königl. preuss. Grenadier-Regiment Kaiser Franz von Oesterreich.

Egloff, die Herren von, Bd. II. S. 108.

Diese Familie führt im silbernen Schilde zwei über einander gelegte Bärentatzen und auf dem Helme zwei schwarze Adlerflügel. Decken schwarz und Silber.

Ehem, die Herren von.

Ein Augsburger Patriziergeschlecht, von dem sich ein Zweig nach Breslau wendete, wo *Mathias* v. E. im Jahre 1603 lebte, welcher einen Sohn hatte. Sinapius führt einen *Georg* v. E. an, der schon 1480 unter Herzog Heinrich v. Münsterberg lebte. Diese adelige Familie führte im oben silbernen und unten rothen Schilde zwei blaue Sterne. Ein dritter blauer Stern zeigte sich auf dem Helme zwischen einem rothen und einem silbernen Adlerflügel. Decken Silber und blau. Schlesische Curiositäten II. Th. S. 606. Siebmacher I. Th. S. 208 und IV. Th. S. 53.

Ehler, die Herren von.

Ein Danziger Patrizier-Geschlecht, das im goldenen Schilde und auf dem Helme ein auf grünem Hügel sitzendes, eine Nuss zerbeissendes Eichhörnchen führte.

Ehrenberg, die Herren von.

Franz Heinrich Mathias E.'s Erhebung in den Adelstand ward 1710 in Breslau publicirt. — *David* Reich v. E. und Reichenhof lebte auf seinem Gute Ostrowien bei Oels und war Herzog Christ. Ulrichs zu Würtemberg-Oels und Bernstadt Leibmedicus, auch kaiserl. Rath.

Ehrenfels, die Herren von.

Hieronymus Sellin v. E. war königl. schwed. Lehnsecretair und Archivarius zu Hohensee; er erhielt im Jahre 1679 ein Adelsdiplom und starb 1683 zu Stettin. Er hinterliess einen Sohn *Jacob* und eine Tochter *Julie Catharina*, die als vermählte v. Boltenstern starb.

Ehrenkron, die Herren von, Bd. II. S. 112.

Dieser adeligen Familie gehörte Wasserjentsch bei Breslau. Der von uns erwähnte Oberst war *Friedrich Karl* v. E., er starb am 27. Jan. 1811.

Eichhoff, Freiherr von.

Der Präsident der kaiserl. österreichischen allgemeinen Hofkammer in Wien *Joseph* v. E., geboren zu Bonn in der preuss. Rheinprovinz, wurde im Jahre 1836 vom Kaiser Ferdinand in den Freiherrnstand erhoben. Dem Vernehmen nach dürfte die Ernennung dieses ausgezeichneten Staatsmannes zum Staatsminister nahe sein.

Eichmann, die Herren von, Bd. II. S. 115.

Der erwähnte Generallieutenant *Martin Ludwig* v. E. war Herr der Güter Gr. und Kl. Kösternitz, Eichhof, Stegeln u. s. w. und starb am 27. Febr. 1792 zu Wesel. Seine zweite Gemahlin war Sophie Eleonore v. Cordier; sie heirathete nachmals einen Lieutenant Johann Gottfried Ludwig v. Weiss im Regiment Kurfürst v. Hessen.

Eickstedt, die Freiherren von, Bd. II. S. 119.

Ein vor uns liegendes Wappen der Freiherren v. E. zeigt im Mittelschilde und auf dem Helme die adelig v. E.'schen Wappenbilder, übrigens aber im ersten und vierten Felde des quadrirten Schildes ein rechts springendes Pferd, im zweiten und dritten Felde einen geharnischten Arm mit einem Schwerte.

Eilsleben, die Herren von.

Ein erloschenes Geschlecht im Erzstift Magdeburg. Es besass das Burglehn Wanzleben. *Hans* v. E., Burgherr zu Wanzleben im Jahre 1446. — *Karl Friedrich* v. E. starb 1622 kinderlos, mit ihm ist sein Geschlecht ausgegangen und das Burglehn caduc geworden. König's Handschriften.

Einbeck, die Herren von.

Ein altes vornehmes Geschlecht in Pommern, in den Marken und im Braunschweigischen. In der Altmark blühte es in den Häusern Bretsch und Primern. *Johann Balthasar* v. E., Herr auf Bretsch und Primern, war königl. Oberster. Beide Häuser verschmolzen in eins, als *Christoph Daniel* v. E. auf Bretsch (gest. 1684) sich mit *Elisabeth* v. E., Erbtochter des *Balthasar Veit* v. E. auf Priemern, vermählte. Priemern fiel an die Grafen v. d. Schulenburg, als sich August Ferdinand, Graf v. d. Schulenburg, Gen.-Major und Chef eines Husaren-Regiments, mit *Christiane Wilhelmine* v. E., Erbtochter des *Thomas Valentin* v. E. auf Priemern (gest. 1745) vermählte. *Sie*, die letzte ihres Hauses, in der Altmark, starb am 8. Juni 1787. M. s. Pfeffinger's Geschichte von Braunschweig II. Th. S. 136. Siebmacher giebt das Wappen III. Th. S. 140.

Einsiedel, die Grafen von, Bd. II. S. 120.

Das Wappen der Grafen v. E. findet sich im Med. I. 207 ganz richtig beschrieben, wie es noch jetzt geführt wird.

Einwinkel, die Herren von.

Dieses erloschenen Geschlechtes Stammhaus gl. N. liegt in der Altmark bei Seehausen. — *Daniel* v. E. auf E. und sein Bruder *Busso* v. E. lebten 1616. — *Johann* v. E., ein Sohn des erstern, war Herr auf Krochern (?). König's Sammlung.

Eisenschmidt, die Herren von, Bd. II. S. 121.

In der Gegenwart ist diese Familie noch in Ober-Schlesien begütert. Sie führt im silbernen Schilde ein ungezügeltes, nach der rechten Seite gallopirendes schwarzes Ross und auf dem Helme einen Schwan, der auf dem Neste sitzt und seine Brut mit dem Blut aus eigner Brust nährt. Decken schwarz und Silber.

Eisleben, Herr von.

Im Jahre 1582 lebte *Karl* v. E., Herr auf Hermersleben. Er war mit Elisabeth v. Germershausen vermählt. König's Sammlung.

Ellebracht, die Herren von.

Aus dieser westphälischen Familie finden wir *Anton Günther* v. E., Major beim Regiment Wittgenstein. M. s. Stein's westphäl. Gesch. XVIII. Th. S. 936.

Eller von Eberstein, die Herren von, Bd. II. S. 122.

Diese Familie führt folgendes Wappen. Das Schild ist quadrirt, im ersten und vierten blauen Felde ist ein Winkelkreuz in Form eines Rades mit sechs goldenen Speichen und einer rothen Achse vorgestellt, in dem zweiten und dritten ebenfalls blauen Felde liegt ein silberner Triangel, an jeder der drei Seiten mit einer französischen Lilie besteckt. Das Haupt dieses Schildes ist mit zwei Helmen besetzt; der erstere ist mit einem blau und silbernen Bunde belegt, darauf steht ein blauer und ein goldener Adlerflügel, zwischen diesen schwebt das Wappenbild der Felder 1 und 4. Der zweite Helm ist gekrönt, und mit einem blau gekleideten gekrönten, einen langen Zopf tragenden Mohrenrumpf besetzt. Die Decken sind rechts blau und Gold, links blau und Silber.

Ellerdt, die Herren von.

Diese adelige Familie gehört der Provinz Preussen an, wo sie bei Osterode und bei Tilsit begütert war. Hier gehörte ihr Pockraken, dort Platten. *Christ.* v. E., königl. Oberstlieutenant, besass 1704 Platten; er pflanzte seinen Stamm durch zwei Söhne, *Michael* und *Adam*, fort. — Nicht bekannt ist es, ob der Oberst und Commandeur des Regiments von Zaremba von Eller (t), der bei Prag schwer verwundet worden war und 1784 pensionirt wurde, zu dieser Familie gehörte.

Ellingen, die Herren von.

Das Dorf Ellingen liegt nahe bei Prenzlau und hat jetzt verschiedene Besitzer. *Busso*, *Droschin* et *Gerhard* Milites de Ellingen finden sich im Jahre 1286 als Zeugen in einem Boitzenburgischen Klosterbriefe. *Otto* v. E. wird als Zeuge in der Schenkung der Markgrafen Otto und Conrad über ein Talent jährlicher Rente an das Sabinenkloster angeführt. *Janicke* v. E. hat im Jahre 1375 seinen Rittersitz in Klakow gehabt. *Parscyne* v. E. ist noch im Jahre 1431 Zeuge bei dem Kauf über Strehl zwischen Claus, Wilke und Otto Gebrüder v. Arnim und Claus Schultzen. Grundmann S. 37.

Elmerhaus, die Herren von.

Von diesem westphälischen Geschlecht kommen im Jahre 1649 *Ruben Wilhelm* und *Heinrich Wilhelm* v. E. vor, die im Ravensbergschen lebten. König's Sammlung.

Elmpt, die Grafen von.

Die Grafen v. E. stammen aus einem uralten, dem Rheinlande angehörigen Geschlecht, das theils mit der freiherrlichen Würde bekleidet war, theils im Ritterstande lebte und das Schloss Burgau zum Stammsitze hatte, auch noch gegenwärtig zu dem immatriculirten Adel der preussischen Rheinprovinz gehört. — *Johann Martin* Freiherr v. E., geb. 1726, gelangte zur Würde eines kaiserl. russ. General-Feldmarschalls und war am 25. Mai 1790 von dem Vicar des heil. römischen Reiches, dem Kurfürsten Karl Theodor, in den Reichsgrafenstand erhoben worden. Sein einziger Sohn *Philipp* Graf v. E. gelangte ebenfalls zur Würde eines russischen General-Lieutenants; er erwarb die Güter Gr. und Kl. Schwitten in Russland. Er war mit Anna Magdalena v. Baranoff, früher vermählt gewesenen Freifrau v. Budberg, gegenwärtig als Obersthofmeisterin bei der Frau Grossfürstin Helena Paulowna v. Russland angestellt, vermählt. Aus dieser Ehe leben zwei Töchter:

1) *Anna Maria* Reichsgräfin v. E., geb. 1807, Hoffräulein der Kaiserin Alexandra v. Russland.
2) *Cäcilie Philippine* Reichsgräfin v. E., geb. 1812, vermählt mit Joseph v. Annep, kaiserl. russ. General-Major.

Elterlein, die Herren von.

Eine adelige Familie im Königreich Sachsen, namentlich zu Drehbach bei Wolkenstein begütert. Ein Zweig aber ist auch in der preuss. Lausitz ansässig. — *Karl Christian Friedrich* v. E., Herr auf Drieschwitz bei Cottbus, königl. sächs. Oberstlieutenant a. D., starb am 18 Febr. 1837, 74 Jahr alt. Er hinterliess eine Wittwe, Wilhelmine Charlotte Helene v. Zeschau, einen Sohn, *Karl Friedrich Julius* v. E., und eine Tochter, *Louise Mariane Mathilde* v. E. M. s. A. D. Richter de dominis quibusdam ab Elterlein. Annabergae 1742. Tyroff. S. 244.

Elverich, die Herren von, Bd. II. S. 129.

Dieses adelige Geschlecht in der Grafschaft Mark war mit dem Rittergute Barel belehnt.

Elzanowski, die Herren von.

Dieses adelige Geschlecht kam mit dem Orden nach Preussen; es führte ehemals den Namen Elzanow. *Adam* v. E. besass einen Antheil an Gojewo bei Culm. — *Albrecht Jacob* v. E. stand als Offizier beim Cadettenhause in Culm und ging später in russische Dienste. Mehrere Edelleute dieses Namens wohnen in der Gegend von Inowratzlaw.

Emminghaus, die Herren von.

Der Kaiser Joseph II. erhob den Geh. Reg.-Rath *Heinrich Theodor* Emminghausen in den Adelstand und zwar mit dem Beiwort Edler v. Emminghaus. Diese Erhebung bestätigte König Friedrich II. durch ein Anerkennungs-Diplom vom 5. Juli 1774. Diese Familie führt ein quadrirtes Schild mit einem Herzschildlein. Im ersten und vierten goldenen Quartier steht eine blaue französische Lilie, im zweiten blauen Quartier sind zwei übers Kreuz gelegte Schiffsanker sichtbar. Das dritte Quartier zeigt im silbernen Felde drei rothe Rauten, oben zwei, unten eine, dazwischen einen rothen Querbalken. Im Herzschildlein steht auf schwarzem Grunde ein goldener Adler. Das Hauptschild trägt zwei gekrönte Helme, auf dem rechten steht derselbe Adler, auf dem linken wehen fünf schwarze Straussenfedern.

Empich, die Herren von, Bd. II. S. 129.

Diese geadelte Familie erhielt das Anerkennungs-Diplom am 3. Jan. 1794. Sie führte ein getheiltes Schild, die obere Hälfte füllte ein roth und silberner Schach aus, in der untern goldenen Hälfte lagen übers Kreuz zwei grüne Palmenzweige, die sich auch auf dem gekrönten Helme wiederholten. Decken rechts roth und Silber, links Gold und grün.

Enderlein, die Herren von.

Eine adelige Familie dieses Namens besass bei Teltow und bei Cottbus Güter, namentlich Mirschdorf im Kreise Teltow und Falkenberg bei Cottbus. Mit einem Lieutenant *Hans Dietrich* v. E., vermählt mit einer v. Ziethen aus dem Hause Dechtow, erlosch am Anfange des vorigen Jahrhunderts dieses Geschlecht und die caduken Lehne wurden einem v. Montaigne zugetheilt. König's Sammlung.

Engelbrecht, die Herren von, Bd. II. S. 132.

Von den beiden zuletzt angeführten Wappen ist nur das erstere richtig, und bemerken wir nur noch, dass statt der Kugel auch ein Engelskopf geführt wird. Das zweite Wappen gehört vielmehr der Familie v. Engelhardt an, unter welcher (S. 133) es ebenfalls richtig beschrieben ist.

Engelke, die Herren von.

Ein altes Geschlecht, das aus Westphalen mit den deutschen Rittern nach Preussen gekommen, und einen Engel mit einem Schwert im Schilde führte. *Hart* v. E., im 14ten Jahrhundert geboren, gab

10*

erst Veranlassung zur Aenderung des Wappens. Er hat in seinem thatenreichen Leben nur drei Hemden verbraucht; er trug aber nie andere als Panzerhemden. Einst vermisste er den Trauring an dem Finger seiner Gemahlin; Verdacht führte ihn zu Vorwürfen, und Widerspruch zu einem unglücklichen Schlage mit seinem Eisenhandschuh. Seine Gemahlin, von dem Streiche getroffen, sank todt zu seinen Füssen. Bald tröstete er sich über die vermeintliche Treulose und ging eine andere Verbindung ein. Doch der Ring fand sich, von einem Raben versteckt, wieder vor; *Hart* v. E., in Verzweiflung, nahm das Kreuz und seine zweite Gemahlin ging in das Kloster. Seine Kinder nahmen den Raben mit dem Ringe in das getheilte Schild auf, im untern Felde drei Trauringe, und setzten den Raben auf den Helm. — Ein Nachkomme des *Hart* v. E. ist Präsident des evangelischen Consistorium zu Warschau, der bei der jetzt neugestifteten Heroldei zu Warschau als Ritter des Stanislaus-Ordens nur diesen Beweis des eigenen Verdienstes produciren darf, in dessen Familie sich aber stets das Andenken an den alten Ahnherrn erhalten wird. Wahrscheinlich ist dieses derselbe *Peter Gottlieb* v. E., den wir im II. Bd. S. 133 angeführt haben, und welcher am 10. März 1805 also nicht ein Adelsdiplom, sondern ein Anerkennungsdiplom seines Adels erhielt. Das dem Privatgelehrten *Peter Gottlieb* v. E. bei seiner Erhebung in den Adelstand beigelegte Wappen zeigt ein quer getheiltes, oben goldenes, unten blaues Schild. Im goldenen Felde steht ein Vogel, der einen Ring im Schnabel hält, im blauen Felde liegen drei in einander verschlungene goldene Ringe. Auf dem Helme wiederholt sich der Vogel zwischen zwei in Gold und blau gevierteten Büffelhörnern. Decken blau und Gold.

Engeström, die Grafen und Herren von, Bd. II. S. 134.

Das Wappen dieser Familie zeigt in einem blauen, durch eine nach oben bis an das Schildhaupt gezogene silberne Spitze in drei Theile getheilten Schild einen rothen Querbalken, in der Mitte mit einem Patriarchen- oder ungarischen Kreuze belegt. Ueber dem Balken sind zwei, unter demselben ein Stern. — In einem Abdruck des gräflichen Wappens zeigt sich der Balken schwarz tingirt.

Entier, die Herren von.

Johann E., Major im Husaren-Regiment v. Lossow, wurde vom König Friedrich II. am 17. März 1769 geadelt. Diese Familie scheint mit dem Erhobenen wieder erloschen zu sein. Ihr Wappenschild ist quer getheilt. In der obern silbernen Hälfte steht ein aufspringender, von einer Lanze durchbohrter Hirsch, in der untern blauen Hälfte ist ein Helm mit geschlossenem Visier, besteckt mit zwei preussischen Estandarten und drei Straussenfedern tragend, vorgestellt. Der gekrönte Helm trägt zwischen zwei schwarzen Adlerflügeln einen geharnischten, eine Streitkolbe schwingenden Arm. Decken Silber und blau.

Eppingen, die Herren von.

Das uralte Geschlecht derer v. E., dessen Stammhaus bei Bretten in der Unter-Pfalz liegt, ist 1450 mit dem Orden nach Preussen gekommen. In dieser Provinz erwarb es nach und nach die Güter Dösen, Packerau, Wesselhöfen u. s. w. *Friedrich* v. E. kommt zuerst vor; er war erst nach seiner Gemahlin Tode Ordensritter geworden. Er erhielt das Kreuz des Ordens ins Wappen. Im Jahre 1727 lebte *Fabian Abraham* v. E. auf Packerau und *Ernst Ludwig* v. E. auf Wesselhöven. Gauhe I. Bd. S. 380. Siebmacher giebt das Wappen V. Bd. S. 174.

Erdmannsdorff, die Herren von, Bd. II. S. 138.

Das Schild ist nicht in Gold und roth, sondern in schwarz und roth gespalten.

Essellen, die Herren von, Bd. II. S. 145.

Das Wappen dieser Familie zeigt im rothen Schilde oben zwei kleine goldene Schilder, unter diesen aber ein grünes Kleeblatt. Auf dem Helme steht, zwischen zwei schwarzen Adlerflügeln, eine grüne Staude von drei Zweigen, die dreizehn Blätter treiben. Decken roth und Silber.

Estorff, die Herren von.

Aus dieser alten, theils braunschweigischen, theils bremischen Familie haben zu verschiedenen Zeiten Mitglieder im preuss. Heere gestanden. Gegenwärtig steht ein Prem.-Lieutenant v. E. beim 13ten Infanterie-Regiment und ist als Adjutant bei der 13ten Landwehrbrigade commandirt. Die bremische Familie v. E. führt einen abgehauenen, von der linken zur rechten Seite gelehnten Baumstamm mit zwei abgehauenen grünen Aesten im grünen Schilde. Auf dem Helme zwei Büffelhörner, roth und grün geviertet, zwischen den Hörnern liegt der Stamm. Decken grün und Silber. — Die braunschweigische Familie aber führt im rothen Schilde eine schräg gelegte französische Lilie, und auf dem Helme sieben Hahnenfedern. M. s. Siebmacher I. Bd. S. 184. Das zuerst gegebene Wappen aber in Mushard S. 229 und v. Krohne I. Th. S. 284.

Eurich, die Herren von.

Ein zum Adel von Cleve gehöriges Geschlecht. — *Gerhardt* v. E. lebte 1787 zu Nieder-Wesel; sein Sohn war königl. Salzfactor zu Cleve. König's Sammlung.

Everde, die Herren von.

Ein erloschenes adeliges Geschlecht in Pommern, das zu Afterlehnsleuten der Buggenhagen gehörte. Sie führten im Schilde und auf dem Helme einen Eber, der einen grünen Zweig in der rechten Vorderklaue hält.

Eybiswalde, die Freiherren von.

Aus dieser alten steiermärkischen Familie, die auch das Erbfalkenmeister-Amt besass, kam *Paul* Freiherr v. E. aus dem Hause Pegau als Flüchtling nach Berlin. Er starb daselbst am 30. Mai 1633 mit

Hinterlassung eines Sohnes, *Paul Hartmann* Freiherr v. E. Der Vater hatte seine Bibliothek der Petrikirche geschenkt, die am Anfange dieses Jahrhunderts ein Raub der Flammen wurde. M. s. Bucelin P. III. Stemat. Fol. 292. Siebmacher I. Th. S. 37.

Eyff, die Herren von, Bd. II. S. 149.

Das Wappen der v. E. ist der Länge nach durch einen doppelten Faden getheilt; in der rechten silbernen Hälfte ist ein schwarzer Adlerflügel vorgestellt, die linke Hälfte ist in ein rothes und in ein silbernes Feld getheilt. In dem untern silbernen Quartier wird ein goldener Mörser auf rother Lavette sichtbar. Dieser wiederholt sich auf einem schwarzen Adlerflügel, der auf dem ungekrönten Helme steht. Decken rechts schwarz und Silber, links roth und Silber.

Eyss, die Freiherren von, Bd. II. S. 151.

Ein dem Adel der Rheinprovinz angehöriges Geschlecht, das durch lange Zeiten in der freien Reichsstadt Aachen hohe Würden in der Magistratur bekleidete. Im Jülichschen, im Limburgschen, im Nassauschen und in Holland ist oder war dieselbe begütert. — *Joseph* Freiherr v. E lebt zu Ehrenbreitenstein bei Coblenz, *Johann Baptist* Freiherr v. E. und Elisabeth Freifrau v. E. geb. Freiin v. Wetzel genannt Carben zu Horchheim bei Coblenz. In Wiesbaden und Weilburg sind ebenfalls Zweige dieses Hauses. M. s. a. Robeñ S. 206—9.

F.

Fabeck (Fabecki), die Herren von, Bd. II. S. 152.

Die Herren v. Fabecki, in Preussen v. Fabeck genannt, stammen aus Polen. In Preussen erwarb *Matthias* v. F. Güter bei Ortelsburg. Seine Söhne erhielten das Indigenat in Preussen. Das älteste Gut der Familie ist Jablancken bei Ortelsburg.

Faber, die Herren von, Bd. II. S. 152.

Es führt diese Familie ein gespaltenes Schild; im rechten silbernen Felde zeigt sich ein blosser Arm mit zurückgestreiftem Hemde, der ein Eisen (Bergwerkshammer) hält, im linken blauen Felde stehen drei silberne Sterne unter einander. Auf dem gekrönten Helme wiederholt sich der Arm mit dem Eisen.

Fabricius, die Herren von.

Eine adelige Familie dieses Namens ist in den Rheinprovinzen ansässig; sie stammt von *Andreas Gottlieb* F., Reichs-Hofrath-Agent, der am 4. Septbr. 1731 in den Reichsadelstand erhoben wurde. — *Caspar Ludwig Franz* v. F. wohnt zu rothe Erde bei Aachen. M. s. v. Meyerle S. 280 und v. Lang S. 230.

Facius, die Herren von.

Bei dem Stadtgericht zu Königsberg in Preussen ist der Assessor v. F. angestellt. Im Jahre 1806 stand bei der russischen Gesandtschaft in Berlin ein Collegien-Assessor v. F.

Fahrenholz, die Herren von, Bd. II. S. 153.

Ein Stammhaus dieser Familie, oder doch ein altes Besitzthum derselben war der Rittersitz Reezow im Havellande. Der von uns erwähnte Oberst führte die Vornamen *Albrecht Friedrich.*

Fahrenwalde, die Herren von.

Bethicke v. F. kommt im Jahre 1368 in einem Sabinen-Klosterbriefe, und im Jahre 1372 in dem Lehnbriefe über das halbe Dorf Blindow vor. Das Dorf Fahrenwalde liegt in der Uckermark. Grundmann S. 40.

Falckenhain (Falckenhahn), die Grafen u. Herren v., Bd. II. S. 154.

Diese alte Familie stammt aus der Mark und es hat sich ein Zweig derselben auch in Schlesien niedergelassen, worüber man Gauhe's Adels-Lexicon nachsehen kann. Der Stifter der preuss. Linie, *Hans*, oder nach Andern *Siegesmund* v. F., war deutscher Ordensritter und kam mit Markgraf Albrecht nach Preussen. Er verliess hierauf den Orden und vermählte sich 1) mit Fräulein v. Sekken, 2) mit Fräulein v. d. Diehle und 3) mit Anna Juliana v. Baysen, Tochter von Gabriel v. Baysen, Woiwoden zu Culm. Er besass die Güter Maldeiten, Seegerswald und Kettern und erhielt die Lehn darüber am 8. März 1569. Von seinen vielen Kindern wird nur *Sebastian* v. F. genannt. Dieser war Amts-Hauptmann zu Riesenburg und acquirirte das Gut Limse. Seine Gemahlin war eine Baronesse zu Eulenburg, mit welcher er viele Nachkommen hinterliess, unter denen folgende Söhne genannt werden:

1) *Sebastian* v. F., Erbherr auf Limse, vermählt 1) mit Esther, Baron. v. Heydek, Wittwe des Archivars Brand; 2) mit Catharina v. Kannacher aus Paslak, welche sich nachher mit Jacob Folter vermählte. Er hinterliess ebenfalls viele Erben. Die Töchter wurden in die Familien v. Diebes, v. Kroesten, v. Saugnin, v. Raben, v. Salleit, v. d. Milka und v. Auerswald verheirathet. Von den Söhnen pflanzte *Melchior* v. F. mit Barbara v. d. Gablenz hier sein Geschlecht fort. Er hinterliess *Ahasverus* v. F. auf Limse, der sich mit Amalie v. Kaniz auf Gedeu vermählte, mit selbiger aber nur eine Tochter *Barbara* zeugte, die sich an den Oberst Johann Wolf v. d. Groeben verheirathete, und so das Gut Limse damals auf die v. Groebensche Familie brachte.

2) *Florian* v. F. ward Amtshauptmann zu Osterode und Erbherr auf Maldeiten. Er hatte Gertrud v. Rabin zur Gemahlin, von der er

fünf Töchter und zwei Söhne hinterliess. Der eine Sohn, *Johann Heinrich* v. F., war preuss. Hofgerichts-Rath und hatte Maria v. Sparwein aus Maldeiten und Klingbek zur Gemahlin. Der zweite Sohn, *Ludwig* v. F., vermählte sich mit Sophia v. Borken. Von beiden findet sich nur ein Erbe, *Wilhelm Ernst* v. F., verzeichnet, der um das Jahr 1650 lebte, von dem aber ungewiss ist, ob er des einen oder des andern Sohn war.

Ausser diesem findet sich noch *Johann Alexander* v. F. verzeichnet, der seit 1754 das Gut Glaubitten besass und 1746 königl. preuss. Major wurde. Seine Gemahlin war Margarethe Eleonore v. Kurofski auf Gr. Schwaraunen, aus welcher Ehe auch ein Sohn, *Daniel Bernhard* v. F., genannt wird, der 1759 geboren und ebenfalls in preuss. Kriegsdienste getreten ist. Ob er zur preussischen oder schlesischen Linie gehört, vermögen wir nicht zu bestimmen.

Die Familie führt im Wappen ein Posthorn im weissen Schilde, das Posthorn ist unten roth und der Ring oben braun, auf dem Helme sind weisse Federn mit schwarzen Punkten, die Helmdecke ist roth und weiss. M. s. preuss. Archiv Jahrg. 1792. Mon. Sept. S. 604—7.

Faldern (Falderen), die Herren von.

Johann Franz F. wurde am 4. Jan. 1730 in den schlesischen Adelstand erhoben. Seine Nachkommen besassen die Güter Woitzdorf, Langendorf, Ullersdorf und noch im Jahre 1800 einen Antheil von Sechwitz bei Rosenberg. In der Gegenwart scheinen die v. F. nicht mehr in der Provinz Schlesien ansässig zu sein. — Jetzt stehen zwei Herren v. F. in der Armee, der ältere als Prem.-Lieutenant im 7ten Uhlanen-Regiment zu Bonn, der jüngere als Lieutenant im 22sten Inf.-Regiment. — In unserm II. Bde. S. 163 ist der Art. v. Feldern nach diesen Angaben zu berichtigen.

Falken, die Herren von, Bd. II. S. 153.

Eines der ältesten Stammgüter dieses Hauses war der Rittersitz Satzker, nicht Socker, wie v. Gundling angiebt. Ein anderes Stammhaus war Luempzow bei Stettin. In der Uckermark besassen sie auch Preetz, und in Westphalen, Hessen und Sachsen waren ebenfalls Zweige ansässig.

Falkenhagen, die Herren von.

Ein erloschenes Geschlecht in der Mittelmark, wo Ferbitz ein Stammhaus desselben war; auch Kuhweide und Schönermark in der Uckermark waren Güter dieser Familie, aus welcher wir *Joachim* und *Dietrich* v. F., die im Jahre 1589 lebten, aufgezeichnet finden. König's Sammlung.

Falkenrehe, die Herren von.

Ein erloschenes Geschlecht im Havellande, wo es Saatskorn und Fahrland besass. Es erlosch am 16. Juni 1625 mit *Elisabeth* v. F., vermählte v. d. Groeben. Am 18. Octbr. 1627 gab der Churfürst Georg Wilhelm die verfallene Lehne dem Georg Ehrenreich v. Burgsdorf. König's Sammlung.

Falzburg, die Herren von, Bd. II. S. 159.

Diese Familie stammt von dem früher pfalzgräflichen, später königl. schwedischen Rath *Johann* F. ab, der im Jahre 1649 vom König von Schweden geadelt wurde. Er stammte aus Lindau am Bodensee.

Fasolt, die Herren von, Bd. II. S. 160.

Dieses Geschlecht führt im silbernen Schilde zwei schwarze Balken und auf dem Helme sechs Straussenfedern, abwechselnd in Silber und schwarz. Decken Silber und schwarz.

Fauché-Borel, die Herren von.

Diese dem Fürstenthum Neufchatel angehörige Familie erhielt von preussischer Seite ein Anerkennungsdiplom ihres Adels. Sie führt im goldenen Schilde ein zweites kleineres blaues Schild, darin sind die Köpfe dreier silberner Einhörner vorgestellt, zwischen den beiden oberen schwebt ein die Spitze aufwärts kehrender Halbmond. Auf dem gekrönten Helme stehen zwei schwarze Adlerflügel. Zwei Einhörner halten das Schild, sie stehen auf goldenen Pfeilen und sind durch ein um diese Pfeile geschlungenes blaues Band verbunden, auf welchem mit goldener Schrift die Worte stehen: Faire sans dire. Die Helmdecken sind rechts roth und Gold, links blau und Silber.

Faudel, Herr von, Bd. II. S. 160.

Der Geh.-Rath v. F. führte ein quadrirtes Wappen mit einem Herzschilde. Im ersten silbernen Felde stand ein Pfau natürlicher Farbe, im zweiten goldenen war ein schwarzer, gekrönter Adlerhals, im dritten ebenfalls goldenen Felde ein paar schwarze Adlerflügel mit den Kleestengeln belegt, und im vierten silbernen Felde ein Hase auf grünem Boden laufend vorgestellt. Das Herzschild zeigt eine Burg mit drei Thürmen, der mittlere höher als die beiden zur Seite, auf blauem Grunde. Das Hauptschild trägt zwei Helme, der erste ist mit den Adlerflügeln, der zweite mit dem hier rechts gekehrten Pfau besetzt. Decken rechts roth und Silber, links schwarz und Gold.

Favin, die Herren von.

Zwei Brüder, *Elias Salomon* und *Friedrich* v. F., standen in einem Regiment zu Stettin; einer derselben begab sich nach Russland und starb zu Pocro am 18. Aug. 1788.

Faye, die Herren de.

Ein Major de F., vermählt mit einer v. Zabeltitz, lebte zu Burg noch im Jahre 1806, und in der Armee kommen mehrere Offiziere dieses Namens vor. In Erfurt stand ein Hauptmann du F. im 3ten Musketier-Bataillon des Regiments Graf v. Wartensleben. Ein Lieutenant v. d F. stand damals in dem Regiment v. Hagken; er war im Jahre 1828 Garnison-Verwaltungsdirektor in Cöln.

Federau, die Herren von.

Eine adelige Familie dieses Namens kommt in Preussen vor. Ihr Wappen befindet sich in der Dudersberger Sammlung und das preuss. Archiv erwähnt ihrer im Jahrg. 1792 S. 607.

Felden, die Herren von, Bd. II. S. 163.

Im Jahre 1780 lebte *Christoph* v. F. genannt Wibzcinski auf Schamick bei Gutstadt; sein Bruder *Karl* v. F. W. lebte noch im Jahre 1805. — *Erdmann* v. F., Herr auf Wellersdorf, hinterliess zwei Söhne; von ihnen war *Hans Christian* 1721 und *Erdmann* 1726 geboren. — Der in unserm Artikel erwähnte Major, jetzt Oberstlieutenant, ist irrthümlich v. Velden, statt v. Felden, aufgeführt worden. (M. s. a. den Art. v. Velten.) — Der Ordensrath Hasse giebt verschiedene Wappen derer v. F. S. 25 b. ist eins abgebildet, welches im rothen Schilde und auf dem Helme drei grüne Aeste zeigt, von denen der obere und der untere drei goldene Blätter treibt. — Ein zweites S. 83 zeigt im rothen Schilde und auf dem Helme einen goldenen Zweig mit sechs Blüthen. — Ein drittes S. 239 zeigt im silbernen Schilde drei goldene Kornähren auf grünem Hügel, und auf dem Helme ein silbernes Feldhuhn, das einen goldenen Zweig im Schnabel hält. — Ein viertes gehört der Familie v. Velten an.

Fellenberg, die Herren von, Bd. II. S. 163.

Das dieser Familie beigelegte Wappen zeigt im silbernen Schilde oben den Kopf und Hals eines schwarzen Adlers; der untere Theil ist in Silber und roth gespalten, in der Mitte, beide Felder berührend, steht eine halb roth, halb weisse Rose mit grünen Blättern auf grünem Hügel. Dieselbe Rose wiederholt sich mit sechs grünen Blättern auf dem ungekrönten Helme zwischen zwei schwarzen Adlerflügeln. Decken schwarz, roth und Silber. M. s. Wappenbuch der preuss. Monarchie III. Bd. S. 17.

Felsenstein, die Herren von.

Ein erloschenes Geschlecht in der Oberlausitz, das mit *Hans Ferdinand Prenzel* v. F. auf Obersteinkirch und Nieder-Beerberg in der zweiten Hälfte des vorigen Jahrhunderts ausgestorben ist.

Fengler, die Herren von, Bd. II. S. 165.

Ein Nachkomme des von uns erwähnten Kanzlers *Caspar Joseph* F. war *Ferdinand Leopold* v. F., Prem.-Lieutenant des Regiments v. Hessen-Cassel; er blieb in der Schlacht bei Zorndorf. Sein Bruder, *Johann Joseph* v. F., focht ebenfalls fast in allen Schlachten des siebenjährigen Krieges in dem Regiment v. Anhalt, und starb als der Letzte seines Geschlechts. Ein natürlicher Sohn von ihm war *Karl Ludwig* v. F., der als Staabs-Capitain der Magdeburger Füselier-Brigade im Jahre 1788 starb. Mit ihm erlosch diese am 28. Aug. 1702 in den Adelstand erhobene Familie wieder gänzlich. — Das Wappen dieser Familie zeigt im gespaltenen silbernen und rothen Schilde hier einen goldenen aufspringenden Löwen, dort drei rothe Rosen und auf dem Helme zwei schwarze Adlerflügel.

Fentzel, die Herren von.

In Oestreich ob der Enns blühten im Jahre 1611 *Achatius* und *Johannes* Gebrüder Fentzl zum Weyer-Wolffstein, auf Feyeregg, Seisenburg und Grueb; in Schlesien im vorigen Jahrhundert *Johann Rudolph* v. F. im Oppelnschen; dessen Ehe mit Catharina Elisabeth v. Skronski u. Budzow blieb ohne Erben.

Das Wappenschild ist rechts durchschnitten, vorn gelb, hinten schwarz, darin ein aufspringender Löwe, dessen Untertheil im gelben Felde schwarz, der Obertheil im schwarzen Felde gelb ist. Auf dem gekrönten Helme zwischen zwei Hörnern, von welchen das vordere oben gelb, unten schwarz, das hintere oben schwarz, unten gelb ist, der Löwe unten abgekürzt, das hintere Horn mit den Tatzen haltend. Die Helmdecken schwarz und gelb.

Silesiogr. Henel. C. 8. p. 765 zählt sie zu dem schlesischen Adel, mit Angabe des Wappenb. P. I. p. 35, wo die v. F. unter den vornehmsten östreichischen Familien vorkommen.

Fernemont, die Grafen von, Bd. II. S. 165.

Dieses gräfliche Haus erhielt vom König Friedrich II. am 13. Sept. 1748 ein Anerkennungs-Diplom, namentlich waren es die Gebrüder *Johann Franz* und *Johann Ignaz* Grafen v. F. und Freiherren v. Barwitz, denen diese Urkunde ausgestellt wurde. Das Wappen des Hauses ist seit dieser Zeit folgendermassen zusammengesetzt: Das Hauptschild besteht aus vier Quartieren, die in der Mitte durch einen silbernen Balken im rothen Felde von einander geschieden werden; im ersten goldenen Quartiere ist eine Rose, im zweiten und dritten schwarzen ein goldener, nach der rechten Seite aufspringender Löwe vorgestellt; im vierten, ebenfalls goldenen Felde liegen drei schwarze Hift- oder Jagdhörner. Das Mittelschild enthält den preussischen Adler im silbernen Felde, und ist mit einer neunperlichen Krone bedeckt. Das Hauptschild trägt drei gekrönte Helme; auf dem ersten (rechten) steht der Löwe verkürzt, aber gekrönt und die Rose in der rechten Pranke haltend, auf dem zweiten ist der preussische Adler und auf dem dritten ein wachsender wilder Mann, die Keule auf der Schulter tragend und um Kopf und Hüften grün bekränzt, vorgestellt. Die Decken sind rechts schwarz und Gold, links roth und Silber. Zwei goldene Greife halten das Schild.

Fewer, die Herren von.

Eine adelige Familie dieses Namens, die vielleicht dieselbe ist, welche in Schlesien unter dem Namen v. Feuer vorkommt (m. s. Adels-Lexicon II. Bd. S. 165), war in Westpreussen begütert, dort besassen im Jahre 1750 zwei Brüder v. F. das Gut Waldau bei Marienwerder. König's Sammlung.

Fidicin, die Herren von.

Gottlob Ernst v. F., in seinem Vaterlande Helios Hygadus genannt, ein Edelmann aus Neusohn in Ungarn, kam 1702 wegen Religionsbedrückung nach Oberschlesien und lebte, vermählt mit einer v. Pelchrzim, zu Czissuwka bei Pless. Von seinen Söhnen dienten zwei in der Armee.

Fiebig, die Herren von, Bd. II. S. 166.

Diese adelige Familie führt ein quadrirtes Schild. Die Felder 1 und 4 sind roth, die Felder 2 und 3 blau. Im ersten Felde zeigt sich ein aus den Wolken kommender gerüsteter Arm, der eine brennende Granate hält, im zweiten Felde ist ein silberner, in den Feldern 3 und 4 aber in jeder ein goldener Stern vorgestellt. Auf dem gekrönten Helme stecken drei Straussenfedern, die äussern Silber, die mittlere schwarz. Die Decken sind rechts roth und Gold, links blau und Silber.

Fischer, die Herren von, Bd. II. S. 172.

Wappen der Familien v. F., die am 18. Octbr. 1786 und am 8. März 1804 geadelt worden sind: Im blauen Schilde ist ein schräg von dem untern linken Winkel zum obern rechten Winkel strömender Fluss vorgestellt, in dem drei Fische schwimmen, im obern linken und untern rechten Winkel ist eine goldene Biene angebracht. Auf dem gekrönten Helme wehen drei schwarze Straussenfedern. Decken roth und Silber. Wappenbuch der preuss. Monarchie III. Bd. S. 18.

Fisenne, die Herren von, Bd. II. S. 173.

Der von uns angeführte Landgerichtsrath zu Aachen v. F. stammt aus einem alten aachner Geschlechte, welches im 12ten Jahrhundert die Herrschaften Fisenne und Oppagne in den Ardennen besass. Aus diesem ardennischen Geschlechte war *Wibald* v. F. 44ster Abt von Stablo. Ein anderer *Wibald* v. F. wurde vom Kaiser Conrad III., dem Hohenstaufen, an den Kaiser Emanuel Comnenus nach Constantinopel gesandt, und starb am 19. Aug. 1138 zu Butelia in Macedonien auf der Reise. Die ältere Linie starb im 17ten Jahrhundert mit *Johann* v. F., der in den böhmischen Unruhen blieb, aus. Die Herrschaft Fisenne kam an *Anton Georg* v. F., Herr zu Soiron und Rianive, von einer jüngern Linie. Dieser erhielt 1701 die Genehmigung zur Erneuerung und Vermehrung des Adels-Diploms. Sein Sohn *Paul Ludwig*, Herr zu Fisenne, Oppagne, Soiron und Rianive, vermählte sich 1713 zu Aachen mit Susanne v. Thenen, Frau zu Wembs, welche 1710 vom Kaiser Joseph I. in den Adelstand erhoben worden war. Aus dieser Familie leben gegenwärtig zu Aachen *Walter*, *Ludwig*, *Peter Anton* und *Peter Georg* v. F. Ersterer ist königl. Procurator beim Landgericht zu Aachen.

Flachsland, die Herren von.

Diese alte Familie gehört ursprünglich der Schweiz und dem Elsass an, von wo aus sie nach Schlesien gekommen ist. Ein Ritter aus diesem Hause erschien zuerst in Schlesien im Jahre 1655, wo er bei dem im Schlosse zu Ohlau residirenden Herzog Christian zu Brieg die Stelle eines Hofmarschalls bekleidete. In dem Stammbaume der Familie v. Dyhrn kommt ebenfalls der Name v. F. vor. Christoph v. Dyhrn, vermählt mit einer v. F., starb im Jahre 1660 mit Frau und Kindern an der Pest. — Diese Familie führte im goldenen Schilde einen schrägen schwarzen Balken, und auf dem gekrönten Helme eine Frucht, ähnlich einer Artischoke, mit goldenen Blättern. M. s. Lucae S. 1757. Hattstein II. Bd. S. 102. Sinapius II. Bd. S. 624. Gauhe II. Bd. S. 289. Siebmacher giebt das Wappen I. Th. S. 197. Tyroff S. 166.

Flagingk, die Herren von.

Gerhard F. in der Grafschaft Lingen erhielt am 16. April 1740 ein Adelsdiplom. — Diese Familie führt ein quadrirtes Wappen; im ersten silbernen Felde ist ein rother Adler, im zweiten ebenfalls silbernen Felde ein kurzer Ast, der ein grünes Blatt treibt, im dritten goldenen Felde sind fünf Rosen, oben zwei, unten zwei, eine in der Mitte, und im vierten rothen Felde ein Kranich, der einen Stein hält und auf grünem Hügel steht, vorgestellt. Auf dem gekrönten Helme ist der rothe Adler sitzend angebracht. Decken rechts roth und Gold, links grün und Silber. Zu Schildhaltern ist ein rother Greif und ein goldener Löwe gewählt. Wappenbuch der preuss. Monarchie III. Bd. S. 18.

Flans, die Herren von, Bd. II. S. 173.

Jeder der beiden Adlerflügel auf dem Helme ist mit einem rothen, die Spitze nach oben kehrenden Schwerte belegt.

Fliet, die Herren von.

Hans v. F. besass im Jahre 1375 einen Ritterhof mit vier Hufen in seinem Stammgute Fliet. *Claus* v. F., wohnhaft zu Fliet, lebte im Jahre 1444, wie aus einer Obligation, an Ebel v. Arnim ausgestellt, hervorgeht. *Caspar* v. F., Arnimscher Hauptmann auf dem Schlosse Boitzenburg, ist im Jahre 1611 gestorben. Dessen Vetter, *Samuel* v. F., auf Parmen Erbgesessen, erhielt das Bürgerrecht zu Prenzlau, welches *Caspar* v. F. besass. Das Stammhaus Fliet besitzen jetzt die Herren v. Arnim. Grundmann S. 40.

Flodorf (Flodroff), die Herren von, Bd. II. S. 176.

Adolph v. F. war 1602 bis 1628 Statthalter zu Moers. Sein Sohn *Adolph* v. F. starb 1703.

Flörke, die Herren von, Bd. II. S. 177.

Das Wappen dieser Familie zeigt im blauen Felde einen rechts gekehrten geflügelten Greif, der in den Klauen zwei gekreuzte Fähnlein hält. Auf dem Helme drei links gekehrte Straussenfedern.

Flotow, die Grafen und Herren von, Bd. II. S. 177.

Die Herren v. F. auf Altenhof und Mesendorf bei Pritzwalk führen im silbernen, durch ein rothes Andreaskreuz in vier Quartiere getheiltem Schilde in jedem Quartiere einen rothen Ring, auf dem Helme aber zwei rothe Büffelhörner, die am Mundstücke von einem grünen Kranz umschlungen sind. Zwischen ihnen steht der Rabe, der ein goldenes Schild im Schnabel hält. Decken roth und Silber.

Fölkersamb, die Herren von, Bd. II. S. 178.

Gustav Georg v. F. war kursächs. Geh.-Rath und bevollmächtigter Minister am Hofe zu Kopenhagen; er lebte in der Ehe mit einer

Freiin v. Risch aus dem Hause Nischwitz. Aus dieser Ehe war nur eine Tochter, *Sophie*, geb. den 28. Febr. 1773. — In Preussen sind Kalkunen, Alshoff, Penau u. s. w. alte Besitzungen dieser Familie, auch Malschitz bei Lauenburg in Pommern war in den Händen eines Zweiges. — *J. L. F.* v. F. besass dieses Rittergut 1786. Es dienen noch gegenwärtig Söhne aus diesem Hause in der Armee.

Förster, die Herren von, Bd. II. S. 178.

Die in unserm Artikel unter 1) angegebene Familie, die Nachkommen der Gebrüder *Ernst Gottlieb* und *Johann Heinrich* F., so wie die vier ausser der Ehe erzeugten, aber durch Diplom vom 31. Dec. 1787 legitimirten Kinder des *Siegismund* v. F. (Sohn *Johann Heinrichs*), führen folgendes Wappen: Das mittelst eines von der rechten untern zur linken obern Seite gezogenen silbernen Schrägbalken in ein blaues und ein rothes Feld getheilte Schild zeigt im blauen Quartier drei goldene in ein Dreieck (oben zwei, unten einer) gestellte Sterne, im rothen aber einen auf grünem Rasen stehenden goldenen Greif, nach der rechten Seite aufspringend und einen Stern in der rechten Klaue haltend.

Foglar, die Freiherren von.

Eine aus östreichisch Schlesien stammende Familie, die aber auch Güter in dem preussischen Antheile hatte. — *Georg Jaroslaw* v. F. und Kaltwasser war 1720 Herr auf Chudow, Kl. Paniowski und Chechlo, und der freien Standesherrschaft Beuthen Land-Rechts-Beisitzer. Am 28. April 1726 wurde *Johann Nicolaus* v. F. und Kaltwasser in den Freiherrenstand erhoben. Der erwähnte *Georg Jaroslaw* hinterliess nur eine Tochter, *Erdmuthe Charlotte Eleonore* v. F. Sie vermählte sich 1763 mit dem Grafen Karl Wilhelm Erdmann v. Röder auf Holstein (gest. 1796). M. s. Sinapius II. Bd. S. 625. M. E. S. 57.

Foller, die Herren von, Bd. II. S. 178.

Dieses Geschlecht ist mit dem Orden nach Preussen gekommen und hat sich früher Follert geschrieben. Das Rittergut Mischen und die Bonselacker Güter gehörten dieser Familie.

Forell, die Herren von, Bd. II. S. 180.

Der in unserm Artikel unter 2) erwähnte am 10. Juli 1803 mit einem Adelsbriefe vom König von Preussen versehene Landsyndicus *Johann Peter Wilhelm* v. F. führt folgendes Wappen: Das mit einem goldenen Rahme umgebene Schild ist quer in ein blaues und ein grünes Feld abgetheilt; in der blauen obern Hälfte sind zwei nach der rechten Seite schwimmende Forellen, in dem untern rothen Felde aber ein goldenes Kleeblatt angebracht. Auf dem Helme wiederholt sich zwischen zwei mit dem Kleestengel belegten schwarzen Adlerflügeln die Forelle. Decken rechts roth und Silber, links blau und Gold.

Foris, die Herren von.

Es leben gegenwärtig im preussischen Staate mehrere Brüder v.

F., von denen der ältere, *J.* v. F., königl. Postsecretair zu Berlin, ein anderer aber Lieutenant im 29sten Infant.-Regiment ist.

Forkenbeck, die Herren von, Bd. II. S. 181.

Diese Familie führt im blauen Felde eine stehende rechts gekehrte Gans mit ausgebreiteten Flügeln und geöffnetem Schnabel. Dasselbe Bild auf dem Helme.

Forselius, die Herren von, Bd. II. S. 181.

Ein aus Liefland nach Preussen gekommenes Geschlecht. *Johann Friedrich* v. F., geb. 1764 stand in seiner Jugend bei dem Dragoner-Regiment v. Posadowski und besass die Güter Schillinken, Milchbude, Planscharen, Benitten u. s. w. Diese adelige Familie erhielt am 1. Febr. 1776 ein Anerkennungs-Diplom. Ihr Wappen zeigt in dem gespaltenen, rechts blauen, links goldenen Schilde hier einen bis an die Kniee im Wasser stehenden, nach der rechten Seite aufspringenden rothen Löwen mit doppeltem Schweife, dort einen auf grünem Rasen stehenden, reich belaubten, fünf Aepfel tragenden Apfelbaum. Auf dem Helme wehen drei Straussenfedern. Decken blau und Gold.

Fragstein, die Freiherren und Herren von, Bd. II. S. 185.

Das Wappen dieser Familie zeigt einen Weinstock mit Trauben, beseitet von zwei Rebenmessern (Hippen). Auf dem Helme drei Straussenfedern.

Francheville, die Herren von, Bd. II. S. 186.

Die Familie de Fresne de F. erhielt die in unserm Artikel erwähnte Anerkennung ihres alten Adels und führte ein aus sechs Feldern und einem Mittelschild bestehendes Wappen. Im Mittelschilde und im zweiten Felde zeigt sich in Silber ein rother, nach der rechten Seite aufspringender Löwe, im ersten goldenen Felde steht ein belaubter Baum auf grünem Hügel, im dritten grünen Felde sind sechs silberne Kugeln (3. 2. 1.), im vierten rothen Felde zwei goldene Sporen, im fünften goldenen Felde drei rothe Hammer (2. 1.), im sechsten aber drei eben so gestellte goldene Kronen; über, unter und neben denselben sind zwölf goldene Kleeblätter angebracht. Zwei rothe Löwen halten das Schild, welches von einer neunperligen Krone bedeckt ist. Wappenbuch der preuss. Monarchie III. Bd. S. 120.

Franck, Herr von.

Dem Gutsbesitzer *Gottlieb Heinrich* F. wurde bei seiner Erhebung in den Adelstand folgendes Wappen beigelegt: Das Schild ist mit einem goldenen Rahmen eingefasst, das obere Feld ist blau und es ist darin ein über zwei kurze goldene Balken gelegter goldener Sparren vorgestellt, die untere Hälfte ist in Gold und Silber gespalten. Im goldenen Felde zeigt sich eine auf einem Getreidefelde stehende weibliche Figur, die in der rechten Hand eine Sichel und unter dem linken Arm ein Füllhorn hält; in der silbernen Hälfte steht ein Baumstamm, der drei neue Zweige getrieben hat. Der gekrönte Helm ist mit drei Straussenfedern, Silber, blau und Silber, besteckt. Decken rechts blau und Gold, links blau und Silber.

François, die Herren von oder de, Bd. II. S. 187.

Diese adelige Familie stammt aus Frankreich. Im Jahre 1685, wo das Edict von Nantes aufgehoben ward, verliess de F., ein Mitglied der reformirten Kirche, Frankreich. Er war von altfranzösischem Adel, und unter seinen Vorfahren führten einige Beinamen, als: de Riancour, de Neufchateaux, de St. terre u. s. w.

Ein de F. soll sich in den frühern Zeiten als Seeoffizier ausgezeichnet und deshalb die Wappenverzierungen erhalten haben, welche wir weiter unten beschreiben werden. Jener de F., der im Jahre 1685 auswanderte, schlug seinen Wohnsitz in Wittenberg, der Wiege der Reformation, auf. Sein Sohn, *Stephan* v. F., war königl. polnischer churfürstl. sächsischer Hauptmann und mit Henriette Wilhelmine aus dem Winkel vermählt. Aus dieser Ehe entsprossen drei Söhne: *August Karl*, *Karl Stephan* und *Wilhelm Heinrich* de F.

Karl Stephan de F. war Prem.-Lieutenant in königl. polnischen churfürstl. sächsischen Diensten und vermählt mit einem Fräulein Le Coq. Er starb den 23. Aug. 1747 ohne Erben.

Wilhelm Heinrich de F. starb 1804 ebenfalls ohne Erben.

August Karl de F., geb. den 26. Decbr. 1736, war Hauptmann im sächs. Infant.-Regiment Prinz Gotha. Er vermählte sich 1769 mit Louise Sophia Charlotte v. Brück aus dem Hause Niemegk im Churkreise und starb den 25. Decbr. 1801 (seine Gemahlin war schon am 24. Oct. 1791 gestorben) mit Hinterlassung von acht Kindern (sechs Söhne und zwei Töchter).

A. *Wilhelm Johann Karl Friedrich* v. F., geb. den 2. März 1771, vermählt zum ersten Male mit Amalie v. Raschkau aus dem Hause Gersdorf. Zum zweiten Male vermählt mit Julia v. Zeschau aus dem Hause Drehna bei Sorau. Er starb im Jahre 1821 als Hauptmann im sächs. Infant.-Regiment v. Low.

B. *August Leopold Friedrich Wilhelm* v. F., geb. den 15. März 1772 zu Niemegk bei Wittenberg, trat im Jahre 1786 als Junker in die Compagnie seines Vaters, wurde 1788 Lieutenant und machte den Rhein-Feldzug mit, wobei er sich rühmlichst auszeichnete. Im Jahre 1805 nahm er als Hauptmann und mit Pension seinen Abschied. — In den Jahren 1813—1815 war er Etappencommandant der Städte Muscau und Triebel in der Lausitz, wobei er dem Kreise nach seinen Kräften Vieles zu erleichtern suchte. Im Jahre 1824 wurde er Kreisdeputirter des Gubner und Sorauer Kreises. — Er war mit Emilie Juliane v. Zeschau aus dem Hause Jessen bei Sorau seit dem Jahre 1805 vermählt, und starb den 24. Novbr. 1835 zu Eckartswalde als Besitzer der Güter Eckartswalde, Baudach und Schniebinchen.

Seine Kinder sind:

1) *Herrmann Friedrich Wilhelm* v. F., geb. den 26. Septbr. 1809, königl. preuss. Lieutenant im 5ten Hus.-Regiment zu Stolpe.
2) *Clementine Henriette Auguste* v. F., geb. den 29. Juni 1811, gest. den 5. April 1833.
3) *Alexander August* v. F., geb. den 21. April 1813, Oberlandesgerichts-Referendar.

4) *Julius Roderich Ernst* v. F., geb. den 3. März 1814, Lieutenant im 12ten Landwehr-Regiment und Besitzer von Baudach.
5) *Gustav Adolph* v. F., geb. den 20. März 1815, Lieutenant im 13ten Infant.-Regiment.
6) *Therese Emilie* v. F., geb. den 24. Juni 1817, vermählt den 7. Juni 1836 mit dem Lieutenant a. D. Ludwig Heinrich v. Rabenau, Herr auf Stadt und Dorf Gassen.
7) *Ewald Ernst* v. F., geb. den 3. Octbr. 1818, Lieutenant im 7ten Infant.-Regiment.
8) *Heinrich Emil* v. F., geb. den 28. Febr. 1822, Cadet im Cadettenhause zu Berlin.

C. *Ernst Christian Otto Friedrich* v. F., geb. den 2. Mai 1772, königl. preuss. Major, vom Jahre 1805 bis 1808 war er Prem.-Lieutenant im königl. sächs. Infant.-Regiment v. Thümmel. Er war mit Friederike Gotthelfe Elisabeth v. Raschkau, zum zweiten Male mit einem Fräulein Hohe aus Weissenfels vermählt.

Kinder:

1) *Louise Maria* v. F., geb. 1817.
2) *Ernst* v. F., geb. 1818.

D. *Henriette Louise Susette Auguste* v. F., geb. 11. Septbr. 1774, gest. im Mai 1833. Sie war mit einem Herrn v. Raschkau vermählt.

E. *Louis Johann Wilhelm Leonhard* v. F., geb. den 23. Aug. 1777, vermählt mit Clementine Karoline v. Zeschau aus dem Hause Jessen bei Sorau. Er war früher Hauptmann in sächsischen Diensten und Herr auf Kochsdorf bei Muskau.

Kinder:

1) *Friedrich August* v. F., geb. den 17. Novbr. 1811, Ober-Landesgerichts-Referendar.
2) *Heinrich Julius* v. F., geb. den 10. Jan. 1813, Student der Rechte in Leipzig, starb im Bade zu Töplitz.
3) *Adelheid* v. F., geb. den 12. Juni 1816.
4) *Bertha* v. F., geb. den 23 Jan 1818, vermählt mit dem Rittergutsbesitzer Friedrich Curt v. Oppen auf Ober-Ulrichsdorf bei Sorau.
5) *Albin Erich* v. F., geb. den 7. Novbr. 1820, Cadet zu Berlin.
6) *Ida Emma* v. F., geb. den 5. Juni 1829.

F. *Christiane Charlotte Juliane Karoline* v. F., geb. den 4. März 1780, gest. 1802. Sie war mit dem Major v. Unwerth zu Sorau vermählt.

G. *Adolph Christian Wolf August* v. F., geb. den 18. März 1783. Er war Capitain im königl. sächs. Infant.-Regiment v. Thümmel, und blieb beim letzten Treffen in der Schlacht bei Dennewitz.

H. *Karl* v. F., königl. preuss. Oberst und Commandeur des 37sten Infant.-Regiments zu Luxemburg, Ritter mehrerer hoher Orden, verm. mit einem Fräulein v. Wangerow.

Kinder:

1) *Bruno* v. F., Lieutenant im 37sten Infant.-Regiment, 2) *Herrmann*, 3) *Agnes*, 4) *Maria*, 5) *Adelheid*, 6) *Clotilde*, 7) *Urda* v. F.

Das Wappen der Familie v. F. hat im blauen Schilde drei silberne zweifüssige Schlangen, oben eine und unten zwei, von denen die Schwänze sich kreuzen. Auf dem Helme sind drei Pfauenfedern, welche die natürliche Farbe haben. Decken blau und Silber. — So ist das Wappen in einem Erneuerungsdiplom vom Kaiser Joseph II., und befindet sich zu Eckartswalde.

Frankhen, die Herren von, Bd. II. S. 190.

Eine Familie v. F. führt im ersten und vierten goldenen Felde des quadrirten Schildes einen an die Perpendicularlinie geschlossenen halben Adler, im zweiten und dritten rothen Felde einen durch eine Querlinie getheilten Kranz von Rosen oder Kugeln. Auf dem Helme vier Straussenfedern. — Eine andere Familie, die sich v. Franken schreibt, hat als Wappen ein durch einen goldenen Querbalken getheiltes Schild. Das obere rothe Feld ist leer, in dem untern silbernen sind drei Herzen (2. 1.). Auf dem Helme zwei Büffelhörner, zwischen denen ein wachsendes springendes Pferd.

Fransecki, die Herren von, Bd. II. S. 190—191.

Diese Familie führt in einem goldumrahmten, in blau und roth quer getheilten Schilde in der obern blauen Hälfte einen geharnischten Arm, der einen krummen Säbel führt, in der untern rothen Hälfte zwei neben einander stehende Sterne, und auf dem gekrönten Helme einen verkürzten gekrönten Löwen, der einen goldenen Stern in den rothen Pranken hält. Decken roth und Gold.

Franz, die Freiherren von.

Aus der freiherrlichen Linie leben zu Düsseldorf *Jacob* Freiherr v. F. und *Franz* Freiherr v. F., so wie die verwittwete Freifrau v. F. Anna Clara Antoinette Josepha, geb. Freifrau v. Kylmann, ferner *Clemens* Freiherr v. F. zu Paderborn.

Franzius, die Herren von, Bd. II. S. 191.

Diese Familie führt ein goldumrahmtes, in der obern Hälfte blaues, in der untern Hälfte goldenes Schild. Hier steht ein Kranich, der einen Stein im Fusse hält, auf grünem Hügel, dort drei silberne Sterne, oben einer, unten zwei; auf dem Helme liegt eine blaue und silberne Wulst, auf derselben steht der Kranich, wie im Schilde. Decken blau und Silber. Zwei Löwen halten das Schild.

Fredenwalde, die Herren von.

Der letzte von diesem Geschlecht *Jordan* v. F. hat im Jahre 1375 gelebt und auf seinem Rittersitz zu Zolchow an der Ucker laut Karls IV. Landbuch gewohnt. Das Stammhaus Fredenwalde ist vor langen Zeiten schon an die v. Stegelitz und von diesen durch Kauf an die v. Arnim gekommen. Grundmann S. 40.

Freiberg (Freyberg), die Freiherren v., Bd. II. S. 193.

Die anhaltische Linie stammt von einer im Jahre 942 auf einem Turniere in Schwaben erschienenen Familie ab und kam später nach

Anhalt, wo nach der Reformation einer v. F. Prinzen-Erzieher war. Dessen Enkel, *Friedrich Heinrich* v. F., war anhaltischer Geh.-Rath und dessen Sohn, *Marin Albert* v. F., königl. preuss. Geh.-Rath; er starb im Jahre 1711. Sein Sohn war königl. preuss. Kammerherr. — Die Familie hat die Güter Gross- und Klein-Mehlow, Elsdorf, Vorlau, Ramsin und Sandberg besessen und ist durch den Anfall des Churkreises unter den preussischen Adel gekommen. — Das Wappen dieser Familie ist ein silbernes Schild mit einem abgehauenen Beine, und auf der auf dem Ritterhelm befindlichen deutschen Freiherrenkrone steht ein schwarz und weiss geflecktes Lamm. — Von dieser anhaltischen Linie stammen alle in preussischen Diensten gestandene F.'s ab, und unter Friedrich I. war einer v. F. Stallmeister. Auch dienten einige in Oesterreich, wo sie den Freiherrentitel führten. Die schwäbischen reichsfreiherrlichen Familien Freiberg, Eschenberg, Aschau, die aus der Schweiz abstammen, haben ihren Namen von dem bei Chur an der grossen Strasse von Italien liegenden Raubschlosse Freiberg, einer uralten Römerburg. Die reichsfreiherrliche Familie leitet ihren Ursprung von der römischen Familie der Curiatier ab. Wahrscheinlich aber sind die Familien in Schwaben, in Würtemberg, Baden und Anhalt mit der reichsfreiherrlichen desselben Ursprungs. In dem bis 1517 geführten Stammbaum der anhaltischen Linie kommen Familien anspachischen und schwäbischen Ursprungs vor, z. B. Irmtraut und Falkenhausen, Bapzin — wahrscheinlich ist die Familie also erst nach der Reformation ausgewandert. Eine Familie v. F. soll in Sachsen Freibergsdorf bei Freiberg besessen haben, doch weiss man nicht, ob und wo sie jetzt existirt. — Eine Familie dieses Namens führt im Schilde einen stehenden, im Knie gekrümmten, am Schenkel abgehauenen nackten Mannsfuss, auf dem Helme einen springenden Widder.

Freiburg, die Herren von, Bd. II. S. 194.

Das Wappen der Familie dieses Namens: In einem der Länge nach getheilten Schilde zeigt sich rechts ein Weinstock mit Trauben und Blättern, links die eine Stange eines Hirschgeweihs. Auf dem Helme zwischen zwei Büffelhörnern die Stange eines Hirschgeweihs.

Freihold, die Herren von.

Es dienen in der Armee mehrere Edelleute dieses Namens. Einer derselben ist bei dem Cadetten-Corps zu Berlin commandirt. Nicht zu bestimmen vermögen wir, ob es die Söhne oder die Neffen des im Jahre 1820 verstorbenen Hauptmanns v. F., der in dem Regiment v. Kalkreuth zu Marienburg stand, sind.

Frese, die Herren von.

Ein uraltes, adeliges Geschlecht im Königreich Hannover, das in früheren Zeiten auch Fresen, Friesen und Vriesz geschrieben wurde. Als Stammherren der Familie erscheinen *Gerhard* und *Diethard*, die um das Jahre 1250 lebten. Mit dem preussischen-brandenburgschen Staate standen die v. F. in mannichfacher Beziehung. *Franz* v. F. wurde 1352 Dechant zu Camin und 1367 Domprobst zu Colberg. — *Karl Georg* v. F., königl. preuss. Prem.-Lieutenant im Regiment v. Creutz, starb bei Maxen am 20. Novbr. 1759 den Tod der Ehre. —

11*

Nicolaus Christoph v. F. diente als Offizier in der Garde Friedrich's II. und wurde bei Hochkirch schwer verwundet; er vermählte sich 1772 mit *Lucia* v. d. Becken. — *Hans Joachim* v. F. war 1720 königl. preuss. Oberstlieutenant; von seinen Brüdern stand *Otto Dietrich* in königl. dänischen, *Christian Ernst* in kaiserlichen und *Anton Casimir* in holsteinischen Diensten. In der neuern Zeit und in der Gegenwart finden wir diesen Namen nicht mehr in den Listen der preussischen Staatsdiener. — Die v. F. führen im blauen Schilde einen offenen silbernen Ritterhelm, über welchem drei rothe Kugeln mit drei darauf gesteckten silbernen Straussenfedern angebracht sind. Dieser Helm zeigt sich eben so auf dem Schilde. M. s. Mushard p. 235, v. Krohne I. Bd. S. 304 u. s. f., Gauhe I. Bd. S. 423 v. Meding beschreibt das Wappen I. Bd. No. 237. II. Bd. S. 238.

Fresin, die Herren von.

Sie sind aus dem Lüttichschen nach Preussen gekommen. Zuerst kommt *Christian* v. F. vor, der mit Anna Dorothea Köhn v. Jaski vermählt war. *Caspar* v. F., Oberst, Herr auf Grunau, Colmen und Wormen, hatte mit Christiane v. Korben mehrere Kinder.

Freudenberg, die Herren von.

Eine adelige Familie in Franken. — *Georg Wilhelm* v. F., königl. preuss. Oberamtmann. — *Karl Christian* v. F., kaiserl. russischer Oberst, Senior seines Hauses, starb am 8. Oct. 1796 in Sulzbach.

Freudenheim, Herr von.

Friedrich Heinrich v. F., königl. preuss. Hauptmann a. D. in Magdeburg, erhielt am 29. März 1763 das schlesische Incolat und kaufte das Gut Qualwitz bei Winzig.

Freyer, Herr von.

Johann F., ein wohlhabender Bürger und Handelsmann in Breslau, wurde am 23. Aug. 1707 geadelt. Er starb am 23. Novbr. 1711 und liegt zu St. Elisabeth beerdigt. Da er nur Töchter hinterliess, so erlosch diese Familie wieder mit dem Erhobenen. v. M. E. S. S. 141.

Freytag, die Grafen, Freiherren und Herren von.

Ein vornehmes westphälisches Geschlecht, aus welchem Zweige zu den höchsten Staats- und Militairwürden gelangt sind. Man unterscheidet verschiedene Linien und Häuser, als die v. Lövinghoff, Göden, Buddenburg u. s. w. Die Freiherren v. F. stammen aus Recklingshausen, wo sie das Haus Lövinghoff besassen. Schon im Jahre 1300 kommen Ritter aus diesem Hause vor, und 1423 wurde *Eberhard* v. F. mit mehreren Gütern bei Jülich von dem Churfürsten der Pfalz belehnt — *Johann* F. v. Lövinghoff war mit dem Orden nach Liefland gezogen und gelangte 1495 zur Deutschmeister-Würde. — *Franz* F. v. Lövinghoff vermählte sich 1559 mit Almuth v. Oldenbockum zu Gödens Erbtochter. Der älteste Sohn aus dieser Ehe, *Haro* v. F., schrieb sich nach seinem mütterlichen Erbe Herr zu Göden (1624). Sein Sohn, von einer Freiin v. Knipphausen, *Franz Ico* Herr zu Gödens, wurde 1692 in den Grafenstand erhoben. Diese gräfliche Linie erlosch aber schon wieder 1746 mit *Burkhard Philipp* v. F., kaiserl. Geh.-Rath. Der Vater desselben, *Franz Heinrich* v. F., war am 24. Nov. 1692 als kaiserl. bevollmächtigter Minister in Berlin gestorben. — Hierher gehören noch *Franz Ludolph* v. F., gest. am 7. März 1746 zu Berlin als Ober-Appellations- und Kriegsrath. — *Christian Wilhelm* v. F., Oberst v. d. A., ehem. Commandeur des Regiments v. Herzberg, gest. zu Bielefeld am 10 Mai 1804. (Vielleicht derselbe, der als Hauptmann die eisernen Ladestöcke auf seinen Vorschlag in der Armee eingeführt sah.) — Im Hildesheimschen und in den Marken war die Familie ebenfalls verbreitet. Der erstern gehörte der grossbrittanische Feldmarschall v. F. an. In Schlesien erlosch die Familie v. Freytag-Fronleuten.

Das Wappen dieses Geschlechts zeigt im blauen Felde drei silberne Ringe, zwei oben, einer unten. Auf dem Helme stehen zwei blaue Flügel, jeder mit den drei Ringen belegt. Das Haus Göden hat den schwarzen Löwen in dem Schilde und auf dem Helme. M. s. v. Krohne II. Th. S. 311. 312. Gauhe I. Bd. S. 428. 429.

Frieben, die Herren von, Bd. II. S. 196.

Die v. F. führen ein gespaltenes oder durch einen doppelten Faden in zwei Theile der Länge nach getheiltes Schild. In der rechten silbernen Hälfte ist ein Flügel des preuss. schwarzen Adlers, in der blauen linken Hälfte aber sind drei schwebende goldene Sterne vorgestellt. Auf dem Helme liegt ein halb schwarz und weisser, halb blau und goldener Bund, darauf wächst zwischen zwei Büffelhörnern, von denen das rechte silbern und schwarz, das linke blau und golden ist, ein gerüsteter, ein Schwert schwingender Arm. Die Decken sind rechts schwarz und silbern, links golden und blau.

Friedeborn, die Herren von.

Michael v. F. war königl. schwedischer Geh. Ober-Appellationsrath. Dessen Sohn, *Paul* v. F., starb 1722 zu Cleve als königl. preuss. Geh. Regierungs- und Kriegsrath. — *Alexander* v. F., königl. preuss. Oberst und Commandant von Cüstrin, starb 1752. Er hatte von Charlotte Weiler zwei Söhne, die als Offiziere in der Armee dienten. Eine Tochter von ihm vermählte sich mit dem Landrath v. Gloger zu Frankfurt a. d. O. Wir haben weiter keinen Zweig dieses Geschlechts mehr aufgefunden.

Friedensberg, die Herren von.

Conrad Franz Friedl aus Westphalen wurde in der Mitte des 17ten Jahrhunderts Professor zu Stralsund. Sein Sohn, *Moriz Conrad* Friedl, wurde am Ende des 17ten Jahrhunderts vom König Karl XII. mit Beilegung des Namens v. Friedensberg geadelt. Er besass den Rittersitz Klein-Klissow und hinterliess bei seinem am 11. Aug 1722 erfolgten Tode eine Wittwe geb. Volkmann, Tochter des Bürgermeisters Volkmann zu Stargard, und zwei Töchter, *Catharina* und *Christina*.

Friederici, die Herren von.

Im Dragonerregiment v. Voss stand bis zum Jahre 1806 der Oberst v. F., gestorben a. D. 1825; er war mit einer v. Steinmann vermählt. Ein Sohn aus dieser Ehe ist der Prem.-Lieutenant und Brigade-Adjutant v. F. in Berlin. Es dienen gegenwärtig mehrere Offiziere dieses Namens in der Armee. Das dieser Familie bei ihrer Erhebung in den Adelstand vom König von Preussen beigelegte Wappen zeigt im blauen Schilde unten einen Todtenkopf über zwei ins Kreuz gelegten Knochen, im rechten Winkel eine aufgehende Sonne, im linken einen goldenen Stern. Auf dem Helme wächst zwischen zwei preuss. schwarzen Adlerflügeln ein gerüsteter, ein Schwert schwingender Arm. Die Decken sind rechts schwarz und Gold, links Gold und blau.

Friedland, die Herren von.

Die Tochter des verstorbenen General-Lieutenants Freiherrn v. Lestwitz und einer v. Treskow, *Charlotte Helene* v. Lestwitz, wurde von einem v. Borcke geschieden. Sie nahm mit Erlaubniss König Friedrich Wilhelm II. nebst ihrer einzigen Tochter *Henriette Charlotte* (die sich später mit dem nachmaligen Geh. Staatsrath Grafen v. Itzenplitz vermählte) den Namen v. Friedland, nach einem ihrer Güter an. Die Gräfin v. Itzenplitz-Friedland lebt gegenwärtig in Berlin. — Das Friedlandsche Wappenbild ist das des uralten Hauses Lestwitz (jetzt im Mannsstamme erloschen, m. s. Bd. III. S. 222), das, wie bekannt, aus dem vornehmen polnischen Geschlecht der Nowina stammte und wie dieses den weissen Kesselrücken und zwischen diesem ein weisses auf spitzigem Nagel stehendes Kreuz im rothen Schilde und ein geharnischtes, mit Blut besprütztes Bein, das mit dem Knie die Krone berührt, auf dem Helme führt.

Friesendorf, die Herren von.

Ein zum westphälischen Adel gehöriges Geschlecht. — *Arnold Heinrich* v. F., Herr zu Opherdik, hinterliess sechs Söhne. *Ludwig Dietrich* v. F. starb 1670.

Friesenhausen, die Herren von.

Ein altadeliges Geschlecht in Westphalen, namentlich im Lippeschen. Es zerfällt nach seinen Stammhäusern in die Aeste zu Maspe und zu Belle. Aus dem Hause Maspe vermählte sich am 27. Septbr. 1722 die einzige Tochter des *Philipp Siegmund* v. F. und der Elisabeth v. Dittfurth, *Philippine Elisabeth*, mit Moriz Friedrich Ernst, Reichsgrafen v. d. Lippe-Schaumburg-Alverdissen (gest. 1777), und wurde 1752 in den Reichsgrafenstand erhoben; sie starb 1764. *Karl Wilhelm* v. F. war grossbrittanischer General und starb am 13. Nov. 1784 zu Blomberg. Gauhe I. Bd. S. 432. v. Hellbach I. Bd. S. 286.

Fristatzski (Frischtatzki), Herr von.

In Tarnowitz in Schlesien starb im Januar 1740 *Daniel Andreas* F. v. Rosenhain, der im Jahre 1732 in den böhmischen Ritterstand erhoben worden war. Seine Wittwe war Beata v. Rousitz und Helm.

Fritsche, die Herren von.

Die adelige Familie v. F. erhielt am 18. Juni 1686 ein Anerkennungs-Diplom vom grossen Kurfürsten. Sie führt im schwarzen Schilde einen goldenen, nach der rechten Seite aufspringenden Löwen und auf dem gekrönten Helme ein wachsendes silbernes Einhorn. Decken rechts roth und Silber, links schwarz und Gold.

Fritze, die Herren von, Bd. II. S. 198.

Kaiser Ferdinand II. adelte am 13. Septbr. 1636 den Rittmeister *Joachim Ernst* F. f. Antheil Wallwitz bei Zielenzig und den *Christ. Wilhelm* F., Bürgermeister zu Sonnenburg. Der letztere hatte drei Söhne, von denen *Georg* v. F., Herr auf Dobergast, im Jahre 1713 starb.

Fröbner, die Herren von.

Eine preussische Familie, die bei Rastenburg die Güter Baumgarten, Rodehlen, Schilzen u. s. w. besass. — *Sebastian* v. F. auf Rodehlen war 1614 Landrath und Amtshauptmann zu Barthenstein.

Frohnhöffer, die Herren von.

Ein märkisches Geschlecht, das im Jahre 1536 den Rittersitz Stolzenhagen in der Uckermark erkaufte, später auch Wolletzk und andere Güter in dieser Landschaft besass. In früheren Zeiten hat Stolzenhagen dem Kloster Chorin gehört. Die v. F. führen ein gespaltenes Schild, die rechte Seite ist in ein rothes und in ein blaues Feld getheilt, in der obern rothen Hälfte steht ein silberner Thurm, in der untern blauen sind drei goldene Spitzen angebracht. Die linke silberne Hälfte des Schildes zeigt einen rothen Greif, der sich auch auf dem Helme zwischen zwei Büffelhörnern, von denen das rechte roth und silbern, das linke aber golden und blau ist, wiederholt. Die Decken rechts Gold und blau, links roth und Silber. Grundmann a. a. O. S. 22. Siebmacher IV. Th. S. 60.

Frosch, die Herren von.

Wir finden, dass *Friedrich Christ.* v. F. aus Neuenbrun im Königreich Hannover 1787 als Herr auf Wollenrade in der Altmark und Canonicus zu St. Peter und Paul in Magdeburg starb. Er hinterliess nur eine Tochter, *Catharina Margaretha*, und einen Sohn *Franz Albrecht Gustav Friedrich*. Er starb 1782 als Offizier des preuss. Regiments v Knoblauch, und 1796 starb zu Magdeburg seine Schwester und Erbin unvermählt.

Frost, die Herren von.

Der Sohn eines Predigers F. zu Guben, *Ernst Bogislaw* F., wurde am 1. Mai 1667 geadelt. — *Jacob* v. F. war Geh. Kammerrath zu Stettin; sein Sohn war kurbrandenburgscher Hauptmann und Herr auf Frostenwalde und Pinnow. — Diese adelige Familie führt im silbernen Schilde die Göttin Pallas und auf dem Helme einen geharnischten Arm, der einen Rautenkranz hält. Aus der Abschrift des Diploms in König's Handschriften.

Fuchsius, die Herren von.

Karl Clemens Franz Anselm v. Voiss (Voss) genannt Fuchsius ist Oberbürgermeister der Stadt Düsseldorf. — Einer v. F. ist seit 1838 Appellations-Gerichtsrath zu Cöln.

Fürstenbusch, die Grafen und Herren von, Bd. II. S. 205.

Der erste Graf aus diesem Hause war der k. k. General-Feldzeugmeister und Hofkriegsrath *Johann Daniel* v. F. Er wurde am 20. Juni 1736 in den Grafenstand erhoben und starb am 19. Decbr. 1758. Mit Graf *Karl Vincenz* (m. s. uns. Art.), der am 10. März 1837 zu Prag starb, ist das Geschlecht im Mannsstamme erlöschen. — Das Wappen dieses Hauses ist quadrirt mit einer von unten aufsteigenden rothen Spitze; in dessen vordern obern silbernen Felde sind drei auf grünem Hügel stehende, goldene Eicheln tragende Eichbäume vorgestellt, in dem hintern untern silbernen Felde sind drei eiserne ins Dreieck gestellte Wolfshaken sichtbar, in der hintern obern blauen Feldung stehen drei silberne Lilien, und in der vordern blauen drei schräg gelegte Eberköpfe, oben einer, unten zwei. In der aufsteigenden rothen Spitze ist ein blau geharnischter Arm, der ein gezücktes, mit drei grünen Lorbeerzweigen umwundenes Schwert in der Hand hält. Endlich hat dieses Wappen auch ein Herzschild, es ist in ein goldenes Oberfeld und in ein rothes Unterfeld getheilt. In der goldenen Feldung wird der gekrönte Reichsadler, auf der Brust ein C und ein I tragend, sichtbar; das rothe Feld ist wieder in zwei Theile gespalten, in der rechten Feldung sind vier silberne Flüsse, in der linken ist ein solcher Fluss vorgestellt. Das Hauptschild ist mit drei Helmen besetzt, der erste trägt den Doppeladler, der zweite die drei Eichbäume zwischen zwei Büffelhörnern, von denen das vordere blau, das hintere roth ist, der dritte drei silberne, mit einem rothen spanischen Kreuz belegte Straussenfedern.

Fürstenrecht, die Herren von.

Der fürstl. Nassau-Saarbrücksche Landjägermeister Schaad und ein Bruder desselben wurden unter dem Namen v. F. in den Adelstand erhoben. Ersterer starb 1810, von Letzterem leben zwei Söhne. Einer derselben ist Forstbeamter zu Pfaffenkopf bei Saarbrück.

Fuhrmann, die Herren von.

Die Brüder *Joachim* und *Matthias* F. sollen im Jahre 1541 vom Kaiser Karl V. geadelt worden sein. Darauf sich berufend bat unter dem 27. Octbr. 1786 der Actuarius F. in Prenzlau um ein Erneuerungs-Diplom. Allein durch ein Mandat vom 9. April 1787 wurde ihm der Bescheid, dass die von ihm producirte Urkunde kein Adelsdiplom, sondern nur ein Wappenbrief sei, wie im 16ten und 17ten Jahrhundert häufig von den Kaisern auch an bürgerliche Familien ertheilt worden seien. Die Abschrift der Supplik wie des Mandats findet man in König's schon oft angeführten genealog. Sammlungen.

Fulco, die Grafen von.

In den alten schlesischen Briefen, sowohl verschiedener Klöster, als der Stadt Breslau, kommt der Name der Grafen F. vor, die ohne Zweifel zu der hohen polnischen Familie und Wappen, Lis oder Bzura (Mzura) genannt, zu rechnen sind. Conf. Henel. Siles. C. 8. p. 337.

Lis heisst auf Polnisch ein Fuchs, daher wird sie Familia Vulpina genannt, führend im blutrothen Schilde einen weissen Pfeil, daran unten die Feder abgebrochen, in der Mitte des Pfeils sieht man zwei weisse Kreuze von Degen-Heften. Ueber dem gekrönten Helme zeigt sich ein aufspringender, unten abgekürzter Fuchs mit aufgerichtetem Wedel. Est sagitta antiqua cum ferro lato bifurcato ante pennas fracta, ad cujus medium ponuntur duae Cruces ex capulis seu defendiculis gladiorum; super galeam et coronam erecta Vulpes ad medium cum exporrecta cauda. Sagitta cum Crucibus coloris albi in campo rubeo. Okolski T. II. p. 137, wobei angeführt werden:

Fulco, Woywode zu Cracau, dessen Sohn *Poznanus* um 1082.

Petrus I., gewesener Scholasticus der Domkirche zu Breslau, erlangte das Breslauische Bisthum 1072, und weil er des heil. Bischofs Stanislai zu Cracau, der zu seiner Zeit 1074 vom Könige Boleslao Audace ermordet worden, vertrauter Freund gewesen, nahm er sich des Getödteten treulich an. Er kaufte viele Güter zu seiner Kirche, vermehrte die Zahl der Domherren zu Breslau, und vergrösserte ihre Intraden; er starb im Jahre 1091.

Fulco Mzura, Bischof zu Cracau 1186, gest. 1209.

Fulco, Graf, Kastellan zu Cracau 1194.

Fulco, Erzbischof zu Gnesen, gest. 1258.

Zu diesem Wappen gehört auch das erlauchte Haus Sapieha in Gross-Lithauen und Polen, wiewohl dasselbe ante Unionem Lithuaniae rum Regno drei Lilien (oder vielmehr nur eine sogenannte Kunstlilie, die Okolski für drei Lilien ansieht) geführt. Nunc arma Lis in medio ponuntur ab Illustriss. Dominis Sapieha, in capite vero tria Lilia (rectius unum lilium, figurae quidem non naturalis, sed artificiosae). Nam ex Privilegiis Unionis apparet, quod Nobiles Magnae Lithraniae Arma Regni Poloniae in majus Vinculum Concordiae, Pacis et Unionis assumserint. Conf. Partem meam I. p. 333.

So werden auch die Wrbsky (Wirbsky) von Wrby auf Kochanowitz im Oppelnschen in Schlesien zu dem Hause Lis bezogen, in Paprocii Dialogis Colloquio Sexto.

Funck, die Freiherren u. Herren von, Bd. II. S. 207.

Z. 6. vom Schluss des Artikels fehlt hinter hat: auf dem Helme. — Uebrigens führt eine preussische Familie v. Funcke auch: fünf Feuerflammen (Funken) 2. 3. im Schilde, und auf dem Helme dergleichen drei (1. 2.) zwischen einem Adlersfluge.

G.

Gablenz, die Herren von der, Bd. II. S. 208.

Das von uns beschriebene Wappen ist ganz richtig, aber daneben giebt es noch ein anderes, wesentlich verschiedenes, das indess dennoch, wie Meding II, p. 255 bezeugt, ebenfalls richtig ist. Es zeigt im silbernen Schilde zwei aufrecht gestellte dreizackige Gabeln von einem rothen Balken überlegt. Auf dem Helme die beiden Gabeln gekreuzt. Die Umschrift unseres Wappens nennt v. d. Gablenz zu Döllingen.

Gadendorf, die Herren von.

Die altadelige Familie v. G., früher auch Gottendorf genannt, die in Niedersachsen, namentlich auch im Braunschweigischen noch in neuerer Zeit begütert war, nachdem sie ihre Stammgüter in Holstein verkauft hatte, kam 1525 nach Preussen, als *Claus* v. Gottendorf die erste Herzogin v. Preussen, Tochter König Friedrich's I. v. Dänemark, in der Eigenschaft eines Hofkavaliers nach Königsberg begleitete. Er vermählte sich daselbst mit Barbara v. Falkenhahn, die ihm zwei Töchter und einen Sohn gebar. Von den Töchtern vermählte sich eine an den Freiherrn v. Heydeck, die jüngere an den Burggrafen Fabian zu Dohna-Reichertswalde. Der Sohn vermählte sich ebenfalls und erzeugte wieder nur einen Sohn, mit dem das Geschlecht gänzlich bei uns erloschen ist. Preuss. Archiv. Aug. 1793. S. 627. Gauhe I. Th. S. 450.

Gadow, die Herren von, Bd. II. S. 208.

Diese adelige Familie besass auch die Rittergüter Protzen in den Marken und Leppin in Mecklenburg. — *Caspar* v. G., Herr auf Protzen und Leppin, starb 1689. — *Hans George* v. G. brachte die in unserm Artikel erwähnten Güter Hugeldsdorf und Drechow, auch Neuhof an sein Haus, als er sich mit Anna v. Beer (gest. 20. Novbr. 1752) vermählte. Der Sohn aus dieser Ehe und Erbe der mütterlichen Güter, *Karl Ludwig* v. G. (geb. 1719), hatte mit Sophia v. Quitzow aus dem Hause Sandau einen Sohn, *Friedrich Karl Ludwig* (geb. 1774), der im Jahre 1790 seine beglaubigte Ahnentafel dem Joh.-Orden übergab.

Gaebler, die Freiherren von.

Ein ursprünglich oberrheinisches Geschlecht. — *Wilhelm* v. G. war Hauptmann unter dem Herzog Bernhard v. Sachsen-Weimar im 30jährigen Kriege. *Christian* v. G. war königl. dänischer Oberst. — *Tobias Philipp* Freiherr v. G., geb. am 2. Novbr. 1724, trat 1748 als Legationssecretair in holländische Dienste und war mehrere Jahre hindurch Geschäftsträger der Republik in Berlin. Im Jahre 1754 trat er in östreichische Dienste als Commerzien- und Bergrath, wurde 1762 Hofrath, 1768 Staatsrath, 1782 wirklicher Geh.-Rath und Hofcanzlei-Vice-Präsident. Er starb am 9. Novbr. 1786. In den Freiherrenstand war er im Jahre 1768 erhoben worden. Seine Gemahlin war Maria v. Werth. — Wappen. Ein quadrirtes Schild. Im ersten und vierten blauen Felde drei goldene Sterne, oben einer, unten zwei, im zweiten und dritten rothen Felde zwei übers Kreuz gelegte silberne Pfeile. Das Herzschild ist oben silbern, unten in Silber und roth schräg getheilt, in der obern silbernen Hälfte wird der doppelte kaiserliche Adler halb sichtbar. Das Hauptschild ist mit drei Helmen besetzt; der erste trägt drei Straussenfedern, die äusseren silbern, die mittlere roth, der zweite den doppelten Adler, der dritte die Pfeile zwischen zwei golden und blau gevierteten Büffelhörnern.

Gäfertsheim, die Herren von.

Anton Gäfert in Mecklenburg wurde 1753 mit dem Prädikat v. Gäfertsheim geadelt. Sein Sohn war mecklenburgscher Kammerjunker, und dessen Sohn, *Friedrich Albrecht Julius* v. G., war 1806 königl. preuss. Hauptmann im Inf.-Regiment v. Arnim; er starb 1809 geisteskrank. Seine Wittwe war Auguste Friederike Schilling v. Canstein.

Gaertner, die Freiherren und Herren von.

1) Die Freiherren v. G. stammen aus Sachsen, wo *Matthias* v. G. königl. polnischer und chursächsischer Ober-Commissarius der baltischen Meerhäfen und Ober-Landbaumeister war. Sein Sohn, *Karl Wilhelm* G., welcher die Rittergüter Röhrsdorf und Grahna in Sachsen besass, war königl. polnischer und chursächsischer Kriegs- und Oberappellations-Rath und zugleich Instructor der sächsischen Prinzen. Er wurde im Jahre 1749 als Reichs-Hofrath nach Wien berufen und dort geadelt, bald darauf aber in den Reichsritterstand mit dem Prädikat „Edler“ erhoben, auch sammt seinen Descendenten in die Matrikel der fränkischen Reichsritterschaft, aus eigener Bewilligung der letzteren, eingetragen. Er starb zu Wien im Jahre 1760 und hinterliess, ausser zwei Töchtern, drei Söhne, welche unten mit A. B. und C. bezeichnet sind.

A. Der älteste derselben, *Karl Friedrich* v. G., ward in den Reichsfreiherrenstand erhoben, und starb im Jahre 1778 zu Wien als kaiserl. Reichs-Hofrath mit Hinterlassung zweier Söhne, welche beide noch leben. Der älteste derselben ist kaiserl. östreich. wirklicher Geh. Rath und Chef-Präsident des niederöstreich. Appellationsgerichts, Commandeur des ungarischen St. Stephanordens und Grosskreuz des preuss. rothen Adler- und des bairischen und königl. sächsischen Civil-Verdienstordens. Der jüngere ist ebenfalls in Wien als kaiserl. östreich. Hofrath und Mitglied der höchsten Justizstelle angestellt, so wie auch Commandeur des ungarischen St. Stephanordens. Beide Brüder haben keine Söhne, der älteste aber zwei Töchter, von welcher die eine an den östreich. Obersten v. Mühlenwarth verheirathet ist.

B. Der zweite, *August Gottlieb* v. G., ward ebenfalls im Jahre 1792 in den Reichsfreiherrenstand erhoben, und starb im Jahre 1807 zu Dresden als königl. sächs. Kirchenrath und Ober-Consistorial-Präsident. Er hinterliess fünf Söhne, von welchen der älteste im Jahre 1829 ohne Nachkommen als Regierungsrath zu Schleusingen verstorben ist. Der zweite diente als Hauptmann in der königl. sächs. Armee und war Ritter des königl. sächs. St. Heinrichsordens und der französischen Ehrenlegion; er blieb 1809 in dem Kriege gegen Oestreich, ohne Nachkommen zu hinterlassen. Der dritte ist der noch lebende *Gustav Wilhelm* Freiherr v. G., königl. preuss. Ober-Landesgerichts-

Chef-Präsident zu Naumburg, Ritter des rothen Adlerordens II. Classe und des eisernen Kreuzes am weissen Bande. Dieser hat drei Kinder, nämlich:

einen Sohn, welcher preuss. Landwehr-Lieutenant und Besitzer des im Königreich Sachsen belegenen Ritterguts Lichtenberg ist, und zwei Töchter, von welchen die eine an den Land- und Stadtgerichts-Director und Kreis-Justizrath v. Könen, und die zweite an den Rittergutsbesitzer Freiherrn v. Tümpling verheirathet ist.

Der vierte ist der noch lebende Geh. Tribunalrath *Karl* Freiherr v. G. in Berlin, welcher eine Tochter und zwei Söhne hat, von welchen letztern der älteste vor Kurzem im Militairstande gestorben ist; endlich

der fünfte war seit 1798 Sous- und Premier-Lieutenant in der königl. sächs. Leib-Grenadier-Garde, nahm 1810 seinen Abschied und starb 1831 zu Dresden ohne Nachkommen.

C. Der dritte, *Heinrich Ferdinand* Edler v. G., starb im Jahre 1807 (also in einem Jahre mit seinem Bruder sub B.) als Regierungs-Director zu Glauchau in Schlesien, mit Hinterlassung eines Sohnes, des pensionirten königl. preuss. Majors, *Karl* Edler v. G., welcher mehrere Söhne hat.

Von den beiden Töchtern des im Jahre 1760 verstorbenen Reichshofraths Edlen v. G. war die eine an den ungarischen Magnaten Freiherrn v. Jeczenack verheirathet, von welchem sie zwei noch in Ungarn als Magnaten lebende Söhne hinterlassen hat. Die zweite war an den sächsischen Stifts-Kammerrath Zeidler, und deren einzige Tochter an den Stifts-Kammerrath v. Schröder verheirathet, aus welcher letztern Ehe deren noch lebender Sohn, der sächsische Amtshauptmann v. Schröder (einer der reichsten Gutsbesitzer), und des letztern Sohn, der königl. preuss. Kammerherr v. Schröder, herstammen.

Wappen.

Die Freiherren v. G. führen ein quadrirtes Schild; im ersten und vierten blauen Felde ist ein halber schwarzer Adler sichtbar, das zweite und dritte goldene Feld ist mit drei Querbalken belegt. Ein Herzschildlein zeigt einen Baum auf grünem Hügel. Das Hauptschild ist mit einer neunperligen Krone bedeckt und mit zwei gekrönten Helmen besetzt. Der erste trägt einen schwarzen Adlerflügel, der zweite einen Pfauenschweif. Zu Schildhaltern sind zwei Löwen gewählt. M. s. Gauhe II. Th. S. 327. Baron v. Hoheneck Beschreibung von Oberöstreich I. Th. S. 294 u. II. Th. S. 14. v. Megerle S. 58 u. 142.

---

2) Die Herren v. G. In der preussischen Rheinprovinz leben verschiedene Mitglieder der Familie v. G., namentlich die Zurückgelassenen des am Anfange des Jahres 1838 in Trier verstorbenen Regierungs-Vicepräsidenten v. G. — Der Landrath, Hauptmann und Ritter des eisernen Kreuzes II. Classe zu Arweiler und der Landrath *Constantin* v. G. zu Bernkastell. Nicht zu bestimmen vermögen wir aber, ob die Letztern mit den Erstern von gleicher Abstammung sind; so viel ist uns jedoch bekannt, dass keine nahe Verwandtschaft zwischen beiden Familien Statt findet. Endlich ist auch ein Major v. G. Führer des zweiten Aufgebots vom zweiten Bataillon des 32sten Landwehr-Regiments in Spremberg.

Galbrecht, die Herren von.

Dieses adlige Geschlecht kommt in Pommern und Liefland vor, in Pommern waren Schwartow bei Cammin, Vintrow, Weitenhagen und Carwe bei Stolpe, in Liefland Godmannsdorf alte Besitzungen desselben. *Christian* v. G., königl. preuss. Oberst hat der Stadt Stolpe ein Legat zu milden Zwecken vermacht. Brüggemann IV Th. p. 402.

Galera, die Freiherren von.

Ein Hauptmann v. Cisielski brachte in der ersten Hälfte des vorigen Jahrhunderts einen zehnjährigen Baron *Joseph* v. G. mit nach Preussen, wo er diesen seinen Anverwandten erziehen liess. Er erwarb später das Gut Kopiken bei Lyck. Sein Bruder *Bogislaw* Baron v. G. kam ebenfalls nach Preussen und wurde daselbst Besitzer von Bönigkeim bei Brandenburg. Sein Sohn *Johann* hatte zwei Söhne *Joseph* und *August Georg*. Einer derselben stand 1806 als Fähnrich im Regiment von Besser und ist 1822 als Capitain a. D. gestorben.

Gamm, die Herren von, Bd. II. S. 212.

Das im Ad. Lex. angegebene Wappen wurde in ältern Zeiten von der Familie geführt. — In den letztern Jahrhunderten führte dieses Geschlecht gewöhnlich folgendes Wappen: Im blauen Felde drei schräg rechts übereinandergesetzte Sterne; auf dem Helme zwischen zwei blauen Fahnen an goldnen Stangen ein rother Stern; dessen 6 Spitzen mit Straussfedern besteckt sind. So verschiedene Abdrücke in Privat-Sammlungen und auch Med. I. p. 252.

Gans, die Herren von.

Dieses uralte vornehme Geschlecht war aus den Rheinlanden nach Thüringen gekommen. Ein Ritter aus demselben *Melchior* v. G. kam mit dem letzten Hochmeister Albrecht von Brandenburg im Jahre 1562 nach Preussen. Sein Sohn *Balthasar* v. G. erwarb Güter und erbaute den Gänsekrug, er war mit einer v. Weyer vermählt. — *Friedrich Wilhelm* v. G. starb 1710 mit Frau und Kindern an der Pest. Nur ein Sohn entging der Seuche, er starb aber unvermählt und somit erlosch das Haus v. G. in Preussen. M. s. Wissgrill Bd. III. S. 216. u. s. f.

Gardelle, die Herren de la.

Diese Familie gehört zu dem Adel der Rheinprovinz. — *Johann Jacob* und *Karl* de la G. wohnen zu Falkenstein im Regierungsbezirk Trier.

Garn, Herr von, Bd. II. S. 214.

Der Wappenbeschreibung ist hier noch zuzusetzen, dass auf dem gekrönten Helme ein schwarz gerüsteter Mann steht, der in der rechten Hand eine brennende Granate hält und die linke in die Seite stützt. Decken roth und Gold.

Garrelts, Herr von, Bd. II. S. 215.

Diese adlige Familie führt ein gespaltenes blau und silbernes

Schild, darin ist ein schwarzer und unter demselben ein silberner Hausgiebel oder Sparren angebracht, zwischen beiden Sparren stehen drei Sterne, oben einer, unten zwei. Der gekrönte Helm ist mit drei schwarzen Straussenfedern geziert. Die Decken sind rechts roth und Silber, links schwarz und Silber.

Garten, Herr von.

David v. G. soll einer der Anführer der Polen gewesen sein, die 1327 die Mark verheerten. Die Sage erzählt, es hätten sich zwei seiner Untergebenen um ein schönes Frauenzimmer gestritten und G. habe den Streit dadurch geschlichtet, dass er den Gegenstand desselben mit dem Schwerte in zwei Theile zerhieb, worauf die Helmzierde des Familienwappens zeigt. — Diese Familie besass bis 1782 ein Burglehn in Storkow. Sie führt im weiss und blau gespaltenen Schilde hier drei Sterne unter einander gestellt, dort einen goldenen aufspringenden Löwen. Auf dem Helm ein blaugekleideter Mann mit einem blossen Schwert in der Hand.

Gaudelitz, Herr von.

Wolf Georg v. G kommt im J. 1649 als des Kurfürsten Friedrich Wilhelm's Kammerpage vor.

Gaudot, Herr von.

Diese adlige Familie erhielt am 21. Mai 1710 vom Könige Friedrich I. eine Bestätigung ihres alten Adels. Sie führt ein blaues Schild, darin ist ein breiter goldener mit zwei schwarzen, gekrönten Adlern belegter Sparren vorgestellt, in jeder Ecke und unten in der Mitte des Schildes steht ein aufspringender goldener Löwe, auf dem gekrönten Helme zeigt sich der schwarze Adler wieder. Die Decken roth und silbern.

Gaultier, die Freiherren und Herren von.

Der Stammvater dieses Geschlechts war *Jean* G., Major der Stadt Aiguesmorte in Languedoc, der im Jahre 1550 lebte. — *Peter* v. G. hatte von Kaiser Karl VI. im Jahre 1721 ein Freiherrndiplom erhalten; er war Geheimer Kriegsrath und *Directeur des plaisirs* zu Dresden und starb am 28. Febr. 1742 daselbst. — *Heinrich Franz* G. de St. Blankart war mit der Tochter des Geheimenrathes und Generalfiskals d'Aniers und der Henriette Anne de Palleville vermählt. Er war der Sohn des Ober-Gerichts- und Ober-Consistorialraths *Franz* v. G.

Gauvain, die Herren von.

Der Stammherr der nach Preussen gekommenen Mitglieder dieser französischen Familie war Generallieutnant. Sein Sohn aber war 1730 Ober-Gerichtsrath zu Stettin.

Gayl, die Herren von, Bd. II. S. 219.

Philipp v. G. erhielt am 1. Jan. 1573 vom Kaiser Maximilian II. ein Erneuerungsdiplom seines Adels. — Mehrere Zweige des Geschlechtes waren mit dem Orden in die nördlichen Länder gekommen. Im 16. Jahrh. erwarb ein Ast das Gut Waldacten, ein anderer Lukiau. — *Kasimir Wilhelm* v. G. aus Kurland, ging in preussische Dienste, er erkaufte im Jahre 1776 das Gut Eichstädt bei Stendal in der Altmark, und wurde Land- und Ritterschaftsdirektor; er hatte aus 2 Ehen 6 Söhne und 3 Töchter. Der älteste dieser Söhne *Kasimir Wilhelm* stand im Regiment Garde, nahm seinen Abschied und war später Ober-Rechnungsrath und Präsident in Stettin. — *Friedrich*, der zweite der Söhne ist der von uns angeführte Generalmajor a. D. — *Karl*, der dritte der Brüder stand bei dem Regiment von Tschammer und blieb im Jahre 1814 als Hauptmann des 2. Infanterieregiments. — Nicht zu bestimmen vermögen wir, ob die andern in unsern Artikeln erwähnten v. G. zu den gedachten 6 Brüdern gehören.

Gayling, die Freiherren von.

Diese freiherrliche Familie heisst eigentlich Gaylingen v. Altheim, sie gehört den Rheinlanden an, während eine Linie in Franken erloschen ist. In der preuss. Armee stand ein aus dem Grossherzogthum Baden gebürtigter Baron v. Gayling u. Altheim als Offizier in dem Regiment Fürst Hohenlohe zu Breslau. Er ist nachmals in grossherzogl. badensche Dienste getreten und war im Jahre 1828 Oberst-Lieutenant im Dragonerregiment v. Geissau. (M. s. Biedermann O. Tab. 292. A. Tab. 199. Gauhe I. S. 106. Nr. 5. v. Meding II. Nr. 257.)

Gebauer, Herr von.

Ein Hauptmann v. G. stand bei dem Regiment v. Kowalski. — In Prenzlau starb 1772 eine Majorin v. G., geb. v. Ankerstein.

Gehr, die Herren von.

Eine adelige Familie dieses Namens kommt in den Marken vor. (M. s. Mushard S. 247 u. Lenzenstift Histor. von Halberstadt S. 39).

Gehren, die Herren von.

Nikolas v. G. ein sächsischer Edelmann kam im Jahre 1468 mit dem Herzog Friedrich von Sachsen nach Königsberg, er war Hofmeister dieses Fürsten, und wurde 1476 Bürgermeister der Stadt Königsberg. Dieselbe Würde erlangte sein Sohn *Hans*. Dessen Enkel *Reinhold* wendete sich wieder nach Deutschland und wurde Professor zu Rostock. — Weder er noch seine Enkel machten von ihrem Adelsstande Gebrauch, erst sein Urenkel *Georg Ehrhardt* G. erhielt 1778 wieder ein Adelsdiplom. Er war praktizirender Arzt zu Gartow. Diese Familie führt im blauen Schilde einen blauen Spiegel, an dessen Fuss sich ein silberner Stern zeigt, der sich auch auf dem Helme wiederholt.

Geist v. Hagen, die Grafen u. Herren, Bd. II. S. 222.

Das hier beschriebene Wappen gehört einer süddeutschen Familie v. G., nicht aber der Familie G. v. H. an. Diese führte nämlich im silbernen Felde drei Gemshörner (Haken) und auf dem Helme acht Pfauenfedern oder Straussfedern.

Gelbke, Herr von.

Sr. Majestät der jetzt regierende König hat den Major Gelbke, früher in der Garde Artillerie-Brigade und vormals Praeses der Geschütz-Commission in Berlin in den Adelstand erhoben. Derselbe hat sich durch die Herausgabe eines mit vieler Pracht ausgestatteten Wappenbuches bekannt gemacht.

Geldenwigt, die Freiherren von.

Dieses freiherrliche Geschlecht soll aus Halberstadt stammen, und von da nach der Pfalz gekommen sein. Daselbst kommt ein *Johann* Reichsfreiherr v. G. vor, dieser soll nebst 5 andern jungen Edelleuten von dem Herzog v. Friedland (Wallenstein) aus Halberstadt mitgenommen worden sein. Er stellte sie dem Kaiser vor, der den jungen v. G. als Edelknaben in seine Dienste nahm, eine Schwester desselben *Eleonora Katharina* v. G. wurde die Gemahlin des Grafen Christian Karl v. Wersowetz-Sekerka. Diese Familie führte im blauen und silbernen Schilde, in der obern blauen Hälfte einen nach der rechten Seite gehenden Löwen, darunter 2 silberne, und zwischen diesen einen rothen Querbalken, auf dem Helme wiederholte sich der Löwe. Decken rechts blau und gold, links roth und silber. M. s. Lenz Halberstädtische Stiftshistorie und Leuckfeld *Antiquitates Halberstad.*

Gelder (zu Arzen), die Grafen von.

Diese jetzt gräfliche Familie stammt von einem natürlichen Sohne eines Herzogs von Geldern. *Friedrich Adolph* Freiherr v. G. zu Arzen (Arssen) baierscher Kammerherr und Oberst, wurde am 15. Juli 1790 von dem Kurfürsten Karl Theodor in den Grafenstand erhoben, er starb am 30. Mai 1831 zu Cöln. — Gegenwärtig leben zu Bachem bei Cöln die Grafen *Friedrich Adolph* und *Karl Theodor* v. Gelder.

Gellern, die Herren von.

Gabriel und *Samuel* v. G. Herren auf Blumenstein bei Marienburg, suchten im Jahre 1778 um die Erneuerung ihres Adels an. Wir finden aber keine Nachricht, dass ihnen ihr Ansuchen gewährt worden sei. Sie stüzten dasselbe vorzüglich darauf, dass *Johann* v. G. zu Danzig, dessen Epitavium daselbst vorhanden ist, und *Heinrich* v. G. der in frühern Zeiten das Rittergut Lissau im Marienburger Werder besass, ihre Vorfahren waren.

Gemünden, die Herren von.

Dieser adligen Familie in der Rheinprovinz, gehört an: *Friedrich Peter* von Gemünden, zu Medenscheid bei Coblenz.

Genghoven, die Herren von.

Johann Wendelin Ulrich v. G. kam aus Nürnberg in die Grafschaft Mark, und lebte in den Jahren 1769 und 70 in den Städten Hagen und Werle, er machte verschiedene Pläne zur Landesverbesserung, die er der Regierung einsendete, die aber keinen Gebrauch davon machte. Dieser Edelmann hinterliess einen Sohn, der noch am Anfang dieses Jahrhunderts in der Grafschaft Mark lebte.

Gent, die Freiherren von.

Sie gehören zu dem Clevischen Adel. — *Otto*, Freiherr v. G. auf Dieden, leistete dem Kurhause Brandenburg wichtige Dienste. Seine Gemahlin war Sophie Elisabeth, Freiin v. Wachtendonk — Im Jahre 1660 lebte *Johann Walkion* v. G. auf Biesterfeld. —

Gerbhardt, die Herren von.

Friedrich Christian v. G. besass die Güter Polgzen, Nixen, Arnsdorf u. s. w. und starb im Jahre 1756. — Von seiner Gemahlin Johanne Goldammer hinterliess er einen Sohn und drei Töchter. — Der Sohn, *Christian Wilhelm* scheint unvermählt gestorben zu sein. — Eine der Töchter *Christiane Beate* starb am 30. Sept. 1807 als Gemahlin des Freiherrn v. Seidlitz, herzogl. braunschw. Regierungspräsidenten.

Die Herren v. G. führen ein gespaltenes Schild, die rechte Hälfte füllt ein roth und goldener Schach von 11 Reihen, eine jede zu fünf Steinen, in der linken goldenen Hälfte steht ein rother nach der rechten Seite aufspringender Greif, der sich auf dem gekrönten Helme wiederholt. Decken schwarz und Gold.

Gerdtel, die Herren von, Bd. II. S. 227.

Das Wappen dieser Familie ist in Beziehung auf die Farben in unserm Artikel unrichtig angegeben. Der Abdruck, der uns vorlag, war sehr undeutlich, die Felder 1 und 4 sind blau und die Felder 2 und 3 grün. Die Decken rechts blau und Gold, links grün und Silber.

Gerlach, die Herren von.

Einer von den Voreltern dieses Geschlechts Namens *Jacob* v. G. ist nebst seinen Descendenten von dem römischen Kaiser Sigismund laut des bei der Familie noch befindlichen Diploms de dato Rom im Jahr nach Christi Geburt 1435 am St. Lorenz-Tage, in den Ritterstand erhoben, zu welcher Zeit er Oberst über ein Regiment Kavallerie gewesen. — Als Ursache dieser kaiserlichen Gnade wird in dem Diplom unter andern mit angeführt, „dass Se. kaiserl. Majestät angesehen und gütlich betrachtet hätten solch Redlichkeit, Biederkeit und Vernunft, und auch solche bereite und willige Dienste, die Dero und des Reichs Lieber Getreuer *Jacob* v. G. Ihnen so oft und dicke in Deutschen und Welischen Landen, und in Dero Königreichen zu Hungern und Behem gethan, täglichen thäte und fürbas thun würde.“

Von den Descendenten dieses *Jacobs* v. G. hat sich im vorigen Jahrhundert einer, Namens *Lebrecht* v. G., in Pommern niedergelassen und ist im Jahre 1742 als Hofgerichts-Rath zu Cöslin gestorben; er hatte ein Erneuerungs-Diplom seines Adels erhalten.

Derselbe hatte zwei Söhne:

1) *Friedrich Wilhelm* v. G., welcher als Geheimer Ober-Finanz-Kriegs- und Domainen-Rath bei dem General-Ober-Finanz-Kriegs- und Domainen-Directorium zu Berlin stand und zwei Söhne hatte, nämlich *Ludwig August Wilhelm* und *Karl Friedrich Leopold*.

2) *Otto Lebrecht* v. G., königl. preuss. Oberstwachtmeister von der Cavallerie, Herr auf Zebbellin u. s. w. Er lebte in der Ehe mit einer

v. Kleist, und hatte mit ihr einen Sohn, Namens *Otto Friedrich Karl Heinrich*.

Diese Familie hat das Indigenat in Pommern, und die Rittergüter Gantzkow, Schwemmin, Rützow, Zebbellin und Parsow, sämmtlich im Fürstenthum oder Cöslinschen Kreise belegen, sind oder waren Besitzungen derselben. — Gegenwärtig besitzt Parsow der königl. Landrath des Fürstenthums und Kreises v. G.

Ernst Ludwig v. G. ist Vice-Präsident des Oberlandgerichts zu Frankfurt a. d. O.

L. F. C. v. G. ist Oberstlieutenant, Adjutant des Prinzen Wilhelm (Sohn Sr. Maj.), Ritter des eisernen Kreuzes I. Classe u. s. w.

Das dieser Familie verliehene Wappen besteht in einem Schilde, mit einem schwarzen Felde, darin ein weisses oder graues Pferd, bis an die Brust geendet, auf einer brennenden Flamme, die unten an dem Schilde auflodert. Auf dem Schilde steht ein Helm mit einer schwarzen und weissen Helmdecke geziert, wie mit einer goldfarbenen Krone, und darauf ebenfalls ein halbes Pferd wie in dem Schilde. M. s. Brüggemann I. Th. 2. Hauptst. v. Krohne II. Th. S. 4 u. S. 413. v. Hellbach I. Bd. S. 419 (hier ist statt 1435 durch einen Druckfehler 1735 gesetzt). N. Wappenbuch der preuss. Monarchie III. Bd. S. 26.

Germar, die Herren von.

Aus dem alten sächsischen und namentlich thüringischen Geschlechte, das schon im Jahre 1130 in der Reihe der deutschen Ritterschaft erscheint, sind zwar, so weit es uns bekannt geworden ist, keine Mitglieder im preuss. Staate ansässig, wohl aber haben einige in der Armee gedient und noch gegenwärtig dienen verschiedene Söhne aus diesem Hause in derselben. Im Jahre 1806 stand in der niederschlesischen Füselier-Brigade ein Lieutenant v. G., der gegenwärtig Major im 26sten Infant.-Regiment und Ritter mehrerer Orden ist; er erwarb sich das eiserne Kreuz bei Ligny. Es führt diese Familie im rothen Schilde einen silbernen Krug oder Kanne mit einem Henkel, und auf dem gekrönten Helme einen gerüsteten Arm, der sieben schwarze Hahnenfedern emporhält.

Germershausen, die Herren von.

Aus dieser ursprünglich dem Eichsfeldischen angehörigen Familie, war im Jahre 1572 *Volkmar* v. G. Hauptmann zu Rüdersdorf und Herr von Straussberg. — Sein Wappen zeigt im silbernen Schilde und auf dem Helme zwei schwarze Adlerflügel. M. s. Wolfs Urkundenbuch S. 13.

Gerolt, die Herren von.

Eine adelige Familie in der Rheinprovinz, aus welcher Mitglieder in Bonn, Aachen und Linz leben. Derselben gehört auch an: *Karl Friedrich Johann Maria* v. G., königl. preuss. General-Consul in Mexico, und der Kammer-Präsident v. G. in Elberfeld.

Gerresheim, die Herren von.

Dem fürstlich hessen-darmstädtischen Minister, Resident und Legationsrath v. G. wurde am 3. Octbr. 1735 vom Könige Friedrich

Wilhelm I. ein Erneuerungs-Diplom seines alten Adels ausgefertigt. Diese Familie führt im blauen Schilde ein über goldene Sandberge springendes Reh, das auch verkürzt auf dem mit blau und goldenem Bande belegten Helme steht. Decken blau und Gold.

Gerstenberg, die Herren von.

Das Stammhaus dieser Familie liegt eine Stunde von Altenburg. *Jacob* G. war im Jahre 1524 Stadtvoigt zu Buttstädt. Seine Nachkommen machten sich im Altenburgschen und bei Erfurt ansässig. — Sie bedienten sich durch lange Zeiten hindurch nicht ihres Adels, derselbe wurde aber dem *Georg Heinrich* v. G., welcher als Offizier in dem Regiment v. Anhalt-Bernburg stand, am 17. Octbr. 1712 erneuert. M. s. Gleichenstein No. 28. Gauhe I. S. 435—88. u. II. S. 355. Dänisch Wappenbuch. Brückner's Samml. III. Th. S. 72 u. f. Würschmidt's Sammlung.

Gerswalde, die Herren von.

Von diesem Geschlecht findet sich *Zander* v. Ghyrswalde, welcher, nach Karls IV. Landbuche, im Jahre 1375 in Kakstede und Lauenhagen seine Güter gehabt. Das Stammhaus Gerswalde besitzen jetzt die Herren v. Arnim und haben solches von denen v. Kettelhack eingetauscht.

Geuder, die Freiherren von, Bd. II. S. 231.

Johann Philipp v. G. war fürstlich brandenburgischer General-Director und Ritterhauptmann. Sein Sohn war der in unserm Artikel erwähnte *Karl Philipp* v. G., anhaltischer Geh.-Rath und Hofmarschall. Er war am 25. April 1645 geboren. Sein Sohn, *Johann Georg* Reichsfreiherr G. v. Rabensteiner, war königl. preuss. Geh.-Rath, markgräfl. brandenburgischer Hofmarschall und Kanzler des Johanniter-Ordens, und starb den 26. März 1746. Er war mit Sophia v. d. Gröben aus dem Hause Lichterfelde vermählt, hinterliess aber aus dieser Ehe nur eine Tochter. Sie vermählte sich mit Christoph Heinrich Wilhelm v. Arnstedt. Ein Sohn aus dieser Ehe war Wilhelm Albrecht v. Arnstedt, Herr auf Gransee bei Ruppin, königl. Major im Backhoffschen, nachmals Marwitzschen und Beerenschen Cürassier-Regiment, und starb, wie wir in unserm Artikel angeführt haben, als Oberstlieutenant im Invalidenhause 1817. Die königl. Bibliothek zu Berlin besitzt ein schönes Stammbuch des Freiherrn *Christ. Friedrich* v. G.

Giesenberg, die Herren von.

Ein altes, wenig bekanntes adeliges Geschlecht in Westphalen. Ihm gehörte an *Johann* v. G., der 1520 mit dem Gute Holtenberg belehnt wurde. — Zu Henichenberg im Hildesheimschen starb 1727 der letzte männliche Sprosse des Hauses.

Gilbert, die Herren von.

Diese Familie stammt aus Ungarn. *Georg* v. G., ein ungarischer lutherischer Edelmann, geboren zu Bibersburg, wanderte der Religion wegen aus und kam nach Graudenz, wo er 1650 starb. — *Johann* v. G., Seigneur de Spaignard, war churbrandenburgscher Auditeur, Hof- und Kammergerichts-Advocat. Seine Gemahlin war Dorothea Eleonora v. Glöden; er starb am 24. Septbr. 1678 zu Berlin. Dieser letztere war aus einem Hennegauschen Geschlecht, dessen Adel im Jahre 1615 bestätigt wurde. M. s. preuss. Lieferungen I. Bd. S. 252 u. 254. v. Meding beschreibt das Wappen II. Th. S. 277.

Gilgenheim, die Herren von, Bd. II. S. 234.

Die Freiherren v. Hentschel, von denen die nachmaligen Reichsritter v. G. und Weidenau abstammen, schrieben sich v. Hentschel und Gutschdorf. Ihr ursprüngliches Stammhaus ist Kuchendorf bei Reichenbach und des Hauses Stammherr *Johann* Hentschel v. G.; am 4. April 1644 erhielt er den Adel vom Kaiser Ferdinand III. — *Johann Gottfried Joseph*, erster Reichsfreiherr v. H. und Gutschdorf, war kurmainzischer und hochfürstl. bambergischer Rath und Herr der Güter Gulau, Girlsdorf, Johannesthal, Baumgarten und Jexau. — Gegenwärtig besitzt *Erdmann* v. G. Franzdorf u. s. w. *Joseph* v. G. ist Assessor beim Ober-Appellations-Gericht in Posen, *Theodor* v. G. ist Herr auf Endersdorf und der vierte Bruder, *Echart* v. G., besitzt Wiesau.

Wappen. Im rothen Schilde sprossen unter einem silbernen Querbalken drei grüne Kleeblätter auf grünem Boden, auf dem ein Hirsch weidet. Auf dem Helme stehen zwei Hirschstangen. Decken roth und Silber. Der weidende Hirsch scheint sich auf das der Hauptlinie des Hauses gehörige kaiserl. östreich. Lehn Weidenau zu beziehen.

Giller (Gillern), die Freiherren von, Bd. II. S. 234.

Alte Stammgüter des Hauses sind Rettkau und Antheil Priedemost. — *Dominica* Freiin v. G. war bis zu der im Jahre 18$\frac{09}{10}$ erfolgten Secularisation des fürstl. Stiftes und Jungfrauen-Klosters des Cistercienser-Ordens zu Trebnitz in Schlesien Aebtissin und regierende Frau.

Gillhausen, die Herren von, Bd. II. S. 234.

Die v. G. haben ein quadrirtes Wappenbild. Die Felder 1 und 4 sind blau und darin ein weisser sitzender, eine erlegte Ente apportirender Hund, die Felder 2 und 3 sind grün und darin ein goldenes Haus (Güldenhaus). Der gekrönte Helm trägt zwei übers Kreuz gelegte silberne und schwarze Fahnen. Decken schwarz und Silber.

Girodz de Gaudi, Herr von, Bd. II. S. 235.

Der von uns angeführte Oberst G. de G. heisst *Alphons*. Er vermählte sich im Jahre 1805 zu Münster mit Hedwig v. Warsing, Tochter des Geheimeraths v. W. und einer v. Colomb.

Gispersleben, die Herren von.

Ein altes, schon lange erloschenes adeliges Patrizier-Geschlecht zu Erfurt, dessen Stammort sein ehemaliges herrschaftliches Dorf Gispersleben, eine Stunde von Erfurt, liegt. Ehemals war es ein gräfl. Gleichisches Lehn und später, als die Herren v. G. Bürger zu Erfurt wurden, gelangte es unter die Botmässigkeit dieser Stadt. — *Albert* v. G. war 1313 Rathsglied und Bürger zu Erfurt.

Gizycki, die Herren von.

Diese adelige polnische Familie, welcher der Landgerichtsrath v. G., Justiz-Commiss. zu Posen, und *Friedrich* v. G., Landgerichts-Assessor zu Kosten, angehören, auch zwei Mitglieder, die in der Armee dienen, nämlich der Prem.-Lieutenant v. G. bei der 5ten Artillerie-Brigade und der Lieutenant v. G. im 6ten Uhlanen-Regiment, erhielten am 6. Octbr. 1820 ein Anerkennungs-Diplom ihres alten Adels. Sie führt im rothen Schilde eine silberne französische Lilie und auf dem gekrönten Helme einen mit diesem Bilde belegten Pfauenschweif.

Glafey, die Herren von, Bd. II. S. 237.

Dieses adelige Geschlecht besass das Rittergut Stötteritz bei Delitsch, auch mehrere Güter in der Lausitz. *Traugott Friedrich Johann* v. G. war des Markgrafen zu Schwedt Reisemarschall. Seine Gemahlin war Sophie v. Bardeleben.

Glan, die Herren von, Bd. II. S. 237.

Diese adelige Familie stammt aus Westphalen, wo das Haus Diepholz und der Rittersitz Sievering der Familie schon vor 300 Jahren angehörten. M. s. v. Steinen XVIII. St. p. 868.

Glandorf, die Herren von.

Ein altes edles Geschlecht in Westphalen. *Adolph Ibel* v. G. war königl. preuss. Kammerrath und Gaugraf zu Ravensberg. Er starb am 12. Aug. 1713 zu Bielefeld. Sein Sohn *Ernst Franz*, edler Herr v. G., war Geh. Reichsreferendar und Hofrath. Im Jahre 1725 erhob ihn der Kaiser in den Reichsfreiherrenstand. M. s. östreich. Adel. S. 60. Es führte diese Familie ursprünglich einen grünen Eichenzweig mit drei goldenen Eicheln im silbernen Schilde.

Glauch, die Herren von.

Edelleute dieses Namens kommen in Preussen vor. — *Hans* und *Georg* v. G., Brüder, lebten im Jahre 1600. Der erstere hinterliess einen Sohn, der sein Geschlecht fortpflanzte; doch kommt am Anfange des 18ten Jahrhunderts *Lucas* v. G. als der letzte seines Geschlechtes vor. Er lebte mit einer v. Raben in kinderloser Ehe. M. s. preuss. Archiv Jahrg. 1794. S. 74.

Gleisen v. Dorengowski, die Herren.

Aus diesem Geschlecht finden wir *Peter* G. v. D., der 1638 Hauptmann zu Tilsit war. — Noch in der neuesten Zeit dienten Edelleute dieses Namens in unserer Armee. Ein Major G. v. D. war zuletzt (1830) Chef einer Garnison-Compagnie.

Gleisenthal, die Herren von.

Ein ausgegangenes Geschlecht, in den Marken bekannt. — *Heinrich* v. G., Hauptmann zu Freyenwalde, starb im Jahre 1666 als der letzte seines alten Stammes. Dem alten Brauch gemäss wurde Schild und Helm ihm ins Grab mitgegeben. v. d. Hagen, Beschreibung von Freyenwalde S. 31. Die v. G. kommen auch in Preussen vor, wo sie Sonnenberg bei Rastenburg besassen.

Glockmann, die Herren von.

Ein adeliges Geschlecht in Preussen, das bis zum Jahre 1732 das Rittergut Gr. Gilgchen und später noch die Güter Weskiniten und Gudicken besass. Mehrere Söhne aus diesem Hause waren in holländischen Diensten, namentlich war *Friedrich Wilhelm* v. G. holländ. Oberst. Einige standen auch in preuss. Diensten, wie *Leopold* v. G., Artillerie-Offizier.

Glümer, die Herren von.

Dieses adelige Geschlecht stammt der Angabe nach aus Dänemark, wo einer ihrer Vorfahren zu den höchsten militairischen Würden gelangte, später aber, in Folge eines Aufruhrs, am Ende des 14ten Jahrhunderts nach Braunschweig flüchtete. Ein Sohn desselben wurde in der ersten Hälfte des 15ten Jahrhunderts Bürgermeister der Stadt Braunschweig (von demselben besitzt die Familie noch ein Bild). Sie wurde von der Zeit an zu den Patrizier-Geschlechtern der Stadt Braunschweig und später zum ansässigen Adel in Braunschweig gezählt. Vom Jahre 1580 befindet sich eine Urkunde in den Händen der Familie, wo dieselbe zuerst als adelig bezeichnet wird. In der Mitte des 16ten Jahrhunderts erhielt sie auch ein Reichsadelsdiplom. Merkwürdig ist der Umstand, dass bis in die neueste Zeit kein Zweig dieses Hauses über 60 Jahr alt geworden war, während das gegenwärtige Haupt derselben (m. s. u.) diese gefürchtete Staffel überschritten hat. Die Familie besteht gegenwärtig aus folgenden Mitgliedern in drei Linien.

Erste Linie.

Weddo v. G. zu Wolfenbüttel, Major in braunschweigischen Diensten, geb. den 16. Decbr. 1767, vermählt mit der Tochter des verstorbenen englischen Generals Nesbit. Aus dieser Ehe ist ein Sohn *Karl* v. G., geb. den 11. Dezbr. 1798 zu Toulouse, und zwei Töchter, *Agnes*, geb. den 19. Febr. 1804, und *Adolphine*, geb. den 8. Aug. 1812.

Zweite Linie.

Louis v. G., geb. den 24. April 1772, früher in braunschweigischen, dann in preussischen Diensten, jetzt Hauptmann a. D. zu Magdeburg, vermählt mit Wilhelmine Spohr, Tochter des Superintendenten Spohr zu Scheppenstedt; früher aber schon vermählt gewesen mit einer Frau v. Nostitz, geb. Frau v. Polenz in Schlesien, jedoch kinderlos. Von der erstgenannten, noch lebenden Frau sind zwei Söhne: 1) *Weddo* v. G., geb. den 28. März 1811, Lieutenant im 26sten Infant.-Regiment zu Magdeburg, vermählt seit dem 1. Jan. 1833. Aus dieser Ehe ist eine Tochter, geb. den 24. Octbr. 1834. 2) *Adolph* v. G., geb. den 5. Juni 1814, Lieutenant im 26sten Infant.-Regiment zu Magdeburg.

Dritte Linie.

Des Kammerpräsidenten zu Coblenz, *Gottlieb* v. G., Wittwe und Kinder, unter denen ein Sohn.

Wappen.

Die Familie v. G. führt im goldenen Schilde einen von der rechten obern zur linken untern Seite gezogenen, mit drei grünen Hopfenknospen belegten schwarzen Balken. Auf dem Helme, der mit einer neunperligen Krone bedeckt ist, wiederholen sich zwei Hopfenknospen an goldenen Stielen. Decken Gold und schwarz.

Gniewskowski, die Herren von.

Aus diesem polnischen adeligen Geschlecht war im Jahre 1738 ein Zweig, *Christian* v. G., Capitain im Regiment Fürst Leopold von Anhalt zu Stendal. Er war auch Besitzer des Ritterguts Herzfelde bei Seehausen in der Altmark.

Göhren, die Herren von.

Eine adelige Familie in den Marken, von der in der Gegenwart nur wenig Mitglieder vorkommen. Ein Lieutenant v. G. steht gegenwärtig im 29sten Infant.-Regimente zu Coblenz. M. s. Seiffert's genealog. Verz. hochadeliger Eltern u. Kinder S. 60.

Göllnitz, die Herren von.

Diese gegenwärtig im Königreich Würtemberg ansässige Familie hat in frühern Zeiten mehrere Güter in den Herrschaften Beskow und Storkow besessen. Es verlieren sich die Mitglieder dieser Familie bei uns im 18ten Jahrhundert.

Görnitz, die Herren von.

Eine adelige Familie, die in Ost- und Westpreussen begütert war. Sie kommt auch mit dem Beinamen Steyts v. G. vor. — *Heinrich* v. G. auf Lerchenthal, vermählt mit Tugendreich v. Seidlitz, lebte um 1699. — *Friedrich Wilhelm* Steyts v. G. war 1775 Major und Herr auf Gottswalde bei. preuss. Mark. — 1788 erhielt derselbe die Erlaubniss, den Ehemann seiner Nichte Dorothea Maria v. Ziegler, den Kriegs- und Domainenrath Albrecht Friedrich v. Rosenfeld, zu adoptiren. (M. s. d. folgenden Artikel.)

Görnitz-Rosenfeld, Herr von.

Der Kriegs- und Domainenrath *Albrecht Friedrich* v. Rosenfeld wurde am 15. Febr. 1788 von dem Oheim (der Mutter Bruder) seiner Gemahlin Dorothea Maria Wilhelmine v. Ziegler, dem Major *Friedrich Wilhelm* v. Görnitz, mit königl. Bewilligung an Sohnes Statt angenommen, und führte von da an den Namen Rosenfeld v. Görnitz genannt Steytz. Er starb am 30. April 1799, so viel uns bekannt ist, kinderlos. Sein Wappen war in vier Hauptfelder getheilt, mit einem Herzschildlein, welches im silbernen Felde den schwarzen Adler zeigte.

Im ersten blauen Felde war ein schwebendes silbernes Kreuz, im zweiten silbernen Felde drei rothe Schrägbalken vorgestellt, das dritte Feld war quer in blau und roth getheilt, hier stand eine französische Lilie, dort sah man zwei Rosen, das vierte blaue Feld zeigte eine goldene strahlende Sonne. Das Hauptschild trug zwei Helme, auf dem rechten war ein Pfauenschweif, auf dem linken ein verkürzter, eine Rose in den Pranken haltender Löwe vorgestellt. Zu Schildhaltern waren zwei Pfauen gewählt.

Görsleben, die Herren von.

Sie kommen auch unter dem Namen v. Gorsleben in der Neumark vor. Im Jahre 1625 lebten die Brüder *Hans* und *Caspar* v. G. Ein Sohn des ersteren *Leonhardt* v. G. ist als Herr v. Kirschbaum bei Sternberg aufgeführt. M. s. König's Sammlung.

Görzke, die Herren von, Bd. II. S. 251.

Alte Besitzungen dieses Hauses sind Bollersdorf, Friedersdorf, Vogelsdorf, Kunitz, Gründel, Gross-Beuthen, Schönfeld u. s. w. Der in unserm Art. erwähnte Oberst v. G. in Berlin führt den Vornamen *Friedrich*. Diese Familie führt im blauen Schilde einen goldgekrönten Adlerskopf, auf dem Helme wiederholt sich derselbe mit drei Straussenfedern besteckt.

Götzendorf-Grabowski, die Grafen u. Herren v., Bd. II. S. 254.

Wir geben hier einige Nachträge zur Beschreibung des Wappens. Ein länglich rundes, mit goldenem Schnitzwerk eingefasstes Schild, in dessen rothem Felde ein gerade aufgerichtetes blosses Schwert mit goldenem Gefäss, und über dem Gefäss ein silberner halber Mond mit aufwärts gekehrten Spitzen zu sehen ist. Das Schild ist mit einer goldenen Grafenkrone, mit Edelsteinen auf dem Reifen und Perlen auf den Zinken bedeckt, über welcher ein nach der rechten Seite fliegender schwarzer Adler mit goldener Königskrone, goldenem Schnabel und roth ausgeschlagener Zunge erscheint. Schildhalter zu beiden Seiten sind zwei mit Laub bekränzte und umgürtete wilde Männer mit Keulen in der Hand. Das Schild ruht auf Sieges-Armaturen von Pauken, Trompeten, Kanonen, Fahnen, Spiessen und Flinten.

Gohr, die Herren von, Bd. II. S. 255.

Diese Familie war aus dem Cölnischen in die Altmark gekommen, sie erscheint zuerst mit Markgraf Albrecht I. im 12ten Jahrhundert. *Otto* v. G. kommt 1375 vor. Im Elsass blühte seit langen Jahrhunderten ein Ast, und mehrere Zweige sind mit dem Orden nach Curland gekommen. M. s. J. F. Seyfarth Beschreibung des adeligen Geschlechtes v. Gohr. Weissenfels, ohne Jahrzahl. Es führt dasselbe nicht einen damascirten Balken, wie wir in unserm Artikel, nach einem vorliegenden, nicht deutlichen Abdruck, angegeben haben, sondern einen mit Weinranken belegten Balken.

Goldacker, die Herren von.

Eine sächsische Familie, aus welcher in Sachsen zwei Mitglieder zum Generalsrange gelangten. Es soll dieses Geschlecht aus Kärnthen nach Baiern und von da erst nach Sachsen und namentlich nach Thüringen gekommen sein. Ein Premier-Lieutenant v. G. steht im 31sten Infant.-Regiment zu Erfurt. Es führt diese Familie ein oben goldenes, unten aber in Silber und roth gespaltenes Schild, in dem obern goldenen Felde ist ein verkürzter schwarzer Widder vorgestellt. Auf dem Helme ist ein in Gold gekleideter bärtiger Mann mit einer spitzigen rothen Mütze mit silbernem Aufschlag zu sehen. Decken roth und Gold. M. s. Gauhe I. Th. S. 516. Brückner I. Th. 9. Stck. S. 49. v. Meding beschreibt das Wappen im I. Th. S. 281. Siebmacher giebt es im I. Th. S. 87.

Goldammer, die Herren von, Bd. II. S. 256.

Die v. G. wurden durch ein am 15. Febr. 1819 ausgestelltes Diplom auch in dem preuss. Staate als Edelleute anerkannt.

Goldbeck, die Herren von.

Der Adel der Familie v. G. wurde von preuss. Seite unter dem 28. März 1778 mittelst Diplom erneuert.

Goldenbogen, die Herren von.

Ein altes westphälisches Geschlecht, aus welchem *Hans* v. G. im Jahre 1296 vorkam. Ein goldener Bogen, der quer mit der Senne unterwärts liegt, war das Wappenbild dieses längst erloschenen Geschlechtes. Westphal. Monum. ined. T. IV. Tab. 20. No. 22. v. Meding I. Th. S. 284.

Goldschmid, die Herren von.

Der Rath beim ostpreuss. Tribunal *Emanuel* v. G. erhielt unter dem 7. Jan. 1791 ein Erneuerungs-Diplom seines Adels und mit demselben das Prädicat Goldenberg. Diese adelige Familie führt im silbernen Schilde einen blauen, von dem linken obern zum rechten untern Winkel gelegten Schrägbalken mit drei goldenen halben Monden belegt. Auf dem mit einem blau und silbernen Bunde belegten Helme wächst ein goldgerüsteter Rumpf, der statt der Arme zwei silberne Flügel hat. Decken blau und Gold.

Golitz, die Herren von.

Ein erloschenes Geschlecht in der Neumark, dessen Stammhaus bei Lebus lag. Zuerst finden wir *Remegus* v. G. und seinen Neffen *Erich* zu Seelow. Im Jahre 1694 besassen *Barthel* und *Caspar* v. G. die Güter Clessin und Diedersdorf. Im Jahre 1760 ertrank *Friedrich* v. G., königl. schwed. Oberstlieutenant, der letzte seines Geschlechts; er war mit Elisabeth Sibylla v. Thumen vermählt. Die Güter fielen als eröffnete Lehne an die Krone und wurden zum Amte Lebus geschlagen. König's Sammlung.

Golofkin (Golowskin), die Grafen von.

Aus dem uralten polnischen und russischen Hause Golofkin erhielt *Peter* Graf v. G. im Jahre 1766 vom König Friedrich II. die Erlaubniss, sich in den diesseitigen Staaten niederzulassen. — *Gabriel Iwanowitsch* G., Reichsrath (1719), Grosskanzler (1721), Oberkammerherr und Ritter aller russischen Orden, starb 1734. Er hatte fünf Söhne:

1) *Iwan Gawrilowitsch* G., kaiserl. russ. Geh.-Rath, vermählt mit einer Fürstin Gagarin.

2) *Michael Gawrilowitsch* G., kaiserl. russ. Kabinetsminister, Vice-Kanzler (starb 1759 in Sibirien). Seine Gemahlin war Catharina Fürstin Ramdanowski, des letzten Fürsten R. Erbtochter, gest. zu Moskau 1793.

Sohn aus dieser Ehe:

Alexander Graf v. G., kaiserl russ. ausserordentlicher Gesandter bei dem Friedensschlusse zu Ryswik, wo er auch starb. Seine Wittwe, Catharina Henriette Gräfin zu Dohna, starb 1768 zu Berlin.

Kinder:

a) *Maria* Gräfin v. G. starb als Wittwe des Grafen Paul v. Kameke 1769

b) *Ivan Alexander* Graf v. G., kaiserl. russ. Staatsrath und Gesandter, starb 1794 zu Danzig.

c) *Natalie* Gräfin v. G. starb als Wittwe des Grafen Bernhard v. Schmettau 1778.

3) *Peter* Graf v. G. erhielt im Jahre 1766 die Erlaubniss, sich in den preuss. Staaten anzukaufen. Seine Gemahlin war Friederike Gräfin v. Kameke, die Tochter seiner Nichte *Maria* (s. o.); sie starb 1788.

4) *Gabriel Alexander* Graf v. G., holländischer Gen.-Lieutenant und Commandant von Amsterdam. (Er stand früher unter dem Namen eines Marquis v. Ferrassieres in königl. französ. Diensten.)

Tochter:

Alexandrine Cornelia Catharina, geb. im Haag am 17. Jan. 1772, Wittwe des Grafen Heinrich Alphons de Bruges, lebt in Berlin.

5) *Alexander* Graf v. G., königl. preuss. Kammerherr und Directeur des plaisirs, starb 1781 unvermählt.

Das ursprüngliche Wappen des Hauses ist ein gekrönter schwertführender goldener Löwe im rothen Schilde. In dem gräflichen Wappen macht er das Herzschildlein aus. Das Hauptschild ist quadrirt, im ersten und vierten blauen Felde ist ein aus den Wolken kommender geharnischter, ein Schwert schwingender Arm, im zweiten und dritten goldenen Felde aber ein halb sichtbarer goldgekrönter schwarzer Adler vorgestellt. Die Helme sind mit dem Löwen (verkürzt) und mit dem Adler besetzt. Decken rechts roth und Gold, links schwarz und Gold.

Gorskowski (Gorskowki), die Herren v., Bd. II. S. 269.

Ein polnisches und westpreussisches Geschlecht, aus dem mehrere Zweige im preuss. Staatsdienste waren. Der früher im Regiment Kurfürst v. Hessen gestandene Lieutenant v. G. wurde 1814 Cassen Assistent bei der Abgaben-Direktion in Berlin und starb 1821 in Sprottau. Ein Bruder desselben stand 1806 im Regiment v. Sanitz und starb als Major des 29sten Infant.-Regiments im Jahre 1823.

Goschitzki, die Herren von, Bd. II. S. 269.

Diese Familie führt ein gestürztes Hufeisen im Wappen und in der Wölbung desselben ein gemeines Kreuz. Auf dem Helme einen Vogel, der einen Ring im Schnabel trägt.

Gossow, Herr von.

Dem Geheimen Justiz- und Tribunalrath G., wurde von des jetzt regierenden Königs Majestät am 5. Juni 1798 bei seiner Erhebung in den Adelstand folgendes Wappen beigelegt. Es ist quadrirt, im ersten und vierten rothen Felde liegt ein Schwert und eine Feder übers Kreuz, im zweiten und dritten Felde ist ein Flügel des schwarzen preussischen Adlers vorgestellt. Auf dem gekrönten Helme sitzt eine Eule natürlicher Farbe. Decken roth und Silber.

Gostkowski, die Freiherren u. Herren v., Bd. II. S. 270.

Johann Jacob v. G. war der von uns erwähnte Major in dem Infant.-Regiment Churfürst v. Hessen. Er starb am 29. Mai 1811 zu Gustko in Pommern, welches Rittergut noch heute seine Söhne besitzen. *Franz* v. G., königl. preuss. Major und vormaliger Chef eines Landwehr-Regiments, starb am 24. Juli 1800 zu Halberstadt. Er war der Vater des von uns erwähnten Rittmeisters im Gens'darmen-Reg.

Gotsch, die Herren von, Bd. II. S. 270.

Mathias v. G. war 1731 königl. preuss. Oberst und Commandant von Spandau; er starb am 16. Decbr. 1739. Seine Gemahlin war Theresia v. Sala (s). Ein Bruder von ihm, *George* v. G., besass Dietersdorf. — *Johann Jacob* v. G. war Major in einem preuss. Infant.-Regiment, und starb 1773 zu Jauer in Schlesien. Sein Sohn, der ebenfalls *Johann Jacob* hiess, war der in unserm Artikel erwähnte Gens'darmerie-Hauptmann v. G., gest. 1832. Er war zuerst mit einer v. Prittwitz und zum zweiten Mal mit einer v. Freiburg aus dem Hause Passow vermählt. Aus dieser letzten Ehe ist der Lieutenant v. G. im Gardereserve-Infant.-Regiment zu Spandau.

Gottschalck, die Herren von.

Aus dieser eigentlich sächsischen Familie, die jedoch nach Henelius und Sinapius auch in Schlesien und zwar im Breslauischen ansässig war, wo sie die Gottschalker genannt wurden, dienten verschiedene Söhne in der preussischen Armee. — *Gottlieb Ludwig Lebrecht* v. G. war Hauptmann im Regiment Zaremba in Brieg. Es führt dieses Geschlecht im silbernen Schilde einen goldenen Granatapfel, in dessen Oeffnung die Granatsteine zu sehen sind. Auf dem Helme stehen zwei in roth und Silber geviertete Adlerflügel. Decken roth und Silber. König's Sammlung. Henel. S. 772. Sinap. II. Bd. S. 645.

Gottschalkowski, die Freiherren von.

Sie gehören zu dem alten vornehmen polnischen Hause der Szreniawa und kamen aus Polen in das Fürstenthum Teschen, wo ihr Stammhaus Gottschalkowitz liegt. In der Gegend von Pitschen und von Lublinitz waren ebenfalls Zweige ansässig. — *Heinrich* Freiherr v. G., Herr auf Oberrosen bei Pitschen, lebte 1745; seine Gemahlin war Dorothea v. Bröstädt. — N. N. v. G. war 1760 königl. preuss. Landrath des Kreises Lublinitz, er hatte mit einer v. Larisch nur eine Tochter, die sich mit Martin v. Kobilinski vermählte. Weiter finden wir kein Mitglied dieser Familie, die wahrscheinlich mit jener vermählten v. Kobilinski bei uns erloschen ist. Sie führt oder führte im rothen Schilde einen Fluss mit dem silbernen Kreuzlein bezeichnet und von etwas gekrümmtem Lauf. Das Kreuzlein wiederholt sich auf dem Helme zwischen zwei in roth und Silber gevierteten Büffelhörnern. Die Helmdecken sind roth und Silber. Dieses Wappen gleicht im Schilde dem der Dobschütze, die jedoch das Kreuzlein in Gold führen. M. s. Sinapius I. Bd. S. 411. II. Bd. S. 339. Gauhe II. Bd. S. 369. Siebmacher giebt das Wappen im I. Th. S. 76. v. Meding beschreibt es im II. Th. S. 208.

Gottwald, die Herren von.

Sie gehörten im vorigen Jahrhundert noch zu dem in Schlesien ansässigen Adel. *Johann George* v. G. war 1690 Herr auf Kniegnitz bei Lüben; sein mit Hedwig v. Braun erzeugter Sohn, *Johann George* v. G. der jüngere, folgte ihm im Besitz von Kniegnitz und war mit einer v. Bibran vermählt. Dessen Sohn starb als preussischer Hauptmann in der Schlacht bei Breslau den Tod der Ehre. Der letzte Zweig dieser Familie ging aus am 24. Juni 1791 mit dem Tode einer v. G., die als die Gattin des Senior Selbsherr zu Hainau an jenem Tage starb.

Gotzkow, die Herren von.

Ein adeliges Geschlecht in Preussen, das viele Güter daselbst besass, namentlich sind die Rittersitze Escherischken, Ernsburg, Grawenheide, Grieben, Hauswalde u. s. w. als Besitzungen dieses Hauses bezeichnet. — *Friedrich Gotthard* v. G. auf Escherischken im Amte Gerdauen starb am 2. Febr. 1788. — *Michael Gotthard* v. G. war Besitzer von Alkinehlen, Jarlauken und Szarnaiten. — *Karl Ludwig* v. G. hatte vier Söhne: *Karl Gotthard*, *Gustav Ludwig*, *Adolph Lebrecht* und *Wilhelm Eduard*. Die beiden ältesten standen 1806 als Offiziere im Regiment v. Esebeck Dragoner. *Karl Gotthard* v. G. starb 1807 an ehrenvollen Wunden, *Gustav Ludwig* v. G. war Capitain im Grenadier-Regiment Alexander, hatte sich bei vielen Gelegenheiten ausgezeichnet, den Orden pour le mérite, das eiserne Kreuz u. s. w. erworben, trat 1817 mit Armee-Uniform aus dem activen Dienst, erhielt 1818 den Titel als Major, mit der Erlaubniss, die Uniform des gedachten Regiments zu tragen, und ist gegenwärtig Postmeister in Grünberg.

Grabowski, die Grafen u. Herren v., Bd. II. S. 274.

Die adelige Familie v. G. führt ein von einem Pfeile schräg

durchstochenes Hufeisen im blauen Felde. Auf dem Helme drei Straussenfedern.

Gracht, die Herren von der.

Sie stammen aus Brabant. Eine Linie der Familie wurde am 23. Aug. 1660 vom König Philipp IV. in den Freiherrenstand erhoben. Gegenwärtig steht ein Hauptmann v. d. G., der aus fremden Diensten in die diesseitigen getreten ist, im 37sten Inf.-Regiment zu Thoren.

Graffen, die Herren von.

Diese adelige Familie ist zuerst in Oberöstreich ansässig gewesen, und begab sich von da nach Polen und Preussen. *Johannes* v. G. war herzogl. mecklenburgischer Regierungsrath und Envoye zu Wien und verschiedenen andern Höfen. Er starb 1663 zu Hamburg. Sein Sohn *Nicolaus* v. G. war herzogl. schleswig-holsteinischer Etats- und vorsitzender Rath im Obergericht zu Schleswig, auch Oberstaller (Amtmann) über die Provinz Eyderstädt und die Aemter Everschoppe und Utholm. Er starb im Jahre 1713 und hinterliess mehrere Kinder: 1) *Friedrich*, geb. den 10. Juni 1701 zu Tönningen im Herzogthum Schleswig. Er wurde Rathsherr zu Hamburg und starb, den Ruhm eines verdienstvollen Mannes nachlassend, mit Hinterlassung von fünf Kindern, nämlich *Rudolph*, *Friedrich*, *Georg*, *Nicolaus* und *Anna*. 2) *Georg Christian*, kursächsischer General-Major von der Cavallerie, gest. 1770; und 3) *Karl Friedrich*, geb. 1770 zu Schleswig, kursächs. Geheimer Kriegsrath und General-Staabs-Secretair bei der Armee. Er hinterliess einen Sohn, Namens *Friedrich Georg*, geb. 1757, und drei Töchter. — Gegenwärtig kommt kein Mitglied dieser Familie im Staatsdienst oder der Armee Preussens vor. Im Reichsanzeiger Jahrg. 1801. No. 292. wurden Nachrichten über dieses Geschlecht gesucht.

Das Wappen ist ein goldfarbenes Schild, auf welchem ein aufrecht stehender Palmbaum zu sehen ist, hinter welchem ein Hirsch mit aufhabenden Geweihen bis auf die Hälfte seines Leibes hervorspringt. Auf dem gekrönten, mit einer goldenen Schnur und Kleinod gezierten offenen Helm ist ein in schwarz und Gold quadrirter offener Flug, zwischen welchem der Palmbaum steht. Ex Mscpt. fam. v. Krohne II. Th. S. 20.

Gralath, die Herren von, Bd. II. S. 277.

Die v. G. führen ein mittelst des Spitzenschnittes in vier Theile zerfallendes Schild. Das obere und untere Quartier ist golden, die beiden Seitenquartiere sind blau, in diesen steht eine goldene, in den goldenen Quartieren eine blaue französische Lilie. Auf dem Helme steht ein verkürzter goldener Löwe, zwei goldene Stäbe in den Pranken haltend, die auf den Schultern ruhen. Decken blau und Gold.

Gramatzki, die Herren von.

Eine alte aus Polen nach Ostpreussen gekommene Familie, deren alter Adel durch Diplome vom 2. Juni 1832 und 5. Octbr. 1834 bestätigt worden ist. Ihr gehört an der Canonicus v. G. zu Tharau bei Königsberg. Sie führt im rothen Schilde und auf dem gekrönten Helme eine silberne Streitaxt. Decken roth und Silber.

Grand-Ry, die Herren von.

Ein angesehenes adeliges Geschlecht zu Eupen in der Rheinprovinz. Das Haupt der Familie ist *Andreas Johann Lorenz* v. G.-R. Aus diesem Hause ist auch *Maria Elisabeth* v. G.-R., verwittwete Gräfin Pinto zu Verviers in Belgien.

Grashof, die Herren von, Bd. II. S. 280.

Die adelige Familie v. G. führt ein getheiltes, in Gold eingefasstes Schild, die untere Hälfte ist mit einem rothen Mauerwerk besetzt, das von drei goldenen Schrägbalken ausgefüllt wird, in der obern silbernen Hälfte ist ein der Breite nach gelegter schwarzer Adlerflügel vorgestellt. Auf dem ungekrönten Helme stehen wieder zwei schwarze Adlerflügel. Decken roth und Gold.

Gresemundt, auch Grasemundt, die Herren von.

Eine alte adelige, im vorigen Jahrhundert erloschene Familie, welche in der Grafschaft Mark und der Reichsstadt Dortmund in Westphalen geblüht hat. Die v. G. waren Dienst- und Lehnsmänner der Grafen v. Bentheim-Tecklenburg, wie solches aus folgender Urkunde zu ersehen ist. „Ich *Rembert* v. G. verpflichte mich hiermit bei meiner adeliche Ehre, dass ich dem Hochgebornen Grafen und Herrn, Herrn Mauricken, Grafen zu Bentheim-Tecklenburg, wegen empfangener Belehnung restirend Hundert und Zwanzig Thaler künftigen Freitag binnen Münster an Johann Heerden Haus, an St. Tilien Kirchhoff ohnfehlbar erlegen und bezahlen wolle, Urkund meiner unterschriebenen Hand, Sign. Tecklenburg den 3. October Stl. vet. Anno 1637. *Rembert* G. meine eigene Hand. Diese abgesetzte Hundert und Zwanzig Reichsthaler wegen des Guts Köningen bei Werll sind zurecht eingeliefert und empfangen den $\frac{4}{13}$. October 1637. Gerhard Weitbusch, Secretarius."

Das Wapppen ist ein rothes Schild, auf welchem drei silberne, neben einander von unten bis oben quer liegende Fische zu sehen sind. Auf dem Helme ist ein ausgespannter Adlerflug; auf jedem Flügel liegen drei schildesförmige und farbige Fische. Die Helmdecken sind roth und weiss. Es ist in den Supplementen des grossen Weiglischen Wappenbuchs, welches in der Raspischen Buchhandlung zu Nürnberg herausgekommen, zu sehen. v. Krohne II. Th.

Gristow, die Herren von, Bd. II. S. 285.

Das in unserm Artikel nur muthmasslich als erloschen angegebene adelige Geschlecht dieses Namens ist wirklich im Jahre 1740 mit *Hans* v. G. ausgestorben.

Groeben, die Grafen u. Herren von der, Bd. IV. S. 454.

Es gehört dieses altadelige Geschlecht Preussen, Pommern, den Marken und Sachsen an, auch hat sich eine Linie schon vor langen Zeiten in die königl. dänischen Staaten gewendet. In der Kurmark ist es in dem Besitze des Erb-Land-Jägermeister-Amtes, welches jedoch gegenwärtig nicht vergeben ist. Uebrigens gehört es der Sage nach zu den zwölf uralten Geschlechtern, aus denen die alten Sachsen die Vierherren ihres Königreichs wählten. Bei Jena und Taucha in Sachsen liegen die uralten Orte Groeben, eben so bei Saarmund in der Mark Brandenburg das später entstandene, jedoch auch sehr alte Groeben; Güter, die jetzt der Familie nicht mehr angehören. Eine vielfach gedruckte, aber begreiflicher Weise nicht nachzuweisende Sage ist es gleichfalls, dass die Voreltern dieses Geschlechts mit Kaiser Heinrich dem Vogelsteller in die Mark gekommen und unter seinen Fahnen Brandenburg erobert haben. Die förmliche Niederlassung in Preussen erfolgte, ausser dem Ritterdienste im deutschen Orden, später.

Heinrich v. d. G. aus der Mark Brandenburg acquirirte im Jahre 1408 das Gut Kobbern in Preussen; seine Gemahlin war Anna v. Wolffen; seine beiden Söhne:

Adam v. d. G., deutscher Ordensritter und Führer eines Paniers, und

Günther v. d. G.

blieben nebst mehreren ihres Namens am 15. Juli 1410 in der Schlacht bei Tannenberg.

Von *Günther* stammen in gerader Linie die Grafen und die Herren v. d. G. ab, welche noch im Besitz mehrerer Familien Stiftungen im Königreich Preussen sind.

Henning v. d. G., ein Enkel *Günthers*, fiel rühmlich im Treffen bei Braunsberg.

Eustarch v. d. G., Landmarschall, war vermählt mit Elisabeth Küchenmeister v. Sternberg und acquirirte Weskeim in Preussen 1581.

Otto v. d. G. war Amtshauptmann zu Balga, sein Sohn *Otto* war Landvoigt in Preussen. Dieser ordnete das preussische Landrecht.

Ludwig v. d. G. war Comthur des Ordens St. Johannis und zum Hospital zu Jerusalem. Er starb 1620 zu Nemerow in Mecklenburg-Strelitz, woselbst noch heute ein Denkmal seine Ruhestätte bezeichnet.

Georg Heinrich v. G. war 1669 Amtshauptmann zu Marienwerder und Riesenburg.

Otto Friedrich v. d. G. war Oberrichter in Preussen.

Otto v. d. G. war königl. polnischer Rath.

Hans Ludwig v. d. G. zu Lichtenfelde war Prälat des Stifts zu Brandenburg, Director der Landschaft und wurde am 18. Aug. 1658 wirkl. Geheimer Rath. Er brachte das Erb-Jägermeister-Amt der Kurmark Brandenburg von Neuem auf sein Haus und starb am 6. Aug. 1669.

Friedrich v. d. G. war königl. polnischer General-Lieutenant und königl. preuss. Amtshauptmann zu Osterode und Hohenstein. Er stiftete am 8. April 1711 vier Majorate: Neudörfchen, Ponarien, Gr. Schwansfeld und Ludwigsdorff, und ein Familien-Erziehungs-Institut (Stipendienhaus) für fünf Mitglieder der Familie und einen bürgerlichen Stipendiaten zu Königsberg in Preussen, zu dessen Erhaltung ein besonderes Gut Hermenau und die vier Majorate beitragen müssen.

Wilhelm Ludwig v. d. G., auch von der preuss. Linie, Herr auf Tharau, Karschau u. s. w. war zuerst Hofrichter, später Ober-Appellations-Präsident und gelangte am 28. Aug. 1751 durch das besondere Vertrauen König Friedrich's des Grossen zur Würde eines wirklichen Geh. Staats-Ministers. Er starb am 28. März 1760.

Johann Georg v. d. G., ebenfalls von der preuss. Linie, war Landrath und Justiz-Director. Er wurde den 25. Octbr. 1766 wirkl. Geh. Staats-Rath, Ober-Marschall des Königreichs Preussen, Staats-Minister, Präsident des preuss. Consistoriums und Director des Königsberger Waisenhauses.

Die frühern Grosswürdenträger Preussens: der Landhofmeister, der Ober-Marschall, der Kanzler, der Ober-Burggraf — waren alle auch Minister, niemals aber Mitglieder eines Collegiums. Letztere waren damals so abgezweigt, dass die Minister Chefs, z. B. des Consistoriums, waren. Unter sich bildeten sie ein besonderes preuss. Ministerium. Zur Zeit der Kurfürsten führten sie den Titel „Regiments-Räthe", welcher dem der Minister gleichstand.

Wilhelm Ludwig v. d. G., Johanniter-Ritter u. s. w., Herr auf Langheim u. s. w., stiftete am 23. Jan. 1772 das grosse Fidei-Commiss Langheim-Siep unter genau bestimmten Anforderungen der Ahnenprobe; eine Stiftung, welche die Familie mit grossem Danke anerkennt, da sie in dem grossen, geräumigen, eigends dazu erbauten Schlosse jährlich zur Vereinigung der Familie und ihrer nähern Verbindung mit einander dient und den männlichen, so wie den weiblichen Theilnehmern eine willkommene Einnahme gewährt. Eine unerlässliche Bedingung zur Theilnahme ist ein unbescholtener Lebenswandel und eine unbefleckte Treue im Dienste des Königs und des Vaterlandes.

Friedrich Gottfried v. d. G., Ritter des grossen rothen Adler- und des Johanniter-Ordens, der zu der Würde eines königl. preuss. wirkl. Geh. Raths, Staats-Ministers, Ober-Marschalls und zuletzt Landhofmeisters im Königreich Preussen gelangte und, wie wir weiter unten anführen werden, in den Grafenstand erhoben wurde. Er war vermählt in erster Ehe mit Elisabeth v. Trscinska, von welcher ihm eine Tochter, die nachmalige Gräfin zu Eulenburg auf Prassen u. s. w., geboren wurde; in zweiter Ehe aber mit Karoline Louise Gräfin zu Waldburg-Truchsess, gest. 1798.

In der Armee und überhaupt im Felde haben sich sonst noch besonders ausgezeichnet:

Georg Heinrich v. d. G. aus dem Hause Beestack, der zur Würde eines kurfürstl. brandenburgischen General-Majors und Amthauptmanns zu Marienwerder und Riesenburg gelangte. Er war mit Barbara v. Gattenhofen aus dem Hause Norkitten vermählt und starb zu Marienwerder am 16. Octbr. 1694.

Johann Wolff v. d. G., holländischer Oberst, dann in englischen Diensten, Befehlshaber eines Regiments, starb 1692.

Friedrich Otto v. d. G., kurbrandenburgischer Oberst, Chef eines Regiments zu Fuss, Erb-Jägermeister der Kurmark Brandenburg, Amtshauptmann der Aemter Zechlin, Wittstock, Lindau u. s. w., starb am 23. März 1697.

Friedrich v. d. G., dessen bereits oben erwähnt worden und den auch Salvandy in seiner histoire de Pologne namhaft macht, königl. polnischer General-Lieutenant. Unter König Johann III. (Sobieski) focht er mit grosser Auszeichnung gegen die Türken und Tataren. Von dem Entsatze Wiens, wo er die vierte Infanterie-Brigade des rechten Flügels befehligte, wird das Zelt eines türkischen Paschas, welchen er mit seinem ganzen Gefolge gefangen nahm, noch in der Familie bei dem Majorat Schwansfeld als Trophäe bewahrt; desgleichen bei dem Majorat Ponarien das Portrait des Pascha, welchen sein Sieger malen liess. Er starb am 23. Mai 1712 als königl. preuss. Amtshauptmann und Gründer mehrerer der bereits oben erwähnten Familien-Stiftungen. Der Krone Polens gestaltete er ein Cürass.-Regiment. — Es dürfte hier der rechte Ort zu der Bemerkung sein, dass um viele dem Königreiche Polen geleisteten Dienste die Familie v. d. G. das Indigenat dieses Reichs erhielt.

Otto Friedrich v. d. G., ein Sohn des *Georg Heinrich*, königl. polnischer General-Major. Er wurde vom Kurfürsten Friedrich III.

früher zum Kammerjunker und 1697 zum Nachfolger in den durch den Tod seines Vaters erledigten Amtshauptmannschaften Marienwerder und Riesenburg ernannt, welche er später mit denen zu Osterode und Hohenstein vertauschte. Er zog nach Jerusalem, auf den Libanon, Sinai und nach Egypten, focht mit dem venetianischen Heer auf Morea gegen die Türken und im mittelländischen Meer gegen die Barbaresken und gründete 1683 das Fort Friedrichsburg (jetzt Christiansburg) auf der Küste von Guinea. Zwei spanische Schiffe der Silberflotte wurden unter der Regierung des grossen Kurfürsten mit seiner Hülfe erbeutet. Er war mit Anna Barbara v. Schlieben, dann mit Maria Helena Reichsgräfin zu Waldburg-Truchsess und in dritter Ehe mit Louise Juliane v. Kanitz vermählt, mit welcher er zwölf Kinder gezeugt hat. Er starb den 30. Jan. 1725. — Ein älterer Bruder von *Otto Friedrich* blieb als Major gegen die Türken vor Wien 1683.

Conrad Heinrich v. d. G. aus dem Hause Quossen wurde vom König Friedrich II. im Jahre 1740 zum Obersten und Commandeur eines neu errichteten Füselier-Regiments ernannt und nahm 1744 als General-Major den Abschied. Mit seiner Gemahlin Johanna Charlotte Louise Freiin v.d Heyden, Tochter des preuss. Generals v. d. Heyden, hat er viele Kinder hinterlassen. Er starb auf seinem Gute Arnstein am 12. Mai 1746.

Heinrich Ludwig Wilhelm v. d. G., Johanniter-Ritter, blieb als königl. preuss. Major bei Johanniskreuz am 13 Juli 1794.

Georg Dietrich v. d. G. auf Quossen aus dem Hause Weeskeim-Nerfken war königl. preuss. General-Major, Chef eines Cürassier-Regiments, Ritter des Ordens pour le merite und Chef des Militair-Departements des General-Ober-Finanz-Kriegs- und Domainen-Directoriums. Einige nicht uninteressante militairische Werke sind theils von ihm verfasst, theils übersetzt. Er starb als Director des fünften Departements im Ober-Kriegs-Collegium 1795.

Wilhelm Ludwig Graf v. d. G., Sohn des Landhofmeisters und Staats-Ministers Grafen *Friedrich Gottfried*, Ober-Burggraf des Königreichs Preussen und Hofmarschall Sr. königl. Hoheit des Prinzen Wilhelm von Preussen (des Bruders Sr. Majestät), Ritter mehrerer Orden, trat in dem Befreiungskriege 1813 bereits im vorgerückten Alter, obgleich früher Offizier und nun in hohem Range stehend, doch nur als Unteroffizier in das Regiment Prinz Wilhelm Dragoner ein. Er starb am 16. Decbr. 1829.

Wilhelm Graf v. d. G., Ritter des Ordens vom Verdienst, blieb am 2. Mai 1813 bei Lützen als Regiments-Adjutant im 3ten Cürassier-Regiment (Grossfürst Constantin).

Karl Graf v. d. G., im 3ten Uhlanen-Regiment, fiel bei Leipzig 1813.

Wilhelm Heinrich Otto v. d. G., Lieutenant im Regiment König-Dragoner, starb in Folge einer schweren, in der Schlacht bei Ligny erhaltenen Verwundung am 26. Juni 1815 in Brüssel.

Als eine Belohnung für Diensttreue wurde

1) der Landhofmeister *Friedrich Gottfried* v. d. G. mit allen seinen Nachkommen vom König Friedrich Wilhelm II. bei der Huldigung am 19. Septbr. 1786 in den Grafenstand erhoben. Diese Auszeichnung erstreckte sich auch noch auf

2) *Ernst Wolfgang Albrecht* v. d. G. auf Schreegen und seine ganze Descendenz (später Majoratsherr auf Ponarien), Johanniter-Ritter. Er hatte im siebenjährigen Kriege mit Auszeichnung gedient; seine beiden Brüder waren in der Schlacht bei Zorndorf 1758 rühmlich gefallen.

Ausserdem wurde gesetzlich noch bestimmt, dass mit der jedesmaligen Erwerbung eines Majorats in der Familie auch der Grafen-Titel auf den Majoratsherrn und dessen ältesten Sohn mit Ausnahme aller andern Nachkommen übergehen solle.

Es erhielten demnach den Grafen-Titel:

3) *August Otto Heinrich* v. d. G., Oberst-Lieutenant und vormals Adjutant des Herzogs von Braunschweig-Bevern, Ritter des Johanniter- und des rothen Adler-Ordens III. Classe, Majoratsherr auf Neudörfchen, Herr auf Zamzow. Er focht mit Tapferkeit im siebenjährigen Kriege, wo er auch verwundet wurde.

4) *Wilhelm Johann Heinrich Casimir* v. d. G., Majoratsherr auf Ponarien u. s. w. (starb unvermählt).

5) *Friedrich Ludwig Gotthelf* v. d. G., Majoratsherr auf Gross-Schwansfeld, und

6) *Johann Ernst* v. d. G. auf Graseitz, Hof-Gerichtsrath und Majoratsherr auf Ludwigsdorf.

Alte Besitzungen dieser Familie waren:

Bei Jena und Taucha in Sachsen: Gröben; ferner in der Mark: Gröben, Paretz, Lichterfelde, Schönfelde, Baumgarten, Meseberg u. s. w.; in Preussen: Kobbern, Wicken, Selmen, Redden, Limse, Wesslinen, Pohren, Tengen, Rauschenhoff, Wesdehlen, Schönwiese, Weskeim, Milusken, Sorquitt, Zigahnen, Barten, Goldau, Beiditten (vulgo Bethen), Kallisten, Glasnitz, Almenhausen, Bandten, Kottitlack, Scharfs, Skantlack, Schreegen, Jesau, Banaskaim, Weterkam, Kröxen, Rosehnen, Wilmsdorf, Plensen, Arnstein u. s. w.; endlich auch die oben genannten Majorats-Güter mit ihren angehörigen Dörfern und Ortschaften und das Fidei-Commiss Langheim und Liep mit den dazu gehörigen Dörfern und Pertinenzien.

Der Rittmeister a. D. und Johanniter-Ritter v. d. G. besitzt gegenwärtig noch Plensen in Preussen; eben so ist auch Arnstein jetzt noch im Besitz der Familie und zwar in dem des Majors a. D. und Johanniter-Ritters v. d. G. — Kallisten in dem des Prem.-Lieutenants *Otto* v. d. G., Ritter des eisernen Kreuzes; — Petschendorf in dem von *Friedrich* v. d. G. u. s. w.

Von der gräflichen Linie leben gegenwärtig:

1) *Friedrich Wilhelm August Ernst* Graf v. d. G., königl. preuss. Kammerherr und Rittmeister a. D., Johanniter-Ritter, Majoratsherr auf Neudörfchen im Kreise Marienwerder (Pathe Sr. Maj. Königs Friedrich Wilhelm II., der sämmtlichen Landstände und des Standes der Städte). Seit dem 5. Jan. 1825 vermählt mit Karoline Louise Eleonore Freiin Beneckendorf v. Hindenburg.

2) *Karl* Graf v. d. G. (sowie der Vorgenannte, Urenkel von *Otto Friedrich* und Sohn von *Ernst Wolfgang* u. s. w.), General-Major, Commandeur der dritten Cavallerie-Brigade und Adjutant Sr. königl. Hoheit des Kronprinzen. Derselbe ist mit Selma Thusnelda Freiin v. Dörnberg vermählt und es leben mehrere Söhne aus dieser Ehe.

3) *Arthur* Graf v. d. G., Majoratsherr auf Ponarien, Sohn des bei Lützen gefallenen Grafen *Wilhelm* v. d. G. und Enkel von Graf *Ernst Wolfgang Albrecht* v. d. G.

4) *Friedrich Ludwig Gotthelf* Graf v. d. G., Majoratsherr auf Gr. Schwansfeld.

5) *Hans* Graf v. d. G., Majoratsherr auf Ludwigsdorf, Vater vieler Söhne.

6) *Julius* Graf v. d. G. auf Hasenberg u. s. w., Sohn des Ober-

Burggrafen *Wilhelm Ludwig* v. d. G., früher im Regiment Garde du Corps und gegenwärtig Kammerherr bei Ihrer königl. Hoheit der Prinzessin Wilhelm von Preussen, geb. Prinzessin von Hessen-Homburg, Ritter u. s. w.

Auch lebt noch zu Berlin die Wittwe des Ober-Burggrafen *Wilhelm Ludwig* v. d. G., geb. Gräfin v. d. G.

Der adeligen Familie v. d. G. gehört der General-Major und Inspecteur der Besatzung der Bundesfestungen v. d. G. in Mainz an, der sich das eiserne Kreuz bei Sèvres in Frankreich und ausserdem noch mehrere andere Orden erwarb.

August v. d. G. ist königl. hannoverscher Oberst von der Infanterie.

Karl v. d. G., Prem.-Lieutenant a. D., erhielt 1813 in den Gefechten bei Nunsdorf und Trebbin das eiserne Kreuz II. Classe.

Der Major *Friedrich* v. d. G. erwarb sich diesen Orden im Gefecht bei Coulommiers im Jahre 1814 und

ein Prem.-Lieutenant *Otto* v. d. G. im Jahre 1813 bei Elster. Er ist jetzt Besitzer von Kallisten; seiner wurde schon oben gedacht.

Viele Subaltern-Offiziere dienen gegenwärtig noch im Heere.

Im Civildienste stehen ebenfalls einige v. d. G., namentlich:

der Stadt-Justizrath *Karl* v. d. G. zu Memel und

der Assessor bei dem Land- und Stadt-Gericht zu Bartenstein, auch Ritter des eisernen Kreuzes II. Klasse *Karl* v. d. G. Seiner ist ebenfalls schon oben gedacht. Er ist der älteste Bruder des oben genannten Besitzers von Kallisten.

Ausser den bereits erwähnten vier Majoraten, dem Erziehungshause und dem Fidei-Commiss Langheim, besitzt die Familie noch ein kleines Seniorat in einem auf dem Gute Quossen ruhenden unablöslichen Lehnstamme und ausserdem noch einen bedeutenden andern Lehnstamm, dessen Niessbrauch nach einer bestimmten Lehnsfolge festgestellt ist; dem neuen Besitzer aber nicht eher vollständig zur Nutzung wird, als bis die etwaigen Passiva des Verstorbenen gedeckt sind — falls der Verstorbene Vater des Nachfolgers gewesen ist.

Siebmacher giebt zwei Wappen derer v. d. G. Das erstere desselben I. Bd. S. 168 ist das richtige ursprüngliche Familien-Wappen, welches auch die Grafen v. d. G. ohne allen weitern Zusatz beibehalten und demselben nur zwei Adler, den preuss. schwarzen und den brandenburgischen rothen als Schildhalter gegeben haben. Das Schild ist gespalten und mit einem goldenen Rahmen eingefasst. Im rechten blauen Felde steht eine silberne Lanze, die Spitze nach oben gekehrt, in der linken silbernen Hälfte ist eine rothe Greifsklaue, die Krallen nach der linken Seite gewendet.

Im ursprünglichen alten Wappen finden wir die Lanze und Greifsklaue in Gold. Auf dem offenen Turnierhelme liegt ein weiss und rother Pilgerhut (ganz in der Form eines Kardinalhutes), der im gräflichen Wappen roth ist und silberne Schnüre und Quasten hat. Der Ordensrath Hasse giebt sechs verschiedene Wappen der Grafen und Herren v. d. G., sie sind aber sämmtlich in Beziehung auf die Wappenbilder selbst, wie auf die Farben nur wenig von einander abweichend. Eines derselben zeigt auf dem Helme den v. d. G.'schen Hut mit drei weissen Lilien an grünen Stengeln geziert. Einige dieser Wappen zeigen die Greifsklaue in der linken Hälfte und statt des Schwertes eine Lanze in der andern Hälfte. Das genannte Wappenbuch führt auch das Wappen der Herren v. Plötz und v. d. G. auf. Hier ist noch ein silbernes, von einem schwarzen Balken in der Quere durchzogenes Feld im untern Theil des Schildes angebracht. Der

13*

schwarze Balken ist mit drei silbernen Lilien belegt. Während man die v. d. G.'schen Wappen auf diese Weise in dem Siebmacherschen und dem Hasseschen Wappenbuche findet, beschreibt auch v. Meding dasselbe I. Bd. No. 298, ebenso Brüggemann im XI. Heft. Endlich stellt auch das dänische Wappenbuch dasselbe dar; Dienemann giebt es S. 85 u. 332.

Nachrichten über dieses Geschlecht findet man in Angelus' märkischer Chronik, in Spangenbergs Adelspiegel, in Zedlers Universal-Lexicon; Gauhe erwähnt es I. S. 533 und II. S. 376 u. s. f. Biographische Skizzen einzelner Mitglieder findet man in Königs biograph. Lexicon berühmter Helden u. s. w. II. S. 67—70 u. s. f. Angelus in Chron. March. p. 39 Encelius in Chron. Vet. March. p. 73. Albertus Cranzius in Vandal. lib. 2. cap. 27. lib. 3. cap. 25.

Die Mitglieder der gräflichen Familie im Jahre 1838.

A. Des Landhofmeisters Grafen v. d. G. Enkel:

Graf *Ernst Leonhard Anton Julius*, geb. den 10. Juli 1806, königl. preuss. Kammerherr, dienstthuend bei der Prinzessin Wilhelm von Preussen, vermählt den 1. Jan. 1832 mit Therese Pauline Amalie v. Nostitz-Rothenburg, geb. den 14. Febr. 1814.

Sohn:

Graf *Wilhelm Ludwig*, geb. den 19. Novbr. 1833.

Mutter:

Friederike, geb. Gräfin v. d. G., aus dem Hause Ponarien, Wittwe des Grafen *Wilhelm Ludwig*, geb. den 10. Juni 1779, königl. preuss. Hofmarschalls und Oberburggrafen von Preussen.

B. Aus dem Hause Ponarien.

1) Des Grafen *Wilhelm*, königl. preuss. Prem.-Lieutenants im 3ten Cürassier-Regiment, Wittwe: Gräfin Ida, geb. v. Auerswald, geb. den 1. Febr. 1791.

Dessen Sohn:

Graf *Arthur*, Majoratsherr auf Ponarien, geb. den 17. Febr. 1812, verlobt am 28. Aug. 1836 mit Auguste Freiin v. Dörnberg, geb. den 1. Mai 1815.

2) Graf *Friedrich Wilhelm August Ernst*, geb. den 17. Sept. 1786, königl. preuss. Kammerherr und Majoratsherr auf Neudörfchen, vermählt den 5. Jan. 1825 mit Karoline Luise Eleonore v. Beneckendorf-Hindenburg, geb. den 31. Aug. 1803.

3) Graf *Karl*, geb. den 17. Sept. 1788, königl. preuss. General-Major, Commandeur der 3ten Cavallerie-Brigade, Adjutant des Kronprinzen, vermählt mit Selma Thusnelde Freiin v. Doernberg, geb. den 6. Juli 1797.

Söhne:

a) Graf *Georg*, geb. den 16. Juni 1817, königl. preuss. Lieutenant im 2ten Garde-Uhlanen-Regiment.
b) Graf *Albrecht Wilhelm*, geb. den 2. Decbr. 1818, königl. preuss. Lieutenant im Garde-Dragoner-Regiment.
c) Graf *Siegfried*, geb. den 4. Octbr. 1825.

d) Graf *Friedrich Wilhelm Walter*, geb. den 13. Septbr. 1827.
e) Graf *Günther Wilhelm Karl*, geb. den 11. Juli 1832.

C. Majoratsbesitzer.
(Majoratsherr von Ponarien I., von Neudörfchen II.)

III. Graf *Friedrich Ludwig Gotthelf*, Majoratsherr auf Schwansfeld, geb. am 25. Jan. 1776, vermählt den 6. Juni 1814 mit Charlotte v. Buddenbrock, geb. den 3. Jan. 1795.

Sohn:

Graf *Ludwig*, geb. den 21. Juni 1815.
(Andere Geschwister nicht gräflich.)

IV. Graf *Hans*, Majoratsherr auf Ludwigsdorf, geb. den 30. April 1788, vermählt den 1. Septbr. 1816 mit Amanda v. Rosenberg-Grufzinska, geb. den 23. Juli 1797.

Sohn:

Graf *Hans*, geb. den 18. Iuli 1817.
(Andere Geschwister nicht gräflich.)

Grone, die Herren von.

Das Stammhaus dieses adeligen Geschlechtes soll bei Göttingen liegen oder gelegen haben. Der königl. preuss. Oberst *Johann Levin* v. G. erhielt unter dem 18. Aug. 1712 eine Bestätigung seines Reichsadels. Gegenwärtig ist einer v. G. Lieutenant im 15ten Infant.-Regiment, vielleicht ein Sohn oder Neffe des früher in dem Regiment v. Quitzow gestandenen v. G., der später zu Gandersheim bei Braunschweig wohnte.

Gronefeld, die Freiherren von.

Sie stammen ursprünglich aus Franken. Gegenwärtig ist ein Baron v. G., der im Jahre 1806 bei dem Regiment v. Treienfels in Breslau stand, Major und Commandeur vom 2ten Bataillon des 10ten Landwehr-Regiments zu Oels; er erwarb sich bei Gross-Görschen das eiserne Kreuz und ist gegenwärtig einer der ältesten Ritter dieses Ordens. — Ein anderer Baron v. G. ist Oberlandesgerichts-Assessor und beim Landgericht in Breslau angestellt.

Groote, die Herren de.

Ein aus den Niederlanden stammendes adeliges Geschlecht. *Nicolas* de Groot war Rathsherr in Cöln. Daselbst leben noch gegenwärtig *Joseph Aloys* de G., erzbischöflicher Kanzler, *Eberhard Anton Rudolph*, *Karl Alexander* und mehrere andere Mitglieder dieses Hauses. *Caspar Joseph Heinrich* de G. lebt in Potsdam.

Grothus, die Freiherren u. Herren v., Bd. II. S. 290.

Die beiden Adlerflügel auf dem Helme sind mit dem Bilde des Schildes (welches man einen Turnierkragen mit vier Lätzen nennen kann) belegt. Es giebt auch ein freiherrliches Wappen, wo das Familienwappen im Mittelschilde, ausserdem aber das Schild quadrirt ist.

Gruben, die Freiherren u. Herren von, Bd. II. S. 291.

(Katholische Linie.)

Rudolph v. G. aus der pommerschen von uns beschriebenen Linie wurde im 17ten Jahrhundert katholisch. Er liess sich im Churfürstenthum Cöln nieder, hier erwarb die Familie die Güter Schlinghoven und Altenweg, später erwarb auch der churcölnische Geh.-Rath v. G. Ipplendorf. — *Ignaz Friedrich* Reichsfreiherr v. G. Er war Reichskammergerichts-Assessor, wurde am 8. März 1805 vom Kaiser Franz in den Reichsfreiherrenstand erhoben. Später wurde er Minister des Fürsten Primas in Aschaffenburg und nachher königl. bairischer Geh.-Rath und Bundestags-Gesandter zu Frankfurt. — *Franz Heinrich* v. G. auf Gelsdorf war königl. preuss. Landrath des Kreises Ahrweiler, später wurde er Regierungsrath des Fürsten v. Solms-Braunsberg. In Düsseldorf lebt *Ignaz Wilhelm Marcellin* v. G.

Das von uns aus Siebmacher genommene Wappen gehört einer ausgestorbenen Familie dieses Namens an. Die Familie v. G., aus der wahrscheinlich die angeführten Glieder sind, führt im silbernen Felde einen schwarzen Kesselhaken und auf dem Helme einen kurz abgehauenen Eichenstamm mit einem grünen Blatt an jeder Seite.

Grünewald, die Herren von.

Jacob Klinkebeil wurde am 3. Mai 1661 mit dem Prädicat v. G. vom Kaiser Leopold geadelt. Er war am 1. April 1627 in dem Städtchen Calies in der Neumark geboren, und starb als kaiserl. Rath, Hof- und Pfalzgraf, Salz-Amtshauptmann, Herr der Güter Bresen, Schmachtenheim u. s. w. am 8. März 1694. Er hinterliess einen Sohn, *Leopold* Klinkebeil v G., der mit Helene v. Schön nur eine Tochter hatte, die mit Wolf Heinrich v. Spiller, Herr auf Horschau und Spöritz, vermählt war. M. s. Clemanns Leichenpredigt. Guben 1649. Hübners hist. Polit. VIII. Th. S. 114. Gauhe II. Th. S. 382.

Grünrodt, die Herren von.

Das alte Geschlecht derer v. G., das auch unter dem Namen v. Grünrod, v. Grünroth und v. Grünrad oft in alten Urkunden vorkommt, gehört Sachsen an. Der Kurfürst August belehnte am 7. Sept. 1585 den *Dietrich* v. G. mit den Seifersdorfer Gütern. Sein Urenkel *Hans* der ältere auf Wiederoth im Baireuthschen war des Markgrafen v. Brandenburg Kammerherr, und starb zu Lichtenberg im Jahre 1626 an der Pest. Sein Sohn *Hans*, geb. 1619, wurde nach Ungarn geschleppt, hier fand er einen Beschützer in einem Vetter, der Oberstlieutenant war, er verlor jedoch denselben bei dem Sturm auf Neuheusel. Darauf wendete sich *Hans* v. G. wieder nach Deutschland, und trat in die Dienste des Grafen v. Reuss-Greiz; er starb am 24. Juni 1690. Er hinterliess vier Söhne, von denen *Benjamin* v. G. sich in Berlin niederliess, und im Jahre 1731 daselbst starb. Von demselben lebte noch im Jahre 1760 ein Sohn, *Benjamin* v. G. Sein Oheim, *Georg* v G. auf Seifersdorf, war sächsischer Geh.-Rath und starb am 17. Jan. 1746 kinderlos. Er schenkte mit Uebergehung seiner in Berlin lebenden Verwandten die Seifersdorfer Güter einem Schwestersohne, dem General v. Minkwitz. Die genannten Güter kamen später an einen Zweig der Grafen v. Brühl, in dessen Händen sie noch gegenwärtig sind. M. s. J. Kersfelds Beschreibung des adeligen Geschlechts derer v. G., ferner König I. Th. S. 436. Peckenstein Theatr. Saxon. Gauhe I. Th. S. 539 u. f. v. Meding III. Th. No. 290.

Gruithausen, die Herren von.

Ein adeliges Geschlecht im Regierungs-Bezirk Aachen. — *Peter* v. G., so wie *Karl Hubert*, *Franz Ludwig* und *Franz Ferdinand* v. G. leben zu Blömerthal in jenem Regier.-Bezirke der preussischen Rheinprovinz.

Grumbach, die Herren von.

Wilhelm v. G. war 1566 Albrechts, Markgrafen von Brandenburg, Feldmarschall. Er stammte aus dem uralten, einst in hohem Ansehn stehenden Geschlechte derer v. G. in Franken, die von gleichem Abkommen mit denen v. Wolfskehlen waren, und die das Erbschenken-Amt im Stifte Würzburg hatten. M. s. Leutinger p. 272 u. 275. Spangenberg I. Th. S. 208. Salver S. 225 u. f. v. Hattstein II. Th. S. 229 u. f. Gauhe I. Th. S. 541.

Grundmann, die Herren von.

Eine adelige Familie in Schlesien. Der im Jahre 1691 von dem Kaiser Leopold I. in den Adelstand erhobene *Johann Christ.* v. G., kaiserl. Geh.-Rath, Herr auf Taschenberg, starb am 17. Jan. 1713. Vermählt war derselbe mit Anna Johanna v. Knerr, die am 30. Nov. 1698 zu Breslau starb und in der Maria Magdalena-Kirche daselbst begraben liegt, und zwar zur Seite ihrer Tochter, *Anna Johanna* v. G., vermählt gewesene v. Buchholtz, die am 30. Mai 1714 gestorben ist. Diese mit den erwähnten Zweigen des Hauses, wie es scheint, erloschene Familie führte im rothen Schilde einen goldenen Stab und auf dem Helm zwei gegenüber gestellte Flügel, der vordere roth, der andere Gold. Decken roth und gelb. Sinapius erwähnt diese Familie II. Bd. S. 652. v. Hellbach macht irrthümlich zwei Familien daraus.

Gsellhofer, die Herren von, Bd. II. S. 299.

Der Vater des von uns erwähnten *Christ. Ferdinand* v. G. war *Christ.* G. v. Gsellhof, Domherr zu Magdeburg, gest. den 16. April 1688.

Guaita, die Herren von.

Diese adelige Familie gehört den Rheinlanden an, wo sie in Aachen angesessen ist. Hier lebt *Cornelius Maria Anton Joseph Paul Canut* v. G. und mehrere Töchter aus diesem Hause. Ein Zweig desselben gehört der freien Stadt Frankfurt an, wo er zur höchsten Magistrats-Würde gelangt ist.

Güldenklee (Guldenklee), die Herren von, Bd. II. S. 302.

König Friedrich II. schenkte die Güter, die durch das Erlöschen der Familie caduk wurden, dem Grenadier-Hauptmann Otto Ernst v. Korf, und von demselben wurden diese Lehne nach der Allodification mittelst Vergleich vom 17. Jan. 1743 der Wittwe des von uns erwähnten *Ernst Ludwig* v. G., Barbara Hedwig v. Damitz verkauft. Nach ihrem Tode fielen sie an die Enkel ihrer Schwester, der Oberstin v. Schmeling, und der Oberst v. Schmeling verkaufte sie am 26. März 1764 an den Oberstlieutenant Franz Bernhard v. Blumenthal. Das Wappen derer v. G. zeigt im quadrirten Schilde im ersten rothen Felde einen Kranich, der einen Stein im Fusse hält, im zweiten blauen Felde ein goldenes Kleeblatt, durch dessen Stengel zwei Pfeile gehen, im dritten Felde ist ein schwarz und goldener Schach und im vierten wieder der Kranich vorgestellt. Auf dem Helme steht das Kleeblatt zwischen zwei Adlerflügeln.

Güldenstern, die Freiherren und Herren von.

Dieses vornehme Geschlecht stammt aus Dänemark, und ist von da nach Schweden und Westpreussen gekommen. Aus der Ehe des schwedischen Admirals *Johann* G. und der Gräfin Siegfriede v. Brahe lebte ein Sohn *Siegesmund* v. G., Freiherr v. Lundholm und Vogelwick, Castellan von Danzig und Starost zu Stum, kaiserl. russ. und königl. polnischer Kammerherr. Er starb am 30. Juni 1666 zu Stum. Mit seiner Gemahlin Anna Cema, des Castellans v. Stelms und Starosten auf Stum Erbtochter, hatte er zwei Söhne und zwei Töchter, welche aber frühzeitig starben. Mit dem Brudersohn des erwähnten, *Maximilian* v. G., erlosch dieses Haus in Preussen im Jahre 1676.

Gülzkow, die Herren von.

Eine einst in Ansehn und Reichthum gestandene adelige Familie in Pommern, die im Jahre 1608 erloschen ist. M. s. Stavenhagen Beschreibung der Stadt Anklam S. 138.

Güstebiese, die Herren von.

Ein adeliges, seit langen Zeiten schon ausgegangenes Geschlecht in der Neumark. — *Tiedeke*, *Hennig*, *Peter* und *Johann* v. G. wurden im Jahre 1336 vom Markgrafen Ludwig mit dem halben Dorfe Lutzin, jetzt Lettschin belehnt. Ihre Vorfahren hatten dieses Dorf ganz besessen. Von den Enkeln *Peters* und *Johanns* erkaufte im Jahre 1379 der Herzog Wenzel v. Liegnitz, Bischof zu Lebus, diese Güter.

Güstow, die Herren von.

Das eine Dorf Güstow liegt nahe bei Prenzlau, und das andere bei Gramzow. Von dem Geschlechte ist *Hans* v. G. im Jahre 1368 Rathsherr und hierauf 1372 Bürgermeister zu Prenzlau gewesen. — Grundmann S. 42.

Gumbrecht, die Herren von, Bd. II. S. 303.

Am 22. Decbr. 1741 erhielten die erwähnten Brüder auch das schlesische Incolat. *Caspar* v. G. starb am 13. Novbr. 1786 zu Frankenstein; er war ehemals Fähndrich im Regiment v. Hautcharmoi. *Abraham Joseph* v. G. war schon früher mit Tode abgegangen und hinterliess eine geb. v. Sulkowski als Wittwe. Wir finden übrigens früher Edelleute dieses Namens, namentlich 1735 einen Major im Regiment Glasenapp, *Hans Jürge* v. G., in den Listen aufgeführt. — Des oben erwähnten *Caspar Joseph* v. G. Sohn wurde Leibpage Friedrichs II., dessen Bruder *Wilhelm* v. G. stieg bis zum Major und hatte mit einer geb. Goldammer vier Söhne. Dennoch sind uns in der Gegenwart keine Zweige dieses Hauses bekannt. — Das Wappen dieser Familie ist gespalten, in der rechten grünen Hälfte ist eine weisse Lilie, in der linken silbernen Hälfte aber ein halber schwarzer Adler oder ein schwarzer Adler, halb sichtbar, vorgestellt. Auf dem gekrönten Helme stehen zwei in Silber und schwarz geviertete Adlerflügel.

Gundelsheimer, Herr von.

Andreas v. G., geb. zu Feuchtwangen in Schwaben (jetzt zum Königreich Würtemberg gehörig), war königl. preuss. Hofrath, Leib-Medicus des Königs Friedrich I., Director des Collegii Medici, und starb im Jahre 1715 zu Berlin. Nachkommen von demselben haben wir nicht aufgefunden.

Gusmar, Herr von.

Johann Heinrich v. G. war kaiserl. Rath, Syndicus der Stadt Breslau und Herr auf Wilkawe. Er starb im Jahre 1755. Seine Wittwe, Eleonora v. Wolff, vermählte sich zum zweiten Male, und zwar mit dem preuss. Hauptmann Christ. Friedrich v. Tettenborn.

Gusner, die Herren von, Bd. II. S. 304.

Johann Karl Heinrich v. G. besass die Güter Adamowitz, Marklowitz, Zawada, Picsna und Heinzendorf; auch Pilgramsdorf und Goldmannsdorf sind Besitzungen dieser Familie. Sie führte im rothen Schilde den Schaft einer Hellebarde und auf dem Helme einen rothen verkürzten Edelhirsch. Decken Gold und roth.

Gutacker, die Herren von.

Die v. G. sind, ihrer Abkunft nach, Preussen. *Michael* v. G., oder wie es nach der Bauern Sprache auch vorkommt, Gaudecker, Gaudeck, war Edelknabe beim Landgrafen Ludwig III. zu Marburg, später Kammerjunker und Stallmeister. Er war 1536 geboren. Seine Eltern waren *Andreas* v. G. und Anna v. Cöthen, die Grosseltern *Caspar* v. G. und N. v. d. Schwiden. Er verehelichte sich mit Amalie v. Rennhingen, aus welcher Ehe neun Söhne und eine Tochter entsprossen. Er starb zu Marburg den 22. März 1599 und wurde in der Kirche des Teutschenhauses beerdigt. Sein Sohn, *Johann Burckhart* v. G., war Hauptmann (Commandant) im dasigen Schlosse. Im Jahre 1650 lebte er schon nicht mehr. Das G.'sche Lehn war der Schmiedhof im hessischen Amte Burgemünden unfern Ermenrode. Seine Brüder, *Karl* und *Heinrich* v. G., lebten noch 1650. Diese statteten ihres Bruders Tochter *Christine* aus.

Das Wappen dieser Familie steht am Schrecken- oder Elisabeth-Brunnen, wie auch in der Kirche des Teutschenhauses zu Marburg, und in Siebmachers Wappenbuche III. Th. S. 171 der Köhlerschen Ausgabe. Es besteht aus drei silbernen gekrönten Blashörnern mit

Mundlöchern im rothen Schilde. Sie stossen mit der Stürze zusammen, oben eins mit der Krümmung von der linken zur rechten Seite, eins, welches die Krümmung und das Mundloch nach dem obersten wendet, das dritte zur Linken stösst mit dem Mundloch gegen die Stürze des rechtsgekehrten Horns, wendet aber die Krümmung und den Ansatz rechtswärts. Aus dem gekrönten Helme steigt ein rechts gekehrter silberner Ochse hervor. Die Helmdecken sind roth und Silber. — Brüggemann, Beschreib. v. Pommern I. Th. S. 211. sagt sehr unrichtig: „Die v. G. führen drei triangelmässig zusammengestellte Fuchsklauen im rothen Felde, und auf dem gekrönten Helme eine mit dem halben Leibe hervorspringende Gemse.“ — Vgl. Estors Ahnenprobe S. 484.

Gutowski, die Herren von, Bd. II. S. 305.

Friedrich v. G. war Lieutenant im Regiment v. Bülow, und starb am 6. Juni 1773 zu Berlin. Er hatte zwei Söhne, *Christian Ludwig* und *Johann Ludwig*. Diese Familie führt im silbernen Schilde einen grünen Zweig um einen schräg gelegten Schiffsanker gewunden. Auf dem Helme einen Arm, der einen Säbel schwingt.

H.

Haberkorn, die Herren von.

Ein adeliges Geschlecht, das in Schlesien und in der Niederlausitz ansässig war. In Schlesien besass es die Güter Mitteldammes und Georgenburg bei Steinau. Namentlich war *Johann Adolph* v. H. noch am Anfange des vorigen Jahrhunderts Besitzer derselben. In der Niederlausitz besassen die Edlen v. H. die Güter Borau, Hohendorf und Sellendorf. Es soll diese Familie aus Franken abstammen. Mehrere Mitglieder derselben waren bekannte Theologen. M. s. Theodor Krausens schles. Priesterquelle S. 6. und Sinapius II. Bd. S. 57—58.

Haberland, die Herren von.

Eine adelige Familie in Schlesien, die namentlich bei Neisse begütert war. Hier besass in der Mitte des 17ten Jahrhunderts *Johann Heinrich* v. H. die Güter Markersdorf und Klein-Waldau. Er war mit Anna Helena v. Temski und Deutsch-Kamitz vermählt. Es scheint diese Familie schon im vorigen Jahrhundert erloschen zu sein. M. s. Sinapius II. Bd. S. 658.

Habersdorf, die Herren von.

Ein längst erloschenes, in frühern Zeiten aber angesehenes und reiches Geschlecht in Schlesien, aus dem verschiedene Ritter in den Urkunden des Landes vorkommen. Namentlich erscheint *Garuslaus* de H. als Zeuge in einem Privilegium, welches Heinrich, Herzog in Schlesien, dem Bisthum Breslau am 23. Juni 1420 ausstellte. M. s. Lucae Chron. S. 241 und Dewerdeks Siles. Numism. p. 173.

Habichtfeld, die Herren von.

Ein vornehmes adeliges Geschlecht in Schlesien, welches ehemals in Oberöstreich unter dem Namen Habichrigl geblüht hat. Das Stammschloss gleiches Namens liegt in Ruinen, in dem sogenannten Marchland-Viertel bei dem Marktflecken Zell, und es kamen die Güter davon an die Grafen v. Salaburg. *Reinprecht* und *Jürge* v. Habichrigl verkauften das Schloss Habichrigl und die dazu gehörigen Güter dem Dechant zu Zwetl. Von da ging dieses Geschlecht nach Böhmen, wo es unter dem Namen Habicht v. Habichtfeld berühmt und sodann in Schlesien mit Gütern angesessen war. *Siegismund Augustin* v. H., auf Alt-Patschkau, Schwammelwitz, Franzdorf u. s. w., war des fürstlichen Stifts Camenz Rath und Kanzler. Er starb den 10. Decbr. 1734 und ist in der Stiftskirche zu Camenz beigesetzt. Seine Kinder waren: 1) *Caspar*, Lieutenant und Auditeur in kaiserl. Diensten, in des Generals Grafen v. Petazzi Infanterie-Regiment. Er starb den 5. Octbr. 1751 zu Bertog in Croatien, ohne Erben von seiner nur ganz kurze Zeit gehabten Gemahlin, Franzisca v. Klanberg, zu haben. 2) *Bernhard*, war weltgeistlich, und starb, nachdem er sich verschiedene Jahre in Rom aufgehalten hatte, nach seiner Zurückkunft in Schlesien. 3) *Maria Barbara*, vermählte von Kehler. 4) *Franziska*, vermählte v. Beer. 5) *Johanna*, vermählte v. Langenau. Im letzten Jahrzehnt des vorigen Jahrhunderts ist auch dieses Geschlecht in der weiblichen Linie erloschen.

Das Wappen ist ein gevierteter Schild. In dem ersten und vierten goldenen Felde ist ein schwarzer fliegender Habicht, der im ersten Felde im rechten, im vierten aber im linken Profil ist; das zweite und dritte Feld ist silbern, und darauf ein zum Streit gerichteter, geflügelter goldener Greif, im zweiten Felde links, im dritten rechts sehend. Auf dem gekrönten Helme ist ein offener weisser Flug, zwischen welchem der goldene links sehende Greif hervorwächst. Die Helmdecken sind Silber und grün. Baron v. Hoheneck in Beschreib. Oberöstr. Tom. II. p. 234. Ex Mscpt. fam.

Habichtsthal, die Herren von.

Eine mecklenburgische Familie, aus welcher *Gottfried* v. H. kurbrandenburgischer Rath und Leibmedicus des grossen Kurfürsten war. Sein Sohn, *Gottfried Valentin* v. H., war 1724 mecklenburgischer Geh. Rath und Gesandter in Berlin. Seine Wittwe, eine geborne Baronin d'Aubonne, starb 1740 in Berlin.

Hackemann, Herr von.

Der preussische Geheimerath und vormalige Professor zu Helmstedt v. H. erhielt vom Kaiser Karl VI. ein Erneuerungs-Diplom seines Adels. Siebmacher giebt das Wappen dieser Familie V. Th. S. 294.

Hackwitz, die Herren von.

In dem Regiment Königin-Dragoner stand im Jahre 1806 der

Hauptmann v. H.; er ist im Jahre 1822 als Major und Chef des 2ten Infant.-Regiments Garnison-Compagnie mit dem Charakter eines Oberst-Lieutenant aus dem activen Dienst getreten. Zwei Söhne desselben dienen gegenwärtig als Lieutenant in dem Grenadier-Regiment Kaiser Alexander.

Hadeln, die Herren von.

Es gehört diese adelige Familie Westphalen an. Sie kommt schon um das Jahr 1106 in Ostfriesland vor, von da wendete sie sich in das Ländchen Hadeln, und als sie im 14ten Jahrhundert von den sächsischen Herzögen vertrieben wurde, wendete sie sich in das Ködinger Land, wo sie sich nach ihrem frühern Aufenthalte v. H. nannte. In der preuss. Armee dienen zwei Offiziere dieses Namens, der ältere Bruder im 13ten Infant.-Regiment zu Wesel, der jüngere ist dem 2ten Bataillon des 13ten Landwehr-Regiments zugetheilt.

Haeften, die Herren von.

Rudolph de Chatillon de Cooq, Sohn Reinhold's v. Cooq und der Gräfin Joseta v. Hennegau, vermählte sich mit einer Tochter des Grafen Heinrich v. Cuyck, überliess seinem Vetter, dem Grafen Otto v. Oelden, die von dem Hause Hennegau ererbten Güter bei Brest und Leerdam, und erhielt dagegen die an der Waal und Maass liegenden Herrschaften: Werdenburg, Nerynen, Hière, Opyken und mehrere andere Lehne. Die darüber ausgestellte Urkunde ist vom Jahre 1268. Rudolph's Sohn, *Johann*, nannte sich Herr v. Werdenburg. Dessen Sohn, Chatillon v. Werdenburg, heirathete *Gertrude*, Erbtochter des Gisbert v. Auckel, Herrn zu Haeften und Kyfhoek, starb aber vor seinem Vater. Der aus dieser Ehe entsprossene Sohn, *Rudolph*, nahm den Namen Haeften von seiner Herrschaft an, behielt aber das alte Chatillonsche Wappen bei und nannte sich Chatillon v. H., auch de Cooq v. H. Er vermählte sich mit einer v. Brockhuysen, gest. 1341. Seine Nachkommen nannten sich Barone v. H., gehörten zum Geldernschen Adel und waren eifrige Anhänger des Hauses Oranien und Mitglieder der Generalstaaten. *Gerhard* v. H. verheirathete sich mit Judith v. Baerl und wurde im Jahre 1653 vom Kurfürsten Friedrich Wilhelm v. Brandenburg mit der Herrschaft Baerl im Fürstenthum Meurs und mit Doipstein im Herzogthum Cleve belehnt. Von ihm stammen die Herren v. H. auf Erprath ab. Die holländische Linie hat noch ihre Besitzungen an der Waal und Maass. *Wilhelm Ludwig Werner* v. H. ist das gegenwärtige Haupt des Hauses Erpracht im Regierungs-Bezirk Düsseldorf. Zu Goch lebt *Friedrich Georg Heinrich* v. H. Einer v. H. ist Assessor bei dem Landgerichte zu Cleve.

Haenel von Cronenthal, die Herren, Bd. II. S. 313.

Wappen: Ein gespaltenes, rechts rothes, links schwarzes Schild, im rothen Felde ein schwarzer Hahn.

Hänlein, die Herren von, Bd. II. S. 313.

Das Wappen dieser Familie zeigt in einem quadrirten Schilde, im ersten und vierten blauen Felde eine fünfblättrige Rose, im zweiten rothen Felde einen Eichenzweig mit Blättern und Eicheln, im dritten rothen Felde zwei gekreuzte Schlüssel. Im silbernen Mittelschilde einen Hahn. Zwei Helme; rechts ein linksgekehrter Hahn, links ein Adlerflug.

Häseler, die Grafen u. Herren von, Bd. II. S. 313.

Der in unserm Artikel erwähnte *Valentin* v. H., königl. preuss. Geh.-Rath, hinterliess aus seiner Ehe mit einer v. Köppen oder Köpken eine Tochter, welche die Gemahlin des königl. preuss. Geh. Staatsministers Ehrenreich Bogislav v. Creutz wurde. Ein Sohn *Valentins*, *August* v. H., wurde ebenfalls königl. preuss. Geh.-Rath. Er war Herr auf Häseler, Gösenitz, Pleismer und Dietrichsroda, und seine Gemahlin Johanna Christiane v. Cramer hatte ihm die Güter Alpenstädt, Altstädt und Wolferstädt zugebracht. Ein Sohn aus dieser letzten Ehe war der in unserm Artikel gedachte *Johann August* v. H., königl. preuss. Geh.-Legationsrath; er starb am 24. April 1763. Seine Gemahlin war Sophie Dorothea Gräfin v. Podevils. Ein Sohn aus dieser Ehe ist der heutige Majoratsherr, Graf *August Ferdinand* v. H., geb. am 15. Decbr. 1761; er ist, wie wir in unserm Artikel aufgeführt haben, am 7. Novbr. 1790 in den Grafenstand erhoben worden, und königl. Kammerherr u. s. w. (nicht aber, wie das genealog. Handbuch der deutschen gräflichen Häuser anführt, Major beim 1sten Garde-Uhlanen-Regiment). Ein jüngerer Bruder des Grafen *Johann August* v. H. war *Friedrich August* v. H., Herr auf Häseler und Alpenstädt, kurfürstl. sächsischer Oberforstmeister; er starb den 21. Decbr. 1729 und hatte in der Ehe mit Louise Wilhelmine v. Hopfgarten zwei Töchter erzeugt, von denen *Maria* an Ahasverus Heinrich Reichsgrafen v. Lehndorf und *Christiane* an den Reichsgrafen Karl v. Schlippenbach vermählt war. Es hatte ferner *Johann August* v. H. eine Tochter, *Johanna Josepha*, welche an Friedrich Freiherrn v. Fritsch, herzogl. weimar. wirkl. Geh.-Rath, vermählt war; eine zweite Tochter, *Dorothea Elisabeth*, wurde die Gemahlin des Freiherrn Peter v. Hohenthal, nachmaligem kön. sächs. Minister.

Unserm Artikel ist auch noch hinzuzufügen, dass sich ein Ast des Hauses im Mecklenburg-Schwerinschen ansässig gemacht hatte. Von demselben waren zwei Brüder v. H. in preuss. Diensten, von denen der ältere in dem Regiment Kaiser Franz als Lieutenant stand. Der jüngere stand ebenfalls früher als Lieutenant in diesem Regiment, und ist gegenwärtig Lieutenant bei den Garde-Husaren in Potsdam.

Hagemeister, die Herren von, Bd. II. S. 315.

Diese Familie führt im Wappen ein aufrecht stehendes blaues Schild, welches durch ein an dem Rand gekrümmtes oder gezacktes, weisses oder silbernes Kreuz in vier gleiche Theile getheilt, und in dessen Mitte, gleich einem Herzschildlein, eine rothe Rose mit goldenen Butzen zu sehen ist. Auf dem Schilde ruht ein offener adeliger, von der linken zur rechten Seite gekehrter, blau angelaufener, roth gefütterter, mit anhängendem Kleinod, zur Rechten mit Silber und blau, zur Linken mit roth und Silber vermischt herabhängenden Helmdecken gezierter gekrönter Turnierhelm, aus welchem die schon beschriebene Rose an einem mit grünen Blättern versehenen Stengel, zwischen zwei mit den Fachsen gegen einander einwärts gekehrten, wechselweise gleich den Helmdecken gefärbten Adlersflügeln hervorwächst.

Hagen, die Grafen u. Herren von, Bd. II. S. 318 ff.

Seite 318. Z. 10 v. o. muss es v. Dorstedt statt v. Donnstedt, und S. 318. Z. 16 v. u. Wolfshaken statt Wolfsklauen heissen. — Die Familie v. H. im Eichsfelde, von der auch die Grafen Hagen-Möckern abstammen, schreibt sich vom Hagen. — Das Wappen der v. d. Hagen-Hohennauen zeigt im rothen Felde ein goldenes, mit der Spitze nach unten gekehrtes Wagenspreet mit zwei goldenen darüber gezogenen Ringen. Ueber demselben schwebt eine Krone mit neun Perlen. Auf dem gekrönten Helme eine gekrönte wachsende Jungfrau, roth bekleidet, mit fliegenden Haaren, die linke Hand in die Seite haltend, in der rechten Hand drei Rosen an Stielen. — Es giebt im preuss. Staate noch eine Familie v. H., die wir im Adels-Lexicon nicht aufführten, zu welcher der Forstmeister v. H. zu Thale am Harz und der Oberförster v. H. zu Lünneritz bei Sonnenburg gehören. Diese führen 7 Rohrkolben (nach andern Wappen sieben Kornähren) im Schilde und auf dem Helme.

Hahn, die Freiherren von, Bd. II. S. 320.

Es giebt in Ostpreussen Freiherren v. H., welche mit den mecklenburgischen ein gleiches Wappen führen.

Hainsberg, die Herren von.

Wolf Maximilian v. H. auf Langenhaus war Kammerrath und Ober-Bank-Repräsentant; er starb 1725. Seine Gemahlin war Catharina Agnesa Rockeisen v. Straussenek. Aus dieser Ehe lebten fünf Töchter und ein Sohn, *Anton Joseph Wenzel*. M. s. König's Samml.

Hainsky, die Herren von.

Ein adeliges Geschlecht in Westpreussen und Pommern, aus welchem *Johann* v. H. zur Würde eines General-Lieutenants gelangte. Derselbe besass die Damnitzschen Güter im Kreise Stolpe, die er laut einem Schenkungsbriefe vom 13. Juli 1721 dem *Siegfried* v. H. abtrat; später finden wir diese Familie nicht mehr unter den adeligen Geschlechtern aufgeführt. Die Tochter des erwähnten *Johann* v. H. heirathete den in den Adelstand erhobenen Oberamtmann Johann Christoph Thile und nach dessen Tode den Landrath Friedrich Bogislav v. Puttkammer, wodurch die erwähnten Güter an die letztere Familie gekommen sind.

Halke, die Herren von, Bd. II. S. 322.

Ein altadeliges Geschlecht. *Gustav Georg* v. H., geboren den 12. Juni 1647 zu Berlin, war ein Sohn des zu Crossen in Schlesien im Jahre 1658 verstorbenen churbrandenburgischen Stallmeisters *Hans Albrecht* v. H. und der ebenfalls zu Crossen verstorbenen Clara Juliane geb. v. Ploto. Im Jahre 1655 ward obiger *Gustav Georg* v. H. Edelknabe bei der verwittweten Churfürstin Elisabeth Charlotte von Brandenburg; nach deren Tode im Jahre 1660 wurde er der Landgräfin Hedwig Sophia v. Hessen-Cassel übergeben, wo er bis um das Jahr 1669 blieb, alsdann mit Bewilligung und auf Kosten der Landgräfin die Universität Marburg und 1670 Rinteln bezog. Als die Prinzessin

Wilhelmine v. Dänemark, die an den Churfürsten Karl von der Pfalz vermählt worden war, sich 1671 in Cassel befand, wurde v. H. befehligt, in dessen Gefolge mit nach Heidelberg zu gehen; er beschloss darauf seine akademischen Jahre und wurde unter dem Charakter eines Hofjunkers des jungen Grafen Philipp Ernst v. Schaumburg-Lippe Hofmeister. Er begleitete diesen nach Holland. Von Utrecht aus quittirte er, übernahm für sich eine Reise nach England und Frankreich und kam 1679 durch die Schweiz wieder nach Cassel, wo er alsbald zum Regierungsassessor, 1683 zum Regierungsrath, 1688 aber zum Oberamtmann und Bergamts-Director zu Schmalkalden bestellt wurde. Im Jahre 1699 berief man ihn als Geh.-Rath nach Cassel, wo er im Jahre 1702 die Regierungs- und Consistorial-Präsidentenstelle erhielt, in welcher er am 7. Aug. 1713 starb. Im Jahre 1688 vermählte er sich mit Anna Lucia geb. v. Bodelschwing, welche 1754 im 88sten Jahre ihres Alters gestorben ist. Von drei aus dieser Ehe gebornen Söhnen und sieben Töchtern sind nur fünf Töchter nach des Vaters Tode lebend gewesen; eine, *Amalie Philippine*, geb. 1698, wurde 1745 des verstorbenen Oberforstmeisters Grafen v. Wartensleben, und eine andere, *Louise*, am 17. Juni 1747 des verwittweten Kammerjunkers, nachherigen Geh.-Raths und Ober-Hofmarschalls Alexander Eugen du Rosey in Cassel Gemahlin. Letztere starb 1766, 57 Jahre alt. (Kirch. Nachrichten.) M. s. Strieders histor. Gelehrten-Geschichte VI. Bd. p. 12.

Hall, die Herren von.

Im Herzogthum Jülich und im Bergischen kommt ein adeliges Geschlecht dieses Namens vor, von dem Robens 1. Bd. S. 159—162 nähere Nachricht giebt.

Hallberg, die Grafen und Freiherren von.

Zu Pesch und Broich.

Anderson, ein Anführer unter König Magnus Ladulans v. Schweden, soll sich 1276 in einem Kriege gegen Dänemark ausgezeichnet und wegen Erstürmung eines befestigten Berges den Namen Hohlberg erhalten haben. Sein Sohn *Johann*, General im Dienste des Königs Magnus Erichson, erhielt bei Gelegenheit einer Gesandtschaft an den kaiserl. Hof in Wien das Reichs-Adelsdiplom und eine goldene Halskette; er blieb 1347 vor Noteburg gegen die Russen. *Georg Christian* v. Hohlberg, General König Waldemars III. von Dänemark, fiel 1397 gegen die Schweden. Sein Bruder *Herrmann*, Oberst eines Reiter-Regiments Kaiser Friedrichs III. starb 1454 zu Regensburg an seinen Wunden. *Christian* diente unter Gustav Wasa und fiel 1521 bei Brunsbach. *Alexander August* war Gesandter in Madrid, heirathete die Tochter des kaiserlichen Gesandten Freiherrn v. Hochberg, erhielt ein Freiherren-Diplom und in diesem den Namen Hallberg. Er kaufte das Schloss Hergern im Grossherzogthum Berg, baute das Dorf Hallberg bei Siegburg, und starb 1602. Sein Sohn *Georg* Freiherr v. H. fiel bei Lützen am 16. Novbr. 1632 als Oberstlieutenant des Pappenheimschen Regiments. Seine Gemahlin war eine Freiin v. Rauderuth. — *Gustav Ferdinand* v. H., Generallieutenant und Gouverneur von Liefland, fiel unter König Karl XII. bei Smolensk am 22. Sept. 1708. Seine Gemahlin war eine v. Fircki aus Curland. *Bernhard* v. H. war 1713 kurpfälz. Gesandter am Wiener Hofe; *Peter Dietrich* v. H. kurpfälz. Geh.-Rath. *Adolph Bernhard* v. H. war kurpfälz. Kriegs-Commissair, Geh.-Rath und Hofkammer-Director. *Johann Herrmann* v. H. führte die bewaffneten Banner des Herzogthums Jülich gegen die Franzosen, wurde gefangen und starb in Frankreich. Seine Gemahlin war eine v. Blankenbiel.

Gegenwärtige Mitglieder der Familie.

1) Die Nachkommen des *Jacob Thielemann* Freiherrn v. H., kaiserl. königl. wirkl. Geh.-Rath, kurpfälz. Hof- und Staatskanzler. Seine Gemahlin war Maria Josepha Freiin v. Franken.

2) Die Nachkommen des *Bernhard Heinrich* Freiherr v. H., kurpfälz. Geh.-Rath, und seiner Gemahlin Maria Anna Freiin v. Holzweiler, Frau auf Wachendorf, Luxem u. s. w. Aus dieser Ehe war *Theodor*, erster Graf zu H., kurpfalz-bairischer Geh.-Rath, Herr zu Pesch-Horst, Forst. Borkum u. s. w. Gegenwärtig lebt *Matthias* Graf v. H., Herr auf Pesch u. s. w.

3) Die Linie zu Broich, von welcher gegenwärtig leben: *Karl* Freiherr v. H. auf Haus Broich u. s. w., und die Freiherren *Theodor* und *Franz* v. H. auf Füsberg in Baiern. Auch lebt noch *Rosa* Freifrau v. H., geborne Freiin v. Quadt-Wickerad, Mutter des Freiherrn *Theodor*.

Graf *Alexander* v. H. zeugte zu Strassburg mit Barbara Lehmann eine natürliche Tochter *Alexandrina*. Im Jahre 1793 zog der Graf nach Wien, und wurde 1795 General-Post-Director zu Düsseldorf. Im Octbr. 1806 wurde er wegen Wahnsinn auf das Haus Pesch bei Crefeld gebracht, und starb daselbst am 12. Novbr. desselben Jahres. Seine Tochter verlangte den in Franken gelegenen Immobiliar-Nachlass bei dem Kreisgerichte zu Crefeld, und erhielt den 4. Juli 1810 günstiges Urtheil, worin sie für eine natürliche Tochter des Grafen v. H. erklärt wurde. Das Appellations-Gericht zu Lüttich cassirte am 20. Aug. 1812 das Urtheil, und verbot ihr den Namen Hallberg zu führen. Sie suchte Cassation nach. Im Jahre 1813 erhob sie die Klage gegen die Erben des Grafen v. H. bei dem Kreis-Gerichte zu Düsseldorf, und erhielt am 28. Februar günstiges Urtheil, welches der Appellationshof zu Düsseldorf den 18. April 1815 gegen die Grafen *Constantin* und *Matthias* v. H. bestätigte.

Halle, die Herren von.

Aus dem Braunschweigischen kam *Paul* v. H. nach Preussen, wo die Familie die Güter Karschau, Kukkern und Codaunen erwarb. Mehrere aus dieser Familie waren Amtshauptleute zu Rhein. — *Heinrich Ehrenfried* v. H. war churbrandenburgischer Oberst zu Ross und zu Fuss, Gouverneur der Louisenschanze, Jägermeister, Hauptmann zu Rhein. Er war mit Johanna Maria v. Rohr vermählt und starb 1663. Ein Sohn, *Wilhelm Reinhardt* v. H., war Oberförster im Samlande. M. s. König's Sammlung.

Halle, Haller, die Herren von.

Ein schon lange in Erfurt erloschenes adeliges Patrizier-Geschlecht. *Siegfried* v. H. kommt als Gleichischer Lehnsmann und Bürger zu Erfurt 1259 vor. *Kühne* und *Gerhardt* Gebrüder v. H. lebten als Ritter 1367, *Otto* v. H. 1370 als Gleichischer Vasall und Bürger zu Erfurt. *Dietrich* v. H. war 1306 im Rathe zu Erfurt.

Halletius, Herr von.

Der König Friedrich Wilhelm I. erhob am 7. Septbr. 1722 den Major und Commandeur des Bosniaken-Corps, *Karl David* H., in den Adelstand. Das ihm beigelegte Wappen zeigt im halb blauen, halb silbernen gespaltenen Schilde, im blauen Felde einen silbernen Halbmond, im silbernen Felde einen halben preuss. Adler; auf dem Helme liegt ein blau und silberner Bund, darauf steht ein schwarzer, die Spitzen links kehrender schwarzer Adlerflügel und eine roth und weisse Fahne. Nur die rechte Seite hat blau und silberne Decken, links wird das Schild von einem Bosniaken gehalten.

Hamfstengel, die Herren von.

Ein adeliges Geschlecht in Sachsen und im Anhaltischen, aus welchem mehrere Zweige in der preuss. Armee gestanden haben und noch jetzt dient einer in derselben (m. s. u.). — *Ludwig Bernhard* v. H. starb als pensionirter Oberst-Lieutenant und ehemaliger Commandeur des Regiments v. Romberg, am 11. Febr. 1799 in Bielefeld. Ein Sohn desselben, der Hauptmann v. H., der früher in dem Regiment, welches sein Vater commandirte, zuletzt aber im Garnison-Bataillon des 8ten Infant.-Regiments gestanden hatte, starb vor einigen Jahren in Charlottenburg. Seine Wittwe, Helena v. Estorff, lebt gegenwärtig zu Hameln. Aus dieser Ehe sind drei Kinder. Der Sohn ist königl. preuss. Lieutenant im 30sten Infant.-Regiment zu Trier. — Diese Familie führt im blauen Felde drei gekrümmte mit den Köpfen gegen das Schild gekehrte Fische, auf dem Helme eine blaue ungarische Mütze. M. s. Müllers Annal. Saxon. p. 22. Pomarii sächs. Chronik S. 788. Spangenbergs Mannsfeld. Chron. S. 441. Gauhe I. Th. S. 577 u. Anh. 1551.

Hamme, die Freiherren von und zu der.

Ein altes im Jahre 1686 in den Freiherrenstand erhobenes Geschlecht aus Brabant. Aus demselben gelangte *Johanna Theodora Theresia* Freifrau von und zu Hamme am 30. Mai 1749 zur Würde einer Aebtissin des unmittelbaren reichsfreien Stifts Burtscheid bei Aachen, sie starb am 10. Decbr. 1775. — In Cöln lebt gegenwärtig *Johann Nepomuk* v. H., ohne dass wir zu entscheiden vermögen, ob derselbe zu der eben erwähnten Familie gehört.

Hammerstedt, Herr von.

Joachim Hammermeister v. H., geb. zu Schievelbein, wurde am 21. Aug. 1654 vom König von Schweden geadelt und im Jahre 1657 erhielt er ein Bestätigungsdiplom dieser Erhebung. Er starb im Jahre 1673 zu Stettin als pommerscher Land-Syndicus und Curator.

Hammerstein, die Grafen, Freiherren u. Herren v., Bd. II. S. 324.

Die jetzt noch blühende Familie der Herren und Freiherren v. H., wovon im Adels-Lexicon einige erwähnt sind, führt im silbernen Felde drei rothe Kirchenfahnen mit goldenen Ringen, aber ohne Stangen.

Auf dem Helme über einer rothen Mütze die drei Kirchenfahnen vorwärts gekehrt, an langen, oben mit einem Kreuz gezierten Stangen.

Hammilton, die Herren von.

Die Edelleute dieses Namens, welche im preussischen Heere gedient haben, stammen von *Patrik* H., einem Edelmann aus England oder Schottland, der im Jahre 1677 churbrandenburgischer Oberstlieutenant bei dem Regiment v. Dönhoff war, und des Hausvoigts zu Memel, Adam Krone, einzige Tochter zur Gemahlin hatte, die ihm die Güter Böltendorf und Mischütten zubrachte. — *Mathias* v. H. kommt im Jahre 1727 als Besitzer eines Gutes bei Brandenburg in Preussen vor. Ein Sohn desselben war der im Jahre 1811 als General-Major verstorbene ehemalige Commandeur des Regiments v. Rüchel in Königsberg v. H. Ein anderer Sohn des *Mathias* v. H. stand 1806 als Major in dem Regiment v. Schöning zu Königsberg und starb 1818 als pensionirter Oberst. In dem Regiment v. Holtzendorf-Cürassier stand ein Premier-Lieutenant v. H., der zuletzt Capitain und Rendant des Train depots in Königsberg war, und im Jahre 1824 gestorben ist. Diese Familie führt im silbernen Schilde drei Rosen, oben zwei, unten eine, dazwischen liegt ein mit einem Herzen belegter Querbalken. — In England führt ein Zweig dieser Familie die herzogliche Würde, ein anderer gelangte 1695 zum Reichsgrafenstande; dieser letztere Zweig aber erlosch 1776 mit *Anton Johann Nepomuk* v. H. M. s. Seiberts Genealogie. Gauhe I. Th. S. 574. Anh. 1549—1551. Wissgrill IV. Bd. S. 70—82.

Handel, Herr von.

Se. Maj. der jetzt regierende König erhob am 10. Juni 1828 den Geh. Regier.-Rath *Johann Friedrich* H. auf Grünhaus in den Adelstand. Er hat mehrere Söhne und Töchter. Ein Sohn steht als Lieutenant im 30sten Landwehrregiment. Diese adelige Familie führt im blauen Schilde drei silberne Sterne und auf dem gekrönten Helme drei weisse Straussenfedern.

Hanne, die Herren von.

Ein adeliges Geschlecht in Westphalen, von dem *Dietrich Arnold* v. H. im Jahre 1772 als Drost zu Leer starb. Sein einziger Sohn *Joseph* folgte ihm als Drost, er war Herr auf Ophterdike und starb 1778.

Hansen, die Herren von.

In Berlin lebt der Major v. d. Armee, *F.* v. H., Ritter des eisernen Kreuzes, erworben 1813 bei Lübnitz. Er stand bis zum Jahre 1806 in dem Infant.-Regiment v. Manstein zu Gnesen, und war zuletzt, (1818) als Major, Adjutant bei der Frankfurter Landwehr-Inspection. Sein Grossvater, der königl. Geh. Rath *Joachim Friedrich* H., wurde wegen langjähriger vortrefflicher Dienste am 25. Novbr. 1741 vom König Friedrich II. geadelt. Die v. H. führen ein quadrirtes Schild; im ersten blauen Felde steht ein rechts aufspringender Löwe, im zweiten schwarzen Felde ist in dem rechten obern und im linken untern Winkel eine Rose und in der Mitte eine Schlange vorgestellt

Das dritte goldene Feld zeigt drei der Länge nach gelegte Reihen Rauten, jede zu vier Stück, im vierten rothen Felde ist eine aus zwei Thürmen bestehende Burg dargestellt. Auf dem Helm steht zwischen zwei schwarzen Adlerflügeln, von denen ein jeder mit sechs silbernen herzförmigen Blättern belegt ist, ein verkürzter gekrönter, nach der linken Seite gewendeter Löwe. Die Decken sind blau und Silber.

Hanxleden, die Freiherren und Herren von.

Ein westphälisches vornehmes Geschlecht, dessen Stammhaus der Rittersitz Delke oder Delike im jetzigen Regierungs-Bezirk Arensberg ist. — *Johann Friedrich* Freiherr v. H. war Fuldascher Oberjägermeister, und zeugte mit Amalia Gräfin v. Brondorf drei Söhne, *Adolph, Casimir* und *Friedrich*, und eine Tochter *Susanna Maria*. M. s. Biedermann Reichsgr. T. I. Tab. 179. Gauhe II. Bd. Anh. S. 1552. v. Hattstein III. Bd. S. 230 ff.

Happe, die Herren von, Bd. II. S. 328.

Auf dem Helme des angegebenen Wappens zeigt sich eine mit dem Knopf links, mit der Oeffnung rechts gekehrte verbrämte Mütze.

Hardtenstern, die Herren von.

Diese adelige Familie gehört dem ehemaligen schwedischen Pommern und gegenwärtigen Regierungs-Bezirk Stralsund an. Mehrere Söhne aus diesem Hause haben im preussischen Heere gedient. Im Jahre 1806 stand im Regiment v. Kaufberg in Danzig der Stabskapitain v. H.; er war 1814 aggr. Capitain des 9ten Infant.-Regiments, wurde in demselben Jahre als Major mit Wartegeld dimittirt und erhielt sodann das Postamt zu Genthin als Versorgung. Er besitzt das eiserne Kreuz II. Classe.

Harf, die Freiherren von.

Es kommt früher dieses alte jülichsche Geschlecht auch unter dem Namen v. Harpf vor, in neuerer Zeit schreibt es sich v. H. zu Dreiborn. — *Clemens Wenzel* Freiherr H. zu Dreiborn lebt zu Bonn.

Harlem, die Herren von, Bd. II. S. 332.

Das alte adelige und ritterliche Geschlecht derer v. H. blühte in den Niederlanden, hauptsächlich in und bei Dortrecht, und die Geschichte der Niederlande erwähnt derselben öfters mit Ruhm. Von dieser H.'schen Familie hat sich eine Linie im Jahre 1693 in Deutschland niedergelassen mit *Blasius* v. H., welcher bei dem Herzog Georg Wilhelm zu Celle, empfohlen durch seinen Oheim, den Oberdeich-Grafen v. Honard, wegen seiner Geschicklichkeit und Erfahrung im Wasserbau als Oberdeich-Graf und Oberdeich-Inspector an der Elbe, in Dienste trat. Aus der Ehe mit einem westphälischen Fräulein Hebelia v. Lennert erhielt er folgende Kinder: 1) *Simon Leonhard* v. H., königl. preuss. Kriegs- und Domainenrath, auch Ober-Deich-Inspector zu Berlin, hatte einen Sohn, *Anton* v. H, welcher der Vater und Grossvater der jetzt in den preussischen Staaten lebenden v. H. ist.

14*

2) *Friedrich Conrad* v. H., königl. grossbritannischer und kurfürstl. hannoverscher Oberamtmann zu Rotenburg im Herzogthum Verden, war unvermählt. 3) Ein Enkel, Namens *Simon Ludwig* v. H., ist unter dem kurhannöverschen Dragoner-Regiment v. Veltheim Offizier gewesen. — Dieses adelige v. H.'sche Geschlecht führt mit der gleichfalls alten adeligen, in Holland sehr bekannten Familie v. Assendelft, wegen ihrer durch wechselseitige vielfältige Verheirathung gegründeten genauen Verbindung, einerlei Wappen, nämlich ein links gehendes weisses oder silberfarbiges Pferd im rothen Felde. Auf dem Helme sind zwei roth und weiss gespaltene Büffelhörner, zwischen welchen ein wachsendes geflügeltes Pferd im linken Profil sich zeigt. Die Helmdecken sind roth und Silber.

Der niederländische Schriftsteller Wouter van Gouthouven sagt: „Harlem is een van de oudste Ridderlyke Geschlechten van Holland." Aus ihm sind entsprossen: Herr *Boudewyn* v. H. Ritter, bei Schagen im Kriege mit den Westfriesen erschlagen im Jahr 1168. Weil die Würde eines Ritters zu jener Zeit keinem zugestanden wurde, als der wirklich vollständig Ahnen hatte, so darf man annehmen, dass diese Familie schon einige Jahrhunderte vor 1168 geblüht habe. Ein niederländischer Geschichtschreiber Mathys Balen hat in seiner Beschreibung von Dortrecht von p. 1061 bis 1068 eine vollständige Stammtafel bis auf damalige Zeit (1670) von diesem Geschlecht herausgegeben, worin p. 1062 unter andern angeführt ist, dass *Simon* v. H., Knappe von dem Grafen von Holland anno 1329 das Haus zu Blooten bei Ryswick zur Lehn bekommen, welches die Familie auch noch besitzt. Ausser andern Gütern hatte die Familie auch noch eine Herrlichkeit, Harlea genannt, zum Eigenthum, welche aber in der unglücklichen Wasserfluth, wodurch das sogenannte Harlemer Meer entstanden, gänzlich mit untergegangen ist. M. s. v. Krohne II. Th. S. 54. Leuven (Leeuven) Batavia illustrata. fol. 1244—47. Ampzing Beschryvinge der Stad Harlem p. 4 seq., Boxhornii theatr. Hollandiae p. 125, Balens Beschryvinge van Dortrecht.

Harras, die Herren von.

Eine alte sächsische Familie, die von preussischer Seite anerkannt worden ist. — *Karl* v. H. war 1814 Lieutenant bei der Landwehr und Gutsbesitzer bei Goldberg in Schlesien. Die zweite Gemahlin des Landesältesten Freiherrn Caspar Conrad Gottlieb v. Zedlitz auf Hohenliebenthal, Fischbach u. s. w., gest. 1804, war eine v. H. aus Sachsen. Die v. H. führen ein blaues, von einer silbernen breiten Strasse quer getheiltes Schild und auf dem Helme zwischen zwei blauen, mit dem Balken belegten Adlerflügeln drei Straussenfedern, blau, silbern, blau. Die Decken sind blau und Silber.

Hartig, die Grafen, Freiherren und Herren von.

Ein aus Schlesien stammendes, nachmals in der Nieder-Lausitz ansässiges und noch gegenwärtig in Böhmen und in Oestreich blühendes Geschlecht. Am 15. Octbr. 1645 wurde es in den Adelstand erhoben. *Johann Esaias* v. H., kaiserl. wirklicher Hofrath bei der böhmischen Hofkanzlei, erhielt im Jahre 1669 ein Reichsritterstands-Diplom. Im Jahre 1707 ertheilte der Kaiser der Familie die freiherrliche Würde. *Anton Esaias* Freiherr v. H., kaiserl. wirklicher Geh.-Rath, Reichshofraths Vice-Präsident, Herr der Herrschaften und Städte Schrattenthal und Platt in Nieder-Oestreich, Ungarschütz, Frating,

Pissling und Slabaten in Mähren, wurde mit seinen Brüdern *Ludwig Joseph* und *Johann Franz* vom Kaiser Karl VI. am 21. Jan. 1735 (nach Andern 1725) in den Reichsgrafenstand erhoben. Die Herrschaft Platt ist noch heute in den Händen des gräflichen Hauses v. H. — In der Lausitz besass die adelige Familie v. H. Alt-Hörnitz bei Zittau. In der preussischen Armee stand 1806 ein Major v. H. im Regiment v. Usedom Husaren zu Blonie in Polen in Garnison. Er fiel im Jahre 1806 in einem der Schlacht von Auerstädt vorausgehenden Gefechte. Er führte folgendes Wappen. Im ersten und zweiten goldenen Felde war ein schwarzer Querbalken, der mit zwei Diamantsteinen und einem goldenen Ordenskreuz belegt war, vorgestellt, im zweiten und dritten blauen Felde stand ein schwarzer Adler auf einem Berge. Auf dem gekrönten Helme wiederholte sich der schwarze Adler. Die Decken waren schwarz und Gold.

Hartitzsch, die Herren von.

Der Ahnherr dieser altadeligen Familie war *Nicolaus* H., welcher 1340 Rathsherr und 1356 Bürgermeister zu Freiberg war, 1364 aber nebst seinen beiden Söhnen *Nicolaus* und *Hans* von den Land- und Markgrafen Friedrich, Balthasar und Wilhelm Gebrüder mit dem Gute Pretschendorf und im folgenden Jahre mit Weissenborn belehnt wurde. Die beiden genannten Söhne kamen gleichfalls in den Rath zu Freiberg, und *Hans* H. war 1391 Bürgermeister daselbst, welcher nebst seinem Bruder *Nicolaus* H. über obengenannte Güter, auch 1398 mit Lichtenberg von dem Markgrafen Wilhelm zu Meissen, und 1401 vom Burggrafen Meinhardt zu Meissen mit Voigtsdorf, Dorf Chemnitz und Helsdorf belehnt wurde. Erstgenannten *Nicolaus* Sohn, *George* v. H., besass nebst gemeldeten Gütern auch Weissenborn. Seine Enkel, *Georg, Adolph, Hans, Dietrich* und *Moriz Heinrich* v. H., haben nebst den böhmischen Gütern auch Ebersbach, Neukirchen u. s. w. in Meissen besessen. Von obengenanntem *Moriz Heinrich* stammt her: *Julius Haubold* v. H. auf Tristewitz u. s. w., königl. poln. und churfürstl. sächsischer Kammerherr. *Asmus* v. H. auf Chemnitz starb 1579 im 110. Jahre seines Alters. Von dessen Söhnen blieb einer in der Schlacht bei Findhofen, der andere bei Stuhlweissenburg in Ungarn, der dritte wurde 1560 zu Freiberg meuchelmörderisch erschossen, der vierte aber, *Reinhard* v. H. auf Chemnitz u. s. w., hat Nachkommen hinterlassen. Von seinen Söhnen errichtete *Reinhard Wolf* v. H. die Linie zu Zschopau um das Jahr 1693. Dessen Urenkel *Karl Reinhard* v. H. war königl. poln. und churfürstl. sächs. Oberst-Wachmeister. *George Ernst* v. H. auf Hansdorf u. s. w. war Hauptmann und ward 1660 magdeburgischer Kammer-Rath. Im 18ten Jahrhundert waren noch *George Adolph* v. H., Amtshauptmann im Meissner Kreise, *Julius Friedrich* v. H. chursächs. Oberstlieutenant, *Karl Friedrich George* und *Ernst George* v. H chursächs. Kammerjunker, *Georg Wolf Erasmus* v. H. auf Terpt, Präsident bei der churfürstl. sächs. Ober-Amts-Regierung zu Lübben. — Das Wappen derer v. H. sind zwei weisse, mit dem Rücken gegen einander gekehrte Fische im blauen Felde. Ueber dem Helme befinden sich zwei offene Flügel, davon der vorderste roth, der hinterste aber weiss ist. Die Helmdecken sind weiss, roth und blau.

Hartlieb, die Herren von.

Die Herren v. H. stammen aus den Städten Strasburg, Augsburg und Memmingen, wo schon im Jahre 1400 zwei Familien dieses Namens bekannt waren, nämlich die Hartlieb-Walsporth und die Hartlieb und Rauden. Die ersten waren im Jahre 1499 vom Kaiser Maximilian auf dem Reichstage zu Worms geadelt worden. Im preussischen Dienste stand der Major v. H., der im Jahre 1806 als Premier-Lieutenant und Adjutant bei dem zur 2ten ostpreussischen Füselier-Brigade gehörigen Bataillon v. Schachtmeier stand und 1820 aus der Adjutantur in den Ruhestand trat. M. s. Ritter v. Lang S. 370.

Hartmann, die Herren von, Bd. II. S. 336.

Die Wappen der verschiedenen Familien dieses Namens, die von königl. preussischer Seite in den Adelstand erhoben worden, sind:

1) Ernennung vom 15. Decbr. 1725 (von uns unter No. 2. angeführt). Ein quadrirtes Schild mit einem Herzschilde; im ersten und vierten rothen Felde liegt ein preussischer Ringkragen, im zweiten und dritten blauen Felde ein goldener Anker. Das Herzschild enthält einen goldenen Adler im goldenen Felde, und ist mit einer Edelkrone bedeckt. Auf dem Hauptschilde steht ein gekrönter Helm, aus dem ein geharnischter Ritter, in der Rechten ein Schwert haltend, zwischen zwei schwarzen Adlerflügeln wächst. Der Helm des Ritters ist mit drei Straussenfedern, schwarz, Silber, Gold und blau, geschmückt, das Hauptschild liegt auf zwei übers Kreuz gelegten Espontons. Die Decken sind rechts schwarz und Silber, links Gold und blau.

2) Ernennung vom 15. Octbr. 1786 (von uns unter No. 3. angeführt). Ein gespaltenes Schild; in der rechten goldenen Hälfte einen geharnischten Ritter, auf grünem Hügel stehend, der in der rechten Hand die Lanze, in der linken das Schild hält, in der linken silbernen Hälfte stehen oben zwei goldene Sterne neben einander, in der Mitte ist ein blauer Querbalken, und unter demselben ein goldener Stern angebracht. Auf dem Helme wiederholt sich der Ritter verkürzt über einer roth und silbernen Wulst und zwischen einem silbernen und goldenen Büffelhorn. Decken blau und Silber.

3) Erneuerungsdiplom vom 6. Mai und 9. Juni 1794, ausgestellt dem Oberstlieutenant der Artillerie *Gottlieb Ludwig* v. H. und den Söhnen des Geh. Ober-Finanz-Rathes, *Karl Christ. Ludwig* und *Otto Emil* v. H. (deren wir unter No. 1. erwähnt haben). Zu gleicher Zeit hatten wir das Wappen nach einem vor uns liegenden Abdruck beschrieben und auf dem Helme einen Adlerflug angegeben; derselbe ist noch näher zu bezeichnen durch die Angabe, dass der rechte Flügel roth, der linke aber schwarz ist.

4) Am 10. Juli 1803 wurde abermals eine Familie dieses Namens in den Adelstand erhoben. Sie führte im goldenen Schilde ein mit drei rothen Blumen bestecktes rothes Herz, und in der Mitte des Schildes einen blauen Querbalken. Auf dem Helme einen schwarzen Adlerflug mit dem Kleestengel belegt und dazwischen das erwähnte Bild des Schildes. Decken roth und Gold.

Hartmansdorf, die Herren von.

Diese Familie ist am 20. Januar 1683 vom König Karl XI. von Schweden in den Adelstand erhoben worden, und zwar in der Person des *Matthias* H., der königl. schwedischer Gesandter am chursächsischen Hofe war. Zu Wolgast, Stralsund und Greifswalde waren Zweige dieses Hauses verbreitet.

Hartoch, die Herren von.

Ein Capitain v. H. stand im Jahre 1806 in dem Infant.-Regiment Churfürst von Hessen; er ist im Jahre 1815 als Capitain des 5ten westphälischen Landwehr-Infant.-Regiments gestorben. Gegenwärtig steht ein Sohn desselben als Lieutenant im 26sten Infant.-Regiment.

Hartranff, die Herren von.

Zacharias v. H. und Felshard war erster Scabinus zu Löwenberg in Schlesien, und wurde später Syndicus zu Bautzen, wo er am 1. April 1650 starb. Er hinterliess einen Sohn.

Hartwich, die Herren von.

Ein von denen v. Hartwig ganz verschiedenes Geschlecht. Ihm gehört der im III. Bd. S. 337 erwähnte Major v. H. an. Diese Familie führt im gespaltenen blau und goldenen Schilde hier die auf der Weltkugel mit dem linken Fusse stehende Göttin, dort drei silberne Sterne. Auf dem Helme wächst ein geharnischter, ein Schwert führender Arm, auf beiden Seiten desselben wehen zwei Straussenfedern, rechts eine in Silber und eine längere in schwarz, links eine längere in Silber und eine kürzere in schwarz. Decken rechts blau und Silber, links blau und Gold.

Hartwig, die Herren von, Bd. II. S. 336 u. 337.

Die v. H. führen im blauen goldgeränderten Schilde ein rothes Herz, darüber geht eine goldene Strasse. Auf dem gekrönten Helme steht ein schwarzer, die Flügel ausbreitender Adler. Decken blau und Silber.

Hase, die Herren von, Bd. II. S. 337.

Wilhelm H. war um das Jahr 1275 Schultheiss der Stadt Müllrose, nach einem Privilegium, welches die Markgrafen Otto V. und Albrecht III. dieser Stadt in dem gedachten Jahre ertheilten. Er scheint der erste Schultheiss der Stadt gewesen zu sein, welche vom Markgrafen Otto III erst kürzlich erbaut worden war. Das Jahr der Erbauung weiss man nicht, es muss aber zwischen 1252 und 1267 fallen, denn in dem ersten kam diese Gegend an den Markgrafen, in dem andern starb Otto III. Dass *Wilhelm* H. ein Edelmann gewesen sei, ist nicht zu beweisen, aber mit vieler Wahrscheinlichkeit zu vermuthen, theils weil es um diese Zeit gewöhnlich war, den Städten Edelleute zu Oberhäuptern zu geben, theils auch, weil damals wirklich eine adelige Familie mit Namen H. bekannt war, sowohl in Pommern, als in der Mark Brandenburg. Von den pommerschen H. erzählt Micrälius, dass sie wegen ihrer häufigen Räubereien im 15ten Jahrhundert ausgerottet wurden, der märkschen erwähnt Karls IV. Landbuch an mehreren Orten (S. 86. 101. 154. 156. 159. 161. 171. 172. 173). Sie waren damals im Ober-Barnimschen Kreise und in der

Uckermark begütert und noch um das Jahr 1446 war ein Ritter *Zacharias* H. ein märkischer Vasall. Ob ausser dem obigen *Wilhelm* noch andere dieses Geschlechts im Lebusschen Kreise jemals angesessen waren, sind wir nicht im Stande zu behaupten. — M. s. Brockmann Beschreibung der Stadt Frankfurt a. d. O. S. 46.

Haselhorst, die Herren von.

Diese adelige Familie gehörte dem Fürstenthum Minden an, sie war aber auch im Lüneburgischen begütert. Mit *Ludolph Christian* v. H., geb. 1681, ist das Geschlecht erloschen, er ertrank am 19. April 1718. Seine Wittwe war Anna Agnesia v. Semplingen. M. s. Pfeffinger Gesch. I. Bd. S. 113. Gauhe I. Bd. S. 590. v. Meding giebt das Wappen I. Bd. S. 35.

Hasenkamp, die Herren von.

Diese Familie heisst eigentlich v. d. Brüggenei genannt Hasenkamp. Zwei Offiziere dieses Namens stehen in der Armee, einer im 1sten Infant.-Regiment zu Königsberg, der andere im 3ten Infant.-Regiment ebenfalls in Königsberg. Ein Major v. H., der früher in dem Regiment v. Klebowski zu Warschau gestanden hatte, war noch im Jahre 1828 Major im activen Dienste.

Hasfort, die Herren von.

Eine adelige Familie in Westphalen, die früher auch Hasvoerde und Hassver geschrieben vorkommt. Die Ritter v. Hasvoerde waren Burgmänner zu Dassel und Everstein. Schon 979 kommt *Adelheide* v. Hasvoerde vor. Im 14ten Jahrhundert soll das Geschlecht bei uns erloschen sein.

Hastfer, die Freiherren von.

Schon im Jahre 1471 kommen in Schweden die v. H. vor, man hält sie für einen Zweig der in Deutschland bereits im 14. Jahrhundert erloschenen Familie v. Hasfort oder Hasvoerde. In schwedischen und preussischen Diensten standen Edelleute aus diesem Hause. Hierher gehört namentlich *Karl Gustav* Freiherr v. H., geb. am 12. Juli 1770, königl. preuss. Artillerie-Lieutenant, vermählt mit Wilhelmine v. Klenke, Enkeltochter der bekannten Dichterin Karschin. — In Schweden waren auch Grafen v. H., von denen besonders bekannt geworden ist: *Johann Jacob* v. H., Graf v. Gresenburg, Baron und Herr auf Koster, königl. schwedischer General-Feldmarschall. Diese Familie führt im Schilde drei gekrönte Büffelköpfe und auf dem Helme einen vierten dergleichen zwischen zwei Büffelhörnern.

Hatten, die Herren von, Bd. II. S. 339.

Der in unserm Artikel aufgeführte hochwürdige Weihbischof *Stanislaus Andreas* v. H. ist im Jahre 1838 zum Bischof von Ermland und Abt von Oliva erwählt worden, in welcher Eigenschaft Derselbe den Eid am 21. Febr. 1838 zu Königsberg abgelegt hat.

Hattorf, die Herren von.

Der Stammvater dieser Familie ist vom Kaiser Leopold I. am 12. Juli 1703 in den Reichsadelstand erhoben worden. Sie gehört ursprünglich den braunschweigischen und hessischen Landen an. Ein Zweig derselben war jedoch auch im Mansfeldischen begütert. *Karl Friedrich* v. H. war 1734 königl. preuss. Kriegsrath und Ober-Empfänger der Grafschaft Mansfeld, Herr auf Hedersleben. — *Bodo Wilhelm* v. H. war Oberforstmeister. Im Jahre 1806 stand ein Hauptmann v. H. in dem Regiment von Braunschweig-Oels in Prenzlau; er ist im Jahre 1820 als Oberstlieutenant aus der Gensd'armerie geschieden. M. s. Musshard in Monim. nobil. antiq. S. 280. v. Krohne II. S. 93. v. Meding III. No. 307.

Haubitz, die Herren von.

Es kommt dieses Geschlecht unter dem Adel in Preussen vor, es stammt aber aus Sachsen, wo sein Stammhaus zwischen Grimma und Kolditz liegt. In Preussen besass diese Familie die Güter Kaluschten, Seeben, Dietrichsdorf, Mallöven u. s. w. *Samuel Sigismund* v. H. starb am 20. April 1795 als Landrath zu Gross-Koschlau bei Soldau. Nach Schlesien waren schon am Anfange des 16ten Jahrhunderts Zweige gekommen, welche die Güter Herrendorf u. s. w. im Gloganschen erwarben. *David* v. H. aus dem Hause Herrendorf liegt in der Kirche zu Merschwitz bei Wohlau begraben; er starb im Jahre 1602.

Haudring, die Herren von.

Die v. H. kommen in Preussen vor. *Georg* v. H. war preussischer Offizier im Jahre 1784 zu Königsberg. *Otto* v. H., vermählt mit einer v. Leval, war russischer General.

Haunold, die Herren von.

Dieses erloschene Geschlecht gehörte zu dem schlesischen Adel. Seine Stammhäuser waren Braesa und Romberg bei Breslau. Schon im 15ten Jahrhundert bekleideten Ritter aus demselben hohe Landeswürden. — Am 21. März 1506 trat *Johann* v. H., Landeshauptmann im Fürstenthum Breslau, ein hochverdienter Mann, vom Schauplatz des Lebens. — *Achatius* v. H. starb 1531 in derselben Würde. — *Gregorius* v. H. war bis an seinen, im Jahre 1626 erfolgten Tod Commandant der Stadt Breslau. — *Hans Sigismund* v. H. feierte am 5. März 1710 sein funfzigjähriges Jubiläum als Rath der Stadt Breslau und des Kaisers und starb den 16. April 1711 als der letzte seines Geschlechtes. Durch 260 Jahre hatten Söhne aus diesem Hause im Rathe zu Breslau gesessen. Das Wappen derer v. H. zeigte ein blau und weiss geschachtetes Schild, das von einem aus dem obern rechten zum untern linken Winkel gezogenen Schrägbalken durchschnitten ward.

Haupt, die Herren von, Bd. II. S. 349 u. 350.

Diese Familie besass auch die Güter Segenfelde und Pohle. *Karl Gottfried* v. H., königl. preuss. Major bei Prinz Ludwig Ferdinand in Magdeburg, starb am 3. März 1801. — Wappen. Sie führten im gespaltenen roth und blauen Schilde hier drei übers Kreuz gelegte Pfeile, dort einen schwarzen Adlerhals, der sich auf dem gekrönten Helme wiederholt.

Haus, die Herren von.

Zwei Brüder v. H. zu Vierhoffen waren Offiziere im preussischen Dienste und blieben vor Belgrad.

Hausen, die Herren von, Bd. II. S. 350.

In den Rheinlanden befand sich früher eine adelige Familie v. H., die ansehnliche Güter in Lothringen besass, sie verlor dieselben im Laufe der Revolution und erlangte dafür später eine Entschädigungssumme von 80,000 Franken.

Hausen d'Aubié, die Herren von, Bd. I. S. 149.

Der in unserm Artikel erwähnte Baron d'Aubié war der Vater des ebenfalls erwähnten Majors v. Hausen d'Aubié. Diese Familie hat durch ein von dem königl. preussischen Minister am französischen Hofe ausgestelltes Certificat d. d. Paris den 17. Juni 1802, so wie durch ein von drei preussischen Edelleuten, die sich damals in Paris aufhielten, unterzeichnetes Document ihren alten Adel und vornehme Abkunft dargethan. Der vollständige Titel ist Baron d'Aubié Seign. de Sauzet et Crevecoeur auch Vicomte de Pont de l'arche a Montferrand, Rioux et Quenille. Der Major v. H. d'A. vermählte sich mit der Erbtochter des General-Lieutenants v. Hausen (m. s. Bd. II. S. 350) und wurde von diesem am 2. Mai 1805 adoptirt; es wurde ihm die königliche Erlaubniss ertheilt, den Namen und das Wappen der Familie Hausen dem seinigen beizufügen. Das Wappen ist quadrirt, im ersten und vierten silbernen Felde steht ein schwarzer Widder, im zweiten und dritten goldenen Felde ist ein rother Sparren vorgestellt, über demselben stehen zwei blaue Sterne, und unter demselben ein blauer Halbmond. Dieses Wappen ist mit zwei Helmen besetzt, auf dem ersten wächst der Widder, auf dem zweiten liegt eine Krone, die mit einer blauen Fahne besteckt ist, auf der ein silbernes Kreuz angebracht ist.

Hautlepenne, Freiherr von.

Ein Freiherr v. H. ist gegenwärtig Herr auf Wachtendonc im Kreise Geldern.

d'Hautois und Bronne, die Grafen von.

Dieses hohe Haus hat seinen Ursprung in Lothringen. Aus ihm wendete sich nach Schlesien der kaiserl. General Graf d'H. u. B., welcher die Gräfin Jacobine Charlotte v. Frankenberg und Ludwigsdorf, des im Jahre 1719 verstorbenen Grafen v. Frankenberg, gewesenen Landes-Hauptmanns zu Glogau Tochter, zur Gemahlin hatte, und im Glogauischen die Güter Gläsersdorf, Seppa, Gross-Kauer, Mangelwitz u. s. w. besass.

Haver, die Herren von.

Dieses altadelige Geschlecht stammt aus der Grafschaft Mark, wo es, so wie am Niederrhein, ansehnlichen Grundbesitz hatte. In der Grafschaft Mark war das Haus Sengerhoff das ältere Stammhaus des Geschlechtes v. H. Der letzte männliche Zweig desselben starb 1571 und Sengerhoff kam an die v. Kniepingen, die dieses Lehn bis 1685 inne hatten. M. s. v. Steinen IV. Th. S. 266. v. Meding beschreibt das Wappen III. Th. S. 308 und Siebmacher giebt es II. Th. S. 122.

Haverbier, die Herren von.

Sie kommen auch unter dem Namen v. Haverbeer vor, und gehörten dem Adel im Lüneburgschen und im Mindenschen an. *Heinrich*, *Christoph*, *Karl* und *Ernst* v. H. waren in kurbrandenburgischen Diensten; der letzte starb im Jahr 1660, mit ihm erlosch sein Stamm. M. s. Scheid zu Moser S. 423 und Meding I. Th. S. 342.

Haxthausen, die Grafen und Freiherren von.

Das uralte vornehme freiherrliche, in einer Linie auch gräfliche Geschlecht stammt von einem berühmten Kriegshelden des dreizehnten Jahrhunderts, der von Königen von Jerusalem Ehrenpreise und Lehen empfing. Seine von den Sarazenen vertriebenen Nachkommen liessen sich in Westphalen nieder, wo sich dieser berühmte Stamm in vielen Zweigen verbreitete, und sich namentlich in zwei Hauptäste theilte, die mit der weissen und schwarzen Linie bezeichnet werden. Die Herrschaften Haxthausen, Appenburg, Dockelndorf u. s. w. gehören zu den ältesten Besitzungen des Hauses, während noch in der Gegenwart dasselbe in Westphalen und der Rheinprovinz reich begütert ist. Es gehörte zu den vier Säulen oder edlen Mayern des Domkapitels zu Paderborn, wo es das Erbhofmeisteramt des Grossstiftes seit langen Jahrhunderten besass. Vom König von Dänemark wurde *Georg Christ.* Freiherr v. H., Gesandter am russischen Hofe, in den Grafenstand erhoben. Noch blüht dieser Zweig in Dänemark; ein Graf v. H. wurde im Jahre 1838 königl. dänischer Oberhofmarschall. Zahlreiche Mitglieder dieses Hauses sind zu hohen Staatswürden in der Administration und in den Armeen vieler Länder gelangt. — In der Gegenwart steht in preussischen Staatsdiensten *A.* Freiherr v. H., königl. Geh. Regierungs-Rath beim Justiz-Ministerium. Das alte Wappen dieses vornehmen Hauses ist ein rothes Schild, in dem eine aus zwei Brettern zusammengefügte weisse Thüre, mit drei Leisten in Form eines lateinischen Z. Auf dem Helme ein offener rother Flug, belegt mit dem erwähnten Bilde, Decken roth und Silber. M. s. O. H. Müller, kurze histor. genealog. Tabelle und Nachrichten von der uralten adeligen und hochgräflichen Familie v. H. v. Krohne II. Th. S. 95 — 99. Siebenkees II. Abschn. S. 212. Zedlers Universallexicon XII. Bd. S. 930. Tyroff S. 108. Spener Taf. 22. Siebmacher I. Th. S. 186. IV. Th. Supplem. Taf. 13.

Haxthausen-Carnitz, die Freiherren u. Herren v.

Christian Wilhelm Anton August Freiherr v. Haxthausen, früher königl. preuss. Staabskapitain im Regiment v. Rüts zu Warschau, fügte wegen einer Familienstiftung seines Oheims (der Bruder der Mutter), des Ordenskanzlers *Karl Adolph* Graf v. Carnitz, mit königl. Bewilligung im Februar 1811 seinem Namen und Wappen den Namen und das Wappen der Familie v. Carnitz bei (M. s. Bd. I. unseres Adels-Lexicons S. 356—57). Ein Herr v. H.-C. war 1813 und 14 Major und Adjutant des General-Lieutenants Grafen Kleist v. Nollendorf und trat im Jahre 1815 aus dem activen Dienst mit Oberstlieutenants-Charakter; später lebte er in Mainz. Er ist mit einer v. Schwerin vermählt, hat aber, so viel uns bekannt ist, keine Kinder.

Hebron, die Herren von.

Diese Familie wird auch v. Hepron geschrieben; sie stammt aus Schottland und kam am Anfange des 17ten Jahrhunderts nach Pommern. — *Alexander* v. H., verflochten in das Schicksal seines Bruders, des Reichsmarschalls von Schottland, *Jacob* Grafen Bothwel, erwählten Ehegemahls der Königin Maria, suchte und fand einen Zufluchtsort in Pommern. Hier erwarb er das Rittergut Damnitz bei Stolpe, das noch heute den Namen Hebron-Damnitz führt. *Daniel* v. H., Neffe des Vorigen, besass die Güter Damnitz und Kastenitz. Er erhielt im Jahre 1709 das Indigenat des Lauenburger Adels in Ostpreussen. Zuletzt erscheint *Alexander Ernst* v. H., königl. Kammerherr, der seine Güter 1717 an den General-Lieutenant v. Hainski verkaufte. Er hatte sich zu Danzig mit der Tochter eines reichen dasigen Patriziers, Namens Brun, vermählt, die Ehe blieb aber kinderlos, und er starb als der Letzte seines Geschlechts.

Hecht, die Herren von, Bd. II. S. 355.

Wappen. Das Schild zerfällt durch einen Spitzenschnitt in drei Theile oder Felder. Das mittlere Feld ist wieder in zwei Dreiecke getheilt; im rechten goldenen ist der schwarze Adler halb sichtbar, im linken silbernen springt ein rother Löwe nach der rechten Seite auf, über diesen Bildern schwebt, beide Felder berührend, eine Edelkrone. Die beiden äussern Dreiecke sind roth, das rechte ist von zwei goldenen, das linke von zwei silbernen Querbalken durchzogen. Rechts ist der obere rothe Theil mit zwei, der mittlere mit einer goldenen und links mit eben so viel silbernen Rauten belegt. Das Schild trägt zwei gekrönte Helme, auf denen sich Adler und Löwe verkürzt zeigen. Decken rechts roth und Gold, links roth und Silber.

Hechthausen, die Herren von, Bd. II. S. 355.

Dieses Geschlecht ist wirklich erloschen, und zwar im Jahre 1700 mit *Christ.* v. H., Herrn auf Zarefenz und Grüstow im Kreise Belgard, der fünf Töchter, aber keinen Sohn hinterliess.

Hedwiger, die Herren von.

Eine adelige Familie dieses Namens war noch im vorigen Jahrhundert in Schlesien begütert, sie besass Bärschdorf, Kaiserswalde und Golsdorf. — *Johann Georg* v. H., ein Nachkomme des *Balthasar* v. H., der unter Kaiser Karl V. gegen die Türken focht, besass Golsdorf. Seine Söhne: *Georg Wilhelm*, *Johann Christ.* und *Johann Rudolph*, wurden am 2. Aug. 1701 zu Grafen v. Sponeck, und seine Tochter

Anna Sabina zur Gräfin v. Sponeck erhoben. Die letztere hatte sich am 1. Juni 1694 mit dem Herzog Leopold Eberhard v. Würtemberg-Mömpelgard vermählt; sie wurde jedoch schon 1700 wieder geschieden und starb zu Hericourt am 9. Novbr. 1735. Die in dieser Ehe gezeugten Kinder führten den Namen Grafen und Gräfinnen v. Sponeck.

Heese, die Herren von der.

Ein altadeliges Geschlecht dieses Namens ist schon seit dem 13ten Jahrhundert in den Rheinlanden bekannt. *Joachim Albert* v. H., kaiserl. Reichshofrath, wurde im Jahre 1790 in den Freiherrenstand erhoben. — In Essen befindet sich ein Zweig dieses Hauses, *Johann Wilhelm Anton* v. d. H.

Heesten, die Herren von.

Ein altadeliges, nunmehr aber erloschenes Geschlecht in Holstein, wo es die Güter Heeste auf der Geest, Tremsbüttel und Rettwisch besessen hat. Mehrere Söhne aus diesem Hause haben in preussischen Diensten gestanden. Man kann von demselben eine gründlich abgefasste Nachricht lesen, welche Olaus Heinrich Möller, Professor der Geschichte an der königl. Universität zu Kopenhagen und Rektor der lateinischen Schule zu Flensburg, daselbst im Jahre 1764. 4. herausgab, worin sehr viele v. H. von 1290 an bis gegen 1618 aus geschriebenen und gedruckten Urkunden vorkommen. Das Wappen war ein halber springender Hirsch im Schilde und auf dem Helme. Wir finden es bei Elverfelt, in Henr. Ranzovii Descriptio nova Chersonesi Cimbr. ex op. Westph. T. I. Monum. inedit. Tab. D. und in Joachim Wielands nye Tiedemler om laerde og curieuse Sager. 1727. No. 14. pag. 210.

Hegener, die Herren von, Bd. II. S. 356.

Im Jahre 1806 dienten verschiedene Offiziere dieses Namens in der Armee; einer war Premier-Lieutenant und Adjutant im Regiment v. Courbière und nahm 1820 als aggregirter Oberstlieutenant des 1sten Garnison-Bataillons seinen Abschied; zwei andere v. H. standen im Regiment v. Schöning zu Königsberg; der ältere starb 1821, der jüngere 1824 als Capitain a. D., zuletzt im 2ten Garnison-Bataillon. Die v. H. führen ein quadrirtes Schild, im ersten und vierten blauen Felde steht ein schwarzer gekrönter Adler, im zweiten und dritten goldenen Felde ist ein silberner geharnischter, aus den Wolken kommender, einen Pfeil haltender Arm. Aus dem gekrönten Helme wachsen sechs goldene Aehren. Decken blau und Gold.

Heidekampf (Heydekampf), die Herren von, Bd. II. S. 387.

Der erste dieses adeligen Geschlechts war *Christian Siegismund* v. H., churfürstl. brandenburgischer Rath und Ober-Kämmerer; er wurde vom Kaiser Ferdinand III. in den Adelstand erhoben. Seine Gemahlin Elisabeth war die Tochter des churfürstl. brandenburgischen Raths und Land-Rentmeisters in Cleve, auch Residenten zu Hamburg,

Namens Möller. Von ihm ist nur ein Sohn bekannt, *Veit* v. H., churfürstl. brandenburgischer Rath, preuss. Ober-Zoll-Director, des Seestrandes und Bernsteinfanges Administrator, Erbherr auf Kleinheide u. s. w. Er ward geboren den 6. März 1654 und starb am 5. Novbr. 1693. Seine Gemahlin Charlotte Louise war die Tochter des churfürstl. brandenburgischen Raths und Burggrafen zu Labiau Reinhold Klein, und Stieftochter des Capitains Dietrich Adam v. Pfuhl, welche den 1. Decbr. 1676 gestorben ist. Er hat drei Söhne und drei Töchter hinterlassen, deren Namen aber nicht aufgezeichnet sind. Dagegen finden wir folgende drei, von denen wir aber nicht gewiss sagen können, ob sie von derselben Linie abstammen.

1) *Louise* v. H hat um das Jahr 1700 gelebt, und ist mit dem Obersten v. Gleveaux vermählt gewesen.

2) *Charlotte Dorothea* v. H. starb im Jahre 1753. Sie ist vermählt gewesen an den Capitain Christoph Salomon v. Pröck, Erbherr auf Badritten und Samitten.

3) *Karl Aemilius* v. H. hat um das Jahr 1700 gelebt, und war preussischer Capitain und Verweser in Memel. Er besass das Gut Wange und Absintkiem und starb 1746. Mit seiner Gemahlin hat er einen Sohn und eine Tochter hinterlassen. Die Tochter wurde an den Capitain Christoph Wilhelm v. Hausen auf Krumteich vermählt, der Sohn hiess *Karl Veit* v. H. und ward 1719 geboren. Er stand als Rittmeister unter den Husaren zu Wartenberg in Oberschlesien, und hatte die Tochter des obigen Christoph Salomon v. Pröck zur Gemahlin, welche 1749 gestorben ist. Ein Sohn aus dieser Ehe, *Karl Ludwig*, ist 1751 geboren; wir finden aber keine weitern Lebensumstände von ihm aufgezeichnet. In der Vasallen-Tabelle von 1788 wird auch die verwittwete Rittmeisterin *Albertine Tugendreich* v. H., geb. v. Buddenbrock auf Wange u. s. w. aufgeführt, der Name ihres verstorbenen Gemahls aber ist uns nicht bekannt. M. s. preuss. Archiv. Mon. Julius 1795. S. 421.

Heidekampf, Stieler von.

Der Oberst-Lieutenant der königl. Artillerie Stieler, ein Bruder des berühmten Geographen dieses Namens in Gotha, wurde am 27. Octbr. 1832 in den preuss. Adelsstand mit dem Beinamen v Heidekampf erhoben, und es wurde demselben das von uns im II. Bd. S. 387 beschriebene Wappen beigelegt, doch ist dort das obere Feld blau und das untere Silber, hier das obere Silber und das untere roth.

Heidenreich, die Herren von, Bd. II. S. 357.

Wappen der im Jahre 1803 in den Adelstand erhobenen Familie v. H. Im ovalen silbernen Schilde liegt ein Eichenast, der drei Zweige treibt, der mittlere treibt vier Blätter, die beiden Seitenzweige drei Blätter, jeder trägt eine Eichel. Auf dem gekrönten Helme wiederholen sich diese Eichenzweige, hier treiben die äussern vier, der mittlern nur zwei Blätter. Decken blau und Silber.

Heidler, die Herren von.

In Schlesien kommt eine adelige Familie dieses Namens vor, die jedoch weder von Sinapius noch von Lucae erwähnt wird. Sie war mit den Familien v. Warkatsch und Lober v. Lobenstein verwandt. —

Friedrich Alexander v. H. stand in dem Regiment v. Bornstedt zu Magdeburg; er führte im quer getheilten Schilde oben einen Löwen und unten acht Wecken oder Rauten, auf dem Helme wiederholte sich der Löwe zwischen zwei Adlerflügeln.

Heims, die Herren von, Bd. II. S. 358.

Diese Familie führt ein gespaltenes Schild; in der rechten silbernen Hälfte einen Weinstock mit einer Traube, in der linken schwarzen Hälfte einen grün gekleideten Arm, der einen krummen Säbel führt. Das letztere Bild ist auch auf dem Helme so angebracht, dass der Ellenbogen auf der Mitte der Krone ruht. Decken schwarz und Silber.

Heina, die Herren von.

Ein altadeliges Geschlecht, das durch drei Jahrhunderte die Güter Altbelgern und Metzkirchen an der Elbe zwischen Mühlberg und Torgau besass. *Philipp* v. H., der letzte seines Geschlechtes, hatte nur eine Tochter *Dorothea*, die sich mit Christian v. Hermsdorf auf Runberg vermählte.

Heinersdorf, die Herren von.

Man sehe den Artikel v. Schenckendorf-Heinersdorf IV. Bd. S. 162.

Heinicke, die Herren von.

Der Geh. Kammerrath v. H. auf Alt-Döbern starb am 23. Jan. 1791. Sein Vater *Paul* H. war ein Baumeister und sein Bruder *Christoph* H., das sogenannte kluge Kind in Lübeck, starb am 27. Juni 1775. Der Sohn des Geh. Kammerraths, *Karl Friedrich* v. H., war Herr auf Hauswaldau in der Oberlausitz. Der sächsische Oberst *Karl Ludwig* v. H. besitzt Bollendorf bei Dahme u. s. w. In der preuss. Armee stand im Jahre 1806 ein Fähndrich v. H. in dem Regiment v. Thiele zu Warschau; er ist im Jahre 1823 als königl. niederländischer Major im Generalstaabe gestorben.

Heinsberg, die Herren von.

In der Rheinprovinz lebt eine adelige Familie dieses Namens, namentlich zu Linn im Regierungs-Bezirk Düsseldorf *Karl Anselm Joseph* v. H. und zu Aachen *Goswin Joseph Anton Hugo* v. H.

Heinze, die Herren von, Bd. II. S. 360.

Der in Dänemark und Holstein ansässige Zweig der Familie v. H. stammt ab von *Ernst Joachim* v. H. und Weissenrode auf Neudorf im Liegnitzischen, vermählt 1657 mit Marianne v. Kölichen und Rischtern, gest. 1695; dessen Bildniss noch wohl erhalten in der Kirche zu Neudorf hängt. Sein zweiter Sohn, *Johann Heinrich* v. H., geb. 1660, widmete sich den gelehrten Studien der Philosophie und Medicin, erlangte darin den Doctorgrad, verliess Schlesien und lebte am Hofe der Herzogin von Sachsen-Weissenfels, nach deren Tode aber in Langensalza, wo er 1743 starb. Aus seiner Ehe mit Margaretha Christina v.

Opeln, gest. 1723, ward ihm am 24. März 1717 ein Sohn, *Johann Michael*, geboren, welcher als Philolog bekannt geworden ist. Als einer der Gründer der thüringischen gelehrten und der sogenannten fruchtbringenden Gesellschaft, dann als Conrector der lüneburgischen Ritterakademie, endlich als Vorsteher des Gymnasiums zu Weimar sind eine Reihe von Dissertationen, Uebersetzungen und Gedichten in deutscher und lateinischer Sprache von demselben erschienen. Aus seiner Ehe mit Catharina Dorothea v Chüden, hatte er einen Sohn, *Friedrich Adolf*, geb. 1768, welcher Philosophie und Medicin studirte, darin den Doctorgrad erwarb, jedoch nach seiner Verheirathung mit Henriette v. Blome aus dem Hause Hagen in Holstein daselbst Güter kaufte und königl. dänischer Etatsrath ward. Er hinterliess bei seinem im Jahre 1832 erfolgten Tode zwei Kinder, einen Sohn *Ernst*, welcher gleich dem Vater im dänischen Staatsdienst steht und mit der Gräfin Elisabeth Reventlow vermählt ist, und eine Tochter, *Henriette*, verheirathet mit dem Freiherrn Karl v. d. Malsburg in Churhessen. Dieselben besitzen einen Antheil der Güter Hagen, Dobersdorf u. s. w. in Holstein, welche das Blomesche Fideicommiss bilden. Der Chef der Familie besitzt ausserdem die adeligen Güter Niendorf und Reeche im Süden des Herzogthums unter dem Hoheitsschutze des lübeckischen Freistaates.

Das Wappen der Familie ist ein quadrirtes Schild, dessen erstes und viertes Feld roth, das zweite und dritte weiss ist. Mitten quer durch das Schild ist ein schwarzer Balken, worin drei goldene Granatäpfel neben einander stehen. Auf dem gekrönten Helme ein ausgebreiteter Pfauenschweif. Die vorderen Helmdecken schwarz und Gold, die hintern roth und weiss.

Als obengenannter *Friedrich Adolf* v. H., veranlasst durch Erwerbung der Güter Niendorf und Reeche, im Jahre 1803 in die adelige Cirkel-Junker-Compagnie zu Lübeck eintreten wollte, ward eine Bestätigung des alten Adels erforderlich, indem der Vater, und so bisher auch der Sohn, denselben hatten ruhen lassen. Zugleich mit dieser römisch kaiserl. Bestätigung erfolgte auch eine Veränderung des Wappens, durch Setzung des Reichsadlers zwischen zwei Lorbeerzweigen über dem Helm und eines Adlerflügels in das Wappen. Es ist jedoch das ältere, oben beschriebene Wappen nach wie vor im Gebrauch geblieben.

Die Familie führte in früherer Zeit den Titel: Edle Herren, der in neuerer Zeit herkömmlich mit dem Barons-Titel vertauscht worden ist.

Helfenstein, die Herren von.

Die uralte Familie v. H. hatte ihr Stammhaus bei Ehrenbreitstein, wo noch heute eine Bastion oder Fort nach ihnen benannt ist. Sie trug von Trier das Erbmarschallamt, von Nassau die Voigtei Harschheim zu Lehn und hatte ihren eigenen Lehnhof. Die Blüthe dieses Hauses fällt in das 15te, 16te und 17te Jahrhundert. Humbracht Taf. 256 Salver S. 589. v. Hattstein I. Th. S. 296.

Es führt dieses Geschlecht ein quergetheiltes Schild, in der obern silbernen Hälfte ist ein nach der rechten Seite vorschreitender Löwe vorgestellt, die untere blaue Hälfte aber hält fünf kleine, in einen Triangel gestellte silberne Lilien. Auf dem Helme ist ein goldbordirter Hut angebracht, hinter demselben wehen fünf Straussenfedern, die erste blau, die zweite in Silber, die dritte roth, die vierte in Silber und die fünfte blau. Decken blau und Silber.

Hellfeld, die Herren von.

Ein altes westphälisches Geschlecht, von dem schon Zweige im Jahre 1256 vorkommen. Dem Sachsen-Weimarschen Geh. Regierungsrath und Professor zu Jena, v. H., wurde vom Kaiser Franz für sich und seine Nachkommen im Jahre 1764 ein Anerkennungsdiplom ausgestellt, und dasselbe später auch von preussischer Seite beurkundet. Diese Familie führt ein gespaltenes schwarz und silbernes Schild, im schwarzen Felde vier silberne Federn, im silbernen Felde drei Rosen unter einander, von denen die mittlere etwas gegen den Rand des Schildes gerückt ist.

Hellmich von Gottburg, die Herren.

Der Kurfürst Friedrich Wilhelm erhob am 18. Octbr. 1763 den Oberstlieutenant seiner Artillerie *Andreas* H. mit dem Prädicat v. Gottburg in den Adelstand. Das ihm beigelegte Wappen ist gespalten, in dem linken silbernen Felde sind in der Mitte zwei halbe goldene Monde, eben so oben, unten und in der Mitte ein goldener Stern vorgestellt. In der linken ebenfalls silbernen Hälfte steht auf grünem Hügel ein schwarzer, ein Schwert in den Pranken haltender, nach der rechten Seite aufspringender gekrönter Löwe. Der Helm ist mit drei Straussenfedern geschmückt. Decken schwarz und Silber.

Helwig, die Herren von, Bd. II. S. 363 u. 364.

1) Ernennung vom 2. Octbr. 1786. Wappen: Im silbernen Schilde drei schwarze Lanzen mit den Stielen unten übers Kreuz gelegt, darüber ein grüner Kranz, auf dem Helme ein geharnischter Ritter mit geschlossenem Visier, der ein schwarzes Kreuz in der rechten Hand hält. Decken grün und Silber.

2) Der General-Major v. H. erhielt bei seiner Erhebung in den Adelstand folgendes Wappen. Im silbernen Schilde ein schwarzer preuss. Adler und ein silbern und schwarzes Schach, dazwischen ein rother Querbalken, auf dem Helme ein geharnischter Ritter, der in jeder Hand eine Standarte hält. Decken schwarz und Silber.

Henckel von Donnersmark, die Grafen, Bd. II. S. 369.

Das Wappen dieser Familie besteht in einem Schilde von acht Feldern. Der Schild ist nämlich dreimal in die Länge und einmal in die Quere getheilt. Im ersten und siebenten Felde zeigt sich das im Adels-Lexicon beschriebene Stammwappen; im zweiten und achten Felde ein rechts gekehrtes springendes Einhorn; im dritten und fünften Felde ein einfacher Adler; im vierten und sechsten Felde auf einem Postement von drei Stufen ein Antoniuskreuz. Auf den Helmen rechts der wachsende Löwe, in der Mitte der einfache Adler, links ein wachsendes Einhorn.

Henniges, die Herren von.

Im Jahre 1712 war *Heinrich* v. H. königl. preuss. Geh.-Rath und Gesandter am Reichstage zu Frankfurt. Er war mit Elisabeth v.

Näfe aus Pommern vermählt, und hinterliess nur eine Tochter, die mit dem würzburgischen Hauptmann Johann Ernst Freiherrn v. Guttenberg vermählt war. Er soll im Jahre 1708 in den preussischen Adelstand erhoben worden sein; doch ist sein Wappen nicht in dem Wappenbuche der preuss. Monarchie zu finden.

Herbenstein, die Herren von.

Johann Dietrich Dogherr v. H. war vermählt mit Clara Dorothea v. Brömse und starb im Jahre 1703. Aus dieser Ehe gehört ein Sohn hierher, *Dietrich* v. H., Herr auf Kleinsteinrode, Roggenhorst u. s. w., königl. preuss. Oberst.

Herberstein, die Grafen zu u. von, Bd. II. S. 374.

Das gräfliche Wappen, dessen Bestandtheile und die Art der Vermehrung derselben im Adels-Lexicon angegeben ist, besteht jetzt aus sechs Feldern nebst Mittelschild, und fünf Helmen.

Herbstleben, die Herren von.

Ein längst erloschenes adeliges Patrizier-Geschlecht zu Erfurt, dessen Stammhaus das Rittergut und Dorf gleiches Namens im Herzogthum Sachsen-Gotha ist. *Dietrich* und *Ernst* v. H. waren 1313 im Rathe zu Erfurt; *Cuno* v. H. war 1337 Rathsmeister; er war wegen seines Stammhauses Lehnsmann derer v. Gleichen.

Hercules, die Herren von.

Eine altadelige schwedische Familie, deren Nachkommen in Greifswalde wohnten. Im Jahre 1660 war *Johann* v. H. Landsyndicus in Greifswalde.

Herda, die Herren von.

Ein altadeliges Geschlecht, welches aus dem Fränkischen und Thüringischen abstammt. Im Jahre 1786 war ein Herr v. H. Capitain beim v. Könitzschen Garnison-Regimente. Armuth, Unglücksfälle und heftiger Brand im schwedischen Kriege im 17ten Jahrhundert, haben diese Familie dahin gebracht, ihren Adel verborgen zu halten. In dieser unglücklichen Periode sollen auch alle Familien-Documente theils verloren gegangen, theils vernichtet worden sein. Obiger Capitain v. H. hatte einen Sohn, welcher als Junker beim Götzschen Regimente stand; derselbe bat um Renovation des Adels. König Friedrich II. sandte diese Vorstellung an das auswärtige Departement, aber es findet sich nicht, dass weiter etwas verfügt worden sei.

Herding, die Herren von.

Ein altadeliges Geschlecht in Westphalen. Der Ahnherr desselben hatte sich unter Kaiser Karl V. in der Schlacht von Pavia 1525 ausgezeichnet, und zur Belohnung die Erneuerung und Bestätigung seines Adels mit vermehrten Privilegien erhalten. — *Heinrich* v. H., ein Sohn des *Johannes* v. H., Erbherrn zu Hiltrupp, war einer der Gesandten beim westphälischen Friedensschlusse. Von seinen Nachkommen haben sich Zweige in Baiern niedergelassen, und 1695 wurde ein Ast des Hauses in den Freiherrenstand erhoben. Diese Familie führt in ihrem ursprünglichen Wappen im Schilde wie auf dem Helme einen links gekehrten Windhund. M. s. Leben der westphäl. Friedens-Gesandten S. 101.

Heringen, die Herren von.

In Westphalen, Thüringen und Braunschweig, so wie in der Rheinprovinz leben oder lebten adelige Familien dieses Namens. Eine derselben starb schon 1428 aus, eine andere, die thüringische, stammt aus dem jetzt preussischen Städtchen Heringen. Sie besass die Güter Mehlra und Uftrungen. Ihr gehörte an *Adolph* v. H., der im Jahre 1791 preuss. Regierungsassessor war. *Gustav Adolph* v. H. starb am 16. Juli 1795 als gräflich stolbergischer Stallmeister zu Wernigerode; er war mit seiner Cousine *Ernestine* v. H. vermählt, und hinterliess drei Töchter und zwei Söhne. M. s. Uechtritz I. Bd. Taf. 63. Melissantes No. 15. Gauhe I. Bd. S. 627. Siebmacher giebt das Wappen I. Th. S. 184. v. Meding beschreibt es I. Bd. S. 350.

Hern, die Herren von, Bd. II. S. 375.

Das von uns angegebene Wappen dieser Familie hat nicht ein schwarzes, sondern ein silbernes Schild. Die Decken sind roth und Gold.

Herold, die Herren von.

Der Geh. Hofgerichts- und Jagdrath Dr. *Christian* H. wurde am 18. Mai 1720 geadelt. Diese Familie führt ein gespaltenes Schild, im rechten silbernen Felde einen halb sichtbaren schwarzen Adler, in dem andern goldenen Felde einen auf grünem Rasen stehenden, in Silber gekleideten Herold, auf dem Hute drei Straussenfedern, schwarz, Silber, roth, auf der Brust den Reichsadler und in der Hand den Stab mit dem Reichsadler. Dieses Bild wiederholt sich auf dem gekrönten Helme zwischen dem schwarzen Adlerfluge.

Herr, die Herren von, Bd. II. S. 375.

Der erwähnte Regierungsrath und Justiziarius v. H. zu Berlin ist im Jahre 1837 gestorben, und die Familie besteht in der Gegenwart nur noch in Einem Gliede, dem ebenfalls von uns erwähnten Hauptmann v. H. a. D.

Herrmann, die Herren von, Bd. II. S. 376.

1) Der König Friedrich Wilhelm II. erhob am 29. Septbr. 1786 den Major in dem Regiment v. Voss, *Johann Friedrich* H., in den Adelstand, und legte ihm folgendes Wappen bei. Ein quadrirtes Schild, im ersten und vierten silbernen Felde zwei mit den Spitzen gegen den rechten Oberwinkel gelegte Pfeile, im zweiten blauen Felde einen silbernen Stern, im dritten ebenfalls blauen Felde einen silbernen Halbmond. Auf dem Helme einen schwarzen wilden Mann, bekränzt um Haupt und Hüften, in jeder Hand einen Pfeil haltend.

15*

2) Die am 6. Juli 1798 erhobene Familie dieses Namens führt ein gespaltenes Schild, die rechte goldene Hälfte zeigt einen breiten, den dritten Theil des Feldes einnehmenden schwarzen, mit einem goldenen Stern belegten Balken, das linke Feld ist schwarz, darinnen ein goldener, nach der rechten Seite gewendeter Halbmond. Auf dem gekrönten Helme ein goldener und ein schwarzer Adlerflügel, der erstere mit dem schwarzen Balken, der letztere mit dem Monde belegt. Dazwischen ein spitziger Hut, mit einem Pfauenschweife besteckt.

3) Die Familie v. H., deren Diplom vom 2. Febr. 1828 ist. Sie führt im obern rothen Felde des Schildes eine Edelkrone, im untern silbernen Felde einen Stern und einen aus einer Schlange geformten Ring zwischen einem grünen Kranze.

Hertefeld, die Herren von, Bd. II. S. 377.

In der Beschreibung des Wappens am Schluss des Artikels ist hinter den Worten: auf dem Helme, zu ergänzen: jedoch nur wachsend.

Herteleben, die Herren von.

Sigismund Casimir Pastorius v. H. kam 1712 nach Preussen und machte der Regierung Vorschläge zur Anlage von Colonien. — *Anton* v. H. besass 1752 das Rittergut Smergorzyn bei Dirschau in Westpreussen.

Hertig, die Herren von.

Aus dieser adeligen Familie haben viele Mitglieder in der preuss. Armee gedient. *August Wilhelm* v. H., geb. zu Cüstrin, war 1806 Oberst und Commandeur des 4ten Artillerie-Regiments, 1809 Commandeur der ostpreussischen Artillerie-Brigade und starb 1815 als pensionirter General-Major zu Berlin. Er hatte drei Söhne, der älteste von ihnen war 1806 Lieutenant und Adjutant des Generals Grafen v. Kunheim, und 1819 schied derselbe als Major aus der 3ten Artillerie-Brigade. Der jüngste war Fähndrich in dem Regiment Graf v. Kunheim, und schied 1827 als Major aus der 2ten Artillerie-Brigade. Es führt diese Familie im silbernen Schilde ein rothes Andreaskreuz und auf dem Helme drei breite schwarze Federn. Decken roth und Silber.

Herzberg (Hertzberg), die Grafen und Herren von, Bd. II. S. 379.

In unserm Artikel haben wir zwei Familien dieses Namens bereits angeführt; die alte, grösstentheils jetzt gräfliche Familie, und eine neuere. Hier geben wir die uns zugekommenen Nachrichten von einer gleichnamigen Familie.

3) Dieses Geschlecht hiess ursprünglich v. Semid, und führte als solches folgendes Wappen. Ein aufgerichtetes Kriegsschild, in vier Felder getheilt, von denen das eine sich gegenüberstehende silberne Paar mit rothen, von goldenen Pfeilen durchbohrten Herzen besetzt ist, das andere, von denen jedes wieder in zwei Felder getheilt ist, aus vier kleineren Feldern, zwei schwarzen mit querüber liegenden Waizenähren und zwei rothen mit goldenen gekrönten Löwen, besteht.

Ueber dem Schilde liegt ein offener Kriegshelm mit goldener Krone, worauf ein Greif sitzt, dessen Körper golden und dessen Flügel der eine halb schwarz, halb golden, der andere halb roth, halb silbern ist. Vergl. Paulus Fürsten, Weigels u. A. Wappenbücher unter den obersächsischen altadeligen Geschlechtern diesen Namen.

Alten Diplomen und einzelnen Notizen der Familienchronik zufolge wissen wir von denen v. Scmid nur so viel, dass *Augustin* v. Scmid, einziger Sohn von *Johann Christoph* v. Scmid und Jetta v. Bünau, geb. 1608, zuletzt diesen Namen führte. Er verlor frühzeitig seinen Vater, der 1610 an der Pest starb, ging, 13 Jahr alt, mit seinem auch nicht dem Namen nach bekannten Stiefvater (nur dass er unter Kaiser Rudolph II. Rittmeister war, wissen wir) ins Feld, trat 1635 förmlich in kaiserliche Kriegsdienste und ward Oberkriegscommissair und Feld-Artillerie-Zeugzahlmeister. 1643 den 26. Jan. vermählte er sich mit Sibylla v. Wiedemann, Emanuels v. W. und Sibylla v. Diethers Tochter. 1649 den 23. April wurde er auf dem Reichstag zu Pressburg von Ferdinand III. in den ungarischen Adel aufgenommen und darin im folgenden Jahre von den Grossen Ungarns bestätigt. 1670 den 28. Aug. machte ihn Leopold I. zu seinem Rath und erhob ihn in den alten Reichs-Ritterstand unter dem Namen Herzberg, eigentlich Herzenberg (Hertzenberg), so wie 1676 den 12. Nov. unter die Frei- und Pannerherren, wobei zugleich das Wappen, wie folgt, vermehrt worden ist. Ein goldenes Feld mit goldener Krone, worin ein schwarzer, gekrönter Adler auf einem grünen Berge steht, kam in die Mitte des Wappenschildes und ein eben solcher Adler über dem Schilde zur Rechten auf einem gekrönten offenen Kriegshelm. 1684 den 4. Juli starb *Augustin* zu Linz.

Seine Kinder waren:

1) *Maria Susanna*, geb. den 21. Octbr. 1643, gest den 27. März 1658.
2) *Eva Polyxena*, geb. 164..
3) *Georg Albert*, geb. den 16. Decbr. 1646, gest. den 8. Aug. 1651.
4) *Maria Elisabeth*, geb. den 20. Septbr. 1648, gest. den 17. Nov. 1703.
5) *Maria Sibylla*, geb 16.., gest. im Juni 1708.
6) *Maria Emilia*, geb. den 18. Juni 1651, gest. im Octbr. 1722.
7) *Johann Christoph*, geb. den 16. Decbr. 1652, gest. den 20. Mai 1667.
8) *Polyxena Theresia*, geb. den 27. Octbr. 1654, gest. den 27. Febr. 1658.
9) *Johann Rudolph*, geb. den 24. Septbr. 1656, gest. den 14. April 1657.
10) *Hannibal Ehrenreich*, geb. den 16. Febr. 1658, gest. den 27. Decbr. 1739.
11) *Johanna Jacobina*, geb. den 17. Decbr. 1660, gest. den 24 Aug. 1736.
12) *Emanuel Augustin*, geb. den 17. Septbr. 1665, gest. den 12. Jan. 1666.
13) *Andr. Franciskus Augustin*, geb. den 6. Aug. 1666.

Der unter 10) aufgeführte *Hannibal Ehrenreich*, vermählt mit Anna Juliana Zorn v. Plobsheim, des Stadtmeisters zu Strassburg Wolf Friedrich Z. v. P. und Anna Juliana v. d. Grün Tochter, am 15. März 1688, zuletzt Witthumsrath der Herzogin Christina v. Sachsen-Gotha, hatte folgende Kinder:

1) *Magdalena Franziska Sibylla*, geb. zu Hanau den 4. Jan. 1689, Gattin des General-Lieutenants Karl Siegmund v. Rautenkranz auf Rautenberg, gest. den 1. Decbr. 1752.
2) *Ludwig Reinhart*, geb zu Regensburg den 23. April 1691, gest. den 9. Jan. 1750 als gothaischer Geh.-Rath.
3) *Christina Sophia Dorothea*, geb. zu Gotha den 5. (Jan. od. Febr.?) 1693, gest. den 5. März 1693.
4) *Friedrich Wilhelm*, geb. zu Gotha den 12. Novbr. 1694, gest. den 8. Decbr. 1757 als dänischer Landrath und Oberamtmann der Insel Fehmern zu Borg.
5) Eine todtgeborne Tochter.

Ludwig Reinhart ging am 6. Febr. 1703 auf das Pädagogium nach Halle, wurde später Page in Gotha, heirathete am 24 Jan. 1722 Jeanette Sophia Amalia v. Roeder, des Sachsen-Eisenachischen Oberstlieutenants Hans Adam Reinhart auf Doernfeld und Gutenberg und Anna Elisabeth v. Lichtenstein Tochter, mit der er folgende Kinder zeugte:

1) *Magdalena Sophia*, geb. den 14. Juli 1713, Gattin des Sachsen-Gothaischen Oberconsistorialraths Christian Ludwig v. Griesheim auf Herda seit dem 19 Septbr. 1743, gest. im Juli 1802.
2) *Friedrich Wilhelm Hannibal*, gest. den 9. Septbr. 1724, gest. den 27. Septbr. 1725.
3) *Ludwig Karl*, geb. den 16. Septbr. 1725, gest. den 1. Aug. 1726.
4) *Friederika Augusta*, geb. den 4. Jan. 1727, vermählt am 16. Febr. 1746 mit Ottokar Johann Ernst Ludwig v. Seebach, Geh.-Rath in Altenburg, Majoratsherr auf Fahnern.
5) Eine todtgeborene Tochter.
6) *Ludwig Friedrich Christian*, geb. den 28. Jan. 1730, vermählte sich zuerst am 3 Febr. 1763 mit Louise Magdalena v. Keller, mit der er zwei Töchter erzeugte:
   a) *Regina Augusta Louise*, geb. den 20. Novbr. 1763, seit dem 16 Octbr. 1781 Gattin des preuss. und würtemberg. Gesandten in London und würtemberg. General-Lieut. Heinrich Gustav v. Mylius;
   b) *Karoline Wilhelmine Christiana*, geb. den 31. März 1765, seit Octbr. 1787 Gattin des Regierungsraths v. Reischach in Stuttgart;

   dann die Schwester der vorigen, Christiana Maria verwittwete Schauroth, am 2. Juli 1767; starb den 20. Novbr. 1785 in Stuttgart.
7) *Karl Friedrich*, geb. den 19. Juni 1737, gest. den 4. Mai 1783 als markgräfl. brandenburg-ansbachischer Kammerherr.
8) *Johann Wilhelm*, geb. den 1. Febr. 1734, gest. den 11. Septbr. 1807.

Johann Wilhelm, Erbherr auf Heuckewalde, Rothgiebel, Klein-Poerten, Loetschütz und Broeckau in Sachsen und Hermsdorf in Reuss-Gera, herzogl. würtembergischer Major und Kammerherr, Ritter des St. Charles-Ordens; später fürstl. nassau-usingischer Hofmarschall, zuletzt Stiftsdirector vom Stift Naumburg-Zeitz und Senior der Ritter und Landschaft zu Gera, vermählt am 25. Octbr. 1764 mit Friederika Eberhardina Freiin v. Zech, zum zweiten Male mit Johanna Elisabeth v. Lindenau aus dem Hause Polentz-Windischleube und Nobitz, des Oberhofmeisters und Ritters des St. Hubertus-Ordens Johann Georg und Henriette Auguste v. Pflug aus dem Hause Heuckewalde Tochter.

Seine Kinder von letzterer waren:

1) *Wilhelm Ludwig*, geb. den 11. Decbr. 1771, gest. im April 1791 als Alumnus portensis.
2) *Johanna Augusta Friederika*, geb. den 7. Febr. 1773, Gattin des Hauptmanns v. Burgsdorf seit 1797, gest. den 9 Mai 1803.
3) *Georg August*, geb. den 29. Decbr. 1773, gest. den 30. Septbr. 1824.
4) *Amalia Karolina*, geb. den 2. Novbr. 1774, gest. den 14. Decbr. 1774.
5) *Marianne Sophia*, geb. den 12. Jan. 1776, gest. den 23. März 1776.
6) *Henriette Adelaide*, geb. den 12. Juni 1777, Gattin des Hauptmanns v. Einsiedel auf Wolftitz.
7) *Franziska Karolina*, geb. den 10. März 1779, gest. 1792.
8) *Maximiliana Louise*, geb. den 18. Juli 1780, Gattin des Majors v. Wolframsdorf, gest. 1807.
9) *Sophia Theresia*, geb. den 31. Aug. 1781, Gattin des Majors v. Carlowitz auf Ottendorf.
10) *Hannibal*, geb. den 16. April 1783.
11) *Reinhart*, geb den 23 Octbr. 1784, gest. 1809 als würtembergischer Hauptmann und Kammerherr.
12) *Gertraude*, geb. den 31. Aug. 1786, seit 1803 Gattin des herzogl. dessauischen Regierungs-Präsidenten Karl v. Wolframsdorf.
13) *Mathilde*, geb. den 2. Novbr. 1787, Gattin des Hauptmanns Freiherrn Backoff v. Echt, seit 1805.
14) *Alexander*, geb. den 27. März 1789, blieb 1812 in Russland beim Uebergang über die Beresina als würtembergischer Kammerherr und Hauptmann.
15) Ein todtgeborner Sohn.

I. *Georg August* war bei dem in holländ. Sold stehenden Regiment von Sachsen-Gotha am 24. Juni 1793 Fähndrich, am 5. Octbr. 1800 Lieutenant, 1806 Hauptmann, und vermählte sich am zweiten Pfingstfeiertage 1802 mit Henriette Wilhelmine Georgine Marie, des königl. hannöver. Garde-Lieutenants Karl Brunsich v. Brun, Tochter.

Kinder:

1) *Johanne Elisabeth Wilhelmine Karolina*, geb. zu Overveen bei Harlem den 4. Aug. 1803.
2) *Johanne Hermine*, geb. zu Delfzyl bei Hellvoetsluys den 30. Juni 1806.
3) *Johanne Louise*, geb. zu Heuckewalde bei Zeitz den 6. Febr. 1810.
4) *Christoph Alexander*, geb. zu Reichelshof bei Schweinfurt den 8. Octbr. 1816, gegenwärtig Premier-Lieutenant beim Linien-Bataillon in Altenburg.

II. *Hannibal*, Page in Gotha den 16. Mai 1798, Fähndrich beim Leibregiment den 20. April 1801, Souslieutenant den 2. Mai 1806, Premierlieutenant den 11. März 1807, als Hauptmann abgegangen den 27. Febr. 1809. Beim 3ten Bataillon des 31sten Regiments der preuss. Landwehr Hauptmann den 4. Octbr. 1817, den Abschied gesucht und erhalten den 22. Juli 1825 (beide Patente von Sr. Majestät dem König v. Preussen eigenhändig unterzeichnet und darin der Freiherrn-Charakter anerkannt). Seit 1810 Erbherr auf Heuckewalde u. s. w. im preuss. Herzogthum Sachsen und auf Hermsdorf im Fürstenthum Reuss-Gera, vermählt den 20. Mai 1810 mit Louise Juliana Henriette v. Beust aus dem Hause Neuensalz, Zobes und Reichstaedt, gegenwärtig Stiftsdirector des Stifts Naumburg-Zeitz und Subsenior der Ritter und Landschaft des Fürstenthums Gera, erster Kreis-Deputirter des Zeitzer Kreises.

Kinder:

1) *Adeline Johanne Auguste*, geb. den 22. Jan. 1811, seit 1836 vermählt mit Thilo v. Uslar-Gleichen, Premier-Lieutenant des kön. hannov. 1sten Linien-Bataillons.
2) *Ottilie Louise Dorothea*, geb. den 12. Febr. 1812, gest. den 19. Juni 1814.
3) *Laura*, geb. den 4. Novbr. 1813.
4) *Wilhelm Adolph Alexander*, geb. den 26. Novbr. 1814, Stud. theol. zu Halle.
5) *Auguste Louise*, geb. den 7. Febr. 1816, gest. den 11. Mai 1816.
6) *Georg Hannibal Hermann*, geb. den 16. Febr. 1817, Stud. jur. et cam. zu Halle.
7) *Gustav Adolph Emil*, geb. den 22. Mai 1818, Alumnus portensis.
8) *Albin Friedrich Edmund*, geb. den 11. Aug. 1819, Alumnus portensis.
9) *Heinrich Eduard Richard*, geb. den 11. Novbr. 1820, Alumnus portensis.
10) *Karl Traugott Hugo*, geb. den 7. Octbr. 1822, gest. den 2. Dec. 1822.
11) *August Fedor Thilo*, geb. den 7. Juli 1824.
12) *Reinhart Victor Guido*, geb. den 4. Septbr. 1831.

Hesse, die Herren von.

Es dienen zwei Edelleute dieses Namens gegenwärtig als Offiziere in der Armee. Einer in der zweiten Artillerie-Brigade, ein anderer im 20sten Landwehr-Regiment. Es führt diese Familie ein quadrirtes Schild, im ersten und zweiten rothen Felde einen Kranich, der einen Stein im Fusse hält, im zweiten und dritten silbernen Schilde einen grünen Baum. Auf dem Helme zwischen zwei Büffelhörnern, von denen das rechte oben weiss und unten roth, das linke oben roth und unten weiss ist, einen wilden bärtigen, um Haupt und Hüften grün gekleideten wilden Mann. Decken rechts roth und Silber, links grün und Silber.

Hesse von Hessenthal.

In der preuss. Armee steht der Major und Inspecteur der ersten Pionier-Inspection, Mitglied der Prüfungscommission H. v. H.

Hessen, die Herren von.

Der König Friedrich Wilhelm II. ertheilte am 2. Octbr. 1786 dem Amtsrath *Friedrich Ludwig* v. H. und dessen Brudersöhnen, den Lieutenants *Johann Friedrich* und *Gottlieb Ferdinand* v. H., ferner dem Fähndrich *Johann Heinrich* v. H. ein Erneuerungsdiplom ihres Adels. Ihr Wappen zeigt im halb blauen, halb silbernen Schilde einen nach der rechten Seite aufspringenden goldenen Löwen. Auf der Krone steht derselbe verkürzt und ungekrönt, in jeder Pranke eine Standarte haltend.

Hessig, die Herren von.

Der königl. preuss. Kammerrath *Johann Heinrich* v. H. erhielt am 10. Febr. 1705 ein Anerkennungsdiplom seines Adels. Ein Enkel desselben, *Hans Christoph Friedrich* v. H., war 1805 Proviantmeister in Gross-Glogau. Diese Familie soll seit einigen Jahren, wie v. Hellbach I. Bd. S. 549 versichert, erloschen sein. Es führte dieselbe im quadrirten Schilde, im ersten und vierten blauen Felde einen geharnischten Ritter, der in der rechten Hand einen Halbmond hält, vor dem zwei Sterne schweben, das zweite und dritte rothe Feld ist von einem blauen, von der linken obern nach der linken untern Seite gelegten Schrägbalken durchzogen, darauf liegt ein Herzschild, das im goldenen Felde den Reichsadler zeigt und mit einer Edelkrone bedeckt ist. Der erwähnte Schrägbalken ist mit vier Halbmonden, vor denen die Sterne schweben, bedeckt. Das Hauptschild trägt zwei gekrönte Helme, auf dem rechten ist der Reichsadler, auf dem linken der Ritter wie im Schilde, jedoch bis an die Knie vorgestellt. Decken rechts schwarz und Gold, links roth und Silber.

Hettersdorf, die Freiherren von.

Dieses vornehme Geschlecht gehört seinem Ursprunge und alten Besitzungen nach Mainz und Würzburg an und wird gegenwärtig also auch zum Adel des Königreichs Baiern gezählt, wo es am 11. März 1816 immatriculirt wurde. Hierher gehört *Franz Philipp* Freiherr v. H., der im Jahre 1806 Commandeur der hohen deutschen Ordens-Commende zu Namslau, Frankfurt und Ganghofen war. M. s. Salver S. 600. 667. 668. 669. 727. 745. 747. v. Hattstein II. Th. S. 141—46. Suppl. ad T. I. S. 8. Biedermann R. W. T. 285. R. v. Lang Adel des Königr. Baiern S. 154. Suppl. S. 48.

Heuduck, die Herren von, Bd. II. S. 381.

Wappen. Quadrirtes Schild, im ersten und vierten blauen Felde eine Edelkrone, im zweiten und dritten silbernen Felde ein mit der Spitze aufrecht gekehrtes kurzes Schwert. Auf dem gekrönten silbernen Helme einen achtstrahligen silbernen Stern. Decken rechts blau und Gold, links blau und Silber.

Heusch, die Herren von.

In neuerer Zeit dienten drei Brüder aus dieser adeligen Familie in der Armee. Der älteste stand zuletzt im 5ten Infant.-Regiment als Major und lebt gegenwärtig als Oberstlieutenant im Pensionsstande in Liegnitz; er erwarb sich das eiserne Kreuz 1814 in den Niederlanden und ist mit einer v. Lüderitz vermählt. Der jüngste Bruder stand als Hauptmann im Colbergschen Infant.-Regiment; er erwarb sich bei Dennewitz das eiserne Kreuz, und starb 1836 in Stettin. Ein dritter Bruder, dem Alter nach der zweite, stand im Regiment v. Zastrow, später beim Krokowschen Freikorps, verlor ein Bein und wurde später als Postmeister zuerst in Mittenwalde und sodann in Treuenbritzen versorgt; er ist ebenfalls mit einer v. Lüderitz vermählt.

Heuser, Herr von.

Se. Majestät der jetzt regierende König, haben im Monat Februar des Jahres 1838 den Lieutenant im 2ten Dragoner-Regiment *Friedrich Albert* H. in den Adelstand erhoben.

Hexlau (Hecklau), die Herren von.

Christian Günther v. H. war Lieutenant in holsteinischen Diensten, und hatte eine v. Resdorf zur Frau. Aus dieser Ehe wurde zu Warin in Mecklenburg 1746 *Christian Heinrich* v. H. geboren, der im Jahre 1806 als Major in dem dritten Musketier-Bataillon des Regiments Graf v. Kunheim zu Strausberg stand, und 1811 im Pensionsstande verstorben ist. Er war mit Maria Neumann verheirathet, die schon im Jahre 1808 gestorben ist.

Heyking, die Herren von.

Ein altes adeliges Geschlecht, welches aus dem Jülichschen herstammen soll. *Wilhelm* v. H. war der erste, welcher im Jahre 1490 aus Jülich nach Kurland gekommen. *Gotthard* v. H. kommt im Jahre 1620 bei der kurländischen Ritterbank vor. In der Matrikel vom Jahre 1605 ist *Alexander* v. H. auf ein, aber die v. H.'schen Güter im Mitauschen Distrikt auf drei Pferde zum adeligen Rossdienst angeschlagen worden.

Das Familien-Wappen ist: Ein zum Anlauf geschickter leopardirter goldener Löwe, mit roth vorgeschlagener Zunge und in die Höhe gewandtem Schwanz in einem blauen Schilde, dessen silberne Fussreihe durch mittelmässige Spitzenschnitte dreimal getheilt ist, die silbernen Spitzen aufwärts, von denen der Löwe zwei mit den Hinterpranken berührt. Auf dem goldgekrönten Helme erscheint die Wappenfigur zum Streit gerichtet, zwischen einem übereck bis zur Mitte blau und rothen Fluge. Die Helmdecke ist zu beiden Seiten oben golden, von der Mitte an nach unten silbern, und durchgehends blau gefüttert. Das fränkische Geschlecht v. Schonenborn führt ein dem v. H.'schen ähnliches Schild, nur ist das Feld bei jenem roth.

Hildebrand, die Herren von, Bd. II. S. 390.

Wappen: Im goldenen Schilde einen schwarzgeharnischten Arm, der ein brennendes Stück Holz, eine brennende Keule oder einen Brand hält (Hältdenbrand, Hildebrand). Auf dem gekrönten Helme wächst ein wilder grünbekränzter bärtiger Mann, der eine Keule schwingt. Decken Gold und schwarz.

Hille, Herr von.

Johann v. H. war 1657 churbrandenburgischer Oberst und hatte tapfer unter dem Statthalter Fürsten v. Radzivill in Polen gefochten.

Hindersen, die Herren von.

Diese Familie gehört der Grafschaft Mark an. Ein Oberstlieutenant v. H., vermählt mit Sibylla v. Kabold, Herr auf Bobinghausen in der Grafschaft Mark, blieb im Jahre 1675 in einem Treffen an der Saar.

Hinke, die Herren von.

Ein Major v. H. stand 1806 als Chef einer Invalidencompagnie in Marienwerder und starb 1811 in der 3ten ostpreuss. Invalidencompagnie. Ein Premier-Lieutenant v. H. im Regiment v. Renouard wurde 1813 als Capitain dimittirt.

Hitz, die Herren von.

Eine westpreussische adelige Familie, aus welcher früher Offiziere in der Armee dienten. Zwei Brüder v. H. standen 1806 in dem Regiment v. Thile in Warschau und gingen später in polnische Dienste, ein dritter stand damals im Dragoner-Regiment v. Rouquette.

Hitzacker, die Herren von, Bd. II. S. 398.

Jetzt führen die v. H. das Wappen andern, nämlich: In einem schräg links von einem roth und grün getheilten Felde einen Löwen, der mit allen vier Pranken (nach andern Abdrücken nur mit den Vorderpranken) in eine halbrundgebogene Hellebarde tritt und eine Lilie auf dem Kopfe trägt. Auf dem Helme der Löwe mit der Hellebarde wachsend. In andern neuern Wappen dieser Familie erscheint der Löwe, in den Vorderpranken einen Pfeil oder auch einen Lilienstab haltend.

Hitzacker und Meckbach, die Herren von.

Diese Familien stammen von den Herren v. Hitzacker im Braunschweigischen ab, welches schon hinlänglich die gleichlautenden Namen und das gleichförmige Wappen beweisen, das beide stets zugleich geführt haben. Der Stammvater der märkischen Herrn v. H. ist *Ludolph* v. H., Erbherr auf Iden und Hindenberg, welcher 1644 starb und aus dem Lüneburgischen gebürtig war. Im Jahre 1623 stellte *Gottschalk* v. H., *Veits* v. H. Sohn auf Doetzing im Lüneburgischen, an ihn einen Revers über 150 Rthlr. aus, und nennt ihn darin seinen lieben Vetter. Dieser Revers ist noch bei den lüneburgischen Herren v. H. im Original vorhanden. *Ludolph* v. H wohnte damals in Lentzen. Nach einer Angabe eines Herrn v. Hitzacker in Lüneburg ist *Ludolph* ein Sohn *Ludeleffs* v. H., welcher ein Bruder von *Vieth* oder *Veit* v. H, Sachsen-Bernburgischer Grossvoigt, der 1662 (nach Pfeffingers braunschweig. Historie) gestorben, gewesen. *Ludolphs* Gemahlin war Maria v. Quitzow, die am 5. Octbr. 1679 zu Iden starb. Sie kaufte von Hans v. Rintorf 1664 das Gut Iden für 5044 Rthlr. In den Supplementen zum grossen Weigelschen Wappenbuch steht das Wappen der Familie v. H. also beschrieben: Im weissen Schilde steht ein aufrecht zur rechten Hand gekehrter, halb grüner, halb rother Löwe, auf dem gekrönten Helme der halbe Löwe, der einen weissen Stab in der Klaue hält.

Hobeck, die Herren von.

Aus diesem alten Geschlechte lebten angesehene Ritter in den Herrschaften Beeskow und Storkow, wo sie um das Jahr 1550 schon Radlow und Glowe besassen. Einer Linie dieses Hauses gehörte noch am Anfange des vorigen Jahrhunderts Hartmannsdorf bei Herzberg an. — *Moritz Henno* v. H., Oberst und Commandeur des Regiments Herzog v. Braunschweig-Bevern, blieb am 17. Juli 1745 in der Schlacht bei Hohenfriedberg. Der letzte dieses Hauses soll in der königl. polnischen Garde gestanden haben.

Hochreit, die Herren von.

Der Bürgermeister zu St. Gallen, *Christoph* H., wurde am 11. Aug. 1729 unter dem Namen v. Hochreit geadelt und von preussischer Seite mit einem Diplom versehen. Es führt diese Familie im silbernen Schilde ein schwarzes geflügeltes, rechts aufspringendes Ross und auf dem Helme einen schwarzen Hut mit drei Straussenfedern, weiss, roth, weiss, besteckt. Decken rechts schwarz und Silber, links roth und Silber.

Hochwächter, die Herren von.

Eine adelige Familie im ehemal. schwedischen Pommern, jetzigen Regierungs-Bezirk Stralsund. Sie besitzt die Güter Gross- und Klein-Milzow bei Grimme. — *Christoph Ludwig* v. H., Herr auf Gross- und Klein-Milzow, starb am 21. Febr. 1838 mit Hinterlassung einer Wittwe, Kinder und Enkelkinder. Diesem Hause gehören an der Major v. H., aggregirt dem 5ten Uhlanen-Regiment zu Düsseldorf, der Hauptmann im 34sten Infant.-Regiment und Ritter des eisernen Kreuzes v. H. und der Lieutenant v. H. in demselben Regiment.

Hoefer, Herr von.

Der preussische Major in der Artillerie, *Johann Bernhard* H., wurde am 11. Novbr. 1769 in den preuss. Adelstand erhoben. Sein Wappen ist quadrirt, im ersten und vierten blauen Felde sind zwei übers Kreuz gelegte goldene Kanonenröhre vorgestellt, in dem zweiten und dritten goldenen Felde steht ein silberner Kranich, der einen Stein mit dem rechten Fusse aufhebt. Auf dem gekrönten Helme schwebt zwischen dem schwarzen Adlerfluge eine brennende Granate. Decken blau und Silber.

Hoensbroech, die Grafen von.

Ein uraltes vornehmes Geschlecht in Geldern, welches auch unter den Namen v. Hoensbroech, Hoensbroich, auch Hoen Herr v. Broecke vorkommt. Im Herzogthume Geldern und in der Grafschaft Zütphen besitzt es das Erbmarschallamt und das Marquisat. In vielen deutschen Hochstiftern und Stiftern hatten Mitglieder dieses Hauses Stellen. *Wilhelm Adrian*, Marquis und Reichsgraf v. H. wurde im Jahre 1732 in den niederöstreichischen Herrenstand aufgenommen. Graf *Clemens Wenzel*, Marquis von und zu H., geb. 1772, Erblandmarschall des Herzogthums Geldern, Herr auf Haag, Blienbeck, Hellerath,

Gravenforst, vermählt 1) mit Freiin v. Loe, 2) mit Eugenie, Gräfin v. Schaesberg, geb. 1781.

Kinder a) erster Ehe:

1) *Sophie Charlotte*, geb. 1802, vermählt 1830 mit Johann Friedrich Freiherrn v. Fürstenberg.
2) *Franz Egon*, geb. 1805.

b) Aus zweiter Ehe:

3) *Karl Hubert*, geb. 1811, königl. preuss. Lieutenant bei dem 17ten Landwehr-Cavallerie-Regiment.
4) *Mathilde Huberta*, geb. 1813.

Schwester:

Maria Anne Louise, geb. 1774, vermählt mit Freiherrn Karl Kaspar v. Weichs zur Wonne.

Hoepfner, die Herren von.

Der Major der preuss. Artillerie H. wurde am 3. April 1804 in den Adelsstand erhoben. Er ist im Jahre 1807 gestorben. Sein Sohn ist der königl. Hauptmann im Generalstabe und Ritter v. H. in Berlin. Diese Familie führt im gespaltenen Schilde im rechten goldenen Felde einen Weinstock, im linken schwarzen Felde einen von der obern linken Seite zur untern rechten gezogenen, mit drei goldenen Sternen belegten Schrägbalken. Auf dem Helme zwischen einem schwarzen mit dem Kleestengel belegten Adlerfluge einen goldenen Löwen, der an einen Weinstock hinaufspringt.

Hövell, die Herren von.

Ein altadeliges Geschlecht, das ursprünglich der Provinz Westphalen angehört. Ein Ast desselben hat sich nach Lübeck und nach Holstein gewendet und ein Zweig ist gegenwärtig in der Provinz Brandenburg begütert. Sehr viele Mitglieder dieses Hauses haben in der preuss. Armee gedient, und noch gegenwärtig dienen Offiziere dieses Namens in derselben. Im Clevischen hatte diese Familie lange Zeit hindurch das Holzrichteramt zu Söldermark als Afterlehn des Hauses Reck-Steinfurt. Ein Lehnsbrief darüber ist im Jahre 1691 ausgestellt. Von denen v. H. im Lübeckschen führen wir an *Franz Ludwig* v. H. auf Moissling, Domcapitular zu Lübeck. Er hatte mehrere Brüder, einer von ihnen stand als Major in dem Regiment Herzog Wilhelm v. Braunschweig-Oels zu Prenzlau und ist im Jahre 1802 als pensionirter Oberst-Lieutenant gestorben. Ein jüngerer Bruder stand als Major beim dritten Musquetir-Bataillon des Regiments v. Natzmer und starb im Jahre 1806. Ein Sohn des erstgenannten Majors stand ebenfalls im Regiment v. Braunschweig-Oels, und wurde nachmals als Accise-Einnehmer in Brisso versorgt. In Hamm lebt ebenfalls eine Familie v. H. Noch gedenken wir des *Gotthard* v. H., der am 14. Febr. 1671 als Vice-Kanzler der Provinzen Holstein und Schleswig starb. M. s. v. Krohne II. Th. S. 125. Tyroff S. 116.

Die Wappen dieser Familien sind verschieden. Die eine führt in einem silbernen Schilde rechts einen rothen Schrägbalken, welcher mit drei grünen, neben einander stehenden Hügeln besetzt ist. Auf dem Helme ist ein rother Hirschkopf mit dem Halse, mit goldenen

Hörnern im linken Profil. Die zweite hat im goldenen Felde drei schwarze, dreieckige, spitzige, im Schächerkreuz mit den Spitzen in die Höhe gestellte Hügel, und auf dem gekrönten Helme einen offenen schwarzen Flug, zwischen welchem die Schildesform und farbige Hügel erscheinen. Die dritte führt ein goldenes Schild, auf welchem drei, die Figur eines spanischen Schildes habende Berge ins Schächerkreuz mit den Spitzen gegen einander gestellt sind. Ueber dem gekrönten Helme ist ein schwarzer offner Flug. Das einer vierten Familie v. H. hat ein zweimal roth und weiss gefachtes Schild, der obere Theil ist roth, der zweite weiss, der dritte roth, der vierte weiss. Auf dem Helme ein eben solcher Flug.

Hoffmann, die Herren von, Bd. II. S. 406.

Der von uns erwähnte General-Lieutenant *Georg Wilhelm* v. H. ist geboren den 24. Decbr. 1777, trat früh in königl. Dienste, wo er bei dem Regiment v. Larisch und dann bei Courbière stand, wurde 1806 dem Generalstabe zugetheilt und erwarb sich den Orden pour le mérite. Hierauf in kaiserl. russische Dienste tretend, erhielt er von 1807 bis 1814 den russischen Georgen-Orden IV. Classe, den Wladimir-Orden III. Classe, den St. Annen-Orden III. Classe, so wie den goldenen Ehrendegen und den kaiserl. östreich. Leopolds-Orden III. Classe. Im Jahre 1814 als Oberst in königl. Dienste zurückgetreten, erhielt er 1815 das eiserne Kreuz, wurde Kommandant in Coblenz — und ist jetzt General-Lieutenant und Commandeur der 10ten Division in Posen. Se. Majestät der König haben ihm 1835 den rothen Adler-Orden II. Classe mit Eichenlaub, und der Kaiser von Russland hat ihm im Lager von Kalisch den Annen-Orden I. Classe verliehen. — Diese in der Rheinprovinz immatrikulirte Familie führt folgendes Wappen: Ein rothgemalter silberner Linkbalken (Fluss) und im linken obern Winkel ein sechsstrahliger goldener Stern u. s. w. (Nach einer Privatmittheilung.)

Was die Wappen der verschiedenen Familien v. H. betrifft, welche von königl. preuss. Seite in den Adelstand erhoben worden sind, so ist Folgendes zu berichtigen und zu ergänzen.

1) Die im Jahre 1752 geadelte Familie v. H. führt ein quadrirtes Schild; im ersten und vierten silbernen Felde zeigt sich dort der Hals und Kopf, hier der Fuss eines schwarzen Adlers, das zweite rothe Feld zeigt einen goldenen Schiffsanker, das dritte ebenfalls rothe Feld einen achtstrahligen goldenen Stern.

2) Das Wappen der im Jahre 1770 geadelten Familie v. H. haben wir angegeben, doch sind die Flügel auf dem Helme nicht beide weiss, sondern der rechte schwarz, der linke weiss.

3) Die im Jahre 1786 geadelte Familie führt einen, nach der linken Seite gewendeten, schwarzen verkürzten Löwen in der obern goldenen Hälfte des Schildes und auf dem Helme, die untere Hälfte des Schildes ist silbern und von drei rothen Schrägbalken durchzogen.

4) Eine am 6. Juli 1798 geadelte Familie v. H. führt folgendes Wappen. Das Schild ist quadrirt, das erste und vierte Feld ist wieder quer in roth und Gold getheilt, im rothen Quartier springt ein goldener Löwe auf, im goldenen liegen drei Rosen, oben eine, unten zwei, im zweiten und dritten blauen Felde ist, auf grünem Hügel

stehend, ein hoher Felsen vorgestellt. Auf dem gekrönten Helme wiederholt sich ein nach der rechten Seite aufspringender goldener Löwe. Decken rechts roth und Gold, links Silber und blau.

5) Endlich wurde am 20. Aug. 1830 eine Familie v. H. in den Adelstand erhoben. Dieselbe führt im silbernen Schilde eine mit drei runden Thürmen besetzte rothe Burgmauer, aus deren Portal ein geharnischter, das Schwert schwingender Ritter tritt. Auf dem Helme wehen fünf weisse Straussenfedern. Decken blau und Silber.

Hoffmanswaldau, die Herren von.

Der Stammherr dieser schlesischen Familie war *Johann* Hoffmann v. H., kaiserl. Kammerrath, geb. den 27. Febr. 1571, gest den 29. März 1652. Sein Sohn *Christ.* v. H., geb. den 25. Decbr. 1618, Herr auf Arnoldsmühl zwischen Neumark und Breslau, war kaiserl. Rath, Präses der Stadt Breslau u. s. w. Er hatte sich auf langen Reisen durch Deutschland, Italien und England, die er mit Kenntnissen reich ausgestattet unternahm, viele Erfahrungen erworben, dabei war er ein glücklicher Dichter und in dieser Beziehung einer der berühmtesten Männer seines Zeitalters und Vaterlandes. *Hans Christ.* v. H., Herr auf Mesendorf, kaiserl. Rath, starb am 4. Septbr. 1724 zu Breslau. Seine Gemahlin Tarna v. Kuhschmalz, starb 1709. — Bis zum Jahre 1805 stand noch einer v. H. als Rittmeister bei dem Regiment v. Dolfs Cürassier; er lebte später als Major a. D. zu Breslau und war mit Friederike v. Retu vermählt. Zwei Söhne aus dieser Ehe dienen gegenwärtig in der Armee, der ältere bei dem 22sten, der jüngere bei dem 38sten Infant.-Regiment.

Wappen. Im rothen Schilde einen weissen Anker, auf jeder Seite desselben drei weisse Rosen. Auf dem gekrönten Helme sind drei Straussenfedern, in jeder Straussenfeder eine Rose, und zwar ist die mittlere Straussenfeder roth und die Rose weiss, die zwei andern Straussenfedern weiss und die Rosen roth. Die Helmdecken roth und weiss.

Hoffstaedt, die Herren von.

Ein adeliges Geschlecht, das aus dem südlichen Deutschland nach Preussen gekommen ist, und daselbst die Güter Wollgast und Dücking bei Marienwalde besass; namentlich war 1670 *Gregor Heinrich* v. H. königl. schwedischer Oberst, Herr auf Wolgast und Dücking. Sein Sohn *Gustav Adolph* war königl. preuss. Hauptmann und starb 1710. — *Friedrich Wilhelm* v. H. wendete sich im Jahre 1761 nach Schlesien, wo er die Güter Ober-Dammer bei Steinau und Buchwäldchen bei Lüben besass; er machte im siebenjährigen Kriege grosse Geschäfte bei den Magazinen. Diese Familie führte im silbernen Schilde zwei rothe Schrägbalken, die mit einem silbernen Sterne belegt waren.

Hofkirchen, die Grafen und Freiherren von.

Die Freiherrenwürde erhielt dieses Haus 1464. Ein Sohn eines Freiherrn v. H. und der Anna Dorothea geb. Gräfin v. Oettingen war *Lorenz* v. H., kurbrandenburgischer Oberst; er starb 1654 Der letzte der Freiherren v. H. blieb als kommandirender General des westphälischen Kreises 1703 bei Landau, und *Karl Ludwig* v. H. beschloss im Jahre 1692 die gräfliche Linie. M. s. Spener, Hist. insign. p. 205

tab. 8. Bucelin. Stemmat. P. II. Gauhe I. S. 650 u. f. Biedermanns Grafen I. Th. Tab. 55. Wissgrill IV. S. 354—362. Hartmanns Sammlung. Siebmacher I. S. 22. No. 9.

Hohenberg, die Herren von.

Eine adelige Familie dieses Namens besass Kalkwitz in der Niederlausitz und wohnte später in Lübben. Ganz verschieden von derselben ist eine andre Familie v. H., aus welcher *Adam* v. H. stammte, der der Sohn eines holländischen Schiffscapitains gewesen sein soll und 1804 Rittmeister von der Armee und Postmeister zu Bunzlau war. Er hatte einen Sohn, der als Offizier in dem Dragoner-Regiment v. Voss stand und 1810 im Bade zu Reinatz starb. Das Wappen der zuerst erwähnten Familie, aus welcher *Samuel Ernst* v. H., Lieutenant bei Tauentzien, an seinen ehrenvollen Wunden starb, führt im quergetheilten Schilde drei neben einander stehende Wecken. v. Meding III. Bd. No. 345.

Hohenhausen, die Freiherren von, Bd. II. S. 408 u. 409.

Der von uns erwähnte Geh.-Rath in Minden, war *Joseph* Freiherr v. H., welcher aus Schlesien stammte. Er war mit Louise v. Massow aus dem Hause Rummelsburg vermählt. Aus dieser Ehe ist der gegenwärtige Geh.-Regierungsrath *Leopold Max Friedrich Sylvius* Freiherr v. H. Das Wappen der hier erwähnten v. H. zeigt im quadrirten Schilde, im ersten Felde zwei neben einander gestellte schwarz gekrönte Engelsköpfe, und unter denselben eine goldene Lilie, im zweiten blauen Felde zeigt sich ein aufspringender Fuchs, der ein goldenes Kammrad hält; das dritte Feld ist gespalten, in der rechten blauen Hälfte steht ein halber schwarzer Adler, die linke ist in Silber und blau fünfmal gestreift; das vierte Feld ist quer getheilt, oben im silbernen Theile ein schwarzer gekrönter Adler mit ausgebreiteten Flügeln, der aus dem fünfmal in die Breite in blau und Silber geschachteten Untertheile sich erhebt. In der Mitte liegt ein Herzschildlein, auf der rechten Seite desselben ist ein aufgerichteter Fuchs vorgestellt, auf der linken zeigt sich ein rother Streifen. Dieses Herzschild ist mit der Freiherrenkrone bedeckt. Auf dem Hauptschilde stehen zwei gekrönte Helme, auf dem rechten ist ein schwarzer Adlerflug, auf dem linken vier Straussenfedern, in Gold und schwarz wechselnd, vor ihnen der Fuchs sitzend vorgestellt.

Hohenstein, die Herren von.

Dieses von der gräflich Hohensteinschen Familie ganz verschiedene adelige Geschlecht, hat seinen ältesten bekannten Wohnsitz in der Mittelmark und dem daselbst im Ober-Barnimschen Kreise befindlichen Gute Hohenstein gehabt. In der Uckermark ist dieses Geschlecht von uralten Zeiten her auf dem später v. Holtzendorfschen Rittergute Bruchhagen angesessen gewesen, und sind *Valentin* und *Lorenz* Gebrüder v. H. noch im 16ten Jahrhundert mit ihren Antheilen an besagtem Gut beliehen worden. Das Wappen sind drei im Triangel gesetzte goldene Sterne im blauen Felde gewesen, und drei Straussenfedern auf dem Helme. Grundmann S. 43.

Hohnsberg, die Herren von.

Diese Familie rechnet Zacharias Hartung in seinen auf der v. Wallenrodtschen Bibliothek befindlichen Nachrichten unter die adelig preussischen Familien und führt auch verschiedene dieses Namens auf, z. B. N. N. v. H. hatte zur Gemahlin eine v. d. Möhlen, dessen Sohn v. H. hatte eine v. Kares und hinterliess mit ihr zwei Töchter, a) *Ursula* v. H., die an Kilian v. Bombeck, und b) *Veronica* v. H., die an den Grafen v. Belau vermählt war, und mit ihm nach Pommern zog. Gegenwärtig ist uns keiner dieses Namens bekannt, und wir glauben, dass sie in Preussen ausgestorben sind. M. s. preuss. Archiv. Mon. April 1796. S. 236.

Holle, die Herren von.

Eine adelige Familie in Hannover, welche die Güter Ecker, Mundsdorf, Dudensee u. s. w. besitzt. Aus diesem Hause ist *Louise* v. H. zuerst vermählt an den General-Major v. d. Groeben, Chef des Regiments Gensd'armen in Berlin, und nach dessen Tode mit dem General-Lieutenant und Gouverneur von Neufchatel v. Beville. Als dessen Wittwe lebt sie gegenwärtig zu Berlin.

Holling, die Herren von.

Eine adelige Familie im Regierungs-Bezirk Aachen, wo *Joseph* v. H. Herr auf Haus Berck ist.

Holring, die Herren von.

Aus dieser adeligen Familie haben mehrere Offiziere in der Armee gedient. *Georg Ernst* v. H. war Salzrath zu Neusalz. *Karl* v. H. war Grenz-Brigadier zu Gross-Schirnau bei Gurau und ein dritter v. H., früher im Regiment v. Pelcherzim zu Neisse, starb im Jahre 1821 als pensionirter Capitain.

Holsche, Herr von, Bd. II. S. 426 u. 427.

Wappen. Im goldgerahmten gespaltenen Schilde, in der rechten goldenen Hälfte sechs Kornähren, die aus einem Busch grüner Blätter hervorsteigen, in der linken blauen Hälfte einen mit der Spitze aufwärts gelegten silbernen Pfeil, unter demselben ein Stern. Dieses Schild ist von einem Mantel umgeben, der von einer Edelkrone, die den Helm bedeckt, zusammengehalten wird.

Holtei, die Herren von, Bd. II. S. 427.

Der Vater des von uns erwähnten Majors und der Grossvater des Dichters und Schauspielers *Karl* v. H. war *Herbert Ernst* v. H., ehemals Commandeur des Husarenregiments v. Wolfrat. Seine Gemahlin war Eleonore Elisabeth Freiin v. Seydlitz.

Holwede, die Herren von.

Ein altadeliges Geschlecht im Fürstenthum Minden, von dem sich jedoch auch Zweige in der Mark Brandenburg schon in den frühesten Zeiten bekannt gemacht haben. Schon unter Heinrich dem Vogler erscheinen Ritter dieses Namens. *Ludwig* v. H. erscheint als Zeuge in einer Urkunde, welche die Stadt Stendal betrifft, und welche im Jahre 1324 ausgestellt war. Im Fürstenthum Minden liegt ihr gleichnamiges Stammhaus, und Petershagen und andere ansehnliche Besitzungen gehörten diesem Hause lange Zeiten hindurch an, namentlich war das Schalkenlehn, mit dem noch zuletzt 1722 *Friedrich* v. H. belehnt wurde, in ihren Händen. *Hilbert* v. H. war 1648 Statthalter im Clevischen. — *Heinrich Christian* v. H., geb. 1681 zu Grasleben, starb 1739 zu Potsdam als königl. preuss. Oberküchenmeister und Hofmarschall. Von seinen Söhnen war *Christian Karl Friedrich* königl. preuss. General-Major und Chef eines Infanterie-Regiments. Er starb am 1. Febr. 1797 zu Bromberg nach 50jähriger Dienstzeit. *Victor* war Erbherr auf Danzke; *Ferdinand Gottlieb* preuss. Dragoner-Hauptmann. Seine einzige Tochter *Louise* war zuerst an den Grafen Wilhelm v. Melin und nach dessen Tode mit dem preuss. Oberst-Lieutenant und Flügel-Adjutanten, nachmaligem General-Lieutenant Friedrich Wilhelm v. Götze vermählt, und ist somit die Mutter und Grossmutter der heutigen Grafen v. Götze. — *Karl August* v. H. war königl. preuss. Oberst im Regiment v. Hausen und starb zu Rastenburg in Ostpreussen. — *Friedrich* v. H. stand bei dem Dragoner-Regiment v. Brückner, später Gr. Herzberg; er lebte 1828 als Major a. D. auf seinem Gute Kalkhof bei Riesenburg. — König Friedrich Wilhelm II. legitimirte im April 1791 den natürlichen Sohn des Hauptmanns *Ludwig* v. H. im Regiment v. Kalkstein (gest. als Oberstlieut. a. D. 1827).

Das Wappen ist ein silbernes Schild, darinnen ein abgehauener Weidenstamm, auf jeder Seite mit einem abgestutzten Ast, an einem Hohlwege stehend. Auf dem Helme ein schildesförmiger Weidenstamm. M. s. v. Krohne II. Bd. S. 145—146.

Holtzhausen, die Freiherren und Herren von.

Von diesem zum Theil freiherrlichen Geschlechte kamen mit der östreichischen Armee Zweige nach Schlesien, namentlich auch nach Hirschberg. — *Johann Christ.* v. H. starb zu Breslau im Jahre 1714. *Johann Bernhard* v. H. war Herr auf Schönwalde und starb 1725. — In der Gegenwart leben keine Zweige dieses Hauses mehr in Schlesien, wohl aber blüht dasselbe in seinem ursprünglichen Stammorte Frankfurt a. M. fort. Eine Linie desselben schreibt sich Freiherr v. H. zu Oede. *Georg* Baron v. H. zu Oede bei Frankfurt a. M. ist Ritter des königl. preuss. Johanniter-Ordens, den noch zwei andere jüngere Mitglieder dieser Familie besitzen. Das ursprüngliche Wappen des Hauses sind drei weisse Rosen mit goldenen Pünktchen im schwarzen Schilde; doch führen einige Aeste auch ein blaues Schild, darauf auf grünem Grunde zwischen zwei grünen Bäumen ein hölzernes Haus mit rothem Dache und umgeben von einem hölzernen rothen Geländer, welches auf weisser Schwelle steht und von weissen Säulen und goldenen Kugeln zusammengefügt ist. Auf dem Helme erscheint ein zum Schlagen eingebogener goldener Arm, der ein Schwert mit goldenem Griffe in der Hand hält. M. s. Neues genealog. Handbuch 1777. S. 250. 1778. S. 306 u. f. Nachtr. S. 67. Spener, Op. herald. P. I. p. 210.

Holzbrink, die Herren von.

Dieser Familie, und namentlich dem Landrath v. H. in der Grafschaft Mark und seinem Bruder, dem Rittmeister v. H., wurde am 25. Juni 1767 vom Könige Friedrich II. ein Erneuerungs- oder Anerkennungs-Diplom ihres alten Adels ausgestellt. Schon am 17. Decbr. 1679 war einer v. H. vom Kaiser Leopold I. in den Reichsritterstand erhoben worden.

Homeyer, die Herren von.

Aus dieser aus Vorpommern stammenden Familie, steht *Friedrich* v. H. als Hauptmann im 30sten Infant.-Regiment zu Trier; er ist mit Angelika v. Reckow, Tochter des verstorbenen General-Lieutenants v. R., vermählt, aus welcher Ehe drei Söhne, *Friedrich*, *August* und *Eduard*, und eine Tochter *Thekla* leben. Die v. H. führen ein quadrirtes Schild, im ersten und vierten rothen Felde liegt eine silberne Weinheppe (Sichel) am braunen Stiele, in dem zweiten und dritten blauen Felde eine goldene Korngarbe. Der gekrönte Helm trägt sechs goldene Aehren zu drei und drei.

Hommer, die Herren von.

Aus diesem Geschlechte ist der hochwürdige Bischof von Trier Dr. *Joseph* v. H. Ritter des rothen Adlerordens I. Klasse u. s. w. Se. Maj. ertheilten Demselben unter dem 3. Aug. 1823 ein Anerkennungsdiplom seines Adels. Das Wappen derer v. H. zeigt im getheilten oben silbernen, unten blauen Felde hier drei grüne Kleeblätter, ein Dreieck formend, dort einen sitzenden Storch, der sich auch auf dem gekrönten Helme wiederholt. Decken blau und Silber.

Honlage, die Herren von.

Ein vornehmes Geschlecht im Herzogthum Braunschweig, von dem *Berthold* v. H. um das Jahr 1301 lebte, und welches im 14ten Jahrhundert das Erbküchenamt im Herzogthum Braunschweig besass. Es war mit den v. Veltheim und v. Alvensleben verwandt und erlosch im Jahre 1510 mit *Johann* v. H. M. s. Koehler, Erbland-Hofämter S. 16. Gauhe II. Th. S. 475. v. Meding I. Th. No. 372.

Honstedt (Hohnstedt), die Freiherren von, Bd. II. S. 436.

Diese freiherrliche Familie, die vor alten Zeiten v. Hönstett oder auch Hönstetter hiess, ist zwar nicht eigentlich unter die preuss. Familien zu rechnen, allein es sind doch verschiedene Mitglieder derselben von Zeit zu Zeit in preuss. Gebieten gewesen und viele haben im preuss. Heere gedient. Sie leitet ihre Ahnen schon aus dem 12ten Jahrhundert her, denn nach den Annalen Paderborns p. 758 lebte schon im Jahre 1134 *Gerhard* v. Honstetter, und Bucelinus p. 285 führt unter andern *Heinrich* v. Hohnstetter als ersten Abt des Klosters Stombs in Tirol Cistercienser-Ordens auf. Eine merkwürdige Urkunde von der Ritterbürtigkeit dieser Familie ist von der Reichs-Ritterschaft in Schwaben im Jahre 1717, d. d. Nordsteten den 2. Decbr., dem

16*

Quirinus v. H., des schwäbischen Reichs-Kreises gewesenen Obersten über ein Regiment zu Pferde und nachherigem General-Major in königl. preuss. Diensten, ausgestellt, und wird darin bezeugt, dass, laut dem Archiv, diese Familie bereits 1657 in das Reichs-Schwäbische Ritter-Consortium aufgenommen worden, und damals schon der Oberst-Lieutenant *Quirinus* v. H. das Immatriculations-Document d. d. Reutlingen den 25. Juni 1657 erhalten habe, indem er 16 Agnaten von Vater und Mutter Seite nachgewiesen. Dieses letztere Document theilen wir hier im Auszug mit:

„Wir der freien unmittelbaren Reichs-Ritterschaft in Schwaben des Theils am Neckar-Schwarzwald und Ortenau erbetene Director, Räthe und Ausschuss, auch gesammte adelige Mitglieder, fügen hiermit männiglich zu wissen; demnach der Wohledelgeborne Gestrenge Herr *Quirinus* v. H. etc. Oberst-Lieutenant kurz verwichener Zeit von dem Durchlauchtig Hochgebornen Fürsten und Herrn Ulrichen Herzogen zu Würtemberg als beede adelige Rittergüter Weikenburg und Sultzen an sich gebracht, dessenwegen bei Uns schriftlich eingekommen und nicht allein ermeldte uralte Frei-Adelige Rittergüter bei Unserm Ritter-Directorio beständig zu conserviren sich erkläret, sondern zumalen auch Uns allen Fleisses ersucht, wir wollten Ihm, Herrn Oberst-Lieutenant, auch für seine Person in Unsre Adelig und Ritterliche Gemeinschaft und Consortium zu recipiren und zu immatriculiren belieben: massen er dann seine Adelige Geburt, Stand und Herkommen von Vater und Mutter mit Sechszehn Agnaten dargestellt darzuthun Willens, dass daran einiger Mangel nicht erscheinen werde etc. Und nun wir dies sein Vorhaben und Begehren wohlbefugt und für ganz billig angesehen und erkennen, weil bevor es oft hoch gerühmt worden, was massen Er der höchstlöbl. Krone Spanien in vielfältigen blutigen Occasionen ohngescheut eigener Leib- und Lebensgefahr mit herzhafter Grossmüthigkeit getreue Kriegsdienste zu seinem unsterblichen Lobe geleistet und noch leisten thue; Als thun wir hiermit Ihn, Herrn Obrist-Lieutenant *Quirinum* v. H., sammt seinen ehlichen Descendenten und dero Erbes-Erben und Nachkommen utriusque sexus Unserer Frei-Adelig und Ritterlichen Gemeinschaft incorporiren und zu Mitgliedern auf und annehmen, dass Sie also hinführo aller und jeder Adeligen Ehr und Würden, Freiheiten wie die Namen haben mögen personaliter et realiter gaudiren und geniessen, theilhaftig und fähig sein sollen und mögen, dagegen uns versehend, es werde mehr Wohledelgedachter Herr Oberst-Lieutenant, ingleichen seine eheliche Descendenten und Nachkommen der löblichen Reichs-Ritterschaft Stand, Dignität, Ehr, Würden und Nutzen mit Rath und That suchen, fördern und conserviren; Schaden und Nachtheil aber wenden helfen, sodann Kaiserl. Maj. allerunterthänigsten Gehorsam leisten, nicht weniger die gemeine Ritterliche Ordnungen, Statuten und wohl hergebrachte Gewohnheiten alles Fleisses beobachten, in specie auch dieses Ritter-Viertels-Verfassungen, Vereinigungen und Ausschreiben getreulich nachkommen und geloben, die Ritter-Steuren und Anlagen willig beitragen und sonst überall sich tapfer und löblich, wie adeligen Mitgliedern in allweg gebühret und wohl anstehet, verhalten sollen. Worauf wir Ihn, Herrn Oberst-Lieutenant *Quirinum* v. H. zu Unsern Ritterlichen Conventen zu beschreiben, ad sessionem et rota zu admittiren, auch Ihm und seine Ehrliche Nachkommen möglichst zu schützen und zu manteniren nicht unterlassen werden. Dessen allen zu Urkund u. s. w."

Wir bemerken hierbei, dass dieser *Quirinus* v. H. eine geborne Streif v. Löwenstein zur Ehe gehabt und der Urgrossvater des in unserm Artikel angeführten Oberst des Regiments v. Werther, Reichsfreiherrn v. H. war.

Ludolf v. H., Voigt zu Lüneburg, wird schon in Büttners Tractat vom Lüneburgschen Adel vom Jahre 1328 angeführt. Hamelmann in seinen operibus genealog. histor. Westphaliae et Saxon. infer. gedenkt zwar auch S. 686 einer gräflichen Familie v. Honstädt, deren Güter unweit dem Rhein bei Duisburg gelegen gewesen, und sollen diese Grafen, deren Stammhaus noch im Jülichschen befindlich, das adelige Jungfrauen-Kloster in Hammern bei Duisburg gestiftet haben; allein da schon im Jahre 1256 der letzte Graf dieses Namens als Erzbischof zu Cöln gestorben, so kann obiger *Ludolf* v. H. nicht von derselben Linie abstammen. Sonst wird auch in vielen andern Schriften dieser Familie als eines uralten Geschlechts gedacht, obgleich keine vollständige Anzeige ihrer sämmtlichen Ahnen uns zu Gesicht gekommen ist. Wir setzen indess hier nur noch, was die Ahnen des erwähnten Oberst im Regiment v. Werther, Freiherrn v. H., betrifft, folgende Tafel hinzu:

Liebreich v. H. war Erbherr auf Erdeborn und hatte zur Gemahlin Emerica v. Rosbach. Von ihm stammte ab *Quirin Liebreich* v. H., Erbherr auf Blankenheim und Erdeborn, welcher mit Barbara v. Peusten, Tochter des Schloss-Hauptmanns Karl v. Peusten auf Welz und Scheuditz, vermählt war. Dessen Sohn war der oben aufgeführte General-Major *Quirin* Freiherr v. H., Erbherr auf Sulzau, Weikenburg und Erdeborn. Er vermählte sich mit Maria Magdalena Streif v. Löwenstein auf Falkenau, Diedenhosten und Bacour. Er hinterliess einen Sohn, *Eberhard Wilhelm* Freiherr v. H., Erbherr auf Falkenberg, Landrath in der Mark. Dessen Gemahlin war Charlotte Christine v. Einbeck, Tochter des Oberst-Wachtmeisters Balthasar v. Einbeck, Erbherrn auf Bretsche und Primern, mit welcher er einen Sohn zeugte, *Friedrich Ludwig Leopold* Freiherr v. H., Vater des erwähnten Oberst v. H.

Das Wappen dieser Familie ist in unserm Artikel richtig angegeben und wird auch folgendermassen beschrieben. Ein mitten durch horizontal getheiltes Schild, dessen obere Hälfte blau, die untere roth ist. Auf dem untern rothen Felde befinden sich fünf weisse Rosen, von denen die zwei ersten von dem obern blauen Felde halb bedeckt sind. Auf dem Schilde ruht ein offener Helm, und über diesem die freiherrliche Krone, aus welcher fünf blau und schwarz schattirte, oben krumm gebogene Stengel herausgehen. Die Helmdecken sind von beiden Seiten weiss und roth.

Hontheim, die Herren von.

Ein altes Patrizier-Geschlecht in Trier. — Ein Sohn des General-Einnehmers v. H. und einer gebornen v. Anatan war *Johann Nicolaus* v. H., Weihbischof des Erzstiftes Trier, geb. am 27. Januar 1701, gestorben daselbst am 2. Septbr. 1791.

Hoogstraten, die Grafen von.

Von diesem alten gräflichen Hause ist ein Zweig in der preuss. Rheinprovinz, während dasselbe eigentlich den Niederlanden angehört. Ein Sohn aus demselben steht als Offizier im 4ten Cürass.-Regiment.

Hopfgarten, die Grafen und Herren von, Bd. II. S. 437 u. 438.

Das gräfliche Wappen ist dem adeligen gleich, bis auf die Grafenkrone über dem Schilde, und zwei Löwen a's Schildhaltern.

Ein Zweig des adeligen Geschlechts ward nach Zerstörung seines Stammhauses 1303 Bürger zu Erfurt. Dieser Zweig ist längst erloschen.

Hopkorff, die Herren von.

Ein märkisches Geschlecht, das die Güter Sydow, Derben, Neddlitz und Dittershagen in der Altmark besass, und aus welchem *Hans David* v. H. um das Jahr 1617 bekannt geworden ist. Es erlosch dieses Geschlecht am 20. April 1660 mit *Lippold Ernst* v. H. Sydow kam als cadukes Lehn an die Krone zurück; die andern Güter fielen an die v. Schulenburg, Spitzmas und Klöden. Das Wappen desselben zeigt im blauen Felde einen goldenen Balken, über dasselbe zwei silberne Sterne, auf dem Helme zwischen zwei übers Eck silbernen und blauen Büffelhörnern zwei ins Andreaskreuz gelegte gespitzte Fahnen, von den Stangen ist die rechte blau und Silber und die linke Silber und blau. M. s. v. Meding III. Th. No. 365. und Siebmacher I. Th. S. 175.

Hoppenrade, die Herren von.

Dieses adelige Geschlecht in den Marken besass die Borg und den Rittersitz Stolpe. — *Thomas* v. H. auf Stolpe lebte 1550. *Peter* v. H. 1560. — *Georg Friedrich* v. H. wurde 1615 in einer Fehde erschossen und sein Sohn fiel unter den Schwertern der Sarazenen in Ungarn. Mit des letztern als Kind gestorbenem Enkelsohn erlosch das Geschlecht. Interessante Nachrichten über diese Familie sind durch den Brand des Schlosses Stolpe verloren gegangen.

Horcker, die Herren von.

Unter den noch am Anfange dieses Jahrhunderts in den Marken und in Schlesien begüterten Familien, kommen auch die v. H. vor. Sie besassen Glasow, Witzelfelde und Adamsdorf und sollen aus Preussen in die Neumark gekommen sein, wo die Brüder *Hans* und *Adam* v. H. den Dörfern Adamsdorf und Hansdorf ihren Namen gaben. — *Agatz* v. H., Herr auf Wilkau und Friedrichswerder, war 1804 Marschkommissarius und Deputirter des Kreises Schwiebus. — Ein Sohn desselben stand 1806 a's Lieutenant im Regiment v. Katte Dragoner; im Jahre 1825 schied er aus dem Verhältniss eines Premier-Lieutenants bei der Land-Gensd'armerie und ist im Jahre 1827 gestorben. Es führte diese Familie im rothen Schilde und auf dem Helme drei goldene Pfeile, und über denselben der Länge nach einen grossen silbernen Pfeil. M. s. Schlesische Instanzen Notiz Jahrg. 1805. S. 40.

Horgelin, die Herren von.

Der Banquier H. wurde im Jahre 1748 geadelt, als seine Tochter sich mit dem Hofmarschall v. Redern, der am 14. Jan. 1757 in den Grafenstand erhoben wurde, vermählte. Sie war die Grossmutter der heutigen beiden Brüder Grafen v. Redern. Die v. H. führten ein quadrirtes Schild, im ersten und vierten silbernen Felde stand der Fuss eines schwarzen Adlers mit goldenen Krallen, im zweiten rothen Felde ein goldener Hausgiebel oder Sparren auf jeder Seite und unter demselben ein silberner Vogel, im dritten goldenen Felde war ein blauer Hausgiebel, in jeder Ecke eine rothe Straussenfeder und unten der Kopf eines Mohren mit weisser Binde vorgestellt. Auf dem gekrönten Helme stand ein schwarzer gekrönter Adlerhals mit roth ausgeschlagener Zunge. Decken rechts schwarz und Silber, links blau und Gold.

Hornberg, die Herren von.

Friedrich Wilhelm v. H., Offizier im Regiment Kowalski, und sein jüngerer Bruder *Karl Heinrich* v. H., aus einem alten bairischen adeligen Geschlecht abstammend, erhielten am 18. Juni 1787 vom König Friedrich Wilhelm II. ein Erneuerungs-Diplom. Diese Familie, die bei uns ausgegangen erscheint, führt im blauen Schilde ein silbernes Einhorn, das sich verkürzt auf dem Helme wiederholt. Decken blau und Silber.

Horrein, Herr von.

Thaddeus v. H., ein junger Edelmann aus Polen, wurde von dem königl. preuss. Geh.-Rath Fritze als Pflegesohn angenommen, und erbte von demselben das Rittergut Schillgallen in Ostpreussen (1747).

Horstmar, die Grafen von.

Dieses gräfliche Haus hat nur kurze Zeit geblüht. Nach seinem Erlöschen fiel die Herrschaft Horstmar mit dem Städtchen gleiches Namens an das Bisthum Münster. Dieses Münstersche Amt kam durch den Lüneviller Frieden an das Haus Salm-Grumbach, das sich seitdem Salm-Horstmar schreibt. Diese ansehnliche, 12½ Q.M. grosse Besitzung mit 52,000 Seelen in 3 Städten, 4 Marktflecken, 31 Kirchspielen und 149 Bauerschaften kam durch die Rheinbundsacte als Standesherrschaft unter die Hoheit des Grossherzogs von Berg, 1810 wurde es mit dem französischen Reiche vereinigt und durch den Wiener Congress der Krone Preussen als Standesherrschaft unterworfen. M. s. über die Grafen v. Horstmar Hoppenrodt S. 47.

Hoschek, die Herren von.

Dieses altadelige Geschlecht, in Schlesien begütert, findet man früher auch Hossek, noch früher auch Hoske geschrieben. — Mehrere alte schlesische Autoren setzten sie unter den Adel des Fürstenthums Oppeln. Paprocius erwähnt der edlen Ritter Hoschek und Milchheim oder Mühlheim, namentlich des *Jan* Hoschek v. Mühlheim. — *Franz* v. H., Landesältester von Jacobsdorf und Antheil Simsdorf, starb 1719. Seine Gemahlin war Josepha v. Gilgenheim, aus welcher Ehe drei Söhne und eine Tochter lebten. Von den Söhnen erbte *Franz* v. H. die väterlichen Güter. — *Benedikta* v. H. war bis zur Secularisation Priorin des Stiftes zu Trebnitz. — Es führt diese Familie im gespaltenen goldenen und rothen Schilde hier zwei Mühlräder, dort einen halben schwarzen Adler, auf dem gekrönten Helme drei Straussenfedern, blau, gelb und schwarz, belegt mit dem Mühlrade. M. s. Sinapius II. Th. S. 697. Schlesische Instanzen Notiz Jahrg. 1804. S 36 u. 339.

Hosemann, die Herren von.

Johann Jacob H. aus dem jetzt preuss. Antheil Sachsen war Hofkammerrath in Neuburg und wurde am 27 Septbr. 1769 geadelt. In Berlin lebt gegenwärtig eine verwittwete Frau v. H. geb. Reinack.

Hosias, die Herren von.

Eine adelige Familie in Ostpreussen, welche daselbst die Güter Maulfritzen, Podangen bei Lipstadt, Dietrichsburg bei Neidenburg u. s. w. besass. — *Stanislaus* v. H. war Bischof v. Posen, und viele Söhne dieser Familie haben in der preuss. Armee gedient. Ein Hauptmann v. H. im Regiment v. Reinhard blieb im Jahre 1807 in Preussen auf dem Felde der Ehre, ein Bruder desselben war 1814 Capitain im 4ten ostpreuss. Landwehr-Regiment, ein anderer stand im Regiment v. Tschepe und starb 1813 im Pensionsstande.

Houve, die Freiherren von.

Ein adeliges Geschlecht in der Rheinprovinz, dem der Rittersitz Kiffelberg im Regierungs-Bezirk Aachen gehört. Hier lebt die Freifrau v. H. geb. v. Blank, und deren Kinder *Rudolph Joseph Thomas* Freiherr v. H. und *Amalia* und *Karolina* Freiinnen v. H.

Hoya, die Herren von.

Johann Friedrich v. H. war kurbrandenburgischer Land-Rentmeister zu Haus Bergen bei Minden. Sein Bruder fiel 1689 als kurbrandenburgischer Oberstlieutenant des Regiments v Zieten vor Bonn. Noch im Jahre 1806 und später, standen Edelleute dieses Namens in der preussischen Armee. Ein Major v. H. stand in dem Regiment v. Treuenfels in Breslau. Ein anderer in dem Regiment v. Schimonski zu Schweidnitz; es waren zwei aus Westphalen gebürtige Brüder. Der letztere war der ältere und ist im Jahre 1825 a. D. gestorben. M. s. auch Diarium von den kurfürstl. Hof- und Kriegssachen. Jahrg. 1689.

Hoym, die Grafen von, Bd. II. S. 446—449.

Das vollständige Wappen der Grafen v. H. besteht aus neun Feldern mit drei Helmen; doch wagen wir nicht, nach den blossen Abdrücken in Lack eine Beschreibung davon zu geben.

Hoyquesloth, die Herren von.

Im Magdeburgischen kommt eine adelige Familie dieses Namens im 17ten Jahrhundert vor. *Heinrich Levin* v. H. lebte um das Jahr 1650. Sein Sohn *Johann Otto* v. H. war Herr auf Erdeborn bei Magdeburg und starb 1697. Er hinterliess als Wittwe Anna Louise v. Binningck und fünf Söhne. Diese Familie führt einen rechts aufspringenden Löwen im Schilde und auf dem Helme.

Hüblein, Herr von.

Der König Friedrich II. erhob am 15. Juli 1769 den Hauptmann H. in Geldern in den Adelstand. Das ihm beigelegte Wappen ist quadrirt, das erste und vierte Feld ist silbern, darin der Hals eines gekrönten schwarzen Adlers. Die Felder 2 und 3 sind roth und schwarz damascirt ohne Bild. Auf dem Helme stehen drei Straussenfedern, die erste silbern, die zweite roth, die dritte silbern; aus der rothen wächst der Adlerhals. Decken roth und Silber.

Hübner, die Herren von.

Es kommen mehrere adelige Familien dieses Namens vor, und zwar eine in Schlesien. Sie stammten wahrscheinlich von den Edlen v. Hübner im Fürstenthum Anhalt her, von denen auch Zweige bei Halle ansässig waren, namentlich *Tobias* der erste auf Mitleben, *Tobias* der zweite auf Reibnitz und Bresen; der letztere starb 1636 als anhaltischer Geh.-Rath. *Michael Johann* v. H. ist als des Kurfürsten Joachim Informator bekannt geworden. Er war 1603 kurfürstl. Rath und später königl. dänischer Geh.-Rath. *Melchior Tobias* v. H. kommt als kurbrandenburgscher Rittmeister vor.

Hüser, die Herren von.

Ein altadeliges Geschlecht dieses Namens kommt im Fuldaischen vor, wo *Burkardo* v. H. um das Jahr 1427 eine neue Belehnung erhielt. In der preuss. Armee dienten und dienen gegenwärtig noch Edelleute dieses Namens, namentlich gegenwärtig der Gen.-Major v. H., Ritter des eisernen Kreuzes und anderer Orden, Commandeur der 16ten Infanterie-Brigade zu Trier.

Hulrig, Herr von.

Moriz Ernst Christ. v. H. starb 1741 als Commerzien-Rath und Ober-Kämmerer der Stadt Breslau.

Huss, die Herren von, Bd. II. S. 467.

Wappen. Im blauen Schilde eine weisse rechts gekehrte Gans, auf angezündeten Holzscheiten stehend. Auf dem gekrönten Helme wiederholt sich die Gans.

Hymmen, die Herren von, Bd. II. S. 468.

Z. 7 v. u. lies: das Obertheil eines rothen Adlers; Z. 4 v. u. statt zwei schwarz eingefasste Carreaux lies: ein dergleichen, denn nur eins erscheint im zweiten und dritten Felde; endlich Z. 2 v. u. muss es heissen: den wachsenden rothen Adler.

I.

Jacobi, die Herren von.

Eine adelige Familie dieses Namens war in Schlesien ansässig; sie besass Hennigsdorf bei Neisse. Der letzte aus diesem Geschlecht, *Caspar* v. J., starb am 14. Novbr. 1600 und dessen einzige Tochter, *Maria* v. J., vermählt an den General-Einnehmer Moriz Martin v. Debitz, 1660. — Wappen. Im blauen Schilde oben drei goldene Sterne, unten ein silbernes Lamm auf grünem Hügel, dazwischen zwei ins Kreuz gelegte Stäbe, an den beiden Seiten eine silberne Muschel. Auf dem Helme ein blaugekleideter Mann, der ein Kleeblatt hält. Er steht zwischen zwei in roth und Silber gevierteten, mit den Muscheln belegten Adlerflügeln. Decken rechts Silber und roth, links Silber und blau.

Jacobi-Klöst, die Freiherren und Herren von, Bd. III. S. 19.

Der Sohn des Freiherrn *Constans Philipp* v. J.-K., *Constans* Freiherr v. J.-K. besitzt gegenwärtig die Hohenfienower Güter.

Jacquet, die Herren von.

Pierre J., zu Neufchatel, wurde am 18. April 1713 in den preuss. Adelstand erhoben. Diese Familie führt ein ovales silbernes Schild darinnen oben eine blaue mit silbernen Sternen belegte Strasse, unter derselben ein rother Sparren oder Hausgiebel, zwischen dem ein schwarzer Adler steht. Das Schild ist mit einer Edelkrone bedeckt, und zwei Löwen sind als Schildhalter gewählt.

Jaeschki, die Herren von.

Sie gehören zum Adel der Lausitz, wo die Rittersitze Biehla und Tzsbaksdorf alte Güter derselben sind. — Am 26. Septbr. 1787 starb *Ernst Gottlieb* v. J., herzogl. Sachsen-Merseburger Kammerjunker, Herr auf Biehla bei Camenz. — Am 24. Aug. 1800 starb auf einer Reise nach Baudissin der vormals sächs. Hauptmann v. J. plötzlich an einem Blutsturz. — Am 25. März 1805 starb zu Stawisczin in Polen, *Gottlieb* v. J., königl. preuss. Major im Husaren-Regiment v. Köhler, er war ein geborner Elsasser und dürfte daher wohl nicht der erwähnten Familie angehört haben, obgleich ihn König in seinen geneal. Collect. dazu zählt. Dagegen gehörte ein im Jahre 1808 dimittirter Offizier, der früher im Regiment v. Möllendorf stand, derselben an. — Sie führt im schwarzen Schilde einen goldenen Greif, über und unter demselben in roth und Silber abwechselnde Schrägbalken. Auf dem Helme wiederholt sich der Greif zwischen zwei Büffelhörnern, von denen das rechte schwarz und in der Mitte silbern, das linke aber schwarz und in der Mitte roth ist. Decken Silber und roth. Lausitzer Magazin Jahrg. 1784. p. 74 u. 183 und Jahrg. 1793. p. 365.

Jagenreuther, die Herren von.

Diese adelige Familie, die auch v. Jagenreuth geschrieben wird, stammt aus Oestreich und verbreitete sich in vielen Zweigen in Baiern und in Preussen. Schon 1110 kommt lein Ritter *Johann* Jagenreutter vor; der Orden führte seine Nachkommen nach Preussen, allein der hier Jahrhunderte hindurch einheimische Ast erlosch mit *Gabriel* v. J., der keine Söhne, wohl aber sieben Töchter hinterliess, welche an die v. Bronsart, Trosche, Braxein, Diehle, Lüttwitz, Gersdorf und Dobner vermählt wurden. — In Oestreich und Baiern blühten die v. J. fort und ein Zweig erhielt 1714 die freiherrliche Würde. — Diese Familie führt ein silbernes Schild, das im rechten obern Theile ein rothes Quartier hat. Auf dem Helme ist ein mit dem rothen Quartiere belegter Adlerflügel vorgestellt. Decken Silber und roth. M. s. Bucelin III. Th. S. 91. v. Hoheneck I. Th. f. 439.445. Seiferts Ahnentafeln. Gauhe I. Th. S. 695. v. Meding beschreibt das Wappen im III. Th. No. 370 und Siebmacher giebt es I. Th. S. 34.

Jahn, die Herren von.

1) Der Lieutenant im Husaren-Regiment v. Gröling, *Johann Friedrich* J. wurde am 14. Octbr. 1786 geadelt. Sein Wappen zeigt im blauen Schilde einen rechts aufspringenden, in der rechten Pranke einen Säbel haltenden Löwen.

2) Aus dieser adeligen Familie haben mehrere Söhne in preussischen Diensten gestanden. Ihr Stammhaus ist der Rittersitz Nesau oder Neese im Amte Rhena des Grossherzogthums Mecklenburg-Strelitz. Gegenwärtig steht einer v. J. als Premier-Lieutenant im 7ten Husaren-Regiment. Mehrere Zweige schreiben sich auch v. d. J. — Tyroff giebt das Wappen Taf. 178, v. Meding beschreibt es III. Th. No. 372.

Jamezo, die Herren von.

Eine adelige Familie in Pommern, die um das Jahr 1529 blühte, darauf aber erloschen ist. Wir fanden diesen Namen in den Huldigungslisten der pommerschen Herzöge.

Jaminet, die Herren von.

Sie gehören einem adeligen Geschlechte des Elsass an und kamen im vorigen Jahrhundert nach Polen und Preussen. — *Ludwig* v. J., Herr auf Czibors und Lohnau, war früher polnischer Capitain und wurde 1773 Provinzial-Accise-Director in Preussen. Er hinterliess drei Söhne und zwei Stiefsöhne. Einer der Söhne stand 1806 als Premier-Lieutenant im Infanterie-Regiment v. Mannstein und ist 1822 ausser Dienst gestorben; ein jüngerer diente damals als Sec.-Lieutenant im Infant.-Regiment v. Grawert und schied 1816 als Major aus dem 16ten Infant.-Regiment mit Pension.

Janitz, die Herren von.

Diese adelige Familie kommt unter den Grundbesitzern in Westpreussen und in Pommern vor. In Preussen besass *Johann Ernst* v. J. 1773 den Rittersitz Turze und *Anton Casimir* v. J. den Rittersitz Zuromin bei Behrend. In Pommern erkaufte 1688 *Peter Jarislaw* v. J. einen Theil des Gutes Sorchow bei Stolpe und 1780 erwarb ein Enkel desselben, der Rittmeister *Johann Dietrich* v. J., die beiden andern Antheile. Er wurde später Oberforstmeister und wohnte zuletzt in Stolpe, wo er am 17. April 1806 mit Tode abging, wie es scheint, ohne männliche Erben. Wir finden diesen Namen seitdem nicht mehr. Es führt oder führte diese Familie im blauen Schilde einen gekrönten Luchs und auf dem Helme drei blühende Lilien an grünen Stengeln. Decken blau und Silber. Brüggemann I. Th. 11tes Hauptstück. II. Th. 2. Bd. S. 1006.

Januschowsky, die Herren von, Bd. III. S. 25.

Eine aus Polen nach Ober-Schlesien, später auch nach Nieder-Schlesien gekommene Familie, die aus den Häusern Pobog und Dawowa stammt. In Schlesien führten die v. Ohm (m. s. d. Art.) den Beinamen J. nach ihrem Stammhause Jansdorf oder Janschdorf bei Oels. M. s. Okolski Orbis Polon. I. Tom. u. II. Tom. Sie führen drei schräg gelegte Pfeile im rothen Schilde, und auf dem Helme zwischen zwei goldenen Adlerflügeln drei Straussenfedern. Decken roth und Silber.

Jargow, die Herren von, Bd. III. S. 26.

Die v. J. besassen früher die Güter Walzig und Schlagentin bei Arnswalde in der Neumark. Der in unserm Artikel erwähnte Major v. J. führte die Vornamen *Karl Wilhelm Friedrich*. Er blieb am 10. Jan. 1807 bei Vertreibung der Franzosen aus Wollin.

Jasinski (Jaschinski), die Herren von, Bd. III. S. 27.

Felix Alexander v. J., Herr auf Dreidorf bei Lobsens, starb am 23. Jan. 1838; er war mit Sophia v. Jenichen vermählt. Aus dieser Ehe lebt ein Sohn, *Friedrich* v. J., Land- und Stadtgerichts-Assessor. Diese adelige Familie führt im blauen Schilde einen goldenen Schlüssel, den Bart abwärts gekehrt; auf dem Helme sechs in zwei Theile zerfallende Straussenfedern, in Gold und blau abwechselnd.

Jaski, die Herren (Köhn) von, Bd. III. S. 27.

In unserm Artikel ist Z. 3 v. o. 1534 statt 1554 gedruckt worden. Die Familie stammt aus Ungarn und kam zuerst nach Pommern. Der vom Kaiser in gedachtem Jahre in den Adelstand erhobene Stammherr der Familie war *Paul* v. J., vermählt mit Dorothea v. Rosenberg. Er starb 1588.

Jaskoletzki (Jaskolecki), die Herren von.

Unter dem grossen Kurfürsten kam 1650 *Dobrogos* v. J. nach Preussen; er errichtete zu Landsberg a. d. W. eine Compagnie Reiter, die später der Stamm zur reitenden Leibgarde, Garde du Corps, wurde. Im Jahre 1780 lebten noch weibliche Nachkommen desselben.

Jatzkow, die Herren von, Bd. III. S. 28 u. 29.

Hier ist noch besonders zu erwähnen *Georg Albrecht* v. J., Oberhauptmann v. Pommerellen, ein hochgeschätzter Mann von grossem Ansehn, geb. 1685, gest. zu Krojanten am 19. Febr. 1739; er war mit einer v. Weyher und Hammerstein vermählt.

Ibell, die Herren von.

Diese adelige Familie führt ein quadrirtes Wappen mit einem Herzschildlein. Das silberne Herzschild zeigt ein verkürzt dargestelltes Meerfräulein, in der rechten Hand eine Rose, in der linken eine Schlange haltend. Im ersten und vierten rothen Felde sind zwei silberne Querbalken; im zweiten und dritten blauen Felde drei silberne Sterne, oben zwei, unten einer, angebracht. Auf dem gekrönten Helme zeigt sich zwischen zwei Büffelhörnern wieder das Meerfräulein; von den Hörnern ist das rechte oben Silber und unten roth, das linke oben Silber und unten blau. Die Decken sind rechts roth und Silber, links blau und Silber.

Jerichow, die Herren von.

Diese adelige Familie blühte schon um das Jahr 1285 in Pommern, sie ist aber längst erloschen. M. s. Rango's Discours vom pommerschen Adel.

Jerlich, die Herren von.

Ein altadeliges Geschlecht in Pommern, das um das Jahr 1486 blühte, sodann aber erloschen ist. M. s. Rango's Discours vom pommerschen Adel.

Jentha, die Herren von.

Eine, wie es scheint, gegenwärtig erloschene adelige Familie in Schlesien. Sie stammt aus der Stadt Grünberg, wo sich noch eine ihren Namen führende Capelle befindet. — *Gottfried* v. J. wurde am 6. März 1683 und *Andreas* v. J. auf Cosel bei Bunzlau 1727 böhmische Ritter. Der Sohn des letztern, *Joseph Andreas* v. J., stand 1739 in preussischen Kriegsdiensten. M. s. Sinapius II. Bd. S. 704 und v. Megerle S. 159.

Iffländer, die Herren von.

Ein Hauptmann v. I. im Regiment v. Falkenhein starb während des Feldzuges 1778 zu Nachod in Böhmen. Er hinterliess einen Sohn *Johann Peter Ernst*.

Ihlefeld (Ihlenfeld), die Herren von.

Diese adelige Familie gehört Mecklenburg und Pommern an. Ihr Stammhaus Ihlenfeld (Ilenfeld) liegt im mecklenburg. Amte Stargard bei Brandenburg. Klockow, Kloxin, Gahlenbeck und Müggendorf sind alte Besitzungen des Hauses. — *Fritz* v. I. auf Ihlenfeld starb am

4. Juli 1655 kinderlos. — Andere Aeste blühten weiter. — Im Jahre 1806 stand ein Herr v. I. im Regiment v. Zastrow in Posen; er wurde 1809 dimittirt. Gegenwärtig steht ein Edelmann d N. im 40sten Infant.-Regiment zu Mainz. Diese Familie führt im blauen Schilde zwei Streitäxte mit langen Stielen und schwarzen Kolben, übers Kreuz gelegt, auf dem Helme eine hohe silberne Mütze, besteckt mit drei Straussenfedern, silbern, blau, silbern, auf dem Aufschlage sind drei Kleeblätter angebracht. Decken blau und Silber. Micräl. VI. Bd. Gauhe I. Bd. S. 701. Siebmacher III. Th. S. 156. v. Meding I. Bd. No. 388.

Ilgen, Herr von, Bd. III. S. 33.

Der von uns erwähnte Geh.-Rath v. I. hinterliess zwar keine männlichen Nachkommen, wohl aber zwei Töchter. Die ältere, *Constantia Henriette*, vermählte sich zuerst mit dem Grafen Erdmann v. Pückler-Branitz (und wurde die Urgrossmutter des Verfassers der Briefe eines Verstorbenen), nach dessen 1742 erfolgtem Tode zum zweiten Male mit Sigismund Grafen v. Bronikowski, und starb am 5. Septbr. 1745. Die jüngere Tochter *Charlotte Louise* war die Gemahlin des Freiherrn v. Inn- und Knipphausen (gest. den 4. April 1731).

Ilmen, die Herren von.

Ein ehemaliges adeliges Patrizier-Geschlecht zu Erfurt, aus welchem *Rudolph* v. I. 1313 Rathsmeister zu Erfurt war, und *Albert* v. I. 1325 gleiche Stelle bekleidete.

Ilten, die Herren von.

Sie gehören ursprünglich dem Herzogthum Braunschweig und dem Fürstenthum Calenberg an. Ihr Adel ist uralt. — *August* v. I. war 1717 Drost zu Petershagen im Regierungs-Bezirk Minden. Sie führen im blauen Schilde zwei über einander gestellte laufende Windhunde im linken Profil.

Imbert, Herr von, Bd. III. S. 34.

Der in den Adelstand erhobene *Alexander Arnold* v. I. starb am 23. Novbr. 1795 ohne männliche Nachkommen. Aus seiner Ehe mit Christiane Kuhmann überlebte ihn nur eine Tochter, die mit einem Herrn v. Tiesenhausen vermählt war.

Ingbrecht, die Herren von, Bd. III. S. 36.

Diese Familie ist, wie wir angegeben haben, ursprünglich französischer Abkunft, aber schon seit langen Zeiten im Zweibrückschen ansässig. *Friedrich Ludwig* v. St. I. war königl. preuss. Oberst-Lieutenant in Königsberg, vermählt mit Louise Küchenmeister v. Sternberg. Zwei seiner Söhne waren ebenfalls in preussischen Diensten; wir haben sie in unserm Artikel angegeben. Der dritte und zwar der älteste der Söhne, *Otto Friedrich* v. St. I., war in russischen Diensten und ist als kaiserl. russischer Major gestorben.

Ingelhoff, die Herren von.

Sie stammen ursprünglich aus Lothringen, und von ihren Nachkommen haben sich einige nach Cleve, andere nach Halberstadt gewendet. In der Gegenwart scheint dieses Geschlecht erloschen zu sein.

Ingenhaef, die Herren von.

Ein uraltes Geschlecht in der Grafschaft Mark, aus der im Jahre 1368 *Wilhelm* Ritter v. I. vorkommt. Zweige dieses Stammes hatten sich in die Lausitz, andere nach Dänemark gewendet. Hier starb im Jahre 1757 *Christian Friedrich* v. I., königl. dänischer General-Lieutenant. Im Clevischen war das Rittergut Bärenkampf, in der Lausitz die Güter Deutsch-Paulsdorf und Pleschkowitz Besitzungen dieses Hauses. Diese Familie führt ein rothes Schild, von einem aus der obern linken zur untern rechten Seite gelegten silbernen Schrägbalken durchzogen, auf jeder Seite desselben springt ein weisser Löwe auf, der sich auch auf dem Helme wiederholt. Decken Silber und roth.

Ingenheim, die Grafen von, Bd. III. S. 36.

Es besteht dieses gräfliche Haus gegenwärtig aus folgenden Mitgliedern:

Gustav Adolph Graf v. I., königl. preuss. wirklicher Geh.-Rath, Ritter hoher Orden, auch des eisernen Kreuzes, erworben im Jahre 1813, Herr der Herrschaft Seeburg, geb. den 2. Jan. 1789, vermählt den 23. Mai 1826 mit Eugenie Constanze Rosa v. Thiery von der Mark, geb. den 24. Novbr. 1808.

Kinder:

1) *Julius Ferdinand Maria Lorenz*, geb. den 10. Aug. 1827.
2) *Mariane Camilla Romana*, geb. den 17. Juli 1831.

Ingermann, Herr von, Bd. III. S. 37.

Wappen der Familie v. I. Im quer durch einen Faden getheilten, oben blauen, unten rothen Schilde hier eine fliegende weisse Taube, dort drei goldene Rosen, jede mit zwei goldenen Blättern. Auf dem gekrönten Helme steht ein schwarzer ungekrönter Adler. Decken rechts blau und Gold, links roth und Silber. Wappenbuch der preuss. Monarchie III. Bd. S. 60.

Jöden v. Koniecpolski, die Herren von, Bd. III. S. 38 u. 39.

Diese Familie führt ein ovales Wappenschild, durch einen Faden in ein silbernes und ein blaues Feld quer getheilt. In dem obern silbernen Felde ist ein gerüsteter, einen Säbel führender Arm vorgestellt, im untern blauen Felde steht ein Löwe, nach der rechten Seite gekehrt, er hält eine Rose in den Vorderpranken. Auf dem Schilde liegt eine Edelkrone, auf dieser ist ein goldener, die Sichel aufwärts kehrender Mond und über diesem ein schwebender goldener Stern angebracht. Das Schild ist mit Armaturen aller Art umgeben.

Jordan, die Herren von, Bd. III. S. 40.

Die Nachkommen des Präsidenten v. J. führen nach dem Diplom vom 8. Juli 1800 ein anderes Wappen, als wir beschrieben haben, nämlich ein rothes Schild, darin liegen drei Jagdhörner, so dass sie mit den Mundstücken zusammen kommen. Auf dem Helme ist der geharnischte Arm, das Wappenbild des alten Geschlechtes derer v. J. vorgestellt und zwar zwischen einem silbernen und einem rothen Büffelhorn. Decken roth und Silber.

Jossa, die Herren von.

Einer v. J., Ritter des Heinrichsordens, trat 1813 aus sächsischem in preussischen Dienst. Derselbe ist gegenwärtig Oberstlieutenant und dem 29sten Infanterie-Regimente zu Coblenz aggregirt.

Isenburg (Y), die Fürsten und Grafen von.

Das Stammschloss dieses alten vornehmen Hauses, die Isenburg, erhob sich in der gegenwärtig preussischen Rheinprovinz am Ufer des mächtigen Stromes ganz in der Nähe der heutigen Stadt Andernach. Die ordentliche Geschlechtsreihe des Hauses beginnt urkundlich mit dem Ritter *Heinrich* v. I., der um das Jahr 1290 lebte. Es zerfiel das Haus zuerst in zwei Hauptlinien; in die Gerlachsche und in die Brunosche, oder in Ober- und Nieder-Isenburg. Die ältere Hauptlinie hatte wieder drei Speciallinien, von ihnen erlosch die Kövereiische zeitig im Jahre 1408, auch die Limburgische, nur die mittlere, die *Ludwig* der ältere im Jahre 1360 gestiftet hatte, blühte fort. Der Gründer hatte mit Hedwig, des letzten Dynasten von Büdingen Tochter, die reichsunmittelbare Herrschaft Büdingen, die im Jahre 1442 zur Grafschaft erhoben wurde, erheirathet. Diese Speciallinie, die durch das Erlöschen der beiden andern zur Hauptlinie geworden war, theilte sich später wieder in die Büdingsche und Grenzauische, von ihnen erlosch jedoch sehr bald die letztere wieder, während der Büdingsche Ast sich wieder in die Häuser Kölsterbach und Birstein abtheilte. Das erstere erlosch wieder 1601, und Birstein unter seinem Stifter *Wolfgang Ernst*, der 1631 starb, vereinigte sämmtliche Ober-Isenburgische Besitzungen. Am 25. Febr. 1712 führte das Haus die Erstgeburtsordnung ein, welche am 4. Mai 1713 die kaiserliche Bestätigung erhielt, doch hatten sich schon bei *Wolfgang Ernst's* Tode die sechs Söhne desselben in die Besitzungen getheilt. Von ihnen hatte *Wolfgang Heinrich*, der schon 1635 starb, die Linie Offenbach-Birstein, der jüngste, *Johann Ernst*, aber die heutige Linie Büdingen gestiftet. Die Offenbach-Birsteinische Linie theilte sich wieder in die Speciallinie zu Offenbach und zu Birstein; die erstere erlosch schon wieder mit dem Gründer *Johann Philipp* am 21. Decbr. 1718, dagegen blühte Birstein in des Gründers *Wilhelm Moriz*, gest. am 8. März 1711, zwei Söhnen, *Wolfgang Ernst* und *Wilhelm Moriz*, fort. Wegen der eingeführten Erstgeburtsordnung erhielt *Wolfgang Ernst* die Besitzungen seines Vaters allein, Offenbach fiel ihm 1718 zu und am 23. März 1744 erhob ihn Kaiser Karl VII. für sich und seine Nachkommenschaft in den Reichsfürstenstand, auch wurde er Director der Wetterauischen Grafenbank; er starb am 14. April 1754. Dieser erste Reichsfürst von Isenburg war dreimal vermählt. Der oben erwähnte jüngere Bruder, Graf *Wilhelm Moriz* II., erhielt das Schloss und die Güter Philippseich. Das fürstliche Haus hatte eine Virilstimme im

Reichsfürsten-Rath. Durch den Beitritt zum Rheinbunde wurde das fürstliche Haus Isenburg souverain und die gräflichen Häuser Isenburg ihm untergeordnet. Der Wiener Congress brachte das Fürstenthum Isenburg unter Oestreich, das Pariser Protokoll vom 3. Novbr. 1815 aber unter das Grossherzogthum Hessen und durch einen spätern Vertrag zwischen Oestreich, Preussen und Hessen vom 30. Juni 1816 wurde das Verhältniss des Fürsten mit den Grafen zu Isenburg wieder auf demselben Fuss wie zu 1806 festgesetzt. Diese gräflichen Häuser sind:

1) Isenburg-Philippseich, dessen Stiftung wir schon oben erwähnt haben. Wir fügen hier nur noch hinzu, dass gegenwärtig das Haupt der Familie Mitglied der ersten Kammer der Stände des Grossherzogthums Hessen ist.

2) Isenburg-Büdingen in Büdingen. Der Stifter des Hauses, *Johann Casimir* (gest. 1693), war der älteste der vier Söhne des oben erwähnten *Johann Ernst's*, Gründer der Büdingischen Hauptlinie.

3) Das Haus Isenburg-Büdingen in Wächtersbach, gestiftet von *Ferdinand Maximilian* (gest. 1703), zweitem Sohne des *Johann Ernst*.

4) Das Haus Isenburg-Büdingen in Meerholz, gestiftet von *Georg Albrecht* (gest. 1724), drittem Sohne des *Johann Ernst*.

Noch haben wir anzuführen, dass die oben erwähnte zweite älteste Hauptlinie, die Brunosche oder das Haus Nieder-Isenburg, gänzlich erloschen ist. Es war in die Hauptäste Isenburg-Braunsberg oder Wied und in die Grenzauschen zerfallen; der erstere Ast hatte mit *Bruno* dem jüngern durch Vermählung die Grafschaft Wied erworben, nach seinem Erlöschen fiel dieses Besitzthum durch des letzten Grafen von Isenburg-Braunsberg Erbtochter an das Haus Runkel, von dem das heutige fürstliche Haus Wied abstammt. Der jüngere Ast erlosch am 30. Mai 1664 mit dem Grafen *Ernst*, er setzte den Grafen Philipp v. Aremberg-Beaumont zum Erben der Allodialgüter ein, und seine Lehne zog Trier zum Nachtheile des Hauses ein.

Das ganze Haus ist evangelisch reformirter Religion.

Gegenwärtig besteht die fürstliche und gräfliche Familie aus folgenden Mitgliedern.

I. Fürstliche Linie.

Fürst *Wolfgang Ernst* III., geb. den 25. Juli 1798, succ. seinem Vater, Fürsten *Karl Friedrich Ludwig Moriz*, am 21. März 1820, bis 1823 unter Vormundschaft seiner Mutter, vermählt den 30. Jan. 1827 mit Adelheid des verstorbenen Grafen Karl Christian August Albrecht von Erbach-Fürstenau Tochter, geb. den 23. März 1795.

Bruder:

Prinz *Victor Alexander*, geb. den 14. Septbr. 1802.

Mutter:

Fürstin *Charlotte Auguste Wilhelmine*, geb. den 5. Juni 1777, Tochter des Grafen Franz zu Erbach-Erbach, Wittwe des Fürsten *Karl Friedrich Ludwig Moriz* seit dem 21. März 1820.

Vaters Brüder:

1) Prinz *Wolfgang Ernst*, geb. den 7. Octbr. 1774.
2) Prinz *Victor*, geb. den 10. Septbr. 1776.

Die Wittwe des Fürsten *Karl Theodor Lorenz Franz* (geb. den 12. Aug. 1778, gest. den 18. Juli 1823; Sohn des Fürsten *Friedrich Wilhelm*, Urgrossvaters-Bruder des regierenden Fürsten): *Maria Magdalena*, geb. Freiin v. Herding.

Tochter:

Prinzessin *Karoline Franziska Dorothea Josephe Maria Catharina*, geb. den 25. Novbr. 1809. St.Kr.D., Gemahlin des Grafen Karl Ferdinand v. Buol-Schauenstein, k. k. östreichischen Gesandten am badenschen Hofe.

II. Gräfliche Linie.

A. *Offenbach-Birsteinsche Hauptlinie.*

Isenburg-Philippseich.

Graf *Heinrich Ferdinand*, geb. den 15. Octbr. 1770, königl. bairischer Generallieutenant, Mitglied der ersten Kammer der Stände des Grossherzogthums Hessen, vermählt am 11. Mai 1791 mit Amalie, des verstorb. Grafen Moriz Casimir II. zu Bentheim-Tecklenburg Tochter, Wittwer seit 6. Aug. 1822.

Kinder:

1) *Georg*, Erbgraf, geb. den 15. April 1794, grossherzogl. hessischer Major und Flügeladjutant des Grossherzogs.
2) *Karl*, geb. den 31. März 1796.
3) *Louise Philippine* (s. u. Isenburg-Wächtersbach).
4) *Friedrich*, geb. den 15. Septbr. 1800, vermählt am 30. Septbr. 1828 mit Malvina, des Fürsten Georg zu Löwenstein-Wertheim-Freudenberg Tochter, geb. den 27. Decbr. 1808.

   Kinder:

   a) *Amalie*, geb. den 28. Juni 1830.
   b) *Heinrich Ferdinand*, geb. den 14. Jan. 1832.
   c) *Constantin*, geb. den 12. Juli 1833.
5) *Charlotte*, geb. den 25. Juni 1803, zweite Gemahlin des Fürsten Georg Wilhelm Ludwig zu Löwenstein-Wertheim-Freudenberg.
6) *Louise*, geb. den 22. Jan. 1805.
7) *Ferdinand*, geb. den 14. Octbr. 1806, Rittmeister im grossherzogl. hessischen Garde-Chev.-leg.-Regiment.

Schwester:

Gräfin *Louise*, Wittwe des am 31. Aug. 1800 verstorbenen Grafen Ludwig Heinrich Adolph v. Lippe-Detmold.

B. *Büdingische Hauptlinie.*

Isenburg-Büdingen in Büdingen.

Graf *Ernst Casimir*, grossherzogl. hessischer General-Lieutenant und General-Adjutant, geb. den 20. Jan. 1781, succ. seinem Vater *Ernst Casimir* am 25. Febr. 1801, vermählt den 10. Mai 1804 mit Ferdinande, des Grafen Gustav zu Erbach-Schönberg Tochter, geb. den 23. Juli 1784.

Kinder:

1) Gräfin *Adelheid*, geb. den 11. März 1805.
2) Graf *Ernst Casimir*, geb. den 14. Decbr. 1806, k. k. östreich. Rittmeister in der Armee, vermählt den 8. Septbr. 1836 mit Thekla, Gräfin zu Erbach-Fürstenau.
3) Gräfin *Maria*, geb. den 4. Octbr. 1808, vermählt den 10. Mai 1829 mit dem Fürsten Ludwig v. Solms-Lich und Hohen-Solms.
4) Gräfin *Mathilde*, geb. den 17. Septbr. 1811.
5) Graf *Gustav*, geb. den 17. Febr. 1813, königl. preuss. Lieutenant, jetzt bei der Militair-Commission des Bundestages zu Frankfurt a. M. angestellt.
6) Gräfin *Ida*, geb. den 10. März 1817.

Geschwister:

1) Gräfin *Charlotte Friederike Amalie*, geb. den 9. Septbr. 1782.
2) Graf *Karl Ludwig Wilhelm*, geb. den 8. April 1785, grossherzogl. badenscher Oberst und Commandeur des Garde-Dragoner-Regiments.
3) Graf *Christian Ludwig Ferdinand*, geb. den 16. Aug. 1788.
4) Gräfin *Dorothea Louise Karoline Anne*, geb. den 31. Dec. 1790.
5) Graf *Friedrich Wilhelm Ludwig*, geb. den 26. Juli 1798, k. k. Kämmerer und Hauptmann bei Fürst Bentheim Infanterie-Regiment No. 9.

Isenburg-Büdingen in Wächtersbach.

Graf *Adolph*, geb. den 26. Juli 1795, succ. seinem Bruder *Ludwig Maximilian* am 25. Febr. 1821, vermählt den 14. Octbr. 1823 mit Gräfin *Louise Philippine* zu Isenburg-Philippseich, Tochter des Grafen *Heinrich Ferdinand*, geb. den 19. Febr. 1798.

Sohn:

Ferdinand Maximilian, Erbgraf, geb. den 24. Octbr. 1824.

Schwestern:

1) Gräfin *Friederike Wilhelmine*, geb. den 1. Juli 1792.
2) Gräfin *Auguste Karoline*, geb. den 12. Novbr. 1796.

Isenburg-Büdingen in Meerholz.

Graf *Karl Friedrich Casimir Adolph Ludwig*, geb. den 26. Octbr. 1819, Sohn des Grafen *Joseph Friedrich Wilhelm Albrecht* (gest. den 14. März 1822), succ. seinem Oheim, dem Grafen *Karl Ludwig Wilhelm*, am 17. April 1832.

Schwester:

Gräfin *Bertha Amalie Karoline Ferdinande*, geb. den 14. Juni 1821.

Mutter:

Dorothea Christiane Clementine Louise, geb. den 10. Jan. 1796, des Grafen Alb. Friedrich Karl v. Castell Tochter, verm. den 22. Octbr. 1818.

Töchter des am 17. April 1832 verstorbenen Grafen *Karl Ludwig Wilhelm* und der Gräfin Karoline, geb. Gräfin zu Sayn-Wittgenstein (gest. den 28. April 1833):

1) Gräfin *Karoline Louise Friederike Elisabeth Henriette Charlotte*, geb. den 24. Jan. 1786.
2) Gräfin *Louise Wilhelmine Sophie Emilie*, geb. den 25. März 1793.

17 *

Wappen.

Ein silbernes Schild, darinnen zwei schwarze Querbalken, verbunden durch ein kleines Mittelschild, auf dem ein goldener aufrecht stehender Löwe abgebildet ist. Auf dem Helme wiederholt sich der Löwe zwischen zwei schwarzen, mit sieben goldenen Lindenblättern bestreuten Adlerflügeln. Schildhalter sind zwei Löwen, die Helmdecken sind schwarz und Silber. Das Ganze umschliesst ein mit einem Fürstenhut bedeckter Hermelinmantel.

M. s. Biedermanns Grafen, Tab. 152—414 404. (Isenburg-Lüneburg-Styrum.) Fischers Geschlechtsreihe der uralten Häuser Isenburg, Wied und Runkel, mit Landkarten und 18 Bogen genealog. Tabellen. Manheim 1778. R. v. Lang S. 39. Supplem. S. 21 u. 22. Gothaischer genealog. Hofkal. 1825. S. 92—95 u. S. 165—167. J. Stephans-Recks Geschichte der fürstlichen und gräflichen Häuser Isenburg, Runkel u. Wied. Weimar 1824, mit K. gr. 4.

Isselstein, die Herren von, Bd. III. S. 42.

Aus dieser Familie ist uns bekannt geworden *Philipp Ernst* v. I., der im Jahre 1620 churbrandenburgischer Ober-Falkenmeister war. Es gehört das Geschlecht zu den uralten niederländischen Familien; ihr Stammhaus liegt vier Meilen von Utrecht, und mehrere Zweige dieses Hauses sind freiherrlichen Standes. Einer besass die Herrlichkeit Lenepp. — Wappen. Ein quadrirtes Schild; im ersten und vierten goldenen Felde vier goldene Sparren, das zweite und dritte ebenfalls goldene Feld durchzogen von einem schwarzen Quer- und zwei ins Andreaskreuz gelegten Schrägbalken, die abwechselnd rothe und silberne kleine Quartiere haben. Aus der Krone schlagen schwarze Flammen. Decken Gold und roth. M. s. Gauhe I. Bd. S. 710. u. II. Bd. S. 493.

Itter oder Ittera, die Herren von.

Ein ursprünglich adeliges hessisches Geschlecht, dessen Stammhaus am Flusse gl. N. Itter liegt. — *Heinemann* v. I. erstach aus Hab- und Herrschsucht 1361 auf dem Stammschlosse zu Itter seinen Bruder *Adolph*, und beschloss hierauf als Gefangener sein Leben im Kloster Heine. Ein Zweig dieses Geschlechts scheint hierauf sich nach der damaligen freien Stadt Erfurt begeben und das Bürgerrecht daselbst erworben zu haben, wo er schon lange daselbst erloschen ist. Von diesem Geschlechte sind verschieden 1) eine alte adelige Familie in Graubündten, und 2) eine erloschene freiherrliche Familie in Brabant, dessen Schloss und Herrschaft Ittre oder Itter mit *Johanna*, der Erbin von Itter 1582 durch Heirath an Wilhelm v. Rifland gelangte.

Juggart, die Herren von.

Sie gehören zu dem alten Adel der Altmark, und kommen auch unter den Namen Jugert, Jugarda und Jügert vor. Ihr Stammhaus Beveslak bei Tangermünde war 300 Jahre in ihren Händen. Ein anderes Stammhaus von ihnen war Grossheusterwitz. Ein Zweig hatte sich auch nach Schleswig gewendet; ihm gehörte an *Johann Ludwig* v. J., Herr auf Winningen, königl. dänischer Geh.-Rath, gest. am 29. Jan. 1793. — Wappen. Sie führten im rothen Felde eine aus einem Fischkorbe hervorspringende Fischotter, die sich auch auf dem mit einem rothen Bunde belegten Helme wiederholt.

Junack, die Herren von.

Georg v. J. starb am 30. Novbr. 1677 als Prediger zu Luckenwalde. Er hinterliess zwei Söhne, *Martin* und *Georg*, Herren auf Wahlsdorf und Bathow.

Junk, die Herren von, Bd. III. S. 46.

Diese Familie erhielt bei ihrer Erhebung ein silbernes Wappenschild, darin ein blauer, von der rechten obern Seite zur linken Unterseite gezogener Balken, belegt mit drei geschlungenen fünfeckigen Kreuzen (Drutenfuss).

Justi, die Herren von.

Ein Edelmann dieses Namens war Berghauptmann der Grafschaft Mansfeld, und hatte acht Kinder, unter ihnen zwei Söhne, *Johann Heinrich* und *Heinrich Karl* v. J.

Ivernois, die Herren von, Bd. III. S. 48.

Wappen. Ein in Silber und blau getheiltes Schild. In der obern silbernen Hälfte zwei schwarze Adlerflügel, in der untern blauen Hälfte ein achteckiges Ankerkreuz. Auf dem Helme zwei die Spitzen links kehrende Adlerflügel, mit dem Kreuze belegt. Decken rechts schwarz und Silber, links blau und Gold

Iwatzhof, die Herren von

Anton v. I. war im Jahre 1697 Herr auf Trinke bei Colberg, diese Familie besass auch die Güter Bellin und Tiker.

K.

Kaelbra, die Herren von.

Ein ehemals adeliges Patrizier-Geschlecht zu Erfurt, welches zum Stammorte das Städtchen Kaelbra an der Helme (in der preussischen Provinz Sachsen) hatte, und schon lange erloschen ist.

Kämmerer, der, die,
der Landgrafen in Thüringen.

Ein erloschenes adeliges Geschlecht zu Erfurt, welches von seinem Ehrenamte Namen und Titel erlangt hatte. Es leitet seinen Ursprung von den alten Vitzthumen von Erfurt ab, welche sich im 13ten Jahrhundert in die Stämme V. v. Apolda und V. v. Eckstedt theilten. *Heinrich* Vitzthum, der 1148 lebte, war Vater von mehreren Söhnen, von denen 1193 *Berthold* der Vitzthum (Stammvater der Vitzthume), *Dietrich* der Schenk (Stammvater der Schenken v. Vargula, v. Apolda, v. Tautenburg u. s. w.) und *Dietrich* (auch *Tiedemann* genannt), der Kämmerer, Stammvater der Kämmerer wurde, welche sich von ihren Besitzungen Vahnern und Mühlhausen Kämmerer v. Vahnern und Kämmerer v. Mühlhausen nannten. Die jüngeren Linien nannten sich später auch blos v. Vahnern und v. Mühlhausen, so wie der Zweig der Schenken v. Vargula, der das Patriziat zu Erfurt besass, sich blos v. Vargula nannte.

A. Kämmerer v. Vahnern.

Aus diesem Zweige war *Herrmann* Kämmerer, der Aeltere, 1277 Bürger zu Erfurt und Zeuge in dem erneuerten Bündnisse des Grafen v. Gleichen mit der Stadt Erfurt; *Heinrich* v. Vahnern war 1246 Canonicus am Stifte St. Maria zu Erfurt; *Otto* und *Caspar* v. V. hatten 1407 Pfandrechte an Burg Tollstedt; *Witzel* v. V. war 1420 ein getreuer Vasall der Grafen v. Gleichen in der Fehde mit den Herren v. Werthern.

B. Kämmerer v. Mühlhausen.

Hennar, genannt v. Mühlhausen, Gleichischer Lehnsmann und Bürger zu Erfurt, besass (1400) Gerichte und Zinsen zu Stedten, Ilversgehofen und Erfurt. — Die Kämmerer v. Mühlhausen, auch blos v. M. genannt, besassen zu Erfurt bei der Kirche zu St. Georg ein adeliges Haus mit dem sogenannten Mühlhausischen Gerichte, welches sich bis zu den Thoren v. St. Moritz und St. Andreas und der Lemans Brüder hin erstreckte, als Gleichisches Lehn.

Das Geschlecht der Kämmerer (unter diesem Namen, unter dem v. Mühlhausen und unter dem v. Vahnern) erlosch gegen die Mitte des 15ten Jahrhunderts; noch aber giebt es unter anderen Verhältnissen, unter Erfurts Bewohnern, mehrere des Namens Kämmerer.

Kämpf, die Herren von, Bd. III. S. 49.

Der am 14. October 1786 in den Adelstand erhobene v. K. war Platzmajor in Breslau. Der Vogel im Wappen derer v. K. ist ein Kranich.

Kärsten, die Herren von.

Im Jahre 1806 dienten mehrere Edelleute d. N. in der preuss. Armee. Einer v. K. war damals Prem.-Lieutenant im Reg. Königin-Dragoner; er schied 1811 als Major aus dem 2ten Cür.-Regiment. Ein zweiter stand damals als Premier-Lieutenant in dem Dragoner-Regiment v. Brüsewitz, später im 7ten schles. Landwehr-Cavallerie-Regiment, und trat 1820 als Major mit Pension in den Ruhestand; gegenwärtig ist derselbe Postmeister in Crossen. Ein dritter v. K. stand als Sec.-Lieutenant im Regiment v. Owstien; er starb 1826 als Hof-Cavalier der Prinzessin Elisabeth v. Braunschweig in Stettin. Ein vierter war 1806 Sec.-Lieutenant im Regiment v. Natzmer und 1828 Major im 25sten Inf.-Regiment, Ritter des eisernen Kreuzes I. Classe, erworben 1814 bei Hoogstraten in Holland.

Kagen, die Herren von.

Diese adelige Familie gehört dem Magdeburgischen und Pommern an; hier besass sie den Rittersitz Derben im Kreise Jerichow, dort war sie bei Wollin begütert. Ursprünglich ist Schottland ihr Vaterland. Brüggemann hat diese Familie nicht unter dem Adel Pommerns angeführt.

Kalau v. Hoff, die Herren, Bd. III. S. 52.

Diese Familie ist am 7. Mai 1663 geadelt worden. *Ahasverus* K. v. H. war 1727 Herr auf Schildeck in Ostpreussen. — *Fabian* K. v. H., churbrandenburgischer Rath und Lehnssecretair, den wir als den Stammherrn des Geschlechtes in unserm Artikel aufgeführt haben, war Herr auf Grossnicken, Gorasan und Fünf-Linden. Diese Familie führt im blauen Schilde einen auf dem linken Fusse stehenden, nach der rechten Seite gewendeten und gekrönten schwarzen Adler, der die Flügel aufgehoben hat, und im rechten Fusse, so wie im goldenen Schnabel einen goldenen Ring trägt. Auf dem Helme liegt ein schwarz und goldener Bund, auf dem sich der Adler wie im Schilde wiederholt. M. s. preuss. Erläuterungen I. Th. S. 113.

Kalb, die Herren von, Bd. III. S. 52 u. 53.

Wappen. Ein silbernes Schild, mit sechs rothen Querbalken belegt, darin ein aufspringender schwarzer gekrönter Stier; auf dem Helme drei Straussenfedern, weiss, schwarz, weiss. Decken Silber und schwarz.

Kalitsch, die Freiherren und Herren von, Bd. III. S. 55.

Aus alter Urkunde findet sich die Familie der Freiherren v. K. schon seit dem Jahre 997. Sie ist schon seit langen Zeiten her im Anhaltischen ansässig, wo sie früher, als noch namentlich bekannt, die Güter zu Gortzig, Oster-Nunburg, Riendorf, Bistorf, Gnetsch, Biesdorf, Wülknitz u. a. m. besass. Seit 1542 sind die Freiherren v. K. mit Dobritz, Nietha und Hagendorf belehnt worden, die sie jetzt noch besitzen. Auch besassen dieselben ehemals die Steinerne Kumnat zu Aken, und war ihnen diese Stadt tributpflichtig; so soll ihnen auch in der magdeburgischen Gegend ein Strich Land gehört haben, der Fläming genannt, mit 9 Dörfern, welches in folgenden Reim zusammen begriffen wurde: Ladeburg und Leitsch, Kalitsch und Breitsch, Ziegelt und Zedemidt, Bühan und Nedlitz seien 9 Dörfer mit Corit. Jetzt sind sie in Anhalt, im Königreich Sachsen und Grossherzogthum Weimar ansässig. Es existiren gegenwärtig nur noch zwei Freiherren v. K. mit ihren Familien; diese sind rechte Vettern. Der ältere derselben ist *Ludwig* Freiherr v. K., königl. preuss. Ober-Forstmeister a. D., besitzt als Erb-, Lehn- und Gerichtsherr die Rittergüter Kischnitzsch, Watschwitzsch und Zwochau im Königreiche Sachsen, ferner die Rittergüter Tannig und Breitenherda im Grossherzogthum Weimar, vermählt mit Karoline v. Linsingen. Aus dieser Ehe sind drei Kinder: 1) *Karl Ludwig Rudolph* v. K., Lieutenant im königl. preuss. 1sten Garde-Regiment zu Fuss. 2) *Hedwig* v. K. und

3) *Adelheid* v. K. — II. *Friedrich* Freiherr v. K., herzogl. anhalt-dessauischer Landrath und Kammerherr, besitzt als Erb-, Lehn- und Gerichtsherr die Rittergüter Dobritz, Nuthe und Hegendorf im Herzogthume Anhalt-Dessau, vermählt mit Auguste v. Drais. Aus dieser Ehe sind fünf Kinder: 1) *Karoline* v. K.; 2) *Louise* v. K., vermählt mit Herrmann v. Alvensleben auf Schachwitz, Lieutenant und Adjutant der Garde du Corps; 3) *Ferdinand* Freiherr v. K.; 4) *Herrmann* Freiherr v. K. und 5) *Richard* v. K. — Die v. K. führen ein in Gold und blau quer getheiltes Schild; in der goldenen Hälfte ist ein nach der rechten Seite laufender, ein Huhn zwischen den Zähnen haltender Fuchs. M. s. Beckmann's anhaltische Geschichte VII. Th. S. 932. Sinapius II. Th. S. 715. Gaube I. Th. S. 715. Neues genealog. Handbuch Jahrg. 1777.

Kall, die Herren von, Bd. III. S. 62.

Diese adelige Familie führt ein quadrirtes Wappen. Durch die rothen Felder eins und vier ist ein von der obern rechten zur untern linken Seite reichender goldener Balken gezogen, im zweiten blauen Felde stehen drei Sterne, schräg von dem obern rechten zum untern linken Winkel gelehnt. Im dritten ebenfalls rothen Felde zeigt sich ein aus den Wolken kommender geharnischter Arm, der ein Bein (Menschenknochen) in der Hand hält. Auf dem Helme wiederholt sich der Arm zwischen zwei Adlerflügeln. Decken rechts roth und Silber, links blau und Gold.

Kallheim, die Herren von.

Es führt diese Familie im rothen Schilde ein nach der rechten Seite aufspringendes, nur mit dem Vordertheil sichtbares, silbernes Ross mit starken Mähnen, hinter demselben einen schräg von der linken zur rechten Seite gezogenen blauen, mit drei silbernen Sternen belegten Balken. Auf dem gekrönten Helme wiederholt sich das Ross. Decken blau und Silber. M. s. preuss. Erläuterung. I. Th. S. 113.

Anna Maria Kahls, nachmalige Gattin des Jacob Christian v. Froben, Erbherrn auf Quanditen und Talginen (Bruder des durch seinen Tod in der Schlacht bei Fehrbellin der vaterländischen Geschichte so werth gewordenen Emanuel v. Froben), wurde am 25. Juni 1683 in den Adelstand erhoben. In Beziehung auf den heldenmüthigen Tod Emanuels v. Froben wurde den Erhobenen das hier beschriebene Wappen beigelegt.

Kalm, die Herren von.

Eine ursprünglich brandenburgische Familie, die sich 1680 nach Braunschweig begab, wo 1700 *Anton Heinrich* v. K. braunschweig-wolfenbüttelscher Rath wurde und sich in mehreren Zweigen verbreitete, auch ansehnliche Lehngüter, namentlich Bodenseel unweit Calvörde, erwarb. — In den diesseitigen Staaten kommt *Anton Thiele* v. K. vor, der als Amtsrath am 28. Octbr. 1812 zu Stendal in der Alt-Mark starb. Folgendes uns zugesendetes Document dürfte als eine nicht unwichtige Urkunde der Familie hier einen Platz verdienen.

Demnach die Lehne, welche von Serenissimo des Geschlechts derer von Kalm recognoscirt, von der etwaniger Lebensfähiger Descendenz nachfolgender verstorbener Mitglieder desselben als 1) des Fürstl. Hessen Homburgschen Geheimenraths *Johann Heinrich* von Kalm, des Fürstl. Hessischen Hofraths *Johann Georg* von Kalm ältesten und 2) des in holländischen Diensten gestandenen Oberstr. *Heinrich Conrad* von Kalm des erwähnten *Johann Georg* jüngsten Sohnes, 3) *Johann Friedrichs, Curt Philipps* Sohn, welcher im Jahr 1750 Fahnrich in Fürstlich Hessen Casselschen Diensten gewesen, 4) *Johann Christoph, Johann Rudolphs* Sohn, 5) des im Jahr 1782 verstorbenen Amtmannes *Friedrich* von Kalm, *Curts* Sohnes, 6) des Jagdjunkers *Christoph Friedrich* von Kalm, *Anton Julius* Sohn, und 7) *Julius Friedrichs* und *Christians Christophs* Söhne bei den zeither vorgefallenen Belehnungen, nicht mit befolgt worden, und dann sowohl über die zu gedachten Lehnen berechtigten Personen in völlige Gewissheit zu kommen, als auch zu den Behuf der von den anjetzt belehnten Familien-Gliedern namentlich den Pastor *Johann Brandan Friedrich* von Kalm zu Bettmar, den Drosten *Heinrich Bernhard* von Kalm zu Reidachshausen, den Kriegsrath *Johann August* und dem Rittmeister *Franz Georg* Gebrüder von Kalm in Braunschweig, und dem Kurfürstl. Badischen Kammerherrn und Landvoigt, *Johann Christian August* von Kalm zu Lörrack, nachgesuchten Veräusserungen der zu erwähnten Lehn gehörigen Mühle zu Rüningen erforderlich ist vergewisster zu sein, ob ausser letztgedachten noch jemand an die von Kalmschen Lehn und besonders an die Mühle zu Rüningen vor Braunschweig Lehnsrechtliche Ansprüche habe und wir daher die von letzt erwähnten von Kalmschen Lehns-Vettern zu solchen Behuf erbeten, öffentliche Vorladung zu erkennen kein Bedenken gefunden, so werden hierdurch Alle und jede, welche ausser dem in Petranten entweder als Lehnsfähige männliche Descendenten erstgenannter von Kalmschen Geschlächtsglieder oder sonst aber aus einem rechtlichte Grunde auf den Mitgenuss oder die dereinstige Erbfolge der von hiesigen Fürstlichen Hause der von Kalm verliehenen Lehne, und namentlich der Mühle zu Rüningen einen Anspruch zu haben vermeinen, ein für allemal citirt, den 14. November d. J. Morgens um 10 Uhr auf Fürstlicher Canzlei hierselbst zu erscheinen, ihre Lehnsfähige Descendenz von erstgenannten Gevettern von Kalm, oder die sonstigen Rechtsgründe, worauf sie ihre Ansprüche auf den gedachten Lehn verwahren, gebührend zu bescheinigen, die darüber lautenden Documente und Briefschaften ursprünglich bei zu bringen. Die anderen Beweismittel darüber aber umständlich und genau anzuzeigen, auch wegen der den Lehnrechten zuwider versäumten Lehnsbefolgungen sich hinlänglich zu verantworten mit der ausdrücklichen Verwarnung, dass diejenigen, welche sich in diesem Termine nicht einfinden oder ihre vermeintlichen Ansprüche obiger Vorschrift gemäss nicht justiviziren, ferner nicht gehört, sondern eo ipso, und ohne dass darüber ein besonderes Decret zu erwarten gänzlich präcludirt und von der künftigen Lehnsfolge ausgeschlossen auch namentlich der Mühle zu Rüningen, weitere Rücksicht nicht genommen werden solle.

Urkundlich des hieruntergedruckten Fürstlichen Canzleisiegels und beigesetzter Namens Unterschrift

Wolfenbüttel am 8 Mai 1806.

(L. S.)

G. P. von Bülau.

Kalsow, die Herren von, Bd. III. S. 63 u. 64.

Diese Familie führt ein quadrirtes Schild mit einem rothen Herzschildlein. Im ersten und vierten blauen Felde steht ein aufspringender goldener gekrönter Löwe, in dem zweiten und dritten silbernen Felde sind zwei kreuzweis über einander gelegte Lanzen, das Fähnlein der rechten ist oben blau und unten Gold, dass der linken oben roth und unten Silber. Auf dem Helme ist zwischen zwei schwarzen Adlerflügeln ein Löwe verkürzt vorgestellt, der die erwähnten Fahnen in den Pranken hält, so dass sie mit den Kolben die Krone berühren. Decken rechts roth und Silber, links blau und Gold. Nach dem preussischen Wappenbuch ist das Anerkennungsdiplom vom 22. April 1664.

Karstedt (Kahrstedt), die Herren v., Bd. III. S. 52.

Noch in der Gegenwart besitzt diese Familie ansehnliche Güter in der Priegnitz, namentlich Kaltenhof, Fretzdorf, Dupow, Gross-Buchholtz u. s. w., die sämmtlich *Otto Siegismund Karl* v. K. besitzt.

Katsch, Herr von, Bd. III. S. 78.

Wappen. Ein quadrirtes Schild, im ersten silbernen Felde ein schwarzer Adlerflügel, das zweite und dritte Feld ist in Silber und blau quer getheilt, in der untern blauen Hälfte ist ein kleines goldenes Bret vorgestellt, besteckt mit einem aus zwei Blättern und einer Eichel bestehenden Eichenzweige. Im vierten silbernen Felde ist ein rother Adlerflügel vorgestellt. Auf dem gekrönten Helme wiederholt sich zwischen einem schwarzen und einem rothen Adlerflügel der Eichenzweig mit der Eichel. Decken rechts schwarz und Silber, links blau und Gold.

Kaweczynski, die Herren von.

Dieser adeligen, aus Polen stammenden Familie gehören zwei Staabsoffiziere unserer Armee an. 1) Der Oberst v. K., Commandeur des 14ten Infant.-Regiments, Ritter des eisernen Kreuzes I. Classe, erworben in der Schlacht bei Dennewitz. Dieser verdienstvolle Offizier stand 1806 in der 2ten ostpreuss. Füselier-Brigade und deren Bataillon Stutterheim. 2) Der Major v. K. im 15ten Infant.-Regiment, der damals in dem Regiment v. Rüts in Warschau diente (?). Ein Sohn des Erstgedachten ist Lieutenant im 23sten Infant.-Regiment.

Kauffmann, die Herren von.

Die Brüder *Johann Friedrich*, Capitain, *Johann Christian*, Oberst, und *Johann Adolph* v. K., Capitain, wurden am 23. Jan. 1705 geadelt, und um 7. März 1705 erhielt *Daniel Friedrich* v. K., kurfürstl. Hofrath und Bürgermeister zu Schippenbeil ein Bestätigungsdiplom.

Sie führen ein quadrirtes Schild. Im ersten und vierten schwarzen Felde einen aufspringenden goldenen Löwen, der in der rechten Vorderpranke einen goldenen Ring hält. Das zweite und dritte Feld ist durch Spitzenschnitte drei Mal in roth und Silber getheilt. Auf dem Helme zwei Büffelhörner ohne Mundstücke. Das rechte ist golden, das linke oben silbern; in der Mitte roth, unten schwarz. Zwischen ihnen wiederholt sich der Löwe mit dem Ringe, verkürzt. Decken rechts schwarz und Gold, links roth und Silber.

Kayser, die Herren von.

Der König Friedrich Wilhelm I. adelte am 28. Febr. 1731 die Jungfrau *Catharine Juliane* K. bei Gelegenheit ihrer Verheirathung mit dem damaligen Major v. Hautcharmoi. Bei dieser Gelegenheit wurde ihr folgendes Wappen beigelegt. Ein in roth und Silber gespaltenes Schild; in jeder Feldung stehen drei Rosen unter einander mit den abwechselnden Tinkturen der Felder. Statt dem Helme ist das Schild mit einem roth aufgeschlagenen und drei goldenen Straussenfedern geschmückten Hut belegt. Decken roth und Silber.

Keffenbrink, die Herren von, Bd. III. S. 89 u. 90.

Das adelige pommersche Geschlecht v. K. erhielt am 18. Juli 1744 vom König Friedrich II. ein Anerkennungsdiplom. Im Jahre 1806 standen verschiedene Offiziere aus diesem Hause in der Armee. Gegenwärtig finden wir diesen Namen weder in den Listen der Civil-Beamten, noch in denen der Armee. Ein Lieutenant v. K. im 6ten Cürassier-Regiment starb 1813 an ehrenvollen Wunden. — Ein Major v. K. war zuletzt Chef der 1sten Garde-DivisionsGarnison-Compagnie in Spandau. — *Charlotte* v. K. ist gegenwärtig Conventualin im adeligen Kloster zu Barth in Pommern. Die v. K. führen im silbernen Schilde einen gegen die rechte Seite aufspringenden, auf grünem Rasen stehenden Edelhirsch natürlicher Farbe, und auf dem gekrönten Helme zwei blaue fünfendige Hirschstangen. Decken blau und Silber.

Kegeler, die Herren von.

Diese adelige Familie findet man auch häufig v. Kögeler geschrieben, sie gehört eigentlich Ostpreussen an, wo im Anfange des 18ten Jahrhunderts einer v. K. Herr auf Renschendorf war. Sein Sohn *Johann Gottfried* v. K. war Herr auf Rogallen und starb als preussischer Major. Der jüngste Sohn *Friedrich Wilhelm* folgte seinem Vater im Besitz von Renschendorf und war mit Louise v. Krösten vermählt. In dieser Ehe wurden vier Söhne und zwei Töchter geboren. Von den Söhnen war wieder der jüngste, *Karl Albrecht*, geb. 1738, dem Vater im Besitz des Familienguts gefolgt; und *Johann Ludwig* blieb als preuss. Offizier in der Schlacht bei Prag 1757. In der preuss. Armee stand 1806 noch ein Sohn aus diesem Hause als Lieutenant in der zweiten Warschauer Füselier-Brigade, und schied im Jahre 1820 als aggr. Capitain aus dem 22sten Infant.-Regiment.

Keil, die Herren von.

Aus dieser adeligen Familie war *Karl Gottwald* v. K. 1751 Erbherr auf Ermsleben bei Quedlinburg. Dieses Geschlecht führt im silbernen Schilde einen mit drei Rauten oder Wecken belegten Schrägbalken, und auf dem Helme einen Adlerflug. Der Ordensrath König giebt in seinen handschriftl. Sammlungen im 43. Bd. diese Nachricht und das Wappen, jedoch ohne Tinkturen.

Kemnitz, die Herren von, Bd. III. S. 94.

Eine adelige Familie v. K. erhielt am 16. Juni 1804 eine Anerkennungsurkunde von des jetzt regierenden Königs Majestät. Sie führt im rothen Schilde einen schräg von der obern rechten zur untern linken Seite gelegten silbernen, mit drei rothen Rosen belegten Balken. Auf dem gekrönten Helme stehen drei Rosen auf grünen zweiblättrigen Stengeln. Decken roth und Silber.

Kennesci, die Herren von.

Ein ungarischer Edelmann, *Peter* v. K., stand als Rittmeister in einem preuss. Husaren-Regiment. Er hatte vier Söhne, *Siegismund*, *Peter*, *Caspar* und *Samuel*, die 1760 nach dem Tode des Vaters in ihr Vaterland zurückkehrten, und daselbst die ansehnlichen Besitzungen ihres Hauses reclamirten und erhielten.

Kern, die Freiherren und Herren von, Bd. III. S. 97.

Friedrich v. K. kam aus würtembergischen Diensten nach Potsdam, und wendete sich dann nach Russland. Er liess einen Sohn zurück, den König Friedrich II. erziehen liess. Noch gegenwärtig stehen von dieser in Baiern und Würtemberg blühenden Familie Mitglieder im preuss. Heere, namentlich der Major v. K. in dem 19ten Infant.-Regiment, Ritter des eisernen Kreuzes. Er hatte bis zum Jahre 1806 im Regiment v. Pelgersheim gestanden. In unserm Artikel ist derselbe noch als Capitain angeführt.

Kerstenstein, die Herren von.

Diese Familie kommt auch unter dem Namen v. Kirschenstein vor; sie stammt aus dem südlichen Deutschland, kam mit dem Orden nach Preussen und erwarb daselbst die Güter Prassen, Dargau, Powunden und Dollstaedt. Als dem nach Preussen gekommenen Aste bei dem grossen Brande zu Königsberg im Jahre 1629 alle Papiere verloren gingen, wurde demselben vom Kaiser Ferdinand II. unterm 14. Mai 1631 eine Urkunde ausgestellt, die den alten Adel bezeugte. Ein anderer Ast des Hauses hatte sich nach Schlesien gewendet; er erwarb hier den Rittersitz Pristelwitz bei Oels. — *Caspar* v. K. auf Pristelwitz, Landcommissarius im Fürstenthum Oels, starb um das Jahr 1712. Diese Familie scheint gegenwärtig bei uns erloschen zu sein. Sie führt oder führte ein quadrirtes Schild, in dessen ersten und vierten rothen Felde ein aufspringender silberner Löwe, im zweiten und dritten Felde aber auf einem grünen Hügel der Zweig eines Kirschbaums, mit drei rothen Kirschen und drei grünen Blättern vorgestellt war. Auf dem gekrönten Helme wiederholte sich der Löwe abgekürzt, drei rothe Kirschen in der Pranke haltend. M. s. Olsnograph. I. Bd. S. 824. Sinapius I. Bd. S. 512. Siebmacher giebt das Wappen im III. Th. S. 93.

Kesselborn, die Herren von.

Ein ehemals adeliges Patrizier-Geschlecht zu Erfurt, dessen Stammsitz das Dorf gleiches Namens war, welches später an die v. d. Margarethen gelangte.

Kesseler, die Herren von.

Ein reich begütertes adeliges Geschlecht in der Rheinprovinz, zu Jülich, Broich und zu Rheinbach bei Cöln. Töchter aus diesem Hause sind *Maria Josepha Hubertine* v. Drigalski und *Maria Theresia Hubertine* Freiin v. Immhoff. Zu Jülich lebt *Anna Maria* v. K., geb. v. Proff, zu Broich *Maria Anna Gertrud* v. K., geb. Freifrau v. Hallberg. — Ein altes rheinländisches Geschlecht sind die K. v. Sarmsum. M. s. Humbracht Tab. 50. und Gauhe I. Bd. S. 741.

Kesslau, die Herren von.

Johann Christoph Ernst v. K. kam aus fremden Diensten 1734 in die preuss. Armee. Er starb 1753 als Oberstlieutenant, und hinterliess drei Söhne, von denen *Dietrich Wilhelm* 1757 bei Collin schwer verwundet wurde. — *Albrecht Friedrich* v. K. war herzogl. Sachsen-Hildburghaus. Geh.-Rath und Präsident.

Ketzlin, Herr von.

Unter dem alten Adel der Mark kommt *Joachim* v. K. auf Luxfelde, der mit einer v. Bredow vermählt war, vor.

Kholer, die Herren von.

Dem kurbrandenburgschen Hauptmann *Christoph* v. K. erneuerte der Kurfürst Friedrich III. am 16. Octbr. 1699 den Adel, der seinem Vater im Jahre 1654 vom Kaiser ertheilt worden war. Diese bei uns nicht mehr vorkommende Familie führt ein Schild, welches durch einen Spitzenschnitt in drei Triangel zerfällt. Im untern silbernen Dreieck steht ein Mohr, der eine Weintraube in der rechten Hand hält. In den beiden schwarzen Seitenfeldern steht ein silberner Löwe. Auf dem Helme ist zwischen zwei in schwarz und Silber gevierteten Büffelhörnern wieder der Mohr sichtbar. Decken schwarz und Silber.

Kiau, die Herren von.

Diese adelige Familie, die seit dem Jahre 1396 vorkommt, gehört der Oberlausitz an, wo das gleichnamige Stammhaus bei Zittau liegt. Andere Stammhäuser sind Friedersdorf, Grosdorf und Giessmannsdorf, die zum Theil bei Görlitz liegen; auch Körbsdorf und Althornitz sind alte Güter der v. K.'schen Familie. In der preussischen Armee haben mehrere Edelleute dieses Namens gestanden. *Friedrich Wilhelm* v. K. gelangte zur Würde eines General-Lieutenants; er wurde im Jahre 1752 Ritter des schwarzen Adlerordens und starb 1759. Gegenwärtig scheint die Familie nicht reich an Mitgliedern zu sein, und wir finden diesen Namen weder im Civil-, noch im preussischen Militairdienste. M. s. Carpzow's Zittausche Annalen. III. Th. S. 14—16. Pauli's Leben grosser Helden V. Bd. 3. u. 4. Thl. Flössel's Samml. einiger histor., krit. und genealog. Nachrichten von diesem Geschlechte. Görlitz 1766 mit der Genealogie der verschiedenen Stammhäuser 1768—1769. v. Uechtritz I. Th. Taf. 23.

Kien, die Herren von, Bd. III. S. 107.

Wappen. Ein in Gold und Silber gespaltenes Schild, hier auf grünem Rasen ein wilder, um Kopf und Hüften bekränzter Mann, der einen Kienbaum in der rechten Hand hält; in dem goldenen Felde wird der gekrönte schwarze Adler halb sichtbar. Auf dem Helme wiederholt sich der wilde Mann wie im Schilde, zwischen zwei schwarzen Adlerflügeln. Decken rechts schwarz und Gold, links roth und Silber.

Kiesewetter, die Herren von, Bd. III. S. 108.

Ein altes adeliges Geschlecht im Meissnischen und in der Oberlausitz. Zuerst findet man einen *Otto* v. K., welcher 1349 der Stadt Görlitz gegen einen Befehder, Ritscher v. Stackwitz, beistand, aber bei Verfolgung desselben bis in das Friedländische dem Friedrich v. Bieberstein in die Hände gerieth und sein Leben einbüsste. *Bernhard* v. K., geb. 1399, besass Mögkel in Schlesien und zeugte 1459 *Noah* v. K., welcher das Gut Oechelhermdorf in Schlesien an sich brachte. Dessen Sohn, *Hieronymus* v. K., wandte sich nach Sachsen, wo er zu grossen Ehren gelangte. Er wurde nämlich Doctor Juris bei Herzog August Stiftskanzler zu Merseburg, der ihn mit nach Weissenfels an seinen Hof nahm und nach erhaltener Kurwürde zum kurfürstlichen Kanzler und Geh.-Rath machte, worauf er in den wichtigsten Angelegenheiten gebraucht wurde. Er war mit bei dem naumburgischen Vergleich zwischen Kurfürst August und dem abgesetzten Kurfürsten Johann Friedrich 1554, bei der neuen Fundation der Universität Wittenberg 1569, bei Ausfertigung der Constitutionum Electoralium 1572 und andern wichtigen Vorfällen beschäftigt. *Hans Christian* v. K. war beim Anfange des 18ten Jahrhunderts Ober-Kriegscommissarius, wurde 1706 Geh. Kriegsrath und General-Commissarius, stand sodann mit bei der Armee, die in Polen und Pommern kämpfte, gelangte 1717 zur Würde eines Vice-Präsidenten des Geh. Kriegsrath-Collegium, ward 1730 General der Armee und 1733 wirklicher Präsident des Geh. Kriegsraths-Collegium. *Hans Heinrich* v. K. stieg in holländischen Kriegsdiensten bis zur Charge eines Oberst-Lieutenants. *Georg Heinrich* v. K. machte 1696 den Feldzug in Ungarn mit, begab sich eines Duells wegen in russische Dienste und stieg bis zum Oberst-Lieutenant. *Elias* v. K. diente im dreissigjährigen Kriege in der kaiserlichen Armee und wurde in der Schlacht bei Lutter 1626 erschossen. *Otto Heinrich* v. K. machte 1682 den Feldzug in Ungarn mit, ward aber von den Türken gefangen und starb 1683 in dieser Gefangenschaft. *Karl Gottlob* v. K. auf Leippe war königl. polnischer und kurfürstl. sächsischer Appellations-Rath. Dessen Sohn, *Ernst Gottlob* v. K., Herr auf Wilke, Borau, Nida und Scheibe, war kursächsischer Land-Kammerrath und starb 1778 als Amts-Hauptmann des Fürstenthums Görlitz. *Ernst Christian* v. K. wohnte verschiedenen Feldzügen, namentlich in Polen bei, und ward der Stammvater des Hauses Wanscha. *Karl Ernst* v. K. that sich in vielen Feldzügen in Ungarn, Schlesien und Böhmen sehr hervor, wohnte der Schlacht bei Kesselsdorf 1745 bei, verlor aber in der Schlacht bei Minden 1759 sein Leben. *Ernst Ludwig* v. K. auf Wanscha war mit bei den Feldzügen in Polen, im Reiche und in Ungarn, ward darauf Landes-Commissarius, dann 1762 wirklicher Geh. Kriegsrath und starb als Landes-Aeltester im Fürstenthum Görlitz. Noch nennen wir *Gottlob Ernst* v. K. auf Werda, der, nachdem er sich in verschiedenen Feldzügen hervorgethan und bis zum Major gestiegen war, erst kurfürstl. sächsischer Landes-Commissarius, 1779 aber Landes-Aeltester im Fürstenthum Görlitz wurde.

Das Wappen derer v. K. ist ein in der Mitte quer getheilter Schild. In dessen oberm blauen Felde erscheint ein unbekleidetes Kind, in der rechten Hand einen rothen Apfel haltend; im untern rothen Felde eine silberne Schlange, die sich mit dem Kopfe in die Höhe krümmt. Auf dem gekrönten Helme steht ein Engel in silberfarbener Kleidung, mit rothen Flüge'n und einer rothen Binde, der in der rechten Hand einen Scepter hält. Die Helmdecken sind blau und roth. (Andere erklären die Figur des Kindes für eine erwachsene Mannsperson, die in der rechten Hand den Reichsapfel hält.)

Kikol, die Herren von.

Eine adelige Familie, die mit dem Orden aus Oesterreich nach Preussen gekommen ist. Sie hat früher v. Kriwitz geheissen, und ein Ritter aus diesem Hause, der mit grosser Tapferkeit das Schloss Kikol vertheidigte, erhielt als ehrende Erinnerung den Namen davon. In Preussen kommt 1530 ein *Otto* v. K. vor. — *Nicolas* v. K. lebte 1570 bei Soldau und hatte viele Kinder. — *Johann Jacob* v. K. war 1655 churfürstl. brandenburgischer Oberst und mit einer v. Wernsdorf vermählt. Aus dieser Ehe war *Siegismund Friedrich* v. K. königl. preuss. Oberst, und Hauptmann zu preuss. Mark; er starb am 11. April 1740. Aus seiner Ehe mit einer v. Polenz hinterliess er keine Kinder, und wir haben seitdem nicht mehr diesen Namen vorgefunden. M. s. preuss. Arch. Jahrg. 1798. S. 444.

Kirberg, die Herren von.

Eine adelige Familie im Clevischen. — *Martin* v. K. genannt Kaen war 1400 Landrentmeister im Clevischen. — Wappen. Sie führten im silbernen Felde einen rothen Sparren oder Hausgiebel und auf dem Helme einen verkürzten rothen Geisbock mit silbernen Hörnern.

Kirchhoff, die Herren von.

Ein angesehener Bürger und Handelsmann in Lauban, *Christian* K., war unter dem Namen der reiche Kirchhoff bekannt. Sein Urenkel *Anton Gottlieb*, österreichischer Cornet, wurde 1727 vom Kaiser mit dem Prädikat v. Grünkirch in den Adelstand erhoben; er besass das Gut Oberbierberg und lebte zuletzt in Mark-Lissa, wo er am 20. Mai 1750 starb. M. s. v. Megerle S. 161.

Kirschbaum, die Herren von.

Sie stammten von *Hans Georg* K., einem tapfern Offizier, den Kaiser Rudolph v. Habsburg im Jahre 1278 zum Ritter schlug. Im Jahre 1648 liess sich *Wenzel* v. K., kaiserl. Oberst, in Schlesien nieder und erwarb die Güter Mittel- und Ober-Raw. Sein Enkel *Johann Friedrich* starb am 29. Septbr. 1779 als königl. preuss. Oberstlieutenant und Amtshauptmann; wahrscheinlich war er der letzte seines Geschlechts bei uns. M. s. Sinapius I. Bd. S. 513.

Kirschdorf, Herr von.

Siegmund v. K. war fürstl. brandenburgischer Rath und Landvoigt zu Schaken in Preussen.

Kitscher, die Herren von.

Eine adelige Familie dieses Namens gehört der Ritterschaft der Lausitz an, obgleich das Stammhaus bei Borna im Königreich Sachsen liegt. Ein Zweig des Hauses hatte sich auch in den Marken ansässig gemacht. Ihm gehörte an *Lewin Dennis* v. K., Herr auf Briesen bei Schievelbein in der Neumark. Er starb 1741 als königl. preussischer Hauptmann mit Hinterlassung von zwei Söhnen. Sie führen ein in Silber und schwarz dreimal getheiltes Schild, und auf dem Helme drei silberne und zwei schwarze Straussenfedern, in Silber und schwarz abwechselnd. Decken Silber und schwarz.

Kitten, die Herren von.

Ein pommersches adeliges Geschlecht, das im Bütowschen ansässig war. König erwähnt dieses Geschlecht in seinen handschriftlichen genealogischen Sammlungen. Brüggemann dagegen führt es nicht mit auf.

Kitzel, die Herren von.

Ein adeliges Geschlecht dieses Namens war in der Lausitz begütert, wo *Anton* v. K. das Rittergut Biegnitz bei Görlitz besass.

Kitzki, die Herren von.

Sie stammen aus Preussen. — Ein Major v. K. stand im Jahre 1806 im dritten Musketier-Bataillon des Regiments v. Grabert zu Silberberg und starb 1808 a. D.

Klass, die Herren von, Bd. III. S. 113.

Wappen. Das Schild ist quadrirt; im ersten und vierten silbernen Felde ein rother Löwe, im zweiten silbernen Felde der gekrönte Hals und Kopf eines schwarzen Adlers. Im dritten blauen Felde ein in seinem Neste stehender Schwan, der die Jungen mit dem Blute aus seiner Brust nährt. Auf dem Helme zwischen einem schwarzen und einem rothen Adlerflügel die mit dem linken Fuss auf der Himmelskugel schwebend stehende Göttin. Decken rechts schwarz und Silber, links blau und Silber.

Kleinsorge, die Herren von.

Der kursächsische Geheimerath v. K. ist vom Kaiser geadelt und in dieser Eigenschaft am 9. Septbr. 1698 vom Kurfürsten von Brandenburg anerkannt worden. Diese Familie führt im goldenen Schilde einen schwarzen Druttenfuss oder ein aus zwei, über einander gelegten Triangeln gebildetes Sechseck, das sich auf dem Helme zwischen zwei Pfauenfedern wiederholt. Decken schwarz und Gold.

Klepelshagen, die Herren von.

Das Gut Klepelshagen gehört jetzt denen v. Arnim. Von dem Geschlechte findet sich *Johannes* de K. als Zeuge und churfürstlicher Capellanus oder Kanzler in der Verschreibung über das Dorf Warth an das Kloster Boitzenburg vom Jahre 1295. Grundmann S. 44.

Klevenow, die Herren von, Bd. III. S. 114.

Wappen. Im ersten und vierten blauen Felde eine silberne französische Lilie, im zweiten und dritten silbernen Felde einen schwarzen Adlerflügel, belegt mit den Kleestengeln. Auf dem gekrönten Helme wiederholt sich die Lilie. Decken blau und Silber.

Klewitz, Herr von.

Der Geheime Staatsminister v. K., zuletzt mit dem Ober-Präsidium der Provinz Sachsen beauftragt und im Jahre 1837 in den Ruhestand versetzt, ist von des jetzt regierenden Königs Majestät, als damaliger Geh. Finanzrath, am 10. Juli 1803 in den Adelstand erhoben worden. Das ihm beigelegte Wappen ist quadrirt, in den silbernen Feldern 1 und 4 ist ein grünes Kleeblatt, in den blauen Feldern 2 und 3 eine goldene französische Lilie vorgestellt. Auf dem gekrönten Helme schwebt zwischen zwei schwarzen, mit den Kleestengeln belegten Adlerflügeln ein silberner Anker. Decken rechts grün und Silber, links blau und Silber.

Klinggräff, die Herren von, Bd. III. S. 114.

Wappen. Ein blau und goldenes, durch einen breiten rothen Querbalken durchschnittenes Schild. In der obern blauen Hälfte ist ein schwebender goldener Stern, in der untern goldenen Hälfte sind drei schwarze Kugeln, oben zwei, unten eine, vorgestellt. Auf dem gekrönten Helme steht der schwebende goldene Stern zwischen zwei Büffelhörnern, das rechte ist oben golden, unten blau, das linke oben roth, unten golden. Decken rechts blau und Gold, links roth und Gold.

Klinkow, die Herren von.

Petrus und *Johannes* v. K. haben im Jahre 1320 einen Altar in der Nicolai-Kirche zu Prenzlau errichtet und zu zwei Messen dotirt, und kurz nachher im Jahre 1335 den Armen im heiligen Geist- und Georgen-Hospital acht brandenburgische Pfund jährlich vermacht. Das Dorf Klinkow liegt nahe an der Stadt Prenzlau und war im Besitz verschiedener Herren. Grundmann S. 44.

Klockow, die Herren von.

Wichart v. K. hat im Jahre 1375 gelebt und nach Angabe von Karls IV. Landbuche einen Rittersitz in seinem Stammgute Klockow bewohnt. — *Henning* v. K. „des Markgrafen zu Brandenburg Mann" verkaufte im Jahre 1400 dem Jungfrauen-Kloster in Prenzlau zwei Hufen im Dorfe Baumgarten. M. s. Grundmann S. 44.

Klöden, die Herren von, Bd. III. S. 119.

Das Stammhaus dieser Familie ist das Dorf Klöden in der Altmark. — *Johann* v. K. war 1604 Senior des Stiftes zu Brandenburg. Diese Familie führt im rothen Schilde drei silberne Aexte an golden und schwarzen Stielen; sie wiederholen sich auch auf dem Helme.

Klossowski, die Herren von.

Ein polnisches, auch in West-Preussen ansässiges Geschlecht; aus demselben ist der Probst zu Damsdorf und Dechant zu Bütow v. K.

Kniàzcewitz (wich), die Herren von.

Friedrich Wilhelm v. K. kam aus Curland in die diesseitigen Staaten. Am 19. Octbr. 1768 erhielt er das schlesische Incolat. — Sein Sohn *Johann Ernst* v. K. trat in die preussische Armee, und machte den siebenjährigen Krieg als Offizier im Regiment Prinz v. Preussen mit. — Ein Bruder des erstgedachten v. K. war in Polen begütert. Sein Enkelsohn gelangte zur Würde eines polnischen General-Lieutenants und ist vor einigen Jahren in Dresden gestorben.

Knippin, die Herren von.

In Cleve lebte 1544 *Heinrich* v. K., Drost zu Hamm. Sein Sohn *Heinrich* wurde 1565 mit den Gütern Stockhum, Lohnus und Groncey belehnt. — *Dietrich* v. K., fürstl. clevischer Rath, starb 1565 ohne Erben. — Wappen. Sie führen oder führten ein rechts goldenes, links rothes Schild, der dasselbe theilende Faden ist mit drei schwarzen Ringen belegt. Diese Ringe wiederholen sich auch auf dem gekrönten Helme zwischen einem goldenen und rothen Adlerflügel. Decken Gold und roth.

Knispel, die Herren von.

In Westphalen kommt eine adelige Familie dieses Namens vor. *Johann Wilhelm* v. K., Rittmeister, lebte zu Altena; 1782 war sein Bruder, *Johann Christian* v. K., königl. polnischer Oberstlieutenant.

Knopäus, die Herren von, Bd. III. S. 131 u. 132.

Beschreibung des Wappens nach Berndt's Wappenbuch Fol. 65: Im schwarzen Schilde ein schwebendes, aus neun kleinen Rauten zu einer grossen Raute geflochtenes und an seinen vier Seiten in einen Bogen austretendes goldenes Gitter u. s. w.

Knorr, die Herren von.

Die adeligen Familien dieses Namens sind sehr zahlreich. In Thüringen und im Eichsfelde, so wie in Schlesien und in der Mark, waren und sind noch gegenwärtig Edelleute dieses Namens begütert. Eine Familie v. K. führt den Beinamen v. Rosenroth, sie erhielt vom Kaiser Maximilian I. den Adelstand und das Prädicat, und eine Linie auch den Freiherrenstand. Mehrere aus dieser Familie haben im preussischen Staatsdienst gestanden und stehen noch in demselben. Das ehemalige Kloster Wahlstadt bei Liegnitz in Schlesien, wo gegenwärtig ein königl. Cadettenhaus eingerichtet wird, ist das Eigenthum eines Hauptmanns v. Knorr, der mit einer v. Birkhahn vermählt ist. M. s. Henel, Silesiograph. p. 713.

Koch, die Herren von, Bd. III. S. 132.

Vollständiges Wappen der am 12. Juni 1769 in den Adelstand erhobenen Familie v. K. Das Schild ist quadrirt; im ersten und vierten goldenen Felde ist ein aufspringender rother Löwe, der nach der rechten Seite sich wendet, im zweiten und dritten silbernen Felde ein schwarzer Adlerflug vorgestellt. Auf dem gekrönten Helme wiederholt sich der Löwe verkürzt zwischen dem schwarzen Adlerfluge. Decken rechts schwarz und Silber, links roth und Gold.

Kochanski, Herr von.

Franz Siegismund v. K. war königl. preuss. Major.

Koeckten, die Herren von.

Diese Familie gehörte dem Magdeburgischen und der Altmark an. Demcke oder Demcker, ein ansehnlicher Rittersitz bei Tangermünde in der Altmark, so wie Langensalzwedel gehörten dieser Familie als Lehne. — *Jahn* v. K. starb als der letzte seines Geschlechtes im Jahre 1818. Seine Lehne fielen an den Ober-Jägermeister Hans Jacob v. Roth.

Köhler v. Lossow, die Herren.

Der in unserm Artikel Bd. III. S. 304 erwähnte Generallieutenant *Daniel Friedrich* v. Lossow hatte, wie wir ebenfalls angeführt haben, da seine Ehe mit Sophie Eleonore v. Zedmar kinderlos war, den Premier-Lieutenant im Bosniaken-Corps, *Johann Christoph* Köhler, adoptirt, und derselbe wurde am 6. Mai 1777 in den Adelstand erhoben. Der von uns erwähnte Generallieutenant von der Armee, *Friedrich Constantin* v. L., ist der Sohn des erwähnten *Johann Christoph* K. v. L. Das Wappen der Familie K. v. L. zeigt in einem von der obern linken zur untern rechten Seite schräg in Silber und roth getheiltem Schilde einen Luchs, der an einer die ganze Länge des Schildes einnehmenden goldenen altritterlichen Lanze, aus dem rothen Felde ins silberne aufspringt. Auf dem mit einem roth und silbernen Bunde ausgelegten Helme, steht der Luchs verkürzt zwischen zwei in roth und Silber gevierteten Büffelhörnern. Decken roth und Silber.

Könen, die Herren von, Bd. III. S. 137.

Die Herren v. K. führen im schwarzen Schilde drei goldene Balken. Der erste ist nur halb, der zweite und dritte von oben bis unten durch das ganze Schild gezogen. Auf dem gekrönten Helme steht ein in schwarz und Gold gevierteter Adlerflug. Decken schwarz und Gold.

18 *

König, die Freiherren u. Herren v., Bd. III. S. 138.

Wappen der am 22. Juli 1721 erhobenen Familie v. K. Das Schild liegt über zwei ins Andreaskreuz gelegte Espontons und zeigt im silbernen Felde zwei schwarze Adlerflügel, auf dem Helme wehen drei Straussenfedern, silbern, schwarz, roth. Decken rechts schwarz und Silber, links roth und Silber.

Königsdorff, die Grafen von, Bd. III. S. 139.

Mitglieder des Hauses im Jahre 1838.

I. Graf *Karl Felix* auf Lohe u. s. w., geb. den 18. April 1833, Sohn des am 1. Decbr. 1836 gestorbenen Grafen *Felix*.

Schwestern.

1) *Eleonore Henriette Amalie Franziska*, geb. den 11. Febr. 1831.
2) *Hedwig Anna Clara*, geb. den 10. April 1832.

Mutter.

Gräfin *Henriette Margarethe Luise Therese Auguste Karoline* v. Pritzelwitz, geb. den 2. Febr. 1798, Wittwe seit 1. Decbr. 1836.

Vaters Schwester.

Amalie Charlotte, verehelicht gewesene Gräfin Poninska, geb. den 25. März 1784.

II. Graf *Ludwig*, Wittwer seit 1826 von Philippine, Gräfin Schaffgotsch.

Kinder.

1) *Gustav*, 2) *Maria*, 3) *Johanna*, 4) *Elisabeth*.

Bruder.

Graf *August*, Herr auf Koberwitz, Landrath des Breslauer Kreises, Wittwer seit 1831 von Franziska Gräfin Schaffgotsch.

Sohn.

Lothar, geb. 1810, königl. preuss. Lieutenant im 1sten Cürass.-Regiment.

III. Graf *Heinrich*, Herr auf Pniow.

Geschwister.

1) *Eugenie*, vermählt mit dem Freiherrn v. Saurma auf Remberg, 2) *Franziska*, 3) *Eduard*, 4) *Maria*.

Königstoz, die Herren von.

Hentso v. K. war im Jahre 1350 Bürgermeister in Prenzlau, wie aus einer Obligation, die der Magistrat an der Marien-Kirche über hundert Mark Silber ausgestellt, zu ersehen ist. Den Namen K. führt in der Uckermark ein kleiner Bach, welcher ungefähr 1½ Meile unterhalb Prenzlau in den Ucker-Strom fällt und an dem eine Wiese liegt, welche unter dem Namen der Herren-Wiese, als ein Ritterlehn, verschiedenen Familien gehört, deren Güter nicht daran stossen. M. s. Grundmann S. 45.

Könneritz, die Herren von.

Diese Familie gehört Sachsen und Thüringen an. Sie kommt öfters in der Geschichte des Landes vor. *Nicolas* v. K. war Kaiser Karls V. Rath. *Erasmus* v. K. war 1551 Oberhof-Richter. Kaiser Rudolph II. hat am 29. Decbr. 1598 einen v. K., der sich nach Niederösterreich gewendet hatte, in den Freiherrnstand erhoben. Einige v. K. haben im preussischen Militairdienst gestanden oder stehen noch gegenwärtig in demselben, namentlich der Major v. K., der früher in sächsischen Diensten stand. Im Königreich Sachsen ist die Familie noch gegenwärtig begütert, und zu hohen Staatswürden gelangt. — *Hans Heinrich* v. K. ist wirklicher Geh.-Rath und königl. sächsischer Gesandter am königl. französischen Hofe. *Julius Traugott Jacob* v. K. ist königl. sächsischer Staats- und Justiz-Minister. *Rudolph* v. K. ist königl. sächsischer Kammerherr und Geschäftsträger in München. — Die v. K. führen im silbernen Schilde drei in einen Triangel gestellte kurze, rothe Scheeren und auf dem Helme sechs Straussenfedern, die drei rechten silbern, die drei linken roth. M. s. König II. Th. S. 560 — 568. Gauhe I. Th. S. 796 u. f. Möllers Denkwürdigkeiten S. 109. v. Uechtritz, dipl. Nachrichten, wo aus den Kirchenbüchern von Grimma Nachrichten vom Jahre 1735 — 1791 stehen. Wissgrill V. Th., S. 335—337.

Köpken, die Herren von.

Der König Friedrich Wilhelm II. erhob am 11. Nov. 1786 die Brüder *Arnd* K., Geheimer Finanzrath, und *Johann* K., Canonicus, so wie deren Vetter *Friedrich* K., Hofrath, in den Adelstand. Diese Familie war am Anfange dieses Jahrhunderts bei Halle begütert. Sie führt ein quadrirtes Schild, im ersten und vierten goldenen Felde ist die Göttin, auf der Weltkugel stehend, im zweiten und dritten Felde ein grüner Eichenkranz vorgestellt. Auf dem gekrönten Helme steht ein schwarzer, gekrönter Adlerhals. Decken roth und Silber.

Köppen, die Herren von.

1) Ein altadeliges Geschlecht in Pommern, das im Wolgastschen begütert war. Micrälius III. Bd. S. 83. Gauhe I. Bd. S. 798.

2) Der kurbrandenburgische Rath und Professor der Rechte zu Frankfurt a. d. O., *Johann* K., wurde im Jahre 1571 geadelt.

3) Der preuss. Art.-Hauptmann, *Peter Rudolph* K., welcher am 17. Juli 1717 geadelt wurde. Das preuss. Wappenbuch giebt Th. III. S. 69 das Wappen dieser Familie v. K. Es zeigt im gespaltenen Schilde, im rechten silbernen Quartiere den Hals und Kopf eines gekrönten schwarzen Adlers, das linke Feld ist quer in Gold und blau getheilt, hier steht eine französische Lilie, dort ein Mohrenkopf mit silberner Stirnbinde. Auf dem gekrönten Helme wiederholt sich der rechts gekehrte gekrönte Adlerhals. Decken rechts blau und Silber, links schwarz und Silber.

Köster v. Köstritz, die Herren.

Adolph Friedrich K. v. K. war Amtshauptmann und Herr auf Blankenhagen im Jahre 1794. — *Karl Christian* K. v. K. war Rathsherr. Ein Herr K. v. K. ist gegenwärtig königl. Procurator zu Elberfeld.

Kohlen, die Herren von.

Zu Königsberg in Preussen kommt eine adelige Familie dieses Namens vor. — *Christian* v. K., Rathsherr zu Königsberg, war mit Auguste v. Derschau vermählt. Aus dieser Ehe war *Reinhold Heinrich* v. K., der am 16. April 1698, dreizehn Jahr alt, als der letzte seines Geschlechtes starb.

Kohlo, die Herren von.

Ein der Lausitz angehöriges adeliges Geschlecht, das am 28. Febr. 1594 vom Kaiser Rudolph eine Erneuerung seines Adels erhielt; das darüber sprechende Diplom ist für *August Andreas* v. K. ausgestellt. Diese Familie besass grosse Besitzungen, namentlich die jetzt gräflich Einsiedelsche Standesherrschaft Reibersdorf, auch Türgau und Eubau. In der Gegenwart scheint die Familie erloschen zu sein. — M. s. J. Fr. Seidel, des Kohloschen Stammes Cron und Lohn. Budissin, 1670. Fol.

Kokorzowecz v. Kokorzova, die Grafen.

Dieses war eines der ältesten und ansehnlichsten gräflichen Häuser in Böhmen, welches nach Balbin's Bericht mit dem ersten Herzoge Czecho in Böhmen aus Kroatien gekommen ist; davon lebten mehrere Zweige in Schlesien.

Im Jahre 1130 *Divislaus*, 1203 *Zdislaus*.

Im Jahre 1250 starb *Bartholomäus* K. v. K. Dessen Gemahlin, Salome Freiin v. Waldeck und Schellenberg, starb 1270. Ihr Sohn war:

Heinrich K. v. K., Herr auf Wscherub, gest. 1362. Gemahlin: Katharina v. Nedviedkowa, gest. 1349. Sohn: *Johannes* auf Wscherub, welcher 1470 über 100 Jahre alt starb. Seine Gemahlin, Elisabeth v. Daupova, gest. 1474, ruhet in der Kirche zu Wscherub.

Von ihnen stammte im fünften Grade ab: *Ferdinand* Graf K. v. K., vermählt mit Maria Adelheid, Freiin v. Printzen. Kinder: 1) Graf *Peter Franz Joseph*, 2) *Wenzel Franz*, 3) *Johann Franz*, 4) *Ferdinand Franz Felix*, 5) *Franz Adam*, 6) *Julius Franz Maximilian*, 7) *Michael Franz* (1688).

Um das Jahr 1710 war *Peter Franz* Graf K. v. K. oberster Münzmeister des Königreichs Böhmen, und *Wenzel* Graf K. v. K., königl. Appellationsrath in Böhmen.

Noch 1730 lebte in Schlesien *Franz*, des heiligen römischen Reichs Graf K. v. K., beim hohen Domstifte zu St. Joh. in Breslau Canonicus.

Es haben sich auch die K. v. K. in Böhmen, Schlesien, Polen, und Mähren ausgebreitet. Am 19. Novbr. 1835 starb zu Wien *Josephine* Gräfin K. vermählte Freiin v. Schönstein. In ihrem Wappen ist ein Löwe, welcher halben Leibes hinter einer Mauer hervorspringt. Leo pro muris stans et hostes arcens, bicaudatus, schreibt Balbinus. Von ihnen meldet Paprocius in Speculo Morav., sie wären ex Rheni partibus in Polen, und so nach Mähren gekommen. Dergleichen Wappen führen auch die v. Eysersdorf in Schlesien, das Wappen aber derer v. Khokors und Camin in Schlesien ist verschieden. M. s. Kokorzova in Gauhe's Adels-Lexicon.

Kolbitz, die Herren von.

In Preussen kommen Edelleute dieses Namens vor. — *Hans* v. K. war 1622 Herr auf Schanden. — *Otto Friedrich* v. K. starb 1754 als Herr auf Pastaken, seine Schwester *Anna Louise* war an den Oberstlieutenant v. Rauter vermählt; sie erscheint als der letzte Zweig ihres Geschlechtes.

Kommerowski, die Herren von.

Das Stammhaus dieser Familie ist das Dorf Kommerowa bei Schneidemühl in Westpreussen. Hier sind Brzemsa, Welpin, Dombrowska, Brählsdorf u. s. w. Güter und Besitzungen der Familie, die zum Theil noch in ihren Händen sind. — *Stanislaus* v. K. besass sie im Jahre 1780, er hatte drei Söhne, *Jacob*, *Matthias* und *Joseph*. — Mehrere Edelleute dieses Namens sind im Cadettenhause zu Colm erzogen worden. — Ein Hauptmann v. K., der früher in der zweiten ostpreussischen Füselier-Brigade gestanden hatte, schied 1810 mit Pension aus dem 5ten Infanterie-Regiment. — Ein anderer Hauptmann v. K., der 1806 in dem Regiment v. Zweiffel in Baireuth gestanden hatte, starb 1812. In der Gegenwart steht ein Offizier dieses Namens in der Armee, der Premier-Lieutenant v. K. im königl. Artillerie-Corps, ohne dass wir zu entscheiden vermögen, ob er zu derselben Familie gehört.

Koop, die Herren von, Bd. III. S. 150.

Das dem in den Adelstand erhobenen Lieutenant *Christ. Philipp* K. beigelegte Wappen zeigt im blauen, mit einem Hermelinmantel umhangenen Schilde drei in einer Reihe neben einander stehende silberne Leuchter, unter denselben aber ein schwebendes goldenes Ankerkreuz. Auf dem Helme steht zwischen zwei blauen Büffelhörnern ein silberner Leuchter. Wappenbuch der preuss. Monarchie III. Bd. S. 69.

Ein Sohn des *Christian Philipp* v. K., *August* v. K., stand im Regiment v. Thile in Warschau und vermählte sich 1800 mit einer v. Briesen. Dessen jüngerer Bruder stand 1806 im Regiment König v. Baiern Dragoner und ist gegenwärtig Major und Gensd'armerie-Brigadier in Magdeburg.

Kopka v. Lossow, die Herren.

Ein Mitglied der altadeligen Familie v. Kopkow in Oesterreich trat aus kaiserlichen Kriegsdiensten in die diesseitigen und zwar in dem Regiment Bosniaken. Er fand jedoch als Rittmeister kurze Zeit nach seinem Eintritte schon durch einen unglücklichen Sturz mit dem Pferde einen frühen Tod. Von seiner Gemahlin, einer gebornen v. Wrochem aus Schlesien, die sich später mit dem Obersten v. Heilsberg vermählte, hinterliess er zwei Söhne, *Karl* und *Leopold* v. Kopka (es hatte sich nämlich im Laufe der Zeit der eigentliche Familienname Kopkow mit der polnischen Endsilbe in Kopka umgewandelt). Beide erwähnten Brüder traten ebenfalls in das Regiment Bosniaken ein. *Karl* v. K., der ältere der Brüder, starb als Lieutenant unvermählt. *Leopold* v. K. aber lebte bis zum Jahre 1828. Er war im Jahre 1806 Staabs-Rittmeister in dem Regiment Towarzysz, wo er in Biezon garnisonirte. Im Jahre 1813 war er Major im 1sten

Uhlanen-Regiment, aus welchem er als Oberst-Lieutenant mit Pension ausschied. Dem Wunsche eines Anverwandten gemäss, des Majors a. D. v. Lossow, nahm er mit königlicher Bewilligung und mittelst Diploms vom 2. Octbr. 1822 den Namen Kopka v. Lossow mit verändertem Wappen an (m. s. u.). Er hinterliess zwei Söhne, von denen der ältere bis zum Jahre 1835 als Lieutenant im 2ten Cürassier-Regiment, und der jüngere noch gegenwärtig als Lieutenant im 3ten Cürassier-Regiment steht. Das ursprüngliche Familienwappen des österreichischen Geschlechtes v. Kopkow zeigt im Schilde einen aufrecht stehenden Löwen, und auf dem Helme zwischen zwei Büffelhörnern einen schwebenden Stern. Das den gegenwärtigen Herren K. v. L. nach dem erwähnten Diplom beigelegte Wappen aber zeigt im schräg von der obern linken zur untern rechten Seite in Silber und roth getheilten Schilde eine Lanze, nach altritterlicher Form, der Schaft ist von Silber und reicht bis an den untern Rand des Schildes, die Spitze der Lanze aber bis an den obern Rand. Aus dem rothen Felde springt in das silberne Feld ein Luchs mit dem Kopfe einer Eule empor, so dass der Kopf und der vordere Theil des Luchses im silbernen Felde steht und der Oberleib sich an die Lanze anlehnt. Auf dem Helme liegt ein roth und silberner Bund, darauf stehen zwei in Silber und roth geviertete Büffelhörner, und zwischen ihnen verkürzt der Luchs. Decken roth und Silber.

Koppelow, die Herren von.

Dieses ursprünglich Mecklenburg angehörige Geschlecht wird auch in alten Urkunden Coppelau genannt. Es haben verschiedene Mitglieder dieser Familie im preussischen Dienst gestanden, namentlich einer v. K., der früher in der magdeburgischen Füselier-Brigade stand und nachmals zu Möllenbeck bei Grabow lebte. Ein anderer stand im Dragoner-Regiment Wobser, später im Marwitzischen Freicorps, im Jahre 1815 war er in mecklenburg-schwerinschen Diensten. Gegenwärtig steht ein Offizier dieses Namens im 24sten Infant.-Regiment zu Prenzlow. Es führen die v. K. im silbernen Schilde fünf Rautensteine, oben und unten zwei rothe, in der Mitte einen blauen. Auf dem Helme steht ein verkürzter roth gekleideter Mann mit unbedecktem Haupte, er hält in der rechten Hand eine grüne Pfauenfeder, die linke Hand stützt er in die Seite. Decken Silber und roth. M. s. Gaube I. Th. S. 813. v. Westphalen, Monum. med. Tab. 19. No. 58. und Tab. 20. No. 66. v. Meding beschreibt das Wappen im III. Th. No. 427.

Koppenfels, die Herren von.

Diese adelige Familie, die von einem thüringischen schon früher adeligen Geschlechte sich ableitet, hat zum Stammherrn den fürstlich Sachsen-Hildburghausenschen Geh.-Rath *Johann Sebastian* Kobe, der am 26. April 1754 vom Kaiser Franz I. ein Adelsdiplom erhielt, aber für seine Person von dieser Erhebung keinen Gebrauch machte. Ein Sohn des Erhobenen war der Sachsen-Weimarische Kanzler *Johann Friedrich* v. K. In der preussischen Armee stand der Hauptmann v. K. im 31sten Infant.-Regiment zu Erfurt, der im Jahre 1837 als Major mit Aussicht auf Civilanstellung ausgeschieden ist. M. s. Krohne II. S. 196 u. f. 435. v. Uechtritz, diplomat. Nachr. (von 1741—1776.) VI. Th. S. 34. v. Meding III. Th. No. 429. u. m. a.

Korbitz, die Herren von.

Das Stammhaus dieser Familie ist Martinskirchen bei Wurzen. — *Wolf* v. K. war Herr auf Martinskirchen. In der preussischen Armee diente als Major *August* v. K. — Wappen. Sie führen ein in der obern Hälfte silbernes, in der untern Hälfte in schwarz und Silber gespaltenes Schild. Auf dem gekrönten Helme aber eine goldene Säule mit fünf in roth und schwarz abwechselnden Straussenfedern besteckt.

Kordshagen, die Herren von.

Am 13. Mai 1769 erhob König Friedrich II. den Rittmeister im Husaren-Regiment v. Ziethen, *Johann Christ.* K., Sohn eines Bauern aus dem mecklenburgischen Dorfe Spornitz, in den Adelstand. Er starb den 17. Juni 1775 zu Parchim. Sein Sohn, der in demselben Regimente diente, starb als Rittmeister, nach heldenmüthigem Kampfe, am 3. Novbr. 1806 im Gefecht bei Criewitz, an ehrenvollen schweren Wunden. Mit ihm ist diese Familie wieder erloschen. — Das von diesem in den Adelstand erhobenen Geschlecht geführte Wappen ist quadrirt, im ersten silbernen Felde ist ein gekrönter schwarzer Adlerhals, im zweiten und dritten blauen Felde sind zwei silberne Sterne, einer im obern rechten, einer im untern linken Winkel, im vierten silbernen Felde aber auf grünem Rasen eine aus sechs Kanonenkugeln geformte Pyramide vorgestellt. Die Felder 2 und 3 sind von der obern linken zur untern rechten Seite mit einem rothen Schrägbalken belegt. Auf dem gekrönten Helme ist ein rother und ein blauer Adlerflügel angebracht. Decken rechts blau und Silber, links roth und Gold.

Kornmann, Herr von.

König Friedrich II. adelte am 24. Novbr. 1750 den Geh. Kriegsrath, Director der Kriegs- und Domainenkammer in Königsberg, auch Erbherrn auf Gauten, Cojecten u. s. w., Kornmann (Kornemann). Er starb am 20. Decbr. 1752. Das ihm beigelegte Wappen ist in Gold und blau gespalten, hier steht ein gerüsteter Mann mit Pickelhaube, dort sind drei Kornähren an einem grünen Stengel vorgestellt. Auf dem Helme sind zwei schwarze Adlerflügel, zwischen denen ein goldener Stern schwebt, angebracht. Decken schwarz und Silber.

Korth, die Herren von.

Sie gehören dem alten schwedischen Adel an. — *Karl Gustav* v. K., königl. schwedischer Oberstlieutenant, machte sich im Lauenburgschen ansässig. — *Michael* v. K. auf Sackrau in Preussen erhielt eine Erneuerung seines Adels. Im Jahre 1806 standen mehrere Offiziere dieses Namens in der Armee, namentlich ein Lieutenant v. K. im 19ten Regiment, der 1813 an ehrenvollen Wunden starb, und der Lieutenant v. K. im Infant.-Regiment v. Rüts, der am 16. März 1838 als Oberst, Regiments-Commandeur und Ritter des eisernen Kreuzes I. Classe (erworben 1815 bei Sombreuf) starb.

Kortmann, Herr von.

König Friedrich II. erhob am 2. Decbr. 1769, nach einer andern

Quelle am 12. Juni 1770 den Lieutenant im Wolffersdorfschen Husaren-Regiment, *Wilhelm* K., in den Adelstand. Er war aus der Grafschaft Mark gebürtig, starb 1773 und scheint keine Nachkommen hinterlassen zu haben. Sein Wappen war ein in Silber und grün in die Quere getheiltes Schild. In dem silbernen Felde steht ein nach der rechten Seite aufspringender Löwe, der zwei eiserne Schwerter in den Pranken hält. Auf dem gekrönten Helme ist ein gerüsteter, ein Schwert schwingender Arm angebracht.

Kortzfleisch, die Herren von, Bd. III. S. 156.

Im Jahre 1731 diente ein Oberst v. K. im Coselschen Regiment.

Koschkull (Kosküll), die Grafen u. Freiherren von.

Es kommt diese adelige Familie als ein altes Rittergeschlecht schon im 12ten Jahrhundert in Estland vor, von wo sich Zweige nach Schweden, Preussen, Liefland und Kurland gewendet und verbreitet haben. In Schweden wurden am 2. Mai 1719 *Andreas* v. K. und am 2. März 1720 *Otto Johann* v. K. Freiherren. Aus dem kurländischen Aste wurde *Joseph Wilhelm* v. K., Erbherr auf Bebber, Pewicken und Labraggen, im Jahre 1802 in den Reichsgrafenstand erhoben. In der preuss. Armee haben schon seit längeren Jahren Söhre aus diesem Hause gestanden. Im Jahre 1806 stand im Regiment Garde zu Potsdam ein Hauptmann v. K., und in dem Regiment v. Rüchel zu Königsberg stand damals der Premier-Lieutenant und Adjutant *Ernst Wilhelm* v. K., der gegenwärtig General-Major und Commandant von Königsberg ist. Derselbe erwarb sich im Jahre 1814 vor Paris das eiserne Kreuz I. Classe.

Die Mitglieder der jetzt lebenden Familie sind die Kinder des am 19. März 1812 verstorbenen Reichsgrafen *Karl* v. K.: 1) *Elisabeth* Gräfin v. K., geb. den 24. März 1799. 2) *Louise* Gräfin v. K., geb. den 10. Decbr. 1800. 3) *Joseph* Graf v. K., Hauptmann und Gerichtsassessor zu Goldingen, geb. den 20. Mai 1802. 4) *Emma* Gräfin v. K., geb. den 24. Novbr. 1805, vermählt mit Karl v. Meerscheidt, genannt Huelsen.

Joseph Wilhelm Reichsgraf v. K., geb. 1789 (Stiefbruder des im Jahre 1812 verstorbenen Reichsgrafen *Karl* v. K.), kais. russ. Oberst a. D., Erbherr auf Karlsruhe in Liefland, war vermählt mit Cäcilie Freiin v. Liliengleich, welche gestorben ist. Davon eine Tochter: *Elise* Gräfin v. K., geb. 1825.

Stanislaus Reichsgraf v. K., geb. 1790.

Franz Reichsgraf v. K., geb. 1792, kaiserl. russischer Kammerherr und Collegienrath, Erbherr auf Kageln und Rosenblatt in Liefland, vermählt mit Barbara v. Slepuschkin, geb. 1802. Kinder: 1) *Natalie*, geb. 1822. 2) *Olga*, geb. 1823. 3) *Michael*, geb. 1824. 4) *Cäcilie*, geb. 1825. 5) *Joseph*, geb. 1826, und 6) *Alexander*, geb. 1832.

Philippine Reichsgräfin v. K., geb. 1794, vermählt an den Obersten v. Petrov.

Anna Reichsgräfin v. K., geb. 1796, vermählt an den Herrn v. Schwetschin.

Koslowsky, die Herren von.

Diese adelige Familie gehört zu dem berühmten polnischen Geschlechte Grzymala; sie kamen schon um das Jahr 1000 in das Fürstenthum Oppeln, wo *Caspar* K. v. Raschitz Herr auf Adamowitz war. Ebenso besass diese Familie im Kreise Tost Güter. Im Jahre 1806 standen zwei Brüder v. K. in der Armee, der ältere in dem Regiment v. Natzmer zu Graudenz, der jüngere in dem Regiment v. Jung-Larisch; sie sind beide nach Polen gegangen und verschollen. — Diese Familie führt wie das Haus, aus dem sie abstammt, im goldenen Schilde eine rothe Burg mit drei Thürmen. Auf dem Helme wiederholt sich dieselbe, hier ist der mittlere Thurm mit einem Pfauenschweif belegt. Dieses Wappen ist wenig unterschieden von dem der alten Familie v. Pogrell. M. s. Paprocius a. a. O. und Sinapius II. Th. S. 746.

Kotzau, die Freiherren von.

Eine altadelige Familie dieses Namens kommt schon um das Jahr 1018 in Franken vor. Ihr Stammhaus liegt bei Hof unweit der sächsischen und voigtländischen Grenze. Es erlosch und ihre Güter fielen an die Markgrafen v. Baireuth. — *Georg Albert*, Markgraf zu Brandenburg, geb. am 27. Novbr. 1666, vermählte sich mit des Kulmbachschen Raths und Amtmanns Lutz Tochter Maria Magdalena am 27. April 1699; sie wurde Madame de Kotzau genannt. Die Kinder aus dieser Ehe erhielten den Namen Freiherren v. K. Der älteste der Söhne, *Friedrich Christian Wilhelm* Freiherr v. K., geb. den 5. Dec. 1700, war mit Christiane Theresia Eleonore Gräfin v. Schönburg-Stein vermählt. Sein ältester Sohn, *Friedrich Christ. Wilhelm*, erhielt das Schloss Ober-Kotzau und die dazu gehörigen Güter. Sowohl er, als sein Oheim, *Friedrich August* Freiherr v. K., markgräfl. brandenburgischer Geh.-Rath, Ober-Jäger- und Oberforstmeister und Erbschenk des Burggrafthums Nürnberg oberhalb Gebirges, pflanzten ihr Geschlecht durch viele Kinder fort. Ersterer war mit Christiane Eleonore v. Reitzenstein und nach deren Tode mit Christina Sophia v. Kettelhodt vermählt. Zwei Söhne von ihm waren in königl. preuss. Diensten, und ein Enkel desselben, *Karl August Ernst*, stand im Jahre 1806 in dem Leibcarabinier-Regiment; er starb 1822 zu Jauer in Schlesien als Rittmeister im 7ten Landwehr-Regiment. Ein anderer Freiherr v. K. stand in dem Regiment v. Zweiffel in Baireuth, und ist 1807 als Capitain verabschiedet worden. M. s. v. Hattstein II. Th. Suppl. 39. Neues genealog. Handb. 1778. S. 323—325. Gauhe a. a. O. Biedermann, W. Tab. 51—59 u. Tab. 272—274. v. Meding I. No. 440. Tyroff S. 145.

Kotzki, die Herren von.

Im Amte Neidenburg in Preussen kommt im Jahre 1691 eine adelige Familie dieses Namens vor.

Koven, die Herren von, Bd. III. S. 166.

In unserm an seiner Stelle gegebenen Artikel sind sehr richtig vier verschiedene Ernennungen in dieser Familie angegeben. Es folgen nun hier die Wappen derselben:

Diplom vom 9. März 1717 (m. s. unsern Artikel).

Gespaltenes Schild, rechts silbernes, links rothes Feld. In ersterem ist ein schwarzer Adler halb sichtbar, in letzterem ist ein langer silberner Wiederhaken, neben demselben aber ein goldener Halbmond, der über sich und unter sich einen goldenen Stern hat, vorgestellt. Auf dem gekrönten Helme stehen zwei Büffelhörner, das rechte schwarz und Silber, das linke Silber und roth. Decken rechts schwarz und Silber, links Silber und roth.

Diplom vom 18. Decbr. 1717 (m. s. unsern Artikel).

Das Schild gespalten, golden und blau, hier fünf goldene Sterne, oben einer, in der Mitte drei, unten einer, dort der halbe schwarze Adler. Auf dem gekrönten Helme zwei in Silber und blau geviertete Büffelhörner. Decken rechts schwarz und Gold, links blau und Gold.

Diplom vom 17. Novbr. 1731, ausgestellt dem *Johann Julius* v. K., fürstlich anhaltischen Rath.

Rothes Schild, darin ein weisser, einen grünen Zweig im Schnabel haltender Adler, mit ausgebreiteten Flügeln. Auf dem Helme ein rother Hut, mit drei silbernen Straussenfedern geschmückt. Decken Silber und roth.

Diplom vom 12. Mai 1734, ausgestellt dem *Johann August* v. K.

Gespaltenes Schild. Das rechte Feld in Gold, darin der halb sichtbare schwarze Adler, das linke Feld in blau und Silber quer getheilt, die obere Hälfte blau, darin die fünf goldenen Sterne, oben einer, in der Mitte drei, unten einer, die untere Hälfte in Silber, darin ein schwarzes Tintenfass. Auf dem Helme in Gold und blau geviertete Büffelhörner. Decken rechts schwarz und Gold, links roth und Silber.

Kowalski, die Herren von, Bd. III. S. 166.

Dieses Geschlecht stammt eigentlich aus Ungarn. Der erste v. K. flüchtete im 30jährigen Kriege in die diesseitigen Staaten. Sein Sohn *Joachim* v. K. vermählte sich 1712 an ein Fräulein v. Kleist und starb am 18. Novbr. 1796.

Kozierowski, die Herren von, Bd. III. S. 167.

Es gehört dieses adelige Geschlecht zu dem uralten Hause Dolega, das mit dem v. Jastrzembic gleiche Abstammung und Wappen hat, nämlich im blauen Schilde ein silbernes Hufeisen, darüber ein silbernes Kreuz und in der Höhle des Hufeisens einen silbernen Pfeil, auf dem Helme aber den Flügel eines weissen Geiers, von einem Pfeile durchbohrt.

Kracker (Kraker), die Herren von, Bd. III. S. 168.

Diese Familie wurde am 2. Jan. 1668 geadelt. Der Stammvater war Bürgermeister und Salzeinnehmer zu Tarnowitz. Er hatte zwei Söhne, *Johann* und *Christoph*, von dem letztern stammen, wie wir in unserm Artikel richtig angegeben haben, die heutigen Herren Kraker v. Schwarzenfeld. Sie führen ein quer getheiltes Wappen, in der obern rechten Hälfte steht ein junger geharnischter Ritter, eine Streitkolbe über der Schulter tragend, in der untern Hälfte ist eine Ringmauer vorgestellt.

Kraft, die Herren von.

Diese Familie stammt ursprünglich aus Schwaben und aus Thüringen; sie soll früher Steg geheissen haben und den Namen Kraft erst nach einem Zweikampf, den ein Ritter siegreich in Gegenwart eines deutschen Kaisers bestanden hatte, erhalten haben. Der Kaiser rief bei den fürchterlichen Streichen, die der riesenhafte Ritter führte: „Hie Kraft, da Kraft!" So erzählt Melissantes No. IV. und Brückner II. Th. im 6. St. 30. 32. Uebrigens hiessen diese v. Kraft früher v. Steg, auch Kraft v. Dellmensingen. Sie besassen nicht allein viele Schlösser, Flecken und Dörfer, sondern auch merkwürdig genug, erblich das Todtengräber-Amt zu Ulm, mit allen dazu gehörenden Zehnten und Abgaben als ein fürstliches Lehn, vom Gotteshause Reichenau, m. s. R. v. Lang S. 413. — In Oesterreich befindet sich noch heute eine Familie K. v. Kraftenberg, im Schwarzwalde die K. v. Festenburg und Frohnburg, in Baiern die K. v. Helmbtau u. s. w. — In der preussischen Armee sind viele Mitglieder dieser Familien zu hohen Graden gelangt, namentlich aus der Linie, die von dem Hause Delitsch am Berge, bei Merseburg, abstammt. Ihr gehörte an *Christian Friedrich* v. K., Oberstlieutenant und Commandant von Pillau, gest. 1679. Ein Urenkel desselben, *Christian Lebrecht* v. K., General-Major, war bis zur Uebergabe der Festung 1807 Commandant von Breslau und starb am 20. Decbr. 1813 in Brieg. Aus seiner Ehe mit Karoline Rosine v. Hanefeld waren mehrere Kinder, namentlich *Karl Milan* v. K., General-Lieutenant, zuletzt kommandirender General, Ritter hoher Orden, und *Lebrecht August Christian* v. K., General und Landschafts-Director und Erbherr auf Kraftshagen bei Rastenburg in Preussen. Aus der Ehe des letztern mit Charlotte Sophie v. Canitz sind zwei Söhne und eine Tochter. Von den Söhnen ist *August Heinrich* B. v. K. I. General-Major, Commandeur der 1sten Cavallerie-Brigade, Ritter des Ordens pour le mérite, des eisernen Kreuzes I. Classe u. s. w., und *Karl Lebrecht* B. v. K. II., General-Major, Commandeur der 4ten Cavallerie-Brigade, Ritter des eisernen Kreuzes II. Classe u. s. w. — Ein Sohn des ältern Bruders ist der Lieutenant B. v. K. im 1sten Husaren-Regiment, ein anderer Sohn Lieutenant und Adjutant im Garde-Cürassier-Regiment, verunglückte im Jahre 1836 auf der Jagd. — Aus der thüringischen Linie gelangte *August Erdmann* v. K., geb. 1749 zu Gotha, zum Charakter eines General-Lieutenants. Er war 1806 General-Major und Chef eines Dragoner-Regiments, 1813 versah er kurze Zeit den Posten eines Commandanten in Breslau, und 1817 trat er in den Pensionsstand, 1818 erhielt er den Charakter als General-Lieutenant und starb 1822. — Die Herren v. K. führen im blauen Felde drei braune Bärentatzen (1. 2.). Auf dem Helme eine siebenperlige Krone, und darauf sieben goldene Kornähren an grünen Stielen. M. s. Balbin. Proem. Tab. Stemmat. p. 86. Melissantes No. IX. Brückner wie oben. Neues genealog. Handbuch Jahrg. 1778. Th. 325. Gauhe I. Th. S. 829.

Krajewski, die Herren von, Bd. III. S. 168.

Die Familie stammt nach einer uns zugekommenen Mittheilung, wie wir bereits angegeben haben, aus Polen, ihr Stammhaus heisst Jano, und liegt bei Sendomir in österreichisch Polen.

Kranichsfeld, die Herren von, Bd. III. S. 169.

A. Die Edlen Herren v. Kranichsfeld. Das Städtchen Kranichfeld liegt vier Stunden von Erfurt, auf der Poststrasse nach Rudolstadt. Auf seinen zur Rechten und Linken liegenden Anhöhen stehen die Schlösser Ober- und Nieder-Kranichfeld. Auf ihnen lebten die Edlen Herren v. K., im 12ten Jahrhundert schon in zwei Linien getrennt; die Poststrasse theilt die Stadt und Herrschaft in die Ober- und Nieder-Herrschaft. Nach Erlöschung der Edlen Herren im 14ten Jahrhundert gelangten sie an das Haus der Burggrafen v. Kirchberg. Nach verschiedenen Besitzern kam endlich in unsern Tagen Weimar in den Besitz der niedern und Meiningen in dem der obern Herrschaft. Von *Luthger* v. Kirchheim, einem Bruder *Wolfs*, Edlen Herrn v. K. 1180, stammte das nun auch schon lange erloschene Geschlecht der Edlen v. Kirchheim, aus welchem einer gleiches Namens in einem Dokumente von 1246 noch gedacht wird. Das Dorf Kirchheim liegt zwei Stunden von Erfurt über dem Steiger im Kreise Erfurt.

In Schlesien gab es ehemals auch Edle v. K. (s. Sinap. S. 541).

B. Ein Zweig der Edlen Herren v. K. erwarb zu Erfurt das Patriziat. Aus ihm war *Johann* v. K. 1508 Ober-Rathsmeister, *Michael* v. K. 1540 und 1544 Vierherr und *Sebastian* v. K. bekleidete letztere Würde noch 1597. Bald darauf scheint das Geschlecht gänzlich erloschen zu sein.

Das Wappen der v. K. war ein silberner Kranich im rothen Felde. Es verdient hier der Erwähnung, dass die gefürsteten Grafen v. Greyerz (Gruyères), deren Grafschaft und Herrschaften in den Kantonen Bern, Freiburg und Waadt lagen, und im 16ten Jahrhundert ausstarben, ingleichen die adeligen Patrizier v. Greyerz (Gruyères) zu Bern und Freiburg (welche beide Familien von den Grafen v. Greyerz ihren Ursprung ableiten) ein und dasselbe Wappen mit den Herren v. K. führten, und dass Greyerz so viel als ein Kranichen-Feld oder Gau bezeichnet. — Die adeligen Patrizier v. Greyerz aus Bern sind jetzt in Baiern niedergelassen.

Kratz, die Herren von.

Das Stammhaus Kratz in der Uckermark war im Jahre 1375 noch Eigenthum dieses Geschlechts. Nach Karl's IV. Landbuch haben *Bertram*, *Lüdicke* und *Henning* v. K. auf demselben gewohnt und noch in Schönwerder und Metzelthien Güter besessen. Eben so befanden sich verschiedene dieses Geschlechts in der Stadt Prenzlau und hatten Güter in und nahe bei der Stadt. *Hechard* v. K. verkaufte im Jahre 1364 seinen Antheil in Blindow an Henning Gählen. *Heinrich* v. K. kommt noch im Jahre 1431 als Zeuge beim Kaufe über Strehl vor. M. s. Grundmann S. 45.

Krauel, Herr von.

Friedrich der Grosse belohnte die heldenmüthige Tapferkeit des Grenadiers im Infant.-Regiment Prinz v. Darmstadt K., der sich namentlich bei dem Sturme auf den Ziskaberg bei Prag ausgezeichnet hatte, durch die mittelst Diplom vom 17. Octbr. 1744 ihm gewordene Auszeichnung der Erhebung in den Adelstand mit dem Ehrennamen K. vom Ziskaberge. Das dem Erhobenen beigelegte Wappen war ein in Gold eingefasstes Schild, in Silber und roth gespalten. In der rechten rothen Feldung zeigte sich ein geharnischter, ein Schwert führender Arm, in der linken silbernen drei brennende Granaten, oben zwei, unten eine. Auf dem gekrönten Helme schwebte eine dritte brennende Granate zwischen zwei schwarzen, mit den Kleestengeln belegten Adlerflügeln. Decken rechts Silber und roth, links Silber und schwarz.

Krause, die Herren von, Bd. III. S. 171.

Hier haben wir noch das Wappen der unter No. II. angeführten Familie v. K. auf Tenzerow, Diplom vom 17. Jan. 1816 (nicht 16. Jan. 1817) nachzuholen. Es besteht aus einem blauen, durch einen breiten silbernen Balken quer getheilten Schilde, über dem Balken stehen zwei, unter demselben steht ein goldener Stern. Auf dem Helme schwebt zwischen zwei schwarzen Adlerflügeln wieder ein solcher Stern. Decken blau und Silber.

Kraut, die Herren von, Bd. III. S. 171.

Wir haben hier noch das Wappen des Geh. Staatsministers v. K. nachzutragen. Das Schild ist quadrirt und mit einem Herzschildlein versehen. In den Feldern 1 und 4 ist auf rothem Grunde ein grüner Hügel vorgestellt, darauf steht eine Krone und auf dieser wieder ein Patriarchen- oder Lothringsches (Doppel-) Kreuz, die Felder 3 und 4 sind golden und darin ein schwarzer gekrönter, die Flügel ausbreitender Adler. Das Herzschildlein ist quer in Silber und blau getheilt, in der obern blauen Hälfte ist eine silberne französische Lilie, in der untern silbern drei rothe Aepfel vorgestellt. Auf dem gekrönten Helme steht der grüne Hügel mit Krone und Kreuz, wie im Schilde. Decken rechts blau und Silber, links roth und Gold.

Das neue preuss. Wappenbuch giebt im III. Bd. S. 73 das Wappen einer Familie v. K. Diplom vom 11. Aug. 1830. Hier ist das Schild gespalten, die rechte silberne Feldung zeigt einen reichbelaubten, auf grünem Hügel stehenden Baum, die linke ebenfalls silberne Feldung enthält, quer getheilt durch einen Faden, in jedem Quartier zwei neben einander stehende, blaue Blumen an grünen Stengeln und mit grünen Blättern. Auf dem gekrönten Helme wiederholt sich der Baum.

Krautheim, die Herren von.

Ein ehemaliges adeliges Patrizier-Geschlecht zu Erfurt, dessen Stammort gleiches Namens bei Schwerstedt im Grossherzogthum Sachsen-Weimar liegt. Es ist schon lange erloschen und scheint von der schwäbischen und rheinischen Familie dieses Namens gänzlich verschieden zu sein. Unter Erfurts Bewohnern findet sich jedoch noch, unter andern Verhältnissen, der Name K.

Krauthof, die Herren von, Bd. III. S. 171.

Wappen. Im grünen Schilde fünf goldene Rosen, oben zwei, eine in der Mitte und unten zwei. Auf dem gekrönten Helme schwebt eine goldene Rose zwischen zwei schwarzen mit den Kleestengeln belegten Adlerflügeln. Decken grün und Gold.

Kreckwitz, die Herren von.

Eine sehr alte vornehme, in frühern Zeiten in Schlesien in vielen

Aesten verbreitete und reich begüterte Familie. Schon im 10ten Jahrhundert soll sie aus Croatien nach Schlesien gekommen sein, und drei Brüder, die als tapfere Feldherren bekannt waren, zu Stammherren haben. Eben so, wie in Schlesien, war es auch in der Lausitz, in Oestreich und Böhmen verbreitet; das gleichnamige Stammhaus liegt in der Oberlausitz. In Schlesien verbreitete sich dieses Geschlecht in die Häuser Kala, Conradswaldau, Joppendorf, Austen, Fauljupe, Heinzerdorf Schwarzau, Grossbora, Klaptau, Nechla, Altwasser, Heinzebortschen Zapla u. s. w. Viele Linien bedienten sich des Beinamens Strauwald. Trotz dieser grossen Ausbreitung ist in der Gegenwart das Geschlecht nicht mehr zahlreich an Mitgliedern. Uns sind nur von den noch lebenden die Söhne des zu Glogau vor einigen Jahren verstorbenen Rittmeisters v. K., ehemals im Husaren-Regiment v. Gettkardt, bekannt; sie standen ebenfalls bis in die neueste Zeit als Offiziere in der Armee. Einer von ihnen ist mit einer v. Bonin vermählt und lebt in Schweidnitz. Eine Linie des Hauses hatte sich in neuerer Zeit aus Schlesien nach Westphalen gewendet, wo *Hans Friedrich Leopold* v. K. im Jahre 1806 als Obersalzinspector zu Bielefeld starb. Sein Sohn *Leopold* v. K. ist vor einigen Jahren als Capitain des 10ten Regiments in Brieg verstorben; ihm folgte im Jahre 1836 seine einzige, unvermählte Schwester. — Die v. K. führen im blauen Schilde drei weisse Fische mit rothen Flossfedern, auf dem Helme drei Hahnenfedern, blau, weiss, blau. Helmdecken weiss und blau. Sinapius I. S. 549—562 u. II. S. 751—754. Gauhe I. S. 823-835.

Kretschmann, die Herren von.

Der früher in anspach-baireuthschen, später in königl. preussischen Diensten als Kammerdirector gestandene, nachmalige herzogl. sachsen-koburgsche Staatsminister, *Theodor* K. auf Erkersreuth, der vor einigen Jahren a. D. daselbst verstorben ist, wurde am 8. Juli 1801 vom König Friedrich Wilhelm III. geadelt. Das Wappen dieser Familie zeigt im gespaltenen, rechts goldenen, links blauen Schilde einen rechts blau, links in Gold gekleideten Mann mit spitziger Zipfelmütze, er hält in der rechten Hand einen goldenen Halbmond, in der linken einen silbernen Stern, über dem zwei andere silberne Sterne schweben. Auf dem gekrönten Helme formt eine goldene Schlange, die sich in den Schwanz beisst, einen Ring, in dem eine Eule steht. Decken Gold und blau.

Kreuzburg, die Herren von.

Ein ehemaliges adeliges Patrizier-Geschlecht zu Erfurt, welches Schloss und Stadt Kreuzburg im grossherzogl. sächs. Fürstenthum Eisenach zum Stammhause haben soll.

Kreyenfels, die Herren von.

Johann v. K. war Ober-Kriegs-Commissarius und Amtshauptmann zu Colberg. Mit seiner Gemahlin Esther Katharina v. Froreich zeugte er einen Sohn, der im Jahre 1719 als königl. preuss. Major starb.

Krieger, die Herren von, Bd. III. S. 172.

Der hier unter dem Namen v. K. aufgeführte Oberst, so wie sein ebenfalls erwähnter Sohn, wird nicht v. Krieger, sondern v. Kriiger geschrieben.

Krinz, die Herren von.

Der Adel der Brüder *Theodor Heinrich* und *Johann* v. K. wurde am 14. Juli 1663 vom Kurfürsten von Brandenburg bestätigt. Sie führten im blauen Felde drei gestürzte goldene Sparren und zwei goldene Kugeln. Unter beiden Bildern zwei mit den Stielen übers Kreuz gelegte Palmenzweige. Auf dem gekrönten Helme zwei in Gold und blau geviertete Büffelhörner, zwischen diesen einen verkürzten goldenen Löwen, der in der rechten Pranke einen silbernen Pfeil hält, unter dessen Spitze die goldene Kugel angebracht ist. Decken blau und Gold.

Krösel, die Herren von.

Ein altes, im 16ten Jahrhundert noch in Preussen blühendes Geschlecht. Herzog Albrecht verschrieb seinem Hausvoigt zu Memel, *Heinrich* v. K., das Dorf Collathen an der Memel. — Im Jahre 1590 kommt vor *Heinrich* v. K., ein zu Rastenburg lebender Edelmann.

Krösten, die Herren von.

Ein noch im vorigen Jahrhundert in Preussen blühendes adeliges Geschlecht. Im Jahre 1529 kommt *Wilhelm* v. K., Herr auf Miedzion, und 1694 *Georg* v. K., Herr auf Jelelak, vor. *Kersten* v. K. war im Jahre 1721 königl. Fischmeister. Von demselben erscheint noch ein Sohn, *Friedrich Wilhelm* v. K., der mit Maria v. d. Mülbe vermählt war.

Kromeier, die Herren von.

Ein erloschenes, einst in Ansehen und Reichthum blühendes Geschlecht in Schlesien, aus welchem viele Mitglieder im Rathe zu Breslau sassen. Es stammt dasselbe von *Leonhard* v. K., Herr auf Hennersdorf, Schatzenheim und Moysz in der Lausitz, der 1476 mit seiner Familie sich in Schlesien niederliess. Von seinen Enkeln wurden *Georg Hieronymus* und *Andreas*, so wie *Augustin* und *Thomas* K. von dem Kaiser Maximilian I. in den Ritterstand des heil. römischen Reiches erhoben. König Ferdinand I. bestätigte im Jahre 1536 diese Erhebung, und vermehrte das Wappen dieses Geschlechtes. Aus demselben starb am 5. Novbr. 1551 der oben erwähnte *Hieronymus* v. K. als Rath und Kämmerer der Stadt Breslau; er hat sich besonders durch die Gründung des städtischen Zeughauses und den Bau der Nicolai-Bastion bekannt gemacht. Am 25. Febr. 1597 starb *Heinrich* v. K. und Segewitz, Herr auf Gallowitz bei Breslau, und der Stadt Breslau Rathsältester. Auch dessen mit Martha v. Uttmann und Schmolz erzeugter Sohn, *Heinrich* der jüngere v. K. u. S., war Rathsherr in Breslau, und starb 1619. Von diesem letztern war ein Sohn, *August Heinrich* v. K. und Gross-Segewitz, Herr auf Grüneiche, Bokowine und Krakowane, Kriegscommissarius der Stadt Breslau; er starb am 27. Mai 1669. Endlich wird noch *Georg Heinrich* v. K. und Gross-Segewitz auf Gallowitz erwähnt, der wahrscheinlich als der letzte seines Geschlechts in Schlesien, im Monat Septbr. 1681 starb, während in Sachsen das Haus noch fortblühte; mehrere Gelehrte sind aus demselben bekannt geworden. — Es führen die v. K. im goldenen Schilde eine auf einem, aus drei Hügeln bestehenden Berge sitzende Krähe, auf dem gekrönten Helme zwei schwarze Büffelhörner, einen silbernen Halbmond und auf diesem die Krähe. Helmdecken schwarz und Gold.

Kropf, die Herren von.

Ursprünglich aus dem Elsass stammend, hat sich dieses Geschlecht im Braunschweigschen, Halberstädtschen und in Westphalen verbreitet. Der Stammherr ist *Valentin* v. K., der vom Kaiser Ferdinand I. am 5. Novbr. 1560 in den Ritterstand erhoben wurde. Sein Enkel, *Valentin* der jüngere v. K., kaiserlicher Oberst, pflanzte mit einer v. Bornstedt sein Geschlecht fort. Eines der ältesten Stammhäuser der Familie ist Grüningen; auch Eilenstedt und Wilsleben, Kattenstedt, Zeutsch, Töppersdorf, Neukrossen u. s. w. sind alte Besitzungen des Hauses. — *Christoph Siegesmund* v. K. war Oberforstmeister in Blankenstein. — *Philipp Karl* v. K. war churmärkischer Oberforstmeister. *Eleonora* v. K. starb am 19. Juni 1801 als Priorin zu Marienborn. — *E.* v. K., ein Sohn des Oberforstmeisters v. K., ist Major im 2ten Garde-Regiment zu Berlin. Ein General-Major und ehemal. Chef des Infant.-Regiments No. 31. v. K. starb im Jahre 1819. — Die v. K. führen ein quadrirtes silbernes Schild, im ersten und vierten Felde ist ein Zelt, im zweiten und dritten eine rothe Strasse, die das Quartier wieder in zwei silberne Felder spaltet. Auf dem gekrönten Helme sind drei rothe Hämmer angebracht.

Krüsicke, die Herren von.

Ein altadeliges Geschlecht in der Neumark. *Samuel Ernst* v. K. starb am 11. Jan. 1730 zu Dannenwalde, 72 Jahr alt. Er war mit Margarethe v. Kerberg vermählt; sein Sohn *Kurt Ernst* starb am 27. Juni 1753, und mit dessen Sohne *Hans Siegfried*, der auf dem Bette der Ehre in der Schlacht bei Kunnersdorf fiel, erlosch das Geschlecht im Mannsstamme. In weiblicher Linie blüht es durch fünf Schwestern fort, von denen die ältere an den Freiherrn v. Blumenthal, die zweite an einen v. Kleist, die dritte an einen v. Grävenitz, die vierte an einen v. Salisch und die fünfte an einen v. Möllendorf vermählt war.

Krug (von Nidda), die Herren.

Ein altes Patrizier-Geschlecht der ehemaligen freien Stadt Erfurt, wahrscheinlich verwandt mit dem Baseler Patrizier-Geschlecht dieses Namens in der Schweiz, welches zu Basel von 1525 an in den hohen und höchsten Staatsstellen bekannt wurde, und aus welchem denkwürdig sind: *Sebastian* v. K., Lieutenant der Baseler in der Schlacht auf dem Gabel im Jahre 1531. — *Caspar* v. K. war 1559 Bürgermeister in Basel, 1552 Gesandter am Hofe Heinrichs II. von Frankreich, 1562 am Hofe König Ferdinands I., und 1564 und 1567 Friedensvermittler mit Bern und Savoyen war. Sein Urenkel *Johann Ludwig* v. K. stand von 1622 - 1623 in königl. schwedischen und von da 12 Jahre lang in landgräfl. hessischen Diensten, wo er vielen Schlachten und Belagerungen beiwohnte. Im Jahre 1652 ward er Hauptmann im Dienste der freien Stadt Mühlhausen im Elsass (damals Schweizer Bundesstaat) und endlich 1668 Oberst-Feldzeugmeister der Eidgenossen; er starb erblindet 1687. — Ein anderer *Johann Ludwig* v. K. ward 1669 Bürgermeister von Basel und 1681 Gesandter am Hofe König

Ludwigs XIV., und starb 1683. — Das Geschlecht dieser Krug'schen Familie zu Basel war auch im Elsass verbreitet, von wo es nach der Wetterau im 15ten Jahrhundert kam, und nachdem es unter dem Kaiser Maximilian den Reichsadel erlangt hatte, das Schloss und Städtchen Nidda in der Wetterau als Rittersitz erworben haben soll (die Grafen v. Nidda starben mit Engelhard v. Nidda 1329 aus; die Grafschaft gelangte hierauf an die Grafen v. Ziegenhain und als diese ausstarben, mit der Grafschaft Ziegenhain zugleich an das Haus Hessen), von dem es sich hinfort „Krug v. Nidda" schrieb. — *Theodor Christoph* K. v. N. war seit 1695 in den brandenburgischen Staaten ansässig; ihm wurde mit *Friedrich Ludwig*, *Johann Reinhardt*, *Conrad Jacob* und *Andreas Ludwig*, Brüdern und Vettern, letztere sämmtlich in den hessischen und stolbergischen Staaten ansässig, und alle aus der Schweiz (d. h. Basel), der ursprünglich vom Kaiser Maximilian ertheilte Adel vom Kaiser Leopold I. am 20. Febr. 1703 erneuert und in den preussischen Staaten vom König Friedrich I. den 21. Juli 1704 bestätigt. — Viele Mitglieder dieser Familie sind zu höheren Posten in der Administration gelangt, andere haben sich als Gelehrte und Schriftsteller ausgezeichnet. Noch gegenwärtig sind Zweige dieses Hauses im Regierungs-Bezirk Magdeburg begütert. Im Staatsdienst stehen gegenwärtig der Director der Regierung zu Arnsberg K. v. N. und der Landrath des Kreises Sangerhausen, Major v. d. A. *Ludwig* K. v. N.; er feierte am 1. April 1838 sein 50jähriges Dienstjubiläum. Ein Bruder desselben, *Friedrich* K. v. N., ist als Dichter rühmlichst bekannt.

Die K. v. N. führen im goldenen Schilde einen sechseckigen Stern, dessen drei linke Strahlen blau und silbern, die drei linken schwarz und silbern sind; in diesem Sterne steht ein silbernes Kreuz. Auf dem gekrönten Helme ist ein goldener und ein schwarzer Adlerflügel, der letztere mit zwei kleinen goldenen Sternen belegt angebracht. Decken Gold und schwarz.

M. s. Weinrichs Nachr. v. d. Stadt Erfurt (Verz. des Adels und vornehmer Geschlechter in Erfurt, so vor 3 oder 400 Jahren in Erfurt gewohnet). Leu, Schweiz. Lex. XI. Th. S. 226—227. Strieders Hess. gelehrte Geschichte II S. 463—469. Neues genealog. Handb. 1777. S. 276 u. f. 1778. S. 329. Hellbachs Adels-Lexicon II. S. 707.

Krummensee, die Herren von.

1) Die v. K. in der Mark Brandenburg. Sie kamen aus Baiern, wo ihr Stammhaus liegt, schon um das Jahr 926 mit den ältesten Familien nach Brandenburg, wo sie sich das Schloss Krummensee im Kreise Nieder-Barnim erbauten. *Ezelius* v. K. trug im Jahre 1509 auf dem Turniere zu Ruppin den Sieg davon. — *Hilmar Ernst* v. K. war 1660 Amtshauptmann zu Schwedt und Freienwalde. Dieses Geschlecht erlosch mit *Karl* v. K., königl. preuss. Amtsrath und Canonicus zu St. Nicolai in Magdeburg am 1. Octbr. 1827. M. s. v. d. Hagen, Beschreibung der Stadt Freienwalde S. 18. Angeli Annal. S. 39. Gauhe S. 837 u. f.

2) Die v. K. in Schlesien, zu dem alten Adel dieser Provinz gehörig, führten im silbernen Schilde ein schwarzes Hirschgeweih und einen schwarzen Adlerflügel, gegen einander gestellt. Auf dem Helme zwei weisse ovale Schildchen oder Tartschen, dahinter sieben rothe Standarten mit gelben Stangen, die Helmdecken weiss und schwarz. Es weicht dieses Wappen wenig von dem der Herren v. Salisch ab. Siebmacher II. Th. 52. No. 5. v. Meding I. No. 448.

19*

Krusemark, die Herren von.

Eines der ältesten Geschlechter in der Mark Brandenburg, wo in der Altmark in der Nähe des Städtchens Werben das Stammhaus desselben liegt. *Hans* v. K. kommt 1559 als Hauptmann des Klosters Jerichow vor; er pflanzte seinen Stamm mit einer v. Bodendorf fort. In der Kirche zu Krusemark sind zwei Steinbilder in Lebensgrösse ausgehauen. Das erste gehört an *Erdmann* v. K., der im Jahre 1684 als churbrandenburg. Oberst-Wachtmeister und Kriegscommissarius der Altmark starb; das andere aber *Adam* v. K., der als churbrandenburgischer Oberst vor Bonn fiel. Ueber diesen Steinbildern steht der Wahlspruch des Hauses: „Gott allein die Ehre." Die beiden Schwestern des erwähnten *Erdmann* v. K. vermählten sich mit zwei Grafen des heil. römischen Reiches, nämlich *Anna Sabina* mit dem Grafen Wrschowitz-Sekerka, und *Maria* mit dem Grafen v. Stampach. Im Jahre 1717 starb zu Anclam der Oberst und Commandeur des Regiments v. Schlabberndorf, v. K., und am 11. März 1744 *Adam Andreas* v. K., Landrath der Altmark. Zu grossem Ruhm haben dieses Haus gebracht *Hans Friedrich* v. K., königl. preuss. General-Lieutenant, Chef des Gensd'armen-Regiments, Ritter des schwarzen Adlerordens, Amtshauptmann zu Stolpe, Domherr zu Havelberg, Erbherr auf Hohenberg. Krusemark und Ellingen; gest. am 15. Mai 1775, und *Friedrich Wilhelm Ludwig* v. K., Sohn des vorigen, geb. den 9. April 1767, der im Jahre 1806 Oberst-Lieutenant und Adjutant des General-Feldmarschalls v. Möllendorf war, später zu verschiedenen Missionen gebraucht wurde, namentlich auch mit dem Kaiser Napoleon 1805—1806 in Paris unterhandelte, und im Jahre 1822 als ausserordentlicher Gesandter und bevollmächtigter Minister am kaiserl. österreichischen Hofe gestorben ist. So viel uns bekannt ist, hat er keine Nachkommen hinterlassen; seine einzige Schwester *Wilhelmine Karoline Albertine Elisabeth* war mit dem königl. Major a. D. v. Sauerma auf Nikoline in Schlesien vermählt. Die v. K. führten im rothen Schilde einen goldenen Armleuchter mit drei Tillen, dieses Bild wiederholt sich auch auf dem Helme, doch führte die Hauptlinie auch auf dem Helme eine silberne Säule mit goldenem Kopfe, darauf steht ein Schwan.

Krutisch, die Herren von.

Der Lieutenant (jetzige Rittmeister) im Garde-Cürassierregiment K. wurde von des jetzt regierenden Königs Majestät in den Adelstand erhoben. Das ihm beigelegte Wappen zeigt im quadrirten Schilde im ersten und vierten goldenen Felde einen grünen Kranz, das zweite und dritte Feld ist grün, auf ihnen liegt ein silbernes Schwert mit goldenem Griff, so dass der Griff im dritten Felde liegt, die Spitze aber bis an den linken Oberwinkel des vierten Feldes reicht.

Kryger, die Herren von.

Der jetzt regierende König Friedrich Wilhelm III. gab der Familie v. K. unter dem 22. Octbr. 1828 ein Anerkennungsdiplom ihres Adels. — *Franz* v. K., Justiz-Commissarius und Notarius bei dem Ober-Appellations-Gericht in Posen. Diese adelige Familie führt ein im Obertheil in Gold und Silber gespaltenes Wappen, im goldenen Felde ist die Lampe eines Bergmannes, in der silbernen Feldung ein aufgeschlagenes Buch vorgestellt, der Untertheil ist roth und darin ein silbernes Sporn, das Rad nach unten gekehrt, angebracht. Der freistehende offene gekrönte Helm ist mit zwei schwarzen Adlerflügeln besetzt. Wappenbuch der preuss. Monarchie III. Bd. S. 75.

Kühn, die Herren von, Bd. III. S. 184.

Georg v. K., königl. preuss. Geheimer Rath, wurde sein und seiner Vorfahren Verdienste wegen im Jahre 1687 in des heil. römischen Reichs Adelstand erhoben. Da er keine männlichen Erben, sondern nur eine Tochter, Namens *Charlotte* hinterliess, welche sich an den königl schwedischen und hessen-casselschen Kammerjunker *Karl* Trensch v Buttlar vermählte, wurde dessen Bruders Sohn, *Johann Wilhelm* v. Kühn, geb. den 12. Januar 1710, Erb- und Gerichtsherr zu Schönstedt, Grüningen, Niedertopfstedt, Hombach und Gross-Borschla u. s. w., königl. polnischer und kurfürstl. sächsischer Commerzienrath, am 26. Febr. 1768 von neuem in des heil. röm. Reichs Adelstand erhoben. Er starb den 18 Aug. 1770, und wurde den 19ten d. M. zu Eisenach in der Kreuzkirche beigesetzt. Er hinterliess: 1) *Christian Heinrich* v. K., Erb-, Lehn- und Gerichtsherr zu Schönstedt, welcher wiederum drei Söhne und zwei Töchter hatte; 2) *Johann Georg* v. K., Erb- und Gerichtsherr zu Grüningen und Niedertopfstedt, herzogl. sachsen-gothaischer Land-Kammerrath, welcher aus erster Ehe eine Tochter und aus der zweiten einen Sohn hinterliess; 3) *Maria Christiana*, geb. den 26. Aug. 1748, welche an den herzogl. Sachsen-weimar- und eisenachschen Hofrath, Johann Friedrich v. Koppenfels, vermählt war, und 4) *Susanna Eleonora*.

Das Wappen ist ein geviertetes Schild, in dem ersten und vierten goldenen Felde ist ein schwarzer springender Löwe mit erhabenem doppelten Schwanze, im linken Profil, in dem zweiten und dritten silbernen Felde aber eine auf einem grünen Hügel stehende Tanne vorgestellt. Auf dem gekrönten Helme ist zwischen zwei in Gold und Silber zur Hälfte abwechselnden Adlersflügeln der im Schilde beschriebene schwarze Löwe. Die rechten Helmdecken sind schwarz und Gold, die linken grün und Silber. M. s. v. Krohne II. Th. S. 223 f.

Kümmpl, die Herren von.

Johann Tobias v. K. war königl. preuss. Oberstlieutenant, und hinterliess sieben Kinder, von denen *Friedrich Karl Ludwig* im Jahre 1773 in Potsdam geboren war, und im Jahre 1806 als Capitain in dem 3ten Musquetir-Bataillon des Regiments v. Mannstein zu Graudenz stand. Er ist der letzte, der uns von diesem Geschlecht bekannt geworden ist.

Küsel, die Herren von, Bd. III. S. 184.

Der König Friedrich II. legte dem am 5. Juni 1764 in den Adelstand erhobenen Major *Johann Georg* K. und seinen Brüdern folgendes Wappen bei. Ein quadrirtes Schild, im ersten und vierten blauen Felde ein halber, von einem Pfeile durchbohrter Mond, oder ein Pfeil, auf dem ein halber, die Hörner nach der linken Seite kehrender Mond liegt.

Küster, die Herren von.

Der als Staatsmann, wie als Gelehrter gleich hochverdiente verstorbene Geh. Staatsrath K., zuletzt ausserordentlicher Gesandter und bevollmächtigter Minister in Carlsruhe, wurde von des jetzt regierenden Königs Majestät am 26. Jan. 1815 geadelt und unter dem 21. Juni 1822 erhielt derselbe ein zweites Diplom. Der älteste seiner Söhne ist der Major v. d. Armee, Geh. Legationsrath, ausserordentliche Gesandte und bevollmächtigte Minister am Hofe des Königs beider Sicilien, Ritter hoher Orden v. K. Ein jüngerer Bruder ist Secretair bei derselben Legation; ein dritter Bruder ist Regierungs-Assessor bei der General-Commission in Stargard; ein vierter Kammergerichts-Assessor in Berlin. Die Wittwe des Geh. Staatsrath v. K. lebt auf dem der Familie gegenwärtig angehörigen schönen Rittersitz Lomnitz bei Hirschberg in Schlesien. Das Wappen der Familie v. K. ist ein goldgerändertes, halb silbernes, halb blaues Schild. In der silbernen Feldung steht ein schwarz gekleideter Küster, in der rechten Hand den Kirchenschlüssel, in der linken ein Gesangbuch haltend; in der blauen Feldung schwebt das eiserne Kreuz. Auf dem Helme wehen drei silberne Straussenfedern. Decken rechts blau und Silber, links Silber und schwarz.

Kuffka, die Herren von.

Der gegenwärtige Rittmeister im 1sten Cürassier-Regiment K., Ritter des eisernen Kreuzes II. Classe, erworben bei Leipzig, ist von des jetzt regierenden Königs Majestät in den Adelstand erhoben worden. Sein Vater war der Rittmeister K., früher in dem Husaren-Regiment v. Schimmelpfennig, zuletzt im 4ten Husaren-Regiment, gestorben a. D. im Jahre 1826.

Kuhla, die Herren von.

Dieses altadelige Geschlecht stammt aus dem Stifte Bremen, und soll früher v. Sellingen oder Selsing geheissen haben, später aber nach einem jetzt in Trümmern liegenden Schlosse, unweit Stade gelegen, Kuhla genannt worden. — *Herrmann* v. K., churbrandenburgscher Rittmeister, wurde am 17. März 1637 bei Göritz erschossen, und liegt zu Küstrin begraben.

Kunkel v. Löwenstern, die Herren.

Ein Edelmann dieses Namens hatte sich am Ende des 17ten Jahrhunderts als Alchymist bekannt gemacht. Es war ihm die heutige Pfaueninsel zum Schauplatz seiner Forschungen und seines Wirkens vom Churfürsten überlassen worden und mehrere Jahre hindurch befand sich sein Laboratorium auf dieser Insel, die damals der Kranichswerder hiess. Der eigentliche Aufenthaltsort des K. v. L. war das Dorf Clado, in welchem er eine kleine Besitzung hatte. Später haben mehrere Edelleute dieses Namens im preuss. Heere gedient, ohne dass wir im Stande sind, anzugeben, in welcher Beziehung sie zu dem oben Erwähnten gestanden oder stehen. Ursprünglich stammen die v. L., früher mit dem Zusatze Kunkel geschrieben, aus Schweden, wo ihr Ahnherr *Johann* K., der aus Deutschland dahin gekommen war, von Karl X. geadelt wurde. Noch gegenwärtig steht ein Major K. v. L. in preussischen Diensten: er ist Divisions-Adjutant zu Posen und Director der Divisionsschule daselbst, auch Ritter des eisernen Kreuzes. M. s. Gauhe, Anh. 1666. Zedler, U. Lex. XVIII. 249.

Kunow, die Herren von, Bd. III. S. 188.

Dieser adeligen Familie aus Pommern, von der Hellbach Bd. I. S. 714 glaubt, sie sei ausgestorben, während wir in unserm Artikel noch verschiedene Mitglieder *derselben* aufgeführt haben, gehörte auch der Geheime Stiftsrath v. K. an, der Vater des in unserm Artikel erwähnten Majors v. K. und Gemahl der Eleonore Friederike v. Dobersloff.

Kunschig v. Breitenwald, die Herren.

Die Familie K. v. B. erhielt unter dem 9. Mai 1701 ein Erneuerungs-Diplom ihres alten Adels. Sie führte im oben blauen, unten in Silber und roth geschachteten Schilde, hier auf jedem der sechs Schachfelder eine Rose mit abwechselnden Farben, dort einen Kranich, der einen Stein im rechten Fusse hält. Er wiederholt sich auf dem Helme zwischen einem weissen, mit drei rothen Rosen und einem rothen, mit drei weissen Rosen belegten Adlerflügel. Decken rechts roth und Silber, links blau und Silber.

Kurnatowski, die Herren von.

Dieses Geschlecht stammt dem Wappen nach, wie die Brunski und Opalinski, von dem hochberühmten Hause Lodzia, dem *Peter* Lodzia, der tapfere Vertheidiger v. Glogau, angehörte. Hier steht das goldene Schifflein der Lodzia im rothen Schilde, der gekrönte Helm trägt einen mit dem Schifflein belegten Pfauenschweif. Die Decken roth und Gold.

Kyhm, von.

Anna Magdalena K., Schwestertochter des bekannten Oberst Wallrawe, wurde am 19. März 1738 geadelt. In ihrem blauen Wappenschilde steht eine weiss und schwarze Nonne, den Helm bedeckt ein weisser Schleier.

L.

Labebach, die Herren von.

Sie stammen aus der Familie Labes in Stettin. — *Christian* Labes wurde am 27. Novbr. 1652 von der Königin Christine unter dem Namen v. L. geadelt. Er starb am 12. Juni 1656 als königl. schwedischer Consistorialrath und Canonicus zu Camin. Von Anna Sophia Schwalch hinterliess er einen Sohn und eine Tochter. Der Sohn *Christian* der jüngere v. L. war Secretair der Fürstenthümer Bremen und Verden, hatte mehreren Reichstagen und dem Friedenscongresse von Oliva beigewohnt, und starb 1677 zu Stade. Von Christina Eleonora v. Schwallenburg hatte er keine Kinder.

Ladenberg, die Herren von, Bd. III. S. 195.

Wappen. Ein blau und rothes, durch einen goldenen Querbalken getheiltes Schild. Im blauen Felde eine Reihe von drei silbernen Rosen, im rothen Felde drei mit den Spitzen nach unten und gegen einander gewendete silberne Pfeile. Auf dem Helme zwei schwarze Adlerflügel. Decken rechts blau und Silber, links roth und Gold.

Laffert, die Herren von.

Diese schon im Jahre 1303 in Urkunden vorkommende adelige Familie war im Halberstädtischen begütert; wegen des Gutes Burgrab gehörte sie zum fränkischen Ritter-Canton Steigerwald. Auch im Wolfenbüttelschen, Hildesheimschen und Mecklenburgschen hatte sie ansehnliche Besitzungen. — *Wiegand* v. L. starb 1728 als churbraunschweig-lüneburgscher Geh. Kammer- und Regierungsrath.

Lahrbusch, die Herren von.

Die aus dem südlichen Deutschland stammenden v. L. kommen als Offiziere verschiedener Armeen vor. In dem preuss. Regiment v. Hülsen in Halberstadt stand ein Major v. L. Ohne Erlaubniss des Königs Friedrich II. hatte er ein Fräulein v. Dröse geheirathet, darum verliess er den preussischen Dienst und fand dafür in der österreichischen Armee eine gute Aufnahme und Anstellung. Seine drei Söhne waren sämmtlich in preuss. Diensten. Der älteste stand beim Regiment v. Möllendorf in Berlin und starb 1796 als Postmeister in Crossen.

Lampe (Lampen), die Herren von.

Eine adelige Familie aus dem Anhaltischen. — *Karl* v. L. stand 1719 im preussischen Dienste. — Zu Gardelegen starb 1803 der Hauptmann a. D. v. L. Diese Familie führt im rothen Schilde drei schwarze Lampen, oben zwei, unten eine, mit herausschlagender Flamme, auf dem Helme zwischen zwei silbernen Adlerflügeln wiederholt sich die Lampe.

Lamprecht, die Herren von, Bd. III. S. 196.

Unserm Artikel können wir folgende zur Ergänzung und Berichtigung gesammelte Notizen hinzufügen. Der Vater des am 12. Oct. 1786 geadelten Geh. Ober-Justiz-, Tribunal- und Ober-Consistorialraths *Joachim Friedrich* L. war Prediger in Spandau. Er selbst starb am 22 März 1807. Drei Mal war er vermählt 1) mit Regina Schlüter, 2) mit Maria Louise Druckenbrod, 3) mit Dorothea Scherf, Wittwe des General-Majors Friedrich Wilhelm Reichsgrafen v Lottum-Wylich (starb am 17 Decbr. 1774). Aus der zweiten Ehe war *Sophie Louise Friederike*, die sich am 5. Juni 1795 mit dem Grafen Karl Friedrich Heinrich v. Wylich und Lottum, gegenwärtig General der Infanterie und Geh. Staatsminister vermählte. Aus der ersten Ehe war *Georg Friedrich* v L., der mit Karoline Ulrike Wiesel, Tochter des königl. Geh. Raths Andreas Wiesel vermählt war. Aus dieser Ehe waren drei Söhne, einer ist als Intendant des Garde-Corps, einer als Geh. Regierungsrath gestorben. Der dritte und jüngste der Söhne, *Gustav*

Eduard v. L., ist der gegenwärtige königl. Geh. Ober-Regierungsrath und Director der Hauptbank. Die Wittwe des Intendanten v. L., geb. Düring, und die Wittwe des Geh. Regierungsraths v. L., geb. Kannegiesser, leben in Berlin.

Lancizolle, die Herren von.

Sie stammen aus einer adeligen, der ehemal. Provinz Languedoc in Frankreich angehörigen Familie, die früher den Namen Deleuze führte. Zuerst kommt bei uns *Jean* Deleuze-Lancizolle de St. Germain dans les Cevennes vor. Er starb 1744 zu Berlin in dem ehrwürdigen Alter von 92 Jahren. Von seinen Söhnen war *Jacque* de L. Capitain im Ingenieur-Corps; er starb 1762 in Neisse. Aus der Ehe mit Margarethe de Rebote hinterliess er zwei Söhne. Von ihnen starb *Jean Etienne* v. L. im Jahre 1838 zu Berlin als Geh. Regierungs- und vortragender Rath im Ministerium der geistlichen Angelegenheiten. Er hat zwei Söhne hinterlassen, der ältere, *Ludwig Heinrich* v. L., ist Dr. und Prof. der Rechte an der Universität zu Berlin, der jüngere, *Wilhelm Karl Ludwig* v. L. ist seit 1838 Legationsrath.

Lancken, die Herren von der.

Eine der ältesten und vornehmsten Familien in Vorpommern und namentlich auf der Insel Rügen, wo dieselbe schon seit dem Jahre 1190 begütert ist. Zuerst kommt *Heinrich* v. d. L. unter Herzog Bogislav X. vor. *Christoph* v. d. L. war 1628 Landvoigt auf Rügen. — *Christoph Adam* v. d. L. war 1662 pommerscher Gesandter auf dem Reichstage zu Regensburg. Noch in der Gegenwart ist die Familie im Regierungsbezirk Stralsund und namentlich auf der Insel Rügen reich begütert. Das alte Stammgut Lancken, die Güter Lankenburg, Plüggentin, Woldenitz, Zürckwitz u. s. w. sind noch gegenwärtig in den Händen dieser vornehmen Familie. Eine Linie derselben ist oder war auch im Holsteinschen ansässig. *Aegidius* v. d. L. starb 1631 als herzogl holsteinscher Geh.-Rath, Hofmarschall, Gouverneur zu Gottorf und Probst zu Lübeck und Pretz. Eine andere Linie hat den Beinamen v. d. Lancken-Wackenitz angenommen; sie besitzt die schon erwähnten Woldenitzer Güter. — Sehr viele Söhne aus diesem Hause dienen gegenwärtig als Offiziere in der Armee; mehrere sind mit dem eisernen Kreuze geschmückt. — Die v. d. L. führen im quergetheilten, oben silbernen, unten blauen Schilde hier drei goldene Sterne, dort einen verkürzten rothen Löwen und auf dem gekrönten Helme einen goldenen Stern.

Landsberg, die Freiherren u. Herren von, Bd. III. S. 197.

Eine sehr alte und vornehme adelige, und längst auch freiherrliche Familie in Westphalen, deren Stammhaus gleiches Namens im Herzogthum Berg zwischen Angerort und Verden liegt. Schon im 15ten Jahrhundert ist sie in solchem Ansehen gewesen, dass das Domcapitel zu Hildesheim 1482 *Berthold* v. L. zum Bischof erwählte, welche Würde derselbe auch zu Verden erlangte. *Diederich* v. L. auf Erwitte war 1660 Oberdrost in Westphalen, und hinterliess *Franz Joseph* v. L., auf welchen 1698 bei der Bischofswahl zu Osnabrück Reflexion gemacht wurde. Er begnügte sich aber mit seinem Canonicat, gab seine Stimme dem Herzog Karl von Lothringen, und nahm bei demselben die Stelle eines geheimen Raths an. Im Jahre 1700 ward er von dem Bischof zu Hildesheim zum Präsidenten der Regierung und des Hofraths-Collegium ernannt, auch im folgenden Jahre nach Rom gesandt, worauf er 1704 Domprobst zu Hildesheim wurde. Im Jahre 1719 war ein Baron v. L. als Grossdechant des Bisthums Münster zum Bischof daselbst im Vorschlag. Gegenwärtig sind bekannt *Johann Matthias* Freiherr v. L. zu Erwitte, Domcapitular zu Münster, Paderborn und Osnabrück, Drost der Aemter Neuhaus, Delbrück und Boke, und *Franz Karl Friedrich Anton* Freiherr v. L., Domherr zu Münster, Paderborn und Osnabrück. — Man unterscheidet noch die Häuser Landsberg-Vehlen und Landsberg-Steinfurt.

Das Wappen ist ein goldenes Schild, über welches ein rother, in Silber gegitterter Querbalken geht. Auf dem gekrönten Helme sitzt ein rothes Eichhörnchen mit aufgeschlagenem Schwanze im rechten Profil, zwischen zwei goldenen Palmzweigen. M. s. Varrentrapp's genealog. Handbuch S. 191.

Langendorf, die Herren von.

Sie stammen von *Lorenz* v. L., der am 16. März 1658 zu Liegnitz als kaiserl. Proviantmeister des Coloredoschen Regiments starb. In der preuss. Armee dienten im Jahre 1806 noch mehrere Herren v. L. Ein Hauptmann v. L. starb vor einigen Jahren in Brieg a. D., er war Ritter des eisernen Kreuzes, erworben bei Leipzig.

Langenickel, die Herren von.

Die erloschene schlesische Familie v. L., aus welcher der fürstbischöfl. breslauische Amtshauptmann v. L. am 13. März 1746 ein preussisches Adelsdiplom erhielt, führte im gespaltenen golden und blauen Schilde hier einen nach der rechten Seite aufspringenden Löwen, dort einen auf grünem Rasen stehenden Palmbaum. Auf dem Helme wiederholt sich der Löwe verkürzt, in der rechten Pranke einen Palmenzweig haltend. Decken blau und Gold.

Langenthal, die Herren von.

Sie gehören zu den älteren adeligen Geschlechtern in den schlesischen Fürstenthümern Neisse und Breslau. Viele v. L. waren auch in Diensten der Stadt Breslau. *Martin Ignaz* v. L. war bis 1722 Canzler des Fürstenthums Breslau, und Herr der Güter Zweibrodt und Blankenau bei Breslau. Noch bis in die neueste Zeit haben Mitglieder dieser Familie im preuss. Heere gestanden. Gegenwärtig steht ein Hauptmann v. L. im 11ten Infant.-Regiment; er ist Ritter mehrerer Orden, namentlich auch des eisernen Kreuzes, erworben bei Bautzen.

Langen Steinkeller, die Herren von.

Diese Familie führt ein gespaltenes Schild, in dem rechten oben goldenen, unten mit einem blauen silbernen Schach ausgefüllten Felde zeigt sich ein verkürzter, nach der rechten Seite aufspringender und gekrönter Löwe. Im blauen Felde sind drei grüne Hügel vorgestellt, der mittlere und höchste derselben ist mit drei silbernen, mit goldenen Griffen versehenen Schwertern besteckt. Dieses Schild trägt zwei gekrönte Helme, auf dem rechten wiederholt sich der Löwe, auf dem linken wächst ein wilder, um Kopf und Hüften grün bekränzter bärtiger Mann, der in jeder Hand eine blaue Lilie hält. Decken rechts roth und Gold, links blau und Gold.

Langguth, die Herren von, Bd. III. S. 202.

Aus dieser adeligen Familie stand ein Mitglied, der Major v. L., in dem Regiment v. Müffling in Neisse, wie wir in unserm Artikel auch angegeben haben. Er führte im silbernen Schilde einen goldenen Löwen, und auf dem Helme einen gerüsteten Arm, der einen Lorbeerkranz emporhält.

Langheim, die Herren von.

Ein seit langen Jahrhunderten in Preussen ansässig gewesenes Geschlecht. Im Jahre 1727 besass *Johann Dietrich* v. L. das Gut Geeland bei Seehesten, und *Friedrich* v. L. war 1775 Herr auf Borkun; er hinterliess einen Sohn, *Friedrich Otto*. Zu Gardelegen starb am 20. Mai 1800 der Major *Valentin* v. L., er stand im dritten Musquetir-Bataillon des Regiments v. Tschammer, und ist der Letzte, der uns aus diesem Geschlechte vorgekommen ist.

Lannoy, die Grafen und Freiherren von.

Dieses gräfliche Haus besitzt die Herrschaft Clerveaux im Luxemburgschen und sehr ansehnliche Güter in den Niederlanden, wie auch in der preussischen Rheinprovinz. — *Karl* v. L. war Vice-König von Neapel, ihm übergab König Franz I. seinen Degen als Gefangener im Kampfe bei Pavia (1525). Kaiser Karl V. schenkte diesem alten vornehmen Hause das Fürstenthum Sulmona, die Grafschaften Ast und Roche en Ardennes. Zu den Nachkommen dieses berühmten Hauses gehören: *Peter Joseph Albert* Freiherr v. L., der als kais. königl. Staats- und Conferenzrath im Jahre 1825 zu Wildhausen in Steyermark starb. Er war als Staatsmann und Gelehrter berühmt, und ein grosses Werk über Politik und Geschichte fand man halb vollendet in seinen nachgelassenen Papieren. — *Eduard* Freiherr v. L., Sohn des vorigen, hat sich als Componist und Dichter gleich rühmlich bekannt gemacht, und den deutschen Text zu zahlreichen Opern, namentlich auch zu Rossini's Tancred und zu Caraffa's Klausner geliefert.

Lantoschen, die Herren von.

Hans v. L. auf Passepol im Amte Lauenburg begab sich am Ende des 16ten Jahrhunderts nach Preussen, wo 1591 sein Sohn *Michael* v. L. Herr auf Galimbo war. Sie führten ein oben in blau und Silber quer getheiltes, unten rothes Schild, in dem rothen Felde springt hinter einem alten Baumstamme ein Fuchs im vollen Lauf hervor.

Lanzendorf, die Herren von.

Sie führen im goldenen Schilde zwei abgehauene, mit den Blättern nach der linken Seite gewendete, schräg gelegte Palmenzweige, auf dem Schilde eine Edelkrone. Das Schild selbst steht zwischen zwei, mit einem goldenen Bande zusammengeknüpften Lorbeerzweigen.

Larei, die Herren de.

Eine adelige Familie aus der Normandie. Sie flüchtete im Jahre 1683 nach Berlin, wo das Haupt derselben am 29. Novbr. 1683 die Bestallung als churfürstl. brandenburgischer Rath erhielt.

Laroche, die Herren von.

Aus diesem uralten, aus Frankreich stammenden und in vielen Aesten in der Vorzeit und noch in der Gegenwart blühenden Geschlechte, gehören hierher namentlich die L. v. Starkenfels, von denen das Haupt der Familie, der königl. General-Lieutenant L. v. St., früher Commandant von Schweidnitz, Ritter des Verdienstordens, des eisernen Kreuzes I. Classe u. s. w. gegenwärtig in Berlin lebt — Ein Sohn desselben, der Lieutenant v. L., steht gegenwärtig im 2ten Garde-Regiment. In Berlin befindet sich auch der Geh. Oberbergrath L., eigentlich v. Frank genannt L. Der später als französischer General-Lieutenant verstorbene Graf v. Laroche-Aimont hatte ebenfalls früher in preussischen Diensten gestanden, und die zu Berlin wohnende Gräfin v. Brüge, Tochter der verwittweten Gräfin v. Brüge, war an einen Grafen v. Laroche-Lambert vermählt.

Lasalle, Herr von.

Ein Edelmann dieses Namens, mit dem Prädikat Louisenthal, ist Besitzer von Dachstahl bei Merzig.

Lasaulx, die Herren von.

Eine adelige, in vielen Zweigen in der Rheinprovinz blühende Familie, namentlich zu Schloss Knoppenberg bei Aachen, zu Herzogenrath, zu Coblenz, Elberfeld, Dierdorf, Adenau u. s. w. — *Peter Ignaz Joseph* v. L auf Schloss Knoppenberg. — *Johann Claudius Joseph* v. L., königl. Bauinspector zu Coblenz. — *Ernst Georg Peter* v. L., Justizamtmann zu Dierdorf u. s. w.

Lasthausen, die Herren von.

Ein westphälisches adeliges Geschlecht. — *Karl* v. L. war im Jahre 1700 Herr auf Hiddisdorf bei Minden.

Lattre, Herr von (de).

Der Geh. Kriegsrath v. L., früher Adjutant des als Kriegsminister verstorbenen General-Lieutenant v. Witzleben, in Berlin, ist mit einer Tochter des im Jahre 1837 verstorbenen General-Majors und Minister Residenten v. L'Estocq vermählt. Sein Wappen ist ein goldgeränder tes, quadrirtes Schild mit einem Herzschilde, in dem ersten und vierten blauen Felde ist ein schwebender goldener Stern, in der zweiten und dritten silbernen Feldung eine breite grüne Blume, im schwarzen Herzschilde ein Löwe, über dessen Kopfe vier zum Ringe geformte Halbmonde schweben. Der gekrönte Helm trägt zwei weisse Adlerflügel. Auf dem goldenen Rande des Schildes stehen rechts die Worte: *sincera fide*, links: *claro ingenio*. Die Decken rechts Gold und grün, links Silber und grün.

Lau, die Herren von.

Es sind uns mehrere adelige Familien dieses Namens bekannt geworden. Im Saalkreise besass *Ludwig* v. L., Hauptmann, im Jahre 1630 das Gut Balleben. — *Karl Gustav Ludwig* v. L., königl. preuss. Hauptmann a. D., besass am Anfange dieses Jahrhunderts das Gut Hünern bei Hermstädt; er war mit Anna Magdalena v. Briesen vermählt. Ein Bruder von ihm lebte noch vor einigen Jahren in Breslau.

Lauenstein, die Herren von.

Diese Familie führt im quadrirten Schilde, im ersten und vierten rothen Felde eine silberne Lilie, im zweiten und dritten silbernen Felde einen rothen Sparren; auf diesem Schilde steht eine Edelkrone. Das Schild selbst steht zwischen einem Lorbeer- und einem Eichenzweige, die an den Stielen von einem goldenen Bande zusammengehalten werden.

Lauer von Münchhofen, die Freiherren.

Im Jahre 1790 erhielt der königl. preuss. Kriegsrath und früher Cabinetssecretair des Markgrafen Heinrich v. Schwedt, *Adolph Julius* v. L., die Freiherrenwürde mit dem Prädikat v. Münchhofen. Von seinen drei Söhnen starb *Julius* im Juni 1808; *Adolph* Freiherr L. v. M. ist Rittmeister und Escadrons-Chef im Garde-Cürassier-Regiment; *Eduard* Freiherr L. v. M. ist königl. Kammergerichtsrath. — Dieser Familie gehört das Schloss Plaue bei Brandenburg an der Havel mit den dazu gehörigen Gütern. — Wappen. Es führt diese Familie ein in sechs Quartiere getheiltes Schild. In dem ersten rothen Felde liegt ein goldener, den Bart nach oben gewendeter Schlüssel von einem grünen Kranze umgeben, in dem zweiten goldenen Felde steht eine schwarze Säule, an deren Ende ein mittelst eines silbernen Bandes befestigter silberner Stab liegt. Im dritten goldenen Felde springt ein schwarzer verkürzter und gekrönter Löwe, der ein Schwert in der Pranke hält, hervor; im vierten silbernen Felde springt ein rother Greif nach der linken Seite empor; im fünften grünen Felde liegt eine goldene Scheibe; das sechste blaue Feld ist mit drei goldenen Wecken, oben zwei, unten eine, belegt. Das Schild ist mit einer freiherrlichen siebenperligen Krone bedeckt, darauf stehen drei Helme; der erste trägt den verkürzten Löwen, der zweite die Säule, wie im Schilde, auf dem dritten stehen zwei Büffelhörner, von welchen das rechte oben Silber, unten roth, das linke oben grün und unten Silber ist, zwischen denselben liegen zwei, mit dem grünen Kranz umwundene Schlüssel. Decken blau und Gold; ein rother Greif und ein schwarzer Löwe halten das Schild, das von einem Mantel umhangen ist.

Laurans, die Herren von.

Ein Oberstlieutenant in polnischen Diensten, L. de Brusquet, besass um das Jahr 1740 das Dorf Plenthütten bei preuss. Mark. — *Constantin* v. L. besass das Gut Lankewitz bei Berlin.

Lauson, die Herren von.

Im Jahre 1718 lebte *Johann* v. L., preussischer Oberst. Im Jahre 1729 war *Johann Samuel* v. L. königl. preuss. Capitain und Herr der Güter Osterwein und Ingenfeld im Amte Osterode.

Lauterbach, die Freiherren und Herren von.

Eine dem Magdeburgischen angehörige, zum Theil freiherrliche Familie; Morlau, Altstedt und Räblingen sind oder waren ein Eigenthum dieser Familie. In Preussen kommt im Jahre 1584 *Christoph* v. L., Herr auf Rutnicken im Amte Grünhof vor. — *Louise* Freiin v. L., früher vermählt an den Grafen Röttcher v. Feldheim auf Harbke, ist seit dem 16. Aug. 1806 mit dem Fürsten Wilhelm Ma'te Puttbus vermählt (m. s. d. Art). Siebmacher giebt das Wappen derer v. L. unter dem hessischen und unter dem steirischen Adel. Das hessische Geschlecht führt im rothen Schilde einen von der obern linken zur untern rechten Seite schräg fliessenden silbernen Strom oder Bach, auf dem Helme zwei rothe, mit dem Bach belegte Flügel. — Das steirische Geschlecht aber führt im blauen Felde einen auf grünem Hügel stehenden goldenen Löwen, und auf dem Helme denselben verkürzt zwischen zwei oben blauen und unten goldenen, mit einem silbernen Strome belegten Adlerflügeln.

La Valette Saint-George, die Herren von.

Diese Familie gehört dem alten Adel Frankreichs an. Sie stammt aus St. Antoine oder Antonin in Rouergue. Ein Ast derselben hat sich in Deutschland und zwar in der heutigen preuss. Rheinprovinz niedergelassen; es leitet dieses Geschlecht seine Abstammung von den Grafen v. Rouergue, den ersten Beherrschern von Toulouse ab. — *Jean Paul* Chevallier, nachmals Graf de La Valette St. George, geb. 1740, verliess 1762 die französischen Dienste, und kaufte sich 1768 im Bergischen an. Von seinen Söhnen war *Charles Ferdinand* de L. V. St. G., geb. 1764, Lieutenant in holländischen Diensten; er vermählte sich mit Maria Anna, Tochter des Barons Philipp v. Franken, Herrn zu Ulenbreuch. Aus dieser Ehe lebt gegenwärtig *Johann Baptist Paul Philipp Leopold* v. L. V. St. G., geb. den 27. Jan. 1789 zu Auel im Regierungs-Bezirk Cöln. — Am 1. März 1833 starb zu Cöln *Josephine* v. L. V. St. G., geborne Gräfin v. Hatzfeld-Schönstein-Wildenburg, 71 Jahre alt.

Lavergne-Peguilhen, die Herren von, Bd. III. S. 208.

Franziska v. L.-P., geb. den 2. Febr. 1797, ist die Gemahlin des Grafen Ludwig v. Westarp, königl. preuss. Major zu Potsdam. — Diese adelige Familie führt ein quadrirtes Schild; im ersten und vierten rothen Felde ist ein weisser, nach der rechten Seite vorschreitender Windhund, im zweiten und dritten blauen Felde ist ein goldener, nach der rechten Seite aufspringender Löwe, vor dem zwei silberne Sterne schweben, vorgestellt. Auf dem gekrönten Helme steht der Löwe verkürzt. Decken rechts roth, Silber und schwarz, links blau, Gold und schwarz.

La Vièrre, die Herren von.

Aus dieser adeligen, aus Frankreich stammenden Familie, die gleiche Abkunft mit den edeln Geschlechtern Beaulieu, de Ville u. s. w. hat, haben mehrere Mitglieder im preussischen Staats- und Militairdienst gestanden, und noch in der Gegenwart stehen welche darin. In Magdeburg ist der Staatsrath und Oberforstmeister v. La V. Dirigent einer der Abtheilungen der dasigen Regierung. Ein Sohn desselben steht als Lieutenant im 1sten Garde-Regiment in Potsdam. — In Charlottenburg lebt der Oberstlieutenant a. D. v. La V.; er stand 1806 bei dem Regiment des Königs und war bis 1804 dem 24sten Infant.-Regiment aggregirt. Aus seiner Ehe mit der einzigen Tochter des verewigten Feldmarschall Grafen Kleist v. Nollendorf lebt ein Sohn, der Lieutenant a. D. ist (früher im Garde-Dragoner-Regiment).

Laxdehn, die Herren von, Bd. III. S. 208.

Wappen: Ein schräg von dem obern rechten zum untern linken Winkel durch einen Faden in Silber und roth getheiltes Schild, auf dem Faden liegt ein Degen, der mit der Spitze nicht ganz bis in den rechten obern Winkel reicht; der Bügel des goldenen Griffes und das Portépée liegen im silbernen Felde. Auf dem gekrönten Helme steht ein schwarz und silberner Adlerflügel. Decken rechts schwarz und Silber, links roth und Silber.

Leers, die Herren von.

Das adelige Geschlecht v. L. erhielt am 12. Febr. 1669 vom Kurfürsten Friedrich Wilhelm ein Anerkennungsdiplom. Es führt im goldenen Schilde einen schwarzen Balken, und auf dem Helme fünf Straussenfedern, die 1., 3. und 5. in Gold, die 2. und 4. schwarz. Decken schwarz und Gold.

Lehmann, die Herren von, Bd. III. S. 210.

Die von König Friedrich I. in den Adelstand erhobene Familie v. L. führt im silbernen Schilde einen auf grünem Rasen stehenden reichbelaubten Baum und auf dem Helme zwei weisse Adlerflügel. Decken grün und Silber.

Lehndorf, die Grafen von.

Dieses Haus, das gegenwärtig in Preussen die Güter Steinort, Warglitten, Landkeim u. s. w. besitzt, gelangte im Jahre 1688 zur reichsgräflichen Würde. — Einer dieses Geschlechtes war Vorschneider bei dem Grafen Anton v. Schwarzenberg, und erstach den 28. Juli 1641 den Kriegsrath v. Zastrow; er wurde zwar verhaftet, entfloh aber. — Gegenwärtig besteht dieses gräfliche Haus aus folgenden Mitgliedern:

Graf *Karl Friedrich Ludwig Christian* v. L., geb. den 17. Septbr. 1770, Herr auf Steinort u. s. w., königl. preuss. General-Lieutenant

s. D., vermählt den 26. Aug. 1823 mit Pauline, Gräfin v. Schlippenbach, geb. den 30. Novbr. 1805.

Kinder:

1) *Pauline*, geb. den 27. Febr. 1825.
2) *Karl Meinhard*, geb. den 20. Octbr. 1826.
3) *Heinrich Emil August*, geb. den 2. April 1830.

Bruder:

Heinrich August Emil, Herr auf Warglitten, Landkeim u. s. w., geb. den 28. Juli 1777, königl. preuss. Kammerherr, gewesener Gesandter in Petersburg und Madrid.

Lentcken, die Herren von.

König Friedrich II. erhob am 25. Juli 1767 fünf Brüder L. aus Magdeburg, die theils Offiziere, theils Gutsbesitzer waren, in den Adelstand. Einer von ihnen stand 1793 als Major im Regiment v. Möllendorf zu Berlin. — Das ihnen beigelegte Wappen zeigt im blauen Schilde drei goldene Schiffsanker, oben zwei, unten einer. Auf dem Helme stehen zwei blaue, in der Mitte aber goldene Büffelhörner, zwischen ihnen ein gestürzter Schiffsanker. Decken blau und Gold.

Lentulus, die Freiherren von, Bd. III. S. 215.

Basilius L. und *Albericus* L., beide Mönche auf dem Monte-Cassino, von welchen ersterer im 7ten und letzterer im 11ten Jahrhundert lebte, setzten die Abstammung von dem in unserm Artikel gedachten *Servius Cornelius* genannt L. bis zur 37sten und von da bis zur 48sten Generation fort, welche von dem Geschlechte fortgesetzt wurde. In der 64sten Generation wurde (angeblich) *Scipio* zu Neapel 1525 geboren, ward 1539 Mönch und 1541 Doctor der Theologie. „Da er gewahrt, dass Niemand mehr vorhanden, der sein Geschlecht fortpflanzen könnte," so verliess er heimlich 1551 diesen Stand, ward aber eingefangen, und schmachtete bis 1558 in den Kerkern der Inquisition zu Rom und Neapel, wo es ihm endlich gelang, zu entfliehen, jedoch nichts als „obbemeldetes Geschlechtsregister" mitnehmen konnte. Ueber Sicilien und Genua kam er 1559 nach Genf, und bekannte die evangelische Lehre; von 1560—1567 war er evangelischer Pfarrer in den piemontesischen Thälern und von 1567—1599 in Valtelina, wo er zu Cläven im letztern Jahre starb. Sein Sohn *Paul* ward Leibarzt der Königin von England und 1591 Doctor zu Basel; er wurde nach Bern als erster Arzt berufen und mit dem Erbbürgerrecht dieser Republik beschenkt: seit dieser Zeit ist es ein Berner Geschlecht. — Von den vier Söhnen des königl. preuss. General-Lieutenants Baron L. starb *Rupert Scipio* (IV.) 1804 als Major vom Leibcarabinier-Cürassier-Regiment, und *Caesar Scipio* war noch 1812 als königl. preuss. Kammerherr am Leben. — Das Wappen dieser Familie enthält im horizontal getheilten Schilde, in der obern Hälfte drei Lanzenspitzen, in der untern drei Linzen; auf dem gekrönten Turnierhelme steht die Ceres mit Kranz und Füllhorn. (Nach dem Siegel eines Lehnbriefes von „Cesar Lentulus, Gentilhomme, bourgeois de Berne, ballif de Lausanne" vom 17. Febr. 1658.)

Lentz, Freiherr von.

Ein Freiherr v. L., Erbherr auf Butow, bei Soldin in der Neumark, wurde im März 1838 Wittwer von einer v. Gruben.

Lenzke, die Herren von.

Eine adelige Familie in der Mark, welche den gleichnamigen, aus vier Antheilen bestehenden Rittersitz bei Fehrbellin noch in der Gegenwart als Eigenthum besitzt. — Ein Major v. L., der bis 1806 in der ersten warschauer Füselier-Brigade, und 1816 im zweiten ostpreuss. Landwehr-Infant.-Regiment gestanden hatte, war im Jahre 1824 Postmeister in Gumbinnen. Auch in der zweiten warschauer Brigade standen zwei Edelleute dieses Namens; doch ist es uns nicht bekannt, ob sie zu der märkischen Familie gehören, oder vielleicht zu der gleichnamigen adeligen Familie, die Ostpreussen angehört, und aus welcher der Ritterschaftsrath v. L. das Gut Statzen bei Angerburg besitzt.

Leopold, Herr von.

Am 18. Septbr. 1753 wurde ein Offizier dieses Namens geadelt. — Er führte ein mittelst Spitzenschnitts in drei Felder, von denen das rechte in Silber damascirt, das linke golden, das unterste blau und damascirt ist, getheiltes Schild. In dem goldenen Felde wird ein aus den Wolken kommender gerüsteter, ein kurzes Schwert haltender Arm sichtbar. Decken rechts blau und Gold, links blau und Silber. Den Helm bedeckt eine Edelkrone.

Lepel, die Grafen und Herren von, Bd. III. S. 218.

Se. Majestät der jetzt regierende König erhoben im Jahre 1838 den General-Major und Adjutanten des Prinzen Heinrich königl. Hoheit, *Friedrich Wilhelm* v. L., jetzt in Rom, in den Grafenstand. — Der Oberstlieutenant a. D. v. L. besitzt gegenwärtig das Schloss Belle-Vue bei Köpenick.

Lescínsky, die Herren von.

Durch eine Cabinets-Ordre vom 30. Septbr. 1777 ertheilte König Friedrich II. dem Hauptmann v. L. im Regiment v. Saldern die Erlaubniss, den Namen und das Wappen des altadeligen polnischen Geschlechtes v. L. zu führen. — Zwei Söhne von ihm dienten im Jahre 1806 als Hauptleute in der preuss. Armee; der ältere in dem Regiment v. Kleist zu Magdeburg. Er ist im Jahre 1827 als ausgeschiedener Major und Kreis Brigadier bei der Gensd'armerie gestorben. Der jüngere stand im Pontonier-Corps, und ist schon 1819 als pensionirter Major gestorben. Die Söhne dieser Brüder dienen noch heute in der Armee, zwei als Capitains.

Lesecque, die Herren von.

Eine adelige Familie in den Rheinprovinzen, von welcher zu Düsseldorf und Gmünd Zweige leben.

Lessing, die Herren von.

Sie gehören eigentlich dem Königreich Sachsen an. Ein sächs. General-Major der Cavallerie a. D. v. L. wohnte nach seiner Verabschiedung in Lübben. Seine Söhne stehen als Lieutenants im dritten Bataillon des 31sten Landwehr-Regiments.

Leubnitz, die Herren von.

Diese Familie gehörte zu dem reichsten und angesehensten Adel in der Lausitz. Hochkirch, Klix, Friedrichsdorf u. s. w. waren Besitzungen derselben.

Leupold, die Herren von.

Es führt diese Familie ein in der obern Hälfte in Silber und blau gespaltenes Wappen. In dem silbernen Felde ist ein nach der rechten Seite aufspringender verkürzter Löwe, im blauen Felde aber ein silberner Schiffsanker vorgestellt. Die untere Hälfte des Schildes ist blau und schwarz und mit einem goldenen Querbalken belegt. Auf dem Helme wiederholt sich der verkürzte Löwe. Decken rechts schwarz und Gold, links schwarz und Silber.

Lewandowski, die Herren von.

Aus dieser adeligen, aus Polen stammenden Familie sind zwei Mitglieder im preussischen Staatsdienst, der Rendant der Kasse des Kreises Bock (Provinz und Regierungs-Bezirk Posen) v. L. und der Assessor beim Land- und Stadtgericht zu Wolstein v. L.

Ley, die Herren von.

Ein altadeliges Geschlecht dieses Namens gehört der Grafschaft Mark an; es schreibt sich Ley v. Neuhoff (M. s. Abels Rittersaal und Zedler XVII. Bd. S. 709.) — *Mathias* v. L., kaiserl. östreich. Rittmeister, wurde 1805 in den Freiherrenstand erhoben. — *Franz Karl Philipp* v. L. lebt zu Siegburg bei Cöln.

Leyen, die Freiherren und Herren von der, Bd. III. S. 230.

Zu Crefeld lebt noch gegenwärtig von dieser Familie die Freifrau *Henriette* v. d. L., geborne v. d. L. Diese Familie wurde am 21. Febr. 1786 geadelt und erst am 17. Jan. 1816 wurde ein Zweig derselben in den Freiherrenstand erhoben. Das freiherrliche Wappen ist an der oben angegebenen Stelle beschrieben, das ursprüngliche adelige aber ist quer in blau und Silber getheilt, im blauen Felde stehen die drei Sterne, im untern silbernen der Storch, und es ist nur mit einem Helme besetzt, der drei Straussenfedern, zwei schwarze und die mittlere silbern, trägt. — Der adeligen Familie Courad? (Conrad) v. d. L. gehörte an: *Friedrich Heinrich* v. d. L. und *Johann Peter* v. d. L. zu Crefeld, und *Franz David Gustav* v. d. L. zu Palmersheim, Regierungs-Bezirk Cöln. *Johann Conrad* v. d. L. wohnt in Cöln.

Leykam, die Freiherren von.

Kaiser Joseph II. erhob am 23. Febr. 1788 den damaligen Kammergerichts-Assessor *Franz Georg* L. aus Cöln in den Freiherrenstand. — *Antonie* Freiin v. L., geb. am 15. Aug. 1806, vermählte sich am 5. Novbr. 1827 mit dem Hof- und Staatskanzler Fürsten v. Metternich, wurde zur Gräfin v. Beilstein erhoben und starb zu Wien am 17. Jan. 1829. — *Franz* Freiherr v. L., Herr auf Haus Elsum im Regierungs-Bezirk Düsseldorf, ist grossherzogl. Hof-Kammerherr und Hof-Kammerrath.

Leyser, die Herren von, Bd. III. S. 230.

Ein Sohn des Kriegsraths v. L. war *August Polycarp* v. L., königl. sächsischer Premier-Lieutenant. Er vermählte sich zuerst mit Eva Magdalena v. Diepow aus dem Hause Görigk, und hatte in dieser Ehe drei Kinder. Seine zweite Gemahlin war eine geborne v. Nostitz. Er starb 1820 zu Reichenbach in der Oberlausitz.

Kinder erster Ehe:

1) *August Ernst* v. L., welcher am 18. Novbr. 1789 zu Stremberg geboren wurde, und mit seinem 14ten Jahre in das sächsische Dragoner-Regiment Prinz Albrecht eintrat. Nachdem er zehn Jahre gedient hatte, verlangte er, auf Anrathen seines Vaters, den Abschied, und erhielt denselben als Hauptmann. Er bewirthschaftete mehrere Jahre sein vom Major v. Hohenstein geerbtes Rittergut Dittmannsdorf in der Oberlausitz, vermählte sich 1811 mit Amalie v. Oppen aus dem Hause Sglietz, und übernahm das Rittergut Sglietz im Lübbener Kreise, woselbst er jetzt noch Gutsbesitzer und Landesdeputirter dieses Kreises ist. Nachdem er 14 Jahr verheirathet war, starb seine Gemahlin und hinterliess ihm sieben Kinder:

a) *Ernst Herrmann*, geb. am 4. Mai 1816, Portépéefähndrich im 8ten Infanterie-Leib-Regiment.
b) *Ernst Otto*, geb. am 27. Juli 1817.
c) *Johanna Bianka Camilla*, geb. am 27. Febr. 1819.
d) *Ernst Hugo*, geb. am 10. Mai 1820.
e) *Ernst Rudolph*, geb. am 11. Octbr. 1823.
f) *Ernst Karl*, } Zwillinge, geb. am 4. Jan. 1825.
g) *Johanna Friederike Amalie*, }

Zum zweiten Male vermählte er sich mit Caritas v. Tietzen-Hennig, welche aber am 6. Febr. 1837 starb.

2) *Auguste* v. L.
3) *Julius Eduard* v. L., geb. 1794.

Kinder zweiter Ehe:

1) *Friedrich* v. L., geb. 1800, stand bis 1832 im Regiment Kaiser Alexander, und ist jetzt Rittergutsbesitzer von Cotta bei Pirna.

2) *Leonta* v. L., geb. 1809, vermählt mit dem Herrn v. Schelcher auf Tocksdorf bei Forste.

Lezaak, die Herren von.

Eine zum Adel der Rheinprovinz gehörige Familie. — *Johann Philipp Victor* v. L. lebt zu Düsseldorf.

20*

Lezodt, die Herren von.

Eine adelige Familie in Aachen. Daselbst lebt *Clemens August* v. L.

Liagno, die Herren von.

Sie erhielten am 2. Septbr. 1820 von preussischer Seite ein Anerkennungsdiplom ihres Adels. Ihr Wappen stellt einen schwarzen Adler mit ausgebreiteten Flügeln dar. Auf der Brust trägt er ein quer getheiltes ovales Schild. Die obere Hälfte ist gespalten, im linken silbernen Felde steht ein schwarzer Adler, im rechten rothen drei der Länge nach gezogene goldene Strassen oder Balken. Die untere goldene Hälfte ist mit einem grünen Schräglinksbalken belegt, über demselben stehen die Buchstaben A. M., unter demselben die Buchstaben G. P.

Lichtenstein, die Freiherren von.

Das uralte freiherrliche Geschlecht Lichtenstein ist ganz verschieden von der gleichnamigen fürstlichen Familie, es besass Schlösser und Güter bei Bamberg und bei Coburg, und nach Hönns Coburger Chronik wohnten schon Ritter aus diesem Hause im Jahre 1080 dem Reichs-Turnier bei. — In Berlin lebt gegenwärtig aus diesem Hause *Karl* Freiherr v. L., angestellt bei der königl. Oper als Hof-Operndichter. Dieses Geschlecht führt im silbernen Schilde, im obern rechten und untern linken Theile desselben ein rothes ausgezacktes Feld. Der Helmschmuck besteht aus zwei rothen Büffelhörnern, von denen ein jedes mit sechs silbernen Federn besteckt ist. Siebmacher I. Th. S. 100.

Liebenau, die Herren von, Bd. III. S. 236.

Die adelige Familie v. L., welche in der Person des Lieutenants v. L. am 23 Juli 1764 (nicht 1767) ein Erneuerungs-Diplom erhalten hat, führt im schwarzen Schilde zwei goldene, mit den Mundstücken übers Kreuz gelegte goldene Hifthörner und zwischen diesen einen goldenen Stern. Auf dem Helme einen schwarzen Adlerflügel. Dekken schwarz und Gold.

Liebenroth, Herr von.

Der preuss. Armee gehört an der General-Major und Inspecteur im Ingenieur-Corps v. L., Ritter mehrerer Orden, namentlich des eisernen Kreuzes, erworben im Jahre 1813.

Liebstedt, die Herren von.

Ein adeliges erloschenes Patrizier-Geschlecht zu Erfurt, dessen Stammhaus gleiches Namens im Grossherzogthum Sachsen-Weimar bei Buttelstedt liegt. — *Ludwig* v. L. kommt als Zeuge in einer Untersuchung der Edlen Herren v. Blankenhain und des Grafen v. Orlamünde 1285 vor.

Liechtenstern, die Freiherren und Herren von.

Sie stammen ursprünglich von den Dynasten von Weinsperg ab, und sind also durch diese gleicher Abkunft mit den Herzögen v. Urslingen und den Herren v. Rapoltstein. *Friedrich*, *Engelhards* Freiherrn v. Weinsperg und Luitgards Schenkin v. Limburg Sohn begleitete noch als Jüngling den Kaiser Otto IV, als er die longobardische Krone erhielt. Als dieser Kaiser späterhin mit dem damaligen römischen Bischof Innocenz III. kämpfte, leistete ihm *Friedrich* in den dortigen schweren Kriegen die vortrefflichsten Dienste und hielt bei ihm bis nach der unglücklichen Schlacht bei Bovines aus, in welcher er sich besonders auszeichnete. Nachher kehrte er aber in seine Heimath zurück, und vermählte sich im Jahre 1224 mit Hildegarde v. Lichtstock-Liechtenhaim. Als Kaiser Friedrich aus Italien zurückkam, ersuchte ihn *Friedrich* um die Bewilligung, seiner Gattin Wappen annehmen zu dürfen, welches ihm der Kaiser auch mit einiger Veränderung erlaubte: und nach selben seinen Namen durch Diplom „Ulm am Montag vor Hl. Pangratz Tag nach der Geburt Christi 1226" in Liechtenstern veränderte. *Friedrich* v. L., der Stammvater des Geschlechtes, starb zu Heilbronn im Jahre 1269. Sein Sohn, *Friedrich* II. v. L. war ein tapferer Kriegsheld zu Land und zu Wasser. Er vermählte sich im Oriente und hatte mehrere Söhne, von denen der älteste, *Andreas* v. L., im Jahre 1342 als Bischof bekannt wurde. *Balduin* v. L., der zweite Sohn *Friedrichs* II., pflanzte seinen Stamm mit mehreren Söhnen fort, unter ihnen war *Andreas* v. L., der sich im Treffen bei Mühldorf auszeichnete, und *Friedrich* III. v. L., der sich nach Schwaben begab und 1390 in Preussen starb. Er hinterliess mehrere Söhne, von denen *Conrad* v. L. Gross-Comthur des deutschen Ordens wurde. Von seinen Enkeln starb *Friedrich* v. L., wieder ein Vater von mehreren Söhnen im Jahre 1560 zu Breslau. — In Frankreich und England waren Vettern durch geleistete Dienste zu hohen Ehren, und durch Vermählungen zu Gütern gelangt, namentlich in England unter Eduard VI. — *Karl Eduard* v. L., der am Hofe Kaiser Ludwigs von Baiern lebte, hatte sich mit Gertrude v. Seefeld vermählt und ebenfalls mehrere Söhne erzeugt, unter andern *Johann* III. v. L., der nach langen Reisen nach Breslau kam. *Ludwig* v. L. erhielt vom Kaiser Karl V. im Jahre 1542 eine Erneuerung seines Adels und Vermehrung seines Wappens. Er war Oberst der Reiterei und starb 1574. Sein Sohn, *Christoph Caspar* v. L., erhielt im Jahre 1584 abermals ein Erneuerungsdiplom seines alten Adels, und den Löwen, der bisher als Schildhalter gedient hatte, zum Helmschmucke des Wappens; er starb als churfürstlicher Rath und Oberpfleger zu Stadt am Hof. Er hinterliess drei Söhne, *Johann Georg*, *Johann Christoph* und *Franz* v. L., die vom Churfürsten Maximilian von Baiern laut Diplom vom 1. März 1638 in den Freiherrenstand erhoben wurden. Bei dieser Gelegenheit erhielten sie das unten beschriebene freiherrliche Wappen. Von den Brüdern pflanzte der älteste, *Johann Georg* v. L., seinen Stamm wieder mit mehreren Söhnen fort, von ihnen begab sich *Franz Peter* Freiherr v. L., nachdem er in bairischen, und später in polnisch-sächsischen Diensten gestanden, nach Eisenstadt in Ungarn, wo er sich mit Susanne v. Rommer vermählte. Aus dieser Ehe wurde *Johann* Freiherr v. L. 1747 vor Genua erschossen. Ein anderer Sohn, *Matthias Joseph* Freiherr v. L., geb. 1736, machte den Krieg in der kaiserlichen Armee mit und vermählte sich mit Anna Huber v. Hubersberg. Aus dieser Ehe war *Joseph Marius* Freiherr v. L., geb. den 12. Jan. 1765. Er wurde in Wien erzogen und erwarb sich hier durch seine Vorliebe zu den Wissenschaften die schätzbaren Kenntnisse in der Geschichte und Länderkunde, die er später in zahl- und lehrreichen Werken niederlegte. Dieser hochverdiente Gelehrte kam am Abend seines Lebens nach Berlin, wo er vor einigen Jahren gestorben ist. Er war zwei Mal vermählt, zuerst mit Elisabeth Soller, aus welcher Ehe ein Sohn, *Maximilian Joseph Leopold* Freiherr v. L., als Hauptmann in kaiserl. österreich. Diensten steht. Zum zweiten Male mit Josephine Charlotte Elisabeth Freiin v. Tschammer und Osten, Tochter des verstorbenen kaiserl. österreich. General-Majors dieses Namens. Aus dieser letzten Ehe wurden ihm drei Kinder geboren. Von ihnen steht *Theodor Philipp Joseph* Freiherr v. L. als königl. preuss. Lieutenant im 27sten Infant.-Regiment, zugleich ist er bei der Kadettenanstalt zu Berlin kommandirt, und hat sich durch mehrere ausgezeichnete Kartenwerke verdient gemacht. Das freiherrliche Wappen zeigt im quadrirten Schilde, im ersten und vierten blauen oder lasurfarbenen Felde einen von der untern Ecke bis zur obern Mitte reichenden silbernen Sparren zwischen drei silbernen Sternen, von denen zwei oben und einer unten steht. Das zweite und dritte Feld ist schwarz, und in demselben steht ein aufspringender, rechts gekehrter goldener Löwe mit offenem Rachen und roth ausgeschlagener Zunge. Auf dem Schilde liegt ein offener Turnierhelm mit königlicher Krone, auf welcher sich der Löwe etwas verkürzt wiederholt. Die Helmdecken sind rechts Gold und schwarz, links blau und Silber. (Nach vor uns liegenden Familienpapieren.) M. s. a. Materialien zur Biographie, Schneeberg 1823.

Lilienhoff, die Herren von, Bd. III. S. 255.

Wappen. Ein quer in blau und roth getheiltes Schild. In der obern blauen Hälfte drei silberne Lilien, die mittlere etwas höher, wie die beiden andern gestellt. In der untern blauen Hälfte ein nach der rechten Seite vorschreitender Löwe. Auf dem Helme zwei schwarze Adlerflügel, zwischen ihnen der Löwe verkürzt, nach der rechten Seite aufspringend, und eine Lilie in den Pranken haltend. Decken rechts blau und Silber, links roth und Gold.

Lilienstrom, die Herren von.

Dieses altadelige Geschlecht, das auch Lielienström und Lilljeström geschrieben wird, und aus welchem *Johann Nicodemus* v. L., schwedischer Staatssecretair, Präsident und Curator der Universität Greifswalde, im Jahre 1657 starb, stammt aus Schweden, von wo aus es nach Pommern kam. Schon seit längern Zeiten dienten mehrere Söhne aus diesem Hause in der preussischen Armee, namentlich stand einer v. L. 1806 in Spandau beim dritten Musketier-Bataillon des Regiments v. Arnim. In dem Regiment v. Borcke zu Stettin stand damals der Fähndrich v. L., derselbe ist gegenwärtig Oberst und Commandeur des 15ten Infant.-Regiments zu Minden. Er erwarb sich 1812 bei Tomaszna in Russland den Militair-Verdienstorden, und bei Leipzig das eiserne Kreuz. — Es führt dieses Geschlecht ein quadrirtes Wappen, in dessen erstem und viertem silbernen Felde ein blauer Strom, in dem zweiten und dritten blauen Felde aber eine silberne französische Lilie vorgestellt ist. Auf dem Helme stehen zwei silberne blühende Lilien an grünen Stengeln. Decken Silber und blau.

Lieser, die Herren von.

Die v. L. in Cöln stammen von *Johann* L., Kammerrath des Kurfürsten Max Friedrich von Cöln, der vom Kaiser Joseph am 29. März 1775 in den Reichsritterstand erhoben wurde. M. s. Robens I. Bd. S. 204, wo ein Auszug des Diploms zu finden ist.

Limon, die Herren von.

Eine adelige Familie in der Rheinprovinz, die sich eigentlich Wery v. L. schreibt. -- *Peter Ignaz* Wery v. L. lebt in Cöln, andere Zweige des Hauses in Düsseldorf und ebenfalls in Cöln.

Linckersdorf, die Herren von.

Durch ein Versehen steht Band III. S. 256 unseres Adels-Lexicons Linckensdorf statt Linckersdorf. Die übrigen Angaben sind richtig. Von den Söhnen des Generals *Johann Jacob* v. L. war der eine im Jahre 1806 Major im Regiment v. Borcke in Stettin; er starb noch in demselben Jahre im 49sten Jahre seines Alters. Der andere war Platzmajor in Stettin und starb 1807. Von den Enkeln des Generals diente einer damals als Premier-Lieutenant im Regiment v. Grevenitz in Glogau, 1815 war er Capitain im 13ten schlesischen und 1820 im 4ten Breslauer Landwehr-Regiment. Ein anderer hatte 1806 im Regiment v. Tscheppe zu Fraustadt gestanden, er trat in dem unglücklichen Feldzuge in das Corps des Fürsten von Isenburg und ist 1811 in Spanien geblieben. Gegenwärtig dienen keine Edelleute dieses Namens mehr in der Armee.

Lindenau, die Herren von.

Ein zu Erfurt erloschenes adeliges Patrizier-Geschlecht, was wahrscheinlich ein Zweig der noch lebenden adeligen sächsischen Familie v. L, ist, deren Stammhaus der Rittersitz Lindenau bei Leipzig ist.

Lindenberg, die Herren von.

Ein ehemaliges adeliges Patrizier-Geschlecht zu Erfurt, welches schon lange erloschen ist. Ob es mit dem St. Gallenschen Geschlechte dieses Namens, von welchem eine österreichische Familie v. L. abstammen soll, Einen Ursprung hat, ist nicht bekannt. Der schweizerischen Familie Stammschloss Lindenberg liegt bei Ober-Büren im Kanton St. Gallen, und mehrere seiner Edlen waren Gutthäter des Klosters Taennikon, wo sie auch begraben liegen.

Lindenowski, die Herren von, Bd. III. S. 265.

Diese Familie führt im schräg roth und blau getheilten Schilde einen verkürzten, gegen die rechte Seite aufspringenden Löwen, unter demselben sind zwei schräg von der untern rechten nach der mittlern linken Seite des Schildes gelegte silberne Balken angebracht. Der Löwe wiederholt sich auf dem Helme zwischen zwei oben blau und unten rothen Büffelhörnern. Decken rechts oben blau, unten roth und Gold, links oben roth, unten blau und Gold.

Lingk, die Freiherren und Herren von.

Eine aus der Provinz Preussen stammende Familie. Ein Baron v. L. stand 1806 in dem Regiment v. Reinhard und war 1828 Major. Ein Sohn desselben war Major im 6ten Infant.-Regiment, Ritter des eisernen Kreuzes, erworben bei Ligny. Ein Sohn desselben steht gegenwärtig als Lieutenant im 6ten Infant.-Regiment.

Linke (Linken), die Herren von.

Johann Daniel v. L. war 1766 Rathsmann zu Neisse. Im Breslauischen besass diese Familie mehrere Güter, namentlich das schöne, später gräflich Königsdorfsche Gut Bettlern. Bei Neisse war Johnsdorf, bei Löwenberg Niederbrarenberg in den Händen derselben. Sie führte in einem gespaltenen Schilde, im rechten goldenen Felde einen schwarzen, in die Höhe kletternden Bär, der mit beiden Vordertatzen einen gelben Zweig hält; dieser füllt die Mitte der linken schwarzen Feldung des Schildes aus. Auf dem Helme wiederholt sich der Bär mit dem Zweige. Decken schwarz und Gold.

Linsingen, die Grafen, Freiherren und Herren von.

Aus dem uralten, zum Theil freiherrlichen Geschlechte v. L., das in Hessen, Thüringen, Braunschweig, im Eichsfelde, in der Wetterau und im Lüttichschen, und in neuester Zeit auch in Pommern begütert ist oder war, haben mehrere Mitglieder im preussischen Heere gedient, und der königl. hannövrische General der Kavallerie, *Karl* Freiherr v. L., wurde am 17. Jan. 1816 in den preuss. Grafenstand erhoben. In der preuss. Armee stand im Jahre 1806 der Major v. L., Commandeur des Infant.-Regiments v. Tschammer, Ritter des Verdienstordens, erworben 1793 bei Tripstadt. Er gehörte der hannövrischen Linie an und hatte zwei Söhne, von denen der ältere in demselben Regimente stand, 1807 seinen Abschied als Capitain nahm und noch in neuester Zeit in Tilleda bei Rosla am Harz lebte. Der jüngere war damals Premier-Lieutenant in dem Regiment v. Sanitz und schied 1825 als Oberstlieutenant aus dem 11ten Infant.-Regiment. Noch gegenwärtig dienen Offiziere dieses Namens in der Armee, namentlich der Capitain v. L. im 25sten Infant.-Regiment. — Das Wappen dieser Familie zeigt im rothen Schilde drei silberne Balken, von denen die beiden obern mit drei, der untern mit einer blauen Linse belegt sind. Auf dem Helme liegt ein roth und silberner Bund, darauf wächst, zwischen zwei mit den silbernen Balken wie im Schilde belegten, rothen Adlerflügeln eine grüne Linsenstaude. — Dasselbe Wappen führt die heutige gräfliche Linie, deren Schild mit einer neunperligen Krone bedeckt ist und von zwei Löwen gehalten wird. M. s. v. Hattstein T. III. Supplem. 98. v. Krohne II. Th. S. 253—278 u. §. 112. Neues genealog. Handbuch. 1777. S. 282—288. 1778. S. 139—145. Siebmacher I. Th. S. 135. No. 8.

Linten, die Herren von.

Sie gehören dem Adel in Curland an. Ein Oberst v. L., geb. 1731 in Kurland, stand 1806 bei dem Regiment Prinz Ferdinand in Ruppin, und starb 1819 als ehrwürdiger Veteran. Er hatte einen Sohn, der als Fähndrich in demselben Regiment stand und 1817 als

Premier-Lieutenant im 17ten Regiment starb. Eine Tochter ist im Monat März 1838 als Stiftsdame vom heiligen Grabe gestorben.

Lintorff, Herr von.

Conrad v. L. war im Jahre 1438 zum Bischof von Havelberg erwählt worden, und starb in dieser Würde im Jahre 1443.

Lippig, die Herren von.

Diese adelige Familie führt im silbernen Schilde einen aus einem schwarzen Hufeisen wachsenden Palmbaum. Der letztere ist auch auf dem gekrönten Helme angebracht. Decken grün und Silber. Wappenbuch der preuss. Monarchie III. Bd. S. 87.

Lochhausen, die Herren von.

Des jetzt regierenden Königs Majestät erhoben am 10. Juli 1803 den Geh. Rath *Heinrich Werner Gottlob* L. in den Adelstand. Ein Major v. L. kommandirt das zweite Bataillon des 30sten Landwehr-Regiments in Saarlouis. Die v. L. führen ein quadrirtes Schild, in dem ersten und vierten silbernen Felde stehen zwei mit den Mundstücken abwärts übers Kreuz gelegte Hift- oder Jagdhörner, im zweiten und dritten blauen Felde eine silberne französische Lilie. Dieses Schild ist mit zwei Helmen besetzt, der erste trägt die Jagdhörner wie im Schilde, der zweite die Lilie zwischen zwei schwarzen, mit den Kleestengeln belegte Lilien. Decken rechts schwarz und Silber, links blau und Gold.

Lochmann, die Herren von.

Einer v. L. war früher Pagen-Hofmeister bei dem Markgrafen Karl und starb am 17. Aug. 1779 als Zolldirector zu Fürstenwalde. Sein Sohn *Johann Conrad* v. L. war Rittmeister bei Belling Husaren, und starb am 25. Septbr. 1801 zu Kempten an den Folgen eines Beinbruches.

Locquenghien, die Herren von.

Sie gehören zum Adel der Rheinprovinz. — *Joseph August Maria Hubert* v. L. lebt zu Elsen im Regierungs-Bezirk Düsseldorf.

Loder, die Herren von, Bd. III. S. 281.

Wappen. Ein quadrirtes Schild, im ersten und vierten blauen Felde ein auf grünem Hügel stehender Kranich, der einen Stein in den Krallen des rechten Fusses hält. Im zweiten und dritten silbernen Felde ein grüner Kranz. Auf dem gekrönten Helme ein schwarzer, mit dem Kleestengel belegter Adlerflug.

Löbell, die Freiherren u. Herren v., Bd. III. S. 285.

Die beiden General-Lieutenants Freiherren v. L. sind geborene Kurländer, wohin Zweige dieses Hauses mit dem Orden gekommen sind. Sie führen ein von der erwähnten österreichischen Familie v. L. verschiedenes Wappen.

Loellhoefel, die Herren von, Bd. III. S. 290.

Wappen. In der obern kleinern silbernen Hälfte ein schwarzer Adlerflügel, in der grössern untern blauen Hälfte ein nach der rechten Seite aufspringender goldener Löwe, er hält einen rothen Blumentopf, aus welchem sechs weisse Lilien an grünen Stengeln wachsen. Auf dem gekrönten Helme wiederholt sich der Löwe verkürzt.

Loeper, die Herren von, Bd. III. S. 290.

Wappen. Ein in blau und Silber quer getheiltes Schild. In der obern blauen Hälfte sind zwei goldene Sterne und zwischen diesen zwei silberne, von einander abgewendete Halbmonde sichtbar. In der untern silbernen Hälfte ist ein auf grünem Rasen nach der rechten Seite laufender goldener Windhund vorgestellt. Die Krone des Helmes ist mit drei Straussenfedern (blau, Silber, Gold) besteckt.

Löscher, die Herren von.

Im Merseburgischen kommt eine adelige Familie dieses Namens vor. — *Anton Günther* v. L. war merseburgischer Ober-Amts- und Consistorialrath. Er hinterliess zwei Töchter, von denen die ältere einen v. Wulfen, die jüngere aber einen v. Bronikowski heirathete.

Löwe, Herr von.

König Friedrich II. erhob am 9. Septbr. 1780 den Grenadier-Lieutenant *Samuel* L. in den Adelstand. Wir vermögen nicht zu entscheiden, ob der im Jahre 1806 als Chef einer Invaliden-Compagnie zu Lychen garnisonirende und 1824 in der dritten Invaliden-Compagnie gestorbene v. Löwen, den wir in früheren Ranglisten auch v. Löwe geschrieben finden, der in den Adelstand erhobene v. L. war. Dieser führte im rothen Felde und auf dem Helme einen goldenen, ein Schwert in der rechten Pranke haltenden Löwen, nach der rechten Seite gewendet. Decken roth und Gold.

Löwenberg, Herr von.

Georg v. L. auf Boicke war im Jahre 1660 Stadtmajor in Stettin, und mit Sara Schlitzing aus Gr. Glogau vermählt, nachdem er früher von einer v. Möllitz Wittwer geworden war. Er stammte aus Tirol und führte im weissen Schilde einen blauen Querbalken und über demselben einen durch das ganze Schild reichenden rothen Löwen, der sich verkürzt auf der Krone wiederholte.

Löwenich, die Herren von, Bd. III. S. 294.

Die Nachkommen des erwähnten Geh.-Raths v. L. leben in Crefeld, namentlich *Peter* v. L.

Loga, die Herren von.

Im Jahre 1806 standen mehrere Offiziere dieses Namens in der Armee, theils in der Infanterie, theils in der Cavallerie. Zwei Brüder v. L. standen in dem Regiment v. Kauffberg in Danzig. Der jüngere von ihnen war 1828 Regierungs-Haupt-Cassen-Buchhalter in Bromberg. Gegenwärtig ist derselbe als Lieutenant des 14ten Landwehr-Regiments aufgeführt.

Logau, die Grafen, Freiherren und Herren von, Bd. III. S. 294.

Zu den in unserm Artikel angeführten Mitgliedern dieses Hauses ist nachzutragen: *Heinrich Karl* Graf v. L., geb. am 9. Febr. 1735 zu Reithau bei Sprottau, gest. als königl. Kammer-Präsident zu Cüstrin am 27. Decbr. 1796. Er hatte sich grosse Verdienste um die Warte und Netzbrüche erworben, und stand im hohen Ansehen bei König Friedrich II.

Lojewsky, die Herren von.

Ein polnisches Geschlecht, aus dem im Jahre 1806 mehrere Mitglieder in der Armee dienten. Ein Major v. L. stand damals in dem Regiment Eugen v. Würtemberg Husaren; er war ein geborner Schlesier und lebte noch um das Jahr 1830 im Pensionsstande in Schlesien. Ein Sohn desselben starb 1807 als Cornet. Ebenso starb 1821 im 12ten Infanterie-Regiment ein Capitain v. L., der früher in dem Regiment v. Plötz zu Warschau gestanden hatte.

Lojow, die Herren von.

Claus Dietrich v. L. wurde im Jahre 1716 von Hans v. Walther getödtet; er hatte drei Brüder und zwei Schwestern.

Lombeck, die Freiherren von.

Eine niederländische Familie, welche aus Brabant, woselbst die Herrschaft Loenbecke ihr Stammhaus ist, herstammt, nachher aber seit länger als zwei Jahrhunderten sich im Cölnischen ausgebreitet und seit 1663 die freiherrliche Würde besessen hat. In dem Diplome wird gesagt, dass sie aus Flandern entsprungen und daselbst den Adelstand über 300 Jahre geführt habe. *Engelbert* v. d. Vorst zu L., welcher unter Ferdinand, Herzog von Oesterreich und Infanten von Spanien diente, nahm den König Franz I. von Frankreich in der Schlacht bei Pavia gefangen, und erwarb sich dadurch so grossen Ruhm, dass er nicht nur zu den höchsten Kriegs-Ehrenstellen erhoben, sondern ihm von erwähntem Ferdinand nebst dem gewöhnlichen Helm noch eine goldene Krone auf sein und seiner Nachkommen Wappen als ein besonderes Ehrenzeichen ertheilt wurde. Das Decretum Gratiae ist vom Jahre 1529 und wird von der Familie wohl aufbewahrt. — *Petrus* v. d. Vorst zu L. wurde im Jahre 1551 Bischof zu Utrecht. *Johann* wurde zum Kardinal ernannt, starb aber vor dem Empfange des Kardinalhuts. — *Johann*, Herr auf L., hat sich gegen Ausgang des 16ten Jahrhunderts in die Stadt Löwen begeben und die spanische Parthei ergriffen; daher haben die Malcontenten dessen Schloss Loenbecke in Asche gelegt. Er hinterliess: 1) *Gillan*, Deputirten des Adels und der Stadt Löwen; 2) *Karl*, königl. spanischer Rath. Jener zeugte *Philipp*, kurcölnischen Kriegsrath, Oberstallmeister und Kammerjunker, der den Freiherrenstand auf sein Geschlecht brachte. Sein Sohn, *Karl Georg* Freiherr v L., war im Jahre 1739 kurcölnischer Oberst-Küchenmeister. Im darauf folgenden Jahre war *Johann Hugo Damian* Vorst v. Loen oder Lombeck und Luftelberg, Dom- und Capitularherr zu Speier. — In neuerer Zeit ist bekannt geworden *Clemens August* Freiherr v. Vorst, genannt L. zu Godenau, Herr auf Rux im Jülichschen, kurcölnischer Obersilberkämmerling, wirklicher adeliger Geheimer und Hofrath, Amtmann zu Mehlem, Godesberg und Rheinberg. *J. C.* Freiherr v. L. auf Luftelberg, kurcölnischer Staatsrath, Ober-Kammerherr und Commandeur des St. Michaelis-Ordens.

Das freiherrliche Wappen ist ein silbernes Schild, darauf fünf ins Kreuz gestellte schwarze Ringe, neben dem obersten sitzt auf jeder Seite in dem Schildeshaupt eine Krähe auf einem abgestutzten Aste. Auf dem gekrönten offenen Helme ist eine gehende Krähe zwischen einem schwarzen Flug. Die Helmdecken sind schwarz und Silber.

L'érection de routes des terres du Brabant. Gauhe's Adels-Lex. S. 1894. Kurpfälzischer Hof- u. Staats-Kalender S. 264. v. Krohne II. Th. S. 289.

Lommessen, die Freiherren von.

Diese freiherrliche Familie gehört dem gegenwärtigen Adel der Rheinprovinz an. — *Johann Wilhelm Joseph Benedikt Anton Maria* Freiherr v. L. wohnt zu Aachen; *Peter Wilhelm Joseph Anton Maria* zu Streithagen. Die Freifrau *Maria Elisabeth* v. L. zu Haaren im Regierungs-Bezirk Aachen.

Lonicer, Herr von, Bd. III. S. 298.

Der Major v. L. erhielt bei seiner Erhebung in den Adelstand folgendes Wappen. Ein gespaltenes, rechts silbernes, links blaues Schild, im silbernen Felde steht der Hals eines gekrönten schwarzen Adlers, im blauen Felde eine goldene Sonne. Auf dem gekrönten Helme wehen drei silberne Straussenfedern. Decken rechts schwarz und Silber, links Gold und blau.

Lorch, die Herren von.

Sie stammen aus Galizien. N. N. v. L. starb 1827 als königl. preuss. Oberst a. D. Er stand bis zum Jahre 1806 in dem Regiment v. Rüts in Warschau, und in den Feldzügen 1813—1814 war er Oberstlieutenant und Commandeur des zweiten kurmärkischen Landwehr-Reserve-Bataillons. Ein Bruder desselben stand 1806 in dem Regiment Kurfürst von Hessen; er ist 1822 als pensionirter Major und ehemaliger Commandeur des 24sten Garnison-Bataillons gestorben.

Lorenz, die Freiherren von.

Ein aus der sächsischen Stadt Mittweida stammendes, gegenwärtig in Schlesien ansässiges, in neuerer Zeit in den Freiherrenstand erhobenes Geschlecht. Der Stammvater war *Johann Gottfried* L.

Loterbeck, die Herren von.

Das ritterliche Geschlecht v. L., auch Loterpeck, Luterbach, Luterbeck und Luterpeck oft in Urkunden geschrieben, kommt in der frühern Geschichte der Mark Brandenburg vor. Der Stammvater dieser Familie war der reiche, mit dem Markgrafen Ludwig dem ältern um das Jahr 1340 in die Mark gekommene bairische Ritter *Marquard* v. L., der dem genannten Markgrafen sehr wichtige Dienste leistete, besonders bei Grenzregulirungen. Im Jahre 1346 wurde er Voigt zu Spandau und 1352 markgräflicher Marschall. Er unterstützte den Landesherrn durch die Kraft seines Armes, wie durch seine Erfahrung und seine bedeutenden Geldmittel, daher er in die Händel jener Zeit und in die Geschichte derselben vielfach verflochten ist, und in zahlreichen Urkunden vorkommt. Der Markgraf verlieh ihm, um einen Theil seiner Schulden abzuzahlen, das Schloss Kremmen. Ein Streit mit den Bürgern des Städtchens Kremmen veranlasste den Ritter im Jahre 1355, sein Schloss an Koppekin v. Bredow zu verkaufen. M. s. Cerken. Cod. diplom. V. 433. VI. 444 u. 531, auch Grüvels, Bürgermeisters zu Kremmen Handschrift, welche den Titel „Kremmensche Schaubücher" führt.

Lubrecht, Herr von.

Moriz Johann v. L., Rittmeister, war Herr auf Bütow und Ziegelwerder.

Luchocky, die Herren von.

Dieses polnische Geschlecht stammt von einem aus Schlesien nach Polen gekommenen Aste der Schaffgotsche, die in Polen nach dem Wappenbilde Junosga oder Baron (Schaaf, Widder) genannt wurde. *Johann Joseph* v. L., Starost von Ossieck, hatte zwei Neffen; dem einen, *Johann Anastasius* v. L., vermachte er die Stadt und Herrschaft Barczien und dessen Bruder, *Ignaz* v. L., die Schupowschen Güter. Diese beiden Brüder baten 1798 um die Wiedererlangung der im Laufe der polnischen Revolution aufgegebenen Grafenwürde. Der über sie von dem Präsidenten v. Domhart erstattete Bericht veranlasste aber die Regierung, nicht auf dieses Gesuch einzugehen.

Luck, die Herren von, Bd. III. S. 313.

Der unter 3) von uns erwähnte *Daniel* L. erhielt bei seiner Erhebung folgendes Wappen. Im silbernen Schilde der Hals und Kopf eines schwarzen Adlers und auf der Krone zwei schwarze Adlerflügel. Decken schwarz und Silber.

Ludwig, die Herren von, Bd. III. S. 314.

Der am 3. Septbr. 1662 geadelte und am 15. Aug. 1668 mit einem Anerkennungs-Diplom von kurfürstl. brandenburgscher Seite versehene Amtsrath hiess *Peter* Ludwig, nicht wie unrichtig angegeben Ludwigs, und war der Stammherr der in dem Art. Ludwig unter 2) angegebenen Familie v. L. in der Neumark. — Das dieser Familie vom Kaiser beigelegte Wappen zeigt im quadrirten Schilde, in dem ersten und vierten Felde drei goldene Kornähren, im zweiten und dritten blauen Felde drei goldene Sterne, ins Dreieck gestellt. Auf dem gekrönten Helme wächst ein wilder bärtiger, um Kopf und Hüften bekränzter Mann, der in jeder Hand eine Kornähre hält. Decken rechts blau und Gold, links roth und Gold.

Lübeck, die Herren von.

Im Jahre 1411 wurde *Nicolas* v. L., gebürtig aus Eisenach, zum Bischof von Merseburg erwählt, in welcher Würde er 1432 starb. Er soll früher Dechant zu Erfurt und Markgraf Friedrichs des Streitbaren in Meissen Kanzler gewesen sein. In Niedersachsen, namentlich in Hannover, auch in Schlesien, sollen Edelleute dieses Namens ansässig gewesen sein. Andere Zweige dieser Familie erscheinen als bürgerliche. Im Jahre 1806 stand in der preussischen Artillerie zu Berlin ein Lieutenant L., der 1809 die Erlaubniss erhielt, in fremde Dienste zu gehen und 1828 herzogl. braunschweigischer Major und Chef der herzogl. Artillerie war. — Ein Postinspector v. L. erhielt am 17. Jan. 1816 ein Anerkennungs-Diplom seines Adels. Diese Familie führt ein goldenes Schild, das durch eine breite, vom obern rechten zum untern linken Winkel gezogene schwarze Strasse schräg getheilt ist, auf derselben schreitet ein goldener Löwe, nach der rechten Seite. Er hält in der rechten Pranke eine schwarze Fahne am goldenen Stiele, dieselbe liegt über seinem Rücken. In dem obern linken und in dem untern rechten Winkel des Schildes steht eine schwarze französische Lilie. Dieses Schild ist mit zwei gekrönten Helmen besetzt, auf dem rechten oder vordern ist ein mit der Lilie belegter Pfauenschweif, auf dem linken sind zwei goldene, mit der schwarzen Strasse belegte Büffelhörner vorgestellt, zwischen ihnen steht aufspringend der um etwas verkürzte Löwe mit der Fahne. Decken schwarz und Gold. — M. s. Hübner VIII. Bd. hist. 682. Gauhe II. Bd. S. 662. Gruppens Geschichte von Hannover S. 32. Wappenbuch der preuss. Monarchie III. Bd. S. 91.

Lücken, die Herren von.

Eine mecklenburgische Familie, aus welcher Mitglieder in der preuss. Armee in verschiedenen Zeiten gedient haben und noch dienen.

Lüdemann, die Herren von, Bd. III. S. 315.

Diese Familie führt im goldenen Schilde einen blauen Schwan, im Nest sitzend und seine Jungen mit dem Blut aus seiner Brust nährend. Auf dem Helme stehen zwei preuss. Adlerflügel mit den Kleestengeln belegt. Decken Gold und blau. Wappenbuch der preuss. Monarchie III. Bd. S. 91.

Lüder, die Herren von.

Der König Friedrich Wilhelm II. erhob am 13. März 1787 *Johann Wilhelm* L., Stiefsohn des Geh. Raths und Kanzlers der Universität Halle, v. Hoffmann, in den Adelstand. Er besass das Gut Dölzig im Stift Merseburg. Das ihm beigelegte adelige Wappen ist mit einem Hermelinmantel umgeben, und zeigt im goldeingefassten silbernen Schilde einen oben gabelförmigen Ast, über demselben und an jeder Seite desselben ist ein goldener sechseckiger Stern angebracht. Auf dem gekrönten Helme wiederholt sich Ast und Stern zwischen zwei schwarzen Adlerflügeln. — In der Armee haben mehrere Offiziere dieses Namens gedient; einer v. L. stand 1806 als Premier-Lieutenant im Regiment Tschammer (gest. 1815), zwei Brüder v. L. aber im Regiment Prinz v. Braunschweig-Oels. Einer von ihnen ging 1809 in englische Dienste, der jüngere starb 1824 als aggr. Capitain des 5ten Infant.-Regiments. Am 2. Febr. 1838 starb zu Prenzlau dessen Wittwe, geb. v. Raven. Aus dieser Ehe lebt nur eine Tochter, *Bertha* v. L., vermählt an Otto v. Raven.

Lüderitz, die Freiherren u. Herren v., Bd. III. S. 315.

Gabriel v. L. wurde wegen eines angeblichen Bündnisses mit dem Satan den 31. Decbr. 1619 zu Halle a. d. Saale enthauptet. — *Johanne Antoinette* Freiin v. L. war die letzte Aebtissin des adeligen Jungfrauen-Klosters zu Niederprüm.

Lühe, die Herren von der.

Ein altes mecklenburgisches adeliges Geschlecht, das auch das Erbküchenmeister-, Schulzen- und Ritteramt besass, auch Sciuteti, Schutteti, Schulten, Balivi und Grafen im Alten-Lande genannt wurde. Aus diesem Geschlechte haben von Zeit zu Zeit Mitglieder in preuss. Diensten gestanden, und noch gegenwärtig dienen Offiziere dieses Namens in der Armee. Zu Marsow in Pommern lebte noch in neuester Zeit ein Capitain v. d. L., der früher im Dragoner-Regiment Königin gestanden hat. Ein anderer, ebenfalls in preuss. Diensten gestandener v. d. L. lebte zu Zarnewanz bei Tessin im Mecklenburgischen. — Es führt dieses Geschlecht im silbernen Schilde ein schräg von der obern rechten zur untern linken Ecke des Schildes geviertetes blaues Mauerwerk. Auf dem Helme liegt ein Bund, darauf wächst eine blau gekleidete Jungfrau mit fliegenden Haaren. Decken blau und Silber. M. s. Siebmacher I. Th. 169. No. 7. v. Meding I. Nr. 496. Gauhe I. 949. Zedler, U. Lex. XVIII. 1083—1091 u. m. a.

Lüninck, die Freiherren von.

Ein westphälisches Geschlecht, aus dem *Ferdinand* Freiherr v. L. als Fürstbischof v. Münster und Corvey am 19. März 1825 zu Corvey starb. Seine Mutter war eine v. Gaugreben. Er war der 65ste Bischof und Fürst v. Corvey. Eine Schwester desselben ist oder war die Gemahlin des Kammerherrn v. Dolfs auf Asen bei Soest. Es stehen auch Offiziere dieses Namens in der Armee.

Lukowitz, die Herren von.

Drei Edelleute dieses Namens dienten im Jahre 1806 in der Armee. Der älteste von ihnen war Lieutenant in dem Regiment v. Kunheim, erwarb sich im Befreiungskampfe das eiserne Kreuz I. Classe und ist gegenwärtig General-Major und Commandeur der 2ten Infant.-Brigade. Ein anderer, der in dem Regiment v. Kalkreuth gestanden hatte, ist 1820 als Capitain aus einer Garnison-Compagnie geschieden. Ein dritter v. L. stand in dem Regiment v. Natzmer und ist gegenwärtig Hauptmann im 1sten Infant.-Regiment und Ritter des eisernen Kreuzes II. Classe.

Lund, die Herren von.

In Magdeburg starb 1728 *Peter Gottlieb* v. L., königl. Regierungsrath. Nicht zu entscheiden vermögen wir, ob der in unserm Adels-Lexicon Bd. III. S. 322 erwähnte gegenwärtige General-Major und zweite Commandant von Cöln, Baron Kellermeister v. d L., Ritter des Verdienstordens, des eisernen Kreuzes II. Classe u. s. w., zu derselben Familie gehört.

Lusi, die Herren von.

Ein natürlicher Sohn des Bd. III. S. 323 unseres Werkes angeführten Grafen *Friedrich Wilhelm Ludwig August* v. L. ist mit seiner Mutter, geb. Wichmann, von des jetzt regierenden Königs Majestät geadelt worden. Diese adelige Familie führt ein gespaltenes blau und silbernes Schild. In dem blauen Felde steht ein sechseckiger silberner Stern, im silbernen Felde nach der rechten Seite ein aufspringender blauer Löwe, der sich auch verkürzt auf dem Helme wiederholt. Decken blau und Silber. M. s. Wappenbuch der preuss. Monarchie III. Bd. S. 92.

Luttitz (Lüttitz), die Herren von.

Sie stammen aus der Lausitz, wo ihr Stammhaus Schöna liegt. — *Hans Ludolph* v. L. war königl. preuss. Major, und besass Petersdorf bei Sagan. Ein Major v. L., Ritter des Verdienstordens, stand bis zum Jahre 1806 im Regiment König v. Baiern, war 1815 Ober-Kommandant des dritten Haupt-Feldlazareths und starb vor einigen Jahren zu Berlin. Zwei Söhne desselben dienen noch gegenwärtig als Offiziere in der Armee, der eine als Premier-Lieutenant im 31sten, der andere als Premier-Lieutenant im 23sten Infant.-Regiment.

Luze, die Herren von, Bd. III. S. 323.

Diese Familie führt ein goldgerändertes quadrirtes Schild, in den silbernen Feldern 1 und 4 sind zwei schwarze Adlerflügel, in den Feldern 2 und 3 ist ein goldener Sparren und darunter eine französische Lilie vorgestellt. Auf dem Helme schwebt die Lilie zwischen zwei schwarzen Adlerflügeln.

Lyskowski, die Herren von.

Eine adelige Familie in Westpreussen. — N. N. v. L., Herr auf Altendorf bei Marienburg, ist Rath bei der Landschaft zu Marienwerder.

Lysniewski (Lysnewski), die Herren von.

Im Jahre 1806 stand ein Fähndrich v. L. im Regiment v. Alvensleben in Glatz; er starb 1826 als Major des 32sten Infant.-Regiments. Gegenwärtig ist einer v. L. Hauptmann v. d. Armee und Landrath des Kreises Sensburg (Provinz Ostpreussen, Reg.-Bezirk Gumbinnen).

M.

Machnitzki, die Herren von, Bd. III. S. 333.

Ein Major v. M. starb den 10. Novbr. 1801 in Sagan. Der in unserm Artikel erwähnte Capitain v. M., der im Feldzuge 1813 geblieben ist, hatte die Namen *Ernst August*, und war mit einer Freiin v. Kottwitz vermählt. — Im Jahre 1747 war *Heinrich Gottlieb* v. M. Kriegs- und Domainenrath in Breslau. *Balthasar* v. M. kommt als Rathsmann zu Oels vor. — Diese Familie führt im rothen Schilde den Kopf eines Pferdes.

Machwitz, die Herren von.

Samuel v. M. kommt um das Jahr 1636 vor, aber *Johann* Ritter v. M. erhielt schon im Jahre 1401 von dem Bischof Johann v. Pomesanien das Vorwerk Orkusch verschrieben.

Madai, die Herren von, Bd. III. S. 334.

Der erwähnte *David Samuel* v. L., aus einer schon in Ungarn adeligen Familie geboren, erhielt auch den Adel vom Kaiser als Leibarzt des Fürsten von Anhalt-Köthen. Die gegenwärtig lebenden v. M. sind der Sohn und die Enkel des *Karl August* v. M. und der Henriette Charlotte v. Schlegel. Der in unserm Artikel erwähnte Sohn des verstorbenen Steuerraths *August* v. M. ist gegenwärtig kaiserl. russischer Hofrath und Professor zu Dorpat. — Diese Familie führt im blauen Schilde, in der obern Ecke, einen mit den Spitzen aufwärts gestellten halben Mond, diesem zur Linken einen sechseckigen goldenen Stern, und unter diesen Bildern einen in vollem Lauf begriffenen Fuchs. Das Schild ist mit einem offenen Turnierhelm bedeckt.

Märken, die Freiherren von.

Dieses freiherrliche Geschlecht gehört dem Adel der Rheinprovinz an, wo sie zu Hugenpoel im Regierungs-Bezirk Düsseldorf domiciliren. — *Karl*, *Friedrich* und *Gottfried* Freiherrn v. M. zu Hugenpoel.

Magdeburg, die Herren von.

Ein adeliges Geschlecht dieses Namens kommt im Saalkreise und im Halberstädtschen vor, scheint aber schon seit Jahrhunderten erloschen zu sein.

Magir v. Logau, die Herren, Bd. III. S. 335.

Die Familie Magir oder Magirus v. Logau erhielt am 3. März 1684 von churbrandenburgischer Seite ein Anerkennungsdiplom. Sie führte folgendes Wappen: Ein quadrirtes Schild, im ersten blauen Felde ein mit dem Flügel aufschlagender Schwan, im zweiten und dritten rothen Felde einen schwarzen Topf, aus welchem Flammen sprühen, im vierten blauen Felde liegt ein schwarzes Buch im schwarzen Einband mit Silber beschlagen. Auf dem Helme wiederholt sich der nach der rechten Seite gewendete Schwan. Decken rechts roth und Gold, links blau und Gold.

Malaire, die Herren von.

Johann Christoph v. M. starb am 22. Juli 1739 als Rath bei der Landesregierung zu Brieg. Sein Sohn *Joseph* v. M. war 1754 kaiserl. königl. Hauptmann.

Malinowsky, die Herren von.

Aus dieser Familie ist ein Lieutenant v. M. bekannt geworden, der bei den Bosniaken stand und am 25. Aug. 1778 in dem Gefechte bei Burkersdorf niedergehauen wurde. Er hinterliess einen Sohn, *Leopold Ignaz* v. M., der im Jahre 1806 Platzmajor zu Magdeburg war, später im 1sten Elb-Landwehr-Reserve-Bataillon kurze Zeit diente, und im Jahre 1824 gestorben ist. Zwei Söhne desselben stehen als Lieutenants in der dritten Artillerie-Brigade.

Mallinkrodt, die Grafen u. Herren v., Bd. III. S. 340.

Detmar Christ. Karl M., Regierungs-Vice-Präsident in Aachen, wurde im Jahre 1835 geadelt. — Diese adelige Familie v. M. führt in einem silbernen blau punktirten Schilde ein grünes Kleeblatt, das sich auch auf dem Helme zwischen zwei weissen Adlerflügeln wiederholt. — Zu unserm Artikel ist noch hinzuzufügen, dass *Juda* v. M. die Gemahlin Heinrichs IV. von Sayn-Wittgenstein war.

Mandel, die Herren von, Bd. III. S. 345.

Die Familie v. M., welche unter dem 31. März und 23. Novbr. 1804 ihr Diplom erhielt, führt ein gespaltenes Schild. Die rechte Seite oder silberne Feldung enthält einen, auf grünem Hügel stehenden Palmbaum, die linke Seite ist quadrirt, im ersten und vierten goldenen Felde ist ein grüner Lorbeerkranz, im zweiten und dritten schwarzen Felde ein Schwan vorgestellt, der seine Brut mit dem Blute aus eigner Brust nährt. Das Schild ist mit einem goldbordirten, von einer Edelkrone oben zusammengehaltenen Mantel umhangen. Der Helm steht zwischen zwei goldenen Flügeln. Auf der rechten Seite der Krone stecken drei goldene Aehren; auf der linken drei grüne Zweige des Mandelbaums.

Manger, die Herren von.

Das adelige Geschlecht v. M. erhielt unter dem 26. April 1789 von preussischer Seite ein Anerkennungs-Diplom. Es stammt von *Johann Gottfried* M. auf Bellinghofen. Er war früher Prediger und gehörte einer sehr reichen Familie an. Seine Gemahlin war Dorothea Elisabeth Dreihaupt, des holländischen Statthalters auf Ceylon Tochter. Mit *Johann Gottfried* wurden zugleich seine Brüder *Johann Jacob* und *Johann Philipp* in den Adelstand erhoben. Gegenwärtig gehört diese Familie zum Adel der Rheinprovinz, wo *Heinrich Georg Jacob* v. M. das Haus Auerfort im Regierungs-Bezirk Düsseldorf besitzt. — *Matthias* v. M. lebt zu Herford und *Georg* v. M. zu Münster in Westphalen. — Diese Familie führt im schwarzen Schilde zwei von der rechten zur linken Seite schräg gelegte Balken. Auf der Krone stehen zwei schwarz und silberne Büffelhörner, aus jedem der Mundstücke derselben wächst ein grüner Zweig mit drei weissen Schneeglöcklein. Decken Silber und schwarz.

Mannowsky, die Herren von.

Eine westpreussische Familie. Ihr gehört der Major a. D. v. M. an, der bis zum Jahre 1806 in dem Regiment Prinz Wilhelm von Braunschweig zu Prenzlau stand. Zu Lingen befand sich ebenfalls ein Zweig dieser Familie. Zu Berlin starb am 3. Novbr. 1771 *Karl August* v. M., der mit Elisabeth v. Koslowka vermählt war. Er hatte dem siebenjährigen Kriege beigewohnt, und war später im Invalidenhause versorgt worden.

Mansfeld, die Fürsten u. Grafen v., Bd. III. S. 348.

Der grösste Mann des Geschlechtes war Graf *Peter Ernst* v. M., Gouvernator von Luxemburg, der 1604 in seinem 87sten Jahre starb. Sein Sohn *Karl* v. M., in den Fürstenstand erhoben, starb 1595 vor dem Vater. Sein natürlicher, mit Madame Malling erzeugter Sohn, *Ernst*, spielte im 30jährigen Kriege eine bedeutende Rolle; er starb 1626. — *Peter Ernst* v. M. war von der Heldrungener Linie. Sein Neffe war *Philipp Ernst* v. M. Mit *Joseph Wenzel Johann Nepomuk* erlosch 1780 der Mannsstamm der Fürsten v. Jondi und Grafen v. M. Die Allodialgüter erbte seine älteste Stiefschwester, *Maria Isabelle Anne Ludmilla*, Gemahlin des Fürsten Franz Gundamar v. Colloredo, der den Namen eines Fürsten v. Colloredo-Mansfeld annahm.

Margarethen (Marthen, Marten), die Herren v. d.

Ein ehemaliges altadeliges Geschlecht, welches im Jahre 1321 Pfandinhaber der Mainzisch-Sächsisch-Hessischen gemeinschaftlichen Voigtei zu Mühlhausen im Kreise Erfurt war. Es besass daselbst das Patriziat und in der St. Nicolai-Kirche ein Erbbegräbniss. Als Stammvater wird *Damian* genannt, der 1295 starb und *Herrmann*, *Friedrich* und *Gerlach* hinterliess. Schon vor ihnen hatte es die Vorstadt St. Margarethen von Mühlhausen besessen, von der es erblich den Namen annahm. Mit den Grafen v. Gleichen kamen sie als deren Hofjunker nach Erfurt, woselbst *Herrmann* v. d. M. 1404 das Bürgerrecht erwarb. Von des Letztern zwei Söhnen, stiftete *Herbord*, kaiserl. Rath, die Lauenburger Linie, welche, als die Linie der v. d. Margarethen-Kesselborn mit *Gerlach*, kurfürstl. mainzischen Rath und Vitzthum zu Erfurt, 1510 erlosch, der 1493 seinen Antheil an das Dorf Eschenberg dem Grafen Siegmund v. Gleichen verkauft hatte, eine Wappenvermehrung mit Beilegung des Namens v. Lauen oder Löwenburg erhielt. *Herrmann* v. d. M. setzte die Herrmannsche Linie fort — Die Lauenburger Linie erlosch gegen die Mitte des 17ten Jahrhunderts mit *Melchior Friedrich*, gräflich schwarzburgschen Amtmann zu Arnstädt, und die Herrmannsche und mit ihr zugleich das ganze Geschlecht 1662 mit *Henning* v. d. M., Polizei-Aeltester und oberster Rathsmeister der freien Stadt Erfurt, welcher mit Schild und Helm begraben wurde.

21 *

Mark, die Grafen von der.

König Friedrich Wilhelm II. hatte von der zur Gräfin v. Lichtenau am 28. April 1794 erhobenen Encke, verehelichte Ritz, einen Sohn und eine Tochter, den Grafen *Friedrich Wilhelm Moriz Alexander* v. d. Mark, geb. am 4. Jan. 1779, gest am 1. Aug. 1787 zu Berlin, wo sich in der Dorotheenstädtschen Kirche sein schönes Denkmal befindet — und die Gräfin *Mariane Dieterike* v. d. M, geb. am 29. Febr. 1770, vermählt am 17. Decbr. 1797 mit dem Erbgrafen Friedrich zu Stolberg-Stolberg (gest. den 23. Decbr. 1805), von demselben wurde sie geschieden 1799, später vermählte sie sich mit einem Herrn v. Miaskowski, aus welcher Ehe ein Sohn lebt (m. s. d. Art.). Sie starb im August 1814. Diese gräflichen Geschwister führten im gespaltenen silbernen und blauen Felde, hier einen königlichen Zepter, dort einen halben schwarzen preussischen Adler mit Krone und Kleestengel. Auf dem Helme eine neunperlige Krone, aus welcher der preussische gekrönte Adler wächst. Zwei geharnischte Ritter mit offenem Visier und in der Rechten eine Lanze mit Streitkolben haltend, sind zu Schildhaltern gewählt. Das Schild steht auf einem Postament, das mit einem schwarz und silbernen Schach überzogen ist.

Markgraf, der, (Markgrafen, die.)

Ein zu Erfurt erloschenes adeliges Patrizier-Geschlecht, dessen Ursprung nicht ermittelt ist. Es besass zu Erfurt einen adeligen Hof, von dem die Markgrafen-Gasse noch den Namen trägt. *Johann* der Markgraf wurde am Mittwoch vor Palmarum 1438 nebst anderen Edlen und Patriziern mit den Gerichten, Zinsen und andern adeligen Herrschaftsrechten zu Gispersleben-Kiliani vom Grafen Adolph v. Gleichen beliehen. Wenn das Geschlecht, durch Verfall, erloschen, ist unbekannt; noch giebt es aber in der niedern Bürgerklasse von Erfurt den Namen Markgraf.

Marklowski (ck), die Herren von.

Von dieser westpreussischen, polnischen, auch in Schlesien vorkommenden Familie haben viele Mitglieder im preussischen Heere gedient, die sich zum Theil v. Marklowsky und v. Marcklowski geschrieben haben.

Marktmeister, der, die.

Ein erloschenes adeliges Patrizier-Geschlecht zu Erfurt, aus welchem *Eberhardts* Marktmeister Sohn, *Gottschalk*, die Gerichte, Voigtei und 30½ Hufe Landes zu Gispersleben-Kiliani von dem Grafen Albert Gleichen 1291 erkaufte, und *Gottschalk* und *Reichmar* 1306 Rathsmeister. — Es hat seinen Namen von seinem Amte (ehemaligem erzbischöflichen mainzischen Marktmeister) erhalten.

Marschall, die Grafen, Freiherren und Herren von, Bd. III. S. 357.

Ein Zweig dieses alten Geschlechtes erhielt vom König Friedrich Wilhelm I. ein Anerkennungsdiplom unter dem 16. Decbr. 1717. Es führt diese Familie im silbernen Schilde ein blaues Andreaskreuz, an jeder Seite und unten in der Mitte ein grünes Blatt, auf dem Helme über einem blau und silbernen Bunde ein grünes, mit dem Stengel den Bund erreichendes Kleeblatt. Decken blau und Silber.

Martens, die Freiherren von.

Der vom König von Westphalen zum Baron erhobene Staatsrath und später hannövrische Bundestagsgesandter, *Georg Friedrich* v. M. (geb. den 22. Febr. 1756 zu Hamburg, gest. am 21. Febr. 1821 zu Frankfurt), adoptirte zwei Söhne seines Bruders. Der ältere war zuletzt königl. preuss. ausserordentlicher Gesandter bei der hohen Pforte, der jüngere, *Karl*, Baron v. M., ist gegenwärtig Minister-Resident des Grossherzogs von Sachsen-Weimar am königl. preussischen Hofe. Er hat sich als Schriftsteller rühmlichst bekannt gemacht.

Martitz, die Herren von, Bd. III. S. 361.

Diese Familie erhielt am 9. Septbr. 1698 ein Anerkennungsdiplom ihres alten Adels. Das Wappen derselben besteht aus einem quadrirten Schilde. In dem ersten und vierten blauen Felde ist ein Edelhirsch dargestellt, die Felder 2 und 3 sind schräg in roth und Silber getheilt. Auf dem gekrönten Helme steht der Hirsch, nach der rechten Seite gekehrt, verkürzt. Decken rechts roth und Silber, links blau und Silber.

Marval, die Herren von, Bd. III. S. 361.

Wappen. Es enthält im blauen Felde eine aus einer Wolke kommende Hand, welche fünf weisse Rosen mit grünen Zweigen oder Stengeln hält. Auf dem Helme steht ein blau gekleideter Mann mit einer weissen Albaner Mütze, in der Hand dasselbe Bouquet Rosen haltend. Decken blau und Silber.

Mascow, die Herren von.

Ein Mitglied dieser adeligen Familie, *Niclas* v. M., erhielt vom Kaiser Ferdinand I. einen Bestätigungsbrief seines Adels. Ein anderer v. M. erhielt am 24. Juli 1710 ein Anerkennungs-Diplom vom König Friedrich I. — Diese Familie führt ein gespaltenes silbernes und goldenes Schild, hier ist ein Weinstock mit zwei Trauben und vier Blättern, dort drei unter einander gelegte sechsblättrige rothe Rosen. Auf dem gekrönten Helme wiederholen sich die Rosen zwischen zwei weissen Straussenfedern. Decken rechts roth und Silber, links Gold und schwarz.

Matterne, die Herren von.

Diese Familie führt ein quadrirtes Wappen mit einem Mittelschilde, das im silbernen Felde den schwarzen Adler zeigt. Im ersten und zweiten silbernen Felde steht ein nach der rechten Seite aufspringender rother Drache, der in den Krallen einen kurzen Stab oder Rolle hält, in dem zweiten und dritten goldenen Felde ist ein von einer Schanze umgebener Festungsthurm vorgestellt. Auf dem gekrönten Helme ist ein schwarzer, bis an die Brust sichtbarer Adler angebracht. Decken links schwarz und Silber, rechts roth und Gold.

Matthias, die Herren von.

Ein adeliges Geschlecht von preussischer Ernennung, das im gespaltenen blau und goldenen Schilde dort einen Weinstock mit vier unten grünen Trauben und drei Blättern, hier einen reich belaubten Baum führt. Auf dem Schilde schwebt zwischen zwei schwarzen Adlerflügeln ein geharnischter, ein Schwert führender Arm. Das Schild wird von zwei schwarzen gekrönten Adlern gehalten.

Matzdorf, die Herren von.

Ein Capitain v. M., Ritter des eisernen Kreuzes, steht im dritten Bataillon des 12ten Landwehr-Regiments. — Diese adelige Familie führt ein quadrirtes Schild, im ersten und vierten goldenen Felde ist ein geharnischter, einen Hammer führender Arm, im zweiten und dritten blauen Felde ein goldener aufspringender Löwe dargestellt. Auf dem gekrönten Helme wiederholt sich der Arm, der mit dem Ellnbogen auf der Krone ruht. Decken Gold und blau.

Mauntz, die Herren von, Bd. III. S. 378.

Einer der in unserm Artikel angeführten Brüder v. M., *Eugen* v. M., verehelichte sich am 2. Febr. 1838 mit Karoline geb. Gützlaff.

Mauritius, die Herren Schmied von.

Eine preussische Ernennung. Diese adelige Familie führt im getheilten, oben rothen, unten blauen Schilde, hier einen schwarzen Adler, unten ein weisses achteckiges Kreuz. Das Schild ist mit einer Edelkrone bedeckt und wird von zwei goldenen Löwen gehalten.

Mayersthal, die Herren von.

Der Adel dieser Familie wurde am 8. Aug. 1712 von königl. preuss. Seite anerkannt. Sie führte im oben silbernen, unten rothen Felde, hier eine Maienblume auf grüner Hügelreihe, dort eine gekrönte fliegende Eule, die einen Ring im Schnabel hält. Die gekrönte Eule wiederholt sich auf der Krone des Helmes. Decken rechts schwarz und Gold, links roth und Silber.

Mechholt, die Herren von.

Ein längst erloschenes adeliges Patrizier-Geschlecht zu Erfurt, aus welchem *Heinrich* 1306 im Rathe war.

Meddlhammer, die Herren von.

Eine adelige Familie in den Niederlanden. Ihr gehörte an *Albin Johann Baptiste* v. M., früher Offizier in kaiserl. österreichischen Diensten, zuletzt Lehrer am Berliner Gymnasium, gest. am 8. Febr. 1838. Unter dem Namen August Ellrich schrieb er: „Die Ungarn wie sie sind,“ und unter dem Namen Albini mehrere Lustspiele, als: „Die gefährliche Tante,“ „Endlich hat er es gut gemacht“ u. s. w. Er hinterliess eine Wittwe und eine Tochter.

Medern, die Herren von.

Johann Michael M. und *Johann Georg* M., zwei Brüder, wurden vom Kaiser im Jahre 1725 geadelt und nachmals ward der Adel ihrer Nachkommen von preussischer Seite bestätigt. Sie führen im blauen Schilde einen von der obern rechten zur untern linken Seite gelegten, auf jeder Seite drei Mal gezierten Balken und in der obern linken und untern rechten Ecke des Schildes ein goldener Stern. Decken blau und Gold.

Meerkatz (Merkatz), die Herren von, Bd. III. S. 385.

Die v. Meerkatz (Merkatz) führen, nach dem oft erwähnten Wappenbuche des Ordensraths Hasse, im silbernen, goldeingefassten Schilde eine auf grünem Rasen sitzende schwarze Meerkatze, die an einen um den Leib gelegten Ring angekettet ist und einen Apfel emporhält. Auf dem gekrönten Helme wächst eine roth gekleidete, grün bekränzte und einen grünen Kranz in der rechten Hand haltende Jungfrau. Die Decken blau und Silber. — Dagegen führte der am 28. Septbr. 1737 in den Adelstand erhobene Oberst v. M. folgendes Wappen. Ein auf zwei goldenen Kanonen-Röhren ruhendes damascirtes Schild, darin ein Mörser auf einer blauen Lafette. Der mit einem roth und grünen Bunde belegte Helm trägt zwei Adlerflügel, der rechte hat oben drei blaue, unten zwei silberne Federn, sonst ist der Obertheil silbern, der untere Theil blau. Der linke Flügel hat oben eine goldene, in der Mitte zwei rothe und unten wieder zwei goldene Federn, sonst ist der Obertheil golden, der untere Theil roth. Zwischen diesen Flügeln schwebt eine brennende Granate. Decken rechts blau und Silber, links roth und Gold.

Meeseberg, die Herren von.

Diese adelige Familie führt im blauen Schilde eine schräg von der obern rechten zur untern linken Seite gelegte silberne Leiter mit vier Sprossen, auch oben mit Haken versehen. Auf dem Helme liegen vier Aepfel, von denen ein jeder mit zwei Schreibfedern besteckt ist.

Megelin v. Wiesenfeld, die Herren.

Dieses adelige Geschlecht führt ein quadrirtes Schild, im ersten blauen Felde stehen drei goldene Sterne, oben zwei, unten einer, im zweiten rothen Felde ist ein goldenes Hufeisen und über demselben ein silberner Stern vorgestellt; im dritten rothen Felde wird ein schwarzer Adler halb sichtbar, und im vierten stehen drei goldene Halbmonde, die Hörner nach der rechten Seite gekehrt, neben einander. Auf dem Schilde steht ein gekrönter Helm ohne Decken und Laubwerk.

Mehl v. Schönfeld, Herr.

Antonius M. v. S., pensionirter Steuerrath, Ritter des rothen Adlerordens III. Classe, starb am 13. Mai 1836 zu Charlottenburg.

Mehlhosen, die Herren von.

Dieses dem schlesischen Adel angehörige Geschlecht schrieb sich

M. v. Hartmannsdorf (im Saganschen). Im Jahre 1500 kommt ein Ritter aus dieser Familie vor, der mit einer v. Metzrad aus dem Hause Reichwalde vermählt war. Er hatte nur eine Tochter, die sich mit einem v. Walch und Ulbersdorf vermählte; wahrscheinlich erlosch die Familie schon damals. Sie führte im silbernen Schilde zwei aus grünem Grase hervorwachsende braune Seekalben. Dieses Bild wiederholte sich auf dem Helme. Die Decken Silber und grün. M. s. Sinapius I. Bd. S. 634. II. Bd. S. 805.

Meinders, die Herren von, Bd. III. S. 387.

Christ. Albrecht v. M. war königl. preuss. Kammerrath, Domherr zu Utrecht, Herr auf Heinersdorf, Beelendorf, Tassdorf u. s. w.

Mengen, die Freiherren und Herren von.

Diese Familie, welche von preussischer Seite ein Anerkennungsdiplom erhalten hat, wurde in Oesterreich im Jahre 1723 in den Reichsfreiherrenstand erhoben. In neuerer Zeit waren die Brüder *Karl* und *Wilhelm* Freiherren v. M. kaiserl. österreich. Feldmarschall-Lieutenants. Der älteste von ihnen, welcher Divisionair in Prag war, ist am Ende des Jahres 1737 mit Tode abgegangen. — Das Diplom von preussischer Seite ist unter dem 15. Febr. 1771 für den braunschweigischen Major v. M. ausgestellt, der allem Vermuthen nach ein Zweig der im Braunschweig-Lüneburgischen erloschenen Familie dieses Namens war. Er führt im blauen Schilde drei goldene Sterne, oben zwei, unten einen, und auf dem Helme zwischen zwei Büffelhörnern den Kopf und Hals eines gekrönten schwarzen Adlers.

Mensingen, die Herren von.

Allem Vermuthen nach ist diese adelige Familie aus dem in Schwaben, den Rheinlanden, auch in Sachsen bekannten Geschlechte derer v. Menzingen, vormals Göler v. Ravensburg genannt. Diese letzteren tauften ihren Namen nach dem Schlosse Menzingen schon um das Jahr 1000 um. — In den preussischen Landen kommt eine Familie v. M. in Schlesien vor. Hier war im Jahre 1806 *Johann Karl* v. M. königl. Commissionsrath und Rathmann. Ein Sohn desselben, damals Lieutenant im Regiment v. Steinwehr, zuletzt v. Schimonski, ist im Jahre 1815 als Premier-Lieutenant des zweiten schlesischen Brigade-Bataillons gestorben. Mit ihm scheint das Geschlecht bei uns wieder ausgegangen zu sein. M. s. Humbracht, Taf. 138 und 139. Biedermann, Taf. 179. Wurmbrand, Coll. hist. genealog. p. 276. Buddei, hist. Lexicon. Gauhe I. Th. S. 997. Zedler XX. Bd. S. 863. Siebmacher I. Th. S. 226. v. Meding I. Th. No. 540.

Mentz, die Herren von.

Die in den preussischen Adelstand erhobene Familie v. M. führt ein quadrirtes Wappen. Im ersten silbernen Felde ist ein gekrönter schwarzer Adlerhals, im zweiten blauen Felde ein Weinstock auf grünem Hügel, im dritten goldenen Felde eine auf grünem Rasen wachsende weisse Lilie, und im vierten schwarzen Felde drei goldene Sterne vorgestellt. Auf dem gekrönten Helme wiederholt sich das letzte Bild zwischen zwei, mit den Kleestengeln belegten schwarzen Adlerflügeln. Decken schwarz und Silber, links blau und Gold. Im preuss. Staatsdienst steht gegenwärtig der Stadtrichter zu Rathenow v. M.

Merckel, die Herren von, Bd. III. S. 395.

Im Jahre 1837 haben Se. Majestät auch einen Neffen des Ober-Präsidenten, den Justizrath M. zu Breslau, in den Adelstand erhoben. Einer der Söhne des Oberpräsidenten ist Oberlandes-Gerichtsrath. — Die Familie v. M. führt ein in Gold und blau zwölf Mal getheiltes Schild, worin in der Mitte ein silbernes Rad ohne Speichen (Scheibe). Auf dem gekrönten Helme wehen sieben, mit der silbernen Scheibe und einer eisernen Pfeilspitze belegte Straussenfedern, die vier der ungleichen Zahl sind von blauer Farbe, die drei der gleichen Zahl von Gold.

Mesenau, die Herren von.

Ein bis zum Anfange des 18ten Jahrhunderts in Schlesien blühendes Geschlecht. *Feczenz* v. M. lebte um das Jahr 1342 am Hofe des Herzogs Bolko von Schweidnitz. — *Wolfgang* v. M. besass im Jahre 1626 Käntchen bei Schweidnitz. — *Ferdinand Sigismund* v. M. auf Preilsdorf starb 1708 als der Letzte seines alten Stammes. — Es führte dieses altadelige Geschlecht im blauen Schilde den Buchstaben *S*, oben schwarz, silbern und roth, und auf dem Helme eine schwarze und eine rothe Schaufel. Sinapius I. Bd. S. 635. II. Bd. S. 806. Gauhe I. Bd. S. 1008. Siebmacher giebt das Wappen I. Th. S. 69. v. Meding beschreibt es III. Th. S. 525.

Mevius, Herr von.

Anton Gustav v. M. war Herr auf Zavrentin und Kirch-Bogendorf. Er ist im Jahre 1836 oder 1837 gestorben.

Meyenn, die Herren von.

Die in der Person des Kriegsraths M. am 17. Febr. 1768 in den preussischen Adelstand erhobenen Herren v. M. führen ein gespaltenes Schild, in der rechten goldenen Hälfte steht auf einem grünen Hügel ein grüner Strauch, der sieben weisse Lilien trägt, im blauen Felde der Fuss eines schwarzen Adlers, der in der goldenen Kralle vier über einander gelegte goldene Pfeile hält. Auf dem gekrönten Helme steht ein gekrönter Adlerhals und Kopf.

Meyer, die Herren von, Bd. III. S. 405.

Unsern Artikel, der nur einige diplomatische Nachrichten über einzelne Mitglieder der verschiedenen Familien enthält, können wir gegenwärtig auf folgende Weise ergänzen. Sieben Familien dieses Namens sind nach und nach in den preussischen Adelstand erhoben worden.

1) Die Familie, deren Diplom am 16. Mai 1729 ausgestellt ist, führt ein quadrirtes Schild; in dem ersten und vierten blauen Felde sind drei goldene Sterne, zwischen ihnen ein rother Sparren, auf dem ein ebenfalls rother Pfahl gesetzt ist, im zweiten silbernen Felde ein schwarzer gekrönter Adlerhals, im dritten ebenfalls silbernen Felde

zwei schwarze Adlerflügel vorgestellt. Auf dem gekrönten Helme wehen drei rothe und drei silberne Straussenfedern. Decken rechts blau und Gold, links schwarz und Silber. Das Schild ist mit Trophäen reich umgeben.

2) Die Familie v. M., mit dem Diplom vom 20. Octbr. 1769, führt im blauen Schilde drei Rosen, oben zwei, unten eine, auf dem Helme drei Straussenfedern, blau, Silber, blau. Decken blau und Gold.

3) Die am 3. April 1771 in den Adelstand erhobene Familie v. M. führt das in unserm Artikel beschriebene Wappen.

4) Eine am 2. Octbr. 1786 geadelte Familie v. M. führt im quadrirten Schilde, im ersten und vierten blauen Felde zwei silberne Sicheln oder Hippen, im zweiten und dritten silbernen Felde aber einen Palm- und einen Oelzweig, über's Kreuz gelegt. Auf dem Helme wiederholt sich zwischen zwei schwarzen Adlerflügeln die Sichel. Decken blau und Silber.

5) Die Familie v. M., welche am 16. Juni 1789 in den Adelstand erhoben ist, führt ein gespaltenes silbernes Schild, darin rechts ein aufspringender, ein Schwert haltender Löwe, links drei unter einander stehende Rosen. Auf den beiden Helmen den Löwen und drei weisse Reiherfedern. Decken roth und Silber.

6) Die Familie v. M., welche am 6. Juli 1798 geadelt wurde, führt im grünen Schilde eine silberne Sense, und auf dem Helme zwei Adlerflügel. Decken grün und Silber.

7) Eine ebenfalls am 6. Juli 1798 erhobene Familie v. M. führt im silbernen Schilde ein schwarzes Lamm an einem Baume, und auf dem Helme den Baum zwischen zwei schwarzen Adlerflügeln. Zwei gekrönte schwarze Adler halten das Schild. — Es ist dieses Wappen ganz gleich dem ursprünglichen Wappenbilde der Schaffgotsche und der Gotsch.

Meyers, die Herren von.

Diese adelige Familie erhielt am 5. März 1740 ein Diplom. Dem Vernehmen nach die letzte Erhebung von Seiten König Friedrich Wilhelm I. Das Schild ihres Wappens ist in drei Theile quer getheilt, in der obern silbernen Hälfte wird der Hals eines gekrönten schwarzen Adlers sichtbar, die mittlere Hälfte ist durch ein roth und goldenes Schach ausgefüllt, in der untern blauen Hälfte liegt ein goldener Apfel an grünem, drei Blätter treibenden Stiele, darüber sind zwei Schwerter so gelegt, dass die obern Winkel des Feldes von den Spitzen berührt werden. Auf dem Helme liegt ein mit drei Straussenfedern bedeckter runder Hut, auf dessen Aufschlage ein rother Stern steht. Decken schwarz und Silber.

Miaskowski, die Herren von, Bd. III. S. 407.

Karl Adolph v. M., Herr auf Vollenschier bei Stendal in der Altmark, wurde im Septbr. 1837 königl. Kammerherr. Er ist der Sohn der im August 1814 gestorb. Frau v. M., geborenen Gräfin v. d. Mark, früher vermählten Gräfin Stolberg-Stolberg (natürlichen Tochter des Königs Friedrich Wilhelm II.).

Michaelis, die Herren von, Bd. III. S. 407.

Der Capitain in dem Infanterie-Regiment Graf v. Henkel, *Wil-*

helm v. M., wurde vom König Friedrich Wilhelm II. am 12. April 1788 geadelt, und erhielt zum Wappen ein gespaltenes Schild, in der rechten silbernen Hälfte ist ein schwarzer, mit dem Kleestengel belegter Adlerflügel, in dem linken blauen Felde aber ein aus den Wolken kommender, links gewendeter, gerüsteter Arm vorgestellt, der sich auf dem gekrönten Helme, rechts gewendet, wiederholt.

Mienta, die Herren von.

Diese Familie erhielt ihr Diplom vom König Friedrich I. am 1. Febr. und 24. Juni 1707. Sie führt im rothen Schilde einen schräg von der obern rechten nach der linken untern Seite gezogenen Balken, belegt mit einer silbernen französischen Lilie, im linken obern und rechten untern Winkel des Schildes steht ein goldener achteckiger Stern, auf dem Helme wehen drei silberne Straussenfedern. Decken roth und Silber.

Mila, die Herren von.

Ehemals Mühlen, Mylen, Milen. — Von diesem adeligen, in den verschiedenen deutschen und namentlich preussischen Staaten verbreitetem Geschlechte, s. Gauhe's Adels-Lexicon I. S. 1447—1450, Zedler XXII. S. 1689 f. Hier sei nur bemerkt, dass es in einer Linie das Patriziat zu Erfurt besass.

Milich, die Herren von.

Eine schlesische Familie, die am 11. Juli 1748 vom König Friedrich II. in den Adelstand erhoben wurde. Sie führt im quergetheilten, roth und silbernen Schilde ein Boucentauer (ein rothes Ross mit einer männlichen Figur als Hals), die eine flatternde roth und silberne Stirnbinde trägt, und einen Pfeil vom goldenen Bogen abschiesst. Auf dem Helme wiederholt sich diese Figur verkürzt. Decken roth und Silber.

Miltitz, die Freiherren und Herren von.

Das uralte, vornehme, zum Theil freiherrliche Geschlecht v. M. gehört dem sächsischen Adel an, es war aber in früheren Zeiten auch in Böhmen und Schlesien und in neuerer Zeit noch in Pommern begütert. Das gleichnamige Stammhaus liegt bei Meissen und ward später ein Eigenthum derer v. Heynitz. Siebeneichen, Scharfenberg, Patzdorf, Robschütz, Dannenberg, Eyla, Wilthen u. s. w. sind alte Besitzungen der Familie, die zum Theil noch heute derselben gehören. Auch die Städte und Herrschaften Spremberg, Sonnenwalde, Drehnau, Tuppau, Lindenau u. s. w. waren längere Zeit in ihren Händen. — Zu den berühmten Vorfahren der Herren v. M. gehören: *Wittigo* v. M., der 24ste Bischof von Naumburg, und *Johann* v. M., der diese Würde vom Jahre 1348 bis 1352 bekleidete. — *Dietz* v. M., den der Kurfürst Ernst zu Sachsen im Testamente die Vormundschaft seiner Kinder anvertraute. — *Siegmund* v. M. war Landvoigt von Pirna und soll mit drei Gemahlinnen 24 Kinder erzeugt haben. Von seinen Söhnen war *Ernst* v. M. kursächs. Statthalter zu Dresden, Hofmarschall, Oberhauptmann in Meissen u. s. w. Er war der Erbauer des heute noch der Familie angehörigen Schlosses Siebeneichen an der Elbe. Sein Urenkel, *Alexander* v. M., starb 1690 als kursächs. wirklicher Geh. Rath, Obersteuerdirektor u. s. w. — Im preussischen Dienste standen *Dietrich* v. M., General-Lieutenant a. D., Herr auf Siebeneichen u. s. w. *A.* v. M., Kammerherr, früher ausserordentlicher Gesandter und bevollmächtigter Minister in Constantinopel. — In königl. sächsischen Diensten steht *Karl Borromäus Alexander Stephan* v. M., Geh. Rath und Oberhofmeister bei dem Hofstaate des Prinzen Johann, königl. Hoheit. — Diese Familie führt acht silberne und schwarze Strassen oder Balken im Schilde. Auf dem gekrönten Helme sind die Strassen abgetheilt wie im Schilde. M. s. Seifert's Ahnentafel. 1712. Sinapius I. Th. S. 643 u. f. Peckenstein's Theatral. Sax. I. Th. 80. 81. v. Meding I. Th. No. 544. Spangenberg's Adelssp. II. Th. Gauhe I. Th. S. 1019—1021 u. s. w.

Milwitz, die Freiherren und Herren von.

Ein erloschenes adeliges Erfurter Patrizier-Geschlecht, dessen Stammhaus gleiches Namens zwischen Kranichfeld und Rudolstadt liegt. Seine Güter, adelige Herrschaftsrechte u. s. w. zu Gispersleben-Kiliani gelangten durch Heirath an die Geschlechter v. d. Sachsen und an die Reinbother. Die gräflich Gleichischen Allodial- und Dominial-, so wie Lehnsgüter zu Erfurt erlangte es durch Heirath von der altadeligen Familie v. Wechmar. Mit *Robert Balthasar* v. M. erlosch der Mannsstamm 1736, und der Name und Titel v. M., so wie das Wappen, gelangte mit den Milwitzischen Besitzungen durch Erbschaft an des churfürstl. mainzischen Kammerraths, Georg Melchior v. Clemens, Sohn N. N., churmainzischen Regierungsrath, der später als Reichshofrath die Freiherrenwürde erlangte und Stammvater der Familie Clemens v. M. wurde. Noch jetzt besitzt die Familie Clemens v. M., des Reichshofraths Nachkommen, die Milwitzische Erbschaft (mit einigen Veränderungen) als Fideicommiss. — M. s. Clemens v. Milwitz. II. Abtheil. No. 1.

Misbach, die Herren von, Bd. III. S. 414.

Diese adelige Familie erhielt am 13. Septbr. 1698 von dem damaligen Churfürsten Friedrich III. ein Anerkennungsdiplom ihres alten Adels.

Misitscheck, die Herren von, Bd. III. S. 414.

Eine Linie dieses Hauses, das sich eigentlich M. v. Wischkau schreibt, führt den Beinamen v Strobschütz. Ihr Wappen zeigt im silbern und blau gespaltenen Schilde, in der rechten silbernen Hälfte den Hals eines Wolfes, in der linken blauen Hälfte zwei silberne, der Länge nach gezogene Strassen oder Balken. Das Schild ist mit zwei gekrönten Helmen besetzt, der rechte trägt den Hals des Wolfes, der linke zwei Büffelhörner, das rechte weiss, das linke blau. Decken rechts roth und Silber, links blau und Silber.

Mittenwalde, die Herren von.

In alten Urkunden kommt dieses Geschlecht unter dem Namen v. Mittelwolde und Mittenwolde vor. Ihr gleichnamiges Stammhaus liegt in der Uckermark. — *Zabel* v. M starb kinderlos im Jahre 1440. Mit ihm erlosch sein Geschlecht und Heinrich von dem Berge wurde mit seinen Gütern belehnt. M. s. Grundmann S. 47.

Mittmeier, die Herren von.

Diese adelige, aus Mähren nach Schlesien gekommene Familie nennt sich nach einer alten Besitzung v. Plagotitz Von derselben ist uns bekannt, der in Cosel vor wenigen Jahren lebende Hauptmann a. D. M. v. P., der 1806 Offizier im Feldjäger-Regiment war, 1808 dimittirt und später Postmeister in Strehlen wurde. — Es führt diese Familie im blauen Schilde drei weisse Tauben mit rothen Schnäbeln und Füssen. Auf dem Helme steht eine weisse, zum Fluge sich anschickende Taube. Sinapius I. Bd. S. 645.

Moebisburg, die Herren von.

Das Stammschloss dieses längst ausgestorbenen Geschlechtes, welches im 13ten Jahrhundert schon das Patriziat zu Erfurt besass, lag da, wo jetzt die Kirche der Mobisburg (im Kreise Erfurt) liegt, und wo man noch die Spuren der ehemaligen Wälle und Gräben wahrnimmt. — *Friedrich* v. M., Ritter und Bürger zu Erfurt, war 1277 Zeuge in einem erneuerten Schutzbündnisse zwischen dem Grafen Albert v. Gleichen, seinem Lehnsherrn, und der Stadt Erfurt. Derselbe oder ein anderer dieses Namens war 1288 Zeuge in einer Schenkung der Grafen Albert des ältern und Heinrich des jüngern v. Gleichen an das Kloster Capellendorf. Ferner war er Zeuge in dem Verkaufe der Voigtei Gispersleben-Kiliani mit 30½ Hufe Landes an etliche Bürger zu Erfurt 1291. — *Theodorich* und *Heinrich* v. M., Gebrüder, kommen als Zeugen in einem Lehnbriefe der Grafen v. Gleichen zu Erfurt 1259 vor.

Möhlen, die Herren von.

Dieses Geschlecht gehört der Mark Brandenburg und dem Lüneburgischen an. — Im Jahre 1630 wurde *Joachim* v. M. unter dem Churfürsten Georg Wilhelm zum Obersten bestellt. Im Jahre 1671 kommt dessen Sohn *Ernst Ludwig* als Herr der Güter Katzig, Lichtenow und Wultzig bei Friedeberg in der Neumark vor. *Balthasar* v. M. auf Lichtenow und Hohen-Katzig war mit Cordula v. Wolden vermählt und starb 1713. *Georg Ehrenreich* v. M. starb den 16. Febr. 1741 als Oberst des Regiments Prinz Heinrich. Sein Enkel, *Karl Friedrich* v. M., Herr auf Hohen-Katzig und Lichtenow, königl. Fähndrich, starb am 28. Juni 1779 als der letzte seines Geschlechtes. Die Erben der Güter des Hauses wurden die v. Holtzendorf und v. Sydow auf Zernikow. — Diese Familie führte im silbernen Felde einen braunen Schiffsanker, der oben und an beiden Spitzen mit einer rothen Rose besetzt war. Auf dem gekrönten Helme standen drei grüne Rosenstengel, ein jeder mit drei Rosen. Decken roth und Silber. M. s. Büttner's Stammgeschlechter der Braunschweig-Lüneburgschen Geschichte. Lüder's Sammlung. Gauhe I. Bd. S. 1026.

Moehring, die Herren von.

Der Husaren-General M. wurde am 10. März 1773 geadelt. — Das dem Erhobenen beigelegte Wappen zeigt im ovalen silbernen Schilde den Kopf eines Mohren mit silbernem Ohrringe. Auf dem gekrönten Helme zeigt sich der preuss. gekrönte schwarze Adler, auf der Brust mit dem geschlungenen FR. Das Schild ist reich mit Armaturen und Trophäen umgeben.

Möllendorff, die Herren von, Bd. III. S. 415.

Wappen. Im silbernen Felde ein goldener Armleuchter mit drei Armen, auf dem Helme eine roth und silberne Wulst, aus derselben wachsen zwei geharnischte Arme, welche die Welle, an der das Mühlrad steckt, halten. Decken roth und Silber.

Möller, die Herren von.

Diese Familie gehört der Provinz Westphalen an.

Möller v. Möllerstein, die Herren.

Es stammte dieses Geschlecht aus der jetzt preussischen Stadt Görlitz. *Martin* und *Ambrosius* v. M. wurden von dem Kaiser Maximilian II. am 1. Aug. 1570 zu Rittern geschlagen, weil sie sich im Türkenkriege grosse Verdienste erworben hatten. Mehrere Mitglieder aus der Familie gelangten zu hohen Würden bei dem Magistrate ihrer Vaterstadt. *Wiegand* M. v. M. starb 1637, und sein Enkel *Wiegand Gottlob* 1723 als Bürgermeister von Görlitz. Es zerfiel damals in zwei Linien; von ihnen erlosch die jüngere im Jahre 1781 mit *Andreas Christian* M. v. M auf Mittel-Soran, und das ganze Geschlecht am 9 April 1788 mit *Karl Gottlob* M. v. M. — Diese Familie führte ein gespaltenes Schild, in dem rechten goldenen Felde wird der schwarze Reichsadler zur Hälfte sichtbar, in der linken rothen Hälfte ist ein halber Mühlstein mit dem eingehauenen Mühleisen sichtbar. Auf dem Helme stehen zwei schwarze Adlerflügel, der rechte ist mit einem rothen, der linke mit einem goldenen Balken belegt, und zwischen ihnen wiederholt sich der Mühlstein. Decken Silber und roth. M. s. Lausitzer Magazin. Jahrg. 1788. S. 119.

Mörder, die Herren von.

Ein altes, einst in Pommern und Mecklenburg blühendes und angesehenes Geschlecht; seine Hauptgüter lagen im Wolgastischen. — *Wedig Christian* v. M., aus der mecklenburgischen Linie, diente im Jahre 1654 in des grossen Churfürsten Leibgarde. *Julius* v. M. auf Datschow war mit Margarethe v. Levetzow vermählt, aus welcher Ehe nur eine Tochter war, und es erlosch daher das Geschlecht mit dem erwähnten *Julius* v. M. M. s. Micrälius VI. Bd. S. 508. Gauhe I. Bd. S. 1028. Siebmacher giebt das Wappen im V. Th. S. 166. v. Meding beschreibt es im III. Bd. No. 544.

Mörken, die Herren von.

Ein sehr altes längst erloschenes preussisches Geschlecht. — *Hans Sebast.* v. M. auf Prowehren im Amte Schaaken lebte um das Jahr 1700.

Mogilowski, die Herren von.

Wir finden diese adelige Familie in den Ranglisten bald Magilowsky, bald Mogilowski geschrieben; sie war noch am Anfange des vorigen Jahrhunderts in Ostpreussen begütert. Ein Major v. M. stand im Jahre 1806 bei dem Regiment v. Pirch in Stargard, er ist im Jahre 1825 als pensionirter Oberst des zweiten pommerschen Landwehr-Infant.-Regiments gestorben. Nicht zu bestimmen vermögen wir, ob der in der achten Artillerie-Brigade stehende Capitain und Ritter des eisernen Kreuzes II. Classe v. M. zu dieser Familie gehört.

Mohr, die Herren von.

Von dem uralten Geschlechte der Herren und Grafen v. M. in Tyrol und Graubündten, ist ein Zweig mit dem Orden nach Preussen gekommen, wo *Niclas Heinrich* v. M. im Jahre 1686 Gross-Bündtken im Amte Pr. Mark besass. Sein Sohn *Nicolas Heinrich* der jüngere pflanzte mit Margaretha Henriette v. Seydlitz seinen Stamm fort. Es lebten aus dieser Ehe in der ersten Hälfte des vorigen Jahrhunderts noch drei Söhne, *Georg Adam*, *Nicolas Heinrich* und *Friedrich Reinhold*.

Mohrenberg, die Herren von.

Im Jahre 1752 kommt *Sophia Anna* v. M. auf Kallen und Compelmen in Preussen vor; sie hatte diese Güter von ihrer Schwester Katharina Elisabeth, Wittwe eines Obersten v. Kalsow, ererbt. Im Jahre 1723 finden wir in der Armee noch einen Major v. M.

Mohrenstein, die Herren von.

Johann Heinrich v. M. war im Jahre 1731 königl. preuss. Capitain; er war der Sohn *Lebrechts* v. M. und der Anna Justina v. Leipziger aus dem Hause Bärwalde.

Mohrenthal, die Herren von.

Bonnet M. aus Nieder-Sachsen, von Lübeck gebürtig, stand früher in einer Handlung in Breslau. Er heirathete eine reiche Wittwe in Hirschberg, etablirte daselbst ein grosses Wechsel- und Handelshaus, das mit Holland und England, ja mit Indien in Verbindung stand. Der Kaiser Joseph I. erhob ihn am 26. Mai 1705 in den Adelstand. Wir finden, dass zwei Brüder M., *Bernhard* und *Johann Martin*, damals in den Ritterstand erhoben wurden. Sie erwarben nach und nach einen bedeutenden Reichthum, und damit die bedeutenden Peterswaldauer Güter bei Reichenbach, allein grosse Verluste im Handel zogen den Fall dieses Hauses nach sich, und der letzte der Brüder starb 1720 im Schuldarreste zu Jauer.

Molière, Herr von, Bd. III. S. 420.

Dem Erhobenen wurde folgendes Wappen beigelegt. Im silbernen Schilde ein blauer Ring oder Kreis, darin drei rothe Raupen. Auf dem gekrönten Helme einen oben weissen, unten rothen Adlerflügel.

Molsdorf, die Herren von.

Ein längst erloschenes adeliges Geschlecht, welches zu seinem Stammhause das Schloss und Dorf Molsdorf, zwei Stunden von Erfurt im Herzogthume Sachsen Gotha hatte, und später an die Edlen v. Roeder, an die Grafen Gotter, welche das jetzige Schloss und den schönen und grossen altfranzösischen Garten angelegt haben, gelangte. Von letzteren ist dieser Rittersitz an das Haus Sachsen-Gotha gekommen, welches diese Domaine noch besitzt.— Sonst waren die Edeln v. M. gräflich Gleichische Vasallen und kommen in den Urkunden der Grafen *Gerwig* v. M., Ritter, 1246, und ein Anderer dieses Namens, gleichfalls Ritter, 1325, 1329, 1332 und 1338 als Zeugen vor. Eine Linie führte den Beinamen Weller („v. M. genannt Weller") seit 1430, in Folge einer Erbschaft; diese Linie liess später den Namen v. M. gänzlich weg. Eine andere Linie besass das Patriziat zu Erfurt; aus ihr war *Heinrich* v. M. 1306 im Rathe zu Erfurt.

Wann das Geschlecht erloschen, ist nicht genau ermittelt, indess giebt es noch unter Erfurts älteren Bewohnern, unter andern Verhältnissen, eine Familie des Namens M. M. s. Spangenberg, Gesch. von dem alten ehrlichen edlen Geschlechte v. Molsdorf genannt die Weller. Erfurt 1590, 4.

Molsleben, die Herren von.

Ein längst erloschenes adeliges Geschlecht, dessen Stammort das gleichnamige Dorf im Herzogthume Sachsen-Gotha war. Die Mitglieder desselben waren Lehnsleute der Grafen v. Gleichen und zum Theil Bürger zu Erfurt. *Eberhardt* v. M. verkaufte 1305 dem Abte von St. Peter zu Erfurt etliche Hufen Landes zu Wegesee; derselbe verkaufte 1306 mit Einwilligung seines Sohnes *Kunimund* alle seine Güter und Rechte im Dorfe und Weichbilde von Hohenkirchen dem Kloster Georgenthal, und 1316 an die Abtei St. Peter zu Erfurt den Blutbann und seine Güter zu Weissensee. — Am Mittwoch vor Palmarum 1438 belieh Graf Adolph v. Gleichen *Hartung*, *Heinrich*, *Johann*, und ein anderer *Hartung* und *Katharina* v. M. nebst andern Patriziern zu Erfurt mit den Gerichten der Voigtei, Zinsen, 30½ Hufe Landes und andern Rechten zu Gispersleben-Kiliani.

Monod (Monod v. Froideville, v. Froideville), die Freiherren und Herren von.

Diese adelige Familie stammt aus Savoyen, und ist von dort nach der Waadt in der Schweiz eingewandert. Im Waadtländischen besitzt die Familie M. das Bürgerrecht der Stadt Morges. Zu Ausgang des 17ten Jahrhunderts erwarb sie die Rittergüter und Ortschaften Froideville, Ballens und die Mitherrschaften Yens in der Umgegend von Morges. Seit dieser Zeit wird sie zu den notabeln Geschlechtern dieser Stadt und zu den neuadeligen Landes-Familien der Waadt gezählt; den Adel hat sie durch Zahlung des Caprechts (droit de Cape), dem vier und zwanzigsten Theil des Kaufpreises der adeligen Güter (welchen Unadelige zu zahlen hatten), gleichsam hierdurch von dem ehemaligen Souverain der Waadt, der regierenden Stadt Bern erlangt. Seitdem dieses Geschlecht in der Waadt diese Güter nicht mehr besitzt, gebraucht die noch im Canton Waadt vorhandene Linie auch den Adel und den dazu gehörigen adeligen Stammnamen Froideville nicht mehr; indess ist sie gerade nach dieser Zeit im Waadtlande durch *Heinrich* M. berühmt geworden, der im Jahre 1802 Präfect des helvetischen Cantons Léman und später Landammann dieses Cantons, der (1803) den Namen Waadt wieder erlangt hat, war. Zu verschiedenen Malen hat er den Gesandtschaftsposten seines Cantons am Schweizerbundestage, und 1814 auch bei den alliirten Mächten in

Paris bekleidet; durch seine Mässigkeit in den kritischen Zeitumständen hat er sich den Dank des Vaterlandes und die Achtung der Zeitgenossen erworben; seine in französischer Sprache erschienenen „Mémoires" in zwei Bänden sind von geschichtlichem Werth für den Canton Waadt. — Die Herren M. v. Froideville in Preussen haben den Namen Monod nicht abgelegt, wenn gleich sie gewöhnlich sich blos „v. Froideville" schreiben. Die Linie in Baiern aber, welche wahrscheinlich in Berücksichtigung der Verdienste des königl. bairischen Offiziers, *Theodor Alexander* M. v. F., die französische Freiherrenwürde vom Kaiser Napoleon am 8. Juni 1811 erhielt, hat dem Namen Monod gänzlich entsagt. Noch bildet das Geschlecht drei Linien:

1) Die Monod im Canton Waadt, welche den Adel nicht gebrauchen.
2) Die Monod v. Froideville, welche den Adelstand führen, in Preussen.
3) Die Freiherren v. Froideville, welche bei Erlangung der Freiherrenwürde dem Namen Monod entsagt haben, in Baiern.

Der Stammvater des Geschlechtes ist *Gabriel* M. v. F., Herr zu Froideville, Ballens, Mitherr zu Yens, der den Adel durch den Ankauf dieser adeligen Güter erlangte; er verheirathete sich zu Anfang des 18ten Jahrhunderts mit dem Edelfräulein Susanne v. Crousaz, Tochter Davids v. Crousaz (aus dem adeligen Hause Crousaz-Chexbres), Herrn zu Mezery, Bürgermeister der Freiberner Schutzstadt Lausanne, und seiner Gattin Louise, geb. Edlen Rosset v. Prilly.

Aus der freiherrlichen Linie in Baiern lebt gegenwärtig Freiherr *Alexander Heinrich Theodor* v. F., der am 4. Decbr. 1817 im königl. bairischen Adelsbuche immatriculirt wurde (Lenz, bairisches Adels-Lexicon). Zu dieser Familie gehörte auch *Caspar Noël* M. (geb. 1717, gest. 1783), der Pfarrer zu Genf war, und als Uebersetzer mehrerer englischen Werke in die französische Sprache in der literarischen Welt bekannt geworden ist. — *Nicolas* M. war 1594 einer der Gerichtsgeschwornen der Gemeinde l'Isle in der damaligen Landvoigtei Morges. — In dem, der Waadt benachbarten Canton Wallis war *Anton* M. 1534 Gross-Castellan oder Landvoigt zu Syders, und im Herzogthum Savoyen war *Peter* M. (geb. 1586, gest. 1644), Jesuit zu Chambery, denkwürdig als Literat. Von seinen grösstentheils historischen Werken verdient Erwähnung: „Traité du titre de Loi du légitimement à la Sérénissime maison de Savoye, avec un abrégé des révolutions du Royaume de Cypre appartenant à la Couronne."

Das Stammwappen dieser Familie enthält im Schilde ein goldenes Herz, von drei silbernen Sternen begleitet, im blauen Felde ein wachsender silberner Löwe auf dem offenen Turnierhelm. Decken blau, Gold und Silber.

M. s. Lang's bairisches Adels-Lexicon. Leu, Schweiz. Lex. II. S. 62, u. IV. S. 230. Dict. hist. crit. et bibliogr. XIX. p. 259—260. Documens rélatifs à l'hist. du Pays de Vaud, p. 350, 570 etc. May, hist. milit. de la Suisse, en VII. p. 481—482, Lutz, Nekrolog denkwürd. Schweizer, S. 351 u. 352 u. s. w.

Monschaw, die Herren von.

Eine adelige Familie in der Rheinprovinz. — *Peter Joseph* v. M. ist Landrath des Kreises Kempen im Regierungs-Bezirk Düsseldorf. — *Heinrich* v. M. zu Sinzenig, *Friedrich* v. M. zu Cöln. — *Maria Hubert Joseph Anton* v. M. zu Scheuern im Regierungs-Bezirk Coblenz.

Monsterberg, die Herren von.

Im Jahre 1806 standen zwei Brüder dieses Namens in der Armee. Der ältere, damals Premier-Lieutenant und General-Adjutant im Regiment v. Besser, ist der gegenwärtige General-Major, Commandeur der 7ten Landwehr-Brigade, Ritter des eisernen Kreuzes I. Classe u. s. w. v. M. Der jüngere stand im Regiment v. Grevenitz und war zuletzt Major und Commandeur vom 1sten Bataillon des 7ten Landwehr-Regiments.

Montaut, die Freiherren von, Bd. III. S. 425.

Diese freiherrliche Familie erhielt in der Person des *Elisée* Freiherr Gilly v. M. ein Anerkennungs-Diplom vom König Friedrich Wilhelm I. am 17. April 1726 mit der Vermehrung des Wappens, und zwar durch den Adlerkopf im Schilde und dem Helme, mit dem Hute und den Straussenfedern.

Monteton, die Freiherren von.

Die Barone v. Monteton, Herren v. Passac in Dordogne, die sich auch v. Monteton und St. Serain schreiben, gehören zu dem alten protestantischen Adel Frankreichs, der wegen der Religionskriege nach Deutschland flüchtete. Im Jahre 1715 war *Digeon* Baron de M. et St. S. Oberst in Magdeburg. Sein Sohn *Peter* Baron v. M. war ebenfalls preussischer Oberst, und starb kinderlos 1750 als Commandant des Fortes Preussen. Er hatte früher in fremden Diensten gestanden, sich vor Barcelona besonders ausgezeichnet und Friedrich II. ernannte ihn wegen neuer Beweise seiner Tapferkeit vom Hauptmann zum Oberst. Ein jüngerer Bruder desselben, *Johann Jacob* Baron v. M., nahm 1745, nachdem er bei Chotusitz schwer verwundet worden war, als Oberst und Commandeur eines Dragoner-Regiments seinen Abschied; er starb am 19. April 1775. Er war vermählt mit Gasparde Henriette v. Laurieux, Baronin v. Vernezobre, und hinterliess einen Sohn und zwei Töchter. Der Sohn *Johann Ludwig* Baron v. M., geb. den 5. Juli 1772, ist Herr auf Priort im Havellande. Er ist Ritterschafts-Rath, Director der allgemeinen Wittwen-Verpflegungsanstalt und Ober-Commissarius bei der General-Commission für die Kurmark Brandenburg und war mit Wilhelmine v. Byren aus dem Hause Parchen vermählt. — In der Armee dient der Major Baron v. M., Divisions-Adjutant in Magdeburg.

Montmartin, die Freiherren von.

Den 14. Jan. 1837 starb zu Potsdam ein Freiherr v. M., 81 Jahr alt. Ein Sohn desselben, *Karl* Freiherr v. M., ist Lieutenant im 3ten Uhlanen-Regiment; eine Tochter, *Albertine* v. M., ist mit dem Hauptmann im Garde-Jäger-Bataillon v. Arnim vermählt.

Montmollin, die Herren von, Bd. III. S. 426.

Der alte Adel der Familie v. M. in Neufchatel ist von preussischer Seite anerkannt worden. *Friedrich August* v. M., Staatsrath, General-Schatzmeister und Ritter, starb am 17. April 1806. Er war 1776 geboren, und bekleidete bis 1831 die Stelle eines Staatssecretairs. — Dieselbe führt folgendes Wappen. Ein quadrirtes Schild, im ersten und vierten silbernen Felde zwei Adlerflügel mit dem Kleestengel belegt, das zweite und dritte Felde zeigt oben eine goldene, mit drei Wecken belegte Strasse, unten im rothen Felde drei silberne, von der rechten zur linken Seite gezogene Schrägbalken. Auf dem gekrönten Helme steht verkürzt ein wilder bärtiger, um das Haupt grün bekränzter, auf der Schulter eine Keule tragender wilder Mann zwischen zwei Adlerflügeln, wie im Schilde. Das Laubwerk ist roth, schwarz und Silber. Zwei wilde Männer halten das Schild, am Fusse desselben ist ein Band geschlungen, auf dem die Worte: *sub alis tuis*, stehen.

Monts, die Grafen von.

Aus dieser, ursprünglich Frankreich angehörigen gräflichen Familie, standen zwei Brüder schon im Jahre 1792 in dem preussischen, zu Baireuth und Culmbach garnisonirenden Infanterie-Regiment v. Grevenitz, zuletzt v. Zweiffel. Der ältere Bruder war 1806 Capitain im dritten Musketier-Bataillon zu Hof, wurde 1809 dimittirt und ebte noch vor einigen Jahren in Paris Der jüngere Bruder ist gegenwärtig Oberstlieutenant und Chef der Garnison-Compagnie des 23sten Infanterie-Regiments, Ritter hoher Orden, namentlich des eisernen Kreuzes I. Classe (erworben bei Ligny). Von den Söhnen des letztern ist der älteste Major und zweiter Commandeur des zweiten Bataillons vom 4ten Garde-Landwehr-Regiment, Ritter des eisernen Kreuzes II. Classe; der jüngste ist Capitain im Generalstabe. Eine Tochter des Oberstlieutenants ist an einen Herrn v. Eckartsberg, eine andere an den Herrn v. Byern auf Parchen, bei Burg, vermählt.

Morel, die Herren von.

Wappen der v. M. Das Schild zeigt in der grössern untern silbernen Hälfte ein schwarzes, nach der rechten Seite galoppirendes Ross, in der kleinern obern Hälfte zwei neben einander stehende sechsstrahlige Sterne. Auf dem Helme wächst der Hals des schwarzen Rosses. Decken roth, Silber und schwarz.

Mosel, die Herren von der, Bd. III. S. 429.

Die Familie v. d. M. in der Rheinprovinz hat gegenwärtig den in unserm Artikel aufgeführten Urenkel des General-Lieutenants v. d. M., *Christian Friedrich* v. d. M., königl. Landrath, Herrn auf Rosenthal, zu ihrem Haupte. Derselbe hat sechs Söhne und zwei Töchter.

Moser, Herr von.

Der Capitain im Ingenieur-Corps, *Karl* M., ist von Sr. Majestät dem jetzt regierenden König im Jahre 1837 in den Adelstand erhoben worden.

Mossbach genannt Breidenbach, die Herren von.

Eine alte adelige Familie im Bergischen, woselbst sie ansehnliche Güter besass. *Engelbert* v. M. genannt B., auf Breidenbach im bergischen Amte Steinbach, war mit Elisabeth v. Landsberg aus dem

22*

Hause Olpen, im Amte Bornefeld, vermählt, und zeugte mit ihr *Dietrich*, Herrn zu Seelscheid im Amte Blankenberg, welcher von Judela v. Bellinghausen zu Venauen, Johann's v. Bellinghausen zu Leidenhausen und Kunas v. Dellwig zu Knipenburg Tochter, einen Sohn, *Gerhardt Wiemar*, Herrn zu Seelscheid, Vorstbach und Neukirchen, hinterliess. Dieser hatte mit Anna Eleonora v. Geverzhan aus dem Hause Neukirchen wieder einen Sohn, *Franz Bertram*, Herrn zu Seelscheid, Vorstbach, Neukirchen, Bererhaus und Markelsbach. Er war mit Maria Katharina v. Haltrop zu Krnich vermählt, und hatte von ihr drei Söhne: 1) *Ferdinand*, kurfürstl. trierischer Leibknabe; 2) *Karl Joseph*, und 3) *Franz Alexander*, welcher auf dem adeligen Seminarium zu Trier studirt hat. — Ein Zweig hatte sich nach Oestreich gewendet; ihm gehörte an der Bürgermeister von Wien, nachmaligen Präsident v. M., der 1782 eine Anerkennung seines alten Adels und 1818 ein Freiherren-Diplom erhielt.

Das Wappen ist ein silbernes Schild, auf welchem eine abgehauene Bärentatze zu sehen ist. Auf dem Helme ist ein hervorwachsender blauer Fisch. Die Helmdecken sind blau und Silber.

M. s. Leupold I. Th. S. 3. B. 505. v. Megerle S. 72 u. 230. v. Krohne II. Th. S. 372.

Moulines, die Herren von.

Das Wappen der von preussischer Seite anerkannten Familie v. M. zeigt im ovalen blauen Schilde drei goldene Wecken oder Rauten, oben zwei, unten eine, zwischen denselben einen rothen Sparren oder Hausgiebel. Dieses Schild ist von einem Mantel, der oben von einer Edelkrone zusammengehalten wird, umgeben.

Mrosch, Herr von.

Johann v. M. besitzt gegenwärtig das Gut Trzebiatkowe im Lauenburg-Bütowschen.

Mrosedts, die Herren von.

Eine adelige Familie in Hinterpommern, aus welcher *Anton* und *Albrecht* v. M. das Gut Trzebiatkow im Lauenburg-Bütowschen besitzt.

Müheldo, die Herren von.

Aus diesem erloschenen adeligen Patrizier-Geschlechte war *Heinrich* v. M. 1313 im Rathe zu Erfurt.

Mühlbach, die Herren von.

Ein in den preussischen Adelstand erhobene Familie, aus welcher der Capitain v. M. im Ingenieur-Corps sich gegenwärtig auf einem Commando in der Türkei befindet. Auch befinden sich Mitglieder dieser Familie als Steuer- und Zollbeamte in preussischen Diensten. — Diese Familie führt ein quadrirtes Wappen, im ersten und vierten blauen Felde steht ein runder Festungsthurm, im zweiten und dritten silbernen Felde kommt ein schwarz gerüsteter, ein Schwert führender Arm aus den Wolken. Auf dem gekrönten Helme stecken fünf Stäbe, die oben statt den Spitzen mit französischen Lilien enden.

Mühlen, die Herren von und zur.

Im preussischen Staatsdienst steht der Geh. Justizrath *Wilhelm* v. u. zur M. in Berlin, bei dem Ober-Landesgericht zu Münster der Assessor v. u. zur M., und zu Steinfurt im Regierungs-Bezirk Münster befindet sich der Justiz-Commissarius v. u. zur M. — Diese Familie führt im grünen Schilde drei schräg von der rechten zur linken Seite fliessende Ströme. Auf dem gekrönten Helme steht zwischen zwei mit dem Kleestengel belegten schwarzen Adlerflügeln das Wappenbild verkleinert.

Mühlenfels, die Herren von.

Eine vom König von Schweden in den Adelstand erhobene, noch gegenwärtig in dem Regierungsbezirk Stralsund ansässige und begüterte Familie. Derselben gehört an: *August Friedrich* v. M., Landrath des Kreises Grimmen im Regierungsbezirk Stralsund; der Oberstlieutenant *Karl* v. M., der bei der Regierung zu Stralsund angestellt ist; der Oberlandesgerichts-Rath zu Naumburg Dr. v. M., und der Major v. M. im 24sten Infanterie-Regiment zu Stralsund.

Mühlheim, die Herren von.

Wappen: Ein blaues Schild, darin ein auf grünem Hügel stehender Edelhirsch, dessen Hals durch einen silbernen Pfeil durchbohrt ist. Auf dem Helme wiederholt sich der Hirsch verkürzt. Decken blau und Gold.

Müller, Herr von.

Am 22. Novbr. 1790 wurde der Hauptmann M. im Regiment v. Raumer, ein geborner Mecklenburger, in den Adelstand erhoben. Dieser tapfere Offizier fiel als Commandeur dieses Regiments in der Schlacht von Auerstädt, nach einer 46jährigen ehrenvollen Dienstzeit. Sein Wappen zeigte im blauen Felde den Hals eines gekrönten schwarzen Adlers. Auf dem gekrönten Helme wuchs ein gerüsteter, das Schwert schwingender Arm. — Wahrscheinlich war der in demselben Regiment 1806 als Premier-Lieutenant stehende v. M., der 1818 als Major des 28sten Infanterie-Regiments mit halbem Gehalte ausschied, ein Sohn des erwähnten Obersten v. M.

Müller, die Herren von, Bd. III. S. 432.

Die Wappen der verschiedenen Familien v. M., preussischer Erhebung:

1) Der Familie v. M., nach dem Diplom vom 28. Septbr. 1774 (m. s. die vollständige Beschreibung desselben in unserm Artikel).

2) Der Familie v. M., nach dem Diplom vom 29. Novbr. 1786. Sie führt im blauen Schilde ein aus sieben Lanzen, von denen die mittlere die grössere ist, und die folgenden abfallen, bestehendes Gitter oder einen Zaun, über demselben zwei schwebende sechsstrahlige silberne Sterne. Auf dem gekrönten Helme wächst eine schwarze Figur mit flatternden Haaren und blossem Haupte, sie hält in jeder Hand eine Lanze, die rechte mit einer weissen, die linke mit einer blauen Fahne.

3) Der Familie v. M., Diplom vom 10. April 1787, führt dasselbe

Wappen, wie unter No. 1. angeführt, nur fallen hier die Schildhalter weg.

4) Die Familie v. M., Diplom vom 5. Novbr. 1787, ein in blau und roth gespaltenes Schild, in dem obern rechten Winkel des rothen Quartiers bricht eine goldene Sonne hervor, in der Mitte des blauen Quartiers liegt ein ovales silbernes Schild mit den verschlungenen Buchstaben FW. und die königliche Krone darüber. Ueber dieses kleine Schild ist ein Schwert gelegt, dessen goldener Griff bis in das rothe Feld, die Spitze aber bis fast an den linken obern Winkel desselben reicht. Auf dem gekrönten Helme steht, mit dem Knopf die Krone berührend, ein Schwert. Decken blau und Gold.

5) Die Familie v. M., Diplom vom 8. Octbr. 1790. Im blauen ovalen Schilde ein gekrönter schwarzer Adlerhals und Kopf. Auf dem Helme eine königliche Krone, aus derselben bricht ein gerüsteter, das Schwert schwingender Arm. Decken schwarz, roth und Silber.

6) Die Familie v. M., Diplom vom 18. Octbr. 1834. Ein gespaltenes Schild; im blauen rechten Felde ein aufspringender weisser Hund mit goldenem Halsband, im linken goldenen Felde ein Schwert mit goldenem Griffe, der Länge nach, die Spitze aufwärts gerichtet, gelegt. Auf dem gekrönten Helme ein blau und goldener Adlerflügel. Decken blau und Gold.

Müller v. Rittersberg, die Herren.

Adam M., aus Berlin gebürtig, Sohn des Hofraths M. und Enkel des Predigers Kuber, ein bekannter Schriftsteller, österreichischer General-Consul in Leipzig, wurde mit dem Beinamen v. Rittersberg geadelt.

Mülmann, die Herren von.

Bei der Regierung in Düsseldorf ist der Oberforstmeister v. M. und zu Neu-Johanneburg im Regierungs-Bezirk Gumbinnen ist ein Oberförster v. M. angestellt.

Mylen, die Herren von der.

Wappen. Im blauen Schilde ein silbernes Schwert mit goldenem Griffe, von dem der Knopf die Mitte des untern, die Spitze aber die des obern Randes berührt. Auf dem Helme wächst ein gerüsteter Arm, der das Schwert schwingt. Decken blau und Silber.

Mylius, die Freiherren von.

In Cöln am Rhein ist diese Familie einheimisch; mehrere Zweige standen und stehen noch in österreichischen Kriegsdiensten. *Anton* v. M., kaiserl. Hauptmann, und dessen Bruder wurden 1775, und der Oberst *Gustav Heinrich* v. M. (nachmals General-Major) wurde 1789 in den Freiherrenstand erhoben. — *Karl* Freiherr v. M. ist königl. preuss. Geh. Justizrath und Präsident vom dritten Civil-Senate des Ober-Appellations-Gerichtshofes zu Cöln.

N.

Nagler, die Herren von, Bd. III. S. 443.

Wappen Im blauen Schilde drei goldene Nägel, oben zwei, unten einer. Zwischen ihnen ein goldener, mit drei Lilien belegter Sparren. Auf dem gekrönten Helme drei weisse Straussenfedern. Decken blau und Gold.

Nahnhausen, die Herren von.

Ein erloschenes adeliges Patrizier-Geschlecht der Stadt Erfurt.

Naso, die Herren von.

Ein Zweig der Familie Hartwig hat den Namen Hartwig v. Naso. Die v. N. gehören Thüringen an, und kommen in der Mitte des 16ten Jahrhunderts zuerst vor. Es führt diese Familie ein im obern Theile silbernes Schild, dasselbe wird durch einen schwarzen Balken von der kleinern rothen Hälfte geschieden. In diesem Schilde steht ein offener adeliger Turnierhelm, bedeckt mit einer schwarz, roth und silbernen Wulst, und besteckt mit einer schwarzen und einer rothen Straussenfeder. Derselbe Helm steht auf dem Schilde. Die Decken sind schwarz, silbern und roth.

Neal (e), die Grafen von, Bd. III. S. 451.

Der Stammvater dieser gräflichen Familie war *Stephan Lorenz* v. N., Hauptmann zu Amsterdam, geb. den 6. Decbr. 1688 in Surinam, wo er bedeutende Besitzungen hatte; er liess sich im Preussischen nieder; und wurde 1752 in den Grafenstand erhoben. Er starb im Jahre 1762.

Negelein (Nä-), die Herren von, Bd. III. S. 453.

Wappen: Ein quadrirtes Schild. Im ersten und vierten silbernen Felde der schwarze Adler, im zweiten und dritten Felde eine weisse Nelke. Auf dem Helme zwei Büffelhörner, silbern und schwarz gestreift, dazwischen der schwarze Adler. Decken rechts schwarz und Silber, links roth und Silber.

Neitschütz, die Herren von.

Diese adelige Familie gehört eigentlich Sachsen an. Man findet sie Neitschütz, Neitzschütz, Neidschütz und in früheren Zeiten auch Niedschytz geschrieben. Ihr Stammhaus gleiches Namens liegt eine Meile von Naumburg und ist später in den Händen derer v. Tümpling gewesen. Zweige davon haben sich auch in der Ober-Lausitz verbreitet. Diehmen, Gausig und Golenz gehörten dort zu ihren Besitzungen. — *Rudolph* v. N. war 1662 kursächsischer Geh.-Rath, Hof-Oberster, Amtshauptmann zu Mühlberg u. s. w. Ein anderer *Rudolph* v. N. war kursächsischer General-Lieutenant unter dem Kurfürsten Johann Georg. *Karl Gottlob* v. N. auf Schalkendorf lebte noch 1716 als kursächsischer General-Lieutenant und Gouverneur von Leipzig. Noch gegenwärtig lebt ein königl. sächsischer Major von der Armee *Karl Gottlob* v. N. — Im preuss. Staatsdienst steht der Justizrath und Director des Stadtgerichts zu Tapiau v. N. — Im Jahre 1811 starb ein Major a. D. v. N., der bis 1806 im Regiment v. Lettow zu Minden gestanden hatte, und im Jahre 1819 starb ein Oberstlieutenant v. N., der im Regiment v. Rüchel in Königsberg und zuletzt als Commandeur bei einem Garnison-Bataillon gestanden hatte.

Nell, die Herren von.

Die Familie v. N. hat schon am 25. April 1709 vom Kaiser Joseph I. ein Adelsdiplom erhalten. Als solches der Commerzienrath *Christoph Philipp* N bestätigen lassen wollte, hat er vom Könige den 16. Aug. 1824 ein neues Adelsdiplom erhalten. Er starb am 7. Decbr. 1825. *Georg Friedrich Joh.* v. N. ist der einzige Sohn und besitzt das reichsritterschaftliche Gut St. Matthias zu Trier. Seine Schwestern sind die Gemahlin des Procurators Eichhorn und die Gemahlin des Landraths Wilhelm v. Hauer. — Sie führen ein quadrirtes Wappenschild; im ersten und zweiten rothen Felde liegt eine volle Kornähre, rechts schräg, im zweiten und dritten silbernen Felde ist ein auf dem Wasser schwimmender Delphin vorgestellt. Auf dem Helme steht verkürzt der Gott Neptun mit dem Dreizack. Decken rechts roth und Gold, links blau und Silber.

Netzow, die Herren von.

Die Familie v. Netzow oder eigentlich Neetzow gehört Pommern an, wo noch gegenwärtig ihr altes Lehn, der Rittersitz Kagenow an der Peene bei Gützkow, im Kreise Anclam, in ihrem Besitz ist. — *Adolph Friedrich* v. N. war 1776 königl. Landrath und Director des Kreises Anclam. — Diese Familie führt im silbernen Felde neun blaue Blumen auf Einem Stengel, und auf dem Helme drei Straussenfedern (grau, roth, blau). M. s. Brüggemann 11tes Hauptstück und I. Bd. S. 61. Gauhe 181. Micrälius 509. Siebmacher I. Th. 166. v. Meding II. Bd. No. 598.

Neuendorf, die Herren von.

Eine altadelige, aus Magdeburg stammende Familie, von der schon im 12ten Jahrhundert Mitglieder vorkommen. Ihr Adel ist von preussischer Seite durch Diplom erneuert worden. — Es führt diese Familie ein, mittelst des Spitzenschnittes in vier Felder zerfallendes Schild, der untere grüne Theil zeigt eine Landschaft, aus der sich ein neues Dörfchen mit seinem Kirchthurm erhebt; in dem rechten obern silbernen Felde zeigt sich der schwarze preussische Adler, und im linken obern rothen Felde ein schräg gelegter goldener Anker. Auf dem Helme ist zwischen einem schwarzen und rothen, mit dem Kleestengel belegten Adlerflügel ein Tintenfass vorgestellt, in dem eine silberne Schreibfeder steckt.

Neuhaus, die Herren von, Bd. III. S. 460.

Wappen: Ein quadrirtes Schild; im ersten und vierten silbernen

Felde ein neuerbautes Haus mit einer rothen Wetterfahne, das sich über eine rothe Mauer erhebt, im zweiten und dritten blauen Felde ein nach der rechten Seite aufspringender verkürzter goldener Löwe. Decken rechts roth und Silber, links blau und Gold.

Neukirchen genannt Nievenheim, die Herren v.

Dieses adelige Geschlecht erhielt am 25. Decbr. 1648 ein Anerkennungsdiplom vom grossen Kurfürsten. Es führt dasselbe ein silbernes gespaltenes Schild mit schwarzen, rothen und goldenen Querbalken durchzogen; in der rechten obern und in der untern linken Ecke des Schildes liegt ein schwarzer Hammer. Auf dem Helme wächst aus einem schwarz und silbern gestreiften Bunde der Hals einer weissen Dogge mit goldenem Halsbande. Decken rechts schwarz und Silber, links roth und Gold.

Niederstetter, die Herren von.

Von des jetzt regierenden Königs Majestät ist in den Adelstand erhoben worden: der Regierungs-Rath und General-Consul zu Warschau, Ritter u. s. w. v. N. — Diese Familie führt ein quadrirtes Schild mit einem Herzschildlein. Im ersten silbernen Felde liegen zwei mit dem Barte aufwärts übers Kreuz gelegte schwarze Schlüssel, das zweite Feld ist blau und unten mit einem goldenen Balken geschlossen, im Felde wird der Thurm einer Citadelle bis an das Portal sichtbar, der Balken ist mit drei Herzen belegt. Das dritte Feld ist blau und von fünf goldenen, aus dem Herzschildlein kommenden, bis fast an den rechten untern Winkel reichenden Strahlen durchzogen; das vierte silberne Feld zeigt den mit Federn geschmückten Kopf eines Mexicaners, unter demselben liegen zwei Eisen (Bergmannshämmer). Auf dem gekrönten Helme steht ein weiss und schwarz gevierteter Adlerflug. Zwischen demselben ein schwebender Stern. Decken blau und Silber.

Niesewand, die Herren von.

Im Jahre 1806 stand ein Major v. N. in dem Regiment v. Besser zu Bartenstein; er ist im Jahre 1819 als Oberst und Commandeur des dritten Garnison-Bataillons gestorben. Er hatte drei Söhne, der ältere diente 1806 im Regiment v. Reinhart, und war bis 1817 Major im vierten ostpreussischen Regiment und erwarb sich vor Danzig das eiserne Kreuz. Der jüngere, damals Lieutenant in der zweiten ostpreussischen Füselier-Brigade, ist gegenwärtig Major und Commandeur vom ersten Bataillon des 28sten Landwehr-Regiments, Ritter des eisernen Kreuzes, erworben bei Dennewitz. Ein dritter Bruder war beim Grenzamte Gleina bei Zeitz angestellt; er ist ebenfalls Ritter des eisernen Kreuzes, erworben bei Gross-Beeren.

Nieuland, die Grafen von.

Eine aus den Niederlanden stammende gräfliche Familie. Ein Mitglied dieser Familie trat 1800 in den preussischen Dienst und war war 1806 Seconde-Lieutenant im Feldjäger-Regiment. Im Jahre 1816 stand er als Hauptmann im 32sten Garnison-Bataillon, aus diesem verabschiedet wurde er als Postmeister in Züllichau versorgt.

Nolte, die Herren von.

Diese Familie stammt aus Curland und Liefland; ein Zweig derselben hat von preussischer Seite ein Anerkennungsdiplom erhalten. Mehrere Offiziere dieses Namens kommen in den Listen der preussischen Armee vor. Im Jahre 1806 stand in dem Infanterie-Regiment v. Grävenitz zu Glogau der Staabscapitain v. N., der 1813 als Capitain im 19ten Infanterie-Regiment an ehrenvollen Wunden starb. — Gegenwärtig steht im 19ten Infanterie-Regiment der Hauptmann und Ritter des eisernen Kreuzes v. N. — Diese Familie führt im silbernen Schilde ein roth und goldenes Schach, über demselben neun und unter demselben acht Kleeblätter, von denen drei am untern Rande nur halb sichtbar erscheinen; auf dem Schache liegt ein schwarzer, mit dem Kleestengel belegter Adlerflügel. Auf dem gekrönten Helme steht ein schwarz und silberner, mit einem goldenen Kleeblatt belegter, runder, oben spitzig werdender, aber statt der Spitze eine mit drei Straussenfedern (weiss, roth, weiss) besteckte Krone tragender Thurm, hinter demselben liegt ein Schwert, so dass der goldene Griff rechts über die Krone des Helmes, die Spitze aber in gleicher Linie mit den Straussenfedern links erscheint. Decken schwarz und Silber.

Noot, die Herren von der.

Aus der berühmten Familie der v. d. N., die mit den heutigen Grafen v. d. Nath (Dernath) Eines Ursprungs ist, und zwar von der Brüsseler Linie, war ein Zweig nach Preussen gekommen. König Friedrich II. gab dem Hauptmann seiner Leibgarde v. d. N. gleich nach seiner Thronbesteigung ein von seinem Vater schon ausgestelltes Diplom der Anerkennung und Bestätigung des alten Adels. Nach diesem Diplome führt die Familie im rothen Schilde drei brennende Granaten, oben eine, in der Mitte des Schildes zwei, und einen Degen, dessen goldener Griff den untern Rand des Schildes berührt, die Spitze aber fast bis zur obern Granate reicht. Auf dem Helme liegt zwischen zwei schwarzen Adlerflügeln ein mit drei Straussenfedern (schwarz, Silber, schwarz) besteckter Bund. Decken rechts schwarz und Silber, links roth und Silber.

Nordthausen, die Herren von.

Ein längst erloschenes adeliges Patrizier-Geschlecht zu Erfurt, aus welchem *Rudolph* v. N. 1291 Bürger zu Erfurt war und als Zeuge in dem Verkaufe der Gerichte, Voigtei und 30½ Hufe Landes zu Gispersleben-Kiliani von dem Grafen Albert v. Gleichen an etliche Patrizier zu Erfurt gedacht wird. Derselbe war 1306 im Rathe der Stadt Erfurt, *Eckbrecht* v. N. war 1357 Rathsmeister und *Gotzo* v. N. bekleidete dasselbe Amt. — Das Stammhaus des Geschlechts scheint da gestanden zu haben, wo jetzt (drei Stunden von Erfurt im Grossherzogthum Sachsen-Weimar) die Kirche des Dorfes Ried-Nordthausen, im Erfurter Patois Nurzen und Ried-Nurzen genannt, steht. — Im ehemaligen Stifte Merseburg besass dieses Geschlecht den Rittersitz Collenberg.

Nosarzewski, die Herren von.

Einer v. N. war 1806 Lieutenant im Regiment v. Rouquette Dragoner und ist gegenwärtig Landrath im Kreise Schrimm (Regierungs-Bezirk Posen).

Nothard, die Herren von.

Ein in den preussischen Adelstand erhobener Offizier ist der Stammherr dieser Familie, die in dem obern Theile des Schildes ein leeres silbernes Feld, in dem untern blauen Felde aber drei silberne Querbalken führt. Auf dem Helme ein gerüsteter, ein Schwert führender Arm. Decken blau und Silber.

Nottleben, die Herren von.

Ein adeliges Patrizier-Geschlecht zu Erfurt, das längst ausgestorben ist. *Apel* v. N. war 1344 Burgmann auf Gleichen. Sein Stammort, das gleichnamige Dorf, liegt im Kreise Erfurt.

O.

Oberringen, die Herren von.

Ein erloschenes adeliges Patrizier-Geschlecht zu Erfurt, dessen Stammort gleiches Namens zwischen Weimar und Buttstedt liegt.

Ochsenstein, die Freiherren von.

Diese Familie gehörte dem Ursprunge nach dem Elsass und den Rheinlanden an, sie besass aber noch im vorigen Jahrhundert auch Güter in Sachsen, namentlich Pouch bei Bitterfeld. — *Christian*, Freiherr v. O. auf Pouch, war 1750 königl. preuss. Oberamtmann zu Giebichenstein bei Halle; er hatte sich am 4. Octbr. 1750 mit Henriette Wilhelmine Julie, Reichsgräfin v. Solms-Laubach-Pouch, vermählt, wurde aber 1764 von derselben geschieden. M. s. Neues genealog. Handbuch, Jahrgang 1787. S. 228.

Oeyen, die Herren von.

Eine zum Adel der Rheinprovinz gehörige Familie. *Oswald* v. O. und *Maximilian Wilhelm Caspar* v. O. leben zu Duykerhof.

Oeder, Herr von.

Im Jahre 1806 stand ein Fähndrich v. O. in dem Infanterie-Regiment Jung-Larisch; er blieb als Lieutenant des 3ten Infanterie-Regiments im Jahre 1813. — Wappen. Im blauen Schilde ein goldenes Kanonenrohr, auf dem eine weisse Taube sitzt, die einen grünen Kranz im Schnabel hält. Auf dem gekrönten Helme ein weisser Geis- oder Gemsbock, der zwei Palmenzweige in den Zähnen hält. Decken blau und Silber.

Ohm, die Herren von.

Diese schlesische adelige Familie war im Breslauischen und

Oelsnischen begütert, hier liegt eines ihrer Stammhäuser Jahnsdorf, von dem sie sich Ohm-Januschowsky schrieb. — Schon 1364 kommt *Hennig* v. O. auf Nädlitz im Breslauischen vor, und erst 1505 erkaufte *Hans* v. O. von den Herzögen Albrecht und Karl zu Münsterberg und Oels Jahnsdorf und nannte sich von da an Ohm-Januschowsky. Sein Enkel *Hans* v. O., Herr auf Jahnsdorf, Sappraschin und Michelwitz, war 1590 Herzog Karls III. zu Münsterberg und Oels Rath, Hofmarschall und Land-Hofrichter. Später kommt dieses Geschlecht nur im östreichischen Schlesien und zwar im Fürstenthum Teschen vor. — Diese Familie führte im rothen Schilde drei schrägwärts, balkenweise über einander gelegte silberne Pfeile mit Bolzen statt der Spitzen. Auf dem Helme wehten zwischen zwei goldenen Flügeln drei Straussenfedern, roth, Silber, roth. M. s. Sinapius I. Bd. S. 684.

Ohrenstock, die Herren von.

Ein erloschenes adeliges Patrizier-Geschlecht zu Erfurt.

Olberg, Herr von, Bd. III. S. 481.

Wappen. Ein silbernes Schild, darin fünf grüne Blätter, oben zwei, in der Mitte des Schildes eins und unten zwei. Auf dem gekrönten Helme sitzt ein gekrönter schwarzer Bär, der ein Schwert in der rechten Tatze hält. Decken grün und Silber.

Oliva, die Herren von.

Sie gehören dem immatriculirten Adel der Rheinprovinz an. Mehrere Mitglieder der Familie leben in Aachen. *Joseph Benedikt August* v. O. ist Advocat-Anwalt beim Landgericht zu Aachen.

Orlik (Orlick, Orlich), die Herren von.

Ersteres böhmisch, letzteres polnisch einen Adler bedeutend. Den Ursprung des alten Geschlechtswappens erzählen böhmische Geschichtsschreiber (siehe Leupold's allgemeines Adels-Archiv der östreichischen Monarchie) wie folgt: „Als die Römer in dem Kriege mit den Slaven diese überwältigten, führten sie einen slavischen Fürsten und einen seiner tapfersten Waffengefährten, beide an einander in Fesseln geschmiedet, gefangen fort. In solcher Vereinigung war den Gefangenen die Flucht unmöglich. Zur Befreiung seines Fürsten, zu der sich Gelegenheit darbot, fasste dessen Gefährte den heldenmüthigen Entschluss, sich zu opfern, indem er sich das Bein unter dem Knie von ihm abschneiden liess, und dann seinen Schmerz so lange verheimlichte, bis er der Freiheit des Fürsten gewiss war. Als der römische Feldherr von dieser ungewöhnlichen That aufopfernder Treue Kunde erhielt, liess er den Verwundeten sorgfältig pflegen und ihn nach seiner Wiederherstellung mit vielen Lobsprüchen zu den Seinigen zurückkehren. Der befreite Fürst empfing den treuen Helden mit grosser Hochachtung, schenkte ihm ansehnliche Besitzungen, erhob ihn in den Adelstand und zierte sein Wappen mit einem bis an's Knie gehenden geharnischten Fuss mit goldenem Sporn über den Helm und im Schilde." (Okolsky erklärt die Entstehung des Wappens anders.)

Die Nachkommen dieses ansehnlichen Geschlechts lebten mehrere Jahrhunderte in Böhmen, wo sie viele Wohnsitze und Schlösser nach ihrem Namen erbauten. Einen v. O. liess König Wenzel 1405 als Unterkämmerer von Böhmen hinrichten. — Sie breiteten sich auch schon früh in Polen aus, wussten auch hier ihr grosses Ansehen zu erhalten, und führten von ihrer Besitzung Laziska den Beinamen. — Eine Seitenlinie erhielt zu Boleslaus distortus Zeiten den Beinamen Nowina, nach einer Handhebe im Schilde, die ihnen als Zeichen tapferer Erstürmung einer Festung Noven gegeben ward. — Als *Ladislaus* v. O. und Laziska, als Anhänger des Erzherzogs Maximilian, diesen zu Ende des 15ten Jahrhunderts nicht zum Könige von Polen erwählt sah, folgte er dem Erzherzoge nach Mähren, bekleidete dort die angesehensten Aemter und starb, 91 Jahre alt, von seiner Gemahlin Sophia, Freiin v. Listius, die 1606 starb, sechs Söhne hinterlassend. Von dem ältesten derselben, *Johann Christoph*, stammen die spätern, in Mähren als Herren v. Schönstein u. s. w. ansässigen, später in den Grafenstand erhobenen Geschlechter ab, die mit dem kaiserl. österreichischen Obersten, Grafen *Johann Baptist Karl Anton*, vermählt mit der verwittweten Gräfin Larisch, geb. Gräfin Hoditz, im Anfange des 19ten Jahrhunderts erloschen. — Der fünfte Sohn des *Ladislaus* v. O. und Laziska, *Samuel* v. O. auf Kitzei (wahrscheinlich in Ungarn), hatte von seinen Gemahlinnen, Sabina Sibylla v. Purkstall und Wagrain und Eva Freiin v. Rauber, vier Söhne und zwei Töchter, wovon die erstern mit dem Vater zur augsburgischen Confession übergingen, weshalb von ihren fernern Schicksalen nichts bekannt ist.

Die in Polen und in der Ukraine zurückgebliebene Linie starb der Angabe nach mit dem französischen Maréchale de camp, *Peter Gregor* v. O., der in der Schlacht bei Bergen im siebenjährigen Kriege blieb, aus; doch gab es nach der Rangliste noch in der Legion des Herzogs von Maillebois in den ersten Revolutionskriegen einen Lieutenant v. O.

Auch in Schlesien haben nach dem grossen (schlesischen) Universal-Lexicon in früherer Zeit Orlichs existirt, und ist der Name noch an verschiedenen Orten in der Gegend bei Landeck zu finden.

Die Seltenheit des Namens v. O., den jetzt nur noch die in Preussen lebende Familie führt, lässt fast mit Gewissheit annehmen, dass alle dieses Namens gleichen Ursprungs sind; um so mehr, da die noch existirende Linie von einem *Martin* v. O. abstammt, dessen Vater während des dreissigjährigen Krieges der Religion wegen aus Böhmen vertrieben ward (dessen Vorname wahrscheinlich beim Uebertritt zur protestantischen Religion und, allem Vermuthen nach, auch dessen Wappen geändert), wie dies Fabricius, früher Prediger zu Magdeburg, in einer Schrift: „Stephan Vilcoux wunderbarer Wegen des Allerhöchsten, Wittenberg 1679" auf der vorletzten Seite berührt. Vielleicht war es einer der Söhne des oben aufgeführten *Samuel* v. O. — *Martin* v. O. heirathete 1636 in Magdeburg die Tochter des Präsidenten und Bürgermeisters von Magdeburg, v. Alemann, deren Mutter eine Tochter des holsteinschen Kanzlers v. Schultzen war. Er floh des Krieges wegen nach Hamburg, wo er noch 1636 starb, und seine Gemahlin am 27. April 1637 *Ernst Martin* v. O. gebär. Dieser kehrte später in die Gegend von Magdeburg zurück, wo er sich ankaufte, doch auch in Diensten des grossen Kurfürsten gewesen sein muss, da seiner der Statthalter von Halberstadt, General-Lieutenant Graf Dohna, in einem Schreiben an den Minister Grafen Schwerin vom 6. Novbr. 1658 erwähnt, und er auch im Tagebuche des Grafen Schwerin über die Erziehung der Prinzen Emil und Friedrich unter dem 28. März 1668 namhaft gemacht wird.

Die Religionslehren, welche die damalige Zeit so bewegten, und die Schicksale, welche sie in der Familie herbeigeführt hatten, bewogen *Martin* v. O., seinen Sohn *Johann Martin* für den geistlichen Stand zu erziehen, der dann als Prediger zu Trebnitz an der Saale 1745 starb. *Ernst Ludwig* v. O., der Sohn des *Johann Martin*, geb. 1705, starb 1764 als angesehener Geistlicher und Hauptprediger an der Michaeliskirche zu Hamburg, und war der einzige seiner Brüder, der männliche Nachkommen hinterliess, von denen zwei Söhne als preussische Regierungs- und Domainen-Räthe starben, der jüngste Sohn, *Ludwig Julius* v. O., geb. 1755, aber nach vollendeten Studien 1778 gleich als Lieutenant in preussischen Diensten angestellt wurde. Dieser vermählte sich 1793 mit Friederike Charlotte Freiin v. Klingspor, geb. den 30. Septbr. 1771, Tochter des Oberstlieutenants und Kommandanten von Pillau, Baron v. Klingspor auf Bilshofen. Er machte später den Krieg von 1806–1807 in Ostpreussen als Major und Kommandeur des ersten westpreussischen Füselier Bataillons mit, wobei er den Orden pour le mérite und den St. Wladimir-Orden in Folge grosser Verdienste erhielt, und starb 1810 als Bataillons-Commandeur. Er hinterliess drei Söhne und drei Töchter.

Der älteste Sohn, *Wilhelm Ernst* v. O., geb. den 12. Mai 1802, wie seine jüngern Brüder im Kadetten-Corps erzogen, seit dem 18. Octbr. 1819 Offizier, jetzt Premier-Lieutenant des 2ten Garde-Regiments, vermählt den 17. Jan. 1827 mit Karoline v. Pelet-Narbonne, Tochter des General-Majors und Chef des Cavallerie-Regiments Pfalz-Baiern, v. Pelet-Narbonne, deren Mutter eine geb. v. Wedell.

Der zweite Sohn, *Leopold Ludwig* v. O., geb. den 30. Juni 1804, seit 1822 Offizier, jetzt Premier-Lieutenant des Kaiser Alexander Grenadier-Regiments.

Der dritte Sohn, *Gustav Ludwig* v. O., geb. den 11. Febr. 1810, seit 1827 Lieutenant des 2ten Garde-Regiments.

Die älteste Tochter, *Amalie Philippine*, geb. den 17. Juli 1797, vermählt den 10. Febr. 1815 mit dem damaligen Major des 2ten Garde-Regiments, jetzigen General v. Schachtmeyer; starb 1836.

Die zweite Tochter, *Johanna Sophia*, geb. den 17. Septbr. 1800, vermählt den 10. Octbr. 1819 mit dem Capitain des 2ten Garde-Regiments, v. Below, jetzt Major und Commandeur des Hammschen Garde-Landwehr-Bataillons.

Die dritte Tochter, *Rosalie Friederike*, geb. den 26. Septbr. 1808, vermählt 1829 mit dem Kreisphysikus, Badearzt Dr. Sick.

Aus der Ehe des ältesten Sohnes, *Wilhelm Ernst*, stammt:

1) *Friedrich Ernst Ludwig*, geb. den 18. Febr. 1828.
2) *Hugo Wilhelm*, geb. den 27. Febr. 1830.

Das Wappen dieser Familie ist seit mehr als 100 Jahren im Schilde ein Adler, der nach der Sonne fliegt, und über dem Helme ein wilder bekränzter Mann, der in seiner rechten Hand drei Lilien hält.

Orsbach, die Herren von.

Eine adelige Familie in der Rheinprovinz; hier lebt *Franz Clemens Joseph* v. O. zu Schleiden. Mehrere Mitglieder der Familie leben in Aachen, unter ihnen der Ehrenstiftsherr v. O. In Schleiden praktizirt der Dr. med. v. O.

Orsbeck, die Freiherren und Herren von.

Es sind zwei gleichnamige adelige Familien in den Rheinlanden vorgekommen. Mit *Stephan* v. O. beginnt 1277 die Geschlechtsreihe derer v. O. Ein Nachkomme von ihm war *Wilhelm* v. O., Herr auf Wennsberg und Effern, der im Jahre 1557 als Kanzler des Herzogthums Jülich bekannt geworden ist. — Eine Linie ist im Jahre 1696 mit *Johann Friedrich* Freiherrn v. O., kaiserl. General-Feldmarschall, erloschen. Von einer andern Linie war *Damian Emrich* v. O. Domprobst zu Trier und Speier, und *Johann Hugo* v. O. Churfürst und Erzbischof von Trier, Bischof zu Speier; mit ihm soll wieder 1711 eine Linie, nach Andern sein ganzes Geschlecht erloschen sein. — Wappen. Sie führen oder führten im goldenen Schilde ein halb rothes, halb schwarzes Andreaskreuz, welches zwischen vier Herzen liegt. Auf dem Helme den Hals und Kopf eines gezügelten weissen Rosses. Decken roth und Silber. M. s. Humbracht S. 251. v. Hattstein I. Th. S. 407. Gauhe I. Th. S. 1139 u. f. Siebmacher I. Th. S. 124. v. Meding III. Th. No. 588. u. m. a.

Orttenburg, die Grafen und Herren von.

Aus diesem gräflichen Hause, das in Beziehung auf seine Besitzungen dem Königreiche Baiern angehört, haben zu verschiedenen Zeiten Söhne im preussischen Dienste gestanden. — *Christian Friedrich* Graf v. O., geb. den 30. Decbr. 1744, diente unter Friedrich dem Grossen in dem Regiment v. Kleist. Gegenwärtig steht *Friedrich Karl Ludwig* Graf v. O. (m. s. unten) in dem 8ten Cürassier-Regiment zu Langensalza.

Es führt dieses alte kärnthensche Geschlecht seinen Ursprung bis zu *Friedrich* Grafen v. Sponheim hinauf, welcher im 11ten Jahrhundert nach Kärnthen ging, das Schloss Orttenburg erbaute und sich zuerst Graf v. Orttenburg nannte. Mehrere seiner Nachkommen waren Herzöge von Kärnthen, andere erwarben die Grafschaft Orttenburg in Baiern. — *Engelbrecht*, ein Bruder Herzog Heinrichs von Kärnthen, ist der eigentliche Stammvater des Hauses; seine Söhne *Ulrich* und *Rapoth* stifteten jener die kärnthensche, dieser die bairische Linie, wovon sich blos letztere erhalten hat, und bis auf die neuesten Zeiten die Grafschaft Orttenburg nebst den Herrschaften Seldenau, Neudegg, Eggelheim und einige Hofmarken in Baiern besass. Der Vater des jetzigen Grafen vertauschte erstere jedoch 1805 gegen die jetzige Grafschaft Orttenburg-Tambach in Baiern, auf welche alle reichsständischen Rechte übertragen wurden. Aber im Jahre 1806 wurde die Grafschaft mediatisirt und steht jetzt unter königl. bairischer Hoheit. Sie enthält ein Schloss, 19 Dörfer, einige Einöden und 14 herrschaftliche Domainenhöfe mit 3400 Einwohnern, worunter über 2300 Katholiken, gegen 900 Lutheraner und ungefähr 100 Juden, auf 1¼ Q.Meile. Auch hat das Haus Besitzungen in Coburg. Der Graf führt den Titel: Graf zu Orttenburg-Tambach, des ältern Geschlechts, Graf zu Grichingen und Püttingen. Ihr Wohnsitz ist Tambach in Baiern.

Franz Karl Rudolph Graf v. O., Standesherr, geb. den 4. Aug. 1801, erblicher bairischer Reichsrath und Commandant der Landwehr des Obermainkreises, folgte seinem Vater den 28. März 1831.

Geschwister.

1) *Charlotte Christ. Wilhelmine* Gräfin v. O., geb. den 18. Aug. 1802, vermählte Fürstin Albrecht v. Sayn-Wittgenstein-Berleburg.

2) *Friedrich Karl Ludwig* Graf v. O., königl. preuss. Lieutenant im 8ten Cürassier-Regiment, geb. den 14. Jan. 1805, beantwartet auf die deutsche Ordensballei Utrecht.
3) *Herrmann* Graf v. O., geb. den 4. Jan. 1807, kaiserl. österr. Ober-Lieutenant bei Kaiser Uhlanen No. 4., hat Ansprüche auf dieselbe Ballei.

Vaters Schwestern.

1) *Louise Karoline*, geb. den 15. Jan. 1782, geschiedene Gräfin v. Castell und wieder vermählte Gräfin Anton v. Taufkirchen.
2) *Wilhelmine Sophie Marie*, geb. den 16. Novbr. 1784, vermählte Gräfin Leopold Ernst v. Taufkirchen.
3) *Friederike Auguste*, geb. den 22. April 1786, vermählt den 9. Octbr. 1806 mit dem Grafen Karl Alexander v. Pückler, geschieden den 16. Juni 1824.

Das Wappen dieser Familie hat sieben Felder. Das Mittelschild No. 5. einen silbernen Querbalken in roth, No. 3. und 4. zwei rothe Adlerflügel in Silber, No. 1. und 7. ein silbernes Kreuz in roth, No. 2. und 6. einen rothen Balken in Silber. Das Ganze, mit drei Helmen gedeckt, umliegt ein Hermelinmantel, worüber ein Fürstenhut.

M. s. Spener, hist. insign. p. 758. Hübner II. Th. S. 559—562. Europ. Herold I. Th. S. 631. Lang, über die Vereinigung des bairischen Staats, II. Abth. S. 52. Gauhe II. Th. S. 832—835. Hartmann'sche Sammlung u. a. m.

Osen, Herr von.

König Friedrich II. erhob am 15. Jan. 1770 den Lieutenant O. in den Adelstand. Das Wappen zeigt im quer in Silber und Gold getheilten Schilde hier einen Turnierhelm, dort einen gekrönten schwarzen Adler. Auf dem gekrönten Helme steht ein Pfauenschweif, darauf sind zwei ins Kreuz gelegte silberne Schlüssel, die Bärte aufwärts gewendet, angebracht. Decken roth, schwarz und Silber.

Ossenbruch, Herr von.

Zum immatriculirten Adel der Rheinprovinz gehört *Johann Martin* v. O. zu Haldern im Regierungs Bezirk Düsseldorf.

Ostau, die Herren von.

Ein altes vornehmes, seit dem Jahre 1434 in Preussen bekanntes Geschlecht, aus welchem mehrere Mitglieder zu hohen Staatswürden gelangt sind. Noch am Anfange dieses Jahrhunderts bekleidete einer v. O. die Würde eines Oberst-Burggrafen von Preussen und Geheimen Staatsministers. Ein Major v. O., der im Jahre 1806 als Staabscapitain in dem Regiment v. Auer stand und sich 1807 in der Schlacht bei Heilsberg den Verdienstorden erwarb, war noch vor wenig Jahren Landrath des Kreises Königsberg. Gegenwärtig steht in der Armee der königl. Major im Regiment Garde du Corps *H.* v. O. M. s. Hartknoch, Dissert. de variis reb. Pruss. Gauhe II. Th. S. 835. Zedler XXV. Bd. S. 2201.

Osten-Sacken, der Fürst, die Grafen und Herren von der, Bd. III. S. 487.

Das Geschlecht v. d. Osten, aus welchem die jetzige blühende Familie v. d. Osten genannt Sacken ihren Ursprung herleitet, ist noch jetzt eines der ältesten und angesehensten in Pommern, woselbst es schon im 9ten Jahrhundert geblüht, auch eine beträchtliche Anzahl Lehnträger gehabt hat und zu den Burg-, Schloss- und Freigesessenen gezählt worden ist.

Eine alte Geschlechtsnachricht, welche bei denen v. d. Osten genannt Sacken aufbewahrt wird, gedenkt im Jahre 1330 eines *Friedrich* v. d. Osten, dessen Gemahlin Sophia die Tochter des Fürsten der Wenden und Herrn zu Rostock, Johann des Friedfertigen, und einer Gräfin v. Ruppin gewesen ist. Dieser aber war ein Sohn des Nicolaus, Fürsten der Wenden oder Herrn der Werlen, dessen Mutter Sophia Gemahlin Heinrichs II. Burewin, Fürsten von Mecklenburg und der Wenden und eine Tochter des Königs in Schweden, Karl Schwerchersson, war. — Von jenem *Friedrich* v. d. Osten leitete der kurländische Ahnherr *Heinrich* v. d. Osten seinen Ursprung ab. Er war Ritter des goldenen Vliesses und zog 1479 nach Kurland, wo er — wie eine mündliche Familien-Ueberlieferung sagt — die Tochter des letzten männlichen Erben des Geschlechts v. Sacken heirathete, wodurch die Sackenschen Besitzungen an jenen *Heinrich* v. d. Osten übergingen, dieser aber zugleich verbunden war, des Erblassers Familien-Namen und Wappen mit anzunehmen. — Seine sechs Söhne theilten sich 1522 in den Nachlass der väterlichen Güter. Der älteste von ihnen hiess *Johann* und bekam zu seinem Antheil das Gut Apricken. Der auf ihn folgende Bruder *Otto* erhielt Dselden. Der dritte, *Martin*, das Stammhaus Sacken, aber dieser ist unbeerbt verstorben. Der vierte, *Arndt*, das Gut Lehnen; er hinterliess gleichfalls keine Nachkommen. Der fünfte, *Heinrich*, nahm Lahnen, und der sechste, *Alexander*, Bathen.

Der erste von diesen Brüdern hat die Apprickensche Linie fortgepflanzt. Aus dem Dseldenschen Hause sind nachher die Häuser Elkesem, Wangen, Dubenalken, Kaltenbrunn, Delsen und Grösen entstanden. Aus dem Gute Lahnen die Sacken von Schnepeln und endlich aus dem Bathenschen Hause die von Wainoden, Zaliten, Rothhoff, Aban und der Lief-Esthländische Zweig. — Obiger *Alexander*, als der jüngste Sohn, hatte drei Söhne, nämlich *Gregor*, *Heinrich* und *Alexander*. — *Gregor* scheint keine Nachkommenschaft hinterlassen zu haben. — *Heinrich* zog um das Jahr 1568 nach Esthland und ist der Ahnherr des gegenwärtig blühenden Lief-Esthländischen Zweiges. — Aus *Alexanders* des jüngsten Linie ist nach dem Tode des am 7/19. April 1837 verstorbenen kaiserl. russischen General-Feldmarschalls Fürsten *Fabian* v. d. O.-S. nur noch am Leben:

Der Oberst Graf v. d. O.-S., der in den Feldzügen der Jahre 1813 und 1814 ein Jäger-Regiment kommandirte, jetzt Haupt-Director des patriotischen Vereins für Ackerbau und Industrie u. s. w. und Besitzer der Rittergüter Bellin, Marienhoff u. s. w. in Mecklenburg, vermählt mit Amalie Marianne, Gräfin v. Hoym-Droyssig, früher vermählte Fürstin zu Hohenlohe-Ingelfingen, aus welcher Ehe nur zwei Töchter am Leben (s. Adels Lexicon Bd. III. S. 487).

Der Vater des Feldmarschalls, Fürsten v. d. O.-S., *Wilhelm Ferdinand*, und der Grossvater des bis jetzt letzten männlichen Nachkommen dieser Linie, des so eben gedachten Oberst u. s. w. Graf v. d. O.-S. auf Bellin in Mecklenburg, *Anton Ernst*, waren Brüder. —

Der letztere blieb in der Schlacht von Kesselsdorf als chursächsischer Major der Cavallerie im Jahre 1745.

Der Lief-Esthländische Zweig der Familie v. d. O. genannt S. besteht gegenwärtig aus folgenden Gliedern:

Johann Gustav Graf v. d. O.-S., kaiserl. russischer wirklicher Kammerherr und Ritter des Maltheser-Ordens, Erbherr der Güter Colljall auf der Insel Oesel und Mirozk im Gouvernement Kiew, geb. den 16. Febr. 1770, vermählt mit *Charlotte* v. d. O.-S., geb. den 22. Aug. 1784.

Kinder:

1) *Karl Heinrich Ludwig* Graf v. d. O.-S., Capitain im kaiserl. russischen General-Staabe, geb. den 1. Decbr. 1807.
2) *Louise* Gräfin v. d. O.-S., geb. den 30. Jan. 1809.

(Dieser gräfliche Zweig erhielt 1833 das renovirte Indigenat in Curland.)

Geschwister:

1) Baron *Christoph Ludwig* v. d. O.-S., General-Major a. D., geb. den 11. Juni 1773, Wittwer von einer Baronesse v. Stackelberg. Er hat vier Söhne und zwei Töchter.
2) Baron *Alexander Magnus* v. d. O.-S., geb. den 4. April 1776, dimittirter Oberst, vermählt mit einer v. Güldenstubbe.
3) *Juliane Elisabeth*, geb. den 23. Febr. 1779, Wittwe des Obersten v. Berg.

Sohn des verstorbenen Vaterbruders *Johann Gustav*, churfürstl. sächsischen Generals:

Karl Gustav Graf v. d. O.-S., geb den 11. Octbr. 1787, dimittirter kaiserl. russischer Garde-Staabs-Capitain.

Kinder des verstorbenen leiblichen Vetters *Reinhold Friedrich* v. d. O.-S.:

1) Baron *Alexander Rembert* v. d. O.-S., vermählt mit einer v. Engelhardt.
2) Baron *Reinhold Friedrich* v. d. O.-S., kaiserl. russischer wirkl. Staatsrath, vermählt mit einer v. Engelhardt. (Beide Brüder haben mehrere Söhne und Töchter.)
3) Baron *Karl Magnus* v. d. O.-S., kaiserl. russischer wirklicher Staatsrath.
4) *Charlotte*, vermählt an den Grafen *Johann Gustav* v. d. O.-S., wirkl. Kammerherrn (s. oben).
5) *Julie* v. d. O.-S.
6) *Dorothee* v. d. O.-S., vermählt an den Baron v. Campenhausen.

In kaiserl. russischen Staatsdiensten sind unter anderen folgende Personen der Familie Osten-Sacken zu hohen Würden und Aemtern gelangt:

1) *Karl Magnus* Graf v. d. O.-S., geb. den 6. April 1733, kaiserl. russischer wirklicher Geh. Rath und Ritter. Er war 1774 ausserordentlicher Gesandter und bevollmächtigter Minister am königl. dänischen Hofe und wurde 1784 zum Gouverneur bei Sr. kaiserl. Hoheit, dem Grossfürsten Constantin Pawlowitsch ernannt. Im Jahre 1797 ist ihm die Grafenwürde des russischen Reichs verliehen worden. Er starb 1808. Da er keine Nachkommen hatte, so wurde auf seine Bitte diese Würde mittelst kaiserlichen Ukas vom 12. Juni 1801 auf

seine beiden Brüder-Söhne, *Johann Gustav* und *Karl Gustav* v. d. O.-S. (s. oben) und deren Nachkommen übertragen. — 2) *Fabian Gottlieb* Fürst v. d. O.-S., geb. 1752, kaiserl. russischer General-Feldmarschall, Oberbefehlshaber der 1sten Armee und Ritter sämmtlicher russischer Orden, so wie des schwarzen Adler- und des Marien-Theresien-Ordens. Nachdem er mit vieler Auszeichnung an den denkwürdigen Feldzügen von 1813 und 1814 Theil genommen hatte, wurde er während der ersten Occupation von Paris zum Gouverneur der französischen Hauptstadt ernannt. Er ist im Jahre 1821 in den russischen Grafenstand erhoben worden und 1833 wurde ihm die Fürstenwürde verliehen, welche nach seinem am 7/19. April 1837 erfolgten kinderlosen Absterben mit ihm erloschen ist. — 3) Baron *Demetrius* v. d. O.-S., kaiserl. russischer General-Lieutenant und Ritter; ist gegenwärtig Commandeur des 2ten Reserve-Cavallerie-Corps.

Das gräflich v. d. Osten-Sackensche Wappen stellt sich in folgender Gestalt dar. Ein aufrecht stehendes, in vier gleiche Felder getheiltes Schild, dessen erstes und viertes Feld der Länge nach in zwei gleiche Theile gespalten ist. In den äusseren beiden Theilen dieser Felder liegen in dem obern rechten Theile drei goldene linke, in dem untern linken Theile aber drei goldene rechte Wellen-Schrägbalken. In den beiden innern rothen Theilen erscheint ein gerade aufrecht stehender, einwärts gekehrter silberner Schlüssel. In dem zweiten und dritten blauen Felde sind drei goldene, in Form eines verkehrten Triangels (oben zwei und unten einer) gestellte sechseckige Sterne zu sehen. In der Mitte ist ein kleines Schild, in welchem ein doppelter schwarzer, mit goldenen Kronen gezierter russischer kaiserlicher Adler sich befindet. Auf dem ganzen Schilde ruht die russische reichsgräfliche Krone, auf welcher sich ein silberner Helm befindet. Ueber diesem Helm, zwischen zwei einwärts gekehrten Adlerflügeln, von welchen der rechte silbern, der linke aber roth ist, steht eine rothe Säule, an welcher zwei kreuzweise über einander gelegte silberne Schlüssel angeheftet sind. Ueber der Säule zeigt sich ein goldener sechseckiger Stern, und hinter diesem ein hervorwachsender Pfauenschweif. Die Helmdecke ist auf der rechten Seite golden, auf der linken aber roth.

Ottera, die Herren von.

Ein erloschenes adeliges Patrizier-Geschlecht zu Erfurt.

Ougier, Herr von.

Benjamin O. zu Orange wurde vom König Friedrich I. am 11. Juli 1711 geadelt. Das Wappen zeigt in der kleinen blauen obern Hälfte des Schildes eine silberne Figur in Form eines halben, die Hörner aufwärts gerichteten Mondes, in der grössern rothen untern Hälfte eine goldene, nach der rechten Seite im Lauf begriffene Dogge, mit rothem Halsband und ausgeschlagener Zunge. Auf dem gekrönten Helme ist ein Falke mit einer Haube vorgestellt. Decken rechts blau und Silber, links roth und Gold.

Oven, Herr von.

Zu Düsseldorf lebt der königl. Regierungs- und Consistorialrath v. O.

P.

Pachaly, die Herren von.

König Friedrich II. liess am 5. Febr. 1753 der Familie v. P. ein Anerkennungsdiplom ausfertigen. In dieser Urkunde ist das Wappen folgendermassen angegeben. Ein blaues Schild, darin ein auf grünem Rasen nach der rechten Seite vorschreitender goldener Edelhirsch. Auf dem mit einem blau und goldenen Bunde belegten, blau angelaufenen und mit umhangendem Kleinode versehenen adeligen Turnierhelme ist der Hirsch verkürzt zwischen einem blauen und einem goldenen flatternden Bande zu sehen. Decken und Laubwerk Gold und blau.

Pajon, die Herren von, Bd. IV. S. 21.

Der Stammvater dieses Geschlechtes in Preussen war *Ludwig* P. de Moncet, Ober-Consistorialrath bei dem französischen Oberconsistorium, der vom König Friedrich II. ein Anerkennungsdiplom seines alten Adels erhalten hat. — Diese Familie führt im blauen Schilde einen silbernen, mit drei Rosen an grünen Stengeln belegten Querbalken, über diesem zwei goldene Bienen, unter demselben eine goldene Biene. Auf dem Helme wiederholt sich zwischen zwei Adlerflügeln die goldene Biene. — *Heinrich* v. P.-M. starb als kaiserl. russischer Staatsrath, Ober-Forstmeister und Ritter im Monat April 1828 zu Slacka bei Bialystock.

Palbitzki, die Freiherren und Herren von.

Eine alte vornehme, aber wenig bekannte Familie in Pommern. Ein Zweig derselben war auch in den Freiherrenstand erhoben worden. Micrälius erwähnt sie im VI. Bd. Siebmacher giebt Th. V. S. 165 ihr Wappen und v. Meding beschreibt es Th. III. No. 596.

Palland (Pallandt, Palant), die Freiherren und Herren von.

Diese Familie stammt von *Wildbrand* v. P., vermählt mit Judith v. Finstingen, der im Jahre 936 lebte, ab. — Im Jahre 1316 wurde *Werner* v. P., vermählt mit Elisabeth Scheifard v. Merode, vom römischen Kaiser Friedrich mit dem Beinamen der Schöne in den Reichsfreiherrenstand erhoben. Das Geschlecht der v. P. gehört zu den ältesten und angesehensten des Herzogthums Jülich. In den Urkunden des 14ten und 15ten Jahrhunderts erscheinen oft Herren v. P. im Gefolge der alten Herzöge unter den Edlen und Rittern der Zeit. So ist bei dem Ehevertrage zwischen Gottfried II. v. Heinsberg und Philippa v. Jülich, 1357, mit andern Edeln *Karsilis* v. P. Bürge. In dem Landfrieden für das Herzogthum Jülich, 1429, erscheint an der Spitze der Ritterschaft *Werner*, Herr zu P. und zu Breydenbent. Im Bündnisse des Gerhard v. Loen, Herrn v. Jülich, mit der Jülichschen Ritterschaft 1452 werden gleichfalls obenan genannt: *Werner*, Herr zu P. und zu Breydenbent, und *Karsilis* v. P. zu Wildenburg. (Siehe Kremer, akademische Beiträge zur Jülich-Bergischen Geschichte I. Th. S. 47. 101. 116. und königl. Regierungs-Archiv zu Düsseldorf.)

Das Geschlecht theilte sich früher in verschiedene Zweige, welche alle dasselbe Wappen führen und auf denselben Stamm zurückweisen. Unter dem deutschen Reichsadel war es vollgültig anerkannt und man findet bei vielen Stammbäumen adeliger Familien weibliche Zweige des Pallandschen Geschlechts.

Ein *Werner* Freiherr v. P., Herr zu Bredenbend, Wildenburg, Bachem, Frechem und Weisweiler, erhielt 1407 vom Herzog von Luxemburg die Herrschaft Reuland. Vermählt war er in erster Ehe mit Johanna v. Reiferscheid, ohne Kinder, in zweiter Ehe mit Alverta, Erbin zu Engelsdorf, Asselborn, Kinsweiler und Maubach. Mit ihr erhielt er wieder drei Herrschaften mit ansehnlichen Gütern und eine Nachkommenschaft von neun Kindern, mit welcher sich der Hauptstamm in viele Aeste theilte. Die Hauptäste sind:

I. Palland zu Breidenbend und Borsennich.

Mit diesen Burgen im Herzogthum Jülich wurden in absteigender Linie belehnt: *Werner* v. P. zu Breidenbend 1343. 1354. 1364. 1402. 1479. *Werner*, Amtmann zu Wassenbend 1522. *Werner* zu Ruif 1541. *Diederich* 1557. *Anton Heinrich*, Freiherr, 1649. 1655. *Ferdinand*, Freiherr, 1671. *Diederich Adolph*, Freiherr, 1711. 1723. *Theodor Philipp Karl*, Freiherr, 1730. *Theodor Karl*, Freiherr, 1744. 1651 wurde der erwähnte *Ferdinand* v. P. zum jülichschen Landtage berufen, sein Sohn 1699, sein Enkel 1727.

II. Palland zu Gladbach.

Mit Schloss und Herrlichkeit Gladbach im Herzogthum Jülich wurden belehnt: *Gerhard* 1497, dessen Sohn *Gerhard* 1523. 1541. *Wilhelm* 1549 *Johann* 1596. *Friedrich Wilhelm* 1636. *Marsilius*, Freiherr, 1652. 1654. *Marsilius Ferdinand Ignaz*, Freiherr, 1680. *Marsilius Ferdinand*, Freiherr, 1689. *Adolph Wilhelm*, Freiherr, 1711. 1717. *Johann Friedrich Adolph*, Freiherr, 1723. *Adolph Wilhelm* v. P. zu Gladbach wurde 1714 zum Landtage berufen.

III. Palland zu Wildenburg und Witten u. s. w.

Mit Schloss und Herrlichkeit Wildenburg und den beiden Häusern Kintzweiler wurden in absteigender Linie belehnt: *Dietrich*, Herr zu Wildenburg u. s. w. 1441. 1447. Dessen minderjähriger Sohn 1481. *Florius*, Herr zu Witten 1547. *Johann* v. P., Amtmann zu Wilhelmstein, für sich und die nachgelassenen Kinder seines Oheims, auch seines Vetters *Marsilius*, 1563. *Hattard*, Herr zu Dalenbroch 1572. Die Glieder dieses Familienzweiges erscheinen in den Stammbäumen v. Hatzfeld, v. Geldern, v. Syberg u. s. w.

IV Palland zu Horst und Issum, und V. Palland zu Keppel.

Diese beiden Zweige befinden sich im Herzogthume Cleve, so wie die übrigen Nebenzweige P. zu Wachendorf, zu Dalenbroch, zu Noitberg, zu Bachen, zu Griethausen u. a.

Auf Bitte des Johanniter-Ordens-Ritters und Commandeurs, *Johann Jacob* Freiherrn v. P., bestätigte und erneuerte Kaiser Leopold I. durch Diplom vom 12. Juli 1675 die Erhebung von 1316 der Pallandschen Familie in den Freiherrenstand.

Sämmtliche Linien sind gegenwärtig erloschen bis auf die v. Wildenburg und die v. Keppel.

ad III. Wildenburg im Kreise Schleiden, Regierungs-Bezirk Aachen. Besitzer ist jetzt Freiherr *Franz Anton* v. P., königl. preuss. Hauptmann a. D. Es ist dies das alte v. Pallandsche Gut, und ist diese Linie als die alte Linie von Wildenburg von den mit ihr früher verwandten Familien, Graf Beissel v. Gymeich und Freiherr v. Syberg, in neuerer Zeit anerkannt worden.

ad V. Keppel im Königreich der Niederlande. Besitzer ist jetzt der königl. niederländische Cultus-Minister Baron v. P. im Haag. — Diese Linie ist in den Niederlanden sehr ausgebreitet.

Palmenkron, die Herren von.

Eine adelige Familie dieses Namens kam im 16ten Jahrhundert aus Schweden nach Schlesien. Hier erwarb sie mehrere Güter, namentlich Tschertenitz und Stradam. Im 17ten Jahrhundert erlosch dieses Geschlecht bei uns wieder. M. s. Sinapius II. Bd. S. 856. Gauhe II. Bd. S. 848.

Palubicky, Herr von.

Ein Major v. P. ist gegenwärtig Commandeur des Landwehr-Bataillons vom dritten combinirten Reserve-Landw.-Regiment zu Gnesen.

Panwitz, die Herren von.

Sie gehören zu dem ältesten und vornehmsten Adel in Schlesien und Sachsen. Man hält dafür, dass sie slavonischer Abkunft sind. Pan heisst auf slavonisch Herr. *Wolfram* v. P. erscheint schon 1297 als Zeuge in einem das Gut Rosenau bei Pitschen betreffenden Kaufkontrakt. Im Jahre 1314 erhielt *Werner* v. P. das Burglehn Wohlau auf Lebenszeit. Mechwich und Pogrel bei Brieg, Lomnitz, Abendorf, Rengersdorf u. s. w. bei Glatz, Polschildern bei Liegnitz, Peterwitz bei Jauer, Teschwitz bei Wohlau sind alte Besitzungen des Hauses gewesen. Im Cottbusschen, wo die Familie noch gegenwärtig begütert ist, sind die Rittersitze Grötsch, Gablenz, Kathlow, Kahren, Schlichow u. s. w. alte Stammhäuser derer v. P. — Gegenwärtig ist ein Rittmeister v. P. Landrath des Kreises Cottbus. — Es führen die v. P. ein quergetheiltes Schild, der obere Theil ist in Silber und roth gespalten, die untere Hälfte ist schwarz. Alle Felder sind ohne Bild. Auf dem gekrönten Helme stehen zwei Büffelhörner, von denen das rechte oben silbern, unten schwarz ist, das andere aber ist oben roth, unten silbern.

Pape, die Herren von, Bd. IV. S. 22.

Wappen: Ein ovales, die Quere in blau und roth getheiltes Schild. In der obern blauen Hälfte ein silberner, sich in die Brust beissender Schwan. In der untern rothen Hälfte zwei übers Kreuz gelegte Schwerter. Auf dem Helme eine Edelkrone. Decken rechts blau und Silber, links roth und Silber.

Parpart, die Herren von.

Wappen: Im grünen Schilde drei rothe Querbalken, auf dem

gekrönten Helme ein nach der rechten Seite gewendeter Storch. Dekken roth und grün. Ein Zweig der Familie erhielt am 30. Jan. 1834 ein Anerkennungs-Diplom. Er führt dasselbe Wappen, doch ist das Schild blau und daher sind auch die Decken roth und blau.

Paschwitz, die Herren von.

Der Hofrath und Professor der Rechte zu Baireuth, *Samuel Johann* Parsch, erhielt vom Kaiser Karl VI. am 23. Decbr. 1737 ein Adels- und Ritterdiplom mit dem Beinamen v. Paschwitz. In der preuss. Armee stand im Jahre 1806 ein Sohn desselben als Staabshauptmann bei dem Regiment v. Schenck in Hamm, später lebte derselbe auf seinem Gute bei Hof in Baiern. Ein Sohn von Letzterm ist der königl. preuss. Major und Commandeur eines Landwehr-Bataillons v. P. zu Oranienburg.

Patow, die Freiherren und Herren von.

Diese freiherrliche Familie ist in der Niederlausitz ansässig. Im Jahre 1808 wurde der Freiherr v. P. zu Lübben in der Niederlausitz königl. Kammerherr. Von seinen Söhnen ist der ältere Landrath im Kreise Lübben, der jüngere Geh. Regierungs- und vortragender Rath bei der Staatsbuchhalterei.

Pauli, die Herren von.

Der Stammvater dieser adeligen Familie ist ein vom König Friedrich II. erhobener Offizier. Das ihm bei der Erhebung beigelegte Wappen zeigt im goldenen Felde eine auf grünem Hügel stehenden, einen Stein im Fusse haltenden Kranich, und auf dem Helme zwischen zwei schwarzen Adlerflügeln ein eisengerüsteter Arm, der ein Schwert schwingt. Decken rechts schwarz und Silber, links roth und Gold.

Paulitz, die Herren von.

Mehrere Edelleute dieses Namens haben in der preuss. Armee gedient, und einige dienen noch in derselben. Einer v. P. war im Jahre 1806 Adjutant des Generals v. Tschepe und schied im Jahre 1825 als Major aus dem 4ten Infanterie-Regiment. Gegenwärtig dienen seine Söhne in der Armee, der ältere im 4ten Infanterie-Regiment als Lieutenant und Adjutant des Füselier-Bataillons, der jüngere als Lieutenant im 21sten Infanterie-Regiment.

Pelet, die Herren von.

Es stammt diese Familie ursprünglich aus Frankreich und ihr vollständiger Name ist Pelet-Narbonne. Am 1. Aug. 1771 wurde dieser Familie ein Erneuerungsdiplom ihres alten Adels ausgestellt. In der preuss. Armee sind zwei Brüder dieses Namens zu höhern militairischen Würden gelangt. Der ältere war im Jahre 1806 General-Major und Brigadier der niederschlesischen Füseliere. Er war im Jahre 1742 in Preussen geboren und schon in seinen Jünglingsjahren nahm er ruhmvollen Antheil an den Feldzügen Friedrichs des Grossen. Im Jahre 1806 führte er seine Füselier-Brigade in's Feld; sie leistete wie bekannt, vortreffliche Dienste. Der General selbst fiel bei der Uebergabe von Stettin mit mehreren andern hohen Offizieren in feindliche Hände, bald darauf trat er in den Ruhestand und starb im Jahre 1823 in dem ehrwürdigen Alter von 81 Jahren auf seinem Gute Grunau in Westpreussen. Er war vielleicht der einzige General der Armee, welcher, seitdem ein neues System der Kriegführung entstanden, diesem Systeme folgte, und seine Brigade nach demselben einübte. Was jetzt in dieser Beziehung gethan wird, war jener Brigade längst nicht fremd. Das Colonnen-System, die Formirung des Quarrés, die schnellsten verschiedensten Formationen und Entwickelungen, wurden von ihr ausgeübt, und überhaupt Alles gethan, was den Offizier und Soldaten für den Krieg bilden konnte. Jeder Füselier in seinem Bataillon schoss damals nach der Scheibe, erhielt Unterricht im Schwimmen, Fechten, Laufen und mehreren gymnastischen Uebungen, und auch auf das Intellectuelle wurde mit Eifer gewirkt. Im Herbst wurde sehr häufig im grössern oder kleinern Umfange manövrirt, die jüngern Offiziere erhielten Aufträge, welche sie ausführen und dann schriftliche Relationen darüber einreichen mussten, und so erreichte diese Truppe eine Bildungsstufe, wie sie damals in der Armee nicht gewöhnlich war. — Der jüngere Bruder, *Friedrich* v. P., geboren im Jahre 1746, war 1806 General-Major und Chef des Dragoner-Regiments König von Baiern; er hatte sich im Jahre 1792 in Frankreich den Verdienstorden erworben und ist am 11. Jan. 1820 auf seinem Gute Goddentow in Pommern im Ruhestande gestorben. Gegenwärtig steht noch ein Sohn desselben als Lieutenant in dem 1sten Garde-Landwehr-Uhlanen-Regimente. Eine Tochter desselben ist an den Herrn v. Somnitz auf Charbrow bei Stolpe vermählt.

Es führt diese Familie ein quadrirtes Schild mit einem Mittelschilde, das Mittelschild ist silbern, in der Mitte liegt ein blauer Balken, und der obere Theil wird von sechs blauen Pfählen der Länge nach durchschnitten. In dem ersten und vierten rothen Felde liegt ein goldenes Lazaruskreuz, im zweiten goldenen Felde ist ein aufspringender silberner Löwe, im dritten ebenfalls goldenem Felde ein aufspringender schwarzer Bär, der einen kurzen Säbel in einem silbernen Bandelier um den Leib trägt. Auf dem Schilde, das von dem Löwen und dem Bären gehalten wird, liegt eine neunperlige Krone.

Pelken, die Herren von.

Eine adelige Familie dieses Namens in der preussischen Monarchie führt im blauen Schilde ein silbernes Hufeisen und in demselben ein silbernes Kreuz. Auf dem Helme wehen fünf silberne Straussenfedern, vor ihnen sitzt ein weisser Vogel mit ausgebreiteten Flügeln und einen Ring im goldenen Schnabel haltend. Decken blau und Silber.

Pelser, die Herren von.

Ein Mitglied dieser Familie, *Johann Anton Maria Joseph* v. Pelser-Berensberg, gehört zu dem Adel der Rheinprovinz und lebt zu Düsseldorf.

Penz, die Grafen und Herren von.

Eine aus dem Holsteinschen stammende und in Mecklenburg verbreitete Familie, von der auch ein Zweig sich im Brandenburgischen und in Pommern niedergelassen hatte. Im Jahre 1480 war *Nicolas* v.

P. Bischof von Schwerin. *Christian* v. P. heirathete 1614 des Königs Christian IV. von Dänemark natürliche Tochter, und wurde bei dieser Gelegenheit in den Grafenstand erhoben. Diese Familie kommt in früherer Zeit auch unter dem Namen v. Bensen vor. — Sie führt im silbernen Schilde einen nach der rechten Seite vorschreitenden Löwen, der sich verkürzt auf dem gekrönten Helme wiederholt. M. s. Angeli, Annal. S. 39. Micrälius III. Bd. Kap. 49. Zedler XXVII. Bd. S. 293. Gauhe I. Bd. S. 1170. Anhang S. 1712 u. f. v. Meding III. Bd. No. 606.

Perard, Herr von.

Der aus einer altadeligen französischen Familie stammende Consistorialrath v. P. in Stettin erhielt am 6. Juni 1746 vom König Friedrich II. ein Anerkennungs-Diplom. Sein Wappen ist, nach jener Urkunde, ein silbernes, durch ein blaues Andreaskreuz in vier Felder getheiltes Schild. An jedem der vier Enden des Kreuzes ist ein goldener Stern angebracht, im ersten und vierten Felde sind drei schwimmende schwarze Enten, oben zwei, unten eine, im dritten und vierten Felde aber ist ein rechts aufspringender rother Löwe vorgestellt. Auf dem Helme stehen in Silber und schwarz zwei quer getheilte Büffelhörner. Aus ihren Mundstücken kommen zwei Fahnen hervor, die Stangen silbern, die Fähnlein schwarz und Silber.

Perbandt, die Herren von, Bd. IV. S. 27.

Dieser Familie gehört auch an der Justizrath, Land- und Stadtgerichts-Director v. P. in Namslau; er ist mit einer Freiin v. d. Golz vermählt.

Perrot, die Herren von.

Diese adelige Familie in Neufchatel, preussischer Ernennung oder Anerkennung, führt im blauen Schilde drei Felsen; auf dem mittelsten steht eine französische Lilie, auf den beiden äussern eine rothe Rose, über den Felsen schweben zwei goldene Sterne, aus dem gekrönten Helme wächst ein Adlerhals. — Das Haupt der Familie ist gegenwärtig *August Franz* v. P., Staatsrath und Maire von Neufchatel.

Petit, die Herren von.

Ein Edelmann dieses Namens dient als Lieutenant im preussischen Artillerie-Corps. Es führt diese Familie ein unten blaues, oben silbernes Schild, in der silbernen Hälfte einen blauen Querbalken, über dem ein halber schwarzer Adler sichtbar wird. Der mit einem blau und silbernen Bunde belegte Helm trägt ebenfalls einen schwarzen Adler. Decken blau und Silber.

Peucker, die Herren von, Bd. IV. S. 29.

Wappen: Ein quadrirtes Schild mit einem rothen Herzschildlein, in demselben zwei silberne Pauken. Im ersten und vierten blauen Felde fünf silberne Sterne, im zweiten schwarzen Felde ein rothes Grabkreuz, im dritten schwarzen Felde ein geharnischter, ein Schwert führender Arm. Auf dem Helme vier silberne und in deren Mitte eine schwarze Straussenfeder. Decken rechts blau und Silber, links schwarz und Gold.

Anmerkung. Die Gemahlin des Obersten v. P., geborne Gräfin Schulenburg-Ottleben, ist im Jahre 1838 gestorben.

Pfaff v. Pfaffenhofen, die Grafen und Freiherren.

Simon Georg Freiherr P. v. P. war mit Magdalena Maria Victoria Bourdel v. Bayard vermählt; er wurde Wittwer am 13. Septbr. 1773 und starb 1784. Aus dieser Ehe lebt *Franz Simon* Graf P. v. P., geb. zu Riquieux am 13. Septbr. 1753, Stiftsherr zu Lüttich und Ehrenritter des Maltheser-Ordens. Er besitzt die bei Coblenz gelegene Rheininsel Oberwerth und ist wegen seiner bedeutenden Forderung an die ältere Linie des Hauses Bourbon bekannt geworden. Diese gräfliche Familie führt im goldenen Schilde einen schwarz gekleideten Priester, der in der rechten Hand ein aufgeschlagenes gelbes Buch führt.

Es besteht gegenwärtig das Haus noch aus folgenden Mitgliedern:
Graf *Franz Simon* (s. oben).

Geschwister:

1) *Victoria Felicitas*, geb. den 1. Aug. 1756, vermählt mit Johann Karl Remi v. Bournel.
2) *Joseph Dominik*, geb. den 31. Juli 1762, vermählt am 31. Juli 1792 mit Honorie Katharine de l'Anglois. Wittwer seit 1798.

Kinder:

1) *Victorie*, geb. den 4. Septbr. 1794, vermählt am 21. Novbr. 1827 mit Felix v. Bournel, Canonissin des St. Annenstiftes zu München.
2) *Franz Simon*, geb. den 27. Octbr. 1797, grossherzogl. badischer Kammerherr.

Des verstorbenen Sohnes des Bruders (des Grafen *Johann Georg*, Oberst der Regimenter seines Namens in brittischen Diensten, gest. auf der Insel St. Domingo) Tochter: *Ida*, geb. den 25. Febr. 1818, Ehrendame des königl. bairischen Theresien-Ordens.

Pfannenberg, die Grafen u. Herren von, Bd. IV. S. 29.

Wappen: Das Schild ist quer in schwarz und Gold getheilt. In der obern schwarzen Hälfte liegt eine silberne Fahne. In der untern goldenen Hälfte ist ein nach der rechten Seite laufender Fuchs vorgestellt. Auf dem gekrönten Helme steht ein goldenes Grabkreuz. Decken schwarz und Silber.

Pfeiffer v. Palmenkron, die Herren.

Der Advocat *Christian* P. in Breslau wurde im Jahre 1713 mit dem Beinamen v. Palmenkron in den Ritterstand erhoben. Diese Erhebung ist später von preussischer Seite anerkannt worden. — Diese Familie führt im silbernen Schilde und auf dem gekrönten Helme einen Oelzweig. Decken schwarz und Silber.

Pförtner v. d. Hölle, die Herren.

Schon im Jahre 1274 kamen unter dem zum Oberregenten von Polen erwählten Herzog Bolko II. von Liegnitz und Schweidnitz die v. Pförtner vor, namentlich beschenkte der gedachte Herzog den Ritter *Hinze* v. P. mit dem Dorfe Weizenrode bei Schweidnitz. Unter Herzog Heinrich IV. (1310) und dem König Johann v. Böhmen gelangten mehrere Ritter aus diesem Geschlechte zu höheren Ehrenwürden. Sie erwarben später das Dorf Höllen bei Löwenberg, das jetzt unter dem Namen Höltau bekannt ist und zu Siebeneichen gehört. Nach diesem Besitzthume nannten sie sich grössentheils Pförtner v. d. Hölle, viele Aeste des Hauses haben jedoch niemals diesen Beisatz geführt. Zuerst kommt *Ernst* v. P. auf Höllen vor; er war der Kaiser Albrecht II. und Siegismund Rittmeister und Kriegsrath, und erhielt von dem Letztern eine Vermehrung seines Geschlechtswappens. Im 17ten Jahrhundert erwarb das Haus ansehnliche Güter im Breslauischen, namentlich Pöpelwitz, Pilsnitz, Schweinern, Gross-Schottgau, Sibisch, Jäschkittel u. s. w. — *Ernst* v. P. aus dem Hause Höllen starb am 27. Novbr. 1657 als Herr v. Pöpelwitz, Pilsnitz u. s. w.; er war des breslauischen Fürstenthums königl. Mann und Landesältester, der königl. Stadt Breslau Präses und des Namslauschen Burglehns Director. — *Karl Gottlob* v. P. auf Döhringgau und Netschütz war 1806 Landrath des Kreises Freistadt. In der Gegend von Strehlen war die Familie noch in neuester Zeit begütert. Ein Lieutenant v. P. im 1sten Cürassier-Regiment blieb im Jahre 1813 auf dem Felde der Ehre. In Glogau lebt ein königl. Geh. Justiz- und Oberlandesgerichtsrath, Ritter des eisernen Kreuzes und mehrerer anderer Orden, Pf. v. d. Hölle. Ein Bruder desselben ist der Premier-Lieutenant Pf. v. d. H. im zweiten Bataillon des 11ten Landw.-Regiments.

Das Wappen dieser Familie zeigt im getheilten Schilde einen goldenen und blauen Schach, und in dem obern Theile einen weissen Windhund, der sich auch sitzend auf dem Helme zwischen zwei mit Gold und blau wechselnden Büffelhörnern wiederholt. M. s. Sinapius I. Bd. S. 702. II. Bd. S. 865. Zedler XXVII. Bd. S. 1661. Gauhe II. Bd. S. 1713. Das Wappen giebt Siebmacher II. Th. S. 10. und v. Meding beschreibt es im I. Bd. No. 611.

Pidol, die Herren von.

Eine adelige Familie dieses Namens befindet sich in der Rheinprovinz, wo zu Coblenz, Dörbach und Beurich Mitglieder derselben leben.

Pierre, die Herren von, Bd. IV. S. 36.

Es führt diese von preussischer Seite mit einem Anerkennungsdiplom versehene Familie im blauen Schilde ein goldenes mit drei grünen Blättern besetztes Jagdhorn, und auf dem gekrönten Helme zwischen zwei schwarzen Adlerflügeln den Hals und Kopf eines Löwen. — *Philipp August* de P. ist Staatsrath und *Louis* de P. Maire im Fürstenthum Neufchatel.

Planitz, die Edlen von der.

Aus dieser uralten, Sachsen und dem Voigtlande angehörigen Familie, haben früher oder später Mitglieder in der preuss. Armee gedient. Diese Familie besass zahlreiche Güter, namentlich ihr Stammhaus Planitz bei Zwickau, ferner Wiesenburg, Auerbach, Zaukerode, Kauffungen, Nieder-Gerlachsheim, das letztere in der Oberlausitz. Schon auf dem Turnier zu Merseburg im Jahre 968 wurde *Johann* v. d. P. in die Schranken gelassen. *Rudolph* Edler v. d. P. gelangte 1412 zur Würde eines Bischofs von Meissen, mit ihr beginnen die Edlen v. d. P. *Rudolph August* v. d. P. war 1712 Domherr zu Halberstadt und Probst zu Waldeck. Sehr zahlreich sind die Edlen Herren v. d. P. noch gegenwärtig im Königreich Sachsen, wo viele theils in der Administration, theils im Militair angestellt sind. — Diese adelige Familie führt ein herzförmiges Wappenschild, in Silber und roth gespalten, ohne Bild. Auf dem gekrönten Helme steht ein rother und ein silberner Adlerflügel. Decken Silber und roth. M. s. a. Sinapius I. Th. S. 704. II. Th. S. 866. König I. Th. S. 710—727. Spangenberg's Adelssp. II. Th. S. 53. Knaut's Prodrom. Gauhe I. Th. S. 1196 u. f. Zedler XXVIII. Th. S. 648—650. Siebmacher I. Th. S. 162. No. 9. v. Meding I. Th. No. 614 u. m. a.

Planitzer, die Herren von.

Eine adelige Familie dieses Namens in Preussen führt ein oben schwarzes, unten silbernes Schild, in der obern schwarzen ist ein halbes weisses Einhorn sichtbar, in der untern silbern Hälfte liegen drei rothe, rechts schräge Balken. Auf dem gekrönten Helme wiederholt sich das verkürzte Einhorn. Decken rechts schwarz und Silber, links roth und Silber.

Plehwe, die Herren von.

König Friedrich II. gab am 14. März 1774 einem Offizier, Namens P., ein Adelsdiplom mit der Beilegung des Namens v. Rosenbusch. Es haben viele Edelleute dieses Namens in der Armee gedient, und noch gegenwärtig dienen mehrere in derselben, namentlich der Major und Ritter des eisernen Kreuzes, erworben bei Bautzen, v. P., aggregirt dem Garde-Cürassier-Regiment, der Premier-Lieutenant v. P. bei der Land-Gensd'armerie, der Premier-Lieutenant v. P. beim Militair- und Bildungswesen der Armee in Berlin, und der Seconde-Lieutenant im zweiten Garde-Regiment zu Berlin. — Ein Major a. D. v. P., früher im 2ten Garde-Regiment, lebt in Berlin.

Plessen, die Herren von.

Von dieser adeligen Familie, die ursprünglich Mecklenburg angehört, befindet sich ein Zweig in der Rheinprovinz, wo *Karl Franz Georg* v. P. genannt Anderwayno das Haus Eller bei Düsseldorf besitzt.

Plessis-Gouret, die Herren von, Bd. IV. S. 39.

Der grosse Kurfürst ertheilte am 27. Septbr. 1671 dieser aus Frankreich in seine Staaten geflüchteten Familie ein Anerkennungs-Diplom ihres alten Adels. Sie nahm bei dieser Gelegenheit den schwarzen Adler im Wappen auf; dasselbe ist quadrirt, im ersten und vierten silbernen Felde ist der schwarze Adler, im zweiten und dritten rothen Felde ein breiter silberner Querbalken angebracht. Auf dem gekrönten Helme steht wieder der schwarze Adler. Decken blau und Silber.

Plettenberg, die Grafen und Freiherren von.

Das Stammhaus dieses alten vornehmen Geschlechtes ist das Städtchen Plettenberg in Westphalen. Es ging mit den dazu gehörigen Gütern schon im 13ten Jahrhundert nach einer unglücklichen Fehde dem Hause verloren, und kam an die Grafen v. d. Mark. Schon in den Jahren 1042 und 1209 kommen die Ritter v. P. auf den Turnieren zu Halle und Worms vor. In mehrere Linien zerfallend, verbreitete sich diese Familie von Westphalen aus in mehrere andere Länder. Sie gab dem deutschen Orden einen berühmten Heermeister, der durch vierzig Jahre mit Kraft und Würde regierte, den *Walter* v. P., der auch im Jahre 1527 vom Kaiser Karl V. in den Reichsfürstenstand mit Sitz und Stimme erhoben wurde. *Walter* v. P. glänzt als Begründer der kurländischen, längst erloschenen Linie. Die v. P. in Deutschland zerfielen zuerst in die Nordkirchensche und Lenhausische Linie, gestiftet von den Söhnen des Freiherrn *Johann Adolph* v. P., *Ferdinand* und *Bernhard Wilhelm*. *Ferdinand*, geb. im Jahre 1690 und gest. 1737, hatte von seinem Oheim *Friedrich Christian* das Nordkirchensche Fideicommiss ererbt, und die Herrschaften Eys und Wittem durch Kauf erworben. Er war im Jahre 1724 in den Reichsgrafenstand erhoben, und wegen der Herrschaft Wittem in das westphälische Grafen-Collegium aufgenommen worden. Durch den Lüneviller Frieden verlor das Haus seine reichsständischen Besitzungen, sie wurden zu Frankreich geschlagen und der Haupt-Deputations-Rezess entschädigte dieses gräfliche Haus oder vielmehr dessen ältere Linie mit der unter würtembergischer Hoheit stehenden Grafschaft Mietingen in Schwaben, die früher das Eigenthum der Reichsabtei Hegebach war. Diese ältere Linie, (die nach diesen Veränderungen sich Plettenberg-Wittem zu Mietingen nannte, ist am 2. Septbr. 1813 mit dem Sohne des Reichsgrafen *Clemens August*, Erbmarschalls des Hochstifts Münster (gest. den 26. März 1771), und der Reichsfreiin Maria Anna v. Galen, *Maximilian Friedrich*, geb. den 20. Jan. 1721 und gest. den 2. Septbr. 1813, im Mannsstamme erloschen. Die Grafschaft Mietingen (1½ Q.Meile mit 1400 Einwohnern), die Herrschaft Cosel in Oberschlesien, die Herrschaften und die Güter Nordkirchen, Meinhövel, Lacke, Seeholz, Daversberg, Burford, Grothaus, Altot und Hanselberg in Westphalen, zusammen mit ungefähr 85,000 Gulden Einkünfte sind an die einzige Tochter des letzten Grafen aus seiner Ehe mit Maria Josephine, geb. Gräfin v. Gallenberg, *Maria*, Reichsgräfin v. P. zu Mietingen, geb. den 22. März 1809, vermählt am 16. Febr. 1833 mit Nicolas, Grafen Esterhazy. — Die zweite Linie, gestiftet von *Bernhard Wilhelm* v. P., wurde ebenfalls im Jahre 1724 durch Kaiser Karl VI. in den Reichsgrafenstand erhoben; sie führt den Namen Plettenberg-Lenhausen. Das Haupt dieser Linie ist Graf *Joseph Franz* v. P., Erbkämmerer des Herzogthums Westphalen und Besitzer der Plettenberg-Lenhausischen Güter, geb. den 21. Mai 1804, vermählt am 15. Mai 1834 mit Marie Huberta, geb. Reichsgräfin v. Meerveldt, geb. den 24. Decbr. 1809.

Kinder:

1) *Clemens August Walter*, geb. den 7. März 1835.
2) *Franziska*, geb. den 15. Mai 1836.

Schwester:

Rosine Auguste, geb. den 27. Juni 1802.

Mutter:

Bernhardine Antoinette, geb. Reichsfreiin Droste-Vischering, geb. den 4. März 1776, Wittwe des Reichsgrafen *August Joseph*, k. k. Kämmerer, Erbkämmerer des Herzogthums Westphalen und Drosten der Aemter Werl, Neheim und Oestinghausen (geb. den 24. Novbr. 1767, gest. den 15. Decbr. 1805).

Vaters Schwester:

Marie Anne, geb. den 4. Juni 1796, vermählt den 24. Nov. 1804 mit Alexander Freiherrn v. Krane zu Brockhausen.

Das Wappen des reichsgräflichen Plettenbergischen Hauses besteht nach wie vor aus einem in Gold und blau getheilten Schilde ohne Bild. Das Haus ist katholischer Religion. Ausser dem oben angeführten Heermeister des deutschen Ordens, *Walter* v. P., hat demselben auch *Friedrich Christian* Freiherr v. P., der als Fürstbischof von Münster 1706 starb, einen vorzüglichen Glanz verliehen.

Plüskow, die Herren von.

Eine adelige Familie in Vorpommern, aus der mehrere Mitglieder in der Armee gedient haben und noch dienen. Einer v. P., Capitain im 25sten Infanterie-Regiment (vormals im Regiment v. Grawert), starb 1825. Ein Premier-Lieutenant v. P. ist gegenwärtig Kreis-Secretair zu Rybnick.

Pochammer, die Herren von.

Der gegenwärtige Oberst und Commandeur des 23sten Infanterie-Regiments in Neisse P., der älteste der Söhne des Geh. Steuerrathes P. zu Berlin, ist von des jetzt regierenden Königs Majestät in den Adelstand erhoben worden. Derselbe erhielt folgendes Wappen. Das Schild ist in der kleinern obern Hälfte blau, in der untern grössern Hälfte Silber. Hier ist ein gerüsteter, einen schwarzen Hammer schwingender Arm, dort ein grüner Eichenzweig zu sehen. Auf dem gekrönten Helme wiederholt sich der Arm, zwischen zwei in roth und weiss geviertelten Adlerflügeln. Decken blau und Silber.

Podchoczimski, die Herren von.

Der Kurfürst Friedrich Wilhelm gab dieser altadeligen, aus Polen nach Ostpreussen gekommenen Familie am 27. Mai 1633 ein Anerkennungs-Diplom. Sie führt im rothen Schilde einen halben weissen Adler. Auf dem gekrönten Helme drei goldene Kornähren und zwei weisse Straussenfedern, so dass Aehre und Feder wechseln. Decken roth und Gold.

Podscharly, die Herren von.

Ein aus Ungarn gekommenes Geschlecht, aus dem der Major in einem Husaren-Regiment, v. P., am 2. Febr. 1769 ein Anerkennungs-Diplom des Adels vom König Friedrich II. empfing. Ein Sohn desselben starb 1812 als Rittmeister a. D., früher im Regiment v. Pletz.

Im 5ten Uhlanen-Regiment steht ein Enkel des erstern, der Rittmeister v. P., Ritter des eisernen Kreuzes, erworben bei Heynau. Ein anderer Rittmeister v. P. hatte sich dieses Ehrenzeichen bei Gr. Beeren und der Hauptmann v. P. in Danzig erworben. — Die v. P. führen im schräg getheilten silbernen und blauen Schilde, hier den Kopf eines Löwen, dort drei goldene Sterne. Auf dem gekrönten Helme steht ein verkürzter Löwe. Decken schwarz und roth.

Pöllnitz, die Freiherren und Herren von.

Ein uraltes, Thüringen, dem Voigtlande und Franken angehöriges Geschlecht, dessen gleichnamiges Stammhaus in dem sogenannten Osterlande liegt. Im Jahre 1315 kommt *Ludwig* v. P. in einer Urkunde als Zeuge vor, welche die Stadt Jena betrifft. In den Diensten der Bischöfe von Bamberg, der Markgrafen von Anspach und Baireuth und der Kurfürsten von Sachsen und Brandenburg kommen viele Mitglieder der Familie vor. *Hans Georg* v. P. war kursächsischer Staatsminister und Gesandter in Regensburg; er wurde im Jahre 1623 von einem seiner Diener ermordet. *Johann Ernst* v. P., der Sohn des vorigen, war kurbrandenburgischer General-Major, Kammerherr und Ober-Gouverneur der Festungen Minden und Ravensberg. Ein jüngerer Bruder dieses Letztern war *Bernhard* v. P., kursächsischer Geh. Rath und Kanzler, der durch Vermählung mit Katharine v. Hoym das Schloss Goseck bei Naumburg a. d. Saale und die wichtigen dazu gehörigen Güter erwarb. *Gerhard Bernhard* v. P. war um das Jahr 1680 neubrandenburgscher Geh. Staatsrath, und *Ludwig Ernst* v. P. starb 1695 als kursächsischer Geh. Rath, Kanzler und Domprobst zu Naumburg. Sein Sohn *Moriz Wilhelm* war 1710 markgräfl. baireuthscher Oberst-Hofmeister, Geh. Rath und Landeshauptmann. *Karl Ludwig* Freiherr v. P., durch seine Memoiren bekannt, lebte am preussischen Hofe und war ein Schützling König Friedrich Wilhelm I. Der Hang zu Abentheuern trieb ihn aus Berlin, wohin er nach langen Irrfahrten wieder zurückkehrte und von Friedrich II. als Ceremonienmeister angestellt wurde. Er starb am 22. Juli 1775. Seine Memoiren führen den Titel: „Mémoires pour servir à l'histoire des quatre derniers Souverains de la maison de Brandenbourg." Berlin 1791. — In der preuss. Armee dienten und dienen noch mehrere Mitglieder der Familie. Einer v. P., der 1806 im Husaren-Bataillon v. Bila stand, ist 1813 auf dem Felde der Ehre gefallen. — Diese Familie führt im silbernen Schilde einen blau und silbernen Hausgiebel und auf dem Helme zwei blau und silbern geviertete Büffelhörner. Decken Silber und blau. Siebmacher I. Th. S. 173.

Pölzig, Graf von.

Ein Freiherr v. Hanstein wurde bei seiner Vermählung mit Dorothea Louise Pauline Charlotte Friederike Auguste, Prinzessin von Sachsen-Gotha, Tochter des Herzogs August von Sachsen-Gotha und der Prinzessin Louise Charlotte von Mecklenburg-Schwerin, geschiedene Gemahlin des regierenden Herzogs von Sachsen-Coburg-Gotha (geb. den 21. Decbr. 1800, gest. den 23. Decbr. 1832), zum Grafen v. Pölzig und Baiersdorf erhoben. Er steht als Rittmeister des 8ten Cürassier-Regiments in königl. preussischen Diensten.

Pöppinghaus, die Herren von.

Diese altadelige Familie gehört der Grafschaft Mark in Westphalen an. Ein Oberst v. P. war im Jahre 1806 Commandant der damals preussischen Festung Wültzburg und ein Capitain v. P. stand damals in der zweiten ostpreussischen Füselier-Brigade und ist 1814 als Major und Kreisbrigadier der Gensd'armerie gestorben. Noch gegenwärtig steht ein Offizier dieses Namens in der Armee, nämlich der Lieutenant v. P., aggregirt dem 14ten Infanterie-Regiment in Münster.

Polenz, die Herren von, Bd. IV. S. 45.

Noch besitzen in Preussen drei Brüder v. P. Güter, namentlich Langenau, Traupeln und Kröxen bei Marienwerder. N. N. v. P. auf Langenau ist Landschaftsrath, ein Mann von Biedersinn, Ansehen und Reichthum.

Pollmann, die Herren von, Bd. IV. S. 46.

König Friedrich II. adelte am 20. (nicht 28. wie in unserm Artikel angegeben ist) Juni 1740 den Hauptmann P. Es zeigt das ihm beigelegte Wappen im blauen Schilde einen schwarz gekleideten Bergknappen.

Pommer-Esche, die Herren von.

Ein Abkommen des uralten schottischen Geschlechts Eriskine oder Erskine in Pommern und namentlich in Stralsund nannte sich Pommer-Esche. — *A.* v. P.-E. ist Geh. Regierungs-Rath und sein Bruder *J. F.* v. P.-E. Geh. Finanzrath in Berlin.

Poncet, die Herren von.

Diese adelige Familie ist gegenwärtig in der Oberlausitz begütert. Ein Hauptmann v. P. (früher im Regiment v. Grevenitz) starb 1816 als pensionirter Capitain des 26sten Garnison-Bataillons. Im 12ten Husaren-Regiment dienen gegenwärtig zwei Brüder v. P., der ältere als Premier-Lieutenant, der jüngere als Seconde-Lieutenant.

Ponickau, die Freiherren u. Herren v., Bd. IV. S. 46.

Von diesem Geschlechte blüht auch noch heut zu Tage die Meissner Linie, die sich in zwei Branchen theilt, namentlich in die Belzersheiner oder alt Ponikauische und in die Pomsner oder jung Ponikauische Branche; von ersterer lebt in Zeitz: 1) der königl. sächs. Kammer-Director und Ritter des königl. preuss. rothen Adlerordens, *Johann Friedrich Wilhelm* v. P. auf Pohla, welcher keine Descendenz hat, dann 2) dessen Lehnvetter in Falkenhain bei Zeitz, der königl. sächs. Stifts-Kammerrath *Johann Heinrich Friedrich* v. P. auf Pohla und Falkenhain, der einen Sohn aus der Ehe mit Victorina v. Brenn aus dem Hause Remitz (einer Schwester des Staats-Ministers v. Brenn in Berlin), Namens *Johann Heinrich Victor*, der in Falkenhain den 27. Juni 1808 geboren wurde und jetzt königl. preuss. Regierungs-Referendar ist. — Von der Pomsner Branche ist am Leben: 1) der königl. bairische Kammerherr *Christoph Friedrich* Freiherr v. P. auf

Osterberg im Ober-Donaukreise des Königreichs Baiern, welcher aus der ehemaligen reichsritterschaftlichen Herrschaft Osterberg zu Gunsten seiner Familie ein Familien-Fideicommiss gestiftet hat, vermählt mit Anna Katharina v. Jenisch auf Lauberszele. 2) Dessen Sohn, der königl. bairische Kammerjunker *Johann Julius Karl August* v. P., welcher mit Theresia Constanzia v. Krafft-Festenberg vermählt ist, und einen Sohn, *Johann Friedrich Karl Eugen*, geb. am 17. Juni 1837, von derselben hat. — Ferner sind noch am Leben von der Lausitzschen Linie, und zwar von der alt Ponikauschen Branche, vier Gebrüder v. P., wovon zwei, *Ernst Ludwig* und *Franz Ludwig*, Offiziere im 32sten königl. preuss. Infanterie-Regimente sind. Der Vater dieser Brüder war königl. sächs. pensionirter Lieutenant und starb 1821 zu Belgern bei Torgau.

Das gemeinschaftliche Familienwappen besteht in einem, viermal von roth und Silber mit abwechselnden Tinkturen quer getheilten deutschen Schilde. Auf dem Schilde, dessen beiderseitige Helmdecken silbern und roth sind, ruht ein vorwärts gekehrter, offener adeliger, goldgekrönter und mit abhängendem Kleinod gezierter Turnierhelm, worüber dasselbe mit einem goldenen Becher oder Pokal nach alter Art, dessen Deckel oben mit drei grünen Lorbeerblättern (nicht Federn) besteckt ist.

Pontanus, Herr von.

Der aus Preussen gebürtige und daselbst um das Jahr 1734 geborne Oberst des Artillerie-Corps P., gestorben als General-Major a. D. im Jahre 1813, ist von Sr. Majestät dem jetzt regierenden König geadelt worden. Er erwarb sich bei Krakau den Militair-Verdienst-Orden. Nachkommen desselben sind uns nicht bekannt. Demselben wurde bei seiner Erhebung folgendes Wappen beigelegt. Ein quadrirtes Schild, im ersten silbernen Felde ein schwarzer gekrönter Adler, der in seinen Krallen ein Bund Pfeile hält; das zweite und dritte blaue Feld zeigt eine hohe gewölbte, von vier Pfeilern getragene Brücke, im vierten rothen Felde liegen zwei übers Kreuz gelegte goldene Kanonenröhre. Auf dem Helme zwischen zwei Adlerflügeln ein gerüsteter, ein Schwert führender Arm. Decken rechts schwarz und Silber, links blau und Silber.

Poppingen, die Herren von.

Ein erloschenes adeliges Patrizier-Geschlecht zu Erfurt.

Porembski, die Herren von.

Eine polnische und oberschlesische Familie. *Karl* v. P. stand 1800 als Lieutenant im Regiment v. Bünting Cürassier und starb zu Rybnik. — Einer v. P. steht gegenwärtig als Lieutenant im 8ten Uhlanen-Regiment und ist in Luxemburg commandirt.

Portatius, die Herren von.

Diese adelige Familie gehört der Schweiz an; es dienen aus derselben einige Mitglieder in der preussischen Armee, namentlich der Hauptmann v. P. in der 1sten Schützen-Abtheilung.

Poser, die Herren von, Bd. IV. S. 48.

Durch die unleserliche Handschrift des Aufsatzes und die Entfernung des Druckortes, wodurch dem Verfasser es unmöglich war, eine Correctur zu lesen, sind die Besitzungen des Hauses unrichtig benannt worden. Es muss heissen Gross-Naedlitz, Grunwitz und Bingerau, ferner Jeroltschütz und Droschkau. — Der erwähnte Vater des Kammerherrn, Landesältesten und Landhofmeisters v. P., war neun Jahre Flügeladjutant König Friedrichs II. — Die Dombsler Linie zählt gegenwärtig ausser dem Haupte der Familie drei Söhne und drei Töchter, die Jeroltschützer aber bestehet ausser den Eltern aus drei Söhnen und vier Töchtern. Mehrere Söhne aus diesem Hause dienen in der Armee. Zwei Brüder dieses Namens, der ältere Capitain, der jüngere Premier-Lieutenant im 24sten Infant.-Regiment, gehören nicht der erwähnten Familie an.

Possingen, die Herren von.

Ein erloschenes adeliges Patrizier-Geschlecht zu Erfurt.

Poyda, die Herren von.

Im Jahre 1806 stand ein Hauptmann v. P. bei dem Regiment v. Grävenitz in Glogau; er ist im Jahre 1825 als General-Major und Commandeur der 11ten Landwehr-Brigade aus dem activen Dienst getreten und vor einigen Jahren gestorben. Drei Söhne von ihm dienen noch gegenwärtig in der Armee; der älteste als Hauptmann im 17ten Infanterie-Regiment, der zweite war 1838 der älteste Premier-Lieutenant des Regiments Kaiser Franz Grenadier, und der jüngste Lieutenant im 21sten Infanterie-Regiment.

Preusser, die Freiherren von.

Bis zum Jahre 1838 commandirte ein Oberst Baron v. P. das dritte Cürassier-Regiment. Derselbe stand bis 1806 in dem Regiment v. Auer Dragoner. Er lebt gegenwärtig als General-Major a. D. zu Berlin.

Preysing, die Grafen von.

Dieses gräfliche Haus gehört ursprünglich Baiern an. Sein Stammhaus Alt-Preysing liegt bei Mosbach an der Isar. Schon frühzeitig zerfiel die Familie in die Häuser Preysing-Krahwinkel oder Cronwinkel und Preysing-Kopffsberg. *Conrad* v. P., dessen Vorfahren schon im Jahre 942 bei dem Turniere zu Rothenburg zugelassen wurden, war 1409 bairischer Ober-Hofmarschall. *Michael* v. P.-Kopffsberg blieb 1544 als kaiserlicher Oberst in der Schlacht bei Carignan. *Johann Albert* v. P. starb 1518; er hatte die Freiherrenwürde auf sein Haus gebracht. *Johann Warmund* v. P. starb 1648 als erster Graf v. P.; er war herzogl bairischer Ober-Hofmarschall. — Am 30. Juli 1766 erhielt eine Linie die Reichsgrafenwürde. Einige Aeste des Hauses gehören der katholischen, einer der protestantischen Confession an. Von dem letztern haben Zweige in preussischen Diensten gestanden. Ein Graf v. P. war 1806 Rittmeister in dem Regiment Schimmelpfennig Husaren, 1811 schied er als Oberstlieutenant aus dem 4ten Husaren-Regiment und starb im Jahre 1819. Ein Sohn desselben stand als Rittmeister im 4ten Husaren-Regiment und hatte sich bei Laon 1814 das eiserne Kreuz erworben. — Gegenwärtig finden wir kein Mitglied dieser Familie mehr in preuss. Staatsdiensten.

Das ursprüngliche Wappenbild des Geschlechtes ist im silbernen Schilde eine rothe, zwei Mal gezinnte Mauer, welche die untere Hälfte des Schildes einnimmt. M. s. Bucelin, Stemmat. P. IV. Hund, Bair.-Stammb. P. II. Lazius, de emigr. gent. p. 203.

Die reichsgräflich v. P.'sche Familie besteht gegenwärtig aus folgenden Mitgliedern:

I. *Linie zu Alten-Preysing genannt Kronwinkel auf Hohenaschau.*

Graf *Maximilian Joseph* v. P., geb. den 20. Decbr. 1772, Majoratsherr.

Bruder:

Johann Christian Karl, Graf v. P., geb. den 8. Aug. 1775, kön. bairischer Oberstwachtmeister à la suite.

Bruders Sohn:

Johann Adam Friedrich, Graf v. P., geb. den 1. Febr. 1801, vermählt den 20. Febr. 1834 mit Karoline Freiin v. Geisspitzheim.

Des Grafen *Karl* v. P., königl. bairischen Staatsraths (gest. den 1. Febr. 1827), Wittwe: Maria Anna, geb. Gräfin Künigl, geb. den 15. Octbr. 1803, wieder vermählt an den k. k. Major, Freiherrn v. Eckardt.

II. *Linie zu Moos.*

Johann Ignaz, Graf v. P., geb. 1774, königl. bairischer Kammerherr, vermählt mit Marie Crescentie Freiin v. Enzberg.

Priesdorf, die Herren von.

Zwei Brüder dieses Namens dienen gegenwärtig im zweiten Infanterie-Regiment; der älteste ist Hauptmann und Ritter des eisernen Kreuzes, erworben bei Sombreuf, der jüngere ist Lieutenant.

Prillwitz, die Herren von.

Maria Arndt wurde mit ihren Kindern unter dem Namen v. P. (einem bei Stettin liegenden Schlosse des Prinzen August von Preussen) von dem jetzt regierenden König in den Adelstand erhoben. Die Mutter ist im Jahre 1836 gestorben. Eine der Töchter vermählte sich mit einem Freiherrn v. Dachröden, Offizier in der preussischen Garde-Artillerie. Das Wappen ist quer in schwarz und blau getheilt. In dem blauen Felde ist das Schloss Prillwitz, in dem schwarzen ein zwischen zwei weissen Adlerflügeln schwebender silberner Stern vorgestellt. Auf dem gekrönten Helme wehen zwischen zwei schwarzen Adlerflügeln drei weisse Straussenfedern. Decken rechts blau und Gold, links roth und Gold.

Probst, die Herren von.

Der im Jahre 1806 als Major im Husaren-Regiment v. Rudorf ge-

24 *

standene, 1810 ausser Dienst gestorbene v. P., aus Frankreich gebürtig, ist in den preuss. Adelstand erhoben worden. Ein Sohn desselben ist der Premier-Lieutenant v. P. im 2ten Dragoner-Regiment. Das Wappen der v. P. ist ein quer in Silber und blau getheiltes Schild, in der obern silbernen Hälfte ist der Hals eines schwarzen Adlers, in der untern blauen Hälfte und auf dem Helme, zwischen zwei schwarzen Adlerflügeln ein gerüsteter, den Säbel schwingender Arm vorgestellt. Decken rechts schwarz und Silber, links blau und Gold.

Prondzinski, die Herren von.

Aus dieser adeligen, aus Polen stammenden Familie, haben zu verschiedenen Zeiten viele Mitglieder in der preussischen Armee gestanden. Gegenwärtig ist ein Oberstlieutenant v. P., der im Jahre 1806 als Lieutenant und Adjutant in dem Regiment v. Kauffberg stand, Commandeur des 21sten Infanterie-Regiments. Ein Oberst a. D. v. P. erwarb sich im Jahre 1807 bei Preussisch Holland den Verdienstorden, und im Jahre 1816 erhielt er für das Gefecht bei Chateau-thiery das eiserne Kreuz I. Classe.

Pütz, die Freiherren von und zum.

In Cöln leben die Freiherren *Clemens August Maria Franz Xavier Stephan* und *Johann Arnold Herrmann Balthasar Anselmus* v. u. zum P.

Q.

Quickmann, die Herren von, Bd. IV. S. 75.

Ein Enkelsohn des erwähnten Landraths v. Q. stand 1796 in dem Regiment v. Pirch in Stargard und wurde 1797 als Oberstlieutenant Aufseher bei der Ecole militaire in Berlin. Sein Neffe war der im Regiment Gravert 1806 gebliebene Hauptmann v. Q.

R.

Rabe, die Herren von, Bd. IV. S. 77.

Wappen: 1) Diplom vom 30. Septbr. 1814. Ein quadrirtes Schild, im ersten und vierten rothen Felde ein schräg gelegter silberner Anker, im zweiten und dritten blauen Felde ein aus neun goldenen Sternen geformter Kranz. Auf dem Helme zwischen zwei schwarzen Adlerflügeln, drei weisse Straussenfedern. Decken rechts schwarz und Gold, links blau und Silber. — 2) Diplom vom 17. Juni 1825. Ein quadrirtes Schild, darauf ein Herzschildlein, das im goldenen Felde den Raben zeigt, erstes und viertes Feld roth, darin eine goldene Wage, zweites und drittes Feld blau, darin zwei goldene Aehren. Das Uebrige wie im vorigen Wappen.

Raczenski, Herr von.

In Schlesien war 1760 *Maximilian Ferdinand* v. R., Herr auf Sägewitz, königl. preuss. Landrath des Kreises Breslau.

Radowitz, die Herren von.

Dieser adeligen Familie gehört an: der Major v. R., der aus hessischen Diensten in die preussische Armee eintrat, im Generalstabe angestellt wurde, die Stelle eines Chefs des Generalstabes bei dem General-Inspect. der Artillerie bekleidete und gegenwärtig als Militaircommissarius bei der deutschen Bundes-Commission in Frankfurt am Main fungirt. Er ist einer der gelehrtesten Offiziere der Armee.

Raesfeldt, die Freiherren von.

Das Geschlecht der Freiherren v. Raesfeldt, oder wie die ältere Schreibart war, Raesvelt, ist eins der ältesten westphälischen Dynasten-Geschlechter, und sein ursprüngliches Stammschloss ist Raesfeld im Münsterlande, welche Herrschaft *Margarethe*, Tochter von *Johann* R. zu Raesfeld und der Friederika v. Rhede an ihren Gemahl Herrmann Dynasten v. Velen brachte, welcher 1563 damit belehnt ward. *Alexander* v. R. lebte um das Jahr 1264. Schon in der ältesten Zeit war das Geschlecht aber auch auf Ostendorf an der Lippe ansässig, von wo namentlich *Bitter* v. R. den Bischof Ludwig v. Münster, einen Landgrafen von Hessen, aus der Gefangenschaft des Grafen Engelbert v. d. Mark befreite und um 1350 die Stadt Haltern einnahm. Sein Sohn *Jan* sagte im Jahre 1394 dem Bischof von Utrecht, Friedrich, aus dem Geschlechte der Grafen v. Blankenheim, die Fehde an: Friedrich fiel darauf ins Münsterland ein und plünderte Ostendorf. *Jan* v. R. machte das Land noch lange unsicher und konnte wegen Unterstützung der Burgmänner zu Nienborg nicht zur Ordnung gebracht werden.

Stifter der Ostendorfer Speciallinie war *Johann* v. R. zu Ostendorf 1509, vermählt 1) mit einer Gräfin v. Hoya, 2) mit Judith v. Wylich. Diese Linie erlosch 1747 mit *Franz Arnold*, Gemahl der Johanna Josina Droste zu Vischering. Ein Brudersohn jenes *Johann* und der Neesken Korff genannt Schmiesing war *Johann*, Burggraf, Voigt zu Drosten, welcher 1555 starb und zu Wesel in der Begynnenkirche begraben liegt. Dieser ist Stammvater in directer Linie des *Johann Peter*, königl. preussischen Geh. Rath, clevisch-märkischen Regierungs-Präsidenten und Kanzler, Bannerherrn von Geldern und Zütphen, Herrn der Herrschaft Bronkhorst und Clarenbeck, Ritter des Ordens pour le mérite. Dessen Brudersohn, der cleve-märkische Geh. Rath *Friedrich Samuel*, war der Vater von *Friedrich*, königl. preuss. Landrath und Herrn der freien Herrlichkeit Winnenthal und Borth, vermählt mit Charlotte Freiin v. Romberg aus dem Hause Brünninghausen, und von *Ferdinand*, Herrn v. Tervoort, vermählt mit Georgette Freiin v. d. Borck aus dem Hause Langendreer. Ersterer hinterliess nur eine Tochter, *Charlotte*, vermählt an den Freiherrn v. Reichmeister auf Sandfort, des St. Johanniter-Ordens Ritter; Letzterer ist der Vater des Freiherrn *Karl* v. R. auf Tervoort und Borg, und des Freiherrn *Ludwig* v. R., königl. bairischen Forstmeisters zu Ansbach. — Ausser den Genannten blühten in früheren Zeiten noch die Linien R. v. Hameren — Lüttgenhove — Romberg — Hacfort — Embt u. a., und war *Bernhard*, Bischof von Münster, ein Freiherr

v. R. aus dem Hause Hameren. M. s. Hobbeling, Beschreibung des Stiftes Münster.

Randow, die Herren von.

Eine sehr alte adelige Familie, die in frühester Zeit aus Sachsen in die Marken, namentlich in die Altmark und nach Schlesien gekommen ist und in beiden Provinzen ansehnliche Güter erwarb. In Schlesien namentlich Bukowine und Bogschütz im Fürstenthum Oels. Im preussischen Staatsdienst steht gegenwärtig der Land- und Stadtgerichtsrath v. R. in Schönlanke. In der Armee haben viele Edelleute dieses Namens gedient und noch dienen mehrere in derselben. Ein Major v. R. aus Magdeburg war 1806 Major und Chef der dritten westpreussischen Invaliden-Compagnie; er starb im Jahre 1808. Gegenwärtig steht ein Rittmeister v. R. in der Adjutantur des 5ten Armee-Corps. — Diese Familie führt im rothen Schilde ein kleines rothes, von einem breiten silbernen Rande eingefasstes Schild, und auf dem Helme einen Rosenkranz mit drei Straussenfedern, roth, weiss, roth, und zwei Fähnlein von gleicher Farbe besteckt. Decken roth und Silber. M. s. Sinapius I. Th. S. 747. II. Th. S. 902. Beckmann's anhaltische Hist. III. Th. Siebmacher I. Th. S. 175. No. 11. Zedler XXX. Bd. S. 793—795. Gauhe I. Th. S. 1306. u. a. m.

Raul, Herr von.

Ein Rittmeister v. R. war 1794 Adjutant des Generals v. Schönfeld; er fiel bei Zagorze an der Narew an der Seite seines Generals, von einer Stückkugel getroffen. M. s. v. Treskow, Feldzug der Preussen im Jahre 1794. Berlin 1837.

Rauschenplatt, die Herren von.

Im Jahre 1806 standen zwei Offiziere dieses Namens in der Armee. Der ältere war Premier-Lieutenant im Regiment Herzog von Braunschweig; er wurde 1807 dimittirt und stand 1828 als Capitain in hannövrischen Diensten; der jüngere stand als Lieutenant im Regiment v. Sanitz und ging später ebenfalls in hannövrische Dienste. Gegenwärtig steht ein Lieutenant v. R. im 6ten Uhlanen-Regiment.

Rebeur, die Herren von.

Die Herren v. R. führen im quadrirten Schilde, im ersten und vierten silbernen Felde den Hals und Kopf eines gekrönten schwarzen Adlers, im zweiten und dritten Felde einen entwurzelten Baum, an dem zwei Löwen emporspringen. Auf dem Helme wiederholt sich der Adlerhals. Decken rechts schwarz und Silber, links Gold und roth.

Rehbinder, die Herren von.

Sie gehören zum alten Adel Lieflands, wohin sie wahrscheinlich mit dem Orden gekommen sind. *Bernhard Otto* v. R. war königl. sardinischer Feldmarschall; er soll in Nieder-Sachsen geboren sein. In Dänemark und Schweden blühen gegenwärtig Aeste dieses Hauses. Ein Hauptmann der königl. schwedischen Artillerie v. R. hat sich durch mehrere militairische Schriften sehr rühmlich bekannt gemacht.

In preussischen Diensten stand 1806 ein Capitain v. R. im 8ten Musketier-Bataillon des Regiments v Reinhart zu Lyck. Ein Premier-Lieutenant v. R. steht im 13ten Infanterie-Regiment zu Münster und ein Lieutenant v. R. im 1sten Infant.-Regiment zu Königsberg.

Rehfues, Herr von.

Der Geh. Regierungsrath und Curator der Universität zu Bonn, *Philipp Joseph* v. R., ist von Sr. Majestät dem König in den Adelstand erhoben worden. Das ihm beigelegte Wappen ist schräg in grün und Gold getheilt; in dem goldenen Felde ist ein schwarzer Löwe vorgestellt, der sich an ein Grabkreuz lehnt, im grünen Felde liegen zwei goldene Ringe, die von einem dritten rothen Ringe in Form des Gliedes einer Kette zusammengehalten werden. Auf dem gekrönten Helme wächst ein goldenes Reh. Decken rechts schwarz und Gold, links grün und Gold.

Reichmeister, die Freiherren von.

Die Familie der Freiherren v. R. ist eins der alten deutschen Geschlechter, welche in der Blüthezeit des deutschen Ordens demselben mit so vielen andern edlen Familien aus Sachsen, Franken, Westphalen, vom Rhein, kurz aus allen Theilen des Reichs in das neu eroberte Preussen gefolgt waren. Der Name scheint sich, wie bei vielen andern Geschlechtern, auf ein Amtsverhältniss zu beziehen, denn besonders bei dem deutschen Orden bezeichneten viele Würdenträger in der damaligen Zeit vom Hoch- und Deutschmeister an ihre Würde durch den Titel: „Meister." So erzählt der Chronikschreiber Simon Grunau, dass unter Conrad v. Jungingen der Orden 65 Kellermeister, 40 Küchenmeister, 39 Fischmeister und 700 gewöhnliche Ritter gezählt habe. Des Hochmeisters Statthalter hiess Landmeister u. s. w.

Das Archiv der Freiherren v. R. ging in einer Feuersbrunst auf dem Hause Langendorf um die Mitte des 17ten Jahrhunderts verloren, und es fehlen somit genauere und bestimmtere Nachrichten. Es steht aber fest und ist genugsam zu documentiren, dass die Familie von jeher zu den ältesten und ritterbürtigen Geschlechtern des Landes gerechnet wurde, und wie es in einer darüber von der preussischen Ritterschaft gegebenen amtlichen Bescheinigung lautet: „ein altfreiherrlich und rittermässig Geschlecht sei, dafür unstreitig gehalten und anerkannt werde, derselben seit unfürdenklichen Zeiten incorporirt gewesen, und auf Ritter-Conventen Sitz und Stimme gehabt habe."

Karl v. R. aus dem Hause Langendorf starb um 1412, also vor oder vielleicht in der Tannenburger Schlacht. Genau und bestimmt hat man später die Filiation nur in soweit festzuhalten gesucht, als dieses zu der Aufschwörung in adeligen Stiftern erforderlich war. So wurde zu Lippstadt die jetzige Aebtissin aus dem reichsfreiherrlichen Geschlechte Grote-Schauen aufgeschworen, deren Mutter eine geb. v. R. ist.

In Preussen erlosch das Geschlecht schon zu Anfang des vorigen Jahrhunderts und existirt jetzt nur allein im Fürstenthum Osnabrück, wo es durch den Besitz von Sandfort und Hetlage zum ritterschaftlichen Adel der Provinz gehört, und in der preussischen Provinz Jülich-Cleve-Berg, auf dem Schlosse der vormaligen freien Herrschaft Winnenthal.

Der jetzige Besitzer dieser Güter ist *Karl Casimir* Freiherr v. R., königl. preuss. Regierungsrath a. D. und Ritter des St. Johanniter-

Ordens, vermählt mit Charlotte v. Raesfeldt-Ostendorf, Tochter des verstorbenen königl. preuss. Landraths Freiherrn v. Raesfeldt-Ostendorf, Besitzer der freien Herrlichkeiten Winnenthal und Bost, und der Freiin v. Romberg aus dem Hause Brünningshausen. Ein Sohn, *Karl* v. R., ist Lieutenant im 28sten Landwehr-Cavallerie-Regiment.

Das Wappen der Familie ist ein silberner Lorbeerkranz im rothen Felde, der Helmschmuck ein wachsendes schwarzes Ross, die Helmdecken roth und silbern.

Reimann, die Herren von.

Das Haupt dieser adeligen Familie ist *G. A.* v. R., königl. preussischer wirklicher Geh. Rath, Mitglied des Staatsraths in Berlin, früher Präsident der Regierung zu Aachen. Ein Sohn desselben ist der Regierungs-Assessor v. R. zu Aachen, ein anderer ist Offizier. Es führt diese Familie im quer in roth und Gold getheilten Schilde, ein schwarzes sitzendes Eichhorn, das in eine Nuss beisst, im untern Theile ist ein blauer, mit drei Rosen belegter Querbalken gezogen. Auf dem gekrönten Helme wiederholt sich das Eichhorn zwischen zwei schwarzen Adlerflügeln. Decken rechts roth und Gold, links blau und Gold.

Reinbrecht, die Herren von.

Im Jahre 1806 stand ein Lieutenant v. R. in dem Regiment v. Alt-Larisch in Berlin; er ist als pensionirter Capitain vom 6ten kurmärkischen Landwehr-Regiment 1824 in Berlin gestorben. Zwei seiner Söhne stehen gegenwärtig als Offiziere in der Armee. — *Henriette* v. R. lebt als pensionirte Hofdame in Berlin, sie, wie eine vor kurzer Zeit gestorbene Schwester gehörten zum Hofstaat der hochseligen Königin.

Reinersdorf, die Herren von, Bd. IV. S. 104.

Der Vater des von uns erwähnten, seitdem (am 16. Jan. 1838) mit Tode abgegangenen Geh. Justizraths v. R., der Amtsrath v. R., ist geadelt worden. Jetzt lebt noch ein Bruder des Geh. Justizraths v. R., der Landesälteste v. R.

Reinhart, die Herren von.

Es hat der König Friedrich Wilhelm I. dieser adeligen Familie am 25. Novbr. 1732 ein Erneuerungs-Diplom ihres Adels ertheilt. — *Joachim* v. R., geb. in der Altmark im Jahre 1731, gelangte zur Würde eines General-Lieutenants, Chef eines Infanterie-Regiments, Ritter des Verdienstordens. Er war 1806 Gouverneur von Glogau, wurde darauf verabschiedet und starb 1811 a. D. Diese Familie führt ein gespaltenes Schild, die rechte Seite ist silbern, darin sind rechts zwei rothe Schrägbalken und in der Mitte ein schwarzer, mit drei silbernen Sternen belegter Querbalken vorgestellt. Die linke Seite ist in Gold, schwarz und grün getheilt, ein rother gekrönter Greif erhebt sich darin und hält in den rechten Vorderkrallen einen grünen Kranz. Auf dem gekrönten Helme sind zwei rothe Adlerflügel, mit dem oben beschriebenen schwarzen Balken belegt, angebracht, zwischen ihnen steht eine Estandarte, auf welcher zwei Degen übers Kreuz liegen. Die Stange ist von einem grünen, mit rothen Bändern umwundenen

Kranz umschlungen. Decken rechts schwarz und Gold, links roth und Silber.

Reisach, die Grafen von.

Diese Familie ist nicht zu verwechseln mit der alten freiherrlichen Familie v. Reischach in Schwaben. Die v. R. gehören, ihrer Abkunft und ihren Besitzungen nach, Baiern und Oesterreich an. Ein Zweig befindet sich aber gegenwärtig in der preussischen Rheinprovinz. Schon auf den Turnieren zu Trier im Jahre 1019 und zu Hall 1042 erschienen Ritter aus diesem Geschlechte. Im Jahre 1511 erhielten die v. R. vom Kaiser Maximilian I. einen Wappenbrief. Der Kaiser Karl VI. erhob die Familie am 3. August 1737 in den Freiherren- und der Kurfürst Karl Theodor am 13. August 1790 in den Grafenstand. Im preussischen Staatsdienst steht gegenwärtig *Karl* Graf v. R., Archivrath und Archivarius des Provinzial-Archivs zu Coblenz.

Es besteht im Jahre 1838 dieses gräfliche Haus aus folgenden Mitgliedern:

Graf *Ludwig Alois* v. R. auf Kirchdorf und Steinberg, geb. den 20. Septbr. 1779, Herr zu Tiefenbach und Altenschneeberg, k. k. österreichischer und königl. bairischer Kämmerer, Gubernial-Rath, Ober-Hof- und Landbau-Director zu Innsbruck, vermählt den 30. Juni 1806 mit Margarethe Freiin v. Salis-Soglio, geb. den 13. März 1784.

Geschwister:

1) *Katharina* Gräfin v. R., geb. den 12. Febr. 1767, vermählt zum ersten Male am 16. März 1795 mit dem k. k. österreichischen Feldmarschall-Lieutenant Freiherrn v. Salis (gest. 1799), und zum zweiten Male am 25. Novbr. 1809 mit dem königl. bairischen wirkl. Geh. Rath Grafen v. Leiden (gest. den 18. Jan. 1821).
2) *Marquard Joseph* Graf v. R., geb. den 17. April 1770, Domcapitular der ehemal. Metropolitankirche zu Regensburg.
3) *Hildegarde* Gräfin v. R., geb. den 5. Juni 1771, Stiftsdame des ehemal. reichsfürstl. Damenstifts Obermünster in Regensburg.
4) *Karl* Graf v. R., geb. den 15. Octbr. 1774, königl. preuss. Archivrath in Coblenz, vermählt 1797 mit Anna, Reichsfreiin v. Isselbach zu Bertholsheim, geb. den 11. Novbr. 1773.

Tochter:

Helene, geb. 1798, Stiftsdame des adeligen Damenstiftes zu St. Anna in München, vermählt 1822 mit dem Grafen Virgil Voltolini, kön. bair. Hauptmann im 7ten Linien-Inf.-Regiment.

Deren Tochter:

Maria Anna, geb. 1826.

Des im Jahre 1820 verstorbenen Bruders, Grafen *Johann Adam* v. R., königl. bairischen Kammerherrn und Landrichters zu Graisbach, Wittwe: Gräfin Therese, geb. Reichsfreiin v. Gumppenberg.

Dessen Kinder:

1) *Karl* Graf v. R., geb. den 6. Juli 1800, Bischof von Eichstädt.
2) *Maria Anna* Gräfin v. R., geb. den 10. Juni 1804.
3) *Karoline* Gräfin v. R., geb. den 14. Novbr. 1806.

Renesse, die Grafen von.

Die Grafen v. R. Breidbach gehören zum Adel der Rheinprovinz. Ihr Stammvater soll *Theodor*, ein Bruder des Grafen v. Sayn, der mit der Tochter des Grafen Theodor v. Holland vermählt war, gewesen sein. Sein jüngerer Sohn erhielt den Namen v. R., er war Herr zu Murmurd und Borcht in Seeland und starb 1207. Seine Nachkommen, die heutigen Grafen v. R., haben die Herren v. Breidbach zu Büresheim bei Coblenz beerbt, und den Namen und das Wappen derselben dem ihrigen hinzugefügt.

Renner, die Herren von.

Im Jahre 1806 stand ein Staabscapitain v. R. im Infanterie-Regiment v. Kropf und ist 1809 als Hauptmann im 11ten Infanterie-Regiment gestorben. Er war ein Enkel des *Johann Christ.* R., der im Jahre 1725 in den böhmischen Ritterstand erhoben worden ist. Gegenwärtig steht bei der dritten Jäger-Abtheilung ein Lieutenant v. R. In Oesterreich wurde 1776 *Anton* R., kaiserl. Rath, geadelt. In Schwaben blühte ein altadeliges Geschlecht R. v. Almendingen; es besass das Unterschenkenamt im Stifte Kempten erblich, und führte im goldenen Schilde ein rothes, rechts aufspringendes Ross, das verkürzt sich auf dem Helme wiederholte. M. s. v. Hatten III. Supplem. 127. Zedler XXXI. Bd. S. 604.

Rennerfeld, die Herren von.

Ein aus Deutschland mit dem Orden in die nördlichen Staaten, namentlich nach Curland und Finnland gekommenes adeliges Geschlecht. Der finnländischen Linie gehörte an der Major v. R. in dem Regiment v. Owstin und der Hauptmann v. R. im Regiment v. Zenge; er starb 1814 als Compagnie-Chef im 7ten schlesischen Landwehr-Regiment.

Reppichow, die Herren von.

Sie stammen aus Preussen. Hier war im Jahre 1740 einer v. R. geboren, der im Jahre 1805 als Major bei dem dritten Musketier-Bataillon von dem Regiment v. Lattorf in Warschau stand; er ist 1806 gestorben. Sonst ist uns kein Mitglied dieser adeligen Familie bekannt geworden. Sie führt im schwarzen Schilde und auf dem Helme einen grossen, rechts gewendeten und im Schilde auf einem grünen Hügel stehenden Vogel.

Resten, die Herren von.

Eine adelige Familie dieses Namens befindet sich in Pommern, wo sich zu Jacobshagen im Regierungs-Bezirk Stettin der pensionirte Inspections-Oberförster v. R. als Forst-Rendant befindet; er ist mit einer v. Derenthal vermählt.

Rettberg, die Herren von.

Ein Rittmeister v. R., Ritter des eisernen Kreuzes, steht im 4ten Dragoner-Regiment zu Deutz am Rhein. — Eine verwittwete Kriegsräthin v. R., geb. Friese, wohnt in Berlin. — Die v. R. führen im gespaltenen roth und blauen Schilde, hier drei Sterne (2. 1.), dort einen halb sichtbaren schwarzen Adler und auf dem Helme zwei rothe Straussenfedern. Decken schwarz, roth und Gold.

Reuter, Herr von, Bd. IV. S. 110.

Das dem Erhobenen beigelegte Wappen zeigt im blauen Felde drei goldene Sterne, dazwischen einen goldenen gestürzten Balken. Auf dem gekrönten Helme drei Straussenfedern, Silber, blau und Silber.

Reyher, Herr von.

Der damalige Major, gegenwärtige Oberst und Chef des Generalstaabes vom Garde-Corps, C. v. R., Ritter mehrerer Orden, namentlich des eisernen Kreuzes I. Classe, erworben 1814 vor Paris, ist von Sr. Majestät dem König in den Adelstand erhoben worden. Das ihm beigelegte Wappen zeigt im goldenen Schilde einen auf grünem Rasen stehenden Reiher und auf dem Helme drei schwarze Reiherfedern. Decken schwarz und Gold.

Rheinbote, der, (Rheinboten, die.)

Ein erloschenes adeliges Patrizier-Geschlecht zu Erfurt, welches der Grafen v. Gleichen Hofjunker war. Aus demselben war *Christoph* im 16ten Jahrhundert einer der Schwiegersöhne des reichen Wolf v. Milwitz, und besass auch ehemals ein adeliges Haus zu Erfurt.

Ribbentrop, die Herren von, Bd. IV. S. 113.

Der damalige General-Intendant der Armee und gegenwärtige Chef-Präsident der Ober-Rechnungskammer v. R., so wie sein Bruder, der Intendant des 7ten Armee-Corps, Geh. Kriegsrath v. R., sind von Se. Majestät dem König mittelst Diplom vom 6. Febr. 1823 und vom 1. Juni 1826 in den Adelstand erhoben worden. Das Wappen im Diplom vom 6. Febr. 1823 zeigt im quadrirten Schilde, im ersten und vierten blauen Felde einen nach der rechten Seite vorschreitenden Knappen, der einen Bogen hält und einen Pfeil abschiesst, das zweite und dritte Feld ist roth und mit sechs goldenen Pfeilen belegt, über beide Felder liegt ein Köcher, in der Mitte des Schildes aber ist ein blaues Herzschildlein angebracht, worin auf grünem Rasen ein silbernes Schaf steht. Auf dem gekrönten Helme zeigt sich ein Kranich, der einen Stein in der Kralle hält. Decken rechts blau und Silber, links roth und Gold. Das Wappen der zweiten Ernennung, vom 1. Juni 1826, zeigt im goldenen Schilde das weisse Lamm auf grünem Boden und auf dem Helme den Kranich. Decken grün und Gold.

Rieben, die Herren von, Bd. IV. S. 114.

Im Regierungs-Bezirk Potsdam besitzt der Major a. D. und Ritter des Ordens pour le mérite das schöne Rittergut Schildberg bei Soldin. Derselbe stand bis 1806 im Jäger-Regiment. Er ist mit einer v. Sydow aus dem Hause Schildberg vermählt, aus welcher Ehe zwei Söhne und zwei Töchter leben. Von den Söhnen ist der ältere Postsecretair, der jüngere Kammergerichts-Referendarius. — Es führen die v. R.

nach Siebmacher V. Th. S. 155 im rothen Schilde einen gekrümmten blauschuppigen Fisch und auf dem Helme einen Pfauenschweif.

Riedenau, Herr von.

Ein Edelmann dieses Namens war im Jahre 1838 Justiz-Commissarius im Landgerichts-Bezirk Torgau mit dem Wohnsitze zu Ortran.

Riedesel, die Freiherren von.

Aus dem alten vornehmen, eigentlich Hessen angehörigen, aber auch im Thüringischen und Weimarschen begüterten Geschlechte, von dem eine Hauptlinie, die v. Eisenbach, seit der Mitte des 15ten Jahrhunderts das Erbmarschallamt besitzt, wurde *Jeannot* Freiherr v. R. zu Eisenbach, und *Georg* Freiherr v. R. zu E. im Jahre 1813 Ritter des preussischen Johanniter-Ordens. — Ein Lieutenant v. R. steht gegenwärtig im 6ten Cürassier-Regiment zu Rathenow. — Die Wittwe des Ministers Grafen v. Reden auf Buchwald in Schlesien und die Frau Gräfin America v. Bernstorf in Berlin sind Töchter des durch seinen Feldzug in Amerika bekannten Freiherrn v. R. — Eine dritte Schwester war an den Fürsten v. Reuss vermählt. — Die Freiherren v. R. führen ein quadrirtes Wappen mit einem Herzschilde, das Herzschild enthält eine weisse Mauer mit drei rothen Thürmen besetzt. Im ersten und vierten goldenen Felde ist der Kopf eines schwarzen Esels, der drei grüne Blätter im Maule hält, im zweiten und dritten rothen Felde sind zwei goldene, übers Kreuz gelegte Lanzen vorgestellt. Das Hauptschild ist mit zwei Helmen bedeckt, von denen der rechte zwei schwarze Adlerflügel, belegt mit dem Bilde des ersten und vierten Feldes, der linke aber die Streitkolben trägt.

Rittersberg, die Herren von.

Wir haben im III. Th. S. 405 bereits diese Familie unter dem Namen Meusel v. Rittersberg angeführt. Ihr Wappen zeigt aber nicht die Bilder derjenigen Familie, die von preussischer Seite ein Adelsdiplom erhalten hat Diese letztere führt ein durch einen Spitzenschnitt getheiltes Wappen, die beiden Seitenfelder sind silbern und von zwei rothen Balken durchzogen, das mittlere Feld ist blau, und zeigt über einem grünen Hügel einen goldenen Anker, auf dem Helme aber eine Taube, die einen grünen Zweig im Schnabel hält. Decken rechts blau und Gold, links roth und Silber.

Roberts, die Herren von.

In der preussischen Armee dienten im Jahre 1806 drei Brüder dieses Namens. Der älteste stand im Infanterie-Regiment v. Borcke in Stettin, er war 1828 Capitain im Cadettencorps; der zweite stand im Infanterie-Regiment v. Courbière und starb 1810; der dritte diente im Regiment Jung v. Larisch, war 1828 Capitain im 40sten Infanterie-Regiment und steht gegenwärtig als Führer des zweiten Aufgebots im 29sten Landwehr-Regimente. Gegenwärtig ist auch einer v. R. Rittmeister im 2ten Husaren-Regiment und Ritter des eisernen Kreuzes.

Roda, die Herren von.

Ein erloschenes altadeliges Patrizier-Geschlecht zu Erfurt. *Gottschalck* v. R., Bürger zu Erfurt und gräfl. gleichischer Vasall, kommt mit Andern als Zeuge in der Bestätigungs-Urkunde für das Prediger-Kloster, welches Graf Heinrich v. Gleichen demselben 1240 für den Platz, wo es erbaut, und noch zwei andere ertheilte Plätze, gab, vor. *Adelheid* v. R. und *Utha*, Wittwe *Hertwig's* v. R., werden in einer Urkunde von 1301 gedacht, in welcher der Graf Heinrich v. Gleichen der jüngere den Verkauf des Teiches von Moebisburg und 2½ Hufe Landes zu Roda von Ritter Ulrich v. Cobenstedt an Heinrich den jüngern Vitzthum zu Erfurt bestätigt. In dem Verkaufe der Dörfer Urbich und Neusalza bei Erfurt von gedachtem Grafen v. Gleichen an Dietrich v. Sachsa und Dietrich und Albert, Gebrüder v. Neusalza, im Jahre 1303 kommt *Otto* v. Roda, Rathsmitglied zu Erfurt, unter den Zeugen vor, und wird noch in der Willkühr (Gesetzbuch) der Stadt Erfurt vom Jahre 1313 gedacht. Das Geschlecht kommt noch 1461 vor, bald darauf scheint es erloschen zu sein. Der Stammort ist das Dörfchen Roda; eine Stunde von Erfurt unter dem Steiger im Herzogthume Sachsen-Gotha, wo das Wirthschaftshaus jetzt steht, das von den Erfurter Spaziergängern häufig besucht wird, stand vor Alters der Edelhof v. Roda; indess gehörten die adeligen Herrschaftsrechte (bis auf einige Zinsen zugleich) schon 1403 dem Lehnsherrn, dem Grafen v. Gleichen, wie man aus der zehnjährigen Verpfändung dieses und einiger umliegenden Dörfer an die Stadt Erfurt (von diesem Jahre) ersieht. 1426 kauften die Grafen v. Gleichen Roda mit Bischoffsleben und (Korn-) Hochheim von Erfurt wieder ein, versetzten sie aber an die Patrizier Erhardt v. Sachsa und seinen Sohn für 300 Mark löthig Silber, für welche Summe sie aber gänzlich, 1444, an Friedrich und Wilhelm v. Sachsa kam. Die Patrizier v. Sachsa besassen schon vor dem 15ten Jahrhundert Grundstücke und Zinsen zu Roda, die in späteren Zeiten an die Patrizier Naeke kamen, und von diesen an die Familie Ritschl v. Hartenbach gelangten. Jetzt sind der Edelhof, so wie alle seine Rechte daselbst verschwunden.

Rodde, die Freiherren von.

Ein Freiherr v. R. auf Zibuche ist Ritter des preussischen Johanniter-Ordens. — Ein Lieutenant Baron v. R. steht im Garde-Husaren-Regiment zu Potsdam.

Rode, die Herren von.

Zwei Familien dieses Namens haben von preussischer Seite ein Adelsdiplom erhalten. Die erstere am 6. Juli 1798, die andere am 16. Octbr. 1803. Sie gehören dem Dessauischen Lande an, wo das Haupt der Familie Präsident war. Eine Tochter des Präsidenten ist die Wittwe des verstorbenen Kammerherrn und Hofmarschalls des Prinzen Friedrich v. Preussen, Grafen v. Hake, die früher an einen v. d. Osten vermählt war und von demselben die Güter Hausdorf und Flemischdorf bei Neumark ererbt hatte. Einer ihrer Brüder war zuerst in preussischem, später in österreichischem Militairdienst. Diese Familie führt ein quadrirtes Wappen, im ersten und vierten Felde einen Adlerflügel, im zweiten und dritten blauen Felde aber drei Rosen, und auf dem Helme drei silberne, mit den Rosen belegte Straussenfedern. Decken schwarz, blau und Silber.

Roden, die Herren von.

Ein niedersächsisches adeliges Geschlecht, aus welchem einige Mitglieder im preussischen Heere dienen. Zwei Brüder dieses Namens stehen als Lieutenants im 7ten Cürassier-Regiment.

Rodenberg, die Herren von.

Diese Familie ist eines Stammes mit denen v. Rotberg in der Schweiz, Schwaben und Franken. In der zweiten Hälfte des 16ten Jahrhunderts begab sich *Rudolph*, der reformirt war, der Religion wegen nach Cleve, und schrieb sich Rodenberg. Am 24. April 1801 wurde der alte Adel des damaligen Landraths *Wilhelm Johann Friedrich* v. R. zu Wesel und dessen Geschwister vom Könige anerkannt. Eine Seitenlinie, die von *Matthias* v. R. abstammt, hat den Namen v. Rotberg wieder angenommen. *Rudolph* v. R. kam in der letzten Hälfte des 16ten Jahrhunderts nach Westphalen aus dem südlichen Deutschland. *Matthias* v. R., geb. 1584. *Dietrich* v. R., geb. 1608. *Matthias* v. R., Rath und Protonotar zu Cleve, geb. 1641. *Wilhelm* v. R., cleve-märkischer Geh. Regierungs-, Justiz- und Hofgerichts-Rath. *Anton Karl* v. R., Besitzer der Rittergüter Germen und Clarenbeck, gest 1789; seine Gemahlin, Eleonore Küchmeister v. Sternberg, gest. 1803. Ein Sohn aus dieser Ehe, *Wilhelm Johann Friedrich* v. R., starb 1819 als Regierungs-Director zu Cleve, früher war derselbe Landrath zu Wesel. Ein anderer *Karl Johann Bogislav* v. R. ist mit Eleonore v. Diest vermählt; aus dieser Ehe leben drei Söhne und drei Töchter.

Es führt diese adelige Familie im goldenen Schilde eine schwarze Strasse (Balken), die es quer in zwei gleiche Hälften theilt. Auf dem gekrönten Helme sind zwei goldene, in der Mitte aber schwarze Büffelhörner, ohne Mundstücke angebracht. Auf denselben liegen zwei halbe Ringe, die in der Mitte durch einen kleinen Ring mit einander verbunden sind und so die Hälfte zweier Glieder einer Kette bilden. Decken schwarz und Gold.

Röden (Rhöden), die Herren von.

Einige Edelleute dieses Namens, aus einem alten pommerschen Geschlechte stammend, haben im preussischen Heere gedient, und einige stehen noch in demselben. Ein Major v. R. commandirt gegenwärtig die 13te Invaliden-Compagnie. M. s. Micrälius S. 521 und v. Meding I. Bd. No. 688.

Rönne, die Freiherren von.

Eine alte, in Liefland, Curland und Dänemark, auch in Norddeutschland verbreitete Familie, von der sich gegenwärtig auch Mitglieder im preussischen Staatsdienste befinden. Von ihren Vorfahren hat sich namentlich *Dietrich* v. R., der um das Jahr 1450 lebte, sehr ausgezeichnet — Die im preussischen Staatsdienst stehenden Freiherren v. R. sind der Regierungsrath v. R., gegenwärtig königl. Geschäftsträger bei den nordamerikanischen Freistaaten, und der Ober-Landesgerichtsrath Freiherr v. R. zu Breslau. M. s. Gauhe I. Th. S. 1410. II. Th. S. 963. Zedler's Univ. Lexicon XXXII. Bd. S. 446. v. Meding giebt im II. Th. S. 730 die Wappenbeschreibung.

Roggenbugge, die Herren von.

Ein Edelmann dieses Namens, aus einem westphälischen Geschlechte, steht als aggregirter Major bei der dritten Schützenabtheilung und ist zugleich Praeses bei der Gewehr-Commission in Suhl. Auch in Preussen kommt dieses adelige Geschlecht vor.

Rohden, Herr von.

Ein Oberstlieutenant v. R war noch 1837 Postmeister zu Herford, und ist Ritter des Verdienstordens und des eisernen Kreuzes. Er stand im Jahre 1806 im Regiment v. Courbière und zuletzt im 16ten Infanterie-Regiment.

Rommel, Herr von.

Se. Majestät der regierende König haben im Jahre 1838 den Major im 31sten Infanterie-Regiment, *Theodor Karl Daniel* R., in den Adelstand erhoben.

Rosenthahl, die Herren von.

Ein erloschenes adeliges Patrizier-Geschlecht zu Erfurt.

Rosenthal, die edeln Herren von.

Sie stammen aus Speyer, und wurden vom Kaiser Rudolph II. (1576—1612) in den Reichsadelstand erhoben. *Heinrich* v. R. hat am 1. Septbr. 1597 zu Speyer einen Tractat über das Lehnrecht herausgegeben, und solchen dem Kaiser Rudolph dedicirt. Als Speyer im Jahre 1622 von den Spaniern geplündert und verbrannt wurde, retteten zwei Brüder, *Heinrich* (vielleicht der Schriftsteller) und *Conrad*, ihr Leben und entflohen, der erstere nach Wien und *Conrad* nach dem Clevischen. *Conrad* widmete sich dem Handel, und wurde der Stammvater der adeligen Familie v. R., von welcher *Johann Conrad Friedrich* Edler v. R Hauptmann a. D. zu Neus ist. *Karl Johann* und *Hans Heinrich* Edle v. R. leben zu Dortmund, *Karl Friedrich Theodor* und *Friedrich Conrad Heinrich* Edle v. R. zu Wesel.

Rottenhan (Rothenhahn), die Grafen und Freiherren von.

Dieses uralte Geschlecht gehört Franken an; sie besass das Erbkämmerer-Amt im Bisthum Bamberg Schon vom Jahre 996 an wohnten die Ritter v. R. den Turnieren in Deutschland bei, namentlich *Wolf* v. R., der im gedachten Jahre zu Braunschweig in die Schranken gelassen wurde. Der gelehrten Welt ist *Sebastian* Ritter v. R. bekannt geworden, der in der Mitte des 16ten Jahrhunderts lebte, und sich als Reisender und Schriftsteller die Doctorwürde und einen Namen erwarb; auch war schon im Jahre 1440 *Anton* v. R. Bischof von Bamberg. Die Freiherrenwürde erhielt die Familie durch ein Diplom vom 8. Decbr. 1771, und der Grafenstand wurde einer Linie vom Kaiser Joseph II. durch Diplom vom 8. Decbr. 1774 verliehen. Seit dem 13. Jahrhundert theilte sich das Geschlecht in zwei Linien, in die zu Rentweinsdorf und Eyringshofen und in die zu Merzbach; die letztere ist die gegenwärtig gräfliche Linie. Noch gegenwärtig besitzt die Familie ansehnliche Güter in Franken. Mehrere Glieder der ersten Linie erhielten die preuss. Kammerherren-Würde, namentlich vom König Friedrich Wilhelm II. *Gottlieb Heinrich* v. R. und *Christian Ernst* v. R. zu Rentweinsdorf in Franken. In Berlin lebt *Elisabeth Louise*, verwittwete Freiin v. R., geb. v. Grolman (Schwester des Kammergerichts-Präsidenten. s. II. Bd. S. 287).

M. s. Bucelin, Stemmat. P. 3. Spangenberg's Adelsspiegel II. Th. S. 190. Gauhe I. Th. S. 1438 Zedler XXXII. Bd. S. 1106. R. v. Lang S. 66. Salver. S. 257. 268. 475 u. s. f. Neues genealog. Handbuch 1777. S. 143—145. Nachtrag dazu.

Das gräfliche Haus besteht gegenwärtig aus folgenden Mitgliedern:

Karl Heinrich Ludwig Graf v. R., geb. den 19. Juli 1791, k. k. Kämmerer, vermählt den 27. Juni 1816 mit Louise Henriette, Gräfin v. Wallmoden-Gimborn, Tochter des im Jahre 1811 verstorbenen kurfürstl. hannövrischen Feldmarschalls, Grafen v. Wallmoden-Gimborn, geb. den 24. Juni 1796.

Kinder:

1) *Louise Dorette Wilhelmine*, geb. den 1. Mai 1818.
2) *Maximilian*, geb. den 6. Octbr. 1820.
3) *Otto Wolf Adolph*, geb. den 8. März 1822.
4) *Natalie Auguste Gabriele*, geb. den 30. März 1824.

Geschwister:

1) Gräfin *Auguste Louise Eleonore* v. R., geb. den 21. Octbr. 1787, Oberhofmeisterin der Prinzessin Louise von Baiern.
2) Gräfin *Gabriele Louise Elisabeth* v. R., geb. den 11. Nov. 1788, Hofdame der Prinzessin Marie Anne Leopoldine von Baiern.
3) Gräfin *Auguste Charlotte Karoline* v. R., geb. den 14. Octbr. 1789.
4) Gräfin *Friederike Sophie Georgine* v. R., geb. den 19. Juli 1792.
5) Gräfin *Louise Sophie* v. R., geb. den 24. Mai 1796, vermählt den 4. Juni 1816 mit dem Freiherrn v. Guttenberg-Steinenhausen.

Mutter:

Gräfin *Dorette Henriette* v. R., geborne Freiin v. Lichtenstein, geb. den 13. April 1765, vermählt den 15. Septbr. 1785 mit dem Grafen *Friedrich Philipp* v. R., fürstl. bambergischen Oberstallmeister, Wittwe seit dem 14. Novbr. 1798.

Vaters-Bruders-Tochter:

Gräfin *Gabriele Marie*, Tochter des Grafen *Heinrich Franz* v. R., k. k. österreichischen Justizministers (gest. am 16. Febr. 1809), vermählt mit dem Grafen Georg v. Buquoi.

Das ursprüngliche Wappen des Hauses ist ein rother Hahn im silbernen Schilde und auf dem Helme. Eine Linie führt im silbernen Schilde einen blauen schräg strömenden Fluss und im rechten obern Winkel einen sechsstrahligen Stern, auf dem Helme aber den rothen Hahn. Siebmacher I. Bd. S. 100. II. Bd. S. 52.

Rouquette, Herr von, Bd. IV. S. 136.

Eine von der Frau v. R. adoptirte Tochter erhielt am 24. Juni 1834 ein Diplom. Das Wappen ist dem früher geführten, von uns beschriebenen ähnlich, nur ist hier das untere Feld nicht schwarz, sondern, wie das obere, blau. Das Schild ist hier blos mit einer Edelkrone bedeckt und zwischen zwei grüne Zweige gesetzt, deren Stiele mit einem goldenen Bande umwunden sind.

Rudolphi, die Herren von.

Die in der Armee dienenden Herren v. R. sind die Söhne des im Jahre 1837 a. D. verstorbenen General-Lieutenants *Ludwig Julius* v. R., zuletzt Divisions Commandeur und erster Commandant von Glogau. Dieser verdienstvolle Mann war in Brandenburg geboren, bis zum Jahre 1806 war er wirklicher Offizier der Armee, im Befreiungskampfe zeichnete sich derselbe bei vielen Gelegenheiten aus, er erwarb sich das eiserne Kreuz I. Classe, während ihn schon seit 1812 der Orden pour le mérite schmückte. Er starb nach kurzer Krankheit auf seinem Gute bei Münchenberg, das einer seiner Söhne gegenwärtig besitzt. Der älteste seiner Söhne ist Rittmeister, aggregirt dem 3ten Husaren-Regiment, commandirt beim 3ten Armee-Corps und Ritter des eisernen Kreuzes II. Classe.

Rüville, die Herren von.

Ein aus Frankreich gebürtiger Major v. R. war 1806 Offizier der Armee; er starb 1809. Ein Sohn desselben steht gegenwärtig als Lieutenant im 1sten Garde-Regiment, ein anderer als Lieutenant im 10ten Husaren-Regiment.

Rumohr, die Freiherren und Herren von.

Diese Familie gehört dem alten Adel von Holstein und Schleswig an, und kommt schon in Urkunden im 12ten Jahrhundert vor; sie hat sich auch in Mecklenburg und Sachsen ansässig gemacht. In Holstein liegt das gleichnamige Stammhaus. *Karl Friedrich Ludwig Felix* Freiherr v. R., geb. zu Reinhardsgrimma bei Dresden und Besitzer mehrerer Güter bei Lübeck, hat sich durch mehrere Werke über bildende Kunst, namentlich durch seine italienischen Forschungen, Berlin 1827 bis 1831, und durch seine Reisen nach Italien 1832, auch durch ein Kochbuch 1832 als Schriftsteller bekannt gemacht. Einer v. R. steht gegenwärtig als Regierungs-Assessor im preussischen Staatsdienst. M. s. Zedler's Univ. Lexicon XXXII. Th. S. 1800 ff. und Prauns adeliges Europa S. 697.

Runhet (Runchet, Ronchet), die Herren von.

Dieses im Regierungs-Bezirk Coblenz (Kreis Neuwied und Altenkirchen) ansässige Geschlecht heisst eigentlich vom Hof genannt R. und stammt von den Ministerialen der Dynasten und Grafen zu Isenburg-Wied und Runkel ab (m. s. Geschichte dieser Häuser. Weimar 1825. Ste. 80.). Der letzte, der den Namen Hoff führte, war *Johann*, 1572 Amtmann und Geheimschreiber des Grafen Johann IV. zu Wied. (M. s. Erweisung und rechtliche Ausführung der dem gräflichen Hause Wied zustehenden Rechten und Gerechtigkeiten im Dorfe Irrlich. Neuwied 1770. Ste. 193.) — Von da sank die Familie durch die Reformation und den 30jährigen Krieg und schrieb sich blos mit dem Zunamen, bis es *Johann Justus*, geb. 1740, gest. 1828, gelang, laut Diplom, d. d. London den 16. Jan. 1802, eine Bestätigung und Vermehrung des Wappens zu erwerben, so wie seinem Sohne, *Johann Friedrich*, geb. 1774, Anerkennung und Erhebung in den Adelstand, welcher am 6. April 1830 vom hohen Ministerium des königlichen Hauses nach Darlegung der Urkunden anerkannt worden ist, zu verschaffen. — Ob *Margaretha* v. R., 1360 Aebtissin von St. Thomas bei Andernach (m. s. Schannat's Eiflia illustr. von Bärsch, 1. Bd. 2. Abth. S. 480), so wie die v. R., ehemalige Besitzer des Rittersitzes Meil im Erzstift Cöln, nachher Kloster Elsingh (m. s. Acta Epam. der adeligen Sitze im Erzstifte Cöln, 1669), so wie das Geschlecht gleiches Namens unter den Saynischen Vasallen (m. s. Staats-Rechte der Grafschaft Sayn von Johann Jacob Moser, ohne Druckort, 1749) von dieser Familie gewesen, ist wohl zu vermuthen, doch nicht zu erweisen.

Im Mannsstamme leben gegenwärtig:

Johann Friedrich (s. oben), geb. den 14. Juli 1774, und dessen Söhne:

1) *Eduard Justus*, geb. den 1. Novbr. 1801, vermählt mit Mathilde v. Pestel, Tochter des kön. Staats-Procurators v. P. in Coblenz.

Sohn:

Friedrich Wilhelm Justus, geb. den 1. März 1833.

2) *Julius Herrmann Franz Wilhelm*, geb. den 21. März 1810, Lieutenant im 11ten königl. preuss. Husaren-Regiment zu Münster.

Beschreibung des Wappens (nach Bernd's Wappenbuch S. 100). Ein in Gold und Hermelin quer getheiltes Schild. Das Ganze belegt mit zwei rothen Pfählen, darauf kleine blaue Vierung mit silbernem goldgefassten Schwerte.

(Nach einer uns von einem Mitgliede der Familie gemachten schriftlichen Mittheilung.)

Runkel, die Herren von.

Ein altadeliges Geschlecht, welches mit den Häusern Wied, Isenburg u. s. w. Einen Stammvater hat. — In der Rheinprovinz lebt *Friedrich* v. R. zu Heddersdorf bei Coblenz.

S.

Sachsa (von), Sachsen, die Herren von der.

Ein längst erloschenes, adeliges Patrizier-Geschlecht zu Erfurt, welches der Grafen v. Gleichen Lehnsleute und Hofjunker war. Von ihren Besitzungen an der Gera zu Erfurt heisst noch jetzt ein Sand (quai) der Junkern-Sand. Es scheint mit den ehemaligen adeligen Patriziern dieses Namens zu Nürnberg, welche zum Stammorte das Pfarrdorf Sachsa oder Sachsen im Gebiete der ehemaligen Reichstadt Nürnberg hatten, gleichen Ursprung zu haben. 1491 belieh der Graf

v. Gleichen den *Erhardt* v. d. S. mit seiner freiherrlichen Wohnung auf dem St. Petersberge und einem Weinberge daselbst zu Erfurt, und zog derselbe in gedachte Wohnung, wo er 1505 gestorben ist und in der Kirche der Abtei zu St. Peter begraben wurde. Seines Sohnes *Jacob* Sohn, *Hieronymus* v. d. S. (geb. 1511, gest. 1548), Rittergutsherr von Isseroda, trug noch diesen Hof als gleichisches Lehn; ferner besass das Geschlecht zu Molsdorf und Doellstedt gleichische Lehne. — *Dietrich* v. d. S. kaufte 1303 mit zwei Gebrüdern v. Neusalza von dem Grafen Heinrich dem jüngern von Gleichen die Dörfer Urbich und Neusalza. — *Henne* v. d. S kommt als Zeuge in einem Lehnbriefe des Grafen von Gleichen 1427 vor. — *Jacob* v. d. S. erlangte durch eine Tochter Wolfs v. Milwitz adelige Güter und Herrschaftsrechte zu Gispersleben-Kiliani im 15ten Jahrhundert. — 1448 belieh Graf Adolph v. Gleichen „seine liebe Getreue, *Heinrich*, *Erhardt* und *Gottschalk* v. d. S., Gebrüder, Bürger zu Erfurt, *Erhardt* v. d. S. Söhne" mit Gütern und Rechten zu Erfurt, Rossposleben, Gispersleben, Ilversgehofen, auf der Wageweide über Erfurt, zu Roda über dem Steiger, zu Bischleben und zu Stutterheim. Gedachter *Erhardt* der ältere war auch noch 1444 Pfandinhaber der gleichischen Dörfer Roda, Bischleben und Korn-Hochheim, welche in demselben Jahre durch Kauf an Sachsen gelangten. — *Erhardt* v. d. S. mit andern Edelleuten wurden 1436 mit der Burg Nieder-Kranichfeld vom Grafen Dietrich v. Kirchberg beliehen. — 1466 kommen *Heine* der ältere, *Heine* der jüngere und *Heinrich*, Gebrüder, *Thilo's* v. d. S. Söhne, und *Dietrich* v. d. S., deren Vetter, Bürger zu Erfurt, als gräflich Gleichisch-Kranichfeld-Tannrodische Vasallen vor. — 1494 kauften die v. d. S. von dem Kloster Ichtershausen den Wald, Eichenberg genannt, über Donndorf bei Kranichfeld für 500 Gulden. Später musste vorgedachten *Thilo's* v. d. S. Wittwe noch 100 Gulden nachschiessen. — 1400 war *Henning* v. d. S. wegen Güter und Rechten zu Stedten, Erfurt und Ilversgehofen, gleichischer Vasall, und vorgedachter *Thilo* solcher 1402 wegen Güter zu Erfurt, Roda, Stutterheim u. s. w. — 1486 wurde *Gottschalk*, Sohn *Gottschalk's* v. d. S., Bürger zu Erfurt, vom Grafen Siegmund v. Gleichen mit der halben Mühle vor dem Langenstege zu Erfurt und mit 25 Acker Holz auf der Wagenweide nach Bischleben zu belehnt. — Vor 1508 waren *Thilo*, *Johann* und *Anton* auf Ansuchen *Georg's* v. d. S. beliehen. — *Johann* v. d. S. „patritius artium ac legum Doctor" führte im Jahre 1467 den akademischen Zepter. — Ein anderer *Johann* v. d. S., Dr. Juris, war 1507 Rector der Universität und kursächsischer Rath. — Ein Sohn *Christoph's* v. d. S. ward 1574 meuchlings erstochen. — Mit *Johann* und *Bernhard*, die 1621 lebten, scheint ihr Geschlecht erloschen zu sein.

Saint-Ignon, die Grafen von.

In der Rheinprovinz leben Mitglieder dieses gräflichen Geschlechtes, aus welchem sich *Johann* Graf v. S.-I. als österreichischer General bekannt gemacht hat. Ein Graf v. S.-I. steht gegenwärtig als Lieutenant im dritten Bataillon des 30sten Landwehr-Regiments.

Saint-Paul, die Herren von.

Sie sind vor längerer Zeit aus Frankreich nach Preussen gekommen. Viele Offiziere dieses Namens haben in der Armee gedient. — Ein Zweig der Familie schreibt sich Saint-Paul-Casafranca. Ein Oberst v. S.-P. commandirte 1806 das dritte Bataillon des Regiments v. Thile in Warschau und starb 1809 ausser Dienst. Ein Rittmeister dieses Namens stand 1806 im Regiment Towarzysz und starb 1813 als Major und Commandeur des dritten Uhlanen-Regiments. Ein dritter v. S.-P. war damals Lieutenant in der magdeburgischen Füselier-Brigade; er nahm 1909 den Abschied und war 1830 königl. französ. Bataillons-Chef im 4ten Infanterie-Regiment zu Dünkirchen. Im Husaren-Regiment v. Schimmelpfennig stand einer v. S.-P., der 1826 als Major der Gensd'armerie pensionirt wurde.

Salm, die Fürsten von.

Dieses fürstliche Haus zerfällt in zwei Hauptabtheilungen, nämlich in das Haus Ober-Salm und in das Haus Nieder-Salm. Dem Hause Ober-Salm gehören die Linien Salm-Salm, Salm-Kyrburg und Salm-Horstmar an, die sämmtlich ihre Besitzungen in der preussischen Provinz Westphalen haben. — Das Haus Nieder-Salm zerfällt in die Linien Krautheim, vormals Betbur, Krautheim, vormals Nieder- und Alt-Salm in den Ardennen, und Salm-Reifferscheid-Dyck. Diese drei Linien des Hauses Nieder-Salm haben nur theilweise Besitzungen in der preussischen Rheinprovinz. (Indem wir nur mit wenigen Worten hier berühren, dass in den ältesten Zeiten dieses Geschlecht Salmo genannt wurde, und dass schon 70 Jahre vor Christi Geburt einer aus diesem Geschlechte in der Geschichte vorkommt, geben wir folgende sichere Nachrichten.) Der gemeinschaftliche Stammherr des Hauses Salm ist Graf *Theodorich* v. S., der im Jahre 1040 starb; er besass zwei Herrschaften, von welchen eine die oben genannte wurde; sie lag zwischen dem Elsass und Lothringen in den Vogesen, die andere aber zwischen Luxemburg und Lüttich in den Ardennen. — *Theodorich* v. S. hatte zwei Söhne, *Heinrich* und *Karl*. Der erstere erhielt nach dem Tode seines Vaters die Oberherrschaft, und wurde demnach der Stammherr des Hauses Ober-Salm, während *Karl* mit dem Besitze der Niederherrschaft der Stammherr des Hauses Nieder-Salm wurde. *Heinrich* starb 1049 und *Karl* 1050. Die Hälfte von Ober-Salm kam im Jahre 1475 durch *Johannette* Gräfin v. S. an ihren Gemahl Johann V., Wildgrafen. Die Wildgrafen leiten ihre Abstammung von dem Pfalzgrafen Otto v. Wittelsbach her, der sich, nachdem er den zum römischen König erwählten Herzog Philipp v. Schwaben 1208 erstochen hatte, in die Ardennen flüchtete. Seine Nachkommen erhielten unter dem Namen Wildgrafen verschiedene Aemter und namentlich die Aufsicht über bestimmte Forstbezirke. Im 13ten Jahrhundert blühten diese Grafen in den zwei Häusern Dhaun und Kyrburg. Das erstere erlosch 1350, das letztere 1409. Durch Vermählungen fielen ihre Besitzungen an das schon seit dem 10ten Jahrhundert blühende Geschlecht der Rheingrafen. Die oben erwähnte Gräfin *Johannette* v. S., vermählte Wild- und Rheingräfin, hatte einen Sohn, *Johann* III., der als erster Wild- und Rheingraf zu Salm im Jahre 1499 starb. Seine Nachkommen theilten sich wieder in viele Linien und Häuser, namentlich wieder in die Dhaunische-Kyrburgische Linie, und diese wieder in die Häuser Neufville, Grumbach, Hoogstraten, Leuz, Grehweiller u. s. w. Die letztere erlosch am 1. Juli 1793 mit dem Reichsgrafen *Karl Magnus*. Das Haus hatte Reichsstandschaft: die Rheingrafen durch zweifache Theilnahme an den reichsgräflich wetterauischen, durch einfache Salm-Salm (wegen Anholt) an der westphälischen Curiatstimme; die beiden Häuser der salmischen, seit dem 8. Januar 1623 fürstlichen Linie (Salm-Salm und Salm Kyrburg) seit dem 28. Febr. 1654 durch eine Virilstimme im

Reichsfürstenrathe, die ihnen gemeinschaftlich war, bis der Reichsdeput.-Hauptschluss von 1803 jeder von ihnen eine besondere verhiess. Die Besitzungen des fürstlichen, wild- und rheingräflichen Gesammthauses Salm sind gemeinschaftliches Familien-Fideicommiss, mit Ausnahme der Herrschaft Anholt; diese kam 1637 durch eine Erbtochter des gräflichen Hauses Bronchorst an Salm-Salm, und es besteht ihretwegen nach einem Statut vom 5. Juli 1771 ein besonderes Familien-Fideicommiss in diesem Hause.

A. Der ältere Sohn des Grafen *Friedrich* (zu Neufville, gestorben 1610) in der salmischen Linie, *Philipp Otto*, wurde am 8. Jan. 1623 unter dem Namen Salm in den Reichsfürstenstand, nach dem Rechte der Erstgeburt, erhoben, und sein Sohn *Leopold Karl Philipp* erlangte den 28. Febr. 1654 eine Virilstimme im Reichs-Fürstenrathe; aber mit des Letztern Enkel *Ludwig Otto* erlosch diese Linie am 23. Nov. 1738. — Der jüngere Sohn *Friedrich Magnus*, gest. 1673, gründete die sogenannte flandrische Linie zu Neufville, welche mit seinen Enkeln *Wilhelm Florentin*, gest. 1707, und *Heinrich Gabriel*, gest. 1713, in zwei Aeste zerfiel, den hoogstratenschen und leuzischen, deren Häuser der ersten fürstlichen Linie 1738 succedirten. Die reichsfürstliche Würde ward dem ersten am 14. Jan. 1739, dem andern am 21. Febr. 1742 mit der Erklärung beigelegt, dass das Fürstendiplom von 1623 auch auf sie gehe. Beide Aeste bilden seitdem die noch blühenden fürstlichen Linien Salm-Salm und Salm-Kyrburg. Für den Verlust der auf der linken Rheinseite gelegenen unmittelbaren Reichslande entschädigte sie der Reichsdeput.-Hauptschluss von 1803 mit den vormals münsterschen Aemtern Ahaus und Bocholt (jetzt Fürstenthum Salm), so dass davon ⅔ für Salm-Salm, ⅓ für Salm-Kyrburg bestimmt, beide Theile aber gemeinschaftlich besessen wurden. Nach einem Hausvertrage vom 26. Octbr. 1802 hatte Salm-Horstmar eine Jahrrente von 33,000 Gulden an die salmische Linie zu zahlen, was zugleich bestätigt wurde. Die Schlussacte des Wiener Congresses stellte Ahaus und Bocholt unter preussische Staatshoheit; an Salm-Salm bewilligte Preussen eine Jahrrente von 13,390 Thaler, an Salm-Kyrburg 6000 Thaler, beide Häuser verzichteten dagegen auf Gerichtsbarkeit, Polizei- und Steuerfreiheit. — Salm-Kyrburg hat durch Vertrag von 1825 an Salm-Salm sein Drittel der bisher gemeinschaftlichen Besizzungen gegen eine perpetuirliche Rente abgetreten, hat keine Güter mehr in Westphalen und der Fürst wohnt gegenwärtig in Paris.

1) Die hoogstratensche Linie des Hauses Salm-Salm (A.) wurde von *Wilhelm Florentin* gestiftet. Dieser erbte von seiner Mutter Gabriele, des Grafen Albert Franz v. Hoogstraten Tochter und Erbin, die Grafschaft Hoogstraten. Sein Sohn *Nicolaus Leopold* succedirte ihm am 6. Juni 1707 im rheingräflichen und neufvilleschen Antheil, am 23. Novbr. 1738 in die salmischen Lande der mit *Ludwig Otto* erloschenen Linie, erhielt die Reichsfürstenwürde am 14. Jan 1739 und ward 1741 zum Herzoge von Hoogstraten erhoben. Sein Enkel, Fürst *Constantin*, brachte durch seine zweite Gemahlin Marie Walpurgis, des Grafen Christian zu Sternberg Tochter, ein Drittel der vormals reichsständischen Abteien Schüssenried und Weissenau an die fünf Kinder aus dieser Ehe; sie haben solches durch einen Abtheilungsvertrag dem Grafen Joseph Franz v. Sternberg überlassen und dafür die ehemals gräflich manderscheidschen Besitzungen in der Eiffel erhalten. Ausser Ahaus und Bocholt besitzt diese Linie noch ausschliessend das Herzogthum Hoogstraten, die Aftergrafschaft Aloss in Flandern und die Herrschaft Loon op Zand in Brabant. Kraft eines Vertrages vom 7. Septbr. 1816 bezieht der Fürst für die Verzichtleistung auf den

anholter Zoll eine Rente von 22,000 Gulden vom Königreich der Niederlande.

2) Der Sohn von *Heinrich Gabriel*, gest. 1713, Stifters der leuzischen oder lösischen Linie, *Philipp Joseph*, gest. den 7. Juni 1779, erbte nach seines Schwiegervaters, des letzten Fürsten von Hornes, Tode am 12. Jan. 1763 dessen sämmtliche Herrschaften; er hatte von der am 23. Novbr. 1738 eröffneten salmischen Erbschaft das Oberamt Kyrburg und am 21. Febr. 1742 die reichsfürstliche Würde bekommen.

B. Die grumbachsche Linie hatte sich mit zwei Urenkeln ihres Stifters *Johann Christoph*, gest. 1585, in zwei Unterlinien getheilt: die ältere oder grumbachsche, gestiftet von *Leopold Philipp Wilhelm*, gest. 1719, und die jüngere oder rheingrafensteinsche zu Grehweiler, gestiftet von *Friedrich Wilhelm*, gest. 1706, welche im Mannsstamme am 1. Juni 1793 erlosch. Für den Verlust der Besitzungen auf der linken Rheinseite gab der Reichsdeput.-Hauptschluss von 1803 den Rheingrafen das Hochstift-münstersche Amt Horstmar (12½ Q. Meilen), mit der Verpflichtung, eine Jahrrente an Salm-Salm und Salm-Kyrburg zu zahlen. Durch die Wiener Congressacte kam Horstmar unter preussische Staatshoheit. Der Wild- und Rheingraf *Karl August* erhielt von Preussen am 11. März 1817 die Fürstenwürde unter der Benennung Salm-Horstmar.

C. Salm aus dem Hause der Dynasten von Reifferscheid. — *Johann* IV., Herr zu Reifferscheid (einer reichsfreien Herrschaft in der Eiffel, welche zur Reichsstandschaft, in der neuern Zeit durch Theilnahme an der reichsgräflich westphälischen Curiatstimme berechtigte), ist der Stammvater dieser Linie. Sein Vater *Heinrich* II., gest. 1377, hatte durch Richarda, der Erbtochter Conrad's, Herrn v. d. Dyck, die Herrschaft Dyck erworben: sein Sohn *Johann* V., gest. 1471, erwarb durch Heirath die Herrschaft Alfter; auch kam dieser durch ein Urtheil vom 6. Febr. 1455 in den Besitz der seinem Vater testamentarisch vererbten Grafschaft Nieder-Salm. Graf *Werner*, gest. den 16. Febr. 1629, Urenkel *Johann's* V., setzte sich 1600 in den Besitz der Herrschaft Bedbur und Hackenbroich (welche früher dem Hause gehört hatten, aber durch *Mechtildis* v. Reifferscheid an den Grafen Wilhelm I. von Limburg, durch dessen Tochter Margaretha an den Grafen Gumprecht von Nuenar gekommen war), als der Mannsstamm der Grafen von Nuenar erlosch, obwohl die Wittwe des letzten Grafen von Nuenar solche dem Schwestersohne ihres Gemahls, dem Grafen Adolph v. Bentheim, bestimmt hatte. Mit seinen Enkeln entstanden die jetzt noch blühenden zwei Hauptlinien. *Erich Adolph*, gest. 1678, erhielt die Grafschaft Salm in den Ardennen und die Herrschaft Reifferscheid; der jüngere, *Ernst Salentin*, gest. 1684, welcher die Herrschaft Dyck und Hackenbroich bekam, gründete die jüngere Hauptlinie Salm-Reifferscheid-Dyck.

Die ältere Hauptlinie theilte sich mit drei Söhnen *Franz Wilhelm's*, gest. den 4. Juni 1734, Enkeln *Erich Adolph's*, des Stifters, in drei Unterlinien.

1) Die ältere Linie Salm-Reifferscheid-Bedbur, seit 1803 Salm-Reifferscheid-Krautheim genannt, gestiftet von *Karl Anton*, gest. 1755, besass die reichsständische Herrschaft Reifferscheid mit Bedbur (die Ansprüche der Grafen von Bentheim an solche wurden im Anfange dieses Jahrhunderts mit 120,000 Gulden abgefunden), und erhielt 1803 als Entschädigung dafür das mainzische Amt Krautheim und eine auf Amorbach radicirte Rente von 32,000 Gulden, welche letztere der Fürst von Leiningen durch die Abtretung des Priorats Gerlachsheim

und des vormals würzburgischen Amtes Grünsfeld ablöste. Im Febr. 1804 erhob der Kaiser diese Besitzungen in ein Reichsfürstenthum (Krautheim) und den Besitzer für ihn und den jedesmaligen Erstgebornen im Mannsstamme in den Reichs-Fürstenstand. Durch die Rheinbundacte kam Salm-Krautheim standesherrlich unter Baden und Würtemberg; der im Würtembergischen gelegene Landestheil auf der linken Seite der Jaxt ist 1826 an die Krone Würtemberg für 125,000 Gulden verkauft worden.

2) *Franz Wilhelm* hatte mit seiner ersten Gemahlin Maria Agnes, Tochter des letzten Grafen von Slavata, gest. 1691, die Herrschaft Hainspach erheirathet, und vererbte sie auf seinen zweiten Sohn *Leopold Anton*, gest. den 16. Jan. 1760. Dieser stiftete die Unterlinie Salm-Reifferscheid-Hainspach. Sein Sohn *Franz Wenzel* erlangte 1797 das Erbsilber-Kämmeramt im Königreich Böhmen.

3) Der dritte Sohn des Grafen *Franz Wilhelm*, *Anton*, gest. am 5. April 1769, erhielt die Grafschaft Nieder-Salm in den Ardennen. Sein Sohn, Altgraf *Karl Joseph*, geb. den 3. April 1750, erlangte am 3. Febr. 1784 die ansehnlichen Herrschaften in Mähren: Raitz, Jedownitz, Blansko u. s. w., und wurde am 9. Octbr. 1790 für sich und seinen Mannsstamm, nach dem Rechte der Erstgeburt, in den Reichsfürstenstand erhoben. Nach dem Lüneviller Frieden behielt das fürstliche Haus zwar die Domaine Nieder-Salm; für die Hoheit und Feudalrechte erhielt es durch den Reichsdeput.-Hauptschluss von 1803 eine Jahrrente von 12,000 Gulden, auf die an Würtemberg gekommene Abtei Schönthal angewiesen.

Die jüngere Hauptlinie, gestiftet von *Ernst Salentin*, gest. 1684, erhielt bei der Theilung 1639 die allodiale reichsunmittelbare Herrschaft Dyck und die unter Erzstift-cölnischer Landeshoheit stehenden Herrschaften Hockenbroich und Alfter. Für die Feudalrechte von Dyck gab der Reichsdeput.-Hauptschluss von 1803 eine immerwährende Rente von 28,000 Gulden auf die Besitzungen der Frankfurter Capitel zur Entschädigung, die aber von der Stadt Frankfurt durch Vertrag vom 27. Septbr. 1803 mit 500,000 Gulden abgelöst wurden. Im Jahre 1807 erwarb *Joseph Franz* für 100,000 Gulden das Gut Ramersdorf (Bonn gegenüber) vom Grossherzog von Berg. Er wurde im Mai 1816 von dem Könige von Preussen in den Fürstenstand erhoben; sein Bruder, Altgraf *Franz*, im November desselben Jahres. Letzterer erkaufte 1817 die vormalige Abtei Baindt, welche der Graf zu Aspremont-Linden 1813 als reichsständisch-stimmberechtigt für Rockheim erhalten, die Gräfin Marie Ottilie v. Aspremont-Linden aber an den Grafen Palffy-Erdöd gebracht hatte, von Ulmer Kaufleuten, an welche sie gekommen war.

Gegenwärtig besteht das fürstliche Haus aus folgenden Mitgliedern

Das Haus Ober-Salm.

I. *Salm-Salm.*

Fürst *Wilhelm Florentin Ludwig Karl*, geb. den 17. März 1786, succedirt seinem Vater, dem Fürsten *Constantin Alexander Joseph*, den 25. Febr. 1828, vermählt den 21. Juli 1810 mit Flaminia, geborne Freiin v. Rossi, geb. den 21. Juli 1795.

Söhne:

1) *Alfred Constantin Alexander*, Erbprinz, geb. den 27. Dec. 1814,

vermählt den 13. Juni 1836 mit Prinzessin Auguste Adelheid Emanuele Constanze von Croy-Dülmen, geb. den 7. Aug. 1815.

Tochter:

Prinzessin *Mathilde Wilhelmine Constanze*, geb. den 19. April 1837.

2) Prinz *Emil Georg Maximilian Joseph*, geb. den 6. April 1820.
3) Prinz *Felix Constantin Alexander Johann Nepomuk*, geb. den 25. Decbr. 1828.

Geschwister (stiefbürtige):

Aus zweiter Ehe des Vaters mit Marie Walburge, geb. Reichsgräfin v. Sternberg-Manderscheid, gest. am 16. Juni 1806.

1) Die Wittwe des Prinzen *Georg Leopold Maximilian Christian* (geb. den 12. April 1793, gest. den 20. Novbr. 1836): Rosine, des Grafen v. Sternberg-Serowitz Tochter, geb. den 4. Mai 1802, vermählt den 29. April 1828 (in Z'doneck in Mähren).

Dessen Kinder:

a) Prinz *Constantin*, geb. den 27. März 1829.
b) Prinzessin *Franziska*, geb. den 4. Aug. 1833.

2) Prinzessin *Eleonore Wilhelmine Louise*.
3) Prinzessin *Johanne Wilhelmine Auguste*.
4) Prinz *Franz Friedrich Philipp*, geb. den 5. Juli 1801, königl. sardinischer Oberstlieutenant in der Grenadier-Garde.

Kinder aus des Vaters dritter Ehe mit Katharina, geb. Bender (gest. den 13. März 1831), durch königl. preuss. Diplom unter dem Namen Hoogstraten in den Grafenstand erhoben:

5) *Otto Ludwig Oswald*, geb. den 30. Aug. 1810, königl. sächs. Lieutenant im Garde-Reiter-Regiment, vermählt den 11. Nov. 1834 mit Ernestine Freiin v. Varnbühler.
6) *Eduard August Georg*, geb. den 8. Septbr. 1812, Seconde-Lieutenant beim königl. preuss. 4ten Cürassier-Regiment.
7) *Rudolph Herrmann Wilhelm Florentin*, geb. den 9. Septbr. 1817.
8) *Albrecht Friedrich Ludwig Johann*, geb. den 3. Septbr. 1819.
9) *Herrmann Johann Ignaz Friedrich*, geb. den 13. Juni 1821.

II. *Salm-Kyrburg.*

Fürst *Friedrich* IV. *Ernst Otto Philipp*, geb. den 14. Decbr. 1789, Grand von Spanien I. Classe, succedirt seinem Vater *Friedrich Otto* am 25. Juli 1794, vermählt den 11. Jan. 1815 mit Cäcilie Rosalie, geb. Freiin v. Bordeaux, Chanoinesse des königl. bairischen St. Annen-Stifts.

Sohn:

Friedrich Ernst Joseph August, Erbprinz, geb. den 5. Nov. 1823.

Vaters-Schwester:

Die verwittwete Fürstin von Hohenzollern-Sigmaringen.

III. *Salm-Horstmar.*

(Wohnsitz: Coesfeld in der Grafschaft Horstmar in Westphalen.)

Fürst und Rheingraf *Wilhelm Friedrich Karl August*, zu Salm-Horstmar, geb. den 11. März 1799, Wildgraf zu Dhaun und Kyrburg.

Rheingraf zum Stein, Herr zu Vinstingen, Diemeringen und Püttlingen, Sohn des am 23. Mai 1799 verstorbenen Rheingrafen *Karl Ludwig Theodor* zu Salm-Grumbach; vermählt den 5. Octbr. 1826 mit Elisabeth Anna Karoline Julie Amalie, Reichsgräfin zu Solms-Rödelheim, geb. den 9. Juni 1806.

Kinder:

1) Prinzessin *Mathilde Elisabeth Friederike Wilhelmine Charlotte Ferdinande Amalie*, geb. den 21. Aug. 1827.
2) Prinzessin *Emma Elisabeth Friederike Karoline Ferdinande*, geb. den 13. Decbr. 1828.
3) Prinz *Karl Alexis Heinrich Wilhelm Adolph Friedrich Ferdinand*, geb. den 20. Octbr. 1830.
4) Prinz *Otto Friedrich Karl*, geb. den 8. Febr. 1833.

Halbschwester
aus des Vaters erster Ehe mit Mariane, Prinzessin von Leiningen (gest. den 16. Febr. 1792):

Amalie Karoline, geb. den 7. Juni 1786, Gemahlin des Grafen Wilhelm v. Bentheim-Tecklenburg-Rheda.

Mutter:

Friederike, geb. den 26. März 1767, Tochter des Grafen Joseph Ludwig v. Sayn-Wittgenstein, Wittwe am 23. Mai 1799.

Das Haus Nieder-Salm.

I. *Salm-Reifferscheid.*

(Wohnsitz: Gerlachsheim und Düsseldorf.)

a) Krautheim, vormals Bedbur.

Fürst *Constantin*, geb. den 4. Aug. 1798, Sohn des Fürsten *Franz Wilhelm* (geb. den 27. April 1772, gest. den 14. Mai 1831) und der Prinzessin Franziska v. Hohenlohe-Bartenstein, grossherzogl. badischer Oberstlieutenant und Flügel-Adjutant des Grossherzogs, vermählt den 27. Mai 1826 mit Prinzessin Charlotte Sophie Mathilde Franziska v. Hohenlohe-Bartenstein-Jaxtberg, geb. den 2. Septbr. 1808.

Kinder:

1) Erbprinz *Franz Karl August Hubert Alois Joseph Clemens Leopold Longin Maria*, geb. den 15. März 1827.
2) Prinzessin *Auguste Eleonore Sophie Leopoldine Christine Crescentie Charlotte Franziska Antonie*, geb. den 21. März 1828.
3) Prinz *Otto Clemens Sigismund Leopold Ferdinand Maria*, geb. den 19. Octbr. 1829.
4) Prinz *Leopold Karl Alois Hubert Longin Maria*, geb. den 14. März 1833.
5) Prinzessin *Franziska Antonie Auguste Crescentia Maria*, geb. den 19. April 1835.
6) Prinzessin *Eleonore Aloisie Huberta Januaria Maria*, geb. den 5. Septbr. 1836.

Geschwister:

1) Pinzessin *Eleonore*, geb. den 13. Juli 1799, Wittwe des Land-

grafen Victor Amadeus v. Hessen-Rothenburg seit dem 12. Oct. 1834.

2) Prinz *Karl Joseph Ernst*, geb. den 12. Septbr. 1803, königl. preuss. Rittmeister.
3) Prinzessin *Leopoldine Polyxena Christ.*, geb. den 24. Juni 1805, Gemahlin des Altgrafen Hugo zu Salm-Reifferscheid-Krautheim (folgender Linie).
4) Prinzessin *Marie Crescentie*, geb. den 22. Octbr. 1806.

Vaters-Geschwister:

1) Altgräfin *Auguste Josephine*, geb. den 20. Septbr. 1769, Stiftsdame von Essen und Thorn.
2) Altgräfin *Christine*, geb. den 14. April 1773, Stiftsdame von Elten.
3) Des Altgrafen *Clemens* (geb. den 15. Febr. 1776, königl. würtemberg. Generalmajors, gest. den 10. Decbr. 1830) Wittwe: Pauline de Bon, geb. den 29. Juli 1778, vermählt den 2. Dec. 1802.
4) Altgraf *Joseph Franz*, geb. den 28. März 1778, grossherzogl. badischer Major à la suite.
5) Altgräfin *Antonie*, geb. den 18. Juli 1780, Stiftsdame von Essen und Verden.

b) Krautheim, vormals Nieder- oder Alt-Salm in den Ardennen.

(Wohnsitz: Raitz bei Brünn in Mähren.)

Fürst *Karl Joseph*, geb. den 3. Aug. 1750, Sohn des Altgrafen *Anton* zu Salm-Reifferscheid, k. k. Geh. Rath und Kämmerer, in den Reichsfürstenstand erhoben vom Kaiser Leopold II. am 9. Octbr. 1790, vermählt zum zweiten Male am 1. Mai 1792 mit Marie Antonie, geb. den 5. Decbr. 1768, des Fürsten Wenzel zu Paar Tochter.

Sohn erster Ehe von Pauline, Tochter des Fürsten Karl Joseph Anton von Auersperg (gest. den 1. Octbr. 1791): *Hugo Franz* (geb. den 1. April 1776, gest. den 31. März 1836).

Dessen Söhne:

1) *Hugo Karl*, geb. den 15. Septbr. 1803, Altgraf zu Salm-Reifferscheid, k. k. Kämmerer, vermählt den 6. Septbr. 1830 mit Leopoldine Christiane Polyxene, Schwester des Fürsten Constantin zu Salm-Reifferscheid-Krautheim, geb. den 24. Juni 1805.

Kinder:

a) *Marie Rosine Leopoldine Auguste Franziska Wilhelmine Aloise*, geb. den 25. Decbr. 1831.
b) *Hugo Karl Franz de Paula Theodor*, geb. den 9. Novbr. 1832.
c) *Auguste Aloise Marie Eleonore Rosine Leopoldine Berthilde*, geb. den 5. Novbr. 1833.
d) *Siegfried Constantin Bardo*, geb. den 10. Juni 1835.
e) *Erich Adolph Karl Georg Leodgar*, geb. den 2. Octbr. 1836.

2) *Robert Ludwig Anton*, geb. den 19. Dec. 1804, Altgraf zu Salm-Reifferscheid, k. k. Kämmerer und Hofrath beim Gubernio zu Triest.

II. *Salm-Reifferscheid-Dyck.*

Fürst *Joseph Franz Maria Anton Hubert Ignaz*, geb. den 4. Sept. 1773, Sohn des am 17. Aug. 1775 verstorbenen Altgrafen *Franz Wilhelm*, Fürst seit dem Mai 1816, geschieden den 3. Septbr. 1801 von Marie Therese, Gräfin v. Hatzfeldt, vermählt zum zweiten Male den 14. Decbr. 1803 mit Constanze Marie v. Theis, geb. den 7. Nov. 1767.

Schwester:

Gräfin *Walburge Franziska Marie Therese*, geb. den 13. August 1774, Wittwe von Maximilian Freiherrn v. Gumpenberg zu Pöttmes.

Des Bruders, Fürsten *Franz Joseph August* (geb. den 16. Octbr. 1775, gest. den 26. Decbr. 1826, Besitzer der im Novbr. 1817 erworbenen Herrschaft Baindt im Königreich Würtemberg) Wittwe: *Marie Walburge Josephe Therese Karoline*, Tochter des Fürsten Joseph Anton von Waldburg-Wolfegg-Waldsee, geb. den 6. Decbr. 1791, vermählt den 16. Aug. 1810.

Dessen Söhne:

1) Prinz *Alfred Joseph Clemens*, geb. den 31. Mai 1811.
2) Prinz *Friedrich Karl Franz*, geb. den 1. Octbr. 1812, k. k. Lieutenant bei Schwarzenberg Uhlanen No. 2.

In Beziehung auf die Besitzungen der verschiedenen Linien und auf die Einkünfte derselben setzen wir hier noch folgende sichere Nachrichten hinzu. Es besitzt:

Salm-Salm

die Grafschaft (jetzt Herzogthum) Hoogstraten, die vormals reichsständischen Abteien Schüssenried und Weissenau, die After-Grafschaft Aloss, die Herrschaft Loon op Zand und als jährliche Rente von den Niederlanden, laut Vertrag vom 7. Septbr. 1816, 22,000 Gulden; sie ist jedoch im Jahre 1817 durch eine Capitalzahlung abgelöst worden.

Salm-Kyrburg.

Für den Verlust seiner unmittelbaren transrhenanischen Güter erhielt dieses Haus durch den Deputationsrecess von 1803 ein Drittel der Aemter Bocholt und Ahaus in Münster, die es aber durch den Vertrag vom 8. Octbr. 1825 an das Haus Salm-Salm abgetreten hat. Es besitzt noch das Fürstenthum Hornes und die Herrschaften Leuze, Peck und Bortel, die mit der stipulirten Rente von Salm-Salm etwa 180,000 bis 200,000 Gulden abwerfen mögen. Das Recht der Erstgeburt in dieser Linie ist von Fürst *Philipp Joseph* (gest. 1779) eingeführt.

Wappen.

Das Haus Salm führt ein quadrirtes Schild mit einem Herz- oder Mittelschilde; im ersten und vierten schwarzen Felde einen silbernen aufgerichteten Leoparden der Rheingrafen, im zweiten und dritten den rothen blau gekrönten Löwen der Rheingrafen von Dhaun. Das Mittelschild ist ebenfalls quadrirt: 1. zeigt drei goldene Löwen in roth wegen Kyrburg, 2. zeigt silberne, auswärts gekrümmte Salme oder Lachse mit vier silbernen Kreuzen auf den Seiten, in roth, wegen Salm, 3. zeigt einen silbernen Querbalken in blau, wegen Bingen, und 4. eine silberne Säule mit einer goldenen Krone in roth, wegen Anholt. Das Schild decken fünf Helme mit Emblemen, die auf die Felder im Wappen andeuten. Die Helmdecken sind silbern und roth.

Das Wappen des Hauses Salm-Kyrburg ist dem von Salm-Salm gleich, nur hat das Mittelschild blos drei Felder, und das von Anholt ist ausgeworfen.

Das Wappen des Hauses Salm-Horstmar ist wie das von Salm-Salm, nur dass das Mittelschild im vierten, halb silbernen, halb blauen Felde einen gekrönten Löwen zeigt.

Nachrichten über dieses fürstliche Haus geben folgende Schriftsteller: Hübner I. Th. Tab. 251 und II. Th. 450—454. Bucelin I. Th. S. 236. Masch S. 145—149. Zedler XXXIII. Bd. S. 976—988. v. Schönfeld, Adelschr. I. Th. S. 32—34. Gothaischer genealog. Hofkal. 1825. S. 125—129. Allgem. genealog. und statistisches Handb. I. Th. S. 753—756 Hartmann's Samml. u. m. a.

Salpius, Herr von.

Der gegenwärtige Oberstlieutenant, Chef des Generalstabes vom dritten Armee-Corps und Ritter, *J. L. W.* S., ist von Sr. Majestät geadelt und ihm folgendes Wappen beigelegt worden. Im blauen Schilde ein über einem Wasser schwebender silberner Stern, auf dem gekrönten Helme ein in blau und Silber gevierteter Adlerflug. Dekken blau und Silber.

Samtleben, die Herren von.

Aus dieser adeligen Familie kommen mehrere Ritter in der frühern Geschichte der Altmark vor, ihr Stammhaus Samptleben aber liegt im Braunschweigischen bei Schöppenstedt. Diese Familie erlosch 1587 mit *Daniel* v. S. und die v. Cramm erhielten Samptleben. M. s. Merian's Topographie von Braunschweig S. 181. Braunschweigsche Anzeigen, 1750. S. 87. Siebmacher giebt das Wappen I. Th. S. 183. v. Meding beschreibt es I. Th. No. 717.

Sandrart, die Herren von.

Sie stammen aus Nürnberg. Ihr Vorfahr, *Johann* v. S., wurde vom Papst Alexander VI. in den Adelstand erhoben und mit der Herrschaft della Scal und Fay beliehen. Zwei Brüder v. S. standen 1806 im preussischen Heere, der eine war Premier-Lieutenant im Anspachschen Husaren-Bataillon v. Bila, und 1838 ist derselbe Oberst der Gensd'armerie, Brigadier derselben zu Coblenz und Ritter des eisernen Kreuzes u. s. w. Der andere, *Karl Wilhelm Emanuel* v. S., stand damals als Premier-Lieutenant und Adjutant im Husaren-Regiment v. Prittwitz und ist gegenwärtig General-Lieutenant, Commandant von Glatz und Ritter hoher Orden, namentlich auch des Orden pour le mérite und des eisernen Kreuzes. M. s. Zedler XXXIII. Bd. S. 1981.

Sartoris, die Herren von.

Ein aus Piemont stammendes adeliges Geschlecht, welches seit

1610 das Erbbürgerrecht der Stadt Genf besitzt. *Johann Leonhard* v. S., gebürtig von Quiers in Piemont, herzogl savoyischer Hofrath und General-Einnehmer der Grafschaft Asti (1538), wollte der evangelischen Religion wegen sich nach Genf begeben, ward aber zu Turin in den Kerker geworfen und daselbst heimlich hingerichtet. Von seinen Söhnen war *Nicolaus* vom Vater nach Genf geschickt, und da dieser, evangelisch geworden, nach Asti kam, um Nachforschungen über das Schicksal seines Vaters anzustellen, wurde er von der dortigen Regierung ergriffen und zum Feuertode bestimmt, welchen er am 4. Mai 1557 erlitt, obgleich die Regierung von Bern, da er Bürger zu Lausanne geworden, heftig reclamirte. Der andere Sohn *Karl* wurde Vater von *Jacob*, der nach Genf flüchtete und das Erbbürgerrecht erwarb, auch Pfarrer daselbst ward. Von des Letztern Söhnen starb *David* als Pfarrer in der Vorstadt Pera zu Constantinopel und holländischer Gesandtschaftsprediger 1610; ferner war aus diesem edeln Geschlechte der Republik Genf ein anderer *David* erster Syndikus von Genf (1725 und 1729).

N. N. v. S. ward 1796 königl. preussischer Kammerherr, und war 1804 Minister-Resident zu Hannover. Sein einziger Sohn *Karl*, früher in k. k. Militairdiensten, starb 1837 auf seinem Landgute in Oestreich. M. s. Leu, Schweiz. Lex. XVI. S 102—103. Handbuch des preuss. Hofes und Staates für das Jahr 1804. S. 8. 458.

Savigny, die Herren von.

In der freien Stadt Frankfurt kommen in der letzten Hälfte des vorigen Jahrhunderts Edelleute dieses Namens vor; sie gehörten auch zu den Vasallen des Fürstenthums Hanau. Dieser Familie gehört an *Friedrich Karl* v. S., königl. preuss. Geh. Ober-Revisions-Rath, Professor an der Universität, Mitglied des Staatsraths u. s. w., einer der berühmtesten deutschen Rechtsgelehrten. Er ist 1779 zu Frankfurt a. M. geboren, studirte in Marburg, begann im Jahre 1803 die schriftstellerische Laufbahn mit dem vortrefflichen Werke: „Das Recht des Besitzes," das bereits viele Auflagen erlebt hat. Nachdem er bereits in Marburg und Landshut Professor gewesen war, kam er 1810 in derselben Eigenschaft nach Berlin, wo er 1816 Geh. Justizrath, 1817 Geh. Staatsrath und später Geh. Revisions-Rath wurde. Zu seinen grösseren literarischen Arbeiten gehört seine „Geschichte des römischen Rechts im Mittelalter. Heidelberg 1815—1831. II. Aufl. 1834. M. s. Neues genealog. Handbuch, Jahrg. 1776.

Sawitzki, die Herren von.

Ein Major v. S., in Preussen geboren, stand 1806 in dem dritten Musketier-Bataillon des Regiments Prinz Heinrich von Preussen. Ein Sohn desselben, damals Fähndrich in demselben Regiment, war 1826 Capitain und Offizier bei der Land-Gensd'armerie und ist gegenwärtig Major und Chef der 10ten Invaliden-Compagnie. Er hat sich im Befreiungskampfe das eiserne Kreuz I. Classe erworben. Im 37sten Infanterie-Regiment steht ein Premier-Lieutenant v. S.

Schalscha-Ehrenfeld, Herr von.

Heinrich v. S.-E. ist königl. Oberlandesgerichtsrath in Ratibor.

Scharffenstein, die Herren von.

Ein erloschenes adeliges Patrizier-Geschlecht zu Erfurt. *Heinrich*, *Johann* und *Kersten* v. S. waren 1463 gräflich gleichische Lehnsleute zu Goldbach und Letzterer ward 1475 von Johann Spitznasen, Voigt zu Gleichen, des Grafen Sigismund v. Gleichen wegen, ins Gefängniss zu Tonna beschieden.

Scharnhorst, die Herren von.

Gerhard David v. S., königl. Oberst, wurde am 14. Decbr. 1802 in den preussischen Adelstand erhoben. Er wurde den 10. Novbr. 1756 auf einem kleinen Pachthofe zu Hämelsee im Königreich Hannover geboren. Den Militairdienst begann er in der hannövrischen Kavallerie, und vertauschte bald die Waffen der Reiterei mit denen der Artillerie. In derselben diente er im Laufe der Feldzüge der Jahre 1793, 1794 und 1795 in Flandern und Holland bei dem Heere der Verbündeten. Als Hauptmann der Artillerie befand er sich in dem Hauptquartiere des Generals v. Hammerstein und verrichtete bei diesem den Dienst eines Generalstabs-Offiziers. Im Jahre 1794 vertheidigte Herr v. Hammerstein die befestigte Stadt Menin gegen eine bedeutende französische Abtheilung, und schlug sich mit seiner Garnison, nachdem alle Mittel der Vertheidigung erschöpft waren, mit so viel Entschlossenheit als Geschicklichkeit durch den Feind, dass diese als eine der glänzendsten Waffenthaten in jenem Feldzuge anerkannt worden ist, und Herr v. S. bei dieser Gelegenheit sich so auszeichnete, dass der General v. Hammerstein an seinen Souverain, den König von England, folgenden Bericht erstattete: „Vor allem andern halte ich mich verpflichtet, des Hauptmann v. Scharnhorst Erwähnung zu thun. Dieser Offizier hat bei seinem Aufenthalte in Menin, beim Bombardement und beim Durchschlagen Fähigkeiten und Talente, Bravour und unermüdeten Eifer, verbunden mit einer bewunderungswürdigen Geistesgegenwart, gezeigt, so dass ich ihm allein den glücklichen Ausgang der Sache verdanke. Er ist bei allen Ausführungen der Erste und der Letzte gewesen, und ich kann unmöglich erschöpfend beschreiben, von welchem grossen Nutzen dieser so sehr verdienstvolle Offizier mir gewesen ist.“ — An den kommandirenden General der hannövrischen Armee schrieb Herr v. Hammerstein unter dem 3. Mai 1794 Folgendes: „Für den Hauptmann Scharnhorst ersuche ich Ew. Excellenz auf das dringendste, eine Gnade von Sr. Majestät zu erbitten; da dieser Mann, wenn jemals Jemandem eine Belohnung für etwas Ausserordentliches geworden ist, sie jetzt im grössten Maasse verdient.“ — Im Jahre 1801 vertauschte v. S. den Dienst in seinem Vaterlande mit dem im preussischen Heere, in welchem er als Oberst-Lieutenant bei der Artillerie angestellt wurde. Im Jahre 1804 ernannten ihn Se. Majestät zum General-Quartiermeister-Lieutenant. Von seinem Eintritte in das preussische Heer bis zum Ausbruche des Feldzuges von 1806 verwendete der Oberst-Lieutenant v. S. seine Zeit ganz ausschliesslich auf den Unterricht in der Kriegskunst. Den Feldzug des Jahres 1806 machte er anfänglich als Chef des Generalstabes des kommandirenden Generals, Herzog von Braunschweig, mit, und wurde in der Schlacht bei Auerstädt in der linken Seite verwundet. In Lübeck wurde der Oberst v. S. gefangen genommen, er hatte sich dem Rückzuge des damaligen General-Lieutenants v. Blücher angeschlossen, in Folge der Kapitulation verschaffte ihm General Blücher die Freiheit wieder (durch Auswechselung). Se.

Majestät stellten ihn als General-Quartiermeister bei dem Corps des General-Lieutenant v. L'Estoq an. Später stand der General v. S. an der Spitze der Kriegsverwaltung. Im Jahre 1810 zog er sich von seinem Standpunkte zurück, und legte seinen Posten als Chef des Kriegsdepartements nieder, verblieb aber in königlichen Diensten und führte nach wie vor die Leitung aller Armirungsangelegenheiten des Heeres. Im Jahre 1811 machte er eine sehr geheim gehaltene Geschäftsreise nach Petersburg, und bald nach seiner Zurückkunft begab er sich in denselben Angelegenheiten nach Wien. Der eigentliche Zweck dieser Reise ist niemals bekannt geworden. Als im Jahre 1812 Preussen nothgedrungen war, mit Frankreich einen Allianz-Contract zu schliessen, aber schon während dieser Unterhandlung ein französisches Armee-Corps unter Marschall Davoust's Befehl in Berlin einrückte, machte der General v. S. von Breslau aus den Vorschlag, im schlimmsten Falle die Garnison von Berlin und Potsdam zu vereinigen, um sich mit derselben, den Degen in der Hand, einen Weg nach Schlesien zu öffnen. Se. Majestät sandten den verdienstvollen General v. S., zur Beförderung des Abschlusses der Verträge mit Russland, zum Kaiser Alexander nach Kalisch. Zum General-Lieutenant ernannt, ging v. S. als Chef des Generalstabes der schlesischen Armee mit dem Heere nach Sachsen. Seine Thätigkeit und seine Umsicht förderte zugleich die Organisation und die Ausrüstung der Landwehr. Schon bei den ersten Gefechten im Jahre 1813, mit welchen der grosse Kampf bei Gross- und Klein-Görschen eröffnet ward, traf den General v. S. eine Kugel, die ihn am linken Beine verwundete; er wurde nach Zittau in der Oberlausitz gebracht, und man hielt die Wunde nicht für gefährlich. Der General liess sich nicht abhalten, eine Reise nach Wien in den Angelegenheiten der Verbündeten zu unternehmen, sein Zustand aber verschlimmerte sich auf dem Wege dahin so bedeutend, dass er nur Prag erreichen konnte. Hier erfolgte am 28. Juni 1813 sein Tod. Seine irdischen Ueberreste ruhen nun unter einem schönen Monument auf dem Invaliden-Kirchhofe bei Berlin. — Von seinen Söhnen lebt noch der gegenwärtige Oberst in der Artillerie v. S., welcher mit einer Tochter des verstorbenen Feldmarschalls Grafen v. Gneisenau vermählt war. Aus dieser Ehe sind zwei Söhne und eine Tochter. Ein anderer Sohn des General-Lieutenants starb als Rittmeister a. D. Er war mit einer Gräfin v. Schlaberndorf vermählt und seine minorennen Kinder besitzen ein Gut bei Teltow. — Die Familie v. S. führt ein blaues Wappenschild, in demselben ein von dem obern rechten zum untern linken Winkel gezogener silberner Balken. Auf dem Helme liegt ein blau und silberner, mit drei silbernen Straussenfedern belegter Bund. Die Decken sind Silber und blau.

Scharowetz, die Herren von.

Ein Zweig des böhmischen Geschlechts Scharowetz v. Scharowa wendete sich nach Mähren in Schlesien, wo er sich im Troppauschen ansässig machte. — *Johann Christoph* S. v. Scharowa war 1720 des Fürstenthums Troppau Landrechts-Assessor. — Mehrere Zweige dieses Hauses waren auch im preussisch Schlesien begütert; hier starb am 31. Jan. 1838 ein Herr v. S. auf Bothendorf.

Schauroth, die Herren von.

Die altadelige Familie v. S. gehört Franken, Thüringen und dem

Voigtlande an; sie kommt auch unter den Namen Schaurod, Schwinrod, Schwinrad, Schonenrad und Schoninrad vor. Sie gehört zu den adeligen Geschlechtern, die selten ihrem Namen das von vorsetzten. Roschütz und Räpsenhayn, auch Zeilsdorf sind alte Besitzungen derer v. S. Ihre ordentliche Stammtafel beginnt mit *Hans Georg* v. S. auf Roschütz und *Heinrich* v. S. auf Rüpsenhayn, die um das Jahr 1490 lebten. Auf Hartmannsdorf und Dornau sassen ebenfalls Ritter aus diesem Hause. *Johann Magnus* v. S. auf Hartmannsdorf war 1684 Domdechant zu Naumburg und *Wolf Albrecht* v. S. auf Dornau kommt schon 1510 als fürstl. sächsischer Kriegsrath und Oberster vor. Der fränkischen Linie gehörte der Oberst v. S. an, der 1806 im Husaren-Bataillon v. Bila stand und 1815 als General-Major a. D. starb. Im Regiment Prinz Heinrich stand 1806 ein Lieutenant v. S., der 1828 Major und Commandeur eines Landwehr-Bataillons war. M. s. König I. Th. S. 857—883. Gauhe I. Th. S. 1497. Zedler XXXIV. Th. S. 1031—1034.

Scheel, die Herren von.

Am 24. Novbr. 1825 wurde dem wirklichen Geh. Kriegsrath und Ritter *Friedrich Wilhelm Ludwig* S. ein Adelsdiplom ausgestellt; derselbe hat zwei Töchter und zwei Söhne. Die ältere der Töchter, *Wilhelmine*, ist Wittwe von dem Geh. Rath v. Hartmann, die jüngere, *Henriette*, ist mit dem königl. Kammerherrn und Major Freiherrn v. Weyher und Nimptsch auf Falkenhain in Schlesien vermählt. Der älteste der Söhne, *Emil Alexander* v. S., besitzt die Herrschaft Jono im Grossherzogthum Posen. Der jüngere, *Friedrich Wilhelm Adolph* v. S., ist königl. Regierungsrath in Potsdam, und mit Mathilde Gräfin v. Bülow, Tochter des verstorbenen Ministers v. Bülow, vermählt. — Diese Familie führt im gespaltenen schwarz und goldenen Schilde hier eine Eule, dort eine gestürzte silberne Sense, auf dem Helme drei gestürzte silberne Pfeile.

Schickher, Herr von.

Heinrich Christoph v. S. war königl. preuss. Hauptmann im Regiment Graf v. Wartensleben.

Schildberg, die Freiherren und Herren von.

Bertoldus de S. kommt schon im Jahre 1212 unter dem Adel in Baiern vor. In Schlesien erscheint 1240 ein *Schambor* de S. und 1330 ein *Rambold* de S. Zuletzt ist noch 1586 ein Freiherr v. S. zu Parchwitz bei dem Begräbniss des Herzogs Georg II. von Brieg erschienen. Mit demselben soll am Anfange des 16ten Jahrhunderts dieses Geschlecht erloschen sein.

Schiller, Herr von.

Ernst Friedrich Wilhelm v. S., ein Sohn des unsterblichen Dichters und eines Fräulein v. Lengefeld, ist königl. preussischer Appellationsrath in Cöln.

Schilling, die Herren von.

Durch zwei Jahrhunderte blühte in Schlesien dieses adelige Geschlecht in den beiden Linien zu Hartlieb und Henrichau. Im Jahre 1543 erhielten vier Brüder v. S. aus Schlesien das Indigenat in Polen.

Schirrmann, Herr von.

Der Major im 7ten Infant.-Regiment und Ritter des eisernen Kreuzes I. Classe, S., wurde am 29. Aug. 1825 in den Adelstand erhoben. Das ihm beigelegte Wappen ist quadrirt, im ersten und vierten rothen Felde ist eine silberne französische Lilie, im zweiten und dritten goldenen Felde aber ein im Lauf begriffener weisser Edelhirsch vorgestellt. Auf dem gekrönten Helme wächst ein blau gekleideter bärtiger Mann, mit schwarzem Hut, eine Lilie in der Hand haltend. Decken rechts blau und Silber, links blau und Gold.

Schleebrügge, die Herren von.

Eine adelige Familie in Westphalen; ihr gehört an der Landrath des Kreises Lüdinghausen im Regierungs-Bezirk Münster v. S.

Schleebusch, die Freiherren von.

Dieses freiherrliche Geschlecht, das besonders in früheren Zeiten meist Schleepusch geschrieben wurde, stammt aus einem gleichnamigen Städtchen im Herzogthum Bergen in den Niederlanden. — *Jacob* v. S., kaiserl. General, wurde treu geleisteter Dienste wegen in den Freiherrenstand erhoben; er vermählte sich mit Anna Elisabeth v. Kicke, verwittwete Baronin v. Lundy (gest. 1706), und besass die Güter Lanckau, Schönberg, Gross-Poltwitz und Heidenberg; er starb am 22. Septbr. 1675 zu Liegnitz. Aus seiner Ehe hatte er eine Tochter, die sich 1687 mit Heinrich Alexander v. Bibran und Modlau vermählte.

Schleicher, die Herren von.

Der gräflich lippische Regierungsrath, *Christian August Ferdinand* S., wurde den 15. Juli 1778 vom Kaiser Joseph II. mit seinen Nachkommen in den Reichsadelstand erhoben. Ein Sohn desselben stand im Jahre 1806 als Premier-Lieutenant in dem Infanterie-Regiment v. Wedell zu Bielefeld und blieb im Jahre 1815 als Major des 1sten Elb-Landwehr-Infanterie-Regiments. Seine Tochter, *Sophie* v. S., ist gegenwärtig Conventualin des Stiftes Geseke und Keppel in Westphalen.

Schleuse, die Herren von der.

Sie stammen aus Oestreich, von wo sie sich im vorigen Jahrhundert nach Preussen gewendet haben. Vier Brüder dieses Namens standen 1806 im preussischen Dienst. Der älteste war 1806 Lieutenant im Regiment v. Rüchel zu Königsberg und starb 1813 als Capitain an ehrenvollen Wunden; der zweite, ebenfalls Lieutenant in diesem Regiment, ist 1825 als Major pensionirt worden; der dritte stand im Regiment v. Schöning und trat 1807 mit königl. Erlaubniss in kaiserl. russische Dienste; der vierte, der in demselben Regiment diente, ist gegenwärtig Obrist, zweiter Commandant von Stettin, Ritter des eisernen Kreuzes u. s. w.

Schmidt, die Herren von, Bd. IV. S. 184.

Von preussischer Seite sind sieben Familien dieses Namens in den Adelstand erhoben worden.

1) Durch Diplom vom 9. Juli 1736 und Erneuerung vom 16. Mai 1786. Diese Familie führt im blauen Felde und auf dem Helme einen Hammer, als ursprüngliches Wappenbild.

2) Durch Diplom vom 2. Octbr. 1746. Ein durch die Ernennung in den Adelstand belohnter Offizier, der einen geharnischten, den Säbel schwingenden Arm im Schilde und auf dem Helme führte.

3) Diplom vom 8. Febr. 1792. Dieses ist dem in unserm Artikel erwähnten General-Lieutenant von der Armee v. S. zu Berlin ausgestellt, wie wir bereits mit Hinzufügung der Wappenbeschreibung angeführt haben.

4) Diplom vom 6. Juli 1798. Diese Familie führt ein schräg in roth und blau getheiltes Schild. Im rothen Felde liegt ein goldener Anker, im blauen drei goldene Sterne. Auf dem Helme wiederholt sich ein schwebender Stern zwischen zwei schwarzen Adlerflügeln.

5) Diplom vom 18. April 1811. Diese Familie führt den Namen v. Schmidt-Wierusz-Kowalski; in ihrem in Silber und Gold quer getheilten Schilde ist oben ein schwarzer Geisbock, unten eine Fahne in Silber und grün vorgestellt. Der Helm ist mit fünf silbernen Straussenfedern besteckt.

6) Diplom vom 13. Novbr. 1831. Diese Familie führt einen mittelst eines silbernen Balken in ein blaues und ein schwarzes Feld zerfallenes Schild. In dem obern blauen Felde sind drei neben einander stehende Sterne, im untern schwarzen Felde aber ein silberner Anker vorgestellt. Auf dem Helme schwebt wieder ein Stern zwischen zwei roth und weiss gevierteten Adlerflügeln.

7) Diplom vom 7. Aug. 1834. Diese Familie führt im silbernen Schilde zwei schwarze Querbalken, der oberste ist mit zwei, der untere mit einem Sterne belegt. Auf dem Helme steht zwischen einem weiss und schwarz gevierteten Adlerfluge ein goldener Mörser, über dem eine brennende Bombe schwebt.

Schmieden, Herr von.

Im preussischen Staatsdienste steht der königl. Ober-Regierungsrath v. S., Dirigent einer Abtheilung der Regierung zu Frankfurt a. d. Oder.

Schmitz, die Herren von.

Arnold v. S. wurde im Jahre 1719 in den Reichsadelstand erhoben. *Franz Matthias* v. S., Ritter des eisernen Kreuzes, steht als Major im 29sten Infanterie-Regiment in Coblenz. — *Maria Beatrix Theodora* v. S. ist an einen v. Düsseldorf zu Coblenz vermählt.

Schnitter, die Herren von,

Diese adelige Familie stammt aus Görlitz. Sie hat ihren Adel durch ein am 2. Octbr. 1536 vom Kaiser Karl V. ausgestelltes Diplom erhalten. Derselbe wurde am 10. Juli 1562 vom Kaiser Ferdinand I. und am 4. Nov. 1698 vom Kurfürsten Friedrich III. von Brandenburg erneuert. Diese Familie führt im quadrirten Schilde, im ersten goldenen Felde einen halb sichtbaren schwarzen Adler, im zweiten und dritten rothen Felde einen aus den Wolken kommenden Arm, der eine Sichel führt, im vierten schwarzen Felde zwei goldene Querbalken. Auf dem gekrönten Helme zwei Adlerflügel, der rechte oben schwarz, unten Gold, der linke oben Silber, unten roth, dazwischen der Arm mit der Sichel. Decken rechts roth und Silber, links schwarz und Gold.

Schnürling, die Herren von.

Diese jetzt nicht mehr vorkommende preussische Familie ist am 7. Decbr. 1663 vom grossen Kurfürsten mit einem Anerkennungs-Diplom versehen worden. Ihr Wappenschild ist quer in blau und Gold getheilt, in der obern blauen Hälfte schreitet ein goldener Löwe nach der rechten Seite vor, in der untern goldenen Hälfte sind drei blaue Querbalken gezogen. Auf dem gekrönten Helme wächst der Hals eines Löwen. Decken Gold und blau.

Schönbeck, die Herren von, Bd. IV. S. 189.

Die adelige Familie v. S. erhielt am 26. Aug. 1691 vom Kurfürsten Friedrich III., nachmals als König Friedrich I., ein Anerkennungs-Diplom. Das Wappen derselben ist aber ganz verschieden von der gleichnamigen Familie in Pommern, welche wir in unserm Artikel genannt haben. Die hier erwähnte führt ein redendes Wappen. Das Schild ist quer durch einen goldenen Balken getheilt, unter demselben fliesst über grünem Rasen ein schöner Bach (Schönbeck), über dem Balken ist das Schild in blau und Silber gespalten, in jedem dieser Felder steht eine Lilie mit abwechselnden Farben. Auf dem Helme ist eine schwebende, rechts silberne, links blaue Lilie zwischen zwei in blau und Silber gevierteten Lilien angebracht. Decken blau und Silber. M. s. Zedler XXXV. Bd. S. 647. Angeli, Anal. S. 254. Okolski P. III. S. 203.

Schoenfeld, die Herren von.

Eines der ältesten adeligen Geschlechter Deutschlands, dessen ältester Stammsitz das fürstl. reussische Dorf Schoenfeld, an der thüringisch-fränkischen Grenze gelegen, gewesen sein soll. *Poppo* v. S. kommt schon 1119 unter den Zeugen in einer Urkunde des Klosters Michaelifeld vor; später begab sich ein Hauptzweig nach Meissen und legte die Schlösser und Dörfer gleiches Namens daselbst an. Seit 1260 besass es dort den Rittersitz Wachau und den Friedewald, welchen letztern sie gegen das Städtchen Radeberg und das Dorf Sack 1326 an den Markgrafen von Meissen vertauschten. Von hier aus gingen die Linien in den Leipziger Kreis, in die Lausitz, in die Mark, in Franken, in Hessen und in die beiden späteren thüringisch-meissnischen Linien, in Dänemark u. a. m. aus. Aus der Wachauischen Hauptlinie erhielt *Johann Siegfried* 1704 die Reichsgrafenwürde, die sein Grossvater *Johann Nicolaus* in Wien ausgeschlagen hatte, und das Erbtruchsessamt von Bamberg. Seine Linie erlosch mit *Johann Georg* 1770, und Wachau, Radeberg fielen an die Lehnsvettern, die damals noch lebenden vier Söhnen des fürstl. schwarzburg-rudolstädtischen Hofmarschalls *Johann Friedrich* v. S. zu Kochberg, nachheriger Rittergutsherr zu Reschwitz, unter denen der nachherige königl. preussische Landjägermeister *Karl Wilhelm* v. S. (geb. 1721, gest. 1806) ein wegen seiner grossen Rechtlichkeit von Friedrich

26*

dem Grossen und den beiden nachfolgenden Königen hochgeachteter Staatsdiener war. — Von der Wachau-Kochberg-Reschwitzer Linie leben in Baiern, Schwarzburg-Rudolstadt und Ungarn zusammen vier männliche Glieder. — Aus der Wachau-Steinborn-Loebnitzer Linie wurde dem ältern Zweige von Loebnitz 1783 die Reichsgrafenwürde ertheilt. Aus einer Linie, die sich im 16ten Jahrhundert von Wachau in Meissen nach Hessen begab, ward N. N. v. S. 1795 General-Major und Regiments-Chef des vormaligen Regiments v. Borch in königl. preussischen Diensten.

Ein anderer Hauptzweig kam von Thüringen über Meissen und legte wahrscheinlich das Städtchen Schoenfeld im Elbogner Kreise in Böhmen an. Er erhielt den böhmischen Ritter-, nachher den Freiherrenstand und 1678 die Reichsgrafenwürde. Ihr Name, Wappen und Titel kam durch eine Erbtochter auf die Grafen Wratislaus. Aus einer Seitenlinie dieses Namens, die sich nach Schlesien begab, starb *Georg August* 1795 als königl. preuss. General-Lieutenant, Ritter des schwarzen Adlerordens. Ein Sohn aus der zweiten Ehe desselben steht als Premier-Lieutenant bei der Garde-Husaren in Potsdam. — Wo die Familie verbreitet gewesen, finden sich auch Rittersitze und Dörfer Schoenfeld, was die Wahrscheinlichkeit giebt, dass die meisten von ihnen erbaut worden sind.

Das Wappen des Hauptstammes von Wachau enthält einen schräg links gelegten schwarzen Ast im goldenen Felde im Schilde. Auf dem offenen Turnierhelme, der gekrönt ist, sind neun schwarze Hahnenfedern angebracht. Helmdecken schwarz und golden.

Das Wappen des zweiten Hauptstammes ist ein Mal senkrecht und sechs Mal quer getheilt, mit abwechselnden Tincturen: schwarz und golden. Helmschmuck auf dem gekrönten Turnierhelme: neun schwarze Hahnenfedern. Helmdecken schwarz und golden.

Ein dritter Hauptstamm, welcher längst ausgegangen ist und in Schweden die Grafenwürde erhielt, führte im Schilde zwei schwarze Querbalken im goldenen Felde; übrigens aber gleich mit den vorhergehenden Stämmen.

Dieses Geschlecht ist nicht mit anderen dieses Namens zu verwechseln, die andere Helmzeichen haben und nicht Eins von den vorgenannten drei Wappenschilden führen.

M. s. genealog. Taschenbuch der deutschen gräfl. Häuser, Gotha 1836. S. 437—438 (man lese aber Bamberg statt Würzburg und 1678 statt 1768). Hellbach's Adels-Lexicon II. Th. S. 431. enthält ein Verzeichniss von vielen Werken, die Nachrichten enthalten; ist aber sonst sehr verwirrt.

Scholten, die Herren von.

Dieses adelige Geschlecht stammt aus Dänemark, wo 1735 *Heinrich* v. S. zur Würde eines General-Lieutenants gelangte. — Ein Gen.-Major v. S. starb 1791 als Chef des in Stettin, später in Warschau in Garnison gestandenen Infant.-Regiments No. 8., zuletzt v. Ruits. Im Jahre 1806 stand ein Hauptmann v. S. in dem königl. Artillerie-Corps; er wurde 1816 als Oberst dimittirt und starb 1819 in Berlin, wo noch gegenwärtig seine Wittwe, geb. Syburg, lebt. Sein Sohn ist Hauptmann in der Garde-Artillerie.

Schrader, die Herren von.

Ein Capitain v. S. stand im Jahre 1806 im Infanterie-Regiment

v. Mannstein; er starb im Jahre 1813. Noch gegenwärtig stehen mehrere Subaltern-Offiziere dieses Namens in der Armee. Im 8ten Cürassier-Regiment steht der Rittmeister S. v. Beauvoye. Im königl. Civildienst befindet sich der Steuerrath v. S., Oberzollinspector zu Colberg.

Schreger, Herr von.

Im Jahre 1806 stand ein Lieutenant v. S. in dem Infanterie-Regiment v. Schöning in Königsberg. Er ist im Jahre 1813 als Capitain an ehrenvollen Wunden gestorben. Eine Tochter desselben ist gegenwärtig Stiftsfräulein zu Stolpe in Pommern.

Schrickell, die Herren von.

Eine adelige Familie in Schlesien. Zu Rothenburg starb im Jahre 1837 einer v. S., der nach seinem letzten Willen bedeutende Summen für Kirchen und Schulen aussetzte.

Schuckmann, die Freiherren und Herren von.

Diese adelige Familie stammt aus dem Mecklenburg-Schwerinschen. Hier ist der Rittersitz Mölln im Amte Goldberg des Herzogthums Güstrow ein Stammgut derselben. Aus dem Hause Mölln war *Friedrich* Freiherr v. S. königl. preuss. Staatsminister, geb. den 26. Decbr. 1755, gest. zu Berlin am 18. April 1834, nachdem er kurz vorher in den Stand der Ruhe getreten war. Er bekleidete vom Jahre 1795 an die Stelle eines Kammerpräsidenten in Baireuth und Anspach, bis diese Provinzen in andere Hände kamen. Damals schlug er glänzende Anerbietungen, in fremde Dienste zu treten, aus, und nach einer kurzen Haft von Seiten der Franzosen in Mainz und Heidelberg begab er sich nach Schlesien, wo er sich ankaufte. Im Jahre 1810 erschien er als Deputirter der schlesischen Stände in Berlin; er wurde in demselben Jahre als Geh. Staatsrath und Chef der Abtheilung für den Handel und das Gewerbe, so wie für den Kultus und den öffentlichen Unterricht im Ministerium des Innern angestellt. Unter seiner Leitung wurde unter anderen Instituten nicht nur die neue Universität zu Berlin vollständig, sondern auch die zu Breslau unter Vereinigung mit der Frankfurter neu organisirt und dotirt. Im Jahre 1817 verlor er bei der Veränderung der Ministerialdepartements den Kultus und den öffentlichen Unterricht, dagegen wurde ihm das Berg- und Hüttenwesen zugetheilt. Nachdem er schon im Jahre 1816 den grossen rothen Adlerorden mit Eichenlaub erhalten hatte, wurde er am 11. Jan. 1829 mit dem schwarzen Adlerorden geschmückt. Auch war er in den preussischen Freiherrenstand erhoben worden. Auch als Schriftsteller hat sich Herr v. S. in staatswirthschaftlicher Beziehung bekannt gemacht. — Die Wittwe des Staatsministers ist eine Freiin v. Lüttwitz. Ein Sohn aus erster Ehe ist der Oberbergrath v. S. zu Brieg in Schlesien. — In der Armee haben mehrere Edelleute aus diesem Hause gedient, noch gegenwärtig steht im 26sten Infanterie-Regiment der Major und Ritter des eisernen Kreuzes v. S., und im 11ten Infanterie Regiment der Hauptmann und Ritter des eisernen Kreuzes v. S.

Schütz, die Herren von.

Verschiedene adelige Familien dieses Namens findet man in Schlesien, Franken, Meissen, Schwaben und anderen Ländern verbreitet. Hierher gehören vorzüglich 1) die v. S. in Schlesien, welche im Anfange des 18ten Jahrhunderts Zothen bei Löwenberg besassen und die zu den ältesten und vornehmsten adeligen Geschlechtern gezählt werden. Sie führen im blauen Schilde einen mit den Hörnern nach oben gekehrten silbernen Mond, darüber drei Sterne, und auf dem Helme drei Straussenfedern (Silber, blau, Silber). Sinapius II. Th. S. 982. Nicht zu bestimmen vermögen wir, ob die drei Gebrüder v. S., die Söhne des Hofmarschalls v. S. in Pless, zu dieser alten schlesischen Familie gehören, oder aus dem Anhaltischen nach Schlesien gekommen sind. Von denselben war *Ernst Ludwig* v. S. 1806 Regierungsrath, und *Karl Sinold* v. S Oberforstmeister und Kammerdirector. Der dritte, *Friedrich* v. S., hat in dem Regiment v. Dolfs Cürassier gestanden. Einer dieser drei Brüder war noch vor einigen Jahren Director und Bevollmächtigter auf den Besitzungen des Grafen Hochberg-Fürstenstein und mit einer Gräfin v. Wedell vermählt.

2) Das alte Geschlecht derer v. Schütze oder Schütte in den Marken und in der Lausitz, dem namentlich Bohnsdorf im Cottbusschen gehörte.

3) Die preussischen Ernennungen, als:

Am 22. April 1790 erhob König Friedrich Wilhelm II. die Brüder *Johann Friedrich* und *Georg Karl Gotthelf* S. in den Adelstand. *Johann Friedrich*, geboren zu Pasewalk 1744, war Geh. Kriegs- und Domainenrath, Administrator der Herrschaft Schwedt u. s. w., und starb am 8. Mai 1798 zu Stettin. *Georg Karl Gotthelf* war königl. Ober-Kriegs- und Domainen-Rechnungsrath, und starb im Jahre 1805. Er hat eine Tochter hinterlassen, *Wilhelmine* v. S., die als Wittwe des Generals v. Schack zu Berlin lebt.

Diese v. S.'sche Familie führt ein gespaltenes roth und schwarzes Schild, im rothen liegt der goldene Bogen, im schwarzen zwei übers Kreuz gelegte silberne Pfeile. Auf dem Helme steht ein Bogenschütze mit gespanntem Bogen, oder vom gespannten Bogen einen Pfeil abschiessend.

Des jetzt regierenden Königs Majestät erhoben am 10. Juli 1803 den Geh. Ober-Finanzrath S. in den Adelstand. Das Wappen ist quadrirt, im ersten und vierten goldenen Felde ist ein gekrönter schwarzer Adlerkopf, im zweiten und dritten Felde sind drei über einander gelegte Pfeile vorgestellt. Auf dem gekrönten Helme schwebt zwischen zwei mit dem Kleestengel belegten schwarzen Adlerflügeln eine goldene mit dem Pfeile besteckte Armbrust.

4) Die v. S. in Sachsen. Ihnen gehörte an *Hans Adam Heinrich* v. S., der einzige Sohn des ehemaligen kursächsischen Obersten und Kommandanten von Sonnenstein und einer v. Gersdorf, geboren bei Cottbus in der Niederlausitz. Er gelangte in jungen Jahren zur Würde eines preussischen Oberst der Husaren, und blieb, nach abgelegten zahlreichen Beweisen von Klugheit und Bravour, im Jahre 1745 in einem Gefechte bei Königsgrätz. Friedrich II. schätzte ihn ganz besonders als einen der besten Führer seiner leichten Reiterei. Fast 30 Jahre nach dem Tode des Obersten erinnerte sich der grosse Monarch noch einmal seiner, denn als er bei der Revue im Jahre 1774 den einzigen Sohn des Gebliebenen fand, sagte er zu ihm: „Weiss Er wohl, dass Sein Vater der rechte Schöpfer meiner Husaren gewesen ist?“ M. s. biograph. Lex. aller Helden u. Militair-Personen. III. Th. S. 444 f.

Nicht zu bestimmen vermögen wir, ob derselben sächsischen Familie der königl. General-Major v. S. und Ritter vieler Orden, zuletzt Brigadier der Besatzung der Bundesfestung in Mainz angehört. Er war als ein sehr gelehrter Offizier bekannt, der seine Erfahrungen und sein Wissen in mehreren schätzbaren Werken niedergelegt hatte. Sein Tod erfolgte im Jahre 1836 auf einer Reise im südlichen Frankreich.

Schütze, die Herren von.

Am 11. Novbr. 1786 wurden die Söhne des königl. Commerzienraths *Friedrich Wilhelm* S., auf Schoeneiche bei Berlin, *Friedrich Wilhelm* und *Friedrich Wilhelm Ludwig*, in den Adelstand erhoben. Der genannte Geh. Commerzienrath hatte sich durch umsichtige Unternehmungen grosse Verdienste um die Schifffahrt von Stettin erworben, und auf seine eigene Rechnung kam das erste Schiff aus der Levante dahin. Sein Sohn *Friedrich Wilhelm* v. S. ist gegenwärtig Geh. Ober-Regierungsrath bei der Hauptverwaltung der Staatsschulden. Er vermählte sich mit Friederike Karoline v. Struensee, Tochter des Ministers v. Struensee. Schoeneiche ist gegenwärtig im Besitze *Friedrich Wilhelm Ludwigs* v. S., königl. Hauptmann von der Armee. — Diese v. S. führen im blauen Schilde einen aus den Wolken kommenden Arm mit goldener gespannter Armbrust, und auf dem Helme drei Pfeile, die Spitzen silbern, die Stäbe braun, die Federn roth. Decken blau und Silber.

Schultz, die Herren von.

1) Diplom vom 18. Novbr. 1739.

Wappen. Im silbernen Schilde einen rothen, nach der rechten Seite aufspringenden Stier, zwischen dessen Hörnern ein goldener Stern schwebt. Auf dem Helme ein roth und weisser Bund, über demselben ein goldener Stern.

2) Diplom vom 26. Jan. 1787 (m. s. den Bd. IV. S. 200 gegebenen Artikel v. S.).

3) Diplom vom 3. Mai 1799 und 29. Decbr. 1819.

Wappen. Im blauen Schilde die auf grünem Rasen stehende Göttin der Gerechtigkeit, mit verbundenen Augen, Schwert und Wage. Zwei mit vier silbernen Straussenfedern besteckte Helme, zwischen ihnen ein schwarzer gekrönter Adler; zwei Löwen halten das Schild. Unter demselben steht auf einem Bande der Wahlspruch: *conscia mens recti.*

4) Diplom vom 5. April 1804.

Diese Familie führt das Wappen der unter No. 2. angegebenen Herren v. S.

Schultzendorf, die Herren von.

In dem Regiment Kaiser Alexander diente noch bis in die neueste Zeit ein Capitain v. S., der gegenwärtig Major in Diensten des Herzogs von Sachsen-Altenburg ist. Ein Bruder desselben, *C. F.* v. S., ist Geh. Canzleisecretair beim Ministerium des Innern zu Berlin.

Schulze, die Herren von.

1) Diplom vom 27. März 1791.

Wappen. Ein quadrirtes Schild, im ersten und vierten schwarzen Felde drei silberne, einen Triangel haltende, silbergerüstete Arme, das zweite goldene Feld zeigt einen schwarzen, und das dritte ebenfalls goldene Feld einen rothen Adler. Auf dem Helme zwei silbergerüstete, einen Triangel hoch emporhaltende Arme, zwischen einem schwarzen und einem rothen Adlerflügel. Decken rechts schwarz, Silber und blau, links blau, schwarz und Gold.

2) Diplom vom 19. Jan. 1804.

Wappen. Ein ovales Schild, das durch einen rothen Sparren in ein oben silbernes, unten grünes Feld getheilt wird. Ueber dem Schilde liegt ein Edelhirsch auf grünem Rasen. Sein Hals ist mit einer Edelkrone belegt, oder statt des Halsbandes trägt er eine Krone.

3) Diplom vom 18. April 1811.

Wappen. Im quer durch einen Faden getheilten blau und rothen Schilde, hier einen gerüsteten, ein Schwert führenden Arm, dort einen verkürzten Mohren in silberner Rüstung, die Arme am Ellnbogen abgehauen, auf dem Kopfe einen spitzigen silbernen Hut. Dieses letztere Bild wiederholt sich auf dem gekrönten Helme. Decken rechts roth und Silber, links blau und Silber.

4) Diplom vom 3. Octbr. 1828, ausgestellt der Familie v. Dziobeck-Schulz.

Diese Familie führt das Wappen der unter No. 3. erwähnten Herren v. S.

Schurff (Schürff), die Freiherren und Herren von.

v. Hellbach II. Th. S. 449 führt ein adelig schlesisches und ein freiherrlich tyroler Geschlecht dieses Namens an. In der Schweiz waren zwei Geschlechter dieses Namens:

1) Ein adeliges ausgestorbenes regimentsfähiges Geschlecht zu Luzern, aus welchem *Johann*, Rathsherr im grossen Rathe, abstammte. Er war einer der 40 Eidgenossen, welche sich bei Mühlhausen in dem Zuge gegen den Elsassischen Adel durch 300 Reiter schlugen. Einer gleiches Namens half im Burgunder Kriege das von den Eidgenossen besetzte Schloss der Stadt Iverdon (1476) tapfer vertheidigen, und war Hauptmann im Schwabenkriege in dem Hardt. *Johann* stiftete 1550 die Kapelle St. Nicolaus zu Willisau; Ritter *Ludwig* ward 1599 Schultheiss der Stadt und Republik Luzern. (Leu, Schweiz. Lexicon, XVI. Th. S. 484–485

2) Ein ausgestorbenes regimentsfähiges Geschlecht zu St. Gallen, vielleicht mit dem obigen eines Stammes. *Walther* war 1400 Bürgermeister der Stadt St. Gallen und fiel nach der Schlacht am Speicher an den Lochhalden (1403). *Johann* ward 1430 Bürgermeister; ein anderer *Johann* wurde 1465 und 1475 Bürgermeister; *Hieronymus* studirte zu Basel und Tübingen, ward Doctor der Rechte zu Wittenberg und hierauf Professor der Rechte und churfürstl. sächsischer Appellationsrath, später kurbrandenburgischer Professor der Rechte zu Frankfurt a. d. Oder und endlich zum kaiserl. Assessor bei dem Reichs-Kammergericht ernannt, welche Stelle er aber nicht annahm und 1554 starb. Er war ein guter Freund Martin Luthers und ihm als Advocat auf dem Reichstage zu Worms mitgegeben. Sein Bruder *Augustin* war der Medicin Doctor und Professor zu Wittenberg und starb 1548. (Leu, Schweiz. Lex. XVI. Th. S. 485–486.)

Vielleicht stammt von diesem Geschlechte

3) das schlesische Geschlecht dieses Namens ab.

Schwanenberg, die Herren von.

Im Randow-Bruche der Uckermark liegt das Dorf Schwanenberg, das Stammhaus eines uralten adeligen Geschlechtes, aus dem *Ludolph* v. S. schon 1221 von mehreren Capitularen zum Bischof von Brandenburg erwählt wurde. Die letzten dieses Geschlechtes, die Brüder *Heinrich* und *Johann* und deren Vetter *Lorenz* waren 1486 Lehnsherren auf Schmölln, einem spätern Amtsdorfe. S. Grundmann 49. Angeli 97.

Schwanenfeld, die Herren von.

Eigentlich heisst die Familie Sartorius v. S.; sie wurde am 26. April 1787 von preussischer Seite anerkannt. Ein Mitglied der Familie besitzt ansehnliche Güter, namentlich Sartowitz in Westpreussen. Einer v. S. war 1806 Lieutenant im Regiment v. Kalkreuth zu Marienburg und Adjutant im Grenadier-Bataillon v. Vieregg; er starb 1807. Gegenwärtig lebt zu Breslau der Oberstlieutenant a. D. v. S.; er stand 1806 im Regiment v. Wagenfeld Cürassier und schied 1821 als Major und Commandeur des 1sten Husaren-Regiments aus. Diese Familie führt ein quadrirtes golden und rothes Schild, in den goldenen Feldern ist der Kopf eines Mohren mit silberner Augenbinde, in den rothen Feldern aber ein silberner Schwan vorgestellt. Der Schwan wiederholt sich auch auf dem Helme. Decken links schwarz und Gold, rechts roth und Silber.

Schwartzbach, die Herren von.

Diese Familie ist eine altadelige, ihres Ursprungs nach aus Böhmen, wo sie ehedem am Wasser Schwarz gewohnt und hiernach den Namen: Schwartzbach angenommen hat.

Im Jahre 919 wandten sich einige dieser Familie aus Böhmen weg und liessen sich zu Avensberg in Baiern, andere aber bei der Stadt Nürnberg nieder, woselbst sie nach ihrem Vaterlande: „v. Schwartzbach die Böhaime," auch wohl blos: „die Böhaime," genannt wurden.

Albrecht v. S. d. B. war 1198 bei dem Turnier zu Nürnberg und bewies sich in den Kampfspielen, welche der Kaiser Heinrich IV. daselbst veranstaltet hatte, so tapfer und geschickt, dass ihn der Kaiser zu seiner Begleitung nach Schwaben auswählte.

Conrad v. S. d. B. folgte dem Kaiser Conrad IV. nach Sicilien und blieb daselbst 1252.

Franziskus v. S. d. B. war 1300 ein deutscher Ordens-Ritter.

Sebald v. S. d. B. wurde 1433 vom Kaiser Sigismund in Rom auf der Tiberbrücke zum Ritter geschlagen.

Stephan v. S. d. B. wurde 1444 Probst im Stift St. Stephani zu Bamberg.

Martin v. S. d. B. lebte im 15ten Jahrhundert und starb 1474.

Besonders merkwürdig ist der Sohn des Vorstehenden:

Martin v. S. d. B., geb. zu Kramlau im Prachinser Kreise, einer der gelehrtesten Astronomen und Mathematiker seines Jahrhunderts. Von der Herzogin Isabella von Burgund, Gemahlin des Herzogs Philipp des Frommen, erhielt derselbe ein Schiff, mit welchem er nach seinem Gutdünken das Weltmeer durchstrich und endlich die Insel Fayal entdeckte, woselbst er sich den grössten Theil seines Lebens aufhielt. Nachdem er hierauf durch Johann II., König von Portugal, im Jahre 1485 die Genehmigung zu einer neuen Entdeckungs-Reise erlangt hatte, entdeckte derselbe noch vor Columbus den Theil von Amerika, welchen man jetzt Brasilien nennt, so wie die Meerenge, durch die man von Osten nach Westen gelangt und die nachher die Magellanische genannt wurde, da Ferdinand Magellan diese gemachte Entdeckung verfolgte und erweiterte. Er wurde hierauf vom König Johann II. am 18 Febr. 1485 in Allasavas in der St. Salvador-Kirche nach der Messe zum Ritter geschlagen, wobei der König ihm das Schwert selbst umgürtete, der Herzog von Begia den rechten Sporn, der Graf de Melo den linken anschnallte und endlich der Graf Masbarini den eisernen Hut aufsetzte und wappnete. — Er starb den 29. Juli 1506 zu Lissabon und hinterliess:

Martin und *Johann* v. S. d. B., von welchen der letztere ganz besonderen Schicksalen unterworfen war. Derselbe wandte sich wieder nach Böhmen, wo er die vorzügliche Gunst der Kaiser Maximilian I. und Ferdinand I. erlangte und in einem Majestätsbriefe, d.d. Prag den 2. Novbr. 1561, verschiedene damals wichtige Privilegien nebst Wappen und Kleinodien verliehen erhielt.

Dieser *Johann* führte zuerst den Beinamen Keck oder Kheck und soll ihn deshalb erhalten haben: „weil er sich als ein Ruhmdürstiger Edler unter den Helden kecklich hervorgethan habe.“ Sein Sohn:

Michael K. v. S. war Geheimer Rath und Ober-Baumeister. Für seine, den Kaisern Ferdinand I., Maximilian II. und Rudolph II. in Kriegs- und Friedenszeiten geleisteten Dienste, erhielt er gleichfalls einen Majestätsbrief, d.d. Prag den 12. Septbr. 1580, welcher „seinen uralten Adel bestätigte und ihn und seine Nachkommen als Reichs-Einwohner aufnahm.“ Er war verheirathet mit Judith v. Pilgram und starb im Mai 1591. Er hinterliess drei Söhne:

Albrecht K. v. S., Herr auf Dehnitz, vermählt mit Susanne v. Kadow.

Karl K. v. S., vermählt mit einer v. Bobynska.

Johann K. v. S., geb. in Tyrol am 24. Juni 1563.

Der letztere wurde 1593 Domdechant zu Magdeburg und verheirathete sich 1597 mit Sabine v. Holzhausen. Nach dem am 21. April 1612 erfolgten Tode derselben verband er sich mit einer Stiefschwester von ihr, welches aber damals für ein grosses Aergerniss gehalten, und deshalb die Ehe für ungültig erklärt wurde. Er starb am 15. Novbr. 1616 und hinterliess aus erster Ehe einen Sohn:

Hans Albrecht K. v. S., geb. 1602, Herr zu Neugattersleben, verheirathete sich mit einer v. Blankenheim und hinterliess einen Sohn:

Hans Caspar K. v. S., welcher im Türkenkriege 1686 vor Stuhl-Weissenburg als Korporal in dem adeligen chursächsischen Cürassier-Regiment blieb. Er war verheirathet mit Regina v. Lebst auf Holstein in Schlesien und hinterliess:

Johann George K. v. S., geb. 1686, welcher als chursächsischer General-Staabs-Quartiermeister in der böhmischen Campagne auf dem Marsche aus Ungarn bei dem Dorfe Poschow den 19. April 1742 starb. Er war mit Friederike v. Bendeleben und nach deren Tode mit einer v. Herrman vermählt und hinterliess aus jeder Ehe einen Sohn:

Hans Caspar K. v. S., geb den 15. Octbr. 1724, Capitain und Flügeladjutant bei dem Prinzen Xavier, erbte das Gut Mildenau in der Nieder-Lausitz und starb daselbst den 4. April 1809.

Hans Gottlob K. v. S., geb. den 22. März 1730, trat in österreichische Dienste und starb zu Prag den 27. Novbr. 1808 als pensionirter Oberst. — Er war verheirathet mit *Maria Anna Amalia* K. v. S., seiner Cousine.

Der erstere war verheirathet mit Amalie v. Lindenau und nach deren Tode mit Elisabeth v. Dyhrn und hinterliess zwei Söhne:

1) *Hans Karl Heinrich* K. v. S., geb. den 29. Jan. 1766, Hauptmann von der Armee, Landrath und St. Johanniter-Ritter, lebt gegenwärtig in Jauer und war verheirathet mit Amalie v. Lindenau, seiner Cousine, und nach deren Tode mit Louise v. Schack. — Aus erster Ehe leben noch folgende Söhne:

a) *Hans Heinrich*, geb. den 22. Febr. 1794, Rittmeister im 32sten Landwehr-Regiment.

b) *Hans Gustav Adolph*, geb. den 5. März 1800, Justiz-Commissarius zu Jauer.

c) *Karl Herrmann*, geb. den 3. Jan. 1806, Seconde-Lieutenant des königl. 7ten Infanterie-Regiments; als Adjutant und Rechnungsführer zum dritten Bataillon (Jauersches) des 7ten Landwehr-Regiments kommandirt.

2) *Hans August* K. v. S., geb. den 4. Febr. 1767, churfürstlich sächsischer Lieutenant, war verheirathet mit Auguste v. Sternstein und starb den 11. April 1801 im Duell. Er hinterliess einen Sohn:

Hans Gottlob Wilhelm, geb. den 26. März 1792, königl. sächsischer Hauptmann, Rentamtmann und Vorsteher der Fürstenschule in Meissen. Er hat sich vermählt mit Johanna Freiin v. Manteuffel und lebt ein Sohn aus dieser Ehe:

Hans August, geb. den 18. Novbr. 1828.

Ausser der vorstehenden Geschlechtsfolge der v. S.'schen Familie ist noch bekannt:

Johann George v. S. d. B. diente dem Kaiser Rudolph II. in dem Kriege wider die Türken und blieb 1593 bei der Stadt Filleck.

Jobst Friedrich K. v. S. war k. k. Kammerherr und wurde 1600 zu Krakau in der Christinen-Kirche begraben.

Lucas Friedrich v. S. d. B. besuchte mit Rudolph v. Bünau das heilige Land im Jahre 1611 und kam 1612 wieder nach Venedig zurück, wohnte der Krönung des Kaisers Mathias bei und wurde zu vielen Gesandtschaften gebraucht; er starb den 28. Jan. 1648.

Georg Friedrich v. S. d. B. machte sich durch mehrere Uebersetzungen aus dem Englischen in's Deutsche bekannt.

Johann Jacob v. S. d. B. befand sich als ein guter Ingenieur unter des Prinzen Ludwig II. von Bourbon Armee, bekam ein Regiment und wurde durch eine Stückkugel bei einer Belagerung 1652 getödtet.

Johann Sigismund v. S. d. B., geb. 1623, übersetzte die Augsburgische Confession in die polnische Sprache und starb 1656.

Hans Ulrich v. S. war 1778 Schultheiss der Republik Zürich.

Christoph Jacob v. S. d. B., kaiserl. Rath, Truchsess und Resident in der Reichsstadt Nürnberg, wurde den 13. Mai 1681 vom Kaiser in den Freiherrenstand erhoben.

Anna Elisabeth v. S. gab 1723 ein Buch unter dem Titel: „Psalmen Davids, zu Kirchengesängen eingerichtet," heraus.

Franz Karl K. v. S., Herr auf Pozowicz, Webrowa u. s. w., florirte 1738 als Starost nebst zwei Söhnen an der königl. Landtafel in Böhmen.

Friedrich Sigismund Freiherr v. S. wurde 1742 bei der Krönung Karl's VII. zum Ritter geschlagen.

Ausser dem Reiche, Böhmen, Sachsen und Schlesien, hat sich diese Familie in der Schweiz und besonders in Kurland ausgebreitet und ansässig gemacht.

Das Wappen der Familie Keck v. S. besteht aus einem goldenen gekrönten Löwen im schwarzen Schilde — zum Kampfe gerüstet — und auf einem gekrönten Helme, der nach der Rechten sieht, den Oberleib eines goldenen gekrönten Löwens zwischen zwei schwarzen Adlerflügeln.

Ueber diese Familie sehe man: Historisches Lexicon. Leipzig 1730. I. Th. S. 455 u. 456. Zedler's Universal-Lexicon unter v. Schwartzbach u. v. Schwartzenbach. Albrecht, neues genealog. Handb. 1778. S. 243. Histor. Lexicon. Leipzig 1729, unter Behaim v. Schwartzbach. Paprotzky, böhmische Adels-Chronik. III. Th. S. 357—359 Conversations-Lexicon. Leipzig, Brockhaus, unter Behaim (v. Schwartzbach). Doppelmayer's Nachrichten von Nürnberg'schen Mathematikern. II. Th. S. 27—31. Nürnberg 1730. Cellarii, Histor. medii aevi (pag. 213—215) et Geograph. nova (pag. 460). Jenae et Halae 1698. Beschreibung von America, von D. Ol. Dapper. pag. 3b. Dr. Wagenseilii Synop. Hist. univ. pars III. in Perae ejus Juvenili. pag. 527. 528. ejusd. Synop. Geogr. ibid. pag. 105. et ipsius sacra Parentalia Behaimeana. Dom. Joh. Wullferi, Oration. de majoribus oceani Insulis 1691. pag. 99. 101. Nürnberg. Joh. Fried. Stuvenius. 1714. 8. Joh. Bapt. Ricciolus, geograph. reformata. Lib. III. pag. 90. Dr. Mich. Fried. Lochner in s. Comment. de Anonasia, pag. 3. Hieron. Benzo in d. 4. Buch Americae 1550. Dr. Hartmanus Schaedel in Cronico mundi, pag. 290. Pet. Mathäi in Notis ad jus Canonicum. anno 1590. und zwar in Not. ad VII. Decretal. Lib. I. Tit. IX. Joh. Schonerus in s. Opusculo Geographo 1533. zu Nürnberg. Levinus Hulsius edit. zu Nürnberg 1602. Urbano Chauveton. Ein altes Document in Nürnberg d. d 1485. Act. Erud. Leipzig pag. 10. anno 1687. Arch. littéraires de l'Europe, ou Melanges de litt. d'Hist. et de Phil. par M. Suard. No. XVIII. 1805. Allgemeine Reisen zu Wasser und zu Lande. XIII. Bd. S. 5. Wagenseil in Panegyr. Bohem. Joh. Bapt. Ricciol. in Geogr. reform. Lib. III. Cap. 22. Freher in theatro mem. pag. 11 et 12.

Schwarz, die Herren von, Bd. IV. S. 200.

Wir nennen der Vollständigkeit wegen noch folgende Familien v. S.:

1) Schwarz in Valtellin und in Graubündten.

Ein adeliges Geschlecht zu Chur in Graubündten, welches die Lehne und Gerichte Sondalo 1487 von Mailand erhielt und aus Italien unter dem Namen Negri nach dem Veltlin schon im 13ten Jahrhundert kam und sich von da mit dem Stammvater (diplomatisch erwiesen) 1488 zu Parpan in den zehnten Gerichtsbund von Graubündten niederliess und den verdeutschten Namen Schwarz annahm. Es besass das Staatsbürgerrecht von Bündten und seit 1665 das Erbbürgerrecht der Stadt Chur. *Hartmann* fiel als königl. französ. Garde-Schweizer-Lieutenant bei der Erstürmung des Schlosses Orange bei Namur 1692. (Leu, Schweiz. Lex. XVI. Bd. S. 540—541.)

2) Schwarz aus Neapel in Graubündten.

Ein adeliges, aus Neapel stammendes Geschlecht, welches mit *Franz* 1609 das Erbbürgerrecht zu Chur erwarb und auch seinen Namen gleich dem vorigen Geschlechte mit Schwarz verdeutschte. Es besass die Herrschaft Pflummern pfandweise und erhielt 1685 vom Kaiser Leopold I. eine Adelsbestätigung. Mehrere waren Bürgermeister der Stadt Chur. (Leu, Schweiz. Lex. XVI. Bd. S. 541—542.)

3) Schwarz in Graubündten.

Ein edles Geschlecht zu Davor im zehnten Gerichtsbund in Bündten. (Leu, Schweiz. Lex. XVI. Th. S. 543.)

4) Schwarz in St. Gallen.

Ein ausgestorbenes, seit 1477 bekanntes regimentsfähiges Geschlecht der Stadt St. Gallen. (Leu, Schweiz. Lex. XVI. Bd. S. 540.)

5) Schwarz in Glarus.

Ein edles, seit 1596 bekanntes Geschlecht im Canton Glarus. (Leu, Schweiz. Lex. XVI. Bd. S. 538.)

6) Schwarz in Zürich.

Ein ausgestorbenes regimentsfähiges Geschlecht zu Zürich, welches als Chorherren des *Stiftes* zum grossen Münster und im Regimente der Geschlechter von 1253—1389 vorkommt. (Leu, Schweiz. Lex. XVI. Bd. S. 537—538.)

7) Schwarz in Bern.

Ein ausgestorbenes regimentsfähiges Geschlecht der Stadt Bern, welches von 1294—1524 vorkommt. (Leu, Schweiz. Lex. XVI. Bd. S. 538.)

8) Schwarz in Freiburg.

Ein ausgestorbenes, seit 1541 bekanntes regimentsfähiges Geschlecht der Stadt und Republik Freiburg. (Leu, Schweiz. Lex. XVI. Bd. S. 539.)

9) Schwarz in Solothurn.

Ein ausgestorbenes rathsfähiges Geschlecht der Stadt Solothurn, seit 1554 bekannt. (Leu, Schweiz. Lex. XVI. Bd. S. 539.)

10) Schwarz in Zug.

Ein edles Geschlecht von dem Canton und der Stadt Zug. Aus dieser Familie fiel *Heinrich* 1404 bei Bellingona und *Siegmund* bei Marignano 1515. (Leu, Schweiz. Lex. XVI. Bd. S. 738.)

11) Schwarz in Schaffhausen.

Ein regimentsfähiges Geschlecht der Stadt Schaffhausen, seit 1501 bekannt. *Heinrich* fiel als Hauptmann über 345 Mann auf dem Gubel 1531. (Leu, Schweiz. Lex. XVI. Bd. S. 539.)

12) Schwarz zu Basel.

Ein seit 1522 bekanntes edles Geschlecht zu Basel. (Leu, Schw. Lex. XVI. Bd. S. 538—539.)

13) Schwarz zu Zoffingen.

Ein ausgestorbenes regimentsfähiges Geschlecht der Stadt Zoffingen im Aargau, aus welchem *Heinrich* 1325 Schultheiss zu Zoffingen war. (Leu, Schweiz. Lex. XVI. Bd S. 538.)

14) Schwarz zu Mühlhausen.

Ein regimentsfähiges Geschlecht der ehemaligen Schweizerbundes-jetzt elsassischen Stadt Mühlhausen, seit dem Anfange des 17ten Jahrhunderts bekannt. (Leu, Schweiz. Lex. XVI. Bd. S. 543.)

Ob das eine oder das andere Geschlecht dieser 14 Familien S. Nachkommenschaft in Preussen habe, ist uns unbekannt. Wir haben sie aber angeführt, weil adelige Geschlechter S. im preussischen Staate existiren, deren Ursprung wir nicht kennen. Ueber die übrigen ursprünglich deutschen Familien S. sehe man Hellbach's Adels-Lex. II. Bd. S. 454—455.

Schwarzenhorn, die Freiherren und Herren von.

1) Ein ausgestorbenes adeliges Geschlecht in Graubündten oder Rhätien, aus welchem *Guntheim* 1299 lebte (Stumpf, Schweiz. Chron. Leu, Schweiz. Lex. XVI. Th. S. 552.)

2) Eine schlesische Familie gleiches Namens, die aus Graubündten zu uns kam, und aus welcher im 14ten Jahrhundert einige Ritter an den Höfen der piastischen Herzöge vorkommen, namentlich *Hans* v. S. im Jahre 1322 als Rath des Herzogs Heinrich zu Breslau; *Heinze* v. S. im Jahre 1367, Rath des Herzogs Conrad II. zu Oels u. s. w. (Siehe Hellbach's Adels-Lex. II. Bd. S. 455.)

3) Die adelige Familie Schmidt zu Stein am Rhein im Canton Schaffhausen führt von ihrem Edelhofe daselbst, zum Schwarzenhorn, den Namen Schmidt vom Schwarzenhorn oder zum Schwarzenhorn. Diese Familie hat vom Kaiser Karl V. eine Adelsbestätigung erhalten. *Hans Rudolph*, geb. 1590, war zwei Mal als Sclave in türkischer Gefangenschaft und erhielt wegen seiner Verdienste im Kriegs- und Gesandtschaftsdienste um das kaiserliche Haus am 5. Mai 1647 die Reichs-Freiherrenwürde mit einer Wappenvermehrung (Reichsadler und Schwert, den türkischen Greif, Mond und Säbel), welches 1650 und 1658 noch vermehrt wurde mit dem Wahlspruch: *Junctum Aquilae mirare Draconem.* 1647 ward er kaiserl. Hof-Kriegsrath, Waldmeister vom Erzherzogthum Oesterreich und 1650 Grossbotschafter an den Sultan Mahomed zur Friedensabschliessung, 1656 ward er Director des Hof-Kriegsrathes u. s. w. In Ermangelung männlicher Erben übertrug der Kaiser sein Wappen und die Freiherrenwürde auf seines Bruders Sohn *Johann*. Dieser und sein Geschlecht machten aber davon niemals Gebrauch. Freiherr *Hieronymus* Schmidt vom S. starb in Oestreich als Herr zu St. Margaretha und Nicolsdorf am 2. April 1667. Durch seine ältere Tochter *Marie Anne* gelangten die Herrschaften, Wappen und freiherrlichen Namen v. S. an deren Gemahl, Maximilian v. Secau. (Leu, Schweiz. Lex. XVI. Th. S. 379—383.)

Die v. Secau führen jetzt den Titel: Grafen v. Secau, Freiherren v. Schwarzenhorn. (Hellbach's Adels-Lex. II. Bd. S. 465.)

Sebottendorf, die Herren von.

Sie gehören zu den ältesten Geschlechtern in Schlesien und kommen unter den Namen Sebottendorff, Seibottendorf, Zybottendorf, Seitendorff, Setindorff vor. Ursprünglich soll Curland, nach Andern die kurische Nehrung ihr Vaterland sein; hier sollen sie einige Seedörfer besessen haben. Einer ihrer Vorfahren soll als Bote oder Abgesandter an den Kaiser gesendet, von diesem zum Ritter geschlagen und den Namen Sebottendorf erhalten haben. In Schlesien ist Lortzendorf eines ihrer ältesten Stammhäuser, von dem sich noch gegenwärtig eine Linie schreibt. Auch in Preussen und Polen und später in mehreren Ländern Deutschlands, namentlich in Sachsen, haben sich Aeste der Familie ansässig gemacht. In Schlesien waren ausser Lortzendorf auch Cunern im Münsterbergischen, Johnsdorf und Streibendorf im Strehlenschen, Ober- und Niederrosen im Kreuzburgischen, Rosenthal und Murschelwitz im Oblauschen u. s. w. alte Besitzungen des Hauses. *Abraham Friedrich* v. S. (m. s. auch Bd. I. des Adel-Lexicons, Einleitung S. 73) und Lortzendorf, Herr auf Gulau, Ober-

und Nieder-Cunern, hochfürstl. bischöfl. Regierungsrath des Bisthums Breslau zur Neisse und Hauptmann zu Ottmuchau, wie auch Landrechts-Beisitzer im Fürstenthum Münsterberg u. s. w., wird von seinen Zeitgenossen als ein sehr gelehrter und vortrefflicher Mann geschildert. Er hat im Jahre 1705 ein historisch-genealogisches Werk unter dem Titel: „Genealog. Labyrinth des Hauses Sachsen," geschrieben, und später auch eine Genealogie seiner Familie seit 300 Jahren bis auf seine Zeit niedergesetzt. — Die v. S. in Sachsen stammen von *Damian* v. S. aus dem Hause Cunern, der 1519 geboren war, als kursächs. Geh. Rath sich in Meissen niederliess, auch Rothwernersdorf, Neudorf und Krischwitz erkaufte, das Schloss Rothwernersdorf bei Pirna erbaute und, nachdem er zu mehreren Gesandtschaften verwendet worden, am 10. Novbr. 1585 starb. In der Gegenwart scheint die Familie in unseren Staaten nicht mehr reich an Mitgliedern zu sein. In Zielenzig war einer v. S. und Lortzendorf im Jahre 1837 Postmeister; er hatte sich im Befreiungskampfe das eiserne Kreuz I. Classe erworben. — Diese Familie führt im schräg getheilten roth und silbernen Schilde eine schwarze Wasserkannelwurzel mit zwei daran hängenden Blättern. Auf dem Helme sind zwei solche Blätter, ein silbernes und ein rothes, angebracht, sie neigen sich zusammen, dem rothen wächst eine silberne, dem silbernen eine rothe Seerose zu. Die Helmdecken sind Silber und roth. M. s. Sinapius I. Th. S. 865. II. Th. S. 990. Siebmacher I. Th. S. 70. No. 4. u. f. V. Th. S. 74. No. 1. v. Meding III. Th. No. 767. Zedler XXXVI. Bd. S. 840—844.

Seegebarth, Herr von.

Der Geh. Ober-Finanzrath, nachmalige General-Postmeister S. ist in den Adelstand erhoben worden. Derselbe führte ein in Silber und roth gespaltenes Wappenschild, darin ein sechsendiges Hirschgeweih. Auf dem gekrönten Helme war ein schwarzer gekrönter Adlerhals zwischen zwei sechsendigen Hirschstangen angebracht. Decken roth und Silber. Zwei schwarze, gekrönte Adler halten das Schild.

Segner, die Herren von, Bd. IV. S. 209.

Am 4. März (nicht Mai) 1755 ertheilte König Friedrich II. dem Professor zu Halle *Andreas Joseph* v. S. eine Erneuerung des von demselben nachgewiesenen alten Adels seiner Vorfahren. Das Wappen dieser Familie zeigt im blauen Schilde einen rothen, mit drei weissen Rosen belegten Schrägbalken, über und unter demselben steht auf grünem Rasen ein getigerter Löwe, der obere hält einen, der untere drei silberne Pfeile in der rechten Vorderpranke. Auf dem gekrönten Helme steht der getigerte Löwe, verkürzt, zwischen sechs Fahnen (die Stangen golden, die Fähnlein golden und blau), ein kurzes Schwert mit goldenem Griff in der rechten Pranke haltend. Decken rechts blau und Gold, links roth und Silber.

Seidel, die Herren von.

1) Ein adeliges, aus der Schweiz stammendes Geschlecht, das im Jahre 1315 sein Vaterland verliess und nach Deutschland zog. Hier liess es sich in Sachsen, in Schlesien und in den Marken nieder. In Schlesien erwarben sie bei Breslau Güter, namentlich Koberwitz. — *Georg* v. S. war 1687 der Stadt Breslau Syndicus und vornehmstes

Rathsglied, Herr auf Koberwitz. Sein Sohn *Georg* v. S. war königl. preussischer Kammerrath und seine Tochter *Susanna* vermählte sich mit Samuel v. Königsdorf und brachte den schönen Rittersitz Koberwitz an das gegenwärtig gräfliche Haus Königsdorf. Diese Familie führt drei Rosen im Schilde. Sinapius I. Th. S. 879. II. Th. S. 997. Hanckii, monumenta Nov. et Lit. Germ. 1703. p. 250.

2) Eine Familie v. S., die am 20. Febr. 1703 von königl. preussischer Seite ein Anerkennungs-Diplom erhielt. Sie führt ein gespaltenes silbern und rothes Schild, darin liegt in der Mitte ein blauer Halbmond. Auf dem Helme ist über einem roth und silbernen Bunde ein silberner und ein rother Adlerflügel angebracht, zwischen denselben liegt wieder der blaue Halbmond. Decken roth und Silber. M. s. Sinapius I. Th. S. 879.

Seidewitz (Seydewitz), die Grafen, Freiherren und Herren von.

Es stammt diese uralt adelige Familie, die im Jahre 1731 die freiherrliche Würde und im Jahre 1743 die Reichsgrafenwürde erhielt, aus Sachsen; ihr Stammhaus liegt bei Mühlberg, jetzt auf preussischem Boden. Mehrere Zweige des Hauses machten sich auch im Voigtlande und in der Oberlausitz ansässig. Rammenau, Pulswerda, Pomlitz, Michelgrünn, Wölzewitz u. s. w. sind alte Besitzungen des Hauses. — *August Friedrich* Freiherr v. S., kaiserl. Reichshofrath, war es, der vom Kaiser Karl VI. im Jahre 1731 zum Freiherrn und von Karl VII. im Jahre 1743 zum Reichsgrafen erhoben wurde. Diese Erhebung dehnte Kaiser Joseph II. am 10. Juli 1775 auf den Neffen des Vorigen, den chursächsischen Kammerherrn und Hauptmann v. S. aus. Ein Sohn desselben, *Kurt Friedrich August* v. S., starb am 19. Novbr. 1816 als königl. bairischer General-Major (m. s. unten). Im königl. preussischen Staatsdienst stehen der Präsident der Regierung zu Stralsund und Ritter v. S. und der Ober-Steuer-Inspector Freiherr v. S. zu Stargard. Ein Major v. S. ist Führer des ersten und zweiten Aufgebots vom 1sten Bataillon des 3ten Landwehr-Regiments, und im 26sten Infanterie-Regiment zu Magdeburg steht ein Hauptmann v. S.

Das gräfliche Haus besteht gegenwärtig aus folgenden Mitgliedern:

Kurt Max Clemens Karl, Graf v. S., geb. den 28. Jan. 1800, Herr auf Pülsswerda bei Torgau, königl. bairischer Kammerherr und Major a. D., vermählt den 18. Octbr. 1821 mit Josephine Gräfin v. Zedtwitz.

Kinder:

1) *Clementine Elise Henriette*, geb. den 30. Septbr. 1822.
2) *Kurt Maximilian*, geb. den 15. Octbr. 1823.
3) *Elisabeth Kunigunde*, geb. den 26. Aug. 1826.
4) *Therese Charlotte Julie*, geb. den 1. Octbr. 1829.
5) *Maria Hermina*, geb. den 22. Juli 1831.

Vaters-Geschwister:

1) *Auguste Juliane Henriette* Gräfin v. S., geb. den 28. Dec. 1766, vermählt den 15. Juli 1784 mit Joachim v. Dzierzanowsky (geb. den 15. Novbr. 1746), Wittwe seit dem 11. Jan. 1791.
2) *Henriette Wilhelmine Friederike* Gräfin v. S., geb. den 14. Dec.

1770, vermählt den 27. April 1791 mit dem Freiherrn Karl Max v. Welck auf Ober-Rabenstein (geb. den 27. Juli 1745).

3) *Rahel Sophie Marie Mariane* Gräfin v S., geb. den 29. Mai 1772, vermählt den 14. Juni 1800 mit dem Freiherrn Adolph Moriz Kaiserlingk aus dem Hause Ober-Ottendorf (geb. den 23. Decbr. 1761).
4) *Friederike Henriette Antonie* Gräfin v. S., geb. den 3. Aug. 1773, vermählt den 17. Mai 1804 mit Heinrich v. Wilken.
5) *Erdmuthe Elisabeth* Gräfin v. S., geb. den 14. Novbr. 1777, vermählt den 10. Octbr. 1798 mit Leopold Friedrich Hans August Brand v. Lindau, königl. preuss. Kammerherrn und Domherrn zu Magdeburg (geb. den 31. Aug. 1761), Wittwe seit dem 21. März 1801.
6) *Wilhelmine Charlotte* Gräfin v. S., geb. den 24. Jan. 1781, verwittwete Freifrau v. Welck, vermählt zum zweiten Male mit dem königl. sächs. Oberstlieutenant v. Vieth.
7) *Kurt Alexander* Graf v. S., geb. den 22. Octbr. 1783.
8) *Amalie* Gräfin v. S., geb. 1786, verwittwete Freifrau v. Friesen.

Mutter:

Gräfin *Clementine Kunigunde Charlotte*, Tochter des Grafen Herrmann Heinrich Alexander v. Callenberg, geb. den 5. Juni 1770, geschieden vom Grafen Ludwig Karl v. Pückler; vermählt den 13. Mai 1799 mit dem Grafen *Kurt Friedrich August*, königl. bairischen General-Major (geb. den 18. Mai 1769, gest. den 19. Novbr. 1816).

Wappen.

Das ursprüngliche Wappen der Familie ist ein in Gold und schwarz gespaltenes Schild, in der goldenen Hälfte stehen drei Mohrenköpfe, oben zwei, unten einer. Auf dem Helme steht wieder ein Mohrenkopf. Siebmacher I. Th. S. 157.

Selasinski, die Herren von.

Der Major im Regiment Prinz Ferdinand v. Preussen v. S. fiel 1806 in der Schlacht bei Auerstädt. Ein Bruder desselben, der 1806 in dem Regiment v. Schenck zu Hamm als Capitain gestanden hatte, war 1820 aggregirter Major im 20sten Infanterie-Regiment und schied damals mit Pension aus dem activen Dienst. Im Regiment v. Manstein in Gnesen stand 1806 der Lieutenant v. S.; er ist gegenwärtig General-Major, Director der Militair-Examinations-Commission, Ritter des Ordens pour le mérite, des eisernen Kreuzes 1. Classe u. s. w. Es dienen auch mehrere Edelleute dieses Namens als Subalternen Offiziere in der Armee.

Senfft v. Pilsach, die Freiherren und Herren.

Dieses alte vornehme Geschlecht gehört ursprünglich Sachsen und Hessen an. Schon seit dem Jahre 1490 kommen Edelleute dieses Namens vor. In den preussischen Staaten ist diese Familie in Pommern und in der Mark begütert. Im Jahre 1838 starb *Adam Friedrich* Freiherr S. v. P., früher auf Droverburg im Kreise Düren, seit einigen Jahren aber Herr auf Dobberpfuhl in der Neumark. In Pommern besitzt der Rittmeister a. D., S. v. P., Gramentz bei Neu-Stettin. Ein Bruder desselben ist der Hauptmann S. v. P. in dem Regiment

Kaiser Franz Grenadier. Ein Major S. v. P., früher in sächsischen Diensten, ist gegenwärtig dem 36sten Infanterie-Regiment aggregirt und beim Vice-Gouverneur in Mainz commandirt. Eine Schwester desselben ist die Wittwe des Geh. Kriegsraths und General-Landschaftsdirectors Hans Friedrich Heinrich Grafen v. Karmer zu Panskau bei Neumark in Schlesien. — Das ursprüngliche Wappen dieser Familie zeigt im goldenen Schilde den Oberleib eines blauen gekrönten Löwen, dessen Kopf von einem Schwerte durchstochen ist. Auf dem gekrönten Helme wiederholt sich dieses Bild. M. s. Zedler XXXIV. Bd. S. 44 u. s. f. Seifert's Ahnentafel S. 49. Siebmacher I. Th. S. 89. No. 11. v. Meding I. Th. No. 805. u. a. m.

Seybel, die Herren von.

Eine adelige Familie dieses Namens ist in der Rheinprovinz immatriculirt und lebt in Düsseldorf.

Seydel, Herr von.

Den 4. Septbr. 1770 erhob König Friedrich II. einen Lieutenant S. in den Adelstand. Das ihm beigelegte Wappen zeigte im rothen Schilde einen Degen, so gelegt, dass die Spitze gegen die Mitte des obern, der goldene Griff gegen die Mitte des untern Randes trifft. Der gekrönte Helm ist mit drei silbernen Straussenfedern besteckt. Decken roth und Gold.

Seydl (Seidl), die Herren von.

Eine schlesische adelige Familie, aus welcher *Georg Christoph* im Jahre 1729 böhmischer Ritter wurde. Ein Enkel desselben war der preuss. Geh. Rath und Director der Kammer zu Glogau, v. S., und der als Schriftsteller, besonders als Biograph Friedrich's II., bekannte Major v. S. auf Buchwäldchen bei Lüben.

Seyssel d'Aix, die Grafen von.

Aus dieser gräflichen Familie savoyischer Abkunft, deren Ahnherr *Claudius* Seysselius v. Aix in Savoyen, Requettenmeister Ludwig XII., Königs von Frankreich, nachmals aber Bischof zu Marseille und Erzbischof von Turin wurde und 1520 starb, hatten sich der Religion wegen Mitglieder nach dem südlichen Deutschland begeben, namentlich nach Baireuth. Es sind uns zwei Brüder Grafen v. S. A. bekannt; der ältere von ihnen gelangte zur Würde eines königl. bairischen General-Lieutenants. Der jüngere stand im Jahre 1790 in den Diensten des Markgrafen von Anspach und Baireuth, später in den preussischen Regimentern v. Reitzenstein, Laurens und Graf Tauenzien; in dem letztern war er 1806 Staabscapitain. Im Jahre 1828 war er Major im Landwehr-Bataillon des 36sten Infant.-Regiments. Nun ist derselbe schon seit längern Jahren Landrath im Kreise Elberfeld und Ritter mehrerer Orden, namentlich auch des rothen Adlerordens II. Classe seit 1838. Zwei Söhne des Landraths stehen als Offiziere in der Armee.

Sieboldt, die Herren von.

Diese berühmte Familie, aus welcher mehrere hochverdiente

Aerzte hervorgegangen sind, gehört ursprünglich einer jetzt preussischen Provinz, dem Herzogthum Jülich an; hier ist das Städtchen Niedeck ihr Stammort. Daselbst war *Karl Caspar* v. S. geboren, der als würzburgischer Hofrath, Professor und Oberwundarzt im Julius-Spital, am 1. Octbr. 1801 vom Kaiser geadelt wurde; er starb 1807. Von seinen vier Söhnen starb *Adam Elias* v. S., geb. 1775, am 12. Juli 1828 als Geh. Medicinalrath, Professor und Director der Entbindungsanstalt zu Berlin, die er selbst eingerichtet hatte. Sein Neffe, *Philipp Franz* v. S., geb. 1796, hat sich als Reisender, Naturforscher und Schriftsteller sehr berühmt gemacht; er ist gegenwärtig Professor zu Leyden. Im preussischen Staatsdienst steht der Dr. v. S., Director und erster Lehrer am Hebammen-Lehr- und Entbindungs-Institut zu Danzig. Noch erwähnen wir des gelehrten Fräuleins v. S., die als promovirter und approbirter Arzt und Accoucheuse auf eine ausgezeichnete und ehrenvolle Weise zu Marburg wirkte.

Siechart, die Herren von.

Die Herren v. S. mit dem Prädicat v. Sichartshofen stammen aus der ehemaligen freien Reichsstadt Nürnberg. — *Johann Friedrich* S., Seidenfabrikant zu Nürnberg, erhielt am 4. April 1734 vom Kaiser Karl VI. einen Adelsbrief. — *Johann Jacob* S. zu Roveredo wurde im Jahre 1750 in den Reichsadelstand, mit dem Prädicat v. Sichartshofen, erhoben. — In dem Regiment Fürst v. Hohenlohe stand 1806 ein Hauptmann v. Sichartshofen; er war bis 1816, als Major, Commandeur des zweiten schlesischen Landwehr-Reserve-Bataillons. Ein jüngerer Bruder, der 1806 Premier-Lieutenant in demselben Regiment war, stand bis 1813 als Capitain im 14ten Regiment. — In der Gegend von Baireuth lebte noch kürzlich ein Gutsbesitzer v. S., der früher in dem Husaren-Bataillon v. Bila gestanden hatte. Noch gegenwärtig dienen Söhne des oben erwähnten Major v. S. in der Armee.

Siedmogrodzki, die Herren von.

Diese adelige Familie, polnischer Abkunft, erhielt am 31. März 1826 ein Anerkennungs-Diplom ihres Adels. In Berlin lebte ein Professor v. S., von dessen Söhnen einer Referendarius, der andere Pensionär-Arzt ist. — Diese Familie führt im grünen Schilde ein silbernes Hufeisen, darauf ein Kreuz, auf welchem ein Rabe sitzt, der einen Ring im Schnabel hält. Auf der Krone des Helmes wiederholt sich der Rabe. Decken grün und Silber

Sievert, die Herren von.

Ein Offizier dieses Namens wurde in den preussischen Adelstand erhoben. Zwei Töchter desselben lebten am Anfange dieses Jahrhunderts unvermählt in Breslau. Sonst sind uns keine Mitglieder dieser Familie bekannt geworden. Sie führt im rothen Schilde einen auf grünem Hügel nach der rechten Seite galloppirenden geharnischten Ritter, das Ross schwarz, die Rüstung silbern, der Degen geschwungen. Auf dem gekrönten Helme ist ein schwarz gerüsteter, ein Schwert mit goldenem Griff schwingender Arm vorgestellt, der mit dem Ellnbogen auf der Krone ruht. Decken Gold und roth.

27*

Sihler, die Herren von.

Der Lieutenant und Adjutant im Regiment v. Pletz Husaren, S., hat ein Adels-Diplom erhalten. Die Familie v. S. ist in und bei Militsch noch in neuester Zeit ansässig gewesen. Sie führt im silbernen Schilde vier auf grünem Hügel stehende Bäume, darüber schwebt der schwarze Adler mit Krone und Zepter. Auf dem Helme wächst hinter drei silbernen Straussenfedern ein gerüsteter, den Säbel schwingender Arm. Decken blau und Silber.

Slupetzki (pecki), die Herren von.

Aus diesem polnischen adeligen Geschlechte standen mehrere Mitglieder in preussischen Diensten. Im Feldjäger-Regiment stand 1806 der Premier-Lieutenant v. S.; er trat 1814 aus dem ostpreuss. Jägerbataillon als Major aus und wurde später als Forstinspector zu Chodziesen versorgt. Ein anderer Offizier dieses Namens diente zuerst im Regiment Jung v. Larisch, später im 6ten Infanterie-Regiment und starb 1813 als pensionirter Hauptmann.

Sobbe, die Herren von.

Ein adeliges Geschlecht in Westphalen, im Magdeburgischen und in den Marken. In Westphalen waren sie in der Grafschaft Ravensberg ansässig. Zwei Brüder v. S., aus Westphalen, dienten 1806 in der Armee. Der ältere war Oberst und Commandeur des Regiments Kurfürst v. Hessen und Ritter des Verdienstordens, er starb 1823 als pensionirter General-Major; der jüngere war Oberst und Chef eines Füselier-Bataillons in Werden, und starb 1821 im Pensionsstande. Ein dritter v. S., welcher der magdeburgischen Linie angehört, war Major und Commandeur des dritten Musketier-Bataillons vom Regiment v. Zweiffel; er starb 1811. Sein Sohn ist gegenwärtig Major und Commandeur des dritten Bataillons vom 31sten Landwehr-Regiment. In dem Regiment Prinz v. Oranien und im Regiment v. Owstin standen damals Hauptleute dieses Namens. Ein Rittmeister v. S., Ritter des eisernen Kreuzes, aggregirt dem 2ten Dragoner-Regiment, ist Adjutant beim dritten Armeecorps; ein anderer Rittmeister v. S. steht im 8ten Uhlanen-Regiment in Trier. M. s. v. Steinen S 409 und v. Meding I. Th. No. 809.

Soemmeringen, die Herren von.

Ein ehemaliges adeliges Patrizier-Geschlecht zu Erfurt, von welchem nicht unwahrscheinlich die, dem gelehrten Stande zu Erfurt angehörende Familie S. abstammt.

Sokolnicki, die Grafen von.

Ein gräfliches Geschlecht in Polen, von denen mehrere Zweige in der Provinz Posen ansässig sind. — *Joseph* Graf v. S. in Posen wurde im Jahre 1816 königl. preuss. Kammerherr.

Solemacher, die Herren von.

Eine adelige Familie in der Rheinprovinz, namentlich in Coblenz und Cöln. In Coblenz ist *Joseph Clemens* das Haupt der Familie.

Solms, die Fürsten und Grafen von.

Als Vorfahren dieses berühmten Geschlechtes werden die Grafen v. Lahngau genannt, von denen auch König Conrad (gest. im Jahre 918) abstammte. Auf diese Weise haben die v. S. eine gleiche Abstammung mit dem erlauchten Hause Nassau, und das gemeinschaftliche Wappenbild, der Löwe, deutet sichtbar auf diesen Umstand hin. Als der älteste Stammsitz des Hauses wird Braunfels angenommen, dessen Erbauung um das Jahr 946 fällt. Erst um das Jahr 1129 nahm das Geschlecht den Namen Solms an, von einem durch ihre Besitzungen strömenden kleinen Fluss, der aber durch alle Zeiten von dem Namen einer Besitzung begleitet wird. Nachdem das Haus ansehnliche Besitzungen in der Wetterau erlangt hatte, zerfiel es in viele Haupt- und Nebenäste. Die Besitzungen vereinigten jedoch im Anfange des 15ten Jahrhunderts *Otto* und seine Söhne *Bernhard* und *Johann*. Diese beiden letzteren wurden die Stammväter und Begründer der heute noch blühenden beiden Hauptlinien. *Otto* starb 1409. Sein ältester Sohn *Bernhard*, der Stifter der Bernhard'schen Linie, zu der die gegenwärtig fürstlichen Häuser Solms-Braunfels und Solms-Lich-Hohensolms gehören, starb 1450.

I. Die Bernhard'sche Hauptlinie

theilte sich mit den drei Söhnen *Conrad's* (starb 1592) in drei Speciallinien. Die zu Braunfels erlosch am 30. Juli 1693, die jüngste zu Hungen 1678. Graf *Wilhelm Moriz* v. S. von der mittlern Linie zu Greifenstein erbte a) von seines Vaters Bruders Gemahlin Anna Maria 1684 deren Antheil an der Grafschaft Crichingen, dann b) 1693 Braunfels und bekam einen Theil an der Grafschaft Tecklenburg als Erbe der Mutter seines Urgrossvaters *Conrad* (s. oben), den er aber 1707 an die Krone Preussen verkaufte. Sein Sohn *Friedrich Wilhelm* wurde 1742 vom Kaiser Karl VII. für sich und seine Nachkommen in den Reichsfürstenstand erhoben.

Braunfels hatte Theilnahme an der reichsgräflich Wetterauschen Curiatstimme. Dem Fürsten verhiess der Reichsdeput.-Hauptschluss von 1803 eine Virilstimme im Reichsfürstenrathe. Die Aemter Braunfels und Greifenstein (4½ Q. Meile) sind jetzt Preussen, die Aemter Hungen, Gambach und Wölfersheim dem Grossherzogthum Hessen standesherrlich untergeordnet. Ausserdem besitzt das Haus auch einen Antheil an der standesherrlichen Grafschaft Limburg-Gaildorf unter würtembergischer Staatshoheit.

II. Johann'sche Hauptlinie.

Philipp (starb den 3. Oct. 1544) ist der gemeinschaftliche Stammvater ihrer verschiedenen Zweige Lich — *Reinhard* (starb 1562) und ferner Lich — *Ernst* (starb 1590). Die Linie erlosch mit *Herrmann Adolph* 1718. — *Herrmann Adolph* v. Hohen-Solms (starb 1601). *Otto* Laubach (starb 1522). *Magnus* Laubach (starb 1561). *Johann Georg* Laubach (starb 1600).

1) Nachdem der Ast Solms-Lich und Hohen-Solms zu Lich den 10. Juli 1718 erloschen war, erbte *Friedrich Wilhelm* (von dem Aste

zu Hohen-Solms, gest. den 17. Jan. 1744) dessen Besitzthum. Sein Sohn *Karl Christian* (gest. den 22. März 1803) wurde vom Kaiser Franz II. den 14. Juli 1792 in den Reichsfürstenstand erhoben. — Solms-Lich sowohl als Hohen-Solms besassen Reichsstandschaft durch Theilnahme an der reichsgräflich Wetterauschen Curiatstimme. Das Amt Hohen-Solms ist Preussen, die Aemter Lich und Niederweisel sind dem Grossherzogthum Hessen standesherrlich untergeordnet.

2) Die Laubachsche Linie, Speciallinie, aus welcher *Johann Georg* (s. oben) 1600 starb, verbreitete sich in die folgenden verschiedenen Linien und Unteräste: *Heinrich Wilhelm* (gest. 1632) v. Sonnenwalde. *Johann Georg* II. (gest. 1632), *Johann August* (gest. 1680) v. Rödelheim, *Johann Friedrich* (gest. 1696) und *Friedrich Sigismund* (gest. 1696) zu Baruth. Davon *Friedrich Ernst* (gest. 1723) v. Laubach und *Heinrich Wilhelm* (gest. 1741) v. Wildenfels. — Zur Reichsstandschaft mittelst Sitz und Stimme im Wetterauschen Grafen-Collegium berechtigten Rödelheim und Assenheim und Laubach. Von dem deutschen Bundestage wurde für Solms-Laubach und Wildenfels auf grossherzogl. hessischen, für Rödelheim auf grossherzogl. und kurfürstl. hessischen Antrag vom 19. März und 2. April 1819 das Prädicat Erlaucht bestimmt, für Solms-Wildenfels wegen Engelthal, einer früher nicht reichsständischen und nicht reichsunmittelbaren Cistercienser-Frauen-Abtei, welche 1803 im Reichsdeput.-Hauptschluss an Leiningen-Westerburg kam, in demselben Jahre noch von Solms-Wildenfels gekauft und 1822 verkauft wurde. Uebrigens war die Herrschaft Wildenfels unter königl. sächsischer Hoheit zur Zeit der deutschen Reichsverbindung, wenn auch ohne Reichsunmittelbarkeit und Landeshoheit, doch zur Ausübung eines solchen Inbegriffs von Regierungsrechten ermächtigt, den man damals vertragsmässige Landesherrlichkeit oder Regierungs-Gewalt zu nennen pflegte. (Klüber, öffentl. Recht des deutschen Bundes, §. 318 und die Anmerk. b.)

I. Solms-Braunfels.

(Hauptlinie.)

(In den preuss. Rheinlanden und dem Grossherzogthum Hessen. Residenz Braunfels.)

Fürst *Friedrich Wilhelm Ferdinand*, geb. den 14. Decbr. 1797, succedirt den 20. März 1837 seinem Vater, dem Fürsten *Wilhelm Christian Karl* (geb. den 9. Jan. 1759), vermählt den 6. Mai 1828 mit Ottilie, geb. den 29. Juli 1807, Schwester des regierenden Grafen zu Solms-Laubach.

Geschwister:

1) Die Fürstin von Bentheim-Bentheim.
2) Die verwittwete Fürstin von Wied.
3) Prinz *Karl Wilhelm Bernhard*, geb. den 9. April 1800, königl. preuss. Major beim 29sten Landwehr-Regiment.

Vaters Brüder und deren Nachkommen:

1) *Wilhelm Heinrich Casimir*, geb. den 30. April 1765, kurhessischer General-Lieutenant.
2) Kinder des am 13. April 1814 verstorbenen Bruders, Prinzen

Friedrich Wilhelm und der Prinzessin Friederike v. Mecklenburg-Strelitz, jetzige Königin v. Hannover:

a) *Friedrich Wilhelm Heinrich Casimir Georg Karl* ***Max***, geb. den 20. Decbr. 1801, königl. preuss. Major a. D., vermählt den 8. Aug. 1831 mit Maria Anna Gräfin Kinsky, geb den 19. Juni 1809.

Kinder:

aa) Prinz *Ferdinand Friedrich Wilhelm Maria Bernhard Ernst Georg Eugen Ludwig Karl Johannes*, geb. den 15. Mai 1832.

bb) Prinzessin *Karoline Marie Friederike Therese Wilhelmine Ernestine Auguste Ottilie Franziska*, geb. den 13. Aug. 1833.

cc) Prinz *Ernst Friedrich Wilhelm Bernhard Georg Ludwig Maria Alexander*, geb. den 12. März 1835.

dd) Prinz *Georg Friedrich Bernhard Wilhelm Ludwig Ernst*, geb. den 18. März 1836.

b) *Auguste Louise Therese Mathilde*, geb. den 26. Juli 1804, vermählt den 26. Juli 1827 mit dem Prinzen Albert von Schwarzburg-Rudolstadt.

c) *Alexander Friedrich Ludwig*, geb. den 12. März 1807, königl. preuss. Rittmeister und Escadronschef im 8ten Husaren-Regiment.

d) *Friedrich Wilhelm Karl Ludwig Georg Alfred Alexander*, geb. den 27. Juli 1812, königl. preuss. Lieutenant bei dem 8ten Garde-Dragoner-Regiment.

II. Solms-Lich und Hohen-Solms.
(Hauptlinie.)

(In den preussischen Rheinlanden und Hessen. Residenz Lich.)

Fürst *Ludwig*, geb. den 24. Jan. 1805, succedirt den 10. Octbr. 1824 seinem Bruder, Fürsten *Karl* (geb. den 1. Aug. 1803), vermählt den 10. Mai 1829 mit Marie, Tochter des Grafen Ernst Casimir v. Isenburg-Büdingen, geb. den 4. Octbr. 1808.

Bruder:

Ferdinand, geb. den 28. Juli 1806, k. k. Major in der Armee, vermählt den 18. Jan. 1836 mit Karoline, geb. Gräfin Collalto, geb. den 18. Jan. 1818, Tochter des Fürsten Anton Octav. Collalto.

Tochter:

Marie Louise Henriette Karoline, geb. den 19. Febr. 1837.

Mutter:

Fürstin *Henriette Sophie*, geb. den 10. Juni 1777, Tochter des Fürsten Ludwig Wilhelm v. Bentheim-Bentheim und Bentheim-Steinfurt, Wittwe des Fürsten *Karl Ludwig August* seit dem 10 Juni 1807.

Vaters Schwester:

Maria Karoline, geb. den 6. Jan. 1767.

Laubach'sche Speciallinie.

I. Sonnenwald'sche Unterlinie.

1) *Sonnenwalde-Alt-Pouch.*

(Wohnsitz Sonnenwalde.)

Der Stifter dieser Linie ist *Wilhelm Heinrich* v. S. (gest. 1633). Sie theilte sich mit den Nachkommen des Grafen *Friedrich Bernhard* (gest. 1752) in drei Aeste, deren ältester 1803 mit *Franz Xaver*, der jüngste 1810 mit *Otto Heinrich* erlosch. Der mittlere, gestiftet von *Otto Wilhelm* (gest. 1737), hat die erloschenen Aeste beerbt, sich aber mit den zwei Söhnen des Stifters — *Karl Georg* und *Victor Friedrich* — in zwei Zweige getheilt.

Die Grafen *Theodor* und *Karl* (s. Rhaesa) theilten die Lehnsverlassenschaft laut Recess von 1820; nach diesem und dem Traditions-Recess vom 15 März 1820 fiel auf den erstern die freie Standesherrschaft Sonnenwalde und das Rittergut Alt-Pouch, auf den letztern das Rittergut Rhaesa. Eine Gemeinschaft oder ein Mitbesitz findet nicht mehr Statt. Die Häuser Sonnenwalde, Alt-Pouch und Rhaesa sind aber auf einander beliehen, wie dies auch mit allen fürstlichen und gräflich Solms'schen Lehnsbesitzungen der Fall ist.

Graf *Wilhelm Karl Peter Theodor*, geb. den 29. Octbr. 1787, königl. preuss. Kammerherr und Rittmeister, Standesherr auf Sonnenwalde, vermählt den 31. Juli 1809 mit Clementine Constantie Gottliebe, des Grafen Gottlieb Wilhelm v. Bressler Tochter, geb. den 4. Aug. 1790, Besitzerin der Rittergüter Kolitz, Serka, Maltitz, Tetta und Jerchwitz in der Oberlausitz.

Kinder:

1) *Alfred Wilhelm Ludwig*, geb. den 5. Mai 1810, Lieutenant im königl. preuss. Husaren-Regiment zu Münster.
2) *Friedrich Franz Alexander Theodor*, geb. den 6. Febr. 1814, vermählt am 2. April 1837 mit Clara Freiin v. Rex-Thielau.
3) *Victor Christian Constantin*, geb. den 8. Juli 1815, kön. preuss. Lieutenant im 6ten Cürassier-Regiment Kaiser v. Russland.
4) *Clementine Katharine Pauline Johanne Elisabeth*, geb. den 2. Octbr. 1817.
5) *Paul Herrmann Roderich*, geb. den 27. Jan. 1820.
6) *Clemens Eberhard Theodor*, geb. den 2. Juli 1825.

Schwester:

Wilhelmine, geb. den 17. Novbr. 1785, vermählt den 31. Aug. 1804 mit Georg Friedrich v. Arnim auf Neu-Temmen und Besitzer der Succowschen Majoratsgüter.

Mutter:

Friederike Christiane Elisabeth, Gräfin v. Schlippenbach, geb. den 15. Mai 1767, Wittwe des Grafen *Wilhelm Christian* v. Solms (geb. den 13. Novbr. 1756, gest. den 14. Aug. 1799), wieder vermählt den 19. Decbr. 1800 mit Ludwig Georg Conrad v. Ompteda, königl. hannövrischen Geh. Staats- und Cabinets-Minister.

2) *Sonnenwalde-Rhaesa.*

(Wohnsitz Rhaesa bei Düben im kön. preuss. Reg.-Bezirk Merseburg.)

Graf *Karl Christian Benjamin Detlev*, geb. den 15. Octbr. 1761,

Herr auf Rhaesa und Besitzer des Guts Guhlau bei Oels in Schlesien, königl. preuss. Rittmeister, vermählt den 4. Novbr. 1788 mit Johanna Charlotte, Tochter des königl. preuss. Generals der Cavallerie Wolf Moriz v. Prittwitz, geb. den 18. Febr. 1766.

Kinder:

1) Wittwe des Grafen *Karl Detlev Friedrich Moriz* (geb. den 5. Novbr. 1789, königl. preuss. Rittmeister, Herr auf Schiraslowitz und Wirschkowitz bei Pitschen in Nieder-Schlesien): Marie Anne v. Paczinsca und Tenczin, geb. den 16. Septbr. 1799, vermählt den 22. Octbr. 1816, Wittwe seit dem 10. Mai 1829.

Kinder:

a) *Johanna*, geb. den 16. Octbr. 1817.
b) *Karl Joseph Detlev Theodor*, geb. den 17. Octbr. 1818.
c) *Feodor Heinrich Joseph*, geb. den 11. Aug. 1820.
d) *Bertha Ulrike Amalie*, geb. den 11. Septbr. 1821.
e) *Maria Anna Ulrike*, geb. den 21. Septbr. 1827.
f) *Welly Malwine Anne*, geb. den 19. Juli 1829.

2) *Karoline Ulrike*, geb. den 22. Jan. 1792.
3) *Amalie Ulrike Johanne*, geb. den 25. Aug. 1796, vermählt den 6. Jan. 1816 mit Joseph v. Paczinsci und Tenczin.
4) *Karl Ernst Friedrich Moriz Theodor*, herzogl. anhalt-dessauischer Hof-Jägermeister und Kammerherr, geb. den 1. Decbr. 1800, vermählt den 6. Mai 1827 mit Johanne Wilhelmine Louise v. Knebel, geb. den 24. Decbr. 1798.

Söhne

Karl Johann Moriz Wilhelm, geb. den 21. März 1828.
Friedrich Ludwig Detlev Moriz, geb. den 30. Decbr. 1829.

5) *Gustav Adolph Friedrich Moriz*, geb. den 24. März 1804, kön. preuss. Lieutenant beim 11ten Husaren-Regiment.
6) *Otto Theodor Moriz Wilhelm*, geb. den 22. Octbr. 1810, königl. preuss. Lieutenant im 2ten Leib-Husaren-Regiment.

II. Baruth'sche Unterlinie.

1) *Ast zu Rödelheim und Assenheim.*

(Wohnsitz Assenheim.)

Graf *Karl Friedrich Ludwig Christian Ferdinand*, geb. den 15. Mai 1790, succedirt seinem Vater, dem Grafen *Vollrath Friedrich Karl Ludwig*, den 5. Febr. 1818, vermählt den 1. Jan. 1824 mit Louise Amalie, des Grafen Gustav Ernst zu Erbach-Schönberg Tochter, geb. den 9. Aug. 1795.

Kinder:

1) *Bertha*, geb. den 27. Decbr. 1824.
2) *Maximilian*, geb. den 14. April 1824.
3) *Friedrich*, geb. den 7. Decbr. 1827.
4) *Otto*, geb. den 5. Juni 1829.
5) *Emma*, geb. den 19. Aug. 1831.
6) *Agnes*, geb. den 18. Juli 1833.
7) *Cuno*, geb. den 13. Mai 1836.

Geschwister a) aus des Vaters erster Ehe:

1) *Friedrich Ludwig Heinrich Adolph*, geb. den 18. Aug. 1791, kön. preuss. Rittmeister beim 11ten Husaren-Regiment.
2) *Ferdinande Sophie Charlotte Friederike*, geb. den 25. Febr. 1793, Wittwe des Grafen Maximilian v. Erbach-Schönberg seit dem 1. Juni 1823.
3) *Franz Friedrich Karl*, geb. den 27. April 1796.
4) *Eduard Friedrich Heinrich*, geb. den 30. Octbr. 1804, königl. preuss. Lieutenant im 11ten Husaren-Regiment.
5) *Elisabeth Anna Karoline Julie Amalie*, geb. den 9. Juni 1806, vermählt den 5. Octbr. 1826 mit dem Fürsten Friedrich Karl August v. Salm-Horstmar.

b) aus des Vaters zweiter Ehe:

6) *Mathilde*, geb. den 9. Febr. 1813.

Stiefmutter:

Marie Christiane Friederike, geb. den 20. Febr. 1783, des gräflich Solmsschen Regierungsraths Hoffmann Tochter, vermählt den 2. Nov. 1811, Wittwe seit dem 5. Febr. 1818.

2) *Ast zu Wildenfels.*

a) Solms-Wildenfels-Laubach.

(Besitzthum: Die Grafschaft Laubach, bestehend a) aus den vormaligen Aemtern Laubach und Utphe, nebst dem Dorfe Wohnbach; b) aus ¼ der Besitzungen der Abtei Arnsburg, welche 1803 durch den Reichsdeput.-Hauptschluss in reichsständischer Qualität dem Gesammthause Solms zugefallen war; die Abtei selbst kam in den Besitz der Linie Laubach; c) $\frac{5}{48}$ der Herrschaft Münzenberg in der Wetterau, 2¾ Q. Meilen, 7000 Einwohner und ungefähr 100,000 Fl. Revenuen.)

Graf *Otto*, geb. den 1. Octbr. 1799, succedirt seinem Vater, dem Grafen *Friedrich*, am 24. Febr. 1822, vermählt den 11. Septbr. 1832 mit Prinzessin Luitgard Wilhelmine Auguste, Tochter des Fürsten August Karl zu Wied, geb. den 4. März 1813.

Kinder:

1) *Friedrich Wilhelm August Christian*, geb. den 23. Juni 1833.
2) *Thekla*, geb. den 4. Juni 1835.
3) *Ernst*, geb. den 24. April 1837.

Geschwister:

1) *Reinhard*, geb. den 11. Aug. 1801, aggregirter Major im königl. preuss. 7ten Uhlanen-Regiment, vermählt den 20. Octbr. 1836 mit Ida, Tochter des Grafen Ernst Casimir zu Isenburg-Büdingen in Büdingen, geb. den 10. März 1817.
2) *Rudolph*, geb. den 11. März 1803, Ober-Lieutenant im königl. preuss. Garde-Cürassier-Regiment.
3) *Georg*, geb. den 24. Octbr. 1805, Lieutenant im königl. preuss. 7ten Uhlanen-Regiment.
4) *Ottilie*, geb. den 29. Juli 1807, vermählt den 6. Mai 1828 mit dem Fürsten Ferdinand zu Solms-Braunfels.

Mutter:

Sophie Henriette, Gräfin v. Degenfeld-Schomburg, geb. den 23. Decbr. 1776, vermählt den 27. Novbr. 1797.

b) Solms-Wildenfels zu Wildenfels.

aa) Hauptzweig zu Wildenfels.

(In Sachsen, Sachsen-Weimar und dem Grossherzogthum Hessen.)

Besitzungen sind: a) im Königreich Sachsen die Herrschaft Wildenfels und das Gut Trünzig; b) im Grossherzogthum Sachsen-Weimar mehrere Lehngüter; c) im Grossherzogthum Hessen einen Theil der ehemaligen Immediat-Abtei Engelthal. (2½ Q. M., 7531 Einwohner, 35,000 Fl. Einkünfte.)

Graf *Friedrich Magnus*, geb. den 17. Septbr. 1777, succedirt den 12. Febr. 1801 seinem Vater, Grafen *Friedrich Magnus*, vermählt den 26. Aug. 1801 mit Auguste Karoline, Tochter des verstorbenen Grafen Franz zu Erbach-Erbach; Wittwer seit dem 11. Juni 1833.

Kinder:

1) *Karoline Henriette Charlotte Franziska*, geb. den 11. Juni 1804.
2) *Friedrich Magnus*, geb. den 26. Jan. 1811.
3) *Auguste Henriette Anna Maria*, geb. den 6. April 1819.

Des Bruders *Emich Otto Friedrich* (geb. den 7. Decbr. 1794, gest. den 4. Juli 1834) Wittwe: Pauline Adele Sophie, Freiin Sirtoma v. Grovestins, geb. den 5. März 1802, vermählt den 14. Decbr. 1819.

Dessen Kinder:

1) *Emich Christian Friedrich*, geb. den 21. Decbr. 1820.
2) *Louise Karoline Auguste Sophie*, geb. den 19. März 1822.
3) *Karl August Adalbert*, geb. den 7. Septbr. 1823.
4) *Friedrich Magnus Reinhard*, geb. den 22. Jan. 1825.
5) *Otto Douco*, geb. den 30. Decbr. 1827.

bb) Nebenzweig zu Sachsenfeld.

Graf *Karl Alexander*, geb. den 21. April 1778, vormals Herr auf Saathayn, vermählt 1) den 14. April 1800 mit Charlotte Marie Anne Auguste Freiin v. Friesen aus dem Hause Cotta, geb. den 8. Jan. 1783, gest. den 24. Juli 1807; 2) den 15. Septbr. 1816 mit Friederike Amalie v. Geusau, des herzogl. Sachsen-Coburg. Majors v. Wasmer Wittwe, geb. den 17. Jan. 1786, geschieden im Novbr. 1816.

Brüder:

1) *Friedrich August*, geb. den 6. Decbr. 1782, königl. sächs. Oberstlieutenant im 2ten Linien-Infanterie-Regiment Prinz Maximilian, vermählt den 11. Jan. 1824 mit Christine v. Reichmann, verwittwete v. Hünerbein.
2) *Heinrich Ludwig*, geb. den 31. Mai 1784, quittirte die königl. sächs. Militairdienste 1803, vormals Herr auf Sachsenfeld (jetzt Besitzthum seines Schwagers, des Freiherrn v. Müller); vermählt den 23. Aug. 1805 mit Charlotte Ernestine Ottilie, Freiin v. Müller; geschieden.

Kinder:

a) *Arthur*, geb. den 20. Juni 1808, war Assessor bei dem königl. sächs. Landes-Justiz-Collegium.
b) *Karl Allwin*, geb. den 31. Aug. 1809.
c) *Charlotte Marie Anne Ottilie*, geb. den 27. Febr. 1815.

3) *Solms-Baruth.*

Stifter dieser Linie war des Grafen *Georg* des jüngern dritter Sohn, *Friedrich Sigismund* II. (gest. 1697). Die Söhne des Letztern, *Friedrich Sigismund* II. (gest. 1737) und *Johann Christian* I. (gest. 1726), theilten die Herrschaft Baruth (im sächs. Kurkreise), welche Graf *Otto* zu Solms 1596 gekauft hatte, und jeder von ihnen bildete einen besondern Zweig. Im Jahre 1822 vereinigte der Graf *Friedrich* durch Kauf beide Theile der Herrschaft Baruth wieder, und stiftete damit für seine männliche Descendenz ein Majorat.

a) Zu Baruth.

I. Graf *Friedrich Heinrich Ludwig*, geb. den 3. Aug. 1795, Herr der Herrschaft Baruth und der Güter Casel und Golzig, vermählt 1) den 3. Mai 1820 mit Amalie Therese Helene Bertha, Gräfin zu Solms-Baruth (geb. den 23. April 1801. gest. den 20. Aug. 1832); 2) den 30. Mai 1835 mit Ida, Gräfin v. Wallwitz, geb. den 12. März 1810.

Kinder erster Ehe:

1) *Friedrich Herrmann Karl Adolph*, geb. den 29. Mai 1821.
2) *Marie Wilhelmine Elise*, geb. den 4. Aug. 1823.
3) *Bertha Agnes Louise*, geb. den 14. Aug. 1832.

Tochter zweiter Ehe:

4) *Elisabeth Louise Sophie*, geb. den 27. März 1836.

Mutter:

Georgine Friederike Wilhelmine, geb. Gräfin v. Wallwitz, geb. den 23. April 1768, vermählt den 23. Juli 1787 mit dem Grafen *Friedrich*, Wittwe seit dem 7. Aug. 1801.

b) Zu Klitschdorf in Schlesien.

II. Graf *Herrmann Johann Christian*, geb. den 2. Decbr. 1799, Herr der Grafschaft Klitschdorf in Schlesien und der Herrschaften Wehrau und Siegersdorf in der Provinz Oberlausitz, vermählt den 21. Jan. 1827 mit Maria v. Raven, geb. den 19. Octbr. 1809.

Tochter:

Johanna, geb. den 12. Novbr. 1830.

Mutter:

Henriette Emilie, geb. Gräfin v. Reichenbach-Goschütz, geb. den 11. Novbr. 1776, Wittwe vom Grafen *Heinrich Johann Friedrich* seit dem 1. Febr. 1810.

Vaters-Schwestern:

1) *Amalie Henriette Charlotte*, geb. den 30. Jan. 1763, Wittwe seit dem 4. April 1825 vom Fürsten Karl Ludwig v. Hohenlohe-Langenburg.
2) *Isabelle Louise Constanze*, geb. den 15. Mai 1774, vermählt den 29. Jan. 1800 mit dem Grafen Karl Christian v. Lippe-Weissenfeld, Wittwe seit dem 5. April 1808.
3) *Johanna Franziska*, geb. den 11. Juni 1776, vermählt den 28. Juni 1793 mit dem Grafen Heinrich Leopold Gottlieb v. Reichenbach-Goschütz, Wittwe seit dem 20. Mai 1816.

Sonius, die Herren von.

Ein angesehenes Geschlecht der ehemals freien Reichsstadt Aachen. *Anselm* v. S., geb. am 18. Decbr. 1708 zu Aachen; wurde am 3. Oct. 1757 zum Fürsten-Abt der unmittelbaren kaiserl. Reichs-Prälatur des Ordens vom heil. Benedikt erwählt und am 22. Nov. desselben Jahres investirt. Er starb am 28. Nov. 1774.

Sonnenberg, die Herren von.

Eine gegenwärtig erloschene adelige Familie in Schlesien. Noch am Anfange dieses Jahrhunderts gehörte dem Kreisdeputirten v. S. und noch später einem Fräulein v. S. das Gut Kemnitz bei Hirschberg.

Spanner, die Herren von.

Johann Valentin v. S. auf Schmelzdorf bei Neisse war 1805 Kreisdeputirter. Ein Staabs-Capitain v. S. stand 1804 im 3ten Musketier-Bataillon des Infanterie-Regiments v. Pelchrzim in Cosel.

Speicher, die Herren von.

Zu dem immatriculirten Adel der Rheinprovinz gehört das Geschlecht der Speicher, Edlen v. Rodenburg. *Georg Joseph* S., Edler v. Rodenburg, ist das Haupt der zu Coblenz lebenden adeligen Familie dieses Namens.

Spiegelberg, die Herren von.

Mehrere Edelleute dieses Namens haben in churbrandenburgischen und königl. preussischen Diensten gestanden. — Wir führen nun noch folgende schweizerische Familien dieses Namens an:

1) Ein freiherrliches ausgestorbenes Geschlecht, dessen Stammschloss Spiegelberg im Canton Thurgau liegt. Freiherr *Eberhardt* lebte 1252. *Elisabeth* war 1292 Aebtissin zum Frauen-Münster in Zürich und *Johann* ward 1440 Schultheiss der Republik Luzern. (Leu, Schweiz. Lex. XVII. Bd. S. 398.)

2) Ein adeliges ausgestorbenes Geschlecht, dessen Stammschloss Spiegelberg jetzt ganz in Ruinen in der Landvoigtei Saignelegier im Canton Bern liegt. Es war Herr des Freienberges, zu Kriegstetten, Emmenholz und besass herrschaftliche Rechte zu Walterswyl, Wynisdorf, Patronatsrechte zu Thierrachern u. s. w. *Immer* wurde 1414 und *Heman* 1422 Schultheiss der Republik Solothurn. Mit des Letztern Tochter erlosch das Geschlecht. Sie war an Reinhard v. Mallrein verheirathet. (Leu, Schweiz. Lex. XVII. Bd. S. 398–399.)

3) Ein ausgestorbenes regimentsfähiges Geschlecht der Stadt und Republik Schaffhausen (wohl von den Freiherren v. S. in Thurgau abstammend), aus welchem unter andern *Thomas* 1528 Landvoigt zu Locarno, 1531 Hauptmann im Müser Kriege und Gesandter an den Herzog von Mailand und 1536 Kriegshauptmann über 500 Mann im Dienste Frankreichs geworden, und *Johann* 1512 Hauptmann von Lugano war. (Leu, Schweiz. Lex. XVII. Bd. S. 399.)

Ob ein oder das andere Geschlecht gleiches Namens in Deutschland mit einem oder dem andern dieser drei Schweizer Geschlechter in Verwandtschaft gestanden, ist uns unbekannt.

Sponeck, die Grafen von.

Die in dem Artikel v. Hedwiger erwähnten drei in den Grafenstand unter dem Namen v. Sponeck erhobenen Brüder v Hedwiger waren: 1) *Georg Wilhelm* Graf v. S., geb. den 17. April 1672, königl. dänischer General-Lieutenant, Kammerherr, Danebrog-Ritter, Commandant von Kopenhagen; seine Gemahlin war Anna Sophia Bojanowski. In dieser Ehe wurden vier Söhne und fünf Töchter geboren. — 2) *Johann Christoph* Graf v. S., geb. 1678, Hauptmann im Bareytschen Regiment, starb den 11. August 1716 an seinen bei Peterwardein erhaltenen Wunden. — 3) *Johann Rudolph* Graf v. S., geb. den 10. Juni 1781, herzogl. würtembergscher Oberjägermeister, Geh. Rath u. s. w., war vermählt mit Eleonora Geldrich v. Siegmarshofen, aus welcher Ehe vier Söhne und zwei Töchter waren. Von den Kindern des Herzogs Leopold Eberhard von Würtemberg und der Gräfin v. S., war *Georg Leopold* Graf v. S. den 12. Decbr. 1697 geboren; er führte in Frankreich den Namen eines Prinzen v. Mümpelgard. Seine Gemahlin war Eleonora Charlotte v. Sandersleben, Gräfin v. Coligny. Er starb am 14. Febr. 1749 nach einem unglücklichen Falle aus der Carosse. Am 31. Aug. 1731 hatte er die katholische Religion angenommen. Aus seiner Ehe lebten ein Sohn, *Georg*, und zwei Töchter. Obgleich diese Familie damals zahlreiche Mitglieder zählte, ist sie dennoch gegenwärtig in Deutschland erloschen. — Die Grafen v. S. führten im quadrirten Schilde, im ersten und vierten rothen Felde einen gekrönten goldenen Löwen, im zweiten und dritten blauen Felde ist ein Bach oder Strom, darin ein Fisch von der Gattung der Asche schwimmt, vorgestellt; zur Rechten des Baches zeigt sich ein schwebender goldener Stern. Auf dem Hauptschilde liegt ein Herzschildlein, darin sich auf goldenem Grunde ein gekrönter schwarzer Adler zeigt. Das Hauptschild ist mit zwei gekrönten Helmen besetzt, von ihnen trägt der rechte den Löwen, der linke zwei hinter einander stehende blaue Adlerflügel, mit dem Monde, dem Sterne und dem Fische belegt. Die vordern Decken Gold und roth, die hintern Gold und blau.

Sprinzenstein, die Grafen von.

Der ursprüngliche Familienname dieses seit 1530 gräflichen Geschlechtes war Ricci oder Ritzen, und sein Vaterland Tyrol. Als es unter Kaiser Ferdinand I. die Herrschaft Sprinzenstein in Oberösterreich erwarb, nahm es von diesem Besitzthum den Namen an. Das Landjägermeister-Amt war lange Zeit in der Familie erblich. 1699 erhielt sie auch die Landmannschaft in Steyermark. Erst in späterer Zeit erwarb sie Güter im Herzogthum Schlesien. *Paul*, erster Graf v. S. Von seinen Nachkommen war *Ferdinand Maximilian* Graf v. S. kaiserl. Geh. Rath, Marschall in Unterösterreich. Gegenwärtig ist *Johann Ludwig* Graf v. S. k. k. Kämmerer, Herr auf Gross-Hoschütz im Regierungs-Bezirk Oppeln. Er ist mit Maria Angela Gräfin v. Salburg vermählt, aus welcher Ehe drei Kinder leben: 1) *Arthur* Graf v. S., königl. preuss. Lieutenant im 1sten Cürassier-Regiment zu Breslau; 2) *Hermann* Graf v. S.; 3) *Leocadie* Gräfin v. S. M. s. Bucelini, Stemmat. P. 4. Spener, Hist. insign. c. 91.

Wappen.

Das ursprüngliche Bild des S'schen Wappens ist ein bis zur Hälfte sichtbarer weisser Stier. Das gräfliche Wappen ist silbern und quadrirt, im ersten Felde zeigt sich ein schwarzer gekrönter Greif, das zweite und dritte Feld ist durch einen goldenen und einen blauen, links schräg gelegten Balken durchzogen, im vierten Felde zeigt sich ein Felsen, auf dem ein Adler steht. Adler, Stier und Greif wiederholen sich auf den drei Helmen, die das Schild bedecken.

Starzinski, die Grafen und Herren von.

Ein Graf v. S. stand 1806 als Lieutenant im Dragoner-Regiment v. Rouquette; er lebte noch in neuester Zeit auf seinem Gute Strabla bei Bialystock. — Ein Rittmeister v. S., früher im Husaren-Regiment Prinz Eugen v. Würtemberg, starb 1822 im Pensionsstande.

Stechow, die Freiherren und Herren von.

Dieses uralte adelige Geschlecht soll bald nach der Vertreibung der Wenden in die Marken gekommen sein, wo es sich ansässig machte. Später erwarb es auch in Braunschweig und in Schlesien ansehnliche Güter. In der Mark sind Kotzen und Selbelang alte Besitzungen des Hauses; der erstere Rittersitz ist noch heute in den Händen derselben. Er gehört dem Obersten a D. und Ritter hoher Orden v. S. Ein Sohn desselben ist der Rittmeister v. S. im Regiment Garde du Corps, ein anderer steht als Premier-Lieutenant im 6ten Cürassier-Regiment und die Tochter ist an den Grafen v. Hochberg-Fürstenstein vermählt. — In Schlesien besassen die v. S. die Güter Arnoldsmühl, Blumerode, Schönwaldau u. s. w. Das erstere besass der General-Lieutenant und Ritter des schwarzen Adlerordens, *Johann Ferdinand* v. S.; er war mit einer Baronin v. Sandretzki aus dem Hause Langenbielau vermählt und starb 1778. Aus dieser Ehe lebt noch ein Sohn, der Prälat v. S., früher auf Schönwaldau, jetzt zu Lähn in Schlesien. Er war mit seiner Cousine, einer Gräfin Sandretzki, aus dem Hause Langenbielau vermählt. Aus dieser Ehe leben mehrere Kinder. Eine Tochter ist die Gemahlin des Grafen v. Kalkreuth, früher auf Kossmin. — Es wurde von der schlesischen Linie *Christoph* v. S. im Jahre 1703 böhmischer Freiherr. — Eine Geschichte dieses uralten adeligen Geschlechts schrieb Ch. Ph. v. Hagen, Berlin 1764. Es führt im silbernen Wappenschilde drei schwarze, mit goldenen Kleeblättern belegte Balken und auf dem Helme einen schwarz und silbernen Bund, darauf sitzt ein rechts gekehrter Affe, der einen Apfel speist. Decken schwarz und Silber. M. s. auch Sinapius II. Th. S. 449. Dithmar, Dienemann S. 168 u. s. f. Zedler XXXIX. Bd. S. 1408. Siebmacher giebt das Wappen unter den Braunschweigischen I. Th. S. 183. v. Meding beschreibt es I. Bd. No. 827.

Steglitz, die Herren von.

Ein uraltes erloschenes Geschlecht in den Marken, das gleichnamige Stammhäuser in der Altmark und Mittelmark hatte, namentlich das eine Meile von Berlin auf der Kunststrasse nach Potsdam gelegene Dorf Steglitz, jetzt dem Staatsminister v. Beyme gehörig. — Der reiche Ritter *Heinrich* v S. stiftete um das Jahr 1269 das Kloster Marienthür in Boitzenburg. Im 14ten Jahrhundert besass dieses Haus das Schloss Sazicke und die Stadt Jacobshagen. — *Friedrich* v. S. war 1372 Landvoigt in der Uckermark; der Bischof von Havelberg schleuderte den Bannstrahl gegen ihn. Am Anfange des 17ten Jahrhundert fing das Geschlecht an, nur wenige Zweige zu zählen, zugleich war auch Segen und Reichthum aus demselben verschwunden. Um das Jahr 1640 blühte nur noch der Ast zu Criwen. *Hans Christoph* v. S. auf Criwen hatte zwar drei Söhne: *Christoph*, *Balzer* und *Joachim Ludwig*, sie wurden 1641 beliehen, starben aber alle drei kinderlos. So erlosch der einst mächtige, seine Zweige weit ausbreitende Stamm, und Criwen wurde ein Eigenthum derer v. Luck. M. s. Schwarz, Lehns-Historie S. 351 u. 427. Grundmann, der auch die Stiftungs-Urkunde des Klosters Marienthür nach dem Original giebt.

Stein, die Herren von.

Von einem thüringischen adeligen Geschlechte dieses Namens gab es Patrizier zu Erfurt. So war *Hildebrand* v. S. 1306 im Rathe zu Erfurt und Ritter *Ludwig* lebte 1277.

Stein, die Herren am, von und zum.

Folgende adelige und edle Geschlechter dieses Namens gehören der Schweiz an:

A. am Stein.

1) Ein ausgestorbenes Geschlecht der Stadt Zürich, aus welchem *Johann Jacob*, Doctor und Chorherr am grossen Münster, 1507 starb. (Leu, Schweiz. Lex. XVII. Bd. S. 564.)

2) Eine Familie in der Stadt Willisau im Canton Luzern, aus welchem *Uldarich* 1588 Abt von St. Urban war. (Leu, Schweiz. Lex. XVII. Bd. S. 564.)

3) Ein ausgestorbenes Geschlecht im Canton Unterwalden, Republik Ob dem Walde, aus welchem *Johann* 1526, 1530, 1534, 1536, 1541 und 1544 Landammann und Gesandter bei der Bundes-Errichtung mit König Ferdinand von Ungarn und bei dem Landfrieden mit Zürich 1531 war. (Leu, Schweiz. Lex. XVII. Bd. S. 534.)

4) Ein ausgestorbenes Geschlecht in der Republik Nid dem Walde im Canton Unterwalden, welches wahrscheinlich mit den ehemaligen Edeln v. Wolfenshiessen daselbst gleichen Ursprungs gewesen, da sie gleiches Wapppen führen. *Johann* verglich 1348 die Cantone Schwyz und Uri in einem Grenzstreite. *Janni* ward 1386 bei Sempach und *Heinrich* bei St. Jacob 1444 erschlagen. *Ulrich* und *Wilhelm* waren zu Ausgang des 14ten und Anfang des 15ten Jahrhunderts mehrere Male Landammänner. (Leu, Schweiz. Lex. XVII. Bd. S. 564.)

Hierher gehört vielleicht auch: *Arnold* Willi (vielleicht an Kindes Statt angenommen) genannt am Stein, der mehrmals Landammann und 1404 Schiedsrichter zwischen Schwyz und Zug war und 1426 den Frieden mit Herzog Philipp Maria von Mailand errichten half. (Leu, Schweiz. Lex. XVII. Bd. S. 564.)

5) Ein ausgestorbenes Geschlecht in der Grafschaft Toggenburg im Canton St. Gallen, aus welchem *Pelagius* Pfarrer zu Goldach war, und als er der neuen Lehre wegen von dem Fürst-Abte vertrieben wurde, nach Trogen in Appenzell ging und als einer der ersten Reformatoren dieses Landes betrachtet wird. (Leu, Schweiz. Lex. XVII. Bd. S. 564.)

6) Ein ehemaliges adeliges Patrizier-Geschlecht der Stadt St. Gallen. (Leu, Schweiz. Lex. XVII. Bd. S. 564.)

B. von Stein.

1) Ein ausgestorbenes adeliges regimentsfähiges Geschlecht der Stadt Bern, woselbst dessen wahrscheinliches Stammhaus gleiches Namens in der Pfarr-Commun Meyringen in der Berner Landvoigtei Oberhasly liegt. *Heinrich* lebte 1201 als Amtmann Graf Herrmann's v. Froburg. *Ulrich* und *Heinrich* schenkten 1240 ihre Gerichte zu Gerenstein (vielleicht ihr späteres Stammhaus) im Stadtamte von Bern an das Stift Interlachen. *Johann* und *Rudolph* waren 1310 und 1314 Wohlthäter von Königsfelden. — *Arnold* und *Rudolph*, Vater und Sohn, waren 1373 Gutthäter von St. Urban. — Seit 1359 kommt das Geschlecht in Besitz des regimentsfähigen Bürgerrechtes zu Bern vor. Ritter *Caspar*, Herr zu Münsingen, Blumenstein u. s. w., ward Schultheiss der Stadt und Republik Bern 1457. — *Brandolph*, Herr zu Münsingen, Staatsrath, Landvoigt u. s. w., zeichnete sich rühmlichst in und bei Granson 1476 aus. *Caspar*, Landvoigt, nachheriger Staatsrath, begleitete den Kaiser Maximilian I. 1496 nach Rom und ward daselbst zum Ritter geschlagen. Mit *Sebastian*, Landvoigt zu Romainmotier in der Waadt u. s. w., erlosch 1584 dieses altadelige Geschlecht, welches die Freiherrschaften Uzigen, die Herrschaften und Rittersitze Gerenstein, Münsingen, Blumenstein, Twan, Wichtrach u. s. w. im Canton Bern besass und wegen der Rettung des Herzogs von Mailand von den Kaiserlichen durch 13,000 Schweizer mit *Albrecht* 1516 vom Herzog die Herrschaft Montreal erhielt. (Leu, Schweiz. Lex. XVII. Bd. S. 565—569.)

2) Ein ausgestorbenes adeliges regimentsfähiges Geschlecht der Stadt und Republik Solothurn. *Ulrich*, genannt Wegler, Edelknecht, war damals in gutem Ansehen. — *Wolf* ward 1361 gräflich Strassbergischer Schultheiss der Stadt Büren. — Ritter *Rudolph*, genannt Wegler, lebte 1373. — *Johann*, Chorherr zu St. Ursius in Solothurn, schloss mit dem Grafen von Neufchatel einen feindlich verrätherischen Bund gegen seine Vaterstadt; es ward aber das Complott entdeckt und er des gräflichen Standes vom Fürstbischof zu Lausanne entsetzt, hierauf lebendig geviertheilt. — Ritter *Wolf*, *Eberhard* und *Heinrich* waren 1415 auf dem Concil zu Constanz, und *Hartmann* war 1457—1470 Schultheiss der Stadt und Republik Bern. (Leu, Schweiz. Lex. XVII. Bd. S. 569—570.)

3) Ein ehemaliges adeliges Geschlecht im Canton Luzern, wo ihr Stammhaus, die Burg Stein, noch bei Ober-Casteln, und Stein bei Münznau im gedachten Canton liegt. Aus dieser Familie waren dreizehn Wohlthäter des Stiftes St. Urban. (Leu, Schweiz. Lex. XVII. Bd. S. 569.)

4) Der berühmte katholische Theolog und zuletzt Karthäuser-Mönch *Johann* v. S. zu Basel, der im 16ten Jahrhundert lebte, soll seinen Namen der Steinen Vorstadt zu Basel (wo er wahrscheinlich einen adeligen Sitz besass) verdanken. Nach Andern war er aus einem deutschen Geschlecht dieses Namens entsprossen. (Leu, Schw. Lex. XVII. Bd. S. 571; XI. Bd. S. 373—374. Basel. Universal-Lex. Artikel Stein u. s. w.)

5) Ein ausgestorbenes Geschlecht im Canton Wallis, aus welchem *Henselinus* 1416 und 1426 Grosscastellan (Landvoigt) und 1417 Bürgermeister der Stadt Sion war. (Leu, Schw. Lex. XI. Bd. S. 375.)

6) Ein ausgestorbenes adeliges Geschlecht im Canton Waadt, Kreis St. Saphorin, aus welchem *Johann* 1455 lebte und N. N. mit der Edlen Esther Cerjal v. Allamand verheirathet war, welche sich später

mit dem Edlen Jacob v. Grüffy, und zuletzt 1625 an den Edlen Daniel v. Crousaz-Donzel v. Chexbres verheirathete. (Origin. Urkunden des Geschlechts von Crousaz-Chexbres von 1455—1625. Familien-Archiv v. Crousaz-Chexbres.)

7) Stein (v. Ober-), ausgestorbene Edle im Canton Graubündten, woselbst ihre Stammburg gleiches Namens im Gerichte Lon im Obern Grauenbunde lag. (Leu, Schweiz. Lex. XVII. Bd. S. 565.)

C. zum Stein.

1) Ein regimentsfähiges Geschlecht der Stadt Bern, aus welchem *Johann* 1637 Landvoigt zu Landshut und sein Sohn *Christoph* 1664 Landvoigt zu Lauppen ward. (Leu, Schw. Lex. XVII. Bd. S. 571.)

2) Ein ansehnliches Geschlecht zu Mellingen im Aargau, aus welchem *Johann Jacob* 1660 Schultheiss daselbst war. (Leu, Schw. Lex. XVII. Bd. S. 571.)

Stein v. Kaminski, die Herren.

Diese adelige aus Polen stammende Familie hat am 15. Januar 1802 und am 15. Febr. 1819 Anerkennungsdiplome ihres alten Adels erhalten. — *Johann Salomon* S. v. K., Chef-Präsident der Regierung zu Bromberg, geb. den 18. Septbr. 1762, starb am 20. Febr. 1828. Von seinen Söhnen ist *Karl Wilhelm Ludwig* Oberst im Kriegsministerium in Berlin, Ritter des eisernen Kreuzes, erworben im Jahre 1813 bei Ulferstedt. — *Gustav Ferdinand* ist Major und Bataillons-Commandeur im 1sten Infanterie-Regiment zu Königsberg. — *Eduard Leopold* starb im Jahre 1825 als preussischer Capitain. — Von dem ältesten der erwähnten Brüder steht ein Sohn, *Rudolph Wilhelm*, als Lieutenant im 2ten Uhlanen-Regiment zu Berlin. — Ein Vetter der erwähnten Brüder ist *Fritz* v. K., Major im 1sten Uhlanen-Regiment, Ritter des eisernen Kreuzes, erworben bei Gorkam in den Niederlanden. — Diese Familie führt im blauen Schilde ein goldenes Hufeisen, darüber ein silbernes schwebendes Kreuz. Auf dem gekrönten Helme ist ein Geier vorgestellt, der das eben angegebene Wappenbild in den Krallen hält. Decken blau und Gold.

Sternberg, die Grafen von.

Von diesem uralten Geschlechte, das seine Hauptbesitzungen und die Hauptschauplätze seines Wirkens in Böhmen hat, gehört ein Ast der jüngern Linie der preussischen Provinz Schlesien an, und auf diese Weise unmittelbar in das preussische Adels-Lexicon. — Aus der Geschichte des Hauses im Allgemeinen geben wir hier folgende Nachrichten an. Um die Mitte des 13ten Jahrhunderts, wo die Familiennamen in Böhmen bleibend zu werden anfangen, treten mit Gewissheit folgende Sternberge in der Geschichte auf. Der grosse Sieger *Jaroslaw* seit 1241; *Albrecht* der Grossmeister 1234; *Zdislaw* seit 1249; *Wenceslaus* seit 1249; *Zdenick*, der dritte Landeshauptmann Mährens, seit 1253. — Dass die Tempelherrn *Peter* und *Johann* S. 1253 in der Schlacht gegen Burian v. Pernstein gefallen sein sollen, ist eine Fabel. Der erste glänzende S. ist *Jaroslaw.* — *Albrecht* v. S. (gest. 1248) war der erste Gross- und Spitalmeister des Kreuzherren-Ordens mit dem rothen Sterne durch Böhmen und Schlesien. Er war die erste Triebfeder der 1234 geschehenen Stiftung des (Kreuzherren-) Spitals zu St. Franz an der Prager Brücke. — Unter den S. des 13ten Jahrhunderts ist noch *Zdislaw* zu bemerken, der Ottokar II., diesen herrlichsten Przemysliden, in den Kreuzzug gegen die heidnischen Preussen zur Gründung Königsbergs begleitete, und in der Marchfeldschlacht wider Rudolph von Habsburg 1278 an seiner Seite gefallen sein soll; dann von seinen Söhnen *Albrecht* (1269—1299) und *Jaroslaw* (1269—1296), königl. Truchsess, welcher mit den Rosenbergen enge Freundschaft pflegte; endlich noch *Zdislaw* v. S. (wahrscheinlich ein Sohn *Jaroslaw's* des Siegers und seiner Gemahlin Kunigunde v. Krawarz), der seit 1289 Prager Burggraf gewesen und ausgezeichnet durch Macht und Ansehen unter den böhmischen Grossen seiner Zeit war.

Schon zu Anfang des 14ten Jahrhunderts, wo bleibender Zusammenhang in der S.'schen Geschichte möglich wird, finden wir die Herren v. S. in zwei Hauptlinien getheilt, die böhmische und die mährische, deren jede in der Mitte desselben Jahrhunderts wieder in mehrere Aeste sich verzweigte. — Mit *Zdislaw* v. S., welcher die Burg Konozisst und die Stadt Beneschau nebst den dazu gehörigen Gütern erblich an sich brachte, fängt die gewisse, bis auf den heutigen Tag ununterbrochen fortlaufende Geschlechtsfolge der böhmischen S. an. *Zdislaw's* Sohn *Stephan* (1322—1352) ist der gemeinschaftliche Ahnherr der beiden böhmischen Linien, der Herren v. St.-Halic, welche erst 1712 mit dem letzten Grafen Holicky ausstarb, und der v. St.-Konopisst, die bis auf den heutigen Tag fortblüht Dieser *Stephan* war in dem blutigen Streite der böhmischen, mährischen und österreichischen Edeln, 1351 vom Kaiser Karl IV. an seiner Statt zum obersten Schiedsrichter in dieser Sache ernannt, woran er, durch seinen dritten Sohn *Peter* (Pesseck) selbst Antheil genommen hatte; Zeugniss genug für das hohe Ansehn, in welchem er bei dem Könige sowohl als bei der Nation gestanden haben muss.

Auch die mährische Linie finden wir schon zu Anfange des 14ten Jahrhunderts getrennt. Die Brüder *Jaroslaw* und *Albrecht* v. S. waren die treuesten Stützen und Rathgeber des jungen Markgrafen, nachherigen Kaiser Karl IV. Bei seinem Feldzuge gegen Herzog Boleck von Münsterberg geriethen beide in Gefangenschaft. Karl verschaffte ihnen durch List die Freiheit wieder und belohnte nicht nur ihre treue Anhänglichkeit mit der Verleihung ansehnlicher Güter, sondern er ernannte auch 1345 *Albrecht* zum Landeshauptmann in Mähren. Die Nachkommenschaft dieses *Albrechts* starb mit seinem Enkel (Alsess) *Albrecht* v. St.-Swietlau aus, welcher 1392 dem König Siegmund von Ungarn in seinem Feldzuge gegen Bajazet Hülfe geleistet hatte. Auch *Jaroslaw's* Geschlecht erlosch mit seinem Enkel *Jaroslaw* (einem Sohne *Marquard's*) v. St.-Wessely, welcher am 1. Novbr. 1420 in der blutigen Schlacht unter dem Wisserahd fiel.

Länger und mächtiger blühte die andere S.'sche Linie in Mähren, welche im 14ten Jahrhundert verschiedene Beinamen führte, dann im 15ten die Lekower, im 16ten Jahrhundert die Haleschauer genannt ward. Die Brüder *Stephan's*, der Nachfolger *Albrecht's* in der Würde eines Landeshauptmanns von Mähren (starb 1357), *Jaroslaw* (gest. 1360) und *Matthäus* (gest. 1371), durch mannigfaltige Bande mit den einst so mächtigen Herren v. Krawarz verbunden, übten den bedeutendsten Einfluss im Lande aus. — *Stephan's* Sohn, *Albrecht*, den einige Historiker Mährens mit dem oben angeführten Bruder *Jaroslaw* irrig verwechselt haben, widmete sich, wie sein früh verstorbener Bruder *Peter*, dem geistlichen Stande. Früher Domdechant zu Ollmütz, ward er 1358 Bischof von Schwerin, lebte jedoch als einer der vertrautesten Räthe Karls IV. beständig an dessen Hofe. 1364 erhielt

28*

er das Bisthum Leitomishl. 1369 ward er durch päpstliche und kaiserliche Mitwirkung Erzbischof von Magdeburg und Primas des deutschen Reichs. Er starb den 14. Jan. 1380. — Sein Neffe *Peter* v. S. auf Bechin, ein Sohn *Zdenick's* (gest. 1596), ward als Erbe des Oheims sowohl als des Vaters der mächtigste Baron des böhmischen Reiches unter Kaiser Wenzel.

Der mährische S.'sche Stamm ward fortgepflanzt durch die Nachkommen des oben erwähnten *Jaroslaw* (gest. 1360). *Matthäus* v. S. auf Lubkow, Sohn *Georg's* und der Agnes, einer gebornen Herzogin von Troppau, gab 1466 Anlass zu der ersten ernstlichen Spannung zwischen den Königen Georg von Böhmen und Matthias von Ungarn. — Die Nachkommen dieses *Matthäus* in Mähren starben in den 70r Jahren des 16ten Jahrhunderts in männlicher Linie aus. — Gleich im Beginn des Hussitenkrieges stellte sich *Peter* v. S. auf Konopisst an die Spitze der für die Rechte des Königs und für die Kirche Kämpfenden. — *Seril* Holecky war der einzige, der Huss's Lehre folgte, die Protestation der böhmischen Herren gegen das Kostnitzer Concilium unterschrieb und 1420 zu Konopisst eine Versammlung der Prager und der taboritischen Lehrer hielt, ihren Widerstreit gütlich zu vereinigen. *Aless* starb als Oberlandes-Kämmerer am 19. März 1455; schon ein Jahr vor ihm starb sein Sohn *Peter Zdenick* v. S. auf Konopisst. Ein Sohn *Peter's* war als Feldherr und Staatsmann gleich ausgezeichnet. Bei der Eroberung Prag's durch den Statthalter Podiebrad, 1448, war er vorzüglich thätig und ward zum Lohne Böhmens Oberstburggraf; er züchtigte die Landfriedensbrecher, rottete die Reste Taboriten vollends aus, und wie er von Jugend an Friedrich III. sehr werth, sein Kämmerer und bei seinem Römerzug und Krönung ein treuer Gefährte gewesen, wendete auch Friedrich's Mündel seine ganze Zuneigung auf ihn, erkor ihn als Botschafter, seine Schwester Elsbeth dem Polenkönig Kasimir Ladislaus, ihm selbst aber Magdalena, König Karls VII. von Frankreich Tochter, als Braut zuzuführen, und es war des jungen Königs letzter Ausgang, *Zdenick's* Sohn zur Taufe zu halten. Drei Tage darauf gab er seinen Geist auf (23. Novbr. 1457). *Zdenick* und sein aus mehr als 700 Personen bestehendes Gefolge vernahm die Trauerpost in Paris, den Tag vor der bestimmten Abreise. — Lange bewahrte die Familie als ausgezeichnetes Andenken die auf 500 Prager Schock Silbers geschätzte, ihm vom Könige zum Abschiede verehrte Goldspange. Er starb zu Wiener Neustadt den 4. Decbr. 1476.

Ladislaw v. S. auf Bechin war einer der edelsten Charaktere seiner Zeit und seines Landes. Bei seiner seltenen Umsicht in Staatssachen, seiner Gelehrsamkeit, Beredsamkeit und Frömmigkeit, war er überall Gutes und Ausgezeichnetes zu wirken bestimmt Als Beschützer und Beförderer der schönen Künste und Wissenschaften hat er sich in Böhmen einen bleibenden Namen erworben, aber historisch merkwürdig ist er durch seine wichtigen und folgereichen Staatshandlungen. König Wladislaw war mit seinem Eifer so sehr zufrieden, dass er ihn auf besonderes Anrathen seines Bruders, Siegmund von Polen, zum obersten Verwalter des Königreichs an seiner Statt und zum bevollmächtigten Beschützer und Vormund des Königs Ludwig der Prinzessin Anna in Böhmen auf den Fall einsetzte, wenn er selbst vor ihrer Grossjährigkeit sterben sollte. Die Stände ernannten ihn später zum Bevollmächtigten Böhmens bei dem Churfürsten-Collegium. Er starb den 18 Novbr. 1521. — *Johann* auf Bechin, Karlsteiner Burggraf, ein Bruder *Ladislaw's* des Oberstkanzlers, war der Stammhalter der Linie von Konopisst (welche jedoch im 16ten Jahrhundert diesem Beinamen für immer entsagte und sich blos „v. Sternberg" nannte).

Adam v. S. auf Grünberg, Bechin und Konopisst war Ferdinand I. vertrauter Rath und Liebling; seine Nachkommenschaft hörte aber schon mit seinen fünf Söhnen auf. *Adam* auf Bechin war mit den ausgezeichnetsten Gaben des Geistes und des Herzens ausgestattet, die er unter der Pflege seiner Lehrer sorgfältig ausgebildet hatte; er stieg rasch von Würde zu Würde in seinem Vaterlande, bis ihm 1608 die seit zwölf Jahren unbesetzt gewesene Oberstburggrafenwürde zu Theil ward. Er war der grösste Redner seiner Zeit und starb den 10. April 1623.

Adam's Bruder, *Stephan Georg*, war früher böhmischer Kammerpräsident, seit 1603 der Krone Böhmen deutscher Landeshauptmann. Er starb am 15. Decbr. 1625. — *Franz Mathias Karl* v. S., ein Sohn *Adam's*, war königl. Hofmarschall, Landtags Commissair und bei der Besetzung der Prager Kleinseite durch die Schweden, von einer Kugel getroffen, starb er den 9. Aug. 1648. — 1661 wurde das ganze S.'sche Geschlecht durch ein Intimat Kaiser Leopold's in den Reichsgrafenstand (nach dem eigenen Ausdrucke der Urkunde) „restituirt". *Wenzel Adalbert* Graf v. S., Ritter des goldenen Vliesses, kaiserl. Geh. Rath und Kämmerer, königl. Statthalter, früher Oberstlandrichter, dann oberster Landhofmeister und königl. Obersthofmarschall in Böhmen, ausgezeichnet durch vielumfassende Gelehrsamkeit und hohen Kunstsinn, nicht weniger durch vielseitige Wirksamkeit im Staate, war einer der würdigsten Nachkommen seiner Ahnen. Zeuge seines auf das Grosse gerichteten Geschmacks ist noch heute das im grossen Styl und mit königlichem Aufwande erbaute Lustschloss Troja an der Moldau, in der anmuthigsten Umgegend Prag's, so wie der leider unvollendet gebliebene Sternberg'sche Pallast auf dem Hradschin, der jetzt die Schätze des vaterländischen Museums und die Gallerie patriotischer Kunstfreunde Böhmens (der er eigenthümlich angehört) aufbewahrt. *Wenzel Adalbert* unterhielt zwei Künstlerfamilien, die Marchetti und die Godyn, in seinem Hause, und beschäftigte ausserdem viele ansehnliche Maler, Bildhauer und Architekten des In- und Auslandes. — Da sein Bruder *Ignaz Karl*, k. k. Kämmerer, Geh. Rath und Appellations-Präsident, eben so wie er selbst keine Kinder hinterliess, und sein Neffe, *Johann Joseph*, Sohn *Johann Norbert's*, im blühenden Alter sammt seiner jungen Gemahlin Violanta Gräfin v. Preising (den 13. Juli 1700) durch einen Schiffbruch im Innflusse ihren Tod fanden; so starb mit ihm den 25. Jan. 1708 die ganze männliche Nachkommenschaft des Oberstburggrafen *Adam* aus.

Der einzige Stammhalter des S.'schen Geschlechts zu Ende des 17ten Jahrhunderts war *Adolph Wratislaw*, gest. 1703, Ritter des goldenen Vliesses, erster Statthalter und Oberstburggraf in Böhmen. Mannigfaltig war die Wirksamkeit *Adolph's* für den Staat und den Monarchen, bald als kaiserl. Kommissair in mehreren Reichsangelegenheiten, bald als königlicher Botschafter am königl. schwedischen Hofe, wo er den eben so schwierigen als wichtigen Auftrag hatte, Schweden von der Allianz mit Frankreich abwendig zu machen. — *Adolph Wratislaw* hatte in seiner glücklichen Ehe funfzehn Kinder erzeugt; zwei seiner Söhne, *Franz Damian* (geb 1676, gest. 1723) und *Franz Leopold* (geb. 1680, gest. 1745), stifteten die beiden, heut zu Tage bestehenden Linien des Hauses S.: der Damian'schen auf Zasmuck und Czastalowitz und der Leopoldinischen auf Serowitz. *Franz Damian* privatisirte, *Franz Leopold* diente dem Staate als k. k. Geh. Rath, Statthalter und Kammerpräsident in Böhmen. — *Franz Philipp*, Sohn *Damian's*, geb. 1708, gest. 1786, war 1745—1748 churböhmischer

Gesandter in Regensburg. Von da versetzte ihn das Vertrauen Maria Theresia's als ihren bevollmächtigten Minister am königl. polnischen Hofe nach Warschau und Dresden. 1763 erhielt er das goldene Vliess und ward 1765 zum wirklichen Obersthofmeister ernannt. 1735 erlangte *Franz Philipp* für sich und seine Nachkommen den indigenaten Reichsgrafenstand mit Sitz und Stimme im schwäbischen Grafen-Collegium; welche Prärogative bei dem etwaigen Absterben seiner männlichen Nachkommenschaft auf seine beiden Vettern, die Söhne *Franz Leopold's*, *Franz Adam* (geb. 1711, gest. 1789), k. k. Geh. Rath, Kämmerer und oberster Landmarschall in Böhmen, und *Johann Nepomuk*, sammt ihren männlichen Erben übergehen sollte. — Graf *Johann Nepomuk*, geb. 1713, starb 1798 als k. k. Geh. Rath und Landes-Unterkämmerer der königlichen Leibgedingstädte. — *Franz Philipp's* Söhne waren: *Franz Christian*, geb. 1732, und *Thomas Gundacker*, geb. 1737, gest. 1802. *Franz Christian* starb als Geh. Rath und Ritter des goldenen Vliesses den 14 Mai 1811, und kurz darauf, am 19. Novbr., starb auch seine Gemahlin Auguste, eine der letzten Sprösslinge des uralten Geschlechts der Manderscheid. Ihre Nachkommen führen seit ihrem Tode den vereinten Namen Sternberg-Manderscheid. — *Thomas Gundacker* bekleidete 30 Jahre lang eine Reichshofrathsstelle und starb als k. k. Oberhofstabelmeister. Ihm ward die Auszeichnung, von drei Monarchen zu ehrenvollen Missionen gebraucht zu werden. Schon 1776 brachte er die Glückwünsche seines Hofes zur Vermählung des Grossfürsten, nachmaligen Kaisers Paul nach Russland; 1782 ward ihm der Auftrag vom Kaiser Joseph II., den Papst Pius VI. auf der Rückreise von Wien bis an die Grenze der österreichischen Monarchie zu geleiten. Er meldete die römische Kaiserkrönung Franz II. dem kaiserl. russischen Hofe, und war zuletzt gesendet, dem jetzt regierenden König von Preussen bei seiner Thronbesteigung die Gefühle theilnehmender Freundschaft des Kaisers zu bezeigen. (M. s. Oesterr. Nat. Encyclop. V. Bd. S. 161 u. s. f.)

Mitglieder des Hauses im Jahre 1838.

Aeltere Linie.

Graf *Johann Wilhelm*, geb. den 25. Jan. 1765, k. k. Kämmerer, säcularisirter Domherr von Passau, Augsburg und Regensburg.

Töchter

des am 8. April 1830 verstorbenen Bruders Grafen *Franz Joseph*, geb. den 4. Septbr. 1763, k. k. Kämmerer und Geh. Rath u. s. w.:

1) *Leopoldine*, geb. den 10. Juli 1791, vermählt den 23. Oct. 1811 mit dem Grafen Franz v. Sylva Tarouca Daca Telles, k. k. Kämmerer und Major, Wittwe seit dem 2. Decbr. 1835.
2) *Christiane*, geb. den 28. März 1798, Stiftsdame im herzogl. savoyischen Damenstift zu Wien.
3) *Erwine*, geb. den 27. Aug. 1803, vermählt den 6. Octbr. 1828 mit Friedrich Olivier Grafen Wallis, k. k. Rittmeister in der Armee.
4) *Maria Franziska*, geb. den 2. Novbr. 1805, vermählt den 10. Novbr. 1829 mit dem Fürsten Joseph Maria v. Lobkowitz; Wittwe seit dem 20. März 1832.

Jüngere Linie.

Graf *Leopold*, geb. den 24. Septbr. 1770, k. k. Kämmerer, Herr der Herrschaften Zasmuck, Czastalowitz und Serowitz in Böhmen, Malenowitz und Pohorzelitz in Mähren, vermählt den 14. Mai 1799 mit Karolina Gräfin Walsegg, geb. den 19. Jan. 1781.

Kinder:

1) *Rosine*, geb. den 4. Mai 1802, vermählt den 29. April 1828 mit dem Fürsten Georg Maximilian von Salm-Salm, Herzog von Hoogstraten, k. k. Rittmeister, Wittwe seit dem 20. Nov. 1836.
2) *Karoline*, geb. den 9. Juli 1804, vermählt den 8. April 1823 mit dem Grafen Eduard Lamberg, k. k. Kämmerer, Wittwe seit dem 30. Novbr. 1825.
3) *Jaroslaw*, geb. den 12. Febr. 1809, k. k. Oberstlieutenant bei Schwarzenberg Uhlanen No. 2., vermählt den 28. April 1835 mit Eleonore Freiin v. Orczy, geb. den 16. Mai 1813.

Tochter:

Rosa Karoline, geb. den 16. März 1836.

4) *Leopold*, geb. den 22. Decbr. 1811, k. k. Rittmeister bei Wallmoden-Cürassier-Regiment No. 6.
5) *Zdenko*, geb. den 13. Juni 1814, k. k. Lieutenant bei Auersperg Cürassiere No. 5.

Schwester:

Marie, geb. den 19. Juli 1774, Stiftsdame im herzogl. savoyischen Damenstift.

Des Vaters-Bruders, Grafen *Johann Nepomuk*, gest. den 22. April 1798, und seiner Gemahlin, Gräfin Anna Sophie Kollowrat, gest. 1790, Sohn:

Caspar, geb. den 6. Jan. 1761, Herr der Herrschaft Radnitz in Böhmen, k. k. Geh. Rath, Präsident des böhmischen Museums und der ökonom. patriotischen Gesellschaft zu Prag, säcularisirter Domherr von Regensburg und Freysing, Lehnsherr der Stadt und Herrschaft Lieberosa und der Güter Sarko, Lesko und Reicherskreuz in der Lausitz.

Schlesische Linie zu Rudelsdorf.

Des Grafen *Konrad*, geb. den 21. Mai 1766. aus dem Hause Sarawenza und Hohenfriedberg, ehemal. Landeshauptmann des Fürstenthums Neisse kaiserl. Antheils, vermählt 1797 mit Antonia Freiin v. Skrbensky-Hrisstie aus dem Hause Gotschdorf, geb. den 22. Juli 1774 und gestorben den 27. Febr. 1837. — Kinder:

1) Graf *Konrad*, geb. den 17. April 1798, Herr auf Branitz und Raudnitz, vermählt den 7. Juli 1823 mit Eugenie Gräfin Wengersky, verwittwete Gräfin Henckel v. Donnersmark.

Kinder:

a) *Maria*, geb. den 4. April 1824.
b) *Konrad*, geb. den 6. Juni 1825.
c) *Eugenie*, geb. den 20. Juli 1828.
d) *Anna*, geb. den 7. April 1831.

2) *Antonia*, geb. den 13. Novbr. 1799, vermählt den 2. Febr. 1826 mit Franz Grafen Belrupt, k. k. Kämmerer und Oberstlieutenant.

3) *Hermann Traugott*, geb. den 2. Aug. 1803, k. k. Oberstlieutenant bei Toskana Dragoner, vermählt den 1. Mai 1832 mit Antonie Gräfin Dönhoff, geb. den 1. Juni 1806.

Söhne:

a) *Ludwig*, geb. den 3. Febr. 1833.
b) *Günther*, geb. den 12. Septbr. 1835.

4) *Karl Traugott*, geb. den 28. Mai 1807, Herr auf Rothwasser, vermählt den 27. Jan. 1835 mit Franziska Gräfin Falkenhain, geb. den 28. Aug. 1805.

Sohn:

Jaroslaw, geb. den 5. März 1836.

Steuben, die Herren von.

Dieses altadelige Geschlecht findet man in alten Documenten unter den Namen Stoeven, Stoephen, Stifen, Stuen und Steiben aufgeführt. Aus dem südlichen Deutschland kam es nach Franken, wo es nach einem Stammhause den Namen Steuben oder Stoeven annahm, aber bald darauf, man sagt im 8ten Jahrhundert, schon Franken verliess und nach Sachsen und Holstein zog. In Sachsen liess es sich bei Halle und Mansfeld nieder. Als einer der Stammherren der sächsischen Steuben erscheint im Jahre 1130 *Heinrich* v. S. Im preussischen Heere haben viele von diesem Geschlechte gedient. Noch im Jahre 1806 standen zwei Brüder v. S. im Regiment v. Besser. Der ältere schied 1813 als Staabscapitain aus der ersten ostpreussischen Brigade Garnison-Compagnie und wurde später als Salzfactor zu Strassburg versorgt; der jüngere wurde 1811 als Staabscapitain dimittirt und starb bald darauf. — In Westphalen leben gegenwärtig Zweige dieser Familie, zu welchen einer v. S., der als Premier-Lieutenant im dritten Bataillon des 16ten Landwehr-Regiments steht, gehört. Ein anderer v. S. ist königl. Oberförster zu Falkenberg bei Torgau. — v. Meding beschreibt das Wappen derer v. S. im II. Th. No. 862. Nachrichten über die Familie findet man in der Mansfeld'schen Chronik S. 320, in der alten Chronik von Thüringen S. 59, in Spangenberg II. Th. S. 211, in Münster's Cosmogr. Lib. III. pag. 1087, in Zedler XXXIX. Bd. S. 2035, in Val. König II. Bd. S. 1106—1118, in Gauhe I. Th. S. 1803.

Stotternheim (Stutternheim), die Herren von.

Von diesem adeligen Hause, welches zum Stammhause das Dorf gleiches Namens bei Erfurt im jetzigen Grossherzogthum Sachsen-Weimar hat, ward eine Linie Bürger zu Erfurt, nachdem die feste Burg *Ludolph's* v. S. von Stotternheim zu Stotternheim in einer Fehde mit den Erfurtern (1266) zerstört worden war. Diese Linie veränderte ihr Wappen (s. Siebmacher V. Bd. S. 300. No. 8.) — Eine andere Linie kommt als gräflich Gleichische Vasallen zu Wahmar, Güntersleben, Ingersleben u. s. w. von 1259 bis 1631 vor. Für die andern Linien s. die in Hellbach's Adels Lexicon angeführten Werke, Siebmacher I. Th. S. 146. No. 14, Falkenstein, thür. Chronik u. s. w. — Das berühmte Stotternheimsche Gebäude, von *Hiob* v. S. im 16ten

Jahrhundert erbaut, der einzige Pallast, den Erfurt gehabt, fiel im Brande von 1660 in Schutt.

Stramberger von Grosburg, die Herren.

Diese adelige Familie stammt von dem im Jahre 1760 mit dem Prädikat v. Grosburg in den Adelstand erhobenen Proviant-Commissarius *Johann Michael* S. Seine Nachkommen leben zu Coblenz, wo *Christian* S. v. G. das Haupt der Familie ist.

Strauch, die Herren von.

Eine adelige Familie in Aachen. Ihr gehören an *Johann Caspar* und *Karl* v. S. daselbst.

Studnitz, die Herren von.

Dieses uralte, noch heute in Schlesien blühende adelige Geschlecht stammt aus Mähren, wo sein Stammhaus Bistritz, das später an die Zierstiens, Würben und Mitrowski's kam, unweit Prerau, vier Meilen von Ollmütz liegt. Später erwarben die v. S. Schollendorf bei Troppau, Geroltschütz bei Constadt, Mechau bei Wartenberg, Deutsch Würbitz und Wontschütz bei Oels, Schönau, Mühlwitz, Girnsdorf, Weigelsdorf, ebenfalls bei Oels, Gross-Peterwitz bei Trebnitz, Cattern bei Breslau, Schmitzdorf bei Nimptsch u. s. w. König Wenzel III. von Böhmen schlug 1306 drei Brüder v. S. zu Rittern. In die Gegend von Oels kam diese Familie, als sich 1499 *Georg* v. S. mit des v. Strachwitz auf Geroltschütz Erbtochter vermählte. Er wurde dadurch der Gründer der Linien Studnitz-Geroltschütz und Simmenau, die später wieder in mehrere Häuser zerfiel, namentlich in die Häuser Krutschen und Gross-Peterwitz. Aus dem letztern Hause war *Hans* v. S., nachmals herzogl. Münsterberg-Oels'scher Regierungsrath, der 1592 geboren war, durch weite Reisen, Gefangenschaft unter den Saracenen u. s. w. bekannt geworden. Aus seiner zweiten Ehe mit Anna Maria v. Gfug waren zwei Töchter, von denen die jüngere, *Anna Maria*, zuerst den Grafen v. Collonna und nach dessen Tode den Grafen v. Malzahn, Standesherrn auf Militsch, heirathete. Im Jahre 1719 war *Adam Friedrich* v. S. im Gefolge des kaiserlichen Gesandten Grafen v. Virmont in Constantinopel. — In Thüringen und im Gothaischen verbreitete sich ein Ast des Hauses Bistritz. Eine Linie der Studnitze war auch aus Mähren nach Italien gekommen, wo im Herzogthume Friaul ein Comte Studnitzo ansässig war, der dasselbe Wappen wie unsere Studnitze führte. — Im preussischen Militairdienst stand der Oberst v. S., früher im Regiment v. Voss Dragoner, zuletzt (1809) Inspector der Cavallerie in Schlesien. Er lebte nach seinem Eintritt in den Ruhestand zu Schlegel bei Neurode in der Grafschaft Glatz. Mehrere Söhne von demselben stehen gegenwärtig in der Armee, der älteste als Major im Ingenieur-Corps, Commandeur der Garde-Pionier-Abtheilung. — Das oben erwähnte Gut Schmitzdorf ist noch heute in den Händen der Familie; es gehört dem Landrath des Kreises Nimptsch v. S. Ein Bruder desselben starb 1836 als Major des 1sten Garde-Regiments; ein zweiter Bruder ist Capitain in jenem Regiment und mit einer Tochter des Staatsministers v. Ladenberg vermählt. — Einer v. S. ist Land- und Stadtgerichtsrath in Breslau; ein anderer Rendant beim Hauptsteueramt in Görlitz.

Die v. S. führen im blauen Schilde einen gekerbten goldenen Querbalken und auf dem gekrönten Helme eine sitzende Ente, hinter welcher ein Busch schwarzer Hahnenfedern, nach Andern von Schilfblättern sichtbar wird. Decken blau und Gold. M. s. Lucä, schles. Chronik. Sinapius I. Bd. S. 957—964. II. Bd. S. 1047. Pfeifer, Schauplatz des Adels in Mähren S. 215 Gauhe I. Th. S. 1831—1833. Zedler XL. Bd. S. 1255—1261. Siebmacher I. Th. S. 57. v. Meding III. Bd. No. 830.

Syberg, die Herren von.

Diese adelige Familie gehört zur westphälischen und rheinischen Ritterschaft. — *Friedrich Gotthard* v. S. starb 1729 zu Berlin als königl. preuss. Oberstallmeister und Ritter des schwarzen Adlerordens. — Die rheinische Familie v. S. schreibt sich Syberg zu Simmern, sie wurde am 11. Juli 1819 mit der freiherrlichen Würde in Baiern matriculirt. — Ein Fräulein v. S. ist gegenwärtig Stiftsdame von Keppel. — Es führt diese Familie ein goldenes Rad im schwarzen Schilde, dasselbe wiederholt sich auf dem Helme zwischen einer goldenen und einer schwarzen Straussenfeder. M. s. Siebmacher II. Th. S. 115.

Syburg, die Herren von.

Im Jahre 1759 erhielt ein General-Major v S. das Infanterie-Regiment No. 13. Als König Friedrich II. den russischen Kaiser Peter III. zum Ehren-Chef desselben ernannte, wurde dem General v. S. dafür das Regiment No. 16. gegeben; er starb 1770. Dieser General hatte am 15. Febr. 1761 bei Langensalza, vereinigt mit den hannövrischen Truppen unter dem General Spörken, den hier aufgestellten Sachsen einen grossen Verlust zugefügt, 3000 Gefangene gemacht und mehrere Kanonen und Fahnen erobert. Er starb zu Rastenburg in Preussen im Jahre 1770. Es stehen gegenwärtig zwei Enkel des Generals in der Armee.

T.

Tettenborn, die Freiherren und Herren von, Bd. IV. S. 264.

Leopold v. T., Rittmeister von der Armee, besitzt das schöne Rittergut Reichenberg bei Wrietzen im Oderbruch und ist mit einer v. Piper vermählt.

Thile, die Herren von, Bd. IV. S. 266.

Die v. T. stammen von dem ehemaligen Wachtmeister im Regiment Gensd'armen, nachmals General-Pächter des Amtes Bütow, T., der am 14. Decbr. 1753 in den Adelstand erhoben wurde. Soweit ist unsere Nachricht von der Abstammung der Gebrüder General-Lieutenants v. Thile (nicht Thiele) zu berichtigen.

Tomesdorf, die Herren von.

Ein altes erloschenes adeliges Geschlecht in der Uckermark, sein gleichnamiges Stammhaus gelangte schon vor dem Jahre 1400 an das Jungfrauenkloster in Boitzenburg, es wohnte aber noch lange Zeiten hindurch in der Nachbarschaft. — *Mechtilde* v. T. (Tomestorp) war 1407 Aebtissin in Boitzenburg. *Lorenz* und *Borges* Gebrüder T. wurden 1487 mit der halben Feldmark Jetzkendorf beliehen. — Zuletzt erwähnt die Geschichte noch der Brüder *Sigismund August* und *Heinrich*, die um das Jahr 1623 lebten und sich in's Mecklenburgische wendeten, wo sie das Gut Bergfelde erwarben. M. s. Grundmann S. 53.

Tonna, die Herren von.

Ein erloschenes adeliges Geschlecht, welches zum Stammhause Burg Tonna im Herzogthum Sachsen-Gotha hatte. Sie waren der Grafen von Gleichen zu Tonna Lehnsleute und Ministerialen. Als Zeugen werden in gräflich Gleichischen Documenten genannt: *Siebold* und *Berthold* v. T. 1230 und Letzterer 1249. *Albert* v. T. 1277. „Im Jahre 1342 hat *Herrmann* von Burg Tonna dem Grafen Herrmann v. Gleichen aufgelassen und geeignet einen Sidelhof zu Burg Tonna.“ — Ritter *Dietrich* v. T. zu Tonna schenkte 1386 dem Kloster Reinhardsbrunnen 14 Acker Weinberge zu Burg Tonna. — In der Fehde der Grafen v. Gleichen mit den Herren v. Werthern focht ein *Dietrich* v. T. als ritterlicher tapferer Lehnsmann der Grafen. Das Geschlecht besass wenigstens in einem Zweige das Patriziat zu Erfurt, und scheint um die Mitte des 15ten Jahrhunderts erloschen zu sein.

Trebra, die Herren von.

Eines der ältesten Geschlechter Thüringens, das schon am Anfange des 13ten Jahrhunderts bekannt war. Es haben aus dieser Familie einige Mitglieder im preussischen Heere gestanden, und noch in der Gegenwart stehen mehrere in demselben, namentlich der Major v. T. im 5ten Infanterie-Regiment zu Danzig, früher Capitain im Generalstaabe. Diese adelige Familie führt im schwarzen Schilde zwei goldene Rechtsschrägbalken, und auf dem Helme drei Straussenfedern (Gold, schwarz, Gold). M. s. Spangenberg's Adelssp. II. Th. S. 209. Biedermann, O. Tab. 341. König III. Th. S. 1126—1141. v. Uechtritz, Geschl. Erz. I. Th. Taf. 11 u. 12. Dessen diplomat. Nachr. von 1663—1785. aus versch. Kirchenb. VII. Bd. S. 67—70. Gauhe I. Bd. S. 1907. Zedler XLV. Bd. S. 321—330. Siebmacher I. Th. S. 170. No. 15. v. Meding I. Th. No. 830.

Trenck, die Grafen u. Freiherren von der, Bd. IV. S. 272.

Der Aufsatz, welchen wir mit der Ueberschrift: „Die Freiherren v. d. Trenck“ in No. 10. der diplomatischen Blätter gaben, und eben so der Artikel: Die Grafen und Freiherren v. d. Trenck im preuss. Adels-Lexicon IV. Bd. S. 272 finden in folgenden nähern Nachrichten über dieses alte berühmte Geschlecht einen ergänzenden Commentar.

Die v. d. T. sind, wie das preussische Adels-Lexicon sehr richtig bemerkt, aus Franken, wo ihr Geschlecht schon im 13ten Jahrhundert blühte, nach Preussen gekommen, und sie sind daselbst mit den in jenem Werke näher angegebenen Gütern, Lehnen und Höfen belehnt worden. — Mehrere Ritter aus diesem angesehenen Geschlechte bekleideten Würden bei den Ordens-Gebietigern, und die Familie wurde in Berücksichtigung der Dienste, welche berühmte Vorfahren dem Orden geleistet hatten, von dem letzten Heermeister des deutschen Ordens und erstem Herzoge in Preussen am 25. Octbr. 1533 mit den Scharlacker Gütern im Amte Labiau belehnt. — Die v. d. T. fuhren auch, nachdem die Provinz dem brandenburgischen Kurhause zugefallen war, fort, ihrem neuen Vaterlande wichtige Dienste zu leisten, die auch durch verschiedene Beweise der Huld des Landesherrn ihre Anerkennung fanden. Namentlich hat *Achatius* v. d. T. seinen Patriotismus dadurch dargethan, dass er dem grossen Kurfürsten 16,500 Mark zu den Lübeckschen Friedens-Traktaten freiwillig vorschoss. Als Erkenntlichkeit dafür ward er am 5. April 1652 mit dem Dorfe Goldbach belehnt. Nach und nach hatte die Familie auch theils durch Kauf, theils durch Heirath, verschiedene andere Güter in Preussen erworben, namentlich Poparten, Rodwienen, Sokallen, Schacklacken, Kapstieken, Perkuiken, Meiken, Köthen, Meerlauken u. s. w., später auch Kasebalk und nach diesem Holstein im Schaakenschen Kreise. In die spätere Geschichte der Familie gehört die Trennung in zwei Linien und zwar in die evangelische oder preussische, und in die jüngere katholische oder österreichische; die letztere zerfällt gewissermassen in die alte und in die neuere österreichische Linie, wie wir weiter unten näher aus einander setzen werden.

I. Von der ältern Linie ist es uns gelungen, einen Stammbaum zu erhalten, der jedoch erst mit *Christian Albrecht* v. d. T., kurbrandenburgischen Rittmeister, Herrn auf Scharlacken u. s. w. beginnt. Derselbe hatte zwei Söhne; der ältere, *Christoph Ehrenreich* v. d. T. gelangte zur Würde eines königl. preuss. General-Majors von der Cavallerie, Ritters des Ordens pour le mérite und Landeshauptmanns. Er war Herr der Familiengüter, so wie auch von Scharklacken u. s. w. Zeitig war er in den kurbrandenburgischen Militairdienst getreten, war schon im Jahre 1700 gefreiter Korporal im Dragoner-Regiment Markgraf Albrecht, ward 1705 Lieutenant, 1720 Major, 1724 Oberstlieutenant, 1730 Oberst im Regiment v. Waldow Cürassier und starb am 14. Mai 1740 zu Königsberg in Preussen als General-Major a. D. Seine Gemahlin war Marie Charlotte, eine Tochter des Hofgerichts-Präsidenten Albrecht Friedrich v. Derschau. In dieser Ehe wurden ihm vier Söhne geboren. Die zurückgelassene Wittwe vermählte sich nachmals mit einem Sohne des Grafen Karl v. Lostange, Oberstlieutenant im Regiment v. Kyau, und starb als Wittwe dieses zweiten Gemahls im Jahre 1753 im November. — Der Bruder des General-Majors, *Johann Heinrich* v. d. T., wohnte im Jünglingsalter der Belagerung von Wien (1683) und des Entsatzes dieser Hauptstadt durch den König Sobiesky von Polen bei, nahm die katholische Religion an und trat in österreichische Dienste. Auf diese Weise wurde er der Stifter der österreichischen Linie (m. s. weiter unten). Diese beiden Brüder erhielten am 18. Aug. 1725 vom König Friedrich Wilhelm I. eine Lehnsverschreibung über die im Amte Labiau gelegenen Güter Gross-Scharlacken nebst Zubehör zu allen magdeburgischen Rechten.

Zwei Söhne des Generals *Christoph Ehrenreich* v. d. T. pflanzten ihr Geschlecht, das sich in vielen Zweigen in Preussen verbreitete, weiter in dieser Provinz fort, während ein Sohn, *Friedrich Wilhelm* v. d. T., der als Kornet bei dem Regiment Garde du Corps stand, die Festung Glatz verliess, sich nach Wien wendete und gewissermassen der Stifter des jüngern Astes der österreichischen Linie wurde

(m. s. weiter unten). Zwei andere Söhne des Generals waren *Ludwig Ehrenreich* v. d. T., der im Jahre 1746 bei dem Regiment v. Kyau als Junker stand, und *Karl Albrecht* v. d. T., der um dieselbe Zeit auf dem Kloster Bergen zu Magdeburg studirte. Eine Tochter des Generals, *Henriette Albertine*, hatte sich mit einem Sohne des berühmten General-Lieutenants Arnold Christoph v. Waldau vermählt, der die Hammerschen Güter in der Neumark besass.

Als der älteste oben erwähnte Bruder, *Friedrich Wilhelm*, die preussischen Staaten verlassen hatte, zog König Friedrich II. die väterlichen Güter desselben ein, worauf *Karl Albrecht* diese Güter annahm. — Von den Vorfahren und Nachkommen der Familie nennen wir noch folgende:

Johann Albrecht v. d. T. war herzogl. preussischer Hofgerichtsrath. Er vermählte sich am 27. Octbr. 1627 mit Dorothea Susanne, aus dem alten vornehmen Geschlechte derer v. Wallenrodt, die ihm sechs Söhne und zwei Töchter gebar. Nicht genau zu bestimmen vermögen wir, ob die Mutter des berühmten Feldmarschalls Hans v. Lehwald, die eine geb. v. d. T. gewesen ist, eine jener Töchter war.

Friedrich Ludwig v. d. T. gelangte am 9. Jan. 1793 zur Würde eines königl. preussischen General-Majors und Chefs des Husaren-Regiments No. 7. (nachmals v. Köhler) und im Jahre 1796 des Husaren-Regiments No. 3., welches zuletzt v. Plötz hiess. Er hatte sich im Jahre 1778 den Militair-Verdienstorden erworben und starb am 13. Novbr. 1797 zu Marggrabowo in Ostpreussen, 67 Jahre alt. Seine Gemahlin war Eleonora v. Zedmar. In dieser Ehe wurden acht Kinder geboren.

Johann Sebastian v. d. T war Verweser des Amtes Labiau, Erbherr auf Schacklacken und Kapstieken, geb. den 6. März 1661 und gest. am 4. Novbr. 1715. Seine Gemahlin war Marie Katharine v. Troschke, aus dem Hause Linecken und Litthanischdorf. Aus dieser Ehe war *Friedrich* v. d. T., der zu dem Range eines königl. preuss. Obersten und Kommandeurs des v. Belowschen Infanterie-Regiments gelangte, auch Erbherr auf Kapstieken war. Er hatte bei verschiedenen wichtigen Vorfällen sich als ein Offizier von grosser Entschlossenheit und Bravour bewährt und starb am 4. Jan. 1754 zu Königsberg in Preussen. Seine Wittwe war Elisabeth Adele v. Schönaich, aus dem Hause Neu-Stawischken. Sie starb am 27. Juni 1774 zu Kapstieken. Von den Nachkommen desselben leben noch gegenwärtig verschiedene v. d. T., die früher in Militairdiensten standen und gegenwärtig in Ostpreussen privatisiren.

Aus dem Hause Schacklacken bei Labiau wurde *Karl Albrecht* Graf v. d. T. am 5. Juni 1798 bei der Huldigung in den preussischen Grafenstand erhoben, und zwar, wie man behauptet, um der Familie eine Entschädigung für den erlittenen Kummer, der ihr durch das Schicksal des Freiherrn *Friedrich Wilhelm* v. d. T. verursacht worden war, zu gewähren Dieser erste Graf v. d. T. starb, 76 Jahre alt. Sein Sohn *Wilhelm* Graf v. d. T. ist ebenfalls vor einigen Jahren verstorben. Des Letztern ältester Sohn, *Wilhelm*, starb als junger Offizier; drei minorenne Brüder desselben stehen unter Vormundschaft eines Herrn v. Manstein, Premier-Lieutenant und Adjutant des 3ten Infanterie-Regiments. Der älteste dieser drei minorennen Grafen v. d. T. ist im Jahre 1835 in das Kadettenhaus zu Culm eingetreten. Drei unverheirathete Töchter des Grafen *Wilhelm* wohnen auf dem Vorwerke Popaupen bei Labiau. Die Schacklacker Güter befinden sich unter landschaftlicher Sequestration. Man hofft jedoch, dass dieses Verhältniss durch eine zweckmässige Administration bis zur erlangten Volljährigkeit des ältesten Grafen gehoben und die Kinder sodann wieder in den vollständigen Genuss der väterlichen Güter kommen werden.

Ausser diesen genannten Mitgliedern der gräflichen Familie sind wir im Stande, noch folgende Zweige, durch welche der altadelige Stamm v. d. T. noch fortblüht, hier namhaft zu machen. Von den Nachkommen *Ludwig's* Freiherrn v. d. T., der als General-Landschaftsrath, zuerst in Preussen, später in Berlin lebte und anfangs den Rittersitz Kasebalk, später die schönen Holsteiner Güter bei Königsberg besass, auch Kanonikus bei einem der hohen Domstifter war, und der sich am 22. Aug. 1811 mit Friederike Wilhelmine geborne v. Dehrmann, früher vermählt gewesene v. Britzke, in zweiter Ehe verband und im Jahre 1814 gestorben ist, leben aus erster Ehe fünf Söhne, *Ludwig*, *Karl*, *Friedrich*, *August* und *Theodor*, von denen zwei Gutsbesitzer sind und einer als Premier-Lieutenant bei der 1sten Artillerie-Brigade zu Königsberg steht. Aus der zweiten Ehe lebt eine Tochter bei ihrer in Berlin wohnenden Mutter.

Aus dem Hause Kapstieken leben fünf Brüder, von denen *Karl* v. d. T. als pensionirter Capitain zu Rastenburg wohnt, *Wilhelm* v. d. T. als pensionirter Major, *Heinrich* als Capitain zu Königsberg lebt; der fünfte Bruder lebt als pensionirter Capitain in Heilsberg. — Von diesen Brüdern hat *Karl* wieder fünf Söhne, und *Wilhelm* ebenfalls fünf Söhne. Von diesen letztern steht ein Sohn als Offizier bei dem Kadettencorps zu Berlin, und ist als ein eben so brauchbarer Offizier, wie als wissenschaftlich gebildeter, seiner Stellung ganz gewachsener Mann rühmlichst bekannt. Ein Bruder von ihm hat die theologische Laufbahn gewählt und ist Prediger auf einem Dorfe in der Nähe der sächsischen Stadt Bautzen.

Die gräfliche Linie hat verschiedene, dem ursprünglichen Familienwappen beigefügte Bilder. Das v. d. T.'sche Wappenbild ist der Kopf eines goldgehörnten Stiers im rothen Felde, und unter diesem Kopfe sind zwei neben einander stehende goldene Sterne angebracht, während das gräfliche quadrirt und mit einem Mittelschilde versehen ist. Das mit einem goldenen Rahmen eingefasste Mittelschild zeigt im schwarzen Felde eine silberne Taube. Im Hauptschilde aber ist im ersten und vierten rothen Felde der goldgehörnte Büffelkopf vorgestellt. Das zweite und dritte blaue Feld ist mit den beiden neben einander stehenden goldenen Sternen belegt. Das Hauptschild ist mit einer neunperligen Krone und diese wieder mit drei Helmen bedeckt. Ueber der Krone des ersten Helmes schweben die beiden goldenen Sterne. Auf dem mittlern Helme ist ein schwarzer, die Spitzen rechts kehrender, mit einer weissen Taube belegter Adlerflügel; über dem dritten Helme schwebt der Büffelkopf. Die Helmdecken sind rechts blau und Silber, links roth und Silber.

Treuenfels, die Herren von.

Diese adelige Familie soll erst im dreissigjährigen Kriege, wo *Hedmer* v. T. Oberst eines leichten Regiments unter dem General Banner war, nach Deutschland gekommen sein, auch sich in Hessen und Mecklenburg niedergelassen haben. In dem letzten Lande besitzt es noch ansehnliche, ein Familien-Majorat formende Güter. In der preussischen Armee diente, aus der hessischen Linie, seit 1758 einer v. T., der am 11. Juni 1798 zum Range eines General-Majors erhoben ward und Chef des 29sten Infanterie-Regiments in Breslau war. Er starb im Jahre 1813 als General-Lieutenant a. D., 72 Jahre alt. Ein Sohn des Generals, *Wilhelm* v. T., stand 1806 als Lieutenant in dem Regiment seines Vaters und war 1828 Major und Commandeur eines Landwehr-Bataillons.

Trips, Graf von.

Graf *Franz Adolph* Berghe v. T., der letzte männliche Sprosse seines alten Hauses, lebt in Düsseldorf. (M. s. den Art. Berghe.)

Troistorrens, die Herren von.

In der waadtländischen Volkssprache Treytorrens; eines der ältesten adeligen Geschlechter des Cantons Waadt, welches seinen Namen von der ehemaligen Herrschaft Troistorrens (Schloss und Commune) im waadtländischen Distrikte Payerne führte. Es besass in der Waadt, ausser Troistorrens, die Freiherrschaft Champvent, die Herrschaften la Mollière, Golion, Bavois, St. Martin la Chène, Demores, Mollendins, Daillens u. a., nebst der Castellanei und Majorei von Cüdrefin, und theilte sich von Cüdrefin aus in drei Hauptlinien, in die von Cüdrefin, Iverdun und Payerna, welche das Erbbürgerrecht dieser Städte besassen und noch besitzen. Dem Geschlechte wurde der Adel von der Regierung der souverainen Stadt Bern (Herrin der gefürsteten Freiherrschaft Waadt) 1609 bestätigt, so wie auch die Freiheiten, die es von den Herzögen von Savoyen erhalten hat. Das Geschlecht soll ein Zweig des ehemaligen schwäbischen von Dreibach (Drybach) gewesen sein, und in Diensten des Herzogs Berthold IV. von Zaehringen nach der Waadt gekommen und dort mit einem Strich Landes beliehen worden sein, wo es ein neues Dreibach, das französische Troistorrens, anlegte. *Otto* erhielt später in der letzten Hälfte des 12ten Jahrhunderts auch die Herrschaft Luppau im jetzigen Canton Bern zur Lehn. *Otto's* Enkel war im 13ten Jahrhundert Jerusalems-Ritter, desgleichen *Johannes* zu Anfang des 15ten Jahrhunderts. — *Heinrich* war 1536 savoyischer Commandant der Stadt und Festung Iverdun, und erhielt in Betracht seiner Tapferkeit, die Bern auch bei dem Feinde ehrte, das erbliche regimentsfähige Bürgerrecht der Stadt Bern, welches seinen Nachkommen 1642 wieder erneuert wurde, das Geschlecht aber fast keinen activen Gebrauch davon gemacht hat. *Wilhelm*, Hauptmann der königl. französischen Leibwache, wurde 1525 mit dem König Franz I. bei Pavia gefangen, darauf von seinem Geschlechte ausgelöst und später von gedachtem Könige zum Ritter geschlagen. Ferner war *Isaac* (geb. 1604) Oberst und Chef eines deutschen Regiments in schwedischen Diensten, mit welchem er 1639 in französische Dienste trat und an dessen Spitze bei Borborch in Flandern fiel (1645). *Franz* (geb. 1590, gest. 1660), General-Lieutenant und Grossmeister der Artillerie (1628) in königl. schwedischen Diensten und Director der Festungsbauten von Genf (1641). — *Albert* fiel 1633 bei Kempten als königl. schwedischer General-Major und Regiments-Chef. *Abraham* rettete als Major im königl. sicilianischen Schweizer-Regimente Tschudi mit dem grössten Heldenmuthe seinen König aus der augenscheinlichst eintretenden Gefangenschaft. Er nahm 1773 als General-Lieutenant, Infanterie-Regiments-Inhaber und Gouverneur von Messina seinen Abschied und starb im Vaterlande. — *Franz Friedrich* war 1726 Professor der Philosophie und Mathematik, und gehörte unter die ausgezeichnetsten Professoren der Lausanner Academie. — N. N. war 1793 Lieutenant im Füselier-Bataillon v. Legat in königl. preussischen Diensten.

Das Stammwappen enthält im Schilde drei silberne, über einander gehende, horizontal stehende Fische (Truittes), oberhalb begleitet von einem goldenen Ringelstern (Molette en forme d'étoile à six rais) im rothen Felde; auf dem offenen adelgekrönten Turnierhelme ein wachsender goldener Löwe. Helmdecken roth, golden und silbern. Ueber dem Wappen schwebt der Wahlspruch des Geschlechtes:

„*Ubique Paratus*."

Das Familienattribut, d. h. seine historisch-geschichtliche heraushebende Bezeichnung ist Pellerinage.

M. s. Leu, Schweiz. Lex. XVIII. Bd. S. 273—276. May, hist. milit. de la Suisse VI. Bd. p. 339—341. VII. Bd. p. 450—453. Hist. des officiers Suisse par l'abbé Girard. Tom. III. p. 157—161. Lutz, Nekrolog denkwürdiger Schweizer. Documens relatif à l'hist. du Pays de Vaud de 1293 à 1750 (Genève 1817) p. 83, 88, 109, 117, 215, 320, 340, 341, 355, 372, 383, 414, 450, 530, 532.

Trotte, die Herren von, Bd. IV. S. 276.

Grundmann führt die v. T. unter den ausgestorbenen Geschlechtern in der Uckermark an. Er sagt, dass die Linie, die in der zuletzt genannten Provinz durch Jahrhunderte blühte, ein Ast von dem hessischen Hauptstamme gewesen sei. Ihr Ahnherr war *Friedrich* v. T., Feldmarschall in Ungarn und später Hofmarschall des Landgrafen von Hessen-Cassel, dessen Sohn *Adam* v. T. in kurbrandenburgischen Diensten stand und 1557 mit den Gütern des aufgehobenen Klosters Himmelsfurt und Badingen belehnt wurde, weil er dem Kurfürsten grosse Dienste in Friedens- und Kriegszeiten geleistet, auch grosse Summen vorgeschossen hatte u. s. w. Er starb als Oberhofmarschall, Geh. Rath und Hauptmann zu Zehdenick 1572. Sein Sohn *Adam* der jüngere war kurfürstl. brandenburgischer Hofmarschall und starb 1587; sein Urenkel gelangte zur Würde eines kurbrandenburgischen Geh. Kriegsraths, Generals und Gouverneurs von Peitz; er starb 1666 kinderlos. Von seinem jüngern Bruder, dem Obersten *Botho* v. T. und der Sibylla v. Buch, war noch ein Sohn, *Friedrich Wedig* v. T., vorhanden. Er ererbte Himmelsfurt, Badingen, Bredereiche, Rautenberg, Alt- und Neu-Thümen u. s. w. und starb unvermählt als der Letzte seiner Linie in der Uckermark. In Hessen zerfiel dieses Geschlecht in die drei Aeste: Solz, Lispenhausen und Treffurt.

Troyen von der Woldenburg, die Herren.

Ein uraltes adeliges Geschlecht, welches eins von denen war, aus welchen man jährlich die zwölf Vierherren der Fürstenthümer Sachsen erwählt hat, und zur Stettinschen Regierung gehörte. — Im Jahre 1037 erscheint Ritter *Ernst* v. T. mit Barnimo, der Pommern und Circipaner Fürsten, in dem ersten Turniere unter dem Kaiser Heinrich zu Magdeburg. Nach ihm kommen seine Nachkommen in gerader Linie. — *Seyhard Sigismund* Ritter v. T. erschien im Jahre 1096 auf dem Turniere zu Braunschweig (dessen Bruder *Benno* v. T. ist Bischof zu Sachsen gewesen). — *Hasse*, *Ketzel* und *Lapold* v. T. und des Letztern beide Brüder, *Degen* und *Laschalck* oder *Lasslau*, waren Ritter, und hat sich jener in der Schweiz niedergelassen, dieser aber ist im Turniere mit einem Rennspiess erstochen worden. — *Jacob* v. T.; dessen älterer Bruder *Claus* ist mit Herzog Pribislaff aus Pommern zum heiligen Grabe gezogen und auf der Reise gestorben; der andere Bruder, Ritter *Arend* v. T., ist Meister des Tempel-Ordens gewesen, und ist in der grossen Schlacht in Egypten wider Saladin im Jahre 1087 geblieben. *Veike's* v. T. Bruder, *Johann* v. T., war ein Ritter des Tempelordens und ist mit Herzog Casimir im Jahre 1217 zum heiligen Grabe gezogen. *Waltmar Veike* v. T. und seine beiden Brüder *Claus* und *Henning* sind Ritter gewesen. *Jacob Müze* v. T. hat die Stadt Daber im Jahre 1442 den Denrizen, denen schon früher das Land Daber von dem Fürsten geschenkt war, cedirt, und die Woldenburg, daran er nur den vierten Theil gehabt, wieder halb bekommen. *Jacob* v. T., dessen Bruder, ist Ritter des deutschen Ordens gewesen. *Lorenz* v. T. auf Schmeckewitz und Borstorff ist in einem Alter von 83 Jahren im Jahre 1595 gestorben, und hat vier Söhne, *Jacob*, *Paul*, *Hans* und *Lorenz*, nachgelassen. *Lorenz* v. T ist Rathsverwandter zu Stettin im Jahre 1577 gewesen; seine Gemahlin, Margarethe, war die Tochter des Rathsverwandten Johann Schwellengräber zu Stettin. Aus dieser Ehe ist eine Tochter, *Anna* v. T., welche im Jahre 1596 den Bürgermeister Senior Geiselbrecht zu Stettin zum Gemahl gehabt, nachmals den Theodor Plönnies, fürstl. pommerschen Hofrath. — Aus diesem Geschlecht ist auch *Elisabeth* v. T. an Heinrich v. Wesel, Rathsverwandten in Anclam, verheirathet gewesen. Schon im Jahre 1323 wird Ritter *Johann* v. T. in den anclamschen, und *Hennig* v. T. 1320, *Nicolaus* v. T., fürstl. Rath, 1339 in den stettinschen Privilegien als Zeugen angeführt. *Leopold* und *Hans* v. T. werden in dem Verbündnisse der Stadt Greiffenberg wider Treptow im Jahre 1459 mit angeführt. Im Jahre 1391 ist *Herrmann* v. T. der ältere in Chantze und *Herrmann* der jüngere in Warvekow Erbsassen gewesen. Im Jahre 1406 wird *Eggard* v. T. in Chantze genannt. (Micrälius, pommersche Chronik. VI. p. 535.) *Claus* und *Hippolyt* v. T. werden im Jahre 1354 in dem Verbündnisse des Adels in Hinterpommern mit der Stadt daselbst gefunden.

Die v. T. führen im Schilde ein blaues Feld, und auf dem Helme ein Einhorn.

Tschudi von Creplang,

Meyer (Majores oder Major, Mayeur, Maire) von Glarus.

Eines der ältesten und ansehnlichsten Geschlechter der Schweiz im Canton Glarus (ehemals auch Tschudy, Schudy), welches sich auch im Canton Uri in der Stadt Rapperschwyl, im Canton St. Gallen und in Lothringen und Franken verbreitet hat, und wovon jetzt mehrere Sprösslinge im preussischen Militairdienste stehen oder standen. Andere Linien, die jetzt ausgestorben sind, waren auch Erbbürger zu Zürich, Basel und Bern. Dieses Haus gehörte zu denjenigen — fürstlichen nicht ausgenommen — welche ihre Genealogie diplomatisch erwiesen bis zum Jahre 906 hinaufführen können, wie es aus einem Lehnsscheine *Rudolph's* T. v. Creplang, Meyer's von Glarus, an die Aebtissin Bertha des Stiftes Seckingen vom Jahre 1029 hervorgeht. In dieser Urkunde wird er Sohn von *Ulrich*, Sohn von *Johann*, Sohn von *Rudolph*, Sohn von *Johann*, alle Frei geboren, genannt, die seit 906 mit dem Erbamte der Majorei von Glarus von dem Stifte Seckingen beliehen worden waren. Die Majorei besass diese Familie bis 1256, und die Herrschaft Creplang mit Unterbrechung bis 1651, auch besassen sie die Burg Flums als bischöfliches und churisches Lehns-Vitzthumat, welches König Friedrich dem *Heinrich* T. v. Creplang, Meyer von Glarus, den er 1219 zum Ritter schlug, zu einer Freiherrschaft erhob. Seitdem der Canton von Glarus Theil der Eidgenossenschaft geworden (1352), ist die Landammanns-Würde fast nie aus dieser Familie gekommen. Vor der Revolution 1789 war die in Lothringen niedergelassene Linie im Besitze des Erbamtes des Grandbaillif vom Metzer und Messiner Adel. Das Geschlecht erhielt am 20. April 1539 vom röm. König Ferdinand I. eine Bestätigung seines alten turnierfähigen Adels und Wappens, mit dem Anhange: „dass wenn sich auch Einige mit unadeligen Personen verheirathen würden, dies ihrem Adelstande doch nicht nachtheilig sein sollte." — Der französischen Linie wurde ihr Adel bestätigt und 1660 von König Ludwig XIV. der französische Adelstand verliehen. — Von den grossen Helden und Staatsmännern, die dieses Haus dem Lande Glarus und dem Auslande hervorgebracht hat, eine Aufzählung zu machen, ist unmöglich, da sie fast zahllos ist. Wir führen daher nur Einige an, als: *Johann*, Bannerherr des Landes Glarus, fiel im Dienste des Vaterlandes vor Windegg 1386; *Heinrich*, Bannerherr, und *Herrmann*, Brüder, fielen in der Mordnacht zu Wesen 1388; *Conrad* fiel 1444 in der Heldenschlacht bei St. Jacob vor Basel. *Ulrich* fiel bei Biona 1522. Mehrere waren auch Ritter des deutschen Ordens, als z. B. *Christoph*, Comthur zu Hall in Schwaben, und Andere haben die Ritterwürde auf den Schlachtfeldern im Burgunder Kriege (1474—1477) und im Schwabenkriege (1499) erhalten und hohe ausländische Orden in den neueren Zeiten getragen. — Aus diesem Hause ist auch der berühmte Geschichtsschreiber der Schweiz, *Hily* oder *Aegidius* T. (geb. 1506, gest. 1572), hervorgegangen, von dessen Werken wir hier nennen wollen: Schweizer Chronik von A. 1000 bis 1470, 2 Thle. Basel 1734, in Fol. Im Manuscript ein grosses Wappenbuch mit über 4000 Wappen in Farben, in Fol. (erloschene und noch vorhandene schweizerische und rhätische Geschlechter). Ein dergleichen in 4to. und ein Catalog des schweizerischen Adels. — Nachrichten von diesem Hause finden sich vorzüglich in Leu, Schweiz. Lex. XVIII. Th. S. 330—355. Gauhe's Adels-Lex. I. Th. S. 652—655. (Letzterer setzt aber irrthümlich „Anno 1209" statt „Anno 1029", wie durch die vorhandene Urkunde dargethan werden kann. — May, hist. milit. de la Suisse, Tom. II. p. 158—173. Tom. VIII. p. 385, 390, 503—504; 393—395, 398—400, 407. Lutz, Nekrolog denkwürd. Schweizer S. 537—539.

Twickel, die Freiherren von, Bd. IV. S. 283.

Denen von uns angegebenen Mitgliedern dieser Familie ist hinzuzufügen: *Clemens* Freiherr v. T., Domherr zu Münster. Man lese auch Kreis Warendorf im Regierungs-Bezirk Münster, statt im Regierungs-Bezirk Minden.

Tzschoppe, Herr von.

Der Geh. Ober-Regierungsrath und Director des Geh. Staats- und Cabinets-Archivs, *G. A.* T., ist im Jahre 1836 in den Adelstand erhoben worden. Das ihm beigelegte Wappen ist quadrirt, im ersten und vierten rothen Felde ist ein aufspringender goldener gekrönter Löwe vorgestellt, das zweite und dritte silberne Feld wird von zwei schwarzen Balken der Länge nach durchzogen. Dieses Schild ist mit zwei gekrönten Helmen bedeckt.

U.

Uebel, die Herren von.

Der Rittmeister von der Armee U., früher Lieutenant im 6ten Cürassier-Regiment und ein Sohn des verstorbenen Amtraths U. zu Paretz, wurde am 5. Febr. 1835 in den Adelstand erhoben. Sein Wappen ist quadrirt, die Felder 1. und 4. sind schwarz und damascirt, 2. und 3. Silber und damascirt; das Ganze ist mit einem, von der obern rechten zur untern linken Seite gelegten rothen, mit drei goldenen Sternen besetzten Balken durchzogen. Auf dem gekrönten Helme wächst ein gerüsteter, das Schwert schwingender Arm. Decken blau und Silber.

Uechtritz, die Herren von, Bd. IV. S. 284.

Die zum Theil erst in der allerneuesten Zeit absichtlich erdichteten Fabeln von der ursprünglichen Abstammung der Familie Uechtritz, bedürfen vor den Augen dessen, der in die Geschichte einigermassen eingeweiht ist, keine Widerlegung. Es genüge daher, alle diesfällige Erzählungen als unhaltbare Erdichtungen zu bezeichnen, namentlich die Angaben: 1) dass es drei verschiedene Geschlechter dieses Namens gebe; 2) dass die Steinkircher Linie ursprünglich Steinkirch geheissen und den Namen Uechtritz im 13ten Jahrhundert erst vorgesetzt habe; 3) dass sie an der Erbauung Lauban's Antheil gehabt; 4) dass die Schwertaner Linie aus dem Gefolge böhmischer Herzöge abstamme; 5) dass ihr mit der Steinkircher die Obhut des Queis-Kreises und — horribile dictu — eines heidnischen Götzen, Flins, übertragen gewesen sei! (Einem Ritter der Schutz eines heidnischen Götzen!) Endlich die Behauptung vandalischer Abkunft! — Für alle diese Märchen leistet auch nicht Eine historische Angabe Gewähr, vielmehr stehen sie mit der Geschichte im offensten Widerspruche.

Deutsche Ritter liessen sich in der Lausitz erst im 11ten Jahrhundert nieder. Von wendischen Rittern, oder von einem wendischen Adel, weiss unsere Geschichte nichts. Die deutschen Ritter, die Lehnsmänner des siegreichen deutschen Kaisers, und die Schutzmacht ihrer Markgrafen, welche sich damals in der Ober-Lausitz festsetzten, waren nach aller Wahrscheinlichkeit meist aus den jetzt sächsischen Landen. Dies gilt auch von den Uechtritzen. Wir finden sie noch im Jahre 1304 in der Gegend von Weissenfels. (Vergl. Urkunde dat. 1304. XVI. Kal. April in Kreysig's Beiträgen zur sächs. Historie.)

Dort giebt es auch das Dorf Uechtritz, welches bereits 1361 urkundlich vorkommt (Kreysig l. c. III. p. 441), und daher nicht erst, wie in Gauhe's Adels-Lexicon steht, im 15ten Jahrhundert erbaut worden ist. Ein *Tham* v. U. wird 1348 in einer Urkunde des Klosters Gosseck, welches nur eine Stunde von dem Dorfe Uechtritz entfernt liegt, aufgeführt. (Vergl. Schamelius Beschreibung des Kl. Gosseck, pag. 78.)

In der Ober-Lausitz und dem angrenzenden Schlesien treten die Uechtritze erst im 14ten Jahrhunderte auf. Man wird daher wohl nicht irren, wenn man annimmt, dass erst gegen die Mitte oder das Ende des 13ten Jahrhunderts — vielleicht zur Zeit der Tartarenschlacht — einzelne Glieder des sächsischen Stammes sich hier niederliessen.

29*

Nach Laubaner Annalen, jedoch ohne gleichzeitige urkundliche Bestätigung war in den Jahren 1301 und 1304 *Johann* v. U. auf Steinkirch Bürgermeister zu Lauban. Es wohnten damals noch viele Ritter in den Städten, wo sie den ersten Bürgerstand bildeten (Hüllmann, Städtewesen des Mittelalters II. p. 226), und es mangelt daher dieser Nachricht nicht an innerer Wahrscheinlichkeit, wozu die Aehnlichkeit des Wappens der Stadt Lauban mit dem Uechtritz'schen verstärkend tritt.*)

Die ältesten Stammhäuser der Familie v. U. in dieser Gegend sind Steinkirch und unweit davon Schwerta, und es ist kein Grund vorhanden, anzunehmen, dass beide Häuser, welche Einen Namen und Ein Wappen führen, nicht auch zu Einem und demselben Geschlechte gehören, wenn auch der Umstand, dass Steinkirch schlesisch und Schwerta lausitzisch ist, den Unterschied einer schlesischen und lausitzischen Linie begründet hat. Die Präsumtion, welche aus Gleichheit des Namens und Wappens für die Geschlechtsverwandtschaft überall geltend gemacht wird, unterstützen sodann auch noch urkundliche Beweise und die darauf gestützte Meinung unbefangener Genealogen.

Aus Urkunden lausitzischer und schlesischer Archive bildet sich nun folgende Genealogie: *Heinrich* I. auf Schwerta und Steinkirch, verheirathet mit einer v. Uechtritz aus dem Hause Langenölsa, welche 1357 starb und in Marklissa begraben liegt, welche Angabe sich auf Chronik-Nachrichten gründet und auch von König in sein Adelslexicon aufgenommen worden ist. Er hatte nach diesen Zeugnissen einen Sohn, *Bernhard* I., ebenfalls auf Steinkirch und Schwerta, welcher 1357 vorkommt, und mit einer gebornen v. Gersdorff zwei Söhne: *Bernhard* II. und *Hieronymus*, zeugte, von welchen jener als Stifter der Steinkircher, dieser als Stifter der Schwertaer Linie angenommen wird. *Bernhard* II. wurde von der Herzogin Agnes zu Schweidnitz 1387 mit den Steinkircher Gütern belehnt. (Lehnsbrief im Archiv zu Lauban.) Seine Söhne waren *Heinrich* II., *Hans* I. und *Bernhard* III., welche mit denselben Gütern 1406 belehnt wurden. (Urkunde im vorgenannten Archiv.) *Nickel*, *Hans* II., *Christoph* und *Bernhard*, Gebrüder v. U. auf Steinkirch, liessen die Lehnsprivilegien ihrer Eltern im Jahre 1492 bestätigen und die Genealogie dieser Linie ist von da an ohne Dunkelheiten. Genannter *Hans* II. stiftete die Linie Holzkirch in der Ober Lausitz, so wie sich die Steinkircher Linie überhaupt mit der Zeit in mehrere Zweige zersplitterte.

Die zweite Hauptlinie, die Schwertaer, nimmt mit *Hieronymus* ihren Anfang, dessen Nachkommenschaft bis zu *Sebastian* und *Nicolaus* v. U. dunkel ist, von wo sie aber, obgleich bei dem Brande des Schlosses Schwerta (1527) die meisten Familienpapiere verbrannten, urkundlich zu erweisen ist. *Sebastian* und *Nickel* schrieben sich noch 1489 „auf Schwerta und Steinkirchen gesessen.“ (Urkunde über die Theilung des Gutes Langenölsa im dasigen Archiv.)

Andere Documente für die Stammverwandtschaft beider Häuser, des Steinkircher und Schwertaer, sind:

---

*) Der Umstand, dass die sächsische Linie auf dem Helme des Wappens zwischen den Büffelhörnern noch einen Schlüssel führt, ist ganz unbedeutend bei der Beurtheilung der Stammverwandtschaft. Das alte Wappen kennt nur das Schild mit seinen Insignien. Das Attribut des Helmes ist späteren Ursprunges und nur bei Beurtheilung der Linien wichtig.

a) Urkunde vom 15. Mai 1592. *Franz* v. U. zu Steinkirchen bezeuget die Gesammtbelehnung seiner Voreltern mit *Hans* v. U. auf Schwerta;

b) *Joachim* v. U. auf Steinkirchen setzt seine Vettern *Hieronymus* U. auf Steinkirchen und *Hans* U. auf Schwerta zu Vormündern seiner Kinder ein 1545.

c) *Johann Hartwig August* v. U. stiftete ein Familienstipendium für das Uechtritzische Geschlecht und alle anverwandte Häuser, vom 7. Septbr. 1822 u. s. w.

Erst in neueren Zeiten hat man sich bemüht, die Stammverwandtschaft beider Hauptlinien, der Schwertaer und Steinkircher, zu läugnen, und zwar aus Veranlassung einer Seniorats-Stiftung, welche *Anne Christiane* verwittwete v. U., geb. v. Metzrad, am 3. Novbr. 1700 auf den Gütern Gebhardsdorff mit Zubehör eventualiter für das sämmtliche Uechtritzische Geschlecht errichtete. Seit dieser Zeit suchte man durch erdichtete Hülfsmittel der Steinkircher Linie, welche noch florirt, eine fremde Abstammung anzuweisen.

Zu den zufälligen Irrthümern des ersten Artikels Bd. IV. S. 284, gehört die Aufführung der Familie des *Joseph Peter* v. U. auf Heidersdorff, als Bestandtheil der Steinkircher Linie, obgleich derselbe erst im Anfange dieses Jahrhunderts geadelt worden ist und ein ganz verschiedenes Wappenschild erhielt. — Das Gut Fuga liegt nicht in der Lausitz.

Die vollständigsten Nachrichten über das Geschlecht v. U. giebt das grosse genealogische Werk des M. Kloss: Genealogische Nachrichten vom Ober-Lausitzer Adel (XVIII Bände in Fol.) im XVI. Bd., welcher aus dem Archive zu Lauban schöpfte, und besonders die Nachrichten benutzte, welche die Familie Uechtritz im Jahre 1684 aus den schlesischen Landes-Canzleien zusammentragen liess. — Sehr unsicher ist ein anderes handschriftliches Werk: Reiche der Herrschaften von Altscheibe und Gebhartsdorff, vom Cantor Herzog 1781 angefertigt und dem Herrn Friedrich Emil v. Uechtritz gewidmet.

Anmerkung. Der im IV. Bande von uns gegebene Artikel, diese Familie betreffend, war uns von dem Haupte der im Königreich Sachsen blühenden Linie eingesandt worden; es geschieht daher mit um so grösserem Vergnügen, dass wir hier auch diesen uns von der Linie v. Uechtritz-Steinkirch zugekommenen Aufsatz veröffentlichen können, um beide Stimmen zu hören und auf diese Weise dem Publikum Gelegenheit zu geben, unpartheiisch ein Verhältniss zu beurtheilen, welches in diesem Augenblicke zu einem wichtigen Familien-Processe Veranlassung giebt.

Ultzberg (Ultzbergen), die Herren von, der, die.

Ein erloschenes adeliges Patrizier-Geschlecht zu Erfurt, dessen Stammort Uzberg zwischen Erfurt und Weimar im Grossherzogthum Sachsen-Weimar liegt und an die ehemalige freie Stadt Erfurt gelangte, als es das Patriziat daselbst erhielt. — *Johann* v. U. war vom Jahre 1354—1359 Rathsmeister; ein anderer *Johann* v. U. war 1438 Lehnsmann der Grafen v. Gleichen zu Gispersleben bei Erfurt.

Uminski, Herr von.

Der ehemalige polnische General v. U. besass die Smolicer Güter in der Provinz Posen. Sie sind jetzt Eigenthum des Staates. Er lebt gegenwärtig in London.

Unverfärth, die Herren von.

Sie gehören zu dem neuern Halberstädtischen Adel und führen ein quadrirtes Wappen, im ersten und vierten silbernen Felde eine rothe Rose, im zweiten und dritten blauen Felde eine silberne französische Lilie. Dieses Hauptschild ist mit einem grünen Kreuz belegt, in dessen Mitte der preussische Adler und an jeder Ecke ein breites grünes Blatt in Form eines Herzens angebracht ist.

Uslar-Gleichen, die Freiherren von.

Seit den frühesten Zeiten, wo der Adel bleibende Familiennamen annahm, kommt der Name dieses Geschlechts vor, und dasselbe gehört zu dem ursprünglichen Stammadel. Der Name wird in den alten Urkunden Uslar, Uslare, Usslare, Usler, Useler, Usseler und Uslaria geschrieben.

Ihr erster bekannter Stammsitz scheint auf dem Solling, diesem Sitze sächsischer Grossen, wie Sonne in seiner Erdbeschreibung des Königreichs Hannover S. 55 sagt, ihr dortiges Rittergut Uslar, um welches nach und nach die jetzige kleine Stadt Uslar sich anbaute, und ihre in dortiger Gegend belegenen Grundbesitzungen gewesen zu sein. Schon sehr früh, als die Familie die Dynastie Gleichen erworben hatte, wurden die v. Niehusen und nach deren Erlöschen die Familie Götz v. Olenhusen mit jenen Besitzungen beliehen, welche letztere es noch gegenwärtig nebst mehreren Gärten, Gefällen, Zehnten u. s. w. in Uslar selbst und den umliegenden Dörfern, als Uslarsches Lehn empfängt.

1141 wird *Ernestus* de Uslare in dem Schenkungsbriefe des Grafen Siegfried v. Bomenburg für das Kloster in Northeim als Zeuge aufgeführt. Diese Urkunde ist vollständig abgedruckt in Scheidt, Origines Guelficae Tom. IV. p. 523–526 und in Harenbergii Historia Ecclesiae Gandersheimensis p. 707 u. 708.

Bei der Seltenheit der bisher benutzten Urkunden, finden sich aus dem 12ten Jahrhundert nur wenige Familien-Nachrichten. Häufiger erscheint der Name dieses Geschlechts in den Urkunden des 13ten Jahrhunderts, wo vorzüglich die Ritter *Hermann* und *Ernst* v. U. oft genannt werden. Diese beiden Genannten mögen auch zu Anfang des 13ten Jahrhunderts den Besitz der Gleichen bei Göttingen erworben haben; auf welche Weise, ist bis jetzt noch nicht ermittelt, wenn nicht die Angabe Letzner's richtig ist, dass sie dieselben 1211 vom Kaiser Otto IV. gekauft haben. (Vergl. Wenck's Hessische Landesgeschichte II. Bd. 2te Abtheil. S. 696. Nota Z.) — Sonne a. a. O. p. 81 schreibt: „Das Gericht Altengleichen erhielten die v. U. 1208 vom Kaiser. Alten- und Neuen-Gleichen ist die Dynastie Gleichen, deren Doppelburgen weit sichtbar sind.“ Dass diese Burgen nie von den Grafen v. Gleichen in Thüringen besessen worden seien, haben schon mehrere gründliche Geschichtsforscher, und vorzüglich Wenck a. a. O. p. 694 flg. abgehandelt und auf das Deutlichste bewiesen; auch der um die Geschichte des Eichsfeldes verdiente Canonicus Wolf in seiner Geschichte des Eichsfeldes S. 27 behauptet und beweist dasselbe.

Die Familie v. U. erwarb die Gleichen, nebst zugehöriger Herrschaft, als freies Allodium, und hat sie nicht als Lehne empfangen.

Dies erhellt daraus, dass die Gebrüder *Ernst* und *Hans* v. U., nachdem ihre Kinder und Erben in einer Fehde gegen die freie Reichsstadt Mühlhausen zu Anfang des 15ten Jahrhunderts geblieben waren (m. s. den Fehdebrief *Werners* v. U. an die Reichsstadt Mühlhausen in Grasholii Orig. Mühlhausen p. 131), ihr Besitzthum, die neue Burg Gleichen, nebst zugehörigen Dörfern, Gerechtsamen, Gericht und Unterthanen u. s. w. im Jahre 1451 an den Landgrafen Ludwig von Hessen für 8940 rheinische Gulden verkauften. (Vergl. Wenck a. a. O., und Sonne a. a. O. p. 91.) In der Verkaufsurkunde, die in Ledderhose's kleinen Schriften, Theil III. p. 203 flg. gedruckt ist, nennen sie die neue Burg: ihr frei erb und eigen Burg und Schloss, das neue Haus zu Gleichen, und geben als Zubehör an: das Dorf Sattenhausen, das Dorf Benniehausen zum vierten Theil, das Dorf Wollmarshausen zum vierten Theil, das Dorf Himmigerode, das Dorf Breitenbeck (Bremke) zum vierten Theil mit seinem Zubehör zu Gellinghausen und Benniehausen, sammt aller Mannschaft an dem Berge zu Gleichen, etliche Vorwerke, Wüstungen, Zinsen und Güter und das Dorf Waacke halb. 1454 verkauften sie ihm auch noch ihr Dorf Mackenrode (ibid. p. 213 flg.). Dieses war der vierte Theil der zu den beiden Gleichen gehörenden Herrschaft.

Wären diese Besitzungen Lehen gewesen, so würden weder ihre Vettern auf Alten-Gleichen, noch der Lehnsherr, so ruhig die Besitzergreifung von Hessen angesehen haben, um so mehr, da viele Streitigkeiten zwischen den Besitzern der Alten- und Neuen-Gleichen vorkamen.

Uneinigkeit mit ihren Vettern auf Alten-Gleichen und frommer religiöser Sinn waren die Ursache dieses Verkaufs; denn sie beschenkten das damalige, sehr in Verfall gekommene Benedictiner-Kloster zu Reinhausen, in welchem sie auch ihre Tage beschlossen, mit fürstlicher Freigebigkeit (vergl. Hannövr. Magazin von 1816. St. 66, pag. 1053) und stifteten bei Reinhausen 1460 ein Siechenhaus für arme gebrechliche Kranke, welches noch jetzt besteht, und über welches das Kloster, jetzige Amt Reinhausen, und der Magistrat zu Göttingen die Oberaufsicht und Verwaltung führen. (Vergl. Wolfii Commentario II. de archidiaconatii Nortunensi, Diplom. p. 56 seq.)

Frühzeitig schloss sich die Familie an die Erzbischöfe von Mainz an und schon 1292 verpflichteten sich die Ritter *Ernst*, *Hildebrand* und *Hermann* v. U., dass einer aus ihrem Geschlechte als Burgmann auf dem mainzischen Schlosse Rusteberg wohnen sollte. (Vergl. Wolf's Eichsfeldisches Urkunden-Buch. Urk. No. 25.)

Für ihre den Erzbischöfen von Mainz geleisteten Dienste wurden die Herren v. U. durch häufige Belehnungen belohnt, und als sie in einer bedeutenden Fehde ihre Schlösser zu öffnen versprochen und treulich Beistand geleistet hatten, bekamen sie das ganze Dorf Siebohlshausen, in der Nähe ihrer Besitzungen bei Göttingen gelegen, mit allen Rechten und Gerechtsamen, Gericht, Land und Leuten zu Lehen. (S. Wolf's Geschichte des Eichsfeldes und mainzische Lehnsbriefe in dem Lehns-Archiv der Familie.)

Nicht nur von den Erzbischöfen von Mainz, sondern auch von andern geistlichen und weltlichen Fürsten wurden sie mit ansehnlichen Gütern beliehen. So hatten die Ritter *Hermann* und *Ernst* v. U. von den Aebten zu Corbei die Advocatie über Rodenfelde und Hameln, womit nach ihnen 1265 die Herzöge Albert und Johann von Braunschweig von dem Abt Thymmo belehnt wurden. (Orig. Guelficae IV. p. 208.)

Harenberg in seiner Historia Ecclesiae Gandersheimensis p. 931, 954 und 1586, führt die von den Aebtissinnen von Gandersheim, und ab Erath im Codex diplomaticus Quedlinburgensis p. 499, 500, 529, 573, 698, 743, 708, 763, 831, die von den Aebtissinnen von Quedlinburg empfangenen Lehen an.

In dem Lehnsarchive der Familie werden die zahlreichen Lehnsbriefe der Könige von Hannover und ihrer Vorfahren, der Kurfürsten und Landgrafen zu Hessen und anderer Fürsten aufbewahrt.

Preussen erhielt 1815 auf dem Eichsfelde einen Theil der früher von dem Erzstift Mainz und den Aebtissinnen von Halberstadt und Quedlinburg besessenen Güter, von denen mehrere der Familie v. U. gehören, und sie ist mit diesen wiederum beliehen, und dadurch Vasallen der Krone Preussen geworden.

Die v. Uslar-Gleichenschen Erbgerichte, das geschlossene Gericht Alten-Gleichen und das Gericht Sieboldshausen umfassen die Dörfer Bremke, Gellinhausen, Wöllmarshausen und Sieboldshausen. Die Rittergüter Appenrode, Ober- und Untergut Elbikerode, Gellinhausen, Sennikerode, Vogelsang und Wöllmarshausen, liegen in dem Gerichte Alten-Gleichen, und durch sie hat die Familie das Recht, die Provinzial-Landtage des Fürstenthums Göttingen zu besuchen und bei Wahlen u. s. w. acht Stimmen abzugeben.

Das Jus patronatus üben sie in den evangelischen Dörfern Bremke, Gellinhausen mit Benniehausen und Wöllmarshausen, und alternatim in Grossen- und Kleinen-Lengden; ausserdem auch über die katholischen Dörfer Seeburg, Desingerode und Immigerode.

Die Familie war zu Ende des 15ten Jahrhunderts ihrem Erlöschen nahe, da nur noch *Wedekind* v. U. im hohen Alter lebte. Von diesem *Wedekind*, der sich mit einem Fräulein v. Oldershausen vermählte, stammen alle jetzt lebenden Herren v. U. ab, und sie haben sich, nach ihren Stammvätern, den beiden Söhnen desselben, *Ludolf* und *Melchior*, in die Ludolf'sche und Melchior'sche Linie getheilt, welche aber sowohl durch ihren gemeinschaftlichen Besitz der Familien-Lehen, als durch oft unter sich geschlossene Heirathen verwandt und befreundet sind. Diese Beiden theilten, nachdem ihre Brüder ohne Nachkommen gestorben waren, die zu der Burg Alten-Gleichen gehörenden Lehngüter und Besitzungen zu gleichen Theilen, jedoch die Gerichtsbarkeit, die Hoheitsrechte, Jagd u. s. w., so wie die in den Händen der Aftervasallen nicht unbedeutenden Lehen, blieben gemeinschaftlich, und ist der Aelteste beider Linien der Lehnherr, und müssen nach seinem Tode von dem dann Aeltesten die Belehnungen von Neuem nachgesucht werden.

Sowohl im Militair-, als auch in anderen Diensten haben sich viele aus dieser Familie hervorgethan und nicht nur im Hannövrischen, sondern auch im Hessischen, Dänischen, Sächsischen, Schwedischen und Spanischen hohe Aemter und Würden bekleidet. Wir nennen hier nur folgende:

Thilo Albrecht v. U., herzogl. braunschweigischer General-Lieutenant, Geheimer Kriegsrath und Oberst zu Ross und zu Fuss, blieb 1634 bei der Belagerung von Minden. Dieser hatte dem Herzoge von Braunschweig und Lüneburg, Friedrich Ulrich, zur Werbung von mehreren Regimentern eine ansehnliche Summe vorgeschossen und dafür das Haus und Amt Uslar erhalten, welches sein Sohn *Falk Adolph* gegen das Haus Rittmarshausen und die dazu gehörenden fünf Gartendörfer Bischhausen, Kerstlingerode, Rittmarshausen, Beienrode und Weissenborn, in der Nähe der Gleichen, vertauschte.

Der Bruder des *Thilo Albrecht*, *Georg* v. U., half als Oberst im dreissigjährigen Kriege Magdeburg gegen Tilly vertheidigen, dessen überlegenen Kräften er aber weichen musste und die grausame Zerstörung nicht verhindern konnte.

Friedrich Otto v. U. erhielt als Sachsen-Weimarischer Gesandter in Berlin von dem Könige von Preussen, Friedrich I., den schwarzen Adlerorden als eine Anerkennung seiner geleisteten Dienste.

Die Glieder des zahlreichen Geschlechts derer v. U.-G. wohnen grösstentheils im Königreich Hannover, einige in dem Kurfürstenthum Hessen und dem Grossherzogthume Oldenburg.

In dem Königreiche Preussen folgende:

I. Von der Ludolf'schen Linie:

1) *Wilhelmine* v. U.-G., Gemahlin des General-Majors v. Ledebur II., Commandeurs der 5ten Landwehr-Brigade, in Erfurt. Ihr Vater war der hannövrische General-Major *Karl August Wilhelm* v. U.
2) Die beiden Brüder *Dettlev Eduard* und *Delmihn Karl* v. U.-G., welche im Garde-Schützen-Bataillon in Berlin als Seconde-Lieutenants dienen. Sie sind die Söhne des in Göttingen wohnenden Ritterguts-Besitzers *Eduard* v. U.-G.

II. Von der Melchior'schen Linie:

Der königl. preuss. Landrath *Karl* v. U.-G. in Schleusingen, Sohn des königl. hannövrischen Ober-Hauptmanns *Hans Lebrecht* v. U.

Mit seiner Gemahlin Amanda, Gräfin v. Schlabrendorff, Tochter des Domherrn Grafen Heinrich v. S., hat er drei Kinder:

1) *Karl Ernst Leopold*,
2) *Leopoldine Eleonore Karoline Adelheid*, und
3) *Maria Amanda Amalie Adelheid Ida.*

Obgleich die Familie den Freiherrn-Titel zu führen berechtigt ist, so bedienen sich dennoch nicht alle desselben.

Schon bei mehreren Gelegenheiten ist dies durch Urkunden bewiesen, namentlich als auf Befehl des Königs von Westphalen alle adeligen Familien im sogenannten Königreich Westphalen ihren Adel, Wappen und Titel nachweisen mussten; in Folge dessen der Ober-Hauptmann, damalige Friedensrichter *Hans* v. U. ein Bestätigungs-Patent vom 10. Juli 1813 von dem Könige v. Westphalen Hieronymus Napoleon erhielt, welches in dem westphälischen Gesetz-Bülletin vom Jahre 1813, Bd. II. No. 28. S. 59 bekannt gemacht ist. Auch haben Se. Majestät Friedrich Wilhelm III. dem Landrath *Karl* v. U. bei Verleihung des St. Johanniter-Ordens durch Allerhöchste Cabinets-Ordre vom 18. Jan. 1829, welche in der Haude- u. Spenerschen Zeitung für 1829. No. 16. abgedruckt ist, diesen Titel anerkannt.

Den Namen „Gleichen" führt die Familie erst seit 1825. Se. Majestät der König von Hannover, Georg IV., gestattete die Annahme dieses Namens zur Unterscheidung von einer andern im Königreich Hannover angesessenen Familie v. Uslar (vergl. hannövrische Gesetzsammlung von 1825. Abth. I. pag. 31. No. 7. Ob diese Familie von jener herstamme, ist nicht bestimmt nachzuweisen, da die Trennung jedenfalls sehr früh geschehen sein muss, und sie nicht das Wappen der freiherrlichen Familie führt.

Das Wappen beschreibt v. Meding im adeligen Wappen-Band II. p. 135; eine Abbildung eines Siegels von 1465 ist in Harenb. hist. eccl. Gandersheimensis Tab. XXXV.

Genealogieen finden sich in Specht's Stammbaum und Geschlechtsregister derer v. Uslar. Hildesheim 1636, 4. Theodor v. Steinmetz, Geschichte der Eichsfeldischen Ritterschaft. Göttingen 1701, Fol.

Praetorius, v. Uslar'sche Familiengeschichte. Göttingen 1750. Heise, Antiquitates Kerstlingerodanae. Frankfurt 1724, 4. Harenbergii, Historia Eccles. Gandersheimensis. Hannover 1734, Fol. p. 1585. Heineccii et Leuckfeldi, Scriptores rerum Germanicarum. Frankf. a. M. 1707, Fol. I. p. 359. Chronicon. Monasterii Reinhusani. Manuscript von Kotzebue u. s. w.

Nachrichten finden sich in sehr vielen Schriftstellern zerstreut, da aber noch wenig Urkunden der Familie durch den Druck bekannt gemacht sind, so erscheinen dieselben nur sehr unvollständig und unzusammenhängend.

V.

Vacano, die Herren von.

Ein adeliges Geschlecht in der Rheinprovinz, im Nassauischen und in Belgien. In der Rheinprovinz namentlich ist das Haupt der Familie *Clemens Wenzel* v. V. zu Coblenz.

Vargula, die Freiherren von.

Ein erloschenes freiherrliches Geschlecht, welches von dem Schlosse Vargula im Kreise Langensalza seinen Namen, den Ursprung aber von den alten Vitzthumen zu Erfurt herleitet. Es führte den Titel Schenk von dem Erbschenkenamte der Landgrafschaft Thüringen und sind von ihm die Schenken von Tautenburg, von Apolda, von Saleck, von Deborgen, von Domburg, von Nebra, von Trebra (von Wiedebach) u. s. w. entstanden. — *Dietrich* v. V., der Schenk 1193, der ein Bruder *Berthold's* des Vitzthumen (Stammvaters der Vitzthumen von Apolda und Eckstedt) und *Tiedemann's* des Kämmerers (Stammvater der Kämmerer von Vahnern und Mühlhausen) und Sohn *Heinrich's* des Vitzthums zu Erfurt, dessen 1148 gedacht wird, ist Stammvater des Hauses v. Vargula. — *Dietrich* der Schenk v. V., war 1288 Lehnsmann der Grafen v. Gleichen. Ein Zweig hat sich auch mit dem deutschen Orden nach Preussen verbreitet gehabt. Ein Zweig war auch Patrizier zu Erfurt; aus diesem waren *Andreas* v. V. 1329 und *Dietrich* v. V. 1351 Rathsmeister u. s. w. M. s. Gauhe I. Bd. S. 2065—2068. Hellbach II. Th. S. 394. Sapit. Gesch. der Grafen Gleichen S. 74 u. a. m.

Varnhagen von Ense, die Herren.

Der urspüngliche Familienname ist v. Ense; denselben nahm unter der Anerkennung der altadeligen Abstammung der Familie *Karl August* V. v. E. wieder an; derselbe ist am 21. Februar 1785 zu Düsseldorf geboren und ein Sohn des verstorbenen pfalzbaierschen Medicinalraths und Stadtphysikus V., der im Jahre 1799 zu Hamburg starb. *Karl August* studirte anfänglich in Berlin die Heilkunde; er trat zuerst im Jahre 1804 als Dichter auf. Im Jahre 1809 wurde er österreichischer Offizier und erhielt in der

Schlacht bei Aspern ehrenvolle Wunden. Nach der Heilung derselben wurde er Adjutant des Fürsten von Bentheim. Die französische Verordnung, die damals alle in dem Gebiete, welches zum französischen Kaiserreiche gezählt wurde, geborne Männer aus fremdem Kriegsdienst zurückrief, veranlasste ihn zu der oben erwähnten Annahme des alten Familiennamens. Im Jahre 1813 wurde V. v. E. russischer Hauptmann und Adjutant des Generals Tettenborn. 1814 trat er in den preussischen Civildienst; er begleitete den Fürsten Hardenberg 1815 nach Paris und wurde darauf als Minister-Resident in Karlsruhe angestellt. Im Jahre 1819 schlug er den Posten eines preussischen Ministers bei den Staaten zu Nord-Amerika aus. Seitdem lebt er mit dem Titel eines Geh. Legations-Raths ausschliesslich den Wissenschaften zu Berlin. Zahlreiche sehr geschätzte Schriften sind die Früchte seiner Thätigkeit. Er ist seit dem Jahre 1833 Wittwer von Rahel Antonie Friederike, geb. Levin Marcus; eine geistreiche, literarisch sehr thätige Frau, über deren Wirken und Leben die Gallerie von Bildnissen von Rahel's Umgange und Briefwechsel, Leipzig 1836, Auskunft giebt.

Veltheim, die Grafen und Freiherren von, Bd. IV. S. 292.

Eines der ältesten Geschlechter des alten Sachsenlandes, welches bereits in Urkunden des 11ten Jahrhunderts vorkommt, und damals sowohl Veltem, als Velthem, auch wohl Veltum geschrieben wurde.

Ein Zweig dieses Geschlechts besass die Grafschaft Osterburg, welcher aber mit *Siegfried*, Grafen zu Osterburg, gegen die Mitte des 13ten Jahrhunderts ausstarb.

Burchard v. V. war Bischof zu Halberstadt und nennt in einer Urkunde vom 25 Julius 1087 seinen Bruder *Adelgatus* v. V. und dessen Sohn, *Werner* v. V., Grafen zu Osterburg. Letzterer war vermählt mit Gisela, Tochter des Grafen Wiprecht v. Groitsch. Ausser diesem war noch ein Sohn *Ruggerus* oder *Rutgerus* vorhanden, welcher mit einer Tochter des Grafen Friedrich v. Lengenfeld verheirathet war, aus welcher Ehe zwei Söhne, *Friedrich* und *Rutgerus*, der nachher gedachte Erzbischof entsprossen, wovon *Friedrich* ohne männliche Nachkommen starb.

Jenem *Werner* I. folgte sein Sohn gleiches Namens im Besitze dieser Grafschaft, welcher in einer Urkunde des Kaisers Lothar vom 13. Juni 1129 als Zeuge aufgeführt wird und mit Eleke (Adelheid), Tochter des Herzogs Magnus von Sachsen und Lüneburg, vermählt war.

Ein anderer Sohn desselben war *Adelgatus*, früher Domprobst zu Halberstadt und von 1107 bis 1119 Erzbischof zu Magdeburg. Nach dessen Tode wurde dessen Vetter *Rotgerus* v. V. zum Erzbischof zu Magdeburg einmüthig gewählt, und dieser starb 1125.

Jener *Werner* v. V., Graf zu Osterburg, aber wurde 1105 vom Kaiser Heinrich IV. zum Statthalter von Ancona ernannt. Es hinterliess derselbe einen Sohn gleiches Namens, der ihm im Besitze der Graftschaft Osterburg folgte, und einen Sohn, Namens *Siegfried*, welcher Domherr zu Halberstadt war.

Ersterer war mit einer Tochter Dedo's, Edlen v. Krosigk, und der Bia v. Hertbike (Harbek, Harbke) und Mesburge (Merseburg), Stiefschwester des Grafen Milo v. Amensleben und Morsleben, verheirathet. Ihm folgte als Graf zu Osterburg sein Sohn gleiches Namens, welcher sich mit Eleke, Tochter des Grafen Otto zu Ballenstedt und Salzwedel und Schwester des Markgrafen von Brandenburg, Albrecht des Bären, Wittwe des im Jahre 1128 kinderlos verstorbenen Markgrafen v. Stade, Heinrich II., vermählte und ein sehr hohes Alter erreichte. Seinen Sohn, *Werner* IV., verlor er noch bei seinen Lebzeiten, indem derselbe seinem Oheim, Albrecht dem Bären, 1157 bei der Wiedereroberung von Brandenburg beistand und dabei blieb. Es hatte derselbe noch mehrere Söhne, namentlich *Albert* und *Rotgerus*, wovon *Albert* zum Besitze der Grafschaft Osterburg gelangte, sich mit Oda, Tochter Siegfried's v. Erteneborg vermählte, und ausser zwei früher verstorbenen Söhnen, *Werner* und *Albrecht*, einen Sohn *Siegfried* hinterliess, welcher Graf zu Osterburg und Altenhausen war und nur eine Tochter, welche an Luthard, Edlen v. Meinersen, verheirathet war, nachliess, und da er ohne männliche Descendenz war, seine Besitzungen schon bei seinen Lebzeiten theils verkaufte, theils zu geistlichen Stiftungen verwendete. Er starb 1242, und *Rotgerus*, der jüngste Sohn *Werner's* III., erhielt andere Familiengüter, namentlich die Stammburgen zu Veltheim an der Ohre und zu Veltheim am Fallstein, und wurde der Stifter des noch blühenden v. Veltheimschen Geschlechts.*)

---

*) In einem, im ersten Hefte des 3ten Bandes des vom Herrn v. Ledebur herausgegebenen allgemeinen Archivs für die Geschichtskunde des preuss. Staats §. 19. enthaltenen Aufsatze des verstorbenen Kriegsraths Wohlbrück, ist die Behauptung, dass die noch blühende Familie v. Veltheim von den alten Edlen v. Veltheim abstamme, eine von tadelnswerthem Leichtsinne erfundene und von eitler Leichtgläubigkeit angenommene Legende genannt. Es sei indess erlaubt, hier die gegen diese Behauptung sprechenden Gründe kurz zu berühren.

1) In der in eben diesem Archive im ersten Hefte des 5ten Bandes §. 34. enthaltenen Abhandlung des Herrn Regierungsrath Delius wird dargethan, dass die Vorfahren des Werner v. Veltheim, Grafen v. Osterburg, nur dem Stande der Freien angehört haben, und jener Werner v. Veltheim I. seine Erhebung hauptsächlich seinem Vaters-Bruder, dem Bischof Burchard II., verdanke.

2) Selbst aus den im vorgedachten Aufsatze des Hrn. Wohlbrück im Auszuge mitgetheilten Urkunden geht hervor, dass nur die Familienmitglieder, welche sich im Besitze der Grafschaft Osterburg befunden haben, Grafen genannt worden, die übrigen Mitglieder der Familie, insbesondere auch die Söhne, bevor sie zum Besitze der Grafschaft gelangten, blos v. Veltheim. Dass aber Albert nicht der einzige Nachkommen Werner III. und der Schwester Albrechts des Bären gewesen, geht aus der §. 22. in der achten Anmerkung angeführten Stelle aus Alberti Stadens. Chron. hervor und zwar aus den Worten:

Adelheithim, sororem Marchionis Alberti duxit vasallus suus Wernerus de Veltheim, qui genuit Albertum de Asterburg et reliquam prolem.

3) In dem gedachten Wohlbrück'schen Aufsatze ist gleich zu Anfange bemerkt, dass den Namen Veltheim vier Orte führen, ein Kirchdorf in dem vormaligen Fürstenthum Minden, ein Dorf unweit Osterwiek (Veltheim am Fallstein) und zwei nahe bei einander gelegene Dörfer unweit Königslutter (Veltheim an der Ohre und Kl. Veltheim), und dass einer der drei letzteren Orte ohne Zweifel das Stammhaus

Er war der treue Begleiter Herzog Heinrich's des Löwen, und ist unter vielen Urkunden desselben als Zeuge aufgeführt; ein Sohn desselben gleiches Namens aber hat das Testament des Kaisers Otto IV. als Zeuge mit unterschrieben.

Seine Nachkommenschaft breitete sich immer mehr aus und erwarb ansehnliche Güter; indess liess auch, wie bereits bemerkt, *Curd* v. Velten den Thurmhof zu Veltheim am Fallstein, welchen er von dem Grafen v. Blankenburg zur Lehn hatte, 1289 diesem wieder aufbauen, welcher ihn darauf dem deutschen Orden überliess.

Im Anfange des 15ten Jahrhunderts, 1405, hatte sich jedoch die Zahl der Familienglieder wieder bis auf die beiden Brüder *Heinrich* und *Hans* v. V. vermindert, welche sich in die Güter theilten, und ersterer wurde der Stifter der schwarzen und letzterer der Stifter der weissen Linie; beide hatten mehrere Söhne. Diese zeichneten sich übrigens durch kriegerischen Sinn so aus und waren so mächtig, dass im Jahre 1429 der Fürst Bernhard zu Anhalt mit seinen Vettern Georg, Siegmund, Woldemar und Adolf, den Herzögen von Braunschweig und anderen Fürsten und Städten ein Bündniss wider sie schlossen.

---

der Edlen v. Veltheim und der Grafen v. Osterburg und Altenhausen gewesen sei. Es kann nun aber hierbei Klein-Veltheim gar nicht in Betrachtung kommen, da dies blos aus einem zu Veltheim an der Ohre gehörigen Försterhause, Mühle und einigen Anbauer-Häusern besteht und ein Zubehör jenes Gutes ist, und es bleiben blos Veltheim an der Ohre und Veltheim am Fallstein übrig, welches erstere, worin noch jetzt ein ansehnliches Rittergut mit einem, die Burg genannten Schlosse vorhanden ist, stets als die Stammburg des jetzt blühenden Veltheimischen Geschlechts betrachtet, und sich bis über die Mitte des 15ten Jahrhunderts in deren ungetheiltem Besitze befunden hat, wie dies mehrere Urkunden aus der gedachten Zeit ergeben; in dem letztern aber, welches von dem erstern etwa zwei Meilen entfernt ist, befindet sich ebenfalls ein Rittergut, welches schon seit längerer Zeit in andern Händen gewesen, indess ergiebt eine, im Archive der ehemaligen deutschen Ordens-Commende Luklum vorhandene Urkunde vom 1. Febr. 1289, dass der Ritter Conrad v. Veltheim den Thurmhof daselbst besessen, ihn aber damals mit seinen Zubehörungen seinem Lehnsherrn, dem Grafen Heinrich v. Blankenburg, aufgelassen, und dieser ihn an den deutschen Orden verkauft habe. Wenn nun gleich der Fall häufig vorkommt, dass derselbe Name, welchen eine Familie des Dynasten-Standes von ihrem Schlosse führte, auch als der Name einer Familie vom Ministerial-Stande gefunden wird, so möchte es doch an Beispielen fehlen, dass umgekehrt eine Dynasten-Familie von dem Schlosse ihres Ministerialen den Namen entlehnt habe.

4) Die v. Veltheimsche Familie hat sich stets im Besitze des an Veltheim an der Ohre grenzenden Schlosses und Gutes Destedt, wie auch des Schlosses und Gutes Glentdorf befunden, und ist mit jenem von den Bischöfen zu Halberstadt und mit diesem von den Dompröbsten zu Halberstadt beliehen gewesen, geben also einen Beweis besonders genauer Verhältnisse zu dem Bischof und Domprobst zu Halberstadt, welche, wenn sie von einem Bruder des Bischofs Burchard abstammen, dessen Grossneffe Adalgot vor seiner Erhebung zum Erzbischofe von Magdeburg Domprobst zu Halberstadt war, sich sehr natürlich herausstellen.

Im Verfolg dieser Fehde, welche sich mit mehreren Unterbrechungen immer wieder erneuerte und an 50 Jahre währte, wurde eine ihrer ältesten Besitzungen, das Schloss Destedt, 1430 abgebrannt und späterhin ihre Stammburg Veltheim an der Ohre so verwüstet, dass sie den Besitz derselben aufgaben und später die v. Honroth von den Herzögen zu Braunschweig damit beliehen wurden.

Von den Familienmitgliedern vor der Theilung des Geschlechts in zwei Linien, wollen wir hier noch die beiden Söhne jenes *Rotgerus* erwähnen, *Bertram* I. und *Rotgerus* II., wovon ersterer den Pfalzgrafen Heinrich, Sohn Heinrich's des Löwen, auf seinem Kriegszuge in's gelobte Land begleitete, und letzterer, wie schon erwähnt, das Testament Kaiser Otto's IV. 1218 als Zeuge mit unterschrieb.

Arndt v. V., 1216 als erster Commendator des deutschen Ordens zu Luklum, *Bertram* II., welcher mit seinem Bruder *Ludolf* die Burg Harbeck 1308 käuflich an sich brachte und das besondere Vertrauen des Erzbischofs Rudolph zu Magdeburg und der Herzöge Magnus und Otto von Braunschweig genoss, *Henricus* v. V., im Anfange des 14ten Jahrhunderts Abt zu Riddachshausen, *Johannes* in der Mitte des gedachten Jahrhunderts Abt zu Marienrode, welche sich durch Gelehrsamkeit und frommen Wandel auszeichneten.

Von den Mitgliedern der Familie nach der Theilung in zwei Linien gedenken wir:

1) des *Levin* v. V., welcher Domprobst zu Hildesheim und Halberstadt wurde, wegen seiner Rechtschaffenheit, Leutseligkeit und Klugheit theils als päpstlicher Commissarius, theils als von den Partheien erwählter Vermittler mehrerer wichtiger Streitigkeiten zwischen benachbarten Fürsten und Stiftern beilegte, und mehreren Einwohnern zu Halberstadt, welche sich zur protestantischen Lehre hinneigten und der Religion halber verfolgt wurden, Schutz gewährte. Er starb am 8. Mai 1531.

2) Des *Achaz* v. V., welcher in Italien die Rechte studirt hatte, 1564 kurfürstl. brandenburgischer Rath wurde, viele gelehrte Kenntnisse besass, mit mehreren Gelehrten einen ausgedehnten, besonders theologische Gegenstände betreffenden Briefwechsel unterhielt, auf Einladung des Herzogs Julius von Braunschweig am 15. Octbr. 1576 der Inauguration der Universität zu Helmstedt beiwohnte, 1585 das Schloss und Gut Ostrau und 1586 das Gut Dingelbe erkaufte und am 12. Novbr. 1588 starb.

3) *Friedrich August* v. V., geboren im Jahre 1709, und gestorben den 19. April 1775, war von 1747 bis 1755 Präsident des Hofgerichts zu Wolfenbüttel. Durch sein umsichtiges Benehmen als Mitglied der Landstände zu Magdeburg und Halberstadt in den Bedrängnissen des siebenjährigen Krieges ist er dem Könige Friedrich II. von einer so vortheilhaften Seite bekannt geworden, dass ihm dieser eine Staats-Ministerstelle antrug, welche er aber wegen seiner bereits wankenden Gesundheit abzulehnen genöthigt war.

Bei Stiftung des hessischen Löwenordens erhielt er diesen Orden. Er liess bereits 1754 auf seinem Gute Harbke von ausländischen Baum- und Straucharten, wovon er Saamen, Pflanzen und Pflänzlinge aus England und Holland kommen liess, einen ansehnlichen Park anlegen, und so wurde von ihm (in Verbindung mit dem Freiherrn v. Münchhausen auf Schwöbber, Verfasser des Hausvaters) die Cultur ausländischer Hölzer und Pflanzen zuerst in Deutschland eingeführt, und der Sinn für Parkanlagen geweckt, indem, nachdem die Erfahrung den günstigen Erfolg jener Anlagen bewährt hatte, von diesen ausländischen Bäumen und Sträuchen gewonnenen Saamen, so wie auch Pflänzlinge, von Harbke aus, nicht nur nach allen Theilen Deutschlands, sondern auch nach Dänemark, Polen und Russland zu gleichen Anlagen versandt worden.

4) Sein ältester Sohn *August Ferdinand*, geboren am 18. Septbr. 1741, gestorben am 2. Octbr. 1801, war Berghauptmann zu Clausthal. Nach dem Tode seiner ersten Gattin und eines Sohnes gab er jedoch diese Stelle auf und zog sich nach seinem Gute Harbke zurück.

Als Früchte seiner Musse erschienen 1781 ein System der Mineralogie und nachher zu verschiedenen Zeiten mehrere Abhandlungen, welche später gesammelt in zwei Bänden unter dem Titel: Sammlung einiger Aufsätze, historischen und antiquarischen, mineralogischen und ähnlichen Inhalts, von *A. F.* Grafen v. Veltheim, bei Fleckeisen 1800 von ihm herausgegeben wurden.

Als Deputirter des engern Ausschusses der magdeburgischen Stände, besonders bei den Verhandlungen über den Entwurf eines neuen Gesetzbuchs, hatte er seine ausgezeichneten Talente bewährt, und wurde 1798 von Seiten der magdeburgischen Ritterschaft zum Deputirten erwählt, um Namens derselben beim Antritte der Regierung des jetzt regierenden Königs Friedrich Wilhelm III. Majestät zu huldigen, welcher unterm 6. Juli 1798 für ihn und seine Nachkommenschaft den Grafenstand und Titel erneuerte.

Er war von mehreren gelehrten Gesellschaften, namentlich auch von der königl. Societät der Wissenschaften zu London zum Mitgliede erwählt und von der philosophischen Facultät der Universität zu Helmstedt honoris causa zum Doctor der Weltweisheit ernannt.

5) Der Bruder des Vorigen, *Friedrich Wilhelm*, geboren den 20. Juli 1743, wurde Ritter des deutschen Ordens, focht der Regel seines Ordens gemäss im russischen Heere gegen die Türken, trat dann als Legations-Rath in hessische Staatsdienste, in welchen er bis zum Minister aufstieg, diese Dienste aber, als er am 4. März 1800 zum Landcomthur der deutschen Ordens-Balley Sachsen erwählt ward, verliess, und sich nach dem Sitze dieser Balley zu Lucklum zurückzog, wo er am 8. Octbr. 1803 starb.

6) *Karl Christian Septimus*, der jüngste Bruder der Vorigen, geboren den 13. März 1751, trat in königl. preussische Dienste, wurde Ober-Bergrath zu Berlin, nachher Geh. Finanzrath und Berghauptmann zu Rothenburg, und starb am 7. Juni 1796.

Ferner aus der weissen Linie:

7) *Johann Friedrich*, herzogl. braunschweigischer Oberkammerherr und Schatzrath, geb. 1730 und gest. den 2. Novbr. 1800.

8) Dessen Sohn, *Otto Karl Heinrich Friedrich*, geb. den 22. Mai 1770, gest. den 1. Juni 1805 als herzogl. braunschweigischer Kammerherr und Kammer- und Schatzrath.

9) *Johann August*, gest. den 15. Febr. 1829, welcher in hannöverische Kriegsdienste trat, nach Besetzung von Hannover durch die Franzosen den Continent verliess, unter der hannövrisch-deutschen Legion fortdiente und bis zum General-Lieutenant aufstieg.

Die jetzt lebenden Mitglieder der Familie sind, und zwar

A. der schwarzen Linie:

a) *Röttger* Graf v. V., Sohn des sub 4. genannten, geb. den

25. Jan. 1781, Majoratsherr der Rittergüter Harbke, Aderstedt und Groppendorf und des in Braunschweig gelegenen, die Rechte eines Ritterguts geniessenden Erbküchenhofes, Ritter des königl. preuss. rothen Adler-Ordens II. Classe und des St. Johanniter-Ordens und Commandeur des königl. grossbrittanisch-hannövrischen Guelphen-Ordens, vermählt am 14. Decbr. 1803 in erster Ehe mit Louise, geb. v. Lauterbach, aus welcher Ehe eine Tochter, *Ottonie*, geb. den 28. Juli 1805, die Ehe selbst aber 1806 getrennt wurde, und in zweiter Ehe mit Charlotte Antoinette Friederike, geb. v. Bülow, den 26. März 1808.

b) Der Bruder des Vorigen, *Werner* Graf v. V., geb. den 18. Febr. 1785, herzogl braunschweigischer Geh. Rath und Hofjägermeister, Grosskreuz des herzogl. braunschweigischen Ordens Heinrich des Löwen, Grosskreuz des königl. grossbrittanisch-hannövr. Guelphen-Ordens und Ritter des königl. preuss. St. Johanniter-Ordens, vermählt in erster Ehe den 24. Septbr 1810 mit Wilhelmine, geborne v. Adelepsen, nach deren Tode in zweiter Ehe seit 1812 mit deren Schwester Adelheid Melusine v. Adelepsen, und nach deren Tode seit 1824 mit Emilie Karoline Henriette, geborne v. Briesen; aus der zweiten Ehe sind zwei Söhne, *Bernhard* und *Hans*, und aus der dritten Ehe drei Töchter am Leben.

c) *Franz Wilhelm Werner* Freiherr v. V., Sohn des früher gedachten königl. preuss. Ober-Berghauptmanns, Ritter des königl. preuss. rothen Adler-Ordens II. Classe mit Eichenlaub und Ritter des eisernen Kreuzes, Besitzer der Rittergüter Ostrau, Coesseln und Gross-Weissand, vermählt mit Mariane, geborne Gräfin v. Veltheim, aus welcher Ehe drei Söhne und zwei Töchter am Leben sind.

d) *Karl Achaz* Freiherr v. V., ein Bruder des Vorigen, königl. preuss. Garde-Major, jetzt ausser Dienst, Ritter des eisernen Kreuzes, Besitzer der Rittergüter Stolpe und Schönfliess.

B. der weissen Linie:

a) *Karl Friedrich* Freiherr v. V., Sohn des oben sub 8. gedachten, geb. den 30. Septbr. 1795, herzogl. braunschweigischer Kammerrath und Besitzer der Rittergüter Destedt und Cremlingen, vermählt seit 1833 mit Ernestine, geborne v. Vincke, aus welcher Ehe eine Tochter vorhanden ist.

b) *Otto August* Freiherr v. V., Bruder des Vorigen, geb. den 16. Febr. 1797, königl. preuss. Landrath im Neuhaldensleber Kreise, vermählt seit 1827 mit Ottonie, geborne Gräfin v. Veltheim, aus welcher Ehe ein Sohn und eine Tochter vorhanden ist. Besitzer der Rittergüter Veltheimsburg zu Alvensleben und Klein-Santersleben.

c) *Hans* Freiherr v. V., Bruder des Vorigen, geb. den 1. Juli 1798, herzogl. braunschweigischer Hofjägermeister, vermählt seit 1823 mit Bertha, geb. Gräfin v. Oberg, aus welcher Ehe fünf Söhne und eine Tochter am Leben sind; Besitzer des Ritterguts zu Duttenstedt.

d) *Wilhelm* Freiherr v. V., Bruder des Vorigen, geb. den 20. Decbr. 1802, herzogl. braunschweigischer Kammerherr und Kammer-Assessor, vermählt seit 1834 mit Anna, geborne v. Bülow, aus welEhe eine Tochter vorhanden ist. Besitzer des Ritterguts Veltheim an der Ohre.

e) *Karl Friedrich Rudolph* Freiherr v. V., Bruder des Vorigen, geb. den 11. Jan. 1805, vermählt seit 1834 mit Bertha, geborne v. Bülow, aus welcher Ehe zwei Töchter vorhanden sind. Besitzer des Ritterguts zu Klein-Sicte.

f) N. N. Freiherr v. V., Sohn des vorhin sub 9. gedachten General-Lieutenants, königl. hannövrischer Forstmeister zu Nordheim, geb. den 12. Decbr. 1797.

g) *Georg Albert Karl* Freiherr v. V., Sohn des verstorbenen Tribunalrichters *Karl* v. V., geb. den 13. Juli 1812, Besitzer der Rittergüter Gross-Bartensleben mit Alleringersleben und Glentorf, vermählt mit Asta, geborne Gräfin zu Putbus.

Die Familien-Güter dieses Geschlechts sind, und zwar

A. der schwarzen Linie:

a) Harbke, im Herzogthum Magdeburg, 1318 von dem Edlen v. Harbeck durch die Gebrüder *Bertram* und *Ludolph* v. V. erkauft und seitdem in ununterbrochenem Besitz der Familie.

b) Aderstedt, im Fürstenthum Halberstadt. 1544 erhielt solches *Mathias* v. V. noch vor der 1533 bereits erlangten Expectanz.

c) Groppendorf, im Herzogthum Magdeburg, womit *Günzel* v. V. 1467 vom Erzbischof zu Magdeburg, Johann, beliehen wurde.

d) Der Erbküchenhof zu Braunschweig und die dazu gehörigen Güter, womit die sub a) gedachten Gebrüder *Bertram* und *Ludolph* 1313 vom Herzog Albrecht beliehen wurden.

e) Ostrau, im Herzogthum Sachsen, welches 1585 von *Achaz* v. V. erkauft wurde und ein Sondergut der schwarzen Linie ist.

f) Coesseln, im Herzogthum Sachsen, welches *Burchard* v. V. (Sohn des *Achaz*) 1613 erkaufte, und welches ebenfalls ein Sondergut der schwarzen Linie ist.

g) Gross-Weissand, im Herzogthum Anhalt-Cöthen, mit Gahrendorf, welches *Friedrich August* v. V. 1751 erkaufte, wogegen Dingelbe und einige andere Besitzungen verkauft wurden.

B. der weissen Linie:

a) Schloss und Rittergut Destedt, im Herzogthum Braunschweig, mit Cremlingen, welches die Familie von den Bischöfen zu Halberstadt zu Lehn getragen, und stets eine Besitzung der Familie gewesen ist.

b) Mit Gross-Bartensleben und Alleringersleben wurde 1438 *Ludolph* v. V. vom Erzbischofe zu Magdeburg, Günther, beliehen.

c) Die hinterste oder Veltheimsburg zu Alvensleben, im Herzogthume Magdeburg, wurde demselben 1439 von eben diesem Erzbischofe unterpfändlich verschrieben, und 1466 dessen Sohn *Ludwig* damit förmlich beliehen; auch erhielten sie zugleich

d) Klein-Santersleben, im Herzogthum Magdeburg, zu Lehn.

e) Glentorf, im Herzogthum Braunschweig, ebenfalls eine uralte Besitzung der Familie, welche sie von den Dompröbsten zu Halberstadt zu Lehn trugen.

f) Veltheim an der Ohre, von dem jetzigen Besitzer 1832 wieder erkauft, jedoch blos Familiengut für ihn und seine vier Brüder.

Wappen.

Das Wappen für das gesammte Geschlecht hat ein quadrirtes Schild, und in dessen erstem und viertem goldenen Felde zwei schwarze und zwei silberne, wechselsweise an einander geschobene Balken, im zweiten und dritten silbernen Felde aber einen oben und unten abgestumpften rothen Baumzweig, mit einem rothen Blatte an jeder Seite, an einem sich beugenden kurzen Stiele. Auf dem Helme ruht ein goldgekrönter, blau angelaufener, roth ausgeschlagener, frei offener Turnierhelm mit goldenen Bügeln, über welchem zwischen zwei goldenen, mit drei schwarzen Balken belegten Büffelhörnern ein viereckiges, an jeder Ecke mit einer goldenen Quaste geziertes, mit der Spitze auf dem Helme in die Höhe gerichtetes, rothes Kissen schwebt.

Das Grafen-Diplom vom 6. Juli 1798 bestimmt jedoch für den gräflichen Zweig dieses Geschlechts, als Wappen, ein quadrirtes, unten spitzig zulaufendes, in Gold gefasstes Schild, mit einem dergleichen Herzschildlein, welches letztere das Wappen der Altstadt Brandenburg, bestehend aus einem Thore mit vier Thürmen, an deren beiden mittleren ein schwarzer ausgebreiteter Adler zu sehen ist, zur Erinnerung des Antheils, den *Werner* Graf v. V. im Jahre 1157 an der Eroberung der Stadt Brandenburg gehabt hat. Das Herzschild ist mit einer Grafenkrone geziert. Das Hauptschild aber so, wie beim Wappen des ganzen Geschlechts bereits angegeben ist, jedoch ist noch an der Spitze des Schildes ein blaues Feld eingeschoben, worin sich zwei kreuzweise über einander liegende Bischofsstäbe befinden.

Auf dem Schilde ruhen drei goldgekrönte, blau angelaufene, roth ausgeschlagene, frei offene Turnierhelme mit goldenen Bügeln und anhängendem dergleichen Kleinod. Ueber dem mittlern grössern schwebt zwischen zwei Büffelhörnern ein rothes Kissen, wie beim Wappen des gesammten Geschlechts, nur ist noch auf diesem Kissen der königl. preussische schwarze Adler mit ausgebreiteten Flügeln und goldenen Kleestengeln, einer goldenen Krone, Schnabel und Füssen, in dem rechten einen goldenen Zepter, in dem linken den Reichsapfel haltend, abgebildet. Aus dem rechten Helme ragt ein geharnischter Arm, einen goldenen Ring zwischen den Fingern haltend, hervor, und auf dem linken zeigt sich ein ausgebreiteter schwarzer Adlerflügel.

Als Schildhalter steht zur Rechten ein ganz geharnischter Ritter mit rothem Mantel und Federbusch und mit einem entblössten, mit der Spitze zur Erde gekehrtem Schwerte, zur Linken aber ein Bär mit einer goldenen Krone.

Viebahn, die Herren von, Bd. IV. S. 296.

Aus dieser adeligen Familie stehen gegenwärtig im preussischen Staatsdienst: der Ober-Regierungsrath v. V. zu Arnsberg, der Land- und Stadt-Gerichts-Director v. V. zu Brandenburg, der Land- und Stadt-Gerichts-Director v. V. zu Soest. *Karl* v. V. ist Justiz-Commissarius und Notarius in Siegen. — Es führt diese adelige Familie im rothen Schilde einen goldenen Eichenstamm, der drei Eicheln und drei Blätter treibt. Der Helm ist mit einem roth und goldenen Bunde belegt, aus dem ein Stier wächst. Decken roth und Gold.

Vietsch, Herr von.

Der königl. preussische Major und Adjutant des Prinzen Friedrich

v. Preussen, *Eugen August Karl* v. V., ein Sohn des herzogl. würtembergischen Hofraths V., ist von des jetzt regierenden Königs Majestät geadelt worden.

Vigneuille, die Herren von.

Eine altadelige Familie französischer Abkunft; sie gehört in einem Aste dem matriculirten Adel der preussischen Rheinprovinz an. Hier lebt *Karl Ernst Peter Alexander* du Lartz de V. zu Bickendorf bei Trier.

Vittinghof genannt Schell, die Freiherren und Herren von, Bd. IV. S. 298.

Ihr Vaterland ist Essen und die Grafschaft Mark; Zweige haben sich in Curland, Liefland, Preussen, Dänemark und Mecklenburg verbreitet. Der Name ist sehr verschieden; man findet Vitting, Vittinc, Vittinch, Vittinchoven, Vittinghoff genannt Schell aufm Berge (Schellenberg), Vittinghoff genannt Notkerke und Westhusen, V. genannt Hörde, V. genannt Schell zum Broich zu Altendorf und zu Scheppen. In Dänemark hat sich eine Linie schon unter Christian V. niedergelassen. Der Beiname Schele, Scheele, jetzt Schell kommt zuerst in Belehnungs-Urkunden der Abtei Werden 1325 und 1344 vor, im Lateinischen *lusous*, und soll von einem Ahnherrn herrühren, welcher der Scheele oder Schiele genannt wurde. Das Stammhaus lag zwischen Recklinghausen, Rellinghausen und Werden, an der Ruhr, eine halbe Stunde von Schellenberg in der Nähe der Burg Isenberg, und die Trümmern sind noch jetzt unter dem Namen „das Vittinghoff" bekannt. Vittinghof wurde wahrscheinlich 1226 mit der Burg des Grafen Friedrich v. Isenberg, des Bruders des Erzbischofs von Cöln, Engelbert, zerstört. Die zur Burg Vittinghof gehörigen Güter, welche nach Hammelmann, op. gen. hist. p. 760, eine eigene Herrschaft bildeten, gingen theils durch Verkauf, theils durch Schenkung an das Frauenstift zu Recklinghausen über. Dieses behielt solche bis zu seiner Auflösung 1811, und liess sie unter dem Namen des Vittinghof-Amtes verwalten. — Auch weiter an der Ruhr, in der Grafschaft Mark bei Hattingen, besassen die Herren v. V. die Burg Bachwart, wovon keine Spur mehr vorhanden ist. Auch hier lag eine Burg Isenberg, und nahe dabei der Jungfernhof. Dieser Hof wird in einer Urkunde vom Jahre 1214 domus quae Isenburg dicta, in pede castri Isenberg sita etc. genannt, gehörte der Aebtissin Guda v. Gerresheim, und wurde von dieser an den Grafen Friedrich v. Isenberg vertauscht.

Die Hauptlinie der Herren v. V. bewohnte schon 1365 das Schloss Broich. Das Schloss Altenburg an der Ruhr erwarb ein Herr v. V. 1340 durch Heirath mit einer v. Altendorf. *Johann* und *Arend* v. V. zu Altendorf theilten 1342 die väterlichen Güter. *Johann* v. V. kaufte 1452 ein Haus und Hof auf dem Berge bei Recklinghausen, welches 1355 Burchard v. Kückelsheim, 1388 dessen Sohn Eberhard besessen, und des letztern Tochter, Parztgen, dem Ritter Pilgram v. d. Lüthen zubrachte. Von der Zeit an wurde das Haus „op dem Berge" Schelenberg, später Schellenberg genannt. — Die Linie des *Arend* v. V. zu Altendorf erlosch 1606 im Mannsstamme, und nur die des *Johann* v. V. genannt S. aus dem Hause Altendorf zu Schellenberg hat sich erhalten. — Die Herren v. V. waren Erbdrosten des Stiftes Esch.

Herrmann v. V., ein Liefländer, war Capitain im Dienste des Herzogs Ernst August von Braunschweig-Lüneburg. Er heirathete

30*

1672 zu Bremervörde die Tochter des Gabriel Hüpeder, königl. schwedischen Oberst-Lieutenants und Commandanten von Bremervörde, und blieb am 25. Aug. 1686 vor Napoli di Romania in Morea, welches von den Venetianern unter dem Commando des Feldmarschalls Grafen Matthias v. d. Schulenburg belagert wurde.

Aus dem Hause Kurschgallen war *Georg* v. V. genannt S., Freiherr auf Kurschgallen und Burggallen. Seine Gemahlin war Anna Katharina v. Korff, genannt Schmissing. Ein Enkel aus dieser Ehe war *Ernst Ludwig* v. V. genannt S., der in preussischen Diensten am 1. Juli 1793 vor Mainz fiel.

Aus dem Hause Vittinghof genannt Schele zu Schellenberg gehören noch hierher: die Kinder des *Clemens August* Freiherrn S. zu S., kurcölnischen Geh. Raths, und seiner Gemahlin Maria Josephe, Gräfin v. Merveld, namentlich *Maximilian Friedrich* Freiherr v. S., königl. preuss. Kammerherr; sein Bruder *August Ferdinand*, Domherr; seine Schwester *Franziska Clara*, Aebtissin zu Clarenberg; eine andere Schwester, *Maria Kunigunde*, vermählte Gräfin v. Aichholt; *Karl Friedrich*, kaiserl. österreichischer Major und Kämmerer, begütert bei Brünn in Mähren, und *Maximilian Friedrich*, Freiherr, Herr zu Schellenberg, Ripshorst, zum Boel, Schwarzmühlen, Wittringen, Oberfeldingen, Burg u. s. w., Erbdrost von Essen, vermählt mit Elisabeth Auguste, Gräfin v. Speh, aus welcher Ehe mehrere Söhne und Töchter leben.

Auch in Sachsen, auf Litten und Croptowitz, sind die v. V. angesessen. Sie stammen von *Rupert* V., der aus Liefland kam und 1661 Litten kaufte (v. Uechtritz, diplomat. Nachricht. I. Bd. S. 200 bis 208).

Der Fuchs auf dem Helme der westphälischen Linie springt rechts, auf dem der curländischen links. Die sächsische Linie führt ihn sizzend. Aus Curland kam ein Zweig nach Franken.

Volkstedt, die Herren von.

Ein altadeliges thüringer Geschlecht, welches dem Dorfe und ehemaligen Rittersitze Volkstedt bei Rudolstadt an der Saale Namen und Ursprung verdankt. *Johann* v. V., Ritter, kommt in den Gleichischen Urkunden 1305—1306, 1308, 1311 und 1316 mit seinem Sohne *Johann*, 1325 mit seinen Söhnen *Johann* und *Heinrich*, und der jüngere *Johann* 1316, 1329, ein dritter *Johann* aber 1375 vor. — *Georg* v. V. wird 1385 und *Georg Dietrich* 1619 und 1621 genannt; alle als gräflich Gleichische Vasallen. M. s. Sagittar., Geschichte der Grafschaft Gleichen. Gauhe I. Th. S. 2697. Hellbach II. Th. S. 657. u. a. m.

W.

Wagner, Herr von.

Der König Friedrich II. erhob im Jahre 1767 den Stiefsohn von dem v. Restorff, Besitzer des Gutes Güstrow, Namens W., in den Adelstand. Demselben wurde folgendes Wappen beigelegt: Ein gespaltenes blau und silbernes Schild, dort ein silbernes, gegen die linke Seite aufspringendes Einhorn, hier zwei über's Kreuz gelegte Degen. Auf dem Helme wiederholt sich das Einhorn zwischen zwei schwarzen Adlerflügeln.

Waldenburg, die Herren von, Bd. IV. S. 306.

Das dieser Familie beigelegte Wappen zeigt im goldenen Schilde eine, vor einem Walde auf grünem Hügel stehende Burg mit drei Thürmen und drei Portalen. Auf dem Hauptthurme in der Mitte eine Wetterfahne. Auf dem gekrönten Helme einen schwarzen, mit den Kleestengeln belegten Adlerflug. Decken blau und Gold. Zwei schwarze gekrönte Adler halten das Schild.

de Wall, die Herren von.

Der Ursprung des aus den Niederlanden abstammenden Geschlechts der von de W., später v. Dewall, lässt sich mit Gewissheit nur bis zum Jahre 1429 zurückführen, wo zuerst *Leonhard* v. de W. als Burggraf von Nymwegen vorkommt; doch kann man für dasselbe unbedenklich ein höheres Alter in Anspruch nehmen, da mit der erwähnten Würde von jeher nur die angesehensten Familien der Geldernschen Ritterschaft, und insbesondere des Ryks van Nymwegen, belehnt wurden. Bei Ausbruch der spanisch-niederländischen Religions- und Freiheits-Kämpfe erklärte sich die Familie für die neue Lehre und das Haus Oranien und sah sich, in Folge der verschiedenen Wechselfälle des Krieges von ihren Besitzungen vertrieben, genöthigt, in Holland eine Zuflucht zu suchen. Von hier wandte sich später ein Zweig derselben nach Deutschland (in das damalige Herzogthum Cleve), wo denn bei Gelegenheit der Adels-Erneuerung und Wiederaufnahme unter den deutschen Reichsadel, in dem desfallsigen kaiserlichen Diplome, der alte Geschlechtsname v. de Wall in v. Dewall umgewandelt wurde. Unter diesem Namen ist die Familie noch jetzt mit dem ehemals freiadeligen Gute Schmidthausen bei Cleve angesessen.

Das Wappen ist: im rothen, goldgerandeten Schilde ein aufrecht stehender, silberner, goldgekrönter Löwe; auf dem Schilde ruht rechts gekehrt ein blauer, goldgekrönter, offener Turnierhelm mit Adlerflügeln, zwischen welchen der Löwe des Schildes wachsend erscheint. Die Helmdecken sind roth und silbern.

Wallenberg, die Herren von, Bd. IV. S. 311.

Diese adelige Familie heisst ursprünglich Ducius. *Ernst Gottlieb* Ducius wurde im Jahre 1727 in den böhmischen Adelstand mit dem Beinamen v. Wallenberg erhoben und 1736 dem böhmischen Ritterstande beigesellt.

Wangemann, die Herren von.

Der vollständige Name dieser zum immatriculirten Adel der Rheinprovinz gehörigen Familie ist Wangemann Sparre v. Wangenstein. — *Karl Philipp Theodor Julius* W. Sp. v. W. wohnt zu Wetzlar.

Warnin, die Herren von.

Diese adelige Familie kommt in Pommern und Mecklenburg vor. In Pommern blühte sie namentlich um das Jahr 1630. Rango bezeichnet sie als ausgestorben. Dagegen war aus der mecklenburgischen Linie einer v. W. im Jahre 1806 Capitain im Regiment Königin Dragoner; er lebte noch vor einigen Jahren als Major a. D. in Güstrow. Siebmacher giebt im V. Th. S. 169 das Wappen derer v. W., v. Meding beschreibt es im II. Th. No. 939.

Wartensleben, die Grafen von, Bd. IV. S. 316.

Das Wappen dieses reichsgräflichen Hauses ist ein goldenes Schild, worin gegen die rechte Seite aus einem grünen Busche ein rother oder blutiger, zum Lauf sich schickender Wolf mit aufgesperrtem Rachen und roth ausgeschlagener Zunge springt; auf diesem ruht ein in Gold und Silber gespaltenes Schildeshaupt, darauf ist ein schwarzer doppelter Adler, im linken Flügel mit einer goldenen Sehne, vorgestellt. Auf diesem Schilde ruhen drei offene adelige Turnierhelme, alle drei mit königl. Kronen und Halskleinodien, zur Rechten mit Gold und schwarzen, zur linken mit Gold und rothen Helmdecken geziert. Aus der äussern Krone rechter Seite brechen zwei schwarze, mit ihren Spitzen einwärts gekehrte Adlerflügel hervor, deren linker mit einer goldenen Sehne gezeichnet ist; aus der äussern Krone linker Seite zeigt sich ein weiss bekleideter und mit einem blauen Bande gebundener Arm. Aus der mittlern Krone springt zwischen zwei gespiegelten Pfauen-Schweifen der im Schilde beschriebene blutige Wolf hervor. Neben den Helmdecken beider Schilde stehen zwei geharnischte Ritter, der zur rechten Hand ist auf antike Weise geharnischt, mit einem blutigen Wolfskopfe auf dem Helme und dem Rücken herabhängender blutbespritzter Haut, an dessen rechter Hand ein altes, mit dem gewöhnlichen Charakter Karls des Grossen bezeichnetes Schild zu sehen ist, mit der linken, worin ein Ritterspeer ruht, hält er das gräfliche Wappen. Der zur linken Seite ist auf neue Manier geharnischt, mit einem roth und goldenen Federbusch auf dem Haupte, mit der Linken einen Generals-Stab, mit der Rechten das Schild haltend. (Auszug aus dem reichsgräflichen Diplom, welches der römische Kaiser Joseph I. zu Wien den 29. März 1706 den Reichsgrafen v. W. ertheilt hat.)

Wasen, die Herren von.

Ein im 17ten Jahrhundert erloschenes adeliges Geschlecht in den Rheinlanden, das gleiches Wappen und mehreren Autoren nach gleiches Abkommen mit dem Geschlecht v. Weiler hat. — *Eberhard* v. W. kommt 1470 als Domherr von Mainz vor. M. s. Estor's Ahnenprobe 75, 397 u. 467. v. Humbracht T. 223. Prevenhueber, Ann. Styr. 364. v. Meding beschreibt das Wappen III. Bd. No. 919.

Wassenberg, die Herren von.

Ein adeliges Geschlecht in der Rheinprovinz; ihm gehört an *August* v. W. zu Nothberg im Regierungs-Bezirk Aachen, und *Bernhard August Friedrich Philipp* v. W. zu Thorr im Regierungs-Bezirk Cöln.

Wattenwyl (Wattenweil), die Freiherren von.

Ein uraltes freiherrliches Geschlecht, dessen Ursprung von den Grafen v. Altdorff hergeleitet wird. Sein ältester Stammsitz soll das Pfarrdorf dieses Namens im St. Gallenschen Bezirk Obertoggenburg gewesen sein, und es soll auch die Dörfer Wattenwyl im Canton Zürich und im Canton Bern angelegt haben. Letzteres, in der Landvoigtei Seftigen, wird als zweiter Stammsitz betrachtet. — Es besass dieses Geschlecht — diplomatisch erwiesen — im 12ten Jahrhundert verschiedene Reichslehne und eins von den Grafen v. Thun in der Umgegend des Thunersees. Vor der Erbauung der Stadt Bern waren sie auch Erbbürger zu Thun, liessen sich aber nachher in Bern nieder. *Ulrich* v. W. war 1226 der erste dieses Geschlechts im grossen Rathe, und noch bis auf den heutigen Tag besitzt es das regimentsfähige Erbbürgerrecht in der protestantischen Hauptlinie zu Bern. — *Conrad* v. W. war 1265 Mitstifter des Pondiger Klosters zu Bern. *Walther*, Herr zu Wattenwyl, war 1285 des Stiftes Intarlachen Wohlthäter, und *Johannes* v. W. Johanniter-Ritter, 1331 Commenthur zu Buchsee. Um das Jahr 1350 kam Wattenwyl durch Kauf an das Geschlecht v. Burgistein, und nach häufigem Wechsel der Herren 1640 an die regierende Stadt Bern. Die Herrschaftsrechte gingen 1798 verloren. — *Nicolaus* v. W. wurde 1411 im Namen des Reichs mit allen freien Mannlehen, die seine Voraltern besassen, beliehen. Das Haus gab der Republik Bern vier Schultheissen, der Eidgenossenschaft einen Landammann, und hat auch der Stadt in Feldhauptleuten, Feldobersten und Generalen wichtige Dienste geleistet, und alle übrigen hohen Stellen der Stadt und Republik bekleidet. *Ernst* v. W. war 1392 auf dem Turnier zu Schaffhausen und *Eberhardt* v. W. auf dem zu Schweinfurt 1408. Im Canton Bern besass es die Herrschaften und Freiherrschaften Wattenwyl, Diesbach, Riggisberg, Belp, Burgisstein, Gerzensee, Kirchdorff, Gurzelen, Blumenstein, Seftigen, Wyl, Hochstetten, Münchwyler, Jaegersdorff, Bremgarten, Colomber (Waadt), Bevais (Waadt), Clavillière (Waadt), Schornegg und andere Rittergüter.

Von der im 16ten Jahrhundert in der Freigrafschaft Burgund niedergelassenen Linie ist zu bemerken, dass sie der königl. spanischen Regierung einen General-Feldmarschall, einen General der Cavallerie, mehrere General-Lieutenants und andere hohe Offiziere und Kriegsräthe, Oberschenken, Truchsesse u. s. w. gegeben hat. Auch war von dieser Linie ein General-Lieutenant im savoyischen, und einer im königl. französischen Dienste. Ferner besassen drei Glieder dieses Zweiges den königl. spanischen Orden des goldenen Vliesses, ein Glied den der Annonciat von Savoyen u. s. w.; andere waren Maltheserritter, Statthalter des Ritterordens von St. Georg in Burgund und Comthur des königl. französischen St. Ludwigsordens. Dieser Zweig gab auch der Stadt Freiburg in der Schweiz einen Bischof (1609) und vier gefürstete Aebtissinnen zu Chateau-Chalons in Burgund, und hat dieser Zweig — der katholisch geblieben — die Marquisen- und Grafenwürde erlangt, und die Marquisate von Versoiss, Conflens, Grafschaften von Combière, Bussolin, Freiherrschaften Formière, Chateau-Villain, Tonnienes, Herrschaften zu Usiez, Leugny, Belmont, Chalesieule, Laurais, Ovain, Dompierce, Nepore, Chargay u. s. w. besessen, und wurden ihre Glieder Freiherren, nachher Grafen v. Watteville, Marquise v. Conflens, genannt. — *Alexander Ludwig* v. W. (geb. 1714, gest. 1780) ist als schweizerischer Geschichtsschreiber denkwürdig.

Aus dem Berner Hauptstamme war *Alexander* v. W. 1764 königl. preuss. Hauptmann. N. N. v. W., geb. 1751, trat 1777 in königl. preuss. Dienste, erwarb bei Saarbrück 1793 vor dem Feind den Verdienstorden und wurde am 4. Febr. 1800 Major im Leib-Cürassier-Regimente.

M. s. Leu, Schweiz. Lex. XIX. Bd. S. 200—213. Dict. herald. (Paris 1774) p. 135. Siebmacher's Wappenwerk. Stumpf's Schweiz. Chronik. Gauhe's Adels-Lexicon I. Th. S. 2798—2800. Lutz, Nekrolog denkwürd. Schweizer S. 563—568. May, hist. milit. etc. VIII. S. 220—221, 289, 272-273 u. a. m.

Weger, die Herren von, Bd. IV. S. 320.

Die gegenwärtig im preussischen Staate lebenden Familien der v. W. theilen sich in die schlesische und pommersch-märkische Linie, welche verschiedene Wappen führen.

Begründer der schlesischen Linie ist der preussische Hofrath *Johann Jacob* v. W., welcher, 1728 in den böhmischen Ritterstand erhoben, die Güter Bischdorf und Bukowine in Schlesien erwarb, wovon das letztere noch jetzt im Besitz seiner Urenkel ist.

Die pommersch-märkische Linie ist durch *Sigismund* v. W. begründet worden. Er stammte von einem dänischen Feldmarschall ab, war Capitain in königl. dänischen Diensten, welche er verliess, um sich in der Mark niederzulassen, wo er die Güter Kokädel und Welmitz besass. Seine vier Söhne machten den siebenjährigen Krieg in der preussischen Armee mit; die drei ältesten, *Ernst*, *Karl* und *Wilhelm*, blieben ohne männliche Nachkommenschaft, der jüngste Sohn, *Johann Otto Sigismund*, welcher beim Regiment Schwerin gestanden hatte, hinterliess einen Sohn, *Karl Otto Sigismund*, der früher beim Regiment Winning in Berlin stand und 1835 als Major a. D. zu Reetz in der Neumark gestorben ist. Dieser schrieb sich zuerst v. Wegerer, und zwar auf Veranlassung seines Onkels, *Wilhelm* v. W., Capitain im Regiment Schlieben, der diese Schreibart, angeblich auf Grund alter Urkunden, die aber nicht nachgewiesen sind, für die richtigere erklärte. — Die pommersch-märkische Linie der v. W. oder v. Wegerer führt gleich ihren nach Dänemark übersiedelten Vorfahren das silberne Einhorn im Wappen, und zwar in der rechten Hälfte des gespaltenen Schildes und auf dem Helme; während die schlesische Linie den schwarzen Adler, drei Rosen und sechs Wolfszähne im Wappen führt, wie dies im kaiserlichen Diplom vom Jahre 1728 beschrieben ist.

Weickhmann, die Herren von, Bd. IV. S. 321.

Sie führen ein quergetheiltes Schild; die obere Hälfte ist in Gold und schwarz gespalten, darin steht, die Mitte beider Felder einnehmend, ein rechts schwarz, links golden gekleideter Mann, der auf dem Kopfe eine rothe Mütze mit silbernem Aufschlag hat und in der rechten Hand einen, oben in Form einer Wecke (Raute) ausgehenden silbernen Staab hält. In dem untern weissen Felde liegt eine Rose. Auf dem Helme ist rechts ein oben schwarzes, unten goldenes, links ein oben rothes, unten schwarzes Horn angebracht. Dazwischen steht über einem rechts schwarz und goldenen, links roth und blauen Bunde, der im Schilde beschriebene Mann. Auf der rechten Seite des Bundes flattert rechts ein schwarzes und ein goldenes, links ein rothes und ein blaues Band.

Weiler, die Herren von.

1) Der General der kurbrandenburgischen Artillerie, *Ernst W.*, wurde um das Jahr 1690 in den Reichsadelstand erhoben, und der Kurfürst Friedrich III., nachmals als König von Preussen Friedrich I., bestätigte durch ein Diplom, dat. Potsdam den 13. Octbr. 1691, diese Erhebung.

2) Das altadelige Jülichsche Geschlecht v. W., das auch unter dem Namen „die Edelknechte v. W." vorkommt und aus dem mehrere Zweige lange Zeiten hindurch keinen Gebrauch ihres Adels machten. M. s. Zedler LIV. Bd. S. 347 u. s. w.

4) *Arnold* W., Kriegsrath und Postmeister in Wesel, Herr auf Kyl, Poelwyk und Lemkuhl, wurde am 31. Jan. 1787 geadelt.

In Cöln lebt der Geh. Justizrath und Appellations-Gerichtsrath v. W., zu Hamm der Justiz-Commissarius v. W.; ferner befinden sich Mitglieder und Zweige dieser adeligen Familie zu Cleve und Wesel, auch in Sevenar in den Niederlanden. (M. s. a. den Art. v. Wasen.)

Weiller, die Herren von.

Das Wappenbuch des Ordensraths Hasse giebt das Wappen einer Familie v. W. Es ist ein silbernes Schild, von einem rothen, mit zwei silbernen Scheiben oder Thalern belegten Querbalken durchschnitten, über dem Balken steht ein rother Stern, unter demselben sind zwei mit den grünen Stielen über's Kreuz gelegte rothe Weintrauben vorgestellt. Auf dem Helme wächst ein weisses, roth gezügeltes Ross. Decken weiss und roth.

Weiss, die Herren von, Bd. IV. S. 321.

Das in unserm Artikel nur den Bildern nach angegebene Wappen des am 21. Jan. 1790 in den Adelstand erhobenen Commerzien- und Admiralitäts-Raths *Johann Jacob* v. W., zeigt im obern silbernen Felde einen rothen Löwen, im untern blauen eine silberne französische Lilie. Auf dem Helme steht der Löwe, mit einem schwarzen, mit dem Kleestengel belegten Adlerflügel.

Weissenbach, die Herren von.

Diese altadelige Familie hat früher den Namen v. Wittenbach geführt; sie gehört ihrem Ursprung und Besitzthum nach Sachsen an. Der älteste des Geschlechts führte den freiherrlichen Titel, seitdem die v. W. nach dem Erlöschen derer v. Meldingen unter die vier Erbritter des heil. römischen Reiches aufgenommen wurden. Schon 1019 turnirte *Hans* v. W. in Trier. — *Johann* v. W. starb 1481 als Bischof von Meissen; sein Brudersssohn *Otto* erhielt zuerst den Reichs-Erb-Ritterstand. Das Stammhaus gleiches Namens liegt im Schönburgschen. In der Grafschaft Glatz besass ein Zweig dieses Hauses lange Jahre hindurch Wölfelsdorf. In der Kirche des bekannten Wallfahrtsortes Albendorf liegen mehrere aus diesem Geschlechte begraben. Es ist in Schlesien erloschen. Doch lebt in Oberschlesien ein Premier-Lieutenant v. W., Ritter des eisernen Kreuzes. Wir vermögen nicht zu entscheiden, ob er zu der in Rede stehenden Familie gehört. — In Sachsen blüht es fort. Hier besitzt der königl. sächsische Kammerherr *Friedrich Karl Herrmann* v. W. ansehnliche Güter bei Grossenhain; er ist mit einer Dame fürstlichen Standes vermählt. Es führt diese Familie im weissen Felde einen schwarzen Büffelskopf und auf dem Helme zwei weiss und schwarz geviertete Büffelhörner. Decken weiss und schwarz. M. s. Peckenstein I. Th. S. 111—113. Hönn's Coburg. hist. II. Th. S. 153. Zedler LIV. Bd. S. 12—42. Schöttgen III. Th. S. 54. IV. Th. S. 694. X. Th. S. 266 u. s. f. Gauhe I. Th. S. 2075.

Weissenborn, die Herren von.

Der Professor der Rechte an der Universität Erfurt, *Wilhelm* W., wurde am 16. Aug. 1804 mit seiner Familie vom König Friedrich Wilhelm III. von Preussen in den Adelstand erhoben. Sein Sohn ist jetzt als königl. Oberlandes Gerichtsrath, Deputirter von Naumburg in Erfurt. — Diese Familie führt im blauen Schilde einen schräg von der obern rechten zur untern linken Seite strömenden Fluss. Auf dem gekrönten Helme liegt zwischen zwei mit dem Kleestengel belegten Adlerflügeln das erwähnte Schild verkleinert. Das Hauptschild ist von einem blau und silbernen Mantel umgeben.

Weissenfels, die Herren von.

Diese adelige Familie in Sachsen, namentlich in der Lausitz, lässt Herr v. Hellbach II. Th. S. 704 erloschen sein; sie blüht aber noch in der Gegenwart, namentlich in den Kindern des am 18. Juni 1838 verstorbenen Hauptmanns a. D. v. W. auf Mittel-Helmsdorf bei Triebel in der preussischen Nieder-Lausitz. — In Schlesien, namentlich zu Bernstadt, war eine adelige Familie ansässig, die sich Weiss v. Weissenfels schrieb. M. s. Gauhe I. Th. S. 1275.

Weissensee, die Herren von.

Ein längst erloschenes adeliges Patrizier-Geschlecht zu Erfurt, aus welchem *Conrad* v. W. und seine Söhne, *Dietrich*, *Conrad* und *Heinrich*, Bürger zu Erfurt, von dem Grafen Heinrich v. Gleichen im Jahre 1311 mit dem halben Theile der Mühle am Langenstege zu Erfurt beliehen wurden. Diese Belehnung ward 1321 vom Grafen Herrmann v. Gleichen für gedachten *Conrad* und *Dietrich* und *Conrad* seine Söhne erneuert. Diese Mühle gehörte indess schon 1324 dem Patrizier Albrecht v. Schwanenring, wie ein Lehnsbrief des Grafen Herrmann v. Gleichen von 1324, in welchem Fizelonis de Wizzensee civis oppidi praedicti (Erford) erwähnt, und *Conrad* der jüngere als Zeuge unter den Bürgern von Erfurt genannt wird. — *Dietrich* v. W. war Rathsherr zu Erfurt im Jahre 1351. — Dem Städtchen Weissensee, Hauptorte des Kreises gleiches Namens im Departement Erfurt, verdankt dieses Geschlecht Namen und Ursprung. M. s. Sagitt, Gesch. der Grafschaft Gleichen u. a. m.

Weller, Herr von.

Der Hauptmann in der Adjutantur W. ist von des jetzt regierenden Königs Majestät geadelt worden. Er stand 1806 im Bataillon Schachtmeier der zweiten ostpreussischen Füselier-Brigade und starb 1821 als Major und Adjutant beim Commando des 2ten Armee-Corps.

Das Schild seines Wappens ist schräg getheilt, in ein blaues Feld und ein silbern und schwarzes Schach; in diesem Schilde liegen zwei über's Kreuz gelegte Kanonenröhre. Auf dem gekrönten Helme sind drei mit den Spitzen die Krone berührende Pfeile angebracht.

Welter, die Herren von.

Eine adelige Familie in der preussischen Rheinprovinz. Das Haupt derselben ist gegenwärtig *Franz Ludwig* v. W. zu Cöln.

Werberg, die Herren von.

Aus diesem uralten, vornehmen, längst erloschenen Geschlechte war 1340 *Herrmann* v. W. Meister des Tempelordens in der Mark, in Sachsen, Wenden und Pommern.

Werder, die Freiherren und Herren von, Bd. IV. S. 325.

Die sämmtlichen, jetzt lebenden Glieder der Familie v. W., 28 an der Zahl, sind unter sich sehr nahe verwandt, da sie von dem 1783 verstorbenen *Marquard Ludwig* v. W., Hauptmann und Besitzer der im Jerichowschen Kreise belegenen Güter Chade, Brettin, Gollwitz, Gross- und Klein-Wusterwitz, und von dem 1800 verstorbenen *Hans Ernst Dietrich* v. W., wirkl. Geh. Staatsminister und Besitzer von Rogäsen, einem Neffen des *Marquard Ludwig* v. W., abstammen.

Was die älteren Nachrichten über die Familie v. W. betrifft, so geben die verschiedenen Adels-Lexica's u. s. w., als v. Hellbach's Adels-Lexicon II. Th. S. 717 — Siebmacher I. Th. 168. No. 11. III. Th. 197. No. 7. u. V. Th. 144. No. 2. — Albini, Hist. der Grafen v. Werthern — v. Meding I. Th. No. 957. — Sinapius II. Th. S. 1106 — Gauhe I. Th. S. 2099. — Zedler XXV. Bd. S. 335. — Ester's Ahnenprobe S. 387. — Abel's sächsische Alterthümer S. 575. — König I. Th. S. 1024. II. Th. S 72, 85, 1198. III. Th. S. 14, 76, 272 u. s. w. darüber verschiedene Nachrichten, und verweisen daher auf diese mit dem Bemerken, dass die jetzigen lebenden W. zu dem brandenburgischen Geschlecht zu rechnen sind.

In neuerer Zeit zeichnete sich besonders der 1740 geborene und 1800 verstorbene Staatminister *Hans Ernst Dietrich* v. W. aus, der auch in den Freiherrenstand erhoben wurde (doch ist uns das Jahr nicht bekannt). Ein Sohn desselben war der Oberst und Commandeur des leichten Garde-Cavallerie-Regiments *Karl* v. W., der sich durch seine Bravour und Tapferkeit mehrfach auszeichnete und leider 1813 bei Töplitz durch einen Sturz mit dem Pferde in seinem 38sten Jahre verunglückte. (Er führte das Cavallerie-Regiment, welches Napoleon bei einer Parade absatteln liess, um sich zu überzeugen, dass wirklich, wie ihm der Oberst v. W. auf seine Frage antwortete, keins seiner Pferde gedrückt sei. Als sich wirklich keins fand, stellte Napoleon seinen Generalen dies Regiment zum Muster für die französische Cavallerie, welche so viele gedrückte Pferde hatte, auf. Der Oberst v. W. zeichnete sich in diesem Feldzuge mehrfach aus, unter anderen ritt er, als er mit seinem Regimente eine Attaque auf ein russisches Cavallerie-Regiment machte und beide Regimenter in einer Entfernung von 200 Schritten stutzten, allein vor, und hieb den Commandeur des russischen Regiments vom Pferde, worauf das russische Regiment Kehrt machte und grösstentheils zusammengehauen wurde.)

Von den jetzt lebenden Familiengliedern führen wir nur an:

1) Den jetzigen Senior der Familie, *Timon Moriz Ludwig* v. W., Major in der Gensd'armerie und Besitzer des Rittergutes Sagisdorf im Saalkreise. Dessen einziger Sohn *Bruno* ist gegenwärtig Referendarius im Forstdepartement.
2) Den Oberst und Commandeur des 12ten Infanterie-Regiments, *Hans* v. W.
3) Die Söhne des 1820 verstorb. Generals *Friedrich Wilhelm* v. W.:
   a) den Oberst und Commandeur des 8ten Infanterie-Regiments *Ferdinand* v. W.;
   b) den Oberst und Commandeur des 20sten Infanterie-Regiments *Wilhelm* v. W.
4) Den Oberst und Commandeur des 1sten Garde-Regiments *Franz* v. W., Sohn des 1808 verstorb. Zolldirectors *Karl* v. W.
5) Die Söhne des Staatsministers *Hans Ernst Dietrich* v. W.:
   a) den General-Lieutenant a. D. *Hans Ernst Christoph* v. W.;
   b) den Rittmeister a. D. und Besitzer von Seiferdau in Schlesien, *Johann Wilhelm* v. W.

Das Wappen der Familie v. W. zeigt in einem blauen Schilde einen von der Rechten zur Linken (herald.) gehenden rothen Balken, auf welchem sich drei silberne Lilien befinden; auf der einen Seite sind im Schilde vier, auf der andern drei goldene Sterne. Auf dem gekrönten Helme steht zwischen zwei halb schwarzen, halb blauen Adlerflügeln gleichfalls ein rother Balken mit den drei silbernen Lilien.

Wernicke, Herr von, Bd. IV. S. 327.

Wappen: Ein gespaltenes, rechts goldenes, links quer in Silber und blau getheiltes Schild. Im goldenen Felde zeigt sich der halbe schwarze gekrönte Adler, im linken Quartiere ein rothes Herz, aus dem drei grüne Kleeblätter sprossen, darüber ist ein schwarzer, links schräger Balken gelegt, auf demselben zwei über's Kreuz liegende gerüstete Arme, von denen ein jeder drei Kleeblätter hält. Decken schwarz und Silber. Zwei Greife, der rechte silbern, der linke golden, halten das Schild.

Werther, die Freiherren und Herren von.

Eine märkische altadelige Familie; ihr gehörte an *Philipp August Wilhelm* v. W., gestorben 1802 als General-Lieutenant, Chef eines Dragoner-Regiments und Ritter des Verdienstordens, zu Königsberg. Ein Sohn desselben, *Heinrich August Alexander* Freiherr v. W., ist wirkl. Geh. Staats-Minister der auswärtigen Angelegenheiten, Ritter des rothen Adlerordens I. Classe u. s. w. Ein Sohn des Letztern ist Legations-Secretair bei der preuss. Ambassade im Haag. Diese Familie führt drei Rosen im Schilde.

Werthern, die Grafen und Freiherren von.

Das gleichnamige Stammschloss dieses uralten vornehmen Geschlechtes liegt in der Nähe des Harzwaldes. Der Ahnherr des Hauses, der tapfere Ritter *Ottobald*, soll es vom Kaiser Karl dem Grossen geschenkt erhalten haben und zum Herrn v. W. erhoben worden sein. Ausser dieser Besitzung sind Beichlingen, Frondorf, Brücken, Wiehe, Kroppen, Neunheiligen und andere Herrschaften und Güter, die sämmtlich in Thüringen liegen und gegenwärtig zum Kreise Eckartsberga im Regierungs-Bezirk Merseburg gehören. Nach diesen Besitzungen zerfiel das Haus in die drei Hauptlinien zu Beichlingen, Brücken und Wiehe. — Die Beichlingsche Hauptlinie zerfiel wieder in die Häuser Frohndorf — Cölleda und Beichlingen — Gr. Neuhausen (später erwarb sie auch Kythra). Die Wiehesche Hauptlinie theilte sich wieder in das Unterhaus Wiehe und das Oberhaus Wiehe-Lossa. Kaiser Heinrich IV. ertheilte dem Ritter *Herrmann* W., der den Beinamen der Wachsame führte, das Reichs-Erbkammer-Thürhüter-Amt mit ansehnlichen Gütern als ein unmittelbares Reichslehn; zugleich vermehrte er das Familienwappen. Nachdem schon mehrere Vorfahren die Reichsgrafenwürde ausgeschlagen hatten (namentlich der Freiherr *Johann* v. W. 1509), nahm sie am 12. Aug. 1702 *Georg* I. Freiherr v. W., kursächsischer Geh. Rath und Minister, vom Kaiser Leopold I. an. (Er war am 23. Juli 1663 geboren, vermählt den 2. April 1689 mit Helene v. Miltitz und starb den 4. Febr. 1721.) Dieser erste Graf v. W. gehörte der Linie Beichlingen-Neuhausen an. König Friedrich I. stellte demselben unter dem 5. März 1703 ein Anerkennungs-Diplom aus. Zu derselben Linie gehörte *Ferdinand* Graf v. W., der am 17. Jan 1708 Reichsgraf wurde und 1763 starb. Ein Enkel des erwähnten *Georg* I. war *Johann Georg* Graf v. W. auf Leubingen, geb. 1735, Stiftskanzler zu Zeitz, kursächsischer Minister am königl. französischen Hofe, Domherr zu Merseburg, nachmals königl. preussischer Staatsminister und seit 1773 Ritter des schwarzen Adlerordens; er starb 1790. — Der Brückenschen Hauptlinie gehörte an *Georg Christoph* Freiherr v. W., königl. preuss. Geh. Rath u. s. w. — *Otto Ferdinand* Freiherr v. W., kaiserl. russischer General-Lieutenant. — *Wilhelm Rudolph* Freiherr v. W. auf Klein-Werthern und Brücken, preussischer Landrath und Landschafts-Director in Hohenstein. — Gegenwärtig ist *Ottobald* Freiherr v. W. auf Beichlingen königl. Kammerherr, N. N. Freiherr v. W. ist Regierungs-Rath zu Potsdam, *Anton* Freiherr v. W. Oberlandesgerichts Assessor zu Naumburg, und *Rudolph* Freiherr v. W. Criminal-Richter zu Sangerhausen.

Das vollständige Wappen der Grafen v. W. besteht aus einem, fünf Quartiere enthaltenden Schilde mit einem Herzschilde (oben zwei, unten drei). Das erste Feld ist silbern und von drei rothen Querbalken durchzogen, das zweite zeigt auf goldenem Grunde einen rechts aufspringenden gekrönten blauen Löwen, das dritte Feld ist blau, darin steht ein silberner gekrönter Strauss, der ein Bund goldener Pfeile mit dem rechten Fusse hält, im vierten Felde, welches das mittelste der drei untern ausmacht, einen rechts vorschreitenden weissen Elephanten, der auf dem Halse einen Mohren und auf dem Rücken einen Thurm trägt, das fünfte Feld zeigt einen goldenen gekrönten Adler auf einem roth und silbernen Schach. Das Herzschild reicht vom obern Rande des Schildes bis fast in die Mitte des vierten oder mittlern Feldes der untern Reihe. In der obern goldenen Hälfte desselben steht der doppelte gekrönte Reichsadler, die untere Hälfte ist quadrirt, die Felder 1. und 4. sind golden, darin der blaue aufspringende Löwe, die Felder 2. und 3. sind schwarz, in jedem ein goldener, drei Blätter treibender Ast. Das Hauptschild trägt drei gekrönte Helme; auf dem ersten rechten eine Säule, in roth und Silber schräg getheilt und mit einem Pfauenschweif besteckt; der mittlere Helm zeigt einen wachsenden Löwen im Profil, er trägt eine mit drei Straussenfedern (schwarz, Gold, schwarz) besteckte goldene Krone; auf dem dritten steht der blaue Löwe verkürzt und eine goldene Krone tragend, die mit einem Pfauenschweife besteckt ist. Die Decken und das Laubwerk sind rechts roth und Gold, links blau und Gold. Zwei Löwen mit Schwert und Schild halten das Hauptschild.

Westerhagen, die Herren von, Bd. IV. S. 328.

Eine uralte adelige Familie, welche chormärkische, Sachsen-gothaische, Hessen-kasselsche und braunschweigische Lehne besitzt. Sie soll sich vor alten Zeiten de Indagine genannt haben. *Thilo* de Indagine hat um das Jahr 1086 unweit dem Westerwalde das Schloss Westerburg erbaut. Sein Sohn gleiches Namens soll, weil er wegen eines Duells flüchtig geworden, sich auf dem Eichsfelde niedergelassen und um das Jahr 1126 die Burg Westerhagen angelegt haben. Von dessen Nachkommen wird *Heinrich* um 1293 zu Gotha genannt. Von dessen Brüdern sind *Bruno* und *Dietrich* zu beachten. Jener wurde Grossvater *Heinrich's*, erzbischöfl. mainzischen Landvoigts auf dem Eichsfelde. Von diesem stammt ab: *Hans Albrecht*, welcher im 17ten Jahrhundert churmainzischer Oberster gewesen, und *Heinrich Arnold*, dänischer Oberst-Wachtmeister, dessen Sohn *Heinrich* fürstl. münsterscher Oberster war; er ist neun Jahre Sclave der Tartaren gewesen, endlich von dem Könige von Schweden ranzionirt worden. Er hat unter andern einen Sohn gleiches Namens hinterlassen, welcher Sachsen-gothaischer General-Major und Commandant über die Leibgarde zu Pferde, auch Oberster über ein Dragoner-Regiment geworden ist, noch 1717 geblüht und seinen Stamm fortgesetzt hat. — Vorgedachter *Dietrich*, der um das Jahr 1298 lebte, setzte eine andere Linie fort. Von ihm stammt unter andern ab: *Herrmann Otto*, fürstl. Sachsen-gothaischer Oberst-Lieutenant, der gegen Ausgang des 17ten Jahrhunderts florirte.

Die im Jahre 1126 von dem flüchtig gewordenen v. W. erbaute Westerburg wurde im Bauernkriege um das Jahr 1525 zerstört, während er mit seinen Knechten einem Herrn v. Hanstein gegen die Bauern zu Hülfe geeilt war. In der Burg wurde Alles ermordet, und nur der damals zweijährige Sohn des Besitzers, *Heinrich* v. W., deshalb verschont, weil seine Wärterin sich mit ihm in die Kapelle geflüchtet, den Kelch vom Altare ergriffen und diesen über das Kind gehalten hatte. Die wüthenden Bauern sind hierdurch besänftigt worden. Dieser *Heinrich* war der einzig übrig gebliebene W., von dem jetzt die ganze Familie v. W. abstammt. Er heirathete zweimal und dadurch wurde diese Familie, wie auch jetzt noch, in zwei Linien getheilt. In Teistungen baute er sich an. Hier lebt jetzt noch der Senior der Familie, der Kammerherr *August* v. W., königl. preuss. Johanniter-Ordens-Ritter, und in dessen Besitz befindet sich auch noch, gut erhalten, der oben erwähnte Kelch. Dieser Kammerherr v. W. wurde früher in vielen Landschaftsangelegenheiten gebraucht, im Jahre 1807 als Deputirter nach Braunschweig an das französische Gouvernement geschickt, um Erlass von den Kriegssteuern, die Napoleon dem Lande auferlegt hatte, zu bewirken, was ihm auch gelang, denn sie wurden sehr ermässigt, und er wendete das Executions-Commando, welches deswegen auf das Eichsfeld geschickt werden sollte, ab. Wie es im Jahre 1814 und 1815 wieder preussisch ward, wurde er Mitglied der Militair-Verwaltungs-Commission, und nachher wieder als Deputirter nach Magdeburg geschickt.

Westerholdt (t), die Grafen und Freiherren von.

Das gleichnamige Stammhaus dieses alten, vornehmen Geschlechtes liegt in der herzogl. arembergischen Herrschaft Recklingshausen (Regierungs-Bezirk Münster der Provinz Westphalen). Im Jahre 1540 starb *Bernhard* v. W. als Abt zu Iburg bei Osnabrück. *Burckhard* v. W., fürstl. münsterscher Geh. Rath und Gesandter am Reichstage zu Regensburg, soll 1676 die freiherrliche Würde auf sein Haus gebracht haben; nach Andern erhielt sie ein österreichischer General v. W. im dreissigjährigen Kriege. Am 22. Septbr. 1790 wurde der kurcölnische Kammerherr und fürstl. thurn und taxische Geh. Rath Freiherr v. W. vom Churfürsten Karl Theodor von Baiern in den Grafenstand erhoben. — Ein Ast dieses gräflichen Hauses besitzt ansehnliche Güter bei Duisburg; er hat seinen Sitz auf dem Schlosse Oberhausen und führt den Beinamen Gysenberg. Ein Sohn aus diesem Hause ist Prem.-Lieutenant im 1sten Garde-Landw.-Uhlanen-Regiment zu Potsdam. — Das ursprüngliche W.'sche Wappen ist ein in Silber und schwarz gespaltenes Schild, die silberne Hälfte ist in der Mitte mit einem schwarzen, die schwarze Hälfte mit einem silbernen Querbalken belegt. Als Helmschmuck zeigt sich ein silberner Schwan, dessen Flügel wie im Schilde mit den Balken belegt sind. Decken Silber und schwarz. M. s. Zedler's Universal-Lex. LV. Bd. S. 863. Winkelmann's Oldenburger Chronik S. 183. Gauhe I. Th. S. 2112. König III. Th. S. 436. Ritter v. Lang S. 92. Siebmacher I. Th. S. 189.

Wevelinckhoven, die Freiherren von.

Johann v. W. zu Sitterb und Niersdom wurde den 6. Mai 1642 vom Kaiser Ferdinand III. zum Reichsfreiherrn erhoben. Im Diplome wird gesagt, dass *Bernhard* v. W. 1125 Abt zu Werden und Helmstädt, *Florentin* Bischof zu Münster und Utrecht, *Gottfried* Domherr zu Cöln, *Kunigunde* 1172 und *Sophia* 1209 Aebtissinnen zu Neisse waren. Die ältere Linie der v. W. war im Mannsstamme erloschen, zwei Töchter verblieben noch, die eine war an Heinrich v. Gehmen, die andere an einen Grafen v. Salm-Reifferscheid vermählt. Der oben erwähnte *Johann* v. W. gehört einer Seitenlinie an. *Sibrecht*, der Sohn des Marschalls von Westphalen v. W., wurde 1403 mit den Gütern seiner Mutter zu Sitterb belehnt. *Johann* v. W. war königl. spanischer Kammerherr und Ritter des Jacobsordens, der erste Edle Panner- und Freiherr v. W. — Das Wappen dieses Geschlechtes zeigt im rothen Schilde zwei silberne Querbalken, auf dem Helme ist ein Freiherrn-Hut angebracht, daraus ein azurfarbiger Hals mit goldenen Bügeln hervorsteigt.

Wiedebach, die Herren von, Bd. IV. S. 334.

Diese Familie besitzt mehrere Güter bei Beitzsch, Pförten und Cottbus, namentlich die Brüder *Wilhelm* v. W. den Rittersitz Beitzsch bei Pförten und *Benno* v. W. Gulben bei Cottbus.

Wilczeck (Welszeck), die Grafen, Freiherren und Herren von, Bd. IV. S. 335.

Dieses Geschlecht gehört zum ältesten und vornehmsten Adel in

Schlesien und Polen. In Lemberg war im 13ten Jahrhundert ein W. Erzbischof und 1239 kommt *Nicolas* v. W. als Palatin und Woywode zu Sendomir vor. Unter Heinrich dem Frommen wohnten mehrere Ritter aus diesem Hause der Tartarschlacht bei. Die Herrschaft Loslau war vor langen Jahrhunderten, ebenso der Hultschiner-Halt in den Händen dieses Hauses. Schon im 15ten Jahrhundert wurden sie Banier oder Panner und Freiherren genannt. Sie führten den Beinamen v. Guttenland. — *Heinrich Wilhelm* Freiherr v. W., kaiserl. Minister und General, Herr der Herrschaft Königsberg, auf Gross-Peterwitz u. s. w., commandirender General in Schlesien, Commandant von Gr. Glogau, brachte im Jahre 1714 die reichsgräfliche Würde auf sein Haus. Seine Nachkommen bilden die beiden unten erwähnten, gegenwärtig blühenden Linien des gräflichen Hauses.

Erste Linie.

Stanislaus Graf v. W., geb. den 24. Novbr. 1792, Frei- und Bannerherr von Hultschin und Gutenland, Herr der Fideicommiss-Herrschaften Königsberg, Poruba, Grosspohlom und Polnisch-Ostrau in österreichisch Schlesien, und die Allodialgüter Kreutzenstein, Praunsberg, Seebarn, Tresdorf und Herrmannsdorf in Niederösterreich, k. k. Kämmerer, Sohn des am 27. Septbr. 1834 verstorbenen Grafen *Franz Joseph* und der am 30. April 1837 verstorbenen Prinzessin Theresia von Oettingen-Spielberg, vermählt seit dem 25. Juni 1822 mit Gabriele Freiin Reischach, geb. den 21. Juli 1802.

Töchter:

1) *Therese*, geb. den 22. Mai 1823.
2) *Eleonore*, geb. den 18. Septbr. 1825.
3) *Pauline*, geb. den 19. Aug. 1829.

Schwestern

aus des Vaters erster Ehe mit Gräfin Josephine Harrach (vermählt den 26. Mai 1776, gest. den 9. Febr. 1783):

1) *Marianne*, geb. am 6. Decbr. 1781, St.Kr.D. und P.D., vermählt am 7. Jan. 1808 mit dem Grafen Anton Sedlnitzky, k. k. Kämmerer, Geh. Rath und Präsidenten des mährisch-schlesischen Landrechts in Brünn, geb. den 4. Decbr. 1776.
2) *Marie Karoline*, geb. den 29. Novbr. 1782, St. Kr. D., vermählt am 4. April 1809 mit Adrian Grafen Desenffans d'Avernas, k. k. Kämmerer.

Zweite Linie.

Friedrich Graf v. W., geb. 1790, k. k. Geh. Rath, Gouverneur in Tyrol und Vorarlberg und zweiter Präsident der allgemeinen Hofkammer zu Wien, vermählt den 18. Mai 1818 mit Franziska de Paula, Gräfin v. Chorinsky, geb. den 22. Mai 1798.

Kinder:

1) *Heinrich Wilhelm*, geb. den 2. März 1819.
2) *Gustav Adolph*, geb. den 17. Mai 1821.
3) *Sophie Friederike*, geb. den 21. April 1823.
4) *Gabriele Marie*, geb. den 18. Jan. 1825.
5) *Henriette Karoline*, geb. den 15. Septbr. 1826.
6) *Marie Josephine*, geb. den 3. Octbr. 1828.
7) *Alfred Friedrich*, geb. den 28. Juli 1831.

8) *Franziska Sidonie*, geb. den 30. Septbr. 1833.
9) *Friedrich Ferdinand*, geb. den 29. Juni 1836.

Schwestern:

1) *Therese*, geb. 1788.
2) *Mariane*, geb. 1792, Wittwe seit dem 11. Octbr. 1823 von dem Grafen Johann Nobili, k. k. Kämmerer, Feldmarschall-Lieutenant und Festungs-Commandanten in Padua, wieder vermählt mit Anton Freiherrn Wöber, k. k. Feldmarschall-Lieutenant und Divisionair zu Agram.
3) *Johanna*, geb. 1793, vermählt den 7. Jan. 1815 mit dem Freiherrn Johann Lexa v. Aehrenthal, Vicepräsidenten bei dem Prager Appellationsgericht, Herrn der Herrschaft Doxan.
4) *Sophie*, geb. 1797, vermählt den 4. Septbr. 1823 mit Peter, Ritter v. Mertens, Vicepräsidenten der allgemeinen Hofkammer, Wittwe seit dem 7. Decbr. 1828.

Des am 2. Febr. 1819 verstorbenen Vaters-Bruders, *Johann Joseph* v. W., Oberhofmarschalls, und der am 4. Octbr. 1836 verstorbenen Gräfin Maria Beatrix v. Hardegg, Tochter: *Louise*, geb. den 10. April 1800, vermählt den 25. Aug. 1823 mit dem Grafen Alois Almásy-Zsadány, k. k. Kämmerer.

Die Freiherren v. Wilczeck (Welczeck) sind nach Sinapius durch Stammhaus und Wappen von den Grafen unterschieden. Das Stammhaus Dubensko liegt im Ratiborschen. — *Johann* v. W., Freiherr v. Gross-Dubensko und Petersdorf, starb am 20. März 1686 als Prälat, Domherr zu Breslau, Archidiaconus zu Oppeln u. s. w. — *Johann Bernhard* v. W., Freiherr v. Gross-Dubensko, Herr auf Labant, war 1711 kaiserl. Rath u. s. w. Seine Nachkommen sind die heutigen Freiherren v. W. in Schlesien, wo *Joseph* Freiherr v W., vermählt mit Antonie Gräfin v. Strachwitz auf Gross-Zauche, die Herrschaften Labant und Ujest besitzt. — Diese freiherrliche Familie führt zwei neben einander stehende Thürme mit drei Fenstern und vier Zinnen.

Wildau, die Herren von, Bd. IV. S. 336.

Eine adelige Familie dieses Namens kommt schon am Anfange des vorigen Jahrhunderts in Schlesien vor, wo sie mit dem Beinamen v. Lindenwiese Güter bei Teschen besass. *Franz Albrecht* v. W. und Lindenwiese auf Hnoynick und Rakowotz war 1723 Landrechts-Beisitzer im Fürstenthum Teschen. M. s. Sinapius II. Th. S. 1112. Zedler LVI. Bd. S. 699. — In der preussischen Armee stand 1793 der General-Lieutenant v. W., Chef des Infanterie-Regiments No. 14, Ritter des Ordens pour le mérite. Er war 1725 in Schlesien geboren und starb in einem sehr hohen Alter.

Wildberg, Herr von.

In dem Gefecht bei Gabel in Böhmen zeichnete sich ganz besonders der Rittmeister im Husaren-Regiment v. Belling, *Sigismund Adam* W., aus. König Friedrich II. belohnte ihn am 9. Aug. 1778 durch die Erhebung in den Adelstand. Das ihm beigelegte Wappen zeigt im silbernen Schilde drei goldene Sterne, zwischen diesen ein Dreieck, das durch einen Spitzenschnitt wieder in zwei goldene und ein grünes Dreieck abgetheilt ist. Aus dem gekrönten Helme wächst ein rothes Einhorn. Zwei gekrönte schwarze Adler halten das Schild.

Wildenbruch, die Herren von, Bd. IV. S. 337.

Ludwig v. W., der Sohn des bei Saalfeld gebliebenen Prinzen Louis von Preussen, war 1838 Premier-Lieutenant im Garde-Cürassier-Regiment. Seine Schwester ist an den Herrn v. Röder auf Rothsürben in Schlesien vermählt. Diese von uns unter 2) angeführte Familie v. W. führt im grünen Schilde drei goldene Rosen, oben zwei, unten eine, und auf dem gekrönten Helme einen schwarzen, mit dem Kleestengel belegten Adlerflügel. Die Decken sind grün und Gold. Zu Schildhaltern ist rechts ein schwarzer Adler, links ein wilder, auf seine Keule gestützter Mann gewählt.

Winckelmann, die Herren von, Bd. IV. S. 339.

1) Diplom vom 14. Jan. 1721, ausgestellt dem Rittmeister *Christian Friedrich* W. vom Winterfeldtschen Regiment.

Wappen. Ein quadrirtes Schild. Im ersten und vierten silbernen Felde den Fuss eines schwarzen Adlers mit goldenen Krallen. Im zweiten und dritten blauen Felde drei silberne Sterne, oben zwei, unten einer. Zwischen ihnen ein silbernes Winkelmaas. Auf dem gekrönten Helme ein gestürzter Adlerfuss, der das Winkelmaas zwischen den drei goldenen Sternen emporhält.

2) Diplom vom 13. Novbr. 1782 (m. s. unsern Art.).

3) Diplom vom 12. Decbr. 1786.

Wappen. Ein quadrirtes Schild. Im ersten und vierten blauen Felde ein goldenes Winkelmaass, im zweiten und dritten ein schwarzer Adlerfuss mit rother Kralle. Das letztere Bild wiederholt sich gestürzt auf dem Helme, über der Kralle schwebt das Winkelmaas. Decken blau und Silber.

Winckler, die Herren von, Bd. IV. S. 340.

Diese adelige Familie erhielt am 30. April 1756 ein Erneuerungs-Diplom. Sie führt im blauen Herzschildlein einen silbergerüsteten Arm, der ein goldenes Winkelmaas emporhebt. Das Hauptschild ist quadrirt, die Felder 1. und 4. sind quer in blau und Silber getheilt, darin liegt ein Adlerflügel, der im blauen Felde silbern, im silbernen aber blau ist, in dem zweiten und dritten blauen Felde schwebt ein goldener Stern. Der gekrönte Helm trägt zwischen zwei blau und silbern gevierteten Adlerflügeln einen verkürzten, nach der rechten Seite aufspringenden, ein Winkelmaas haltenden silbernen Löwen. Decken rechts blau und Silber, links blau und Gold.

Winter, die Herren von.

Diese adelige Familie erhielt am 28. Mai 1828 von preussischer Seite ein Anerkennungs- oder Erneuerungs-Diplom. Sie führt im grünen Schilde ein weisses, nach der rechten Seite aufspringendes, schwarz geflügeltes Ross. Auf dem gekrönten Helme sind zwei weisse Adlerflügel angebracht. Decken grün und Silber.

Wintersleben, die Herren von.

Ein erloschenes adeliges Patrizier-Geschlecht zu Erfurt, aus welchem *Heinrich* v. W. Bürger zu Erfurt, nach der Gleichenschen Urkunde von 1305, war. — *Ludolph* v. W. „sacerdotes canonici" kommt in der Urkunde der Streitbeilegung zwischen dem Grafen Herrmann v. Gleichen und dem Kloster Georgenthal 1335 als Zeuge vor.

Witte, die Herren von, Bd. IV. S. 343.

Wappen. Ein mittelst eines silbernen Querbalken in Gold und blau getheiltes Schild, welches in der obern goldenen Hälfte drei Kornähren an grünen Stengeln, unten in der blauen Feldung den Hals eines goldenen Hirsches zeigt. Auf dem gekrönten Helme zwei weisse Adlerflügel.

Wittenhorst, die Freiherren von.

Dieses uralte vornehme Geschlecht gehörte zum Adel von Cleve. Die gleichnamige Herrschaft liegt mit dem Stammschlosse am Rhein. Durch Vermählung mit dem Hause Sonsfeld führt es beide Namen. *Friedrich Wilhelm* Freiherr v. W.-Sonsfeld starb 1711 als königl. preuss. General-Lieutenant, Ritter des schwarzen Adlerordens u. s. w. *Friedrich* Freiherr v. W.-Sonsfeld wohnt auf Schwanenberg im Regierungs-Bezirk Aachen. — Im Jahre 1806 stand ein Freiherr v. W.-Sonsfeld in preuss. Diensten. Es dienen noch gegenwärtig Söhne aus diesem Hause als Offiziere in der Armee. Das ursprüngliche Wappen dieser freiherrlichen Familie zeigt im goldenen Schilde vier schwarze und zwei rothe Querbalken oder Streifen und auf dem Helme einen schwarzen Hut mit rothem Aufschlag, aus demselben steigen die untern Theile zweier Trompeten hervor, die rechte gestreift von den Farben des Schildes. M. s. Siebmacher II. Th. S. 116. Zedler LVII. Bd. S. 1810 Pfeffinger, Merkwürdigkeiten des 17ten Jahrh. S. 180. Gauhe I. Bd. S. 2151.

Wittern (Witterda), die Herren von.

Ein altadeliges Geschlecht, welches gegenwärtig im Königreich Baiern ansässig ist und den Rittersitz Wundersleben besitzt. Es hat zum Stammhaus das Dorf Wittern im Kreise Erfurt, und erlangte das Patriziat von Erfurt, als genannte Stadt diese Ortschaft unter ihre Botmässigkeit brachte; zu Erfurt ist es erloschen. — *Werner* v. W. kommt als Zeuge in kurmainzischen Dokumenten der Klöster Gesenroda und Herren-Breitungen 1143 und 1148 vor. — *Conrad* v. W. war 1289 Prior zu Kloster Ilmen. — *Albert* v. W. war 1311 gleichischer Burgmann und kommt als Ritter und Zeuge in den Jahren 1316 bis 1338 in gräflich Gleichischen Documenten vor; aus einer Belehnung des Grafen Herrmann v. Gleichen für das Kloster Georgenthal, eine Schenkung betreffend, welche Agnes v. Dornheim durch Testament mit ½ Hufe Landes zu Wandersleben gethan, sieht man, dass gedachter Ritter *Albert* v. W. ehemals Gleichische Lehne zu Wandersleben besass. Ein anderer Ritter *Albert* v. W. kommt mit *Berlt* 1370 als Zeuge vor. — Ein anderer *Albert* v. W. wird 1402 erwähnt und noch ein anderer *Albert* v. W. war 1430 Pfarrer zu Gräfen-Tonna. — *Heinrich* v. W. kommt in einem Gleichischen Dokumente 1411 mit Andern als Bürge vor. — *Otto* und *Volkmar* v. W. waren mit Andern 1426 Schiedsmänner in dem Lehnsanfalle der Herrschaften Tonna und Tollstedt, der Grafen v. Gleichen, und kommen in einem Ehevertrage des Grafen Adolph v. Gleichen und der Gräfin Agnes v. Hohenstein,

31 *

verwittweten Gräfin Friedrich v. Buchlingen vor. — *Johann Melchior* v. W. kommt noch als Gleichischer Vasall 1597 (in der Belehnung mit der Grafschaft Remda für die Grafen Gleichen von Seiten Sachsens) als Zeuge vor, und hat sich später als herzogl. Sachsen-Weimarischer Minister hervorgethan. M. s. Sagitt., Geschichte der Grafsch. Gleichen. Gauhe I. Th. S. 2907—2908. Hellbach II. Th. S. 764 u. a. m.

Wittken (Wittke), die Herren von.

Sie schreiben sich in neuerer Zeit theils Wittken, theils Wittke, und gehören ursprünglich Pommern an, wo sie im Lauenburgischen begütert waren; hier gehörten ihnen namentlich die Güter Gr. Parlin, Nawitz und Tero (? nach v. Gundling). Im Regiment v. Plötz diente ein Hauptmann v. W., der 1807 den Tod der Ehre starb. Beim 3ten Musketier-Bataillon des Regiments v. Owstien in Colberg stand 1806 ein Hauptmann v. W., der 1820 als Oberst und Commandeur des 4ten Garnison-Bataillons aus dem activen Dienst schied; er hatte sich in Colberg den Verdienstorden erworben. Bei dem Regiment v. Möllendorf in Berlin stand 1806 ein Major v. W., der 1812 als dimittirter Oberstlieutenant gestorben ist. Noch gegenwärtig stehen Edelleute dieses Namens im Militair- und Civildienst.

Wöllner, Herr von, Bd. IV. S. 348.

Wappen. Im silbernen Schilde und auf dem gekrönten Helme einen goldenen, rechts aufspringenden Hund, der einen Kochlöffel in der Schnauze hält.

Wohlgemuth, die Herren von, Bd. IV. S. 348.

Wappen. Im oben rothen, unten blauen Schilde, dort einen gerüsteten, ein Schwert führenden Arm, hier drei silberne, in einer Reihe stehende Sterne. Auf dem Helme ein schwarzer gekrönter Adler. Decken roth und Silber.

Wolf, die Freiherren u. Herren von, Bd. IV. S. 350.

Wappen der unter No. 2. angeführten Familie v. W. Im gespaltenen Schilde, in der rechten silbernen Feldung ein aufspringender Wolf, in der linken blauen Feldung drei durch einen goldenen Reifen an den Stielen zusammengehaltene Kornähren. Auf dem Helme der Wolf zwischen zwei schwarzen Adlerflügeln. Decken blau und Silber.

Wolffradt, die Grafen und Herren von.

Eine alte vornehme, ihres Ursprungs nach dem jetzigen Regierungs-Bezirk Stralsund, namentlich der Insel Rügen angehörige Familie, von der ein Zweig, *Anton Gustav*, unter der Regierung des Königs Jerome von Westphalen die gräfliche Würde erhielt und den Posten eines Staatsministers verwaltete; er starb am 14. Jan. 1833, nachdem er sich schon lange in's Privatleben auf seine Güter zurückgezogen hatte. — Im Kreise Greifswald gehören dieser Familie die Güter Schmadzin, Lussow u. s. w. In der preussischen Armee hat sich Ruhm und Ehre erworben der General-Lieutenant v. W., Chef eines Husaren Regiments, geb. 1735 in schwedisch Pommern. Er erwarb sich schon im siebenjährigen Kriege den Verdienstorden und in der Rhein-Campagne den rothen Adlerorden, und starb am Anfange dieses Jahrhunderts. Ein Major v. W. stand 1806 in der zweiten ostpreussischen Artillerie-Brigade und war 1819 Oberst und Brigadier der Gensd'armerie. In dem Regiment v. Malschitzki stand damals ein Lieutenant v. W., der 1834 Oberstlieutenant im Dienste des Herzogs von Braunschweig war; er ist Wittwer von einer Gräfin Pfeil. Bei der 4ten Jäger-Abtheilung in Nordhausen steht der Capitain und Ritter des eisernen Kreuzes I. Classe v. W. — Siebmacher giebt zwei Wappen dieser Familie. Im I. Th S. 117 unter den Schwäbischen; hier zeigt sich im goldenen Schilde ein über zwei Ströme setzender Wolf, der sich sitzend auf dem Helme wiederholt. Das im V. Th. S. 105 zeigt im blauen Felde einen Wolf, der eine Gans forttrügt. Dieses Bild wiederholt sich auf dem Helme.

Wolffrath, die Herren von.

Anton v. W., geboren zu Cöln am Rhein, gelangte unter Kaiser Ferdinand II. zu den höchsten weltlichen und geistlichen Würden. Er war 1613 Abt zu Cremsmünster, Ferdinand II. ernannte ihn zum Kammerpräsidenten und 1631 zum Bischof von Wien, mit der Beilegung der Reichsfürsten-Würde, die seitdem alle seine Nachfolger auf dem bischöflichen Stuhle von Wien führen.

Wostrowski, die Herren von.

Sie stammen aus Böhmen und sind im 17ten Jahrhundert nach Schlesien gekommen. Ihr eigentlicher Name ist Wostrowski v. Skalka und Witzab. *Adam* W. v. S. und W., der früher Güter in Mähren besessen hatte, erwarb 1666 den Rittersitz Rosenau bei Brieg; er war mit Wenzel v. Kunias und Middern auf Kunitz Tochter vermählt und wurde der Stammvater der v. W. in Schlesien. Einer v. W. starb vor einigen Jahren als Prälat beim hohen Domstift in Breslau; sein Bruder starb 1811 als Oberstlieutenant und Commandeur des 4ten Infant.-Regiments. Eine Schwester dieser Brüder, *Babet* v. W., starb vor einigen Jahren als Stiftsdame von Barschau. Ein Sohn des Oberstlieutenants ist Premier-Lieutenant und Adjutant im 1sten Cürassier-Regiment zu Breslau.

Woyersch, die Herren von.

Diese adelige Familie gehört Schlesien an, wo sie zuerst am Ende des 16ten Jahrhunderts vorkommt. Mit Martha v. Raussendorf erheirathete *Melchior* v. W. zu Pribisch das Gut Logischen im Gurauschen. *Adam Heinrich* v. W. war 1664 Herr auf Blumerode bei Neumark, seine Gemahlin war Ursula Mariana v. Kottwitz und Ulbersdorf. Später waren die v. W. auch in der Herrschaft Militsch und noch in neuester Zeit bei Breslau ansässig, wo ihnen das nur eine Meile von Breslau entfernte Pilsnitz gehört. Aus diesem Hause ist der Geh. Regierungsrath v. W. in Breslau. Ein Bruder desselben verlor vor einigen Jahren sein Leben im Zweikampf mit einem v. Prittwitz. — Die v. W. führen ein quer in Silber und blau getheiltes Schild, darin befinden sich drei in einen Triangel gelegte Lilien mit abwechselnden Tinkturen. Auf dem Helme stehen zwei Büffelhörner, ein blaues und ein silbernes. Decken blau und Silber. M. s. Sinapius I. Bd. S. 1042. II. Bd. 1120.

Woyna, die Grafen und Freiherren von.

Die im preussischen Heere dienenden Edelleute dieses Namens sind polnischer Abkunft; sie gehören einer alten vornehmen Familie an, von der der Hauptast im Königreich Galizien ansässig ist. Ein Zweig desselben, *Franz* v. W., kaiserl. wirklicher Geh. Rath, Vice-Kanzler der galizischen Hofkanzlei, gelangte im Jahre 1800 zur gräflichen Würde. — Der älteste der in preussischen Diensten stehenden Brüder v. W. ist Oberst und Commandeur des Cadetten-Instituts in Culm, Ritter des eisernen Kreuzes u. s. w.; der zweite ist Major im 10ten Infanterie-Regiment, der dritte ist Major im 8ten Infanterie-Regiment, Ritter des eisernen Kreuzes. Zweige der in unsern Staaten lebenden v. W. schreiben sich v. Woyna-Dewitz und v. Woyna-Osmiatowski. Ein Hauptmann v. W.-Dewitz schied 1828 als Capitain aus dem 17ten Infanterie-Regiment; ein Lieutenant v. W.-Osmiatowski stand 1806 in dem Infanterie-Regiment Jung-Larisch.

Wriechen, Herr von.

Der Justizrath Steobanus, auf Romahn bei Greiffenberg in Pommern, wurde am 10. Juli 1803 unter dem Namen v. Wriechen geadelt. Das ihm beigelegte Wappen zeigt im silbernen Felde ein blau und silbernes Schach, über dem ein blauer Löwe sich emporhebt. Am obern Rande des Schildes stehen drei goldene Sterne. Auf dem Helme wehen drei Straussenfedern, die äussern blau, die mittlere weiss. Decken blau und Silber.

Wrschowetz Sekerka v. Sedczicz, die Grafen, Bd. IV. S. 356.

Quellen zur Geschichte dieses vornehmen Hauses sind: *Jaroslaw* Graf v. W., annalecta historiae über das alte Geschlecht W. Dresden 1667 in Fol. Ballin, Stammhaus der W. Lucae, Fürstens. 1288—1301. Balbini, Tab. genealog. P. II. Dessen Epitome rer. Bohem. p. 186—244. Sinapius I. Th. S. 811. II. Th. S. 274. Gauhe I. Th. S. 2102. Zedler LIX. Bd. S. 681—685.

Wulfheim, die Grafen, Freiherren und Herren von.

Albert v. W., Droste des Bischofs zu Münster, erscheint zuerst 1170 und dann 1173 auf der Fürstenversammlung in Goslar. Er muss ein jüngerer Sohn der Wulfen, Drosten zu Ludinghausen, gewesen sein, denn erstens liegen die Besitzungen beider Familien unter einander vermengt, zweitens nennt sich *Bernhard* Droste Dapifer de Ludinghausen und führt einen Wolfskopf im Wappen, während sein Vater und sein Bruder *Albert* einen fünfzackigen Turnierkragen über dem silbernen Schilde und in rothem Felde führen. Alle andere Glieder der Familie führen das frühere, noch jetzt gebräuchliche Wappen. Das Stammgut der Familie ist das Allodialgut Vischering, Kreis Ludinghausen. Das Drosten-Amt ging stets auf den Aeltesten über und deshalb heisst die Stammlinie Erbdrosten des Fürstenthums Münster.

Bernhard III. hinterliess im Jahre 1331 zwei Söhne, nämlich *Heinrich* II. und *Albert* V.

Heinrich II. erbte die mütterlichen Güter und seine Nachkommen setzten die Familie fort bis auf *Clemens August* I., Reichsfreiherrn Droste zu Vischering, Erbdrosten des Stifts Münster, vermählt mit Sophia Alex., Droste zu Füchten.

Dessen Kinder:

1) *Adolph Heidenreich*, Stammhalter (gest. 1826).
2) *Caspar Max*, Bischof zu Münster und Domherr zu Halberstadt.
3) *Bernardina*, Gemahlin des Reichsgrafen v. Plettenberg-Lennhausen.
4) *Rosine*, vermählt mit Max, Freiherrn v. Böselager zu Heesen (gest. 1817).
5) *Clemens August*, Erzbischof zu Cöln.
6) *Franz*, Domherr zu Münster und Hildesheim (gest. 1825).
7) *Max Heidenreich* (s. unten).
8) *Joseph*, k. k. österreichischer General.
9) *August*.

ad 1. *Adolph Heidenreich*, Erbdroste, vermählt a) mit Antoinette Gräfin v. Merveldt, und b) mit Charlotte Gräfin v. Nesselrode-Reichenstein.

Kinder erster Ehe:

1) *Maximilian Heidenreich*, jetziger Erbdroste;
2) *Sophia* (gest. 1826).

Sohn zweiter Ehe:

3) *Felix Bernhard*.

Da der Minister Graf v. Nesselrode keine männlichen Erben nachliess, so vermachte er sein Vermögen an seinen Enkel *Felix* Droste, derselbe musste sich jedoch in den Grafenstand erheben lassen und das Wappen der Nesselrode nebst dem Namen annehmen. Bei dieser Gelegenheit erhob der König auch zugleich die Stammlinie der Drosten Vischering in den Grafenstand.

Maximilian Heidenreich, ältester Sohn von *Adolph Heidenreich*, vermählt mit Auguste Gräfin Aicholt. Kinder: 1) *Charlotte*, 2) *Kunigunde*, 3) *Johanne*, 4) *Auguste*, 5) *Clemens*, 6) *Franz*.

Der zweite Sohn, *Felix Bernhard*, erhielt bei der Erhebung in den Grafenstand den Namen Graf Droste-Vischering von Nesselrode-Reichenstein. Sein Wappen ist in Bernd's Wappenbuch der Rheinprovinzen zu sehen. Vermählt seit dem 2. Mai 1835 mit Maria Theresia Gräfin v. Bocholtz-Asseburg zu Hinneberg.

ad 7. *Max Heidenreich*, fünfter Sohn des Erbdrosten *Clemens August* und der Sophia Freiin Droste zu Füchten, vermählte sich mit Regina Freiin v. u. zu Padtberg, Erben zu Padtberg, Kreis Brilon. Kinder: 1) *Ludowich*, 2) *Sophie*, 3) *Bernardina*, 4) *Max*, 5) *Franz*. 1833 trat der Vater die Güter seinem zweiten Sohne *Max* ab, und dieser vermählte sich 1834 mit Theresia Gräfin v. Galen.

Wie wir gesehen, hatte *Bernhard* III. im Jahre 1331 noch einen zweiten Sohn, *Albert* V. Dessen Sohn *Alexander* I. heirathete das Fräulein v. Senden, ein Erbfräulein, und ward der Stifter der Freiherren Droste v. Senden. Einer seiner Nachkommen, *Karl Friedrich*, vermählte sich 1777 mit Theresia Freiin v. Troickel auf Havixbeck.

Kinder:

1) *Maximilian*, Stammhalter.
2) *Sophie*, vermählte Freiin v. Kanne zu Bruchhausen.
3) *Edmund*, kaiserl. österreichischer Kammerherr.

4) *Franz*, königl. preuss. Major (starb 1828).
5) *Christoph*, Pfarrherr zu Lembeck.

Maximilian vermählte sich 1810 mit Therese, geb. Freiin v. Waelos, verwittwete v. Spiegel. Kinder: 1) *Marie*, geb. 1812. 2) *Antonie*, geb. 1819. 3) *Clemens*, geb. 1821.

Diese Nachrichten sind grösstentheils aus den Privat-Archiven gezogen.

Wunster, die Herren von.

Der Gutsbesitzer *Johann Jacob* W. in Schlesien wurde im Jahre 1791 in den Reichsadelstand erhoben und derselbe vom König bestätigt. — Es führt diese Familie im blauen Schilde einen aufspringenden silbernen Hirsch, der verkürzt auf dem gekrönten Helme steht. Decken blau und Silber.

Y.

Yorry, die Herren von, Bd. IV. S. 361.

Diese Familie stammt aus Irland; mehrere ihrer Vorfahren haben daselbst bedeutendes Grundeigenthum gehabt und sowohl weltliche als geistliche Aemter bekleidet; einige derselben sind Bischöfe gewesen. Der Grossvater des jetzt noch lebenden königl. preuss. Majors v. Y. war Oberst in englischen Diensten und Stallmeister bei den Königen Georg II. und III. Dieser hatte zwei Söhne; der älteste trat in den letzten Jahren des siebenjährigen Krieges als Volontair-Offizier bei dem hannövrischen Husaren-Regiment Lückner ein, welches anfänglich zum Herzog Yorkschen Corps gehörte und später unter den Befehl des Herzogs von Braunschweig kam, bei welchem er während des Krieges Ordonnanz-Offizier war, und als solcher zwei Mal mit Depeschen an den grossen König Friedrich II. geschickt wurde. Dieser war so gnädig, ihn als Rittmeister im preussischen Dienste bei den schwarzen Husaren anzustellen. In Preussen vermählte er sich mit einer Baronin v. Klingsporn; er nahm den Abschied und erhielt von seinem Schwiegervater das Gut Roggenhausen bei Gardensee an der Weichsel. Aus dieser Ehe sind drei Söhne, der oben erwähnte preuss. Major, und zwei sind im Kriege geblieben. — Der jüngste Sohn des oben erwähnten Stallmeisters u. s. w. trat in französische Dienste, wo er in dem Revolutions-Kriege Adjutant bei Massena war, und vor mehreren Jahren in Paris als General gestorben ist. — Das Wappen der Familie v. Y. ist quadrirt. Die Felder 1. und 4. sind roth, die Felder 2. und 3. silbern; die darin befindlichen Bilder sind drei Tauben, ein Andenken an die in den Kreuzzügen vorhandenen Taubenposten, ein halber Mond und Sterne, ferner drei Thürme und eine auf dem Kreuz sitzende Eule. Die Devise des Schildes heisst *pro fide regis*.

Z.

Zander, die Herren von, Bd. IV. S. 362.

Wappen. Ein gespaltenes Schild, die rechte Feldung ist quer in schwarz und Silber getheilt. In der obern schwarzen Hälfte ist ein schwimmender Zandt oder Zander, in der untern silbernen Hälfte ein schwarzer Anker vorgestellt; in der linken blauen Hälfte stehen drei Korngarben, oben zwei, unten eine. Auf dem gekrönten Helme wachsen zwischen zwei schwarzen Adlerflügeln sieben goldene Kornähren. Decken rechts schwarz und Gold, links Gold und blau.

Zayzeck, die Herren von.

Es standen zwei Edelleute dieses Namens im Jahre 1804 im 3ten Musketier-Bataillon des Regiments v. Lattorff, nachmals v. Kropf in Warschau. Der ältere war Capitain und ist 1809 gestorben. Der jüngere hatte 1805 seine Dimission genommen.

Zehmen, die Herren von.

Dieses altadelige Geschlecht schrieb sich in früheren Zeiten auch v. Tzemen; es gehört Chursachsen, Sachsen-Gotha, Franken und den Rheinlanden, Preussen, Polen und Ungarn an. Heinrich II. soll im Jahre 1003 einem tapfern Ritter, der seine Feinde zu bezähmen verstand, den Namen Ritter Zehmen beigelegt haben. Er wurde der Stammvater des Geschlechtes, doch ist die ordentliche Stammreihe nur bis zum Jahre 1291 hinaufzuführen. — Einer v. Z., Herr auf Schmöllen, ist gegenwärtig Domherr zu Merseburg. — Diese adelige Familie führt im Schilde ein silbern und schwarzes, von zwei blauen Balken quer durchzogenes Schach, und auf dem Helme fünf Straussenfedern (schwarz, Silber, blau, schwarz und Silber). M. s. Enzel's altmärk. Chronik 6. 61. Beckmann's anhaltische Hist. V. Th. II. 7. 299. III 604. Seifert's Beschreibung 215—221. Gleichenstein No. 9. König I Th. 1091 II. Th. 129. III. Th. 53. Gaube I. Th. 2114 u. f. Zedler LXI. Bd. 468—491. v. Hattstein II. Th. 579. v. Uechtritz, diplom. Nachrichten von 1693—1756. Siebmacher I. Th. 160. No. 8. v. Meding I. Th. No. 990.

Zerbst, die Herren von.

Dieses alte adelige Geschlecht führte in frühern Zeiten die Namen Zerwist, Tserwist, Tserewist, Scerwist, Czerwist, Zscherewist, Cherewist, Cerwist und Cervest. Seinem Ursprunge nach gehört es den anhaltischen Ländern an, wo die gleichnamige Stadt sein Heimathsort ist. In derselben hat es früher ansehnliche Besitzungen gehabt. Der Ahnherr desselben war *Richard* I., Herr zu Zerbst, der in der zweiten Hälfte des 12ten Jahrhunderts lebte. Gegenwärtig steht ein Herr v. Z. als Assessor bei dem Oberlandesgericht zu Greifswald. Es führt diese Familie im silbernen Schilde drei rothe Löwenköpfe, und auf dem Helme einen verkürzten rothen Löwen. Decken roth und Silber. — Ein sehr gründliches Manuscript giebt die Historie der Herren v. Z., eingerückt in Zedler's LXI. Bd. 1602—1634. M. s.

ferner Behren's Beschreibung der Herren v. Steinberg S. 478. Seifert S. 43. Sinapius I. Th. S. 1081. II. Th. S. 1038. Siebmacher I. Th. S. 168. No. 4. v. Meding III. Th. No. 990. Gauhe I. Th. S. 2220.

Zerssen, die Herren von.

In Niedersachsen, namentlich im Braunschweigischen und Westphalen ist dieses altadelige Geschlecht seit langen Jahrhunderten bekannt. Die ältesten Besitzungen desselben liegen in der Grafschaft Schaumburg; auch in Schlesien kommen Edelleute dieses Namens vor; sie sollen sogar schon seit der Mitte des 15ten Jahrhunderts hier ansässig gewesen sein, doch macht Sinapius nicht Erwähnung von ihnen. In der Gegenwart ist *Friedrich Wilhelm Ludwig* v. Z. Domdechant zu Naumburg. Siebmacher giebt das Wappen dieser Familie unter den Braunschweigern im I. Th. S 180. M. s. auch König I. Th. S. 238. 829. II. Th. S 88. 110. III. Th. S. 113. 445 u. f. Gauhe I. Bd. S. 2220. II. Bd. S. 1330. Zedler LXI. Bd. S. 1692. Tyroff Taf. 249.

Zeschau, die Herren von.

Eine alte adelige sächsische und jetzt auch preussische Familie. Landgraf Friedrich dotirte *Caspar's* v. Z. Gemahlin mit verschiedenen Gütern zu Frohburg, Eschenfeld und Koren, dat. Aldinburg in die b. Georgii a. 1392. 23. April. (M. s. Horn, Leben Friedrichs des Streitbaren S 690). — In früherer Zeit, vielleicht im 14ten oder 15ten Jahrhundert, besassen sie Amtitz bei Guben. Die Familie bestand schon seit 200 Jahren aus den Häusern Drehna und Jessen bei Sorau.

Georg Abraham v. Z., Landesältester des Gubenschen Kreises, Herr auf Drehna, seine Gemahlin war Katharina Eleonore v. Loeben aus dem Hause Briessnigk bei Forste. Deren Sohn war:

A. *Balthasar Gottlob Erdmann* v. Z., kurfürstl. sächsischer Rittmeister und gewesener Landesdeputirter, Erb-, Lehn- und Gerichtsherr auf Jessen und Güritz bei Sorau, geb. den 21. Novbr. 1710 zu Draehna, gest. den 18. Juli 1784. Er wohnte dem Kriege in Polen bis gegen 1736, so wie der Belagerung Danzigs mit Herzhaftigkeit und Treue bei, marschirte nach Ungarn, wo er der siegreichen Bataille bei Weddin beiwohnte. Zu Ende des zweiten Jahres dieser Campagne nahm er mit Rittmeisters-Charakter seinen Abschied. Seine Gemahlin war *Helene Tugendreich* v. Z., die Letzte aus dem Hause Jessen und Güritz, vermählt den 14. Juni 1739, gest. den 4. Septbr. 1774. Ihre Mutter war Renate Sophie v. Z., geborne v. Bünau aus Matzdorf.

Kinder:

a) *Balthasar Heinrich Erdmann* v. Z., königl. polnischer churfürstl. sächsischer Hofrath, Herr auf Jessen und Güritz u. s. w., vermählt 1) mit einem Fräulein v. Meyer zu Knonow aus dem Hause Schnellfürthel, 2) mit Friederike v. Schoenaich aus dem Hause Kalke bei Triebel. Er starb den 17. Jan. 1810.

Kinder erster Ehe:

1) Der königl. sächs. Finanzminister *Heinrich Anton* v. Z. zu Dresden, vermählt mit einem Fräulein v. Watzdorf und hat eine Tochter *Clara*.
2) Der sächs. Lieutenant der Cavallerie *Ernst Balthasar* v. Z., Herr

auf Jessen und Güritz, vermählt mit Emilie v. Klix. Kinder: a) *Hugo*, b) *Alwine*.

3) *Emilie Julie* v. Z., vermählt mit dem sächs. Hauptmann August Leopold v. Francois auf Ekartswalde-Baudach und Schniebingen bei Sorau.
4) *Julie Friederike* v. Z., vermählt mit dem Prem.-Lieutenant der Garde du Corps in sächs. Diensten, Ludwig Wilhelm v. Rabenau, Herrn auf Tschenen, von 1819 an Herr auf Stadt und Dorf Gassen.
5) *Clementine* v. Z., vermählt mit dem sächs. Hauptmann Louis v. Francois auf Kochsdorf (unweit Muskau in Schlesien).

Tochter zweiter Ehe:

6) *Laura* v. Z., vermählt mit dem Hauptmann v. Klinguth zu Briesnigk bei Forste.

b) Eine Tochter des Rittmeisters v. Z., vermählt mit dem fürstl. schwarzburgischen Commissionsrath Johann August Thiele v. Thielenfeld.

c) Die zweite Tochter desselben, vermählt mit dem Herrn v. Berge auf Klein-Düben.

d) Die dritte Tochter desselben, vermählt mit dem Oberforstmeister v. Wolfingen in Pförten.

e) Die vierte Tochter desselben, vermählt mit dem Baron v. Haugwitz auf Ober-Gorpe bei Sagan.

Ein Bruder des Rittmeisters *Balthasar Gottlob Erdmann* v. Z. auf Jessen war:

B. *Johann Adolph* v. Z. auf Drehna u. s. w., königl. und gräflich Brühlscher Amtshauptmann zu Forste und Pförten, vermählt mit Dorothea Elisabeth v. Sack aus dem Hause Heinensdorf bei Züllichau. Er starb 1778.

Kinder:

1) *Balthasar Sigismund* v. Z., königl. sächsischer Oberst und Unter-Commandant von Königstein.
2) *Eleonore Christine* v. Z., vermählt mit dem Freiherrn v. Arnold auf Gross-Bohrau.
3) *Johann Wolf Adolph* v. Z., Herr auf Drehna, gest. 1807.

Dessen Kinder:

a) *Johann Adolph Sigismund* v. Z., königl. sächs. Oberstlieutenant und Ritter des Heinrichsordens, vermählt mit seiner Schwestertochter Henriette Wilhelmine Amalie v. Wulffen.
b) *Wilhelmine Charlotte Helene* v. Z., vermählt mit Herrn v. Elterlein auf Driesnitz bei Cottbus.
c) *August* v. Z., Offizier in sächs. Diensten, Wittwer von einem Fräulein v. Fuchs.
d) *Ferdinand Karl* } v. Z., Offiziere in sächs. Diensten.
e) *Karl* }

4) *Helene Christiane Elisabeth* v. Z., geb. den 16. Febr. 1752, vermählt den 23. Jan. 1770 mit dem königl. preuss. Hauptmann Johann Friedrich Ludwig v. Rabenau, Herrn auf Tzschenen, Niewerll und Schniebingen bei Sorau. Sie starb den 13. Mai 1792 zu Tzchenen.

Wappen. Die Felder sind, vier schwarz und silberne, übers Eck durchschnitten von einem rothen Balken. Auf dem Helme wächst aus einer orientalischen Mütze eine silberne Säule, umgeben von einem Rosenkranze.

Ziegler, die Herren von, Bd. IV. S. 372.

Wappen. Das goldgeränderte Schild ist durch einen rothen Schrägbalken in zwei Felder getheilt. Im obern blauen Felde steht ein goldener, drei übers Kreuz gelegte Pfeile haltender Löwe; im untern silbernen Felde ist ein schwarzer Adlerflügel vorgestellt. Der Balken ist mit drei schwarzen Kugeln belegt. Der gekrönte Helm ist mit vier Straussenfedern besteckt, die äussern sind weiss, die mittlern schwarz, zwischen den letztern liegt ein mit dem Griff auf der Krone ruhender kurzer Degen. Decken rechts schwarz und Silber, links blau und Gold.

Zincken, die Herren von, Bd. IV. S. 376.

Wappen. Im blauen Felde ein grüner Granatenzweig. Auf dem Helme zwei schwarze, mit den Kleestengeln belegte Adlerflügel, dazwischen ein weissgerüsteter, das Schwert schwingender Arm. Dekken blau und Gold.

Zoglowski, Frau von.

Der König Friedrich Wilhelm II. adelte am 7. Septbr. 1789 die *Mariane* Z., natürliche Tochter des Grafen Gaschin.

Zugehör, Herr von.

Ein Edelmann dieses Namens stand 1806 in dem Regiment v. Plötz in Warschau und fiel 1814 als Capitain des 10ten Infanterie-Regiments auf dem Felde der Ehre. Ausser demselben ist uns kein Mitglied dieser Familie bekannt geworden.

Register des Supplementbandes.

C.

L.

Druck von C. P. Melzer in Leipzig.

lands, der Schweiz, Ungarns, Croatiens, Slavoniens und Siebenbürgens, Frankreichs, der Niederlande und die Seebäder an den Küsten der Nord- und Ostsee, ihre Lage, Besitzer, Einrichtungen, Eigenthümlichkeiten, Wirkungen, Lebensart, Vergnügungsörtern, Theurung oder Wohlfeilheit, ihre neueste Literatur und neuesten Analysen. 8. 1834. geb. (35 Bogen.) Preis 1½ Thlr.

2) **Reisetaschenbuch**, oder statist.-histor. Wegweiser durch die Königl. Sächsischen, Grossherzogl. u. Herzogl. Sächs., Fürstl. Schwarzburgschen und Fürstl. Reussischen Länder. Nebst einer Reisekarte. 8. 1834. gebunden u. in Futteral, (20 Bogen.) Preis 21 Gr.

Von anderen unserer neuesten Verlagswerke erlauben wir uns folgende als besonders empfehlenswerth zu bezeichnen:

Allgemeines deutsches

Conversations-Lexicon

für

die Gebildeten eines jeden Standes,

mit den gleichbedeutenden Benennungen der Artikel in der latein., franz., englischen und italien. Sprache, nebst der deutschen Aussprache der Fremdwörter.

Herausgegeben von einem Vereine Gelehrter.

In zehn Bänden.

(Lexic.-Octav, in **600** Bogen **18000** Artikel enthaltend.)

Ausserordentlich niedrige Preise

der vier verschiedenen Ausgaben:

Auf gutem Druckpapier
complet jetzt 10 Rthlr. — Gr.

Auf fein Patentvelinpapier
complet jetzt 11 Rthlr. 16 Gr.

Auf fein Postschreibpapier
complet jetzt 13 Rthlr. 8 Gr.

Auf ff. Velinpapier
complet jetzt 16 Rthlr. 16 Gr.

Mit dem kürzlich erschienenen zehnten Bande ist das Werk **vollendet**, welches sich schon nach seinem äusseren Umfange den reichhaltigsten der vorhandenen Conversations-Lexica anschliesst, die meisten derselben aber, obgleich verhältnissmässig viel wohlfeiler, als alle, in dieser Hinsicht weit hinter sich zurücklässt. Dass unser Conversations-Lexicon jetzt unbedingt das wohlfeilste seiner Art ist, geht daraus hervor, dass jeder der zehn

Bände von durchschnittlich 60 Bogen Lexicon-Oktav in der Ausgabe auf Druckpapier nur 1 Thaler, mithin der Bogen kaum fünf Pfennige kostet. — Eine Vergleichung mit andern Werken dieser Art wird nicht nur den ganz eigenthümlichen und unabhängigen Plan desselben, sondern auch seinen besondern Geist und seine Reichhaltigkeit deutlich zeigen. — Die Tendenz dieses Werkes ist übrigens eine rein historische, aber dadurch eben konnte sowohl eine Vollständigkeit erzielt werden, wie sie sich in keinem Werke der Art findet, als es dadurch, dass die einzelnen Fächer ausschliesslich von tüchtigen Männern ihres Faches bearbeitet wurden, möglich geworden ist, den einzelnen Artikeln auch einen vollkommenen Zusammenhang unter sich selbst zu geben, so dass das Conversations-Lexicon nicht allein zum Nachschlagen über einzelne Gegenstände, sondern auch vorzüglich zu einer zusammenhängenden Lectüre geeignet ist. Nicht leicht wird dabei eine Lücke sich zeigen; vielmehr werden die Zusammenstellungen gleichartiger Gegenstände in grössere Artikel, wie sie hier zuerst versucht sind, dem Leser noch dazu manche Erleichterung der Uebersicht gewähren. Indem wir nur noch auf die Vollständigkeit, mit welcher vorzüglich die deutsche Literaturgeschichte behandelt ist, und die bestimmten unparteiischen Urtheile über die einzelnen Erscheinungen in derselben aufmerksam machen, empfehlen wir dies Werk besonderer Aufmerksamkeit.

Bestellungen werden in allen Buchhandlungen angenommen.

K. L. von Knebel's

literarischer Nachlass und Briefwechsel.

Herausgegeben von

K. A. Varnhagen von Ense und ***Th. Mundt.***

I. Bd. (mit Knebel's lithogr. Bildniss) 21 Bogen; — II. Bd. 32½ Bogen; — III. Bd. (mit 1 Stahlstich, Knebel's Profil nach einem Relief von Friedrich Tieck darstellend) 32 Bogen. gr. 8. brosch.

Preis 3 Thlr.

Inhalt des I. Bandes: *K. L. v. Knebel's Leben*; — *Knebel's Gedichte*; — *Briefwechsel*; darin die *Briefe Karl August's*, Grossherzogs, und der hohen Frauen *Amalie* und *Luise*, Herzogin und Grossherzogin von Sachsen-Weimar, *F. H. v. Einsiedel's* und *K. v. Dalberg's* an Knebel.

Inhalt des II. Bandes: *Briefwechsel* (Fortsetzung): darin die *Briefe* von *Ramler*, *Anna Luise Karschin*, *Gleim*, *Fr. Jacobi*, *Boie*, *Fr. Nicolai*, *Grossmann*, *Wieland*, *Herder*, *Caroline Herder*, *Lavater*, *H. Meyer*, *Jean Paul*, *Matthisson*, *Hegel*, *Fernow*, *J. D. Falk*, *J. H. Voss*, *Franz Passow*, *Oken*, *Zacharias Werner*, *F. A. Wolf*, *Ch. G. Schütz* an Knebel; — und von *Knebel* an seinen Freund Gilbert, an seine Schwester Henriette, an Herder und an Caroline Herder. —

Inhalt des III. Bandes: *Briefwechsel* (Beschluss): darin *Knebel's Briefe* an Fräul. v. Bose, Böttiger, den Kanzler v. Müller, — und *vermischte Briefe von Knebel*. — *Knebel's vermischte Schriften*, als:

Schweizerwanderungen; Phantasien; Maximen und Bilder; Fabeln. — *Philosophische und ästhetische Aufsätze.* — *Tagebuchsblätter und Denkbücher.* — *Zu Lukrez und Properz.* — *Zerstreute Blätter und Fragmente.* — Als *Anhang*: Zwei Briefe von *Knebel* an den Geh. Staatsminister *Freiherrn von Altenstein.* —

Von dem, dem dritten Bande beigegebenen, Stahlstich ist nur eine der Stärke der von uns veranstalteten Auflage des Werkes nicht gleichkommende Anzahl von Exemplaren vorhanden. Es dürfen daher nur noch die ersten Käufer auf die Zugabe rechnen, welche dem Bande, der ausschliesslich Knebel's eigne Schriften enthält, gewiss einen eben so passenden, als würdigen Schmuck verleiht. —

Galerie von Bildnissen

aus

Rahel's Umgang und Briefwechsel.

Herausgegeben von

K. A. Varnhagen von Ense.

2 Theile. gr. 8. brosch. Preis 2¼ Thlr.

Um auf die Wichtigkeit dieses Werkes des geachteten und bekannten Herrn Verfassers aufmerksam zu machen, geben wir hier den Inhalt an:

I. Theil.

David Veit; *Henriette Mendelssohn*; *Karl Joseph Fürst von Ligne*; *Wilhelm von Burgsdorf*; *Thomas Young*; *Karoline von Humboldt*; *Peter von Gualtieri*; *Josephine Gräfin von Pachta*; *Hans Genelli*; *Karoline Gräfin von Schlabrendorf*; *Friedrich von Schlegel*; *Prinz Louis Ferdinand von Preussen.*

II. Theil.

Graf von Tilly; *Alexander von der Marwitz*; *Oelsner*; *Adam von Müller*; *Friedrich von Gentz.*

Ausser den vom Verfasser geschriebenen Biographien vorgenannter Personen sind auch deren höchst interessante Briefe an Rahel in diesem Werke enthalten.

Aus dem Leben

eines Gespenstes.

Von

Brennglas.

In Umschlag, 25¼ Bogen. 8. 1 Thlr. 21 Gr.

Der beliebte Schriftsteller übergiebt hiermit dem Publikum sein neuestes Werk, welches in seinen mannigfaltigen, meist humoristischen Mittheilungen das Interesse der Leser vorzugsweise ansprechen wird.

Leipzig, 1839.

Gebrüder Reichenbach.

MIX
Papier aus verantwortungsvollen Quellen
Paper from responsible sources
FSC® C141904

Druck:
Customized Business Services GmbH
im Auftrag der KNV-Gruppe
Ferdinand-Jühlke-Str. 7
99095 Erfurt